La communicatio professionnelle en santé

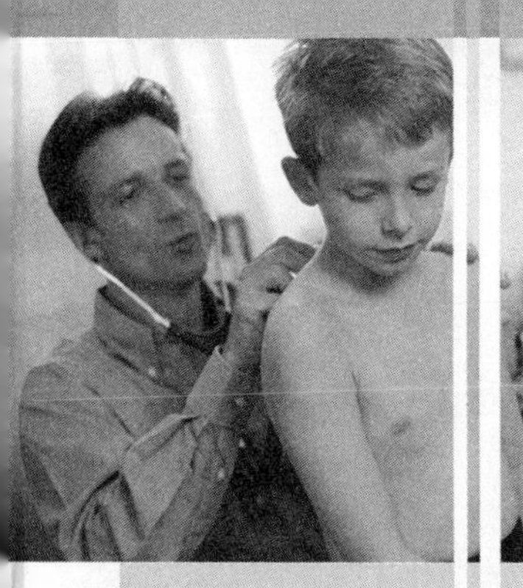
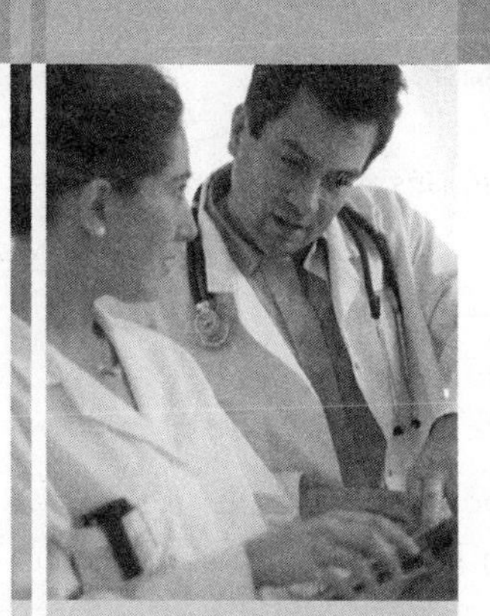

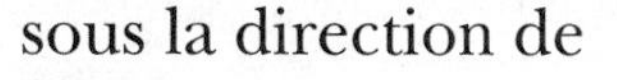

sous la direction de

Claude Richard
M.A. (psychologie),
Ph. D. (psychologie) (c)

Marie-Thérèse Lussier
M.D., M. Sc. (psychologie)

www.erpi.com/richard.cw

ERPI
ÉDITIONS DU RENOUVEAU PÉDAGOGIQUE INC.
5757, RUE CYPIHOT, SAINT-LAURENT (QUÉBEC) H4S 1R3
TÉLÉPHONE : (514) 334-2690 TÉLÉCOPIEUR : (514) 334-4720
COURRIEL : erpidlm@erpi.com www.erpi.com

Supervision éditoriale : Christiane Desjardins

Révision linguistique : Philippe Sicard,
Emmanuel Dalmenesche (introduction et chapitres 11 et 22)

Correction d'épreuves : André Duchemin

Recherche iconographique : Chantal Bordeleau

Supervision de la production : Muriel Normand

Conception graphique de l'intérieur : Frédérique Bouvier

Conception graphique de la couverture : Marie-Hélène Martel

Illustrations : Hélène Meunier, p. 235

Édition électronique : Studio Douville

Dans cet ouvrage, le générique masculin est utilisé sans aucune discrimination et uniquement pour alléger le texte.

Nous remercions le Réseau de la santé des populations du Fonds de la recherche en santé du Québec (FRSQ) pour leur soutien financier à la rédaction de ce volume.

Dépôt légal : 1er trimestre 2005
Bibliothèque nationale du Québec
Bibliothèque nationale du Canada
Imprimé au Canada

ISBN 2-7613-1518-9

1234567890 TG 098765
20314 ABCD VO-7

À nos deux filles, Li-San et Zaffi,
qui ont vu ce livre prendre forme.

Cet ouvrage a été réalisé

sous la direction de

Claude Richard, M.A. (psychologie), Ph. D. (psychologie) (c). M. Richard est spécialisé en communication. Il a l'expérience du milieu médical pour y avoir fait nombre d'interventions en recherche et en pédagogie médicale. Ces dernières années, il a surtout travaillé avec l'Équipe de recherche en soins de première ligne de la Cité de la santé de Laval (Québec). Il vient de terminer les travaux effectués dans le cadre de sa thèse de doctorat, thèse intitulée « L'importance et le rôle du discours sur la médication dans l'entrevue médicale ». Enfin, il est président fondateur de Entre les lignes inc., entreprise de recherche et de communication, et il est intervenu à titre d'analyste-conseil pour une grande variété d'organismes et d'entreprises.

Marie-Thérèse Lussier, M.D., M. Sc. (psychologie). Dre Lussier est professeure agrégée au Département de médecine familiale de l'Université de Montréal et directrice de l'Équipe de recherche en soins de première ligne de la Cité de la santé de Laval (Québec). Ces dix dernières années, elle a mené plusieurs projets de recherche en communication médicale et elle a mis sur pied diverses activités d'enseignement de la communication, tant au premier cycle et au niveau postdoctoral qu'en formation professionnelle continue.

Depuis 1997, ces auteurs collaborent à la rédaction des chroniques « Le dialogue au rendez-vous » et « Psychologie et santé » dans la revue *MedActuel FMC*. Ils ont écrit jusqu'à présent plus de 40 articles sur le sujet de la communication en santé.

avec la collaboration des auteures et auteurs suivants

David Barbeau, M.D.
Responsable de formation clinique, Faculté de médecine, Université de Montréal
CLSC des Faubourgs

Jeanne Bouïsset, M.D.
Responsable de formation clinique, Faculté de médecine, Université de Montréal
CLSC des Faubourgs et Centre de recherche et d'aide pour narcomanes (CRAN)

Richard Boulé, M.D., M.A. (pédagogie sciences de la santé)
Professeur titulaire et directeur du Département de médecine familiale, Faculté de médecine, Université de Sherbrook

Raymond Caron, B. Pharm., M.A. (orientation et counseling)
Chargé de cours, Faculté de pharmacie, Université Laval
Pharmacien en milieu communautaire

Nathalie Champoux, M.D., M. Sc.
Professeure agrégée de clinique, Faculté de médecine, Université de Montréal
Institut universitaire de gériatrie de Montréal

Louise Charbonneau, M.D., M. Sc.
Clinique des jeunes, CLSC des Faubourgs

Luc Côté, M. Serv. soc., Ph. D. (éducation)
Professeur titulaire et directeur du Centre de développement pédagogique, Faculté de médecine, Université Laval

Harold Dion, M.D.
Clinique médicale l'Actuel

Fabie Duhamel, M. Sc. inf. (soins de santé familiale), Ph. D. (psychoéducation)
Professeure titulaire, Faculté des sciences infirmières, Université de Montréal

Pierrik Fostier, M.D.
Chargé de mission, Département Universitaire de FMC, Faculté de médecine de Toulouse-Rangueil (France)

Pascal Gache, M.D.
Médecin adjoint, Unité d'alcoologie, Département de médecine communautaire, Hôpitaux universitaires de Genève (Suisse)

Jean Gauthier, T.S.P., M. Sc.
Chargé de projet pour les groupes de médecine de famille, Agence de développement de réseaux locaux de services de santé et de services sociaux de la Montérégie

Fabienne Gerard, M. Comm.
Coordonnatrice en communication, Fédération Belge contre le Cancer

Gilles Girard, M. Ps. (psychologie)
Chargé de cours, Faculté de médecine, Université de Sherbrooke

Marc Girard, M.D.
Professeur agrégé de clinique, Faculté de médecine, Université de Montréal
Centre hospitalier universitaire mère-enfant Sainte-Justine

Lise Giroux, M.D., M.A. (éducation)
Professeure titulaire, Faculté de médecine, Université de Montréal

Alain Golay, M.D.
Professeur, Faculté de médecine, Service d'enseignement thérapeutique pour maladies chroniques, Hôpitaux universitaires de Genève (Suisse)

Luce Gosselin, M. O.A.
Orthophoniste, Institut universitaire de gériatrie de Montréal

Johanne Goudreau, M. Sc. inf. (santé mentale et psychiatrie), Ph. D. (santé publique)
Professeure adjointe, Faculté des sciences infirmières, Université de Montréal
Professeure adjointe de clinique, Faculté de médecine, Université de Montréal
Cité de la Santé de Laval

Éveline Hudon, M.D., M. Cl. Sc. (sciences cliniques)
Chargée d'enseignement clinique, Faculté de médecine, Université de Montréal
Cité de la Santé de Laval et Centre hospitalier de Verdun

Suzanne Kurtz, Ph. D. (communication)
Professeure, Facultés d'éducation et de médecine, University of Calgary

Paul-André Lachance, M.D.
Chargé d'enseignement clinique, Faculté de médecine, Université de Montréal
Cité de la Santé de Laval

Yvette Lajeunesse, M.D.
Professeure adjointe de clinique, Faculté de médecine, Université de Montréal
Institut universitaire de gériatrie de Montréal

Lyne Lalonde, B. Pharm., Ph. D. (épidémiologie et biostatistique)
Professeure adjointe, Université de Montréal
Titulaire de la Chaire Aventis en soins pharmaceutiques ambulatoires
Équipe de recherche en soins de première ligne, Cité de la Santé de Laval

Luc Lamarche, Ph. D. (psychologie)
Professeur agrégé, Département de psychologie, Université de Montréal

Yves Lambert, M.D.
Professeur adjoint de clinique, Faculté de médecine, Université de Montréal
CLSC Saint-Hubert

Pierre Lauzon, M.D.
Chargé de formation clinique, Faculté de médecine, Université de Montréal
Membre du Service de toxicomanie du CHUM
Centre de recherche et d'aide pour narcomanes (CRAN), dont il est le fondateur

Paule Lebel, M.D., M. Sc.
Professeure agrégée, Faculté de médecine, Université de Montréal
Institut universitaire de gériatrie de Montréal

François Lehmann, M.D.
Professeur agrégé de clinique, responsable de l'enseignement en soins palliatifs et directeur du Département de médecine familiale, Faculté de médecine, Université de Montréal
Centre hospitalier de Verdun

Christiane Mayer, B. Pharm.
Chargée de cours, Faculté de pharmacie, Université de Montréal
Pharmacienne en milieu communautaire

Marie-Françoise Mégie, M.D.
Professeure adjointe de clinique, Faculté de médecine, Université de Montréal
CLSC du Marigot

Bernard Millette, M.D., M. Sc. (médecine)
Professeur titulaire, Faculté de médecine, Université de Montréal
Cité de la Santé de Laval

Marc Parent, D. P. H., M. Sc.
Professeur de clinique, Faculté de pharmacie, Université Laval
Centre hospitalier universitaire de Québec

Diane Roger-Achim, M.D.
Professeure adjointe de clinique, Faculté de médecine, Université de Montréal
CLSC des Faubourgs

Ellen Rosenberg, M.D.
Professeure agrégée, Faculté de médecine, Université McGill
CLSC Côte-des-Neiges, Hôpital de Montréal pour enfants

Johanna Sommer, M.D.
Médecin adjointe, Département de médecine communautaire, Hôpitaux universitaires de Genève (Suisse)

Robert L. Thivierge, M.D.
Professeur agrégé, Faculté de médecine, et vice-doyen de la formation continue, Université de Montréal
Centre hospitalier universitaire mère-enfant Sainte-Justine

Michel Turgeon, M.D.
Centre médical Sainte-Foy

Marie-Claude Vanier, B. Pharm., M. Sc. (pharmacologie)
Professeure adjointe de clinique, Faculté de pharmacie, Université de Montréal
Titulaire de la Chaire Aventis en soins pharmaceutiques ambulatoires
Pharmacienne, Cité de la Santé de Laval

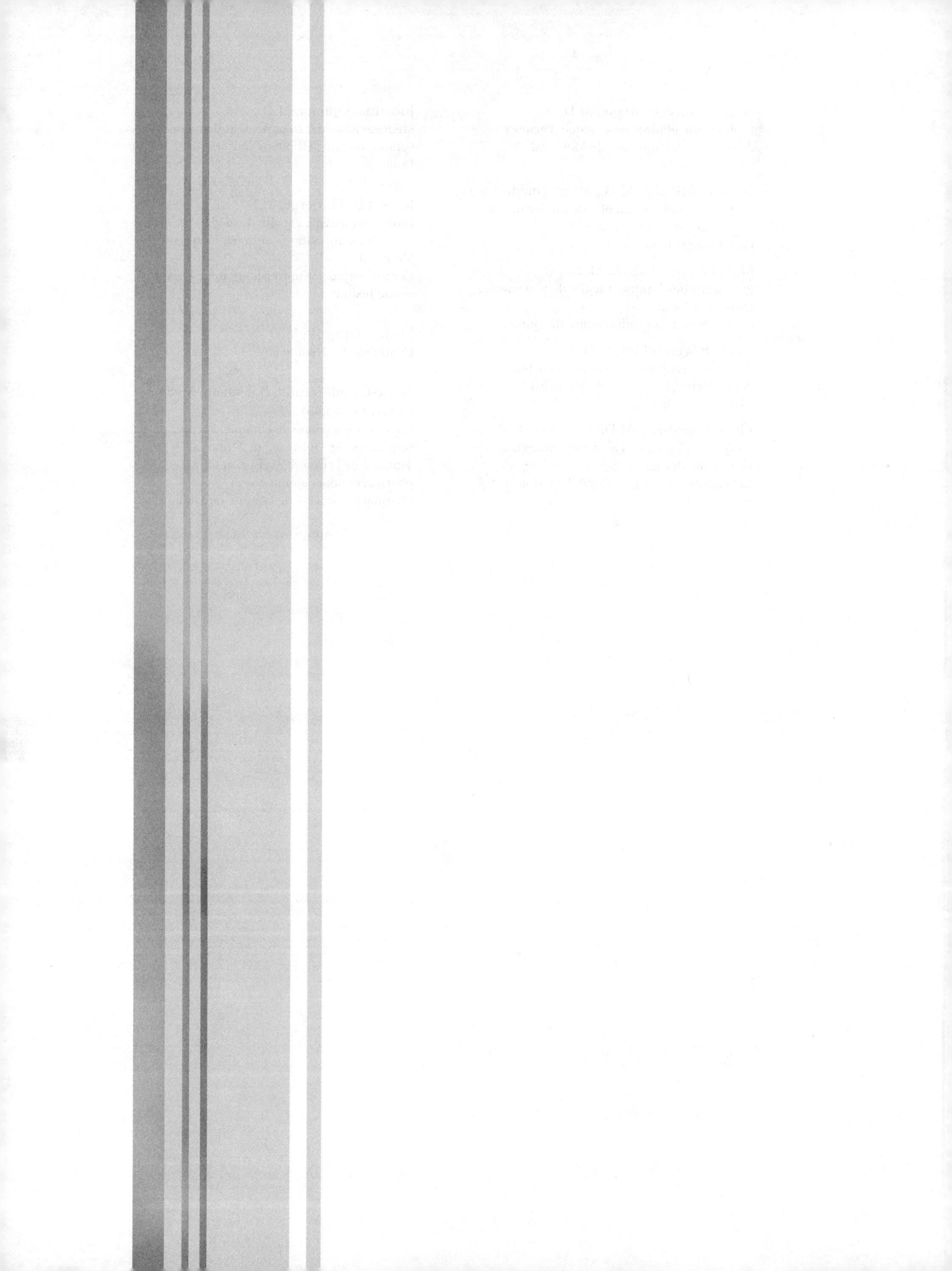

Préface

Dans ce nouveau siècle où nous vivons, les communications se développent plus que jamais : babillards électroniques, télécopieurs, courriels, boîtes vocales, etc. Le résultat : on s'écrit beaucoup, on se laisse des messages, on se voit de moins en moins et on perd de plus en plus de vue la communication verbale et non verbale, si importantes en médecine.

De plus, à cause des moyens électroniques, la population est de plus en plus renseignée et, nécessairement, elle devient de plus en plus exigeante envers tous les services publics. L'attitude jadis paternaliste du médecin est donc bel et bien révolue depuis déjà un bon bout de temps. Malgré cette évolution, en général, les médecins n'ont ni appris ni maîtrisé les compétences requises pour travailler dans un cadre plus participatif, où il faut davantage enseigner, convaincre, argumenter, négocier, etc.

Je garde toujours cette lettre qu'un patient m'a fait parvenir au Collège des médecins et dont voici quelques extraits :

> Je me questionne sur l'absence de psychologie, d'humanisme et de compassion chez certains médecins.
>
> Je reconnais que la science médicale a accompli des exploits, et c'est tout à son honneur. Cependant, l'humain exige plus que des tests, des radiographies et une revue de son dossier pour qu'un professionnel se prononce sur la santé de son corps.
>
> Quand on consulte un médecin, c'est également sa sensibilité, ses états d'âme et son angoisse par rapport à la santé, à la maladie et à la mort qui sont en question. L'approche technique déconnectée des implications humaines oublie l'essentiel qui fait toute la différence entre le courage de guérir ou l'abandon. Je suis convaincu que cette approche technique, quand elle précède l'approche humaine, fait perdre l'efficacité de guérison chez les soignés.
>
> Notre système de santé dépend beaucoup des choix budgétaires du gouvernement et est contrôlé majoritairement par des groupes de professionnels payés à même les impôts de la population. Je souhaite que la formation des diplômés les sensibilise davantage à leur rôle social, psychologique et humain.

Cette lettre démontre clairement, à tout le moins, l'existence de problèmes de communication entre les médecins et leurs malades.

Je voudrais aussi rapporter brièvement deux études en psychologie du comportement, liées à la médecine : l'une porte sur la communication non verbale et l'autre, sur la communication verbale.

Dans la première étude, menée en milieu hospitalier, on a demandé à un groupe de médecins de s'asseoir près du lit du malade pendant cinq minutes au cours de leurs visites et à un autre groupe, de se tenir debout près du lit, aussi pendant cinq minutes. Par la suite, on a demandé aux malades d'estimer la durée de la visite du médecin dans la chambre. En moyenne, les malades du premier groupe ont évalué à 10 minutes la présence du médecin, alors que ceux du second groupe l'estimaient à 3 minutes.

Dans la seconde étude, des malades qu'on devait opérer ont été répartis en deux groupes. Le premier groupe a reçu de la part du chirurgien des explications sur la nature de l'opération et ses conséquences, de même que sur la période postopératoire, alors que l'autre groupe a reçu peu ou pas d'explications. En matière de résultats, les patients du premier groupe ont non seulement séjourné moins longtemps à l'hôpital après l'opération, mais ils ont aussi présenté un taux de complications plus bas que le second groupe.

Comme ces deux études le démontrent, une approche humaine et une communication claire et appropriée semblent avoir un effet positif sur l'attitude du malade et sur l'évolution de son état.

Avec le développement de la technologie, la médecine est devenue une véritable science, mais on oublie de plus en plus, me semble-t-il, que c'est aussi un art multiple. C'est l'art, entre autres, du sens clinique, de l'empathie et du respect à l'égard du malade ; c'est aussi la capacité de s'arrêter, de regarder et de se faire comprendre par lui.

Un vieux pédiatre m'a un jour confié : « On est dans le siècle des communications, on parle beaucoup à nos enfants, mais on ne les écoute pas. » Comme il avait raison. Il en est, hélas, trop souvent ainsi dans nos relations avec nos malades. Même si la communication relève en partie de l'art et que certains possèdent des dons exceptionnels sur ce plan, il reste que la majorité d'entre nous devons posséder des habiletés qui peuvent maintenant être enseignées et, donc, apprises. Bref, les moyens existent, et nous pouvons tous apprendre à mieux communiquer.

Pour toutes ces raisons, vous comprendrez facilement à quel point j'applaudis la publication de ce volume très complet. En plus de faire comprendre que la communication est la base de la relation médecin-patient, ce livre propose plusieurs textes sur l'entrevue médicale. Également, on y aborde tous les aspects essentiels de la communication en santé, qu'il s'agisse des clientèles, du contexte et des lieux dans lesquels on donne les soins, des relations du médecin avec les autres professionnels, particulièrement avec l'infirmière et le pharmacien (qui sont, avec le médecin, les plus proches du malade), ou encore de la nature de l'information à échanger.

Bravo ! et félicitations à l'éditeur, aux directeurs de l'ouvrage, Claude Richard et Marie-Thérèse Lussier, et aux nombreux collaborateurs qui ont accompli un travail très étoffé dans un domaine qu'on se doit de remettre au tout premier plan de la médecine.

Yves Lamontagne, M.D.

Président

Collège des médecins du Québec

Sommaire

Table des matières

PARTIE 5 L'INFORMATION DU PATIENT ... 597

Introduction

L'importance de la communication professionnelle en santé

Les aspects communicationnels et relationnels constituent une dimension essentielle de toutes les activités cliniques des professionnels de la santé, qu'il s'agisse de recueillir des données pour poser un diagnostic, de renseigner, de conseiller les patients et leurs familles sur la maladie, les habitudes de vie et les traitements possibles, de prescrire un traitement ou de réconforter les patients. Ces aspects communicationnels et relationnels sont inhérents aux activités des médecins, des infirmières, des pharmaciens et des autres consultants en santé. La communication constitue une compétence clinique fondamentale. On estime qu'un médecin généraliste effectue entre 160 000 et 200 000 entrevues au cours de sa carrière (Lipkin, Putnam et Lazare, 1995).

Il ne faut donc pas s'étonner que les habiletés communicationnelles et relationnelles soient officiellement reconnues comme une compétence clinique essentielle en médecine, en sciences infirmières et en pharmacie (Collège royal des médecins et chirurgiens du Canada, 1996; Collège des médecins de famille du Canada, 1990; Collège des médecins du Québec et Ordre des infirmières et infirmiers du Québec, 1996; Adam, 1991; Ordre des pharmaciens du Québec, 1998). Ainsi, le Collège des médecins de famille du Canada reconnaît que la relation médecin-patient est un des quatre principes directeurs de la médecine familiale. Par ailleurs, dans un rapport publié en 1996, qui marque le début d'une nouvelle ère en éducation médicale en spécialité au Canada, le Collège royal des médecins et chirurgiens du Canada définit la compétence communicationnelle comme une des sept compétences essentielles que doivent maîtriser les médecins spécialistes. Les six autres compétences essentielles sont l'expertise médicale, la collaboration, la gestion, la promotion de la santé, l'érudition et le professionnalisme.

> Le document *Compétences pour le nouveau millénaire* délimite un cadre de compétences qui aidera les spécialistes de demain à relever les innombrables défis qui les attendent à titre de prestataires de services de santé – défis qui les forceront à évoluer dans un système qui change sans arrêt et qui est toujours en proie à des compressions budgétaires – en offrant des soins spécialisés du plus haut calibre [...] Le Conseil du Collège royal des médecins et chirurgiens du Canada a donné son aval à ce cadre de compétences afin qu'il oriente désormais les programmes d'éducation médicale postdoctorale (PEMP), transformant ainsi la nature des soins de santé au prochain millénaire (Collège royal des médecins et chirurgiens du Canada, 1996, p. I).

Humaniser les soins signifie, dans les faits, modifier la communication entre le patient et le professionnel de la santé pour tenir compte de l'ensemble de la *personne* du patient. Cependant, il est de plus en plus difficile de communiquer *humainement* dans le domaine de la santé, et ces difficultés sont là pour rester. Pour s'en convaincre, il suffit de penser aux différentes influences parfois contradictoires auxquelles sont soumis les intervenants: les réformes actuelles de notre système de santé et les pressions qu'elles exercent sur les soins; les contraintes de temps de plus en plus marquées pesant sur les contacts entre les professionnels de la santé et les patients ; le poids démographique croissant des personnes âgées ; la prévalence accrue des maladies chroniques ; la complexité et la diversité des options thérapeutiques ; la valorisation de l'autonomie des personnes et de leur participation active aux soins ; la démocratisation de l'information médicale, à travers les médias et Internet. Les professionnels de la santé doivent acquérir non seulement un savoir technique et clinique, mais également les habiletés communicationnelles et relationnelles qui leur permettent de faire face à la complexité et à la diversité des tâches qui leur incombent.

Jusqu'à une date récente, on considérait que cet aspect fondamental des soins relevait d'un art qui s'apprenait à travers l'exercice de la profession. Or, dans le domaine de la communication professionnelle en santé, l'expérience seule peut se révéler un bien mauvais maître (Kurtz, 2002 ; Kurtz, Silverman et Draper, 1998). De fait, plusieurs études ont montré qu'on peut enseigner et apprendre les habiletés de communication pour améliorer la communication entre un professionnel et un patient (Kurtz, Silverman, Benson et Draper, 2003 ; Aspegren, 1999 ; Yedidia et autres, 2003 ; Langewitz, Eich, Kiss et Wossmer, 1998). Dans la plupart des domaines où les professionnels doivent entrer directement en relation avec le public, il est maintenant admis que la formation à la communication professionnelle est nécessaire.

Les lacunes observées

Au cours de ces dernières décennies, plusieurs travaux ont permis de mettre en lumière les lacunes des professionnels de la santé en matière de compétences communicationnelles et relationnelles. Ainsi, le médecin comprend souvent mal les raisons pour lesquelles un patient le consulte (Starfield et autres, 1981 ; Maguire, Fairbairn et Fletcher, 1986 ; Beckman et Frankel, 1984 ; Marvel, Epstein, Flowers et Beckman, 1999) ; il sous-estime le désir d'information du patient (Waitzkin, 1984) et accorde une attention insuffisante au contexte de vie du patient et aux facteurs psychosociaux (Ormel, Koeter, Van Den Brink et Van De Willige, 1991 ; Arborelius et Bremberg, 1992). Les médecins eux-mêmes reconnaissent que la communication avec les patients est une de leurs principales difficultés dans l'exercice de leur profession, en particulier dans le cas des patients atteints de maladie chronique aux prises avec des problèmes d'observance (Beaulieu, Leclere et Bordages, 1993).

Selon les enquêtes de satisfaction menées auprès des patients, c'est en matière de communication que ces derniers ont le plus de critiques à faire à l'égard des médecins : 19 % des patients disent avoir un problème de communication avec leur médecin (Bertakis, Roter et Putman, 1991 ; Robbins et autres, 1981 ; Rowland-Morin et Carroll, 1990). Une étude récente portant sur les attentes et la satisfaction de la population montréalaise à l'égard des services de santé et des services sociaux révèle que les attentes les plus importantes relèvent des dimensions communicationnelles et relationnelles des soins : écoute attentive, explications adéquates, respect (Zins Beauchesne et Associés, 2000).

Par ailleurs, on estime que 70 % à 80 % des plaintes et des poursuites judiciaires en matière médicale sont liées en partie à des problèmes de relation ou de communication : perception par le patient d'une attitude hautaine du médecin, échec de l'échange d'informations ou manque d'attention d'un médecin pressé, par exemple (Levinson, Roter, Mullooly, Dull et Frankel, 1997 ; Beckman, Markakis, Suchman et Frankel, 1994 ; Kravitz et autres, 1996). Ces insatisfactions, qui se manifestent à la fois chez les patients et les médecins, montrent l'ampleur des lacunes existantes. La formation des médecins, en particulier, n'a pas encore permis d'atteindre un niveau professionnel de compétence en communication, bien que l'importance de la communication ait été officiellement reconnue.

Les recherches menées sur l'observance des prescriptions faites par les médecins ont donné des résultats accablants, ce qui constitue un autre indice que tout n'est pas optimal dans le monde de la communication médicale. On estime que le taux de non-observance varie de 30 % à 70 % (DiMatteo et autres, 1993; Haynes, 2001; Desmond et Copeland, 2000; DiMatteo, 1994). Même si ce phénomène repose sur un ensemble de facteurs connus, nul ne peut nier que la communication entre le patient et le médecin y contribue également. Ainsi, dans une tâche aussi classique que la prescription d'un médicament, les médecins donnent souvent aux patients des informations incomplètes et s'informent peu des inquiétudes et des difficultés liées à la gestion des médicaments par les patients; en outre, lors des consultations, moins de 2 % des discussions portent sur l'observance de la médication (Richard et Lussier, 2001).

Dans le domaine de la santé mentale, le style de communication des médecins influe sur leur capacité à détecter des problèmes psychologiques (Goldberg, Jenkins, Millar et Faragher, 1993). Lussier, Rosenberg, Beaudoin, Richard et Gagnon (1998) ont montré qu'au cours de consultations de routine les médecins détectent seulement 30 % des patients présentant un indice de détresse psychologique élevé. Enfin, en matière de prévention et de promotion de la santé, les études telles que celle de Beaudoin, Lussier, Gagnon, Brouillet et Lalande (2001) révèlent que les interventions des médecins sont généralement superficielles et ne permettent que rarement d'explorer de façon approfondie les liens existant entre les facteurs de risque et les problèmes de santé. Les recherches montrent en particulier que la discussion sur les habitudes de vie, qui suppose d'adapter au cas par cas le style d'interaction et l'organisation de la consultation, reste problématique (Goudreau, 2002).

Pourtant, plusieurs synthèses critiques de la littérature médicale ont montré que certains comportements communicationnels des médecins ont une influence positive sur les résultats des soins. D'après une méta-analyse portant sur 41 études (Hall, Roter et Katz, 1988), l'observance des recommandations du médecin et la satisfaction du patient sont d'autant plus fortes à l'issue des consultations que le médecin est plus soucieux de répondre aux besoins d'information du patient et cherche à établir une relation de collaboration plutôt qu'une relation d'autorité. Également, Stewart (1995) a présenté une révision systématique portant sur 21 études de qualité méthodologique supérieure, lui permettant de conclure que la qualité de la communication, à la fois pendant la collecte des informations et la discussion du plan de traitement, influe sur la santé des patients. De plus, diverses mesures de résultats ont montré que la communication a un effet positif sur la santé des patients; elle améliore, par ordre décroissant d'importance, la santé émotionnelle, la disparition des symptômes, l'état fonctionnel, les mesures physiologiques, telles que la tension artérielle et la glycémie, et le contrôle de la douleur. Enfin, on peut conclure qu'une meilleure communication médecin-patient aide le médecin à mieux cerner les problèmes, aide le patient à s'ajuster psychologiquement et améliore la satisfaction du patient et du médecin (Maguire et Pitceathly, 2002; Lewin, Skea, Entwistle, Zwarenstein et Dick, 2004).

En raison des enjeux que les professionnels de la santé doivent actuellement relever, il est essentiel de continuer à approfondir les connaissances scientifiques en matière de communication et, surtout, de leur donner une traduction concrète dans la pratique médicale. Il est d'autant plus important que le professionnel de la santé devienne un bon communicateur qu'il n'est pas naturel pour le patient de communiquer avec un professionnel. Selon Spitzberg et Cupach (2002), 22 % des personnes auraient des difficultés à poser une question, 33 % auraient des difficultés à donner une direction correctement, 35 % ne pourraient ni exposer ni défendre un point de vue correctement et 49 % seraient incapables d'exposer un point de vue avec lequel elles sont en désaccord. Les professionnels de la santé doivent également se garder de tenir pour acquis le niveau des connaissances des patients. Selon un sondage effectué auprès de la population britannique, près de 50 % des adultes interrogés croyaient que Hitler était un personnage de fiction, alors que 25 % croyaient que Robin des bois avait réellement existé (Agence France-Presse, 2004).

De tels résultats, s'ils sont confirmés, devraient inciter les médecins à vérifier les connaissances qu'ils considèrent comme maîtrisées par les patients. Comme le montrent ces données, que méconnaissent les professionnels de la santé, participer activement à la consultation pose des défis importants à nombre de patients. Les professionnels de la santé doivent être sensibilisés à ces difficultés pour pouvoir aider les patients à exprimer leurs besoins en matière de santé et leur apporter un soutien dans la prise en charge de leurs soins. En améliorant la compétence communicationnelle des professionnels de la santé, nous aiderons aussi le patient à mieux communiquer.

La composition de l'ouvrage

Si ce livre s'adresse d'abord aux médecins, nous croyons que tous les intervenants œuvrant dans le domaine de la santé le liront avec profit. L'ouvrage comprend six parties. Dans la première partie, nous exposons les principales théories et les données les plus récentes sur l'état de la communication patient-professionnel en santé. Nous n'avons pas la prétention de faire un exposé exhaustif des théories de la communication interpersonnelle. Nous avons plutôt retenu les points de vue qui, selon nous, sont les plus utiles pour des praticiens dans le domaine de la santé. Si on veut que la pratique évolue, il est utile de savoir quoi faire, mais également pourquoi on le fait.

Dans les deux premiers chapitres, nous mettons particulièrement l'accent sur la communication sociale. Nous tentons de montrer que cette approche est des plus utiles dans le contexte de la communication en santé. Nous proposons une métaphore pour décrire l'ensemble de la relation que le patient entretient avec sa santé et le système de santé : *le dialogue au cœur de l'acte de soigner*. En effet, de la naissance à la mort, chaque personne entretient un dialogue avec les différents intervenants qui l'aident à rester en bonne santé. Les perceptions, les attitudes et les représentations d'un patient, qu'elles soient liées à la santé ou à la maladie, s'élaborent peu à peu à travers le *dialogue* qu'il entretient avec ces intervenants et le système de soins. Inversement, le patient influence dans une certaine mesure les intervenants et, à travers eux, le système de santé lui-même. De ce point de vue, ce dialogue serait le principe qui façonne toutes les facettes de notre vie et de la vie de nos institutions.

Dans le troisième chapitre, nous abordons les aspects éthiques de la communication clinique : un passage obligé tant il est vrai qu'il ne peut y avoir de *pratique éthique* sans communication professionnelle efficace. En effet, l'*actualisation* des principes éthiques passe nécessairement par les mots échangés entre le professionnel de la santé, le patient et les siens.

Le dernier chapitre de cette première partie est consacré aux représentations sociales des maladies. Y sont exposées, outre les principaux modèles théoriques, les façons de faire qui permettent au clinicien de reconnaître les représentations ou les croyances des patients et d'y faire appel au cours des interactions cliniques.

La lecture de cette première partie de l'ouvrage, bien que très importante car elle permet au lecteur de se familiariser avec les assises théoriques du développement de la communication professionnelle, n'est pas essentielle à la compréhension des chapitres suivants.

Dans la deuxième partie de ce livre, nous poursuivons la présentation générale des principaux modèles de la relation médecin-patient. Nous abordons ici les différents modèles de l'entrevue. Nous accordons une attention particulière à l'*approche centrée sur le patient*, en raison de l'importance qui lui a été accordée au cours de ces dernières décennies, à tout le moins dans le cadre des soins de première ligne. Dans ce chapitre, notre but n'est pas d'expliquer pourquoi cette approche est préconisée, mais de déterminer comment elle peut être appliquée adéquatement.

Deux chapitres de cette partie portent sur l'entrevue médicale elle-même : dans le chapitre 7, nous présentons les fonctions génériques de toute entrevue, ainsi que les stratégies communicationnelles de base dont l'utilité est avérée ; le chapitre 8 est, quant à lui, consacré à la structure générale de l'entrevue médicale. Nous nous sommes efforcés de montrer comment l'anamnèse traditionnelle s'inscrit dans un processus actif d'échange d'informations et de construction de la relation. Suit un chapitre portant sur la gestion des émotions durant les entrevues : nous abordons ici les habiletés communicationnelles avancées que le professionnel de la santé doit maîtriser lorsque les émotions du patient passent au premier plan.

Le dernier chapitre de cette partie est consacré à l'approche pédagogique Calgary-Cambridge, une approche systématisée de l'enseignement des habiletés communicationnelles. Pour ce chapitre, nous avons eu le plaisir de pouvoir collaborer avec la D^re^ Suzanne Kurtz, de la University of Calgary, qui a conçu cette approche.

Dans la troisième partie, nous délaissons quelque peu les aspects théoriques pour nous pencher sur l'application des principes présentés à des clientèles particulières. L'objectif principal de cette partie est de montrer à l'aide de moyens concrets comment entrer en relation avec les personnes relevant de ces clientèles particulières. Les principes généraux qui doivent guider une communication efficace demeurent les mêmes, mais nous avons voulu faire ressortir les particularités de chaque clientèle afin que le professionnel de la santé puisse adapter sa façon de faire aux exigences propres à chaque situation. Nous consacrons un chapitre à chacune des clientèles suivantes : les enfants, les adolescents, les personnes âgées, les personnes aux prises avec des problèmes d'analphabétisme, les toxicomanes, les personnes défavorisées, les personnes dont l'origine culturelle est différente de celle du professionnel, les personnes qui consultent en famille ou en présence d'un interprète, et les personnes qui présentent plusieurs symptômes inexpliqués. Les auteurs de ces chapitres se sont efforcés de mettre en relief les défis posés au professionnel de la santé dans chaque cas ; ils proposent également au professionnel de la santé des solutions concrètes pour adapter sa manière de communiquer à chaque clientèle afin d'assurer la réussite clinique de la rencontre.

Dans la quatrième partie, nous inscrivons la communication professionnelle dans un cadre élargi : nous laissons temporairement de côté la dyade patient-professionnel pour nous intéresser à la communication interprofessionnelle, un aspect souvent négligé des communications. Il s'agit, tout d'abord, de la communication entre le médecin et l'infirmière et, ensuite, de la communication, non moins importante, entre le médecin et le pharmacien. Ces aspects sont rarement abordés dans les livres consacrés à la communication en santé. Pourtant, ils sont excessivement importants étant donné les changements qui s'inscrivent dans l'organisation des services de santé, en particulier en ce qui concerne les soins de première ligne.

Dans la cinquième partie, nous abordons plusieurs aspects de l'enseignement thérapeutique, autrement dit l'éducation du patient. Nous nous penchons dans un premier temps sur la communication entre le pharmacien et le patient, un maillon essentiel du processus de soins. Dans le même ordre d'idées, nous analysons ensuite les lacunes observées dans la discussion des traitements, en particulier les lacunes associées à la prescription des médicaments, avant de proposer des solutions concrètes pour améliorer la situation. Nous consacrons un chapitre à l'enseignement thérapeutique en tant que tel : cet aspect est essentiel si on désire que le patient se responsabilise et prenne en main son traitement. Il va sans dire que l'enseignement thérapeutique va au-delà de la discussion des traitements : le professionnel de la santé doit aussi jouer un rôle de conseiller en matière d'habitudes de vie et de promotion de la santé. Le dernier chapitre de cette partie porte sur l'utilisation d'Internet par le patient et par le médecin, et montre qu'il s'agit d'un outil puissant d'enseignement.

Enfin, dans la dernière partie de ce livre, nous abordons trois contextes de communication particuliers : la communication avec les patients en fin de vie, la communication en salle d'urgence et la communication au domicile des patients. Les auteurs décrivent chacun de ces contextes, tout en soulignant les contraintes et les enjeux qui leur sont propres et, surtout, en proposant des moyens permettant d'assurer une communication efficace dans ces cadres précis de pratique.

La lecture de ce livre est reconnue comme une activité de formation continue par le Centre de formation professionnelle continue de la Faculté de médecine de l'Université de Montréal. Nous espérons qu'elle vous aidera à élargir votre palette d'outils communicationnels et à placer la communication au cœur de votre conception du rôle du professionnel en santé. Adopter cette approche vous permettra en retour de réfléchir sur votre pratique pour continuer à la rendre chaque jour plus vivante.

Références

Adam, E. (1991). *Être infirmière : Un modèle conceptuel*, 3e édition, Montréal, Études vivantes.

Agence France-Presse (2004). « Adolf Hitler, personnage de fiction » (ca.altermedia.info/index.php?m=20040405)

Arborelius, E., et S. Bremberg (1992). « What does a human relationship with the doctor mean ? », *Scandinavian Journal of Primary Health Care*, vol. 10, p. 163-169.

Aspegren, K. (1999). « BEME Guide No. 2 : Teaching and learning communication skills in medicine. A review with quality grading of articles », *Medical Teacher*, vol. 21, nº 6, p. 563-570.

Beaudoin, C., M.-T. Lussier, R.J. Gagnon, M.-I. Brouillet et R. Lalandre (2001). « Discussion of lifestyle-related issues in family practice during visits with general medical examination as the main reason for encounter : An exploratory study of content and determinants », *Patient Education and Counseling*, vol. 45, nº 4, p. 275-284.

Beaulieu, M.-D., H. Leclere et G. Bordages (1993). « Taxonomy of difficulties in general practice », *Canadian Family Physician*, vol. 39, p. 1369-1375.

Beckman, H.B., et R.M. Frankel (1984). « The impact of physician behavior on the collection of data », *Annals of Internal Medicine*, vol. 101, nº 5, p. 692-696.

Beckman, H.B., K.M. Markakis, A.L. Suchman et R.M. Frankel (1994). « The doctor-patient relationship and malpractice : Lessons from plaintiff depositions », *Archives of Internal Medicine*, vol. 154, nº 12, p. 1365-1370.

Bertakis, K.D., D. Roter et S.M. Putman (1991). « The relationship of physician medical interview style to patient satisfaction », *The Journal of Family Practice*, vol. 32, nº 2, p. 175-181.

Chan, C.S.Y., Y.T. Wun, A. Cheung, J.A. Dickinson, K.W. Chan, H.C. Lee et Y.M. Yung (2003). « Communication skill of general practitioners : Any room for improvement ? How much can it be improved ? », *Medical Education*, vol. 37, nº 6, p. 514-526.

Collège des médecins de famille du Canada (1990). *Rapport du comité conjoint de la formation postdoctorale en médecine familiale sur le programme de résidence en médecine familiale*, Willowdale.

Collège des médecins du Québec et Ordre des infirmières et infirmiers du Québec (1996). *Avis du groupe de travail conjoint sur la transformation du réseau*, Montréal.

Collège royal des médecins et chirurgiens du Canada (1996). *ProMEDS 2000. Compétences pour le nouveau millénaire. Rapport du groupe de travail sur les besoins sociétaux*, Projet canadien d'éducation des médecins spécialistes.

Desmond, J., et L.R. Copeland (2000). *Communicating with today's patient : Essentials to save time, decrease risk, and increase patient compliance*, San Francisco, Jossey-Bass.

DiMatteo, R.M. (1994). « The physician-patient relationship : Effects on the quality of health care », *Clinical Obstetrics and Gynecology*, vol. 37, nº 1, p. 149-161.

DiMatteo, M.R., C.D. Shelbourne, R.D. Hays, L. Ordway, R.L. Kravitz, E.A. McGlynn, S. Kaplan et W.H. Rogers

(1993). « Physicians' characteristics influence patients' adherence to medical treatment: Results from the medical Outcomes Study », *Health Psychology*, vol. 12, n° 2, p. 93-102.

Goldberg, D.P., L. Jenkins, T. Millar et E.B. Faragher (1993). « The ability of trainee general practitioners to identify psychological distress among their patients », *Psychological Medicine*, vol. 23, n° 1, p. 185-193.

Goudreau, J. (2002). *Améliorer les pratiques préventives des médecins: une recherche action*, rapport de recherche à la Régie régionale de la santé et des services sociaux de Laval.

Hall, J.A., D.L. Roter et N.R. Katz (1988). « Meta-analysis of correlates of provider behaviour in medical encounters », *Medical Care*, vol. 26, n° 7, p. 657-675.

Haynes, R.B. (2001). « Improving patient adherence: State of the art, with a special focus on medication taking for cardiovascular disorders », dans *Compliance in health care and research*, sous la direction de L.E. Burke et I.S. Ockene, Armonk (New York), Futura Publishing, p. 3-21.

Kravitz, R.L., E.J. Callahan, D. Paterniti, D. Antonius, M. Dunham et C.E. Lewis (1996). « Prevalence and sources of patients' unmet expectations for care », *Annals of Internal Medicine*, vol. 125, n° 9, p. 730-737.

Kurtz, S.M. (2002). « Doctor-patient communication: Principles and practices », *The Canadian Journal of Neurological Sciences*, vol. 29, suppl. 2, p. S23-S29.

Kurtz S.M., J.D. Silverman, J. Benson et J. Draper (2003). « Marrying content and process in clinical method teaching: Enhancing the Calgary-Cambridge guides », *Academic Medicine*, vol. 78, n° 8, p. 802-809.

Kurtz, S.M., J.D. Silverman et J. Draper (1998). *Teaching and learning communication skills in medicine*, Abingdon, Radcliffe Medical Press.

Langewitz, W.A., P. Eich, A. Kiss et B. Wossmer (1998). « Improving communication skills: A randomized controlled behaviorally oriented intervention study for residents in internal medicine », *Psychosomatic Medicine*, vol. 60, n° 3, p. 268-276.

Levinson, W., D.L. Roter, J.P. Mullooly, V.T. Dull et R.M. Frankel (1997). « Physician-patient communication: The relationship with malpractice claims among primary care physicians and surgeons », *The Journal of the American Medical Association*, vol. 277, n° 7, p. 553-559.

Lewin, S.A., Z.C. Skea, V. Entwistle, M. Zwarenstein et J. Dick (2004). « Interventions for providers to promote a patient-centered approach in clinical consultations (Cochrane Review) », *The Cochrane Library*, vol. 4, Chichester (Royaume-Uni), Update Software, John Wiley and Sons.

Lipkin, M. Jr., R.M. Frankel, H.B. Beckman, R. Charon et O. Fein (1995). « Performing the interview », dans *The medical interview: Clinical care, education, and research*, sous la direction de M. Lipkin Jr., S.M. Putnam et A. Lazare, New York, Springer-Verlag, chap. 5, p. 65-82.

Lipkin, M. Jr., S.M. Putnam et A. Lazare (1995). *The medical interview: Clinical care, education, and research*, New York, Springer-Verlag.

Lussier, M.-T., E. Rosenberg, C. Beaudoin, C. Richard et R. Gagnon (1998). « Doctor-patient communication as a determinant of psychological distress detection in primary care », présentation orale à la conférence internationale Communication in Health Care, Amsterdam, 12 juin.

Maguire, P., S. Fairbairn et C. Fletcher (1986). « Consultation skills of young doctors: II- Most young doctors are bad at giving information », *British Medical Journal*, vol. 292, n° 6535, p. 1576-1578.

Maguire, P., et C. Pitceathly (2002). « Key communication skills and how to acquire them », *British Medical Journal*, vol. 325, n° 7366, p. 697-700.

Marvel, M.K., R.M. Epstein, K. Flowers et H.B. Beckman (1999). « Soliciting the patient's agenda: Have we improved? », *The Journal of the American Medical Association*, vol. 281, n° 3, p. 283-287.

Ong, L.M., J.C. De Haes, A.M. Hoos et F.B. Lammes (1995). « Doctor-patient communication: A review of the litterature », *Social Science and Medicine*, vol. 40, n° 7, p. 903-918.

Ordre des pharmaciens du Québec (1998). *Comprendre et faire comprendre. Le défi de l'an 2000: guide pratique de la communication pharmacien-patient*, Montréal, Direction Formation continue et Développement professionnel.

Ormel, J., M.W. Koeter, W. Van Den Brink et G. Van De Willige (1991). « Recognition, management, and course of anxiety and depression in general practice », *Archives of General Psychiatry*, vol. 48, n° 8, p. 700-706.

Richard C., et M.-T. Lussier (2001). « Medicode: An instrument for describing the nature and the intensity of discussions about medications during primary care medical consultations », Forum du Collège des médecins de famille du Canada, Vancouver.

Robbins, J.A., K.D. Bertakis, L.J. Helms, R. Azari, E.J. Callahan et D.A. Creten (1981). « The influence of physician practice behaviors on patient satisfaction », *Family Medicine*, vol. 25, n° 1, p. 17-20.

Rowland-Morin, P.A., et J.G. Carroll (1990). « Verbal communication skills and patient satisfaction: A study of doctor-patient interviews », *Evaluation and the Health Professions*, vol. 13, n° 2, p. 168-185.

Spitzberg, B.H., et W.R. Cupach (2002). « Interpersonal skills », dans *Handbook of interpersonal communication*, 3e édition, sous la direction de M.L. Knapp et J.A. Daly, Thousand Oaks (Californie), Sage, chap. 15.

Starfield, B., C. Wray, K. Hess, R. Gross, P.S. Birk et B.C. D'Lugoff (1981). « The influence of patient-practitioner agreement on outcome of care », *American Journal of Public Health*, vol. 71, n° 2, p. 127-131.

Stewart, M.A. (1995). « Effective physician-patient communication and health outcomes: A review », *Canadian Medical Association Journal*, vol. 152, n° 9, p. 1423-1433.

Waitzkin, H. (1984). « Doctor-patient communication: Clinical implications of social scientific research », *The Journal of the American Medical Association*, vol. 252, n° 17, p. 2441-2446.

Yedidia, M.J., C.C. Gillespie, E. Kachur, M.D. Schwartz, J. Ockene, A.E. Chepaitis, C.W. Snyder, A. Lazare et M. Lipkin Jr. (2003). « Effect of communications training on medical student performance », *The Journal of the American Medical Association*, vol. 290, n° 9, p. 1210-1212.

Zins Beauchesne et Associés (2000). *Étude sur les attentes et la satisfaction de la population à l'égard des services de santé et des services sociaux: Mise à jour du concept de service pour l'an 2000*, Rapport final présenté à la Régie régionale de la santé et des services sociaux de Montréal-Centre.

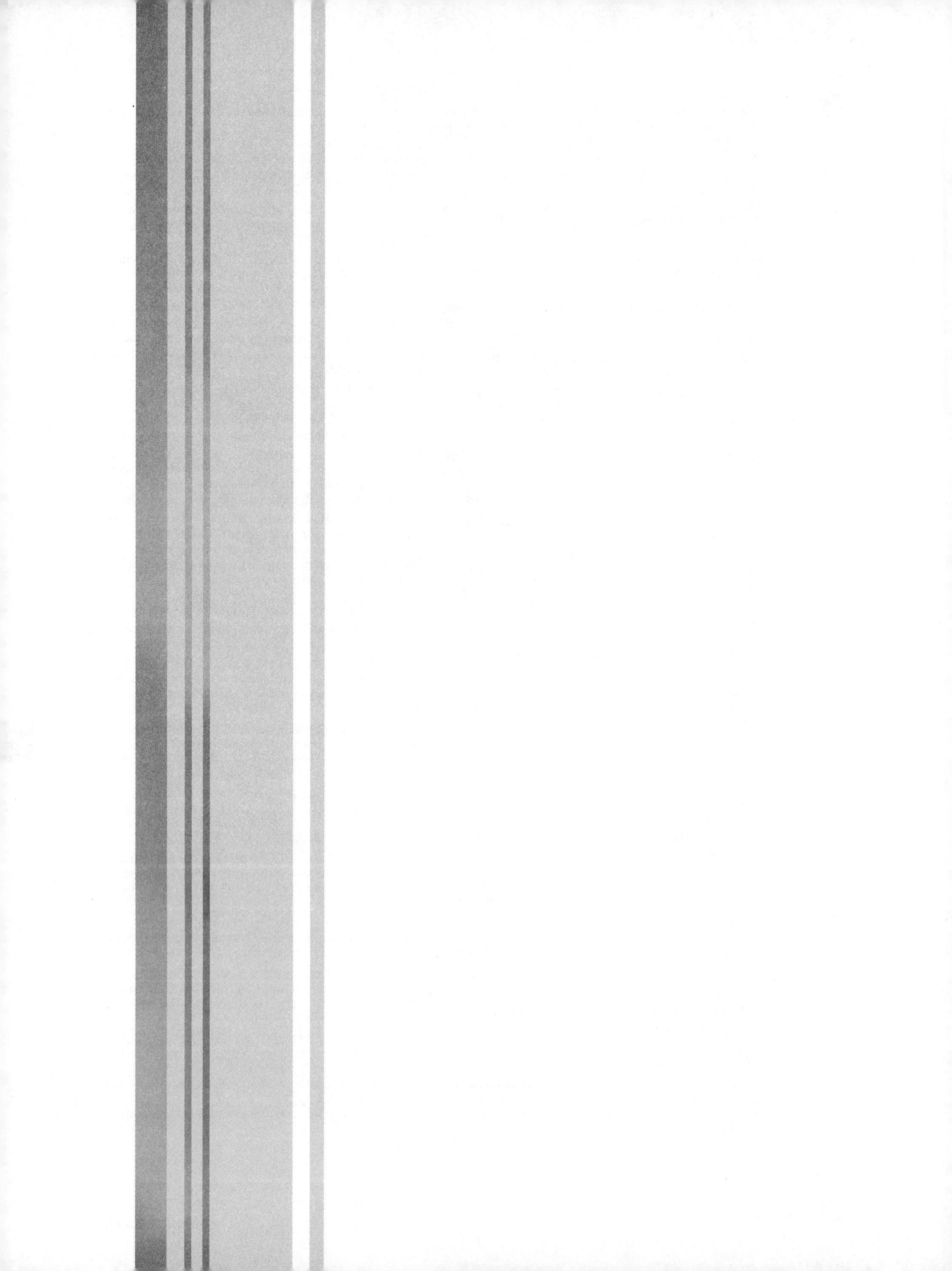

PARTIE 1

La communication

CHAPITRE

1

Une approche dialogique de la consultation[1]

Claude Richard
Marie-Thérèse Lussier

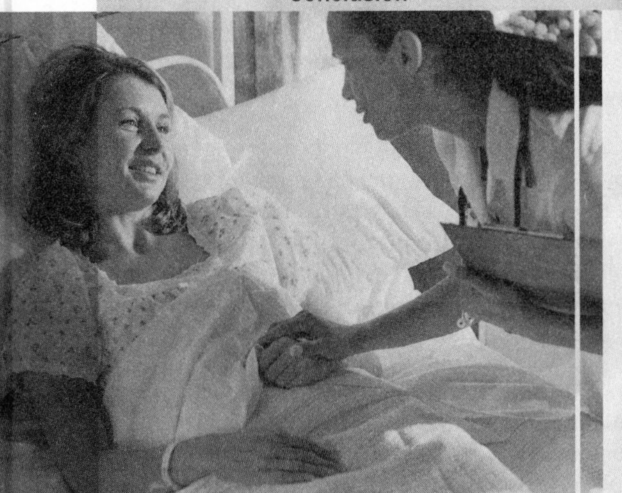

Un dialogue implique plus qu'un simple aller-retour de messages dans l'interaction ; il renvoie aussi à un processus et à une qualité particulière de la communication dans lesquels les participants se rencontrent, *ce qui permet à chacun de changer et d'être changé.*

Anderson, Cissna et Arnett (1994)

Nous verrons dans ce chapitre qu'il est possible d'envisager la relation entre un médecin et un patient dans le contexte général des relations et de la communication humaines. Bien que la communication médicale revête des caractéristiques particulières, celles-ci ne la soustraient pas aux règles générales qui régissent les interactions. Il s'agit d'une *conversation* clinique (Zoppi, 1997) qui partage plusieurs des règles des conversations sociales. Ces règles font partie intégrante de nos interactions à un tel point que nous confondons le fait qu'elles échappent le plus souvent à notre conscience avec la croyance qu'elles n'existent pas. Par exemple, qui peut spontanément énoncer les règles qu'une demande doit respecter pour être valide ? Pourtant, lorsque nous faisons face à une demande ne respectant pas les règles implicites qui la régissent, nous décelons immédiatement une difficulté. Pensons un instant à ce qui arriverait si une préposée aux soins interpellait directement le médecin traitant d'un patient pour lui demander de modifier la prescription d'analgésique...

L'entrevue médicale constitue un type particulier de communication interpersonnelle ou de conversation sociale. Plus simplement, nous dirons qu'il s'agit d'une forme de dialogue entre deux interlocuteurs particuliers, un patient et un médecin. C'est par l'intermédiaire du discours, de la conversation et de ce nous appelons le *dialogue* (Duck, 1994) que se construit la relation médecin-patient.

Nous parlons de dialogue, plutôt que de conversation, surtout pour attirer l'attention sur ce qui, autrement, est probablement tenu pour acquis et considéré comme indigne d'intérêt. En effet, jusqu'à dernièrement (Harré, 1992), le langage était considéré comme simple et transparent. La complexité et la profondeur étaient à rechercher ailleurs, dans ce que le langage masquait, c'est-à-dire dans les profondeurs intrapsychiques ou les processus cognitifs. Dans ce chapitre, nous voulons montrer que le langage, dans son usage, est dynamique, complexe, porteur de multiples réalités, et qu'il sert d'abord à agir sur l'autre. La conversation ne sert pas qu'à échanger de l'information : c'est, d'une part, un processus créatif de construction de croyances partagées entre deux ou plusieurs personnes et, d'autre part, le moyen pratique pour entrer en relation avec l'autre. Le rôle du langage serait donc surtout rhétorique et il servirait d'abord à gérer les relations plutôt qu'à représenter la réalité (Massad, 2003). Selon notre point de vue, il n'existe pas de situation où on pourrait communiquer une information qui soit détachée des dimensions sociale, interpersonnelle et relationnelle. Ainsi, de ce point de vue, toute la complexité sociale et intrapsychique est immanente au langage, et elle transparaîtra dans le discours.

Un des objectifs de ce chapitre est de rendre plus transparent l'usage des règles qui régissent les interactions interpersonnelles. Les concepts qui sont élaborés sont généraux, et la relation professionnelle devient un cas particulier auquel on peut les appliquer. La communication médicale partage en effet plusieurs caractéristiques avec d'autres situations de communication. Nous voulons ici traiter les habiletés de communication qui permettent au professionnel de la santé d'entrer en relation avec un patient et d'entreprendre un processus de soins. L'apprentissage de la communication se rapproche plus de l'apprentissage d'une langue que de l'apprentissage de techniques d'intervention psychosociale.

Nous proposons donc une approche communicationnelle de la relation médecin-patient, soit l'approche dialogique de la consultation médicale. Nous verrons par la suite quelques concepts fondateurs de la théorie générale de la communication dans laquelle l'approche dialogique s'insère. Nous compléterons cette présentation par une esquisse de l'analyse conversationnelle, ce qui nous permettra de souligner les fonctions multiples des échanges verbaux entre le médecin et son patient.

L'approche dialogique

Nous abordons l'entrevue médicale sous l'angle des *contenus* échangés, mais aussi sous celui des *processus interactifs* ainsi que de la *situation* d'énonciation (Richard et Roberge, 1989; Richard et Lussier, 1999). Nous posons que l'interprétation des contenus dépend de l'interaction et de la situation et, inversement, que les contenus échangés influent sur l'interaction et contribuent à la définition de la situation. Le fait d'être sensible au dialogue améliore la communication médecin-patient et favorise une plus grande maîtrise des stratégies communicationnelles. Le médecin qui prête attention au dialogue, qui cultive son sens de l'observation et est sensible au contexte d'énonciation est plus efficace dans l'action, car il comprend mieux le matériau que lui fournit le patient. Cette compétence est donc une compétence de l'action (Hellstrom, 1998) qui ne laisse présumer d'aucune philosophie particulière de la médecine, qu'il s'agisse du modèle biopsychosocial, du modèle centré sur le patient ou d'un autre.

L'approche dialogique de la communication est donc formée de trois composantes principales (voir la figure 1.1) :

- le contexte, qui est déjà présent au début du dialogue et qui en influence la production et l'interprétation ;
- l'interaction, qui, à travers les tours de paroles et les types d'actes de langage, définira la relation ;
- les contenus, qui véhiculent à la fois l'information désirée, toutes sortes d'autres informations (exemples : les indices psychologiques ou psychosociaux) et des commentaires explicites sur la relation elle-même.

Figure 1.1 **L'approche dialogique de la communication**

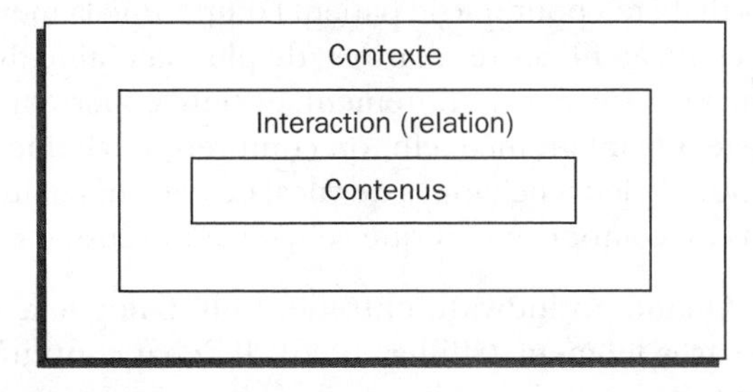

Le dialogue dans le contexte de la consultation médicale

Mais pourquoi adopter l'approche dialogique, ou dialogisme ? Pourquoi, par exemple, ne pas nous en tenir à l'analyse conversationnelle ou encore parler de constructivisme social ?

> Le dialogisme est un cadre général qui est utile pour comprendre le discours, la cognition et la communication. Toutefois, ses principes de base sont issus de l'observation de rencontres précises en tête à tête[2].

Le point de vue dialogique met en évidence le lieu où se concrétisent tous les aspects de la vie que l'individu fait intervenir dans ses interactions avec les autres. À notre avis, le terme *dialogue* comporte une métaphore intéressante dans le contexte de la consultation médicale. Le concept de dialogue véhicule l'idée d'un échange verbal plus réfléchi, plus organisé que dans la conversation. Il sous-tend aussi la volonté de parvenir à une compréhension mutuelle, à la solution d'une difficulté, d'un problème. Il suggère également que chacun en sort grandi, qu'il y a une évolution mutuelle, un partenariat.

Par ailleurs, la métaphore du dialogue est intéressante pour décrire l'évolution dans le temps de la relation d'un patient avec le système de santé. L'individu commence cette relation dans sa petite enfance par l'intermédiaire de l'expérience que ses parents en ont. La relation évolue peu à peu grâce aux contacts directs de l'individu avec ce système, grâce aussi aux témoignages des amis qui sont, eux aussi, entrés directement en contact avec le système, grâce également aux opinions exprimées dans les médias, etc. La métaphore dialogique propose une image plus humaine à la fois de l'évolution des individus à l'égard de leur santé et de l'évolution de leurs interactions avec le système de santé.

D'un point de vue dialogique, les entretiens médecin-patient sont caractérisés par la volonté de parvenir à une compréhension commune de la maladie et à la mise en œuvre d'un projet commun consistant à résoudre un problème posé par le patient au médecin. Cette volonté d'agir est caractérisée par la coopération des partenaires et la coordination de leurs actions. Plus particulièrement, cette coopération se fonde sur la réciprocité et le partage, mais aussi sur une complémentarité multiple, des asymétries et la transmission morcelée des savoirs.

Nous sommes très loin de la perspective de l'écrivain et philosophe français Nicolas Boileau (1674) : « Ce que l'on conçoit bien s'énonce clairement / Et les mots pour le dire arrivent aisément. » De ce point de vue philosophique, la production de la parole est limitée au locuteur (celui qui parle) et il en est le seul responsable. Il est également responsable de l'incompréhension de son interlocuteur (personne à qui le locuteur s'adresse) à son égard, puisque la compréhension de l'autre est liée à la clarté du message. D'un point de vue dialogique par contre, le processus de production du sens ressemble davantage à un processus itératif, dans lequel le sens émerge progressivement des échanges verbaux entre deux interlocuteurs. Dans l'entrevue médicale, le sens se construirait grâce aux tentatives de communiquer et aux réactions de chacun. Ainsi, il ne suffit pas au médecin de dire « diabète » pour que le patient comprenne la même chose que lui. Le patient y arrivera peu à peu, au fil des rencontres ; de plus, la réalité du diabète s'imposera concrètement à lui quand il suivra son traitement, et cette expérience fera aussi partie de sa définition du diabète. Quant au médecin, on comprendra ce que le patient entend par *son* diabète en fonction de leurs échanges de vues, des réactions du patient au traitement et des changements de comportement que celui-ci aura réussi à effectuer.

Quand un individu entretient un dialogue avec l'autre, il entretient aussi un dialogue avec lui-même (Billig, 1996). Il débat continuellement des questions qui le préoccupent. Par ce dialogue intérieur (avec soi-même) et extérieur (avec l'autre), on élabore et on envisage continuellement des solutions différentes ou d'autres manières de voir les choses. Rien n'est jamais arrêté. De plus, selon Billig (1996), les gens n'ont pas seulement des plans, ils en font. Pour élaborer des plans, on doit toujours faire des choix parmi différentes possibilités. On doit soupeser chaque possibilité et prendre des décisions, reconsidérer ses décisions, prendre d'autres décisions et encore soupeser de nouvelles possibilités – et ainsi de suite.

Ce processus de dialogue et de délibération ne cesse jamais, ce qui explique qu'une décision qui semblait prise dans le bureau du médecin sera reconsidérée, réévaluée, réaffirmée, etc. Comme l'individu doit réaffirmer continuellement ses décisions, le médecin ne peut donc pas tenir pour acquis qu'une entente avec un patient est définitive. Dans une perspective dialogique, le médecin doit être sensible à la nécessité de reconsidérer régulièrement les décisions qui ont été prises et d'en vérifier régulièrement la pertinence pour le patient.

L'approche dialogique et la théorie de la communication

Nous allons maintenant nous attarder à une métathéorie du dialogue et proposer un contexte plus large à la communication humaine. Plusieurs points de vue théoriques ont été élaborés dans le champ de la communication humaine, mais il n'y a pas lieu ici de les présenter exhaustivement. Cependant, pour mieux situer l'approche dialogique dans cet ensemble, nous renvoyons le lecteur aux tableaux 1.1 et 1.2, qui présentent une synthèse comparative de sept points de vue théoriques sur la communication humaine. On peut constater que l'approche dialogique s'apparente à la théorie socioculturelle de la communication humaine.

Bien que l'étude des phénomènes communicationnels soit un champ de la connaissance humaine relativement jeune, le tableau 1.1 met en évidence la richesse des points de vue théoriques qu'on a élaborés pour en rendre compte. On y compare les théories entre elles selon cinq dimensions:

- la façon dont on conçoit la communication;
- la façon dont on conçoit les problèmes de communication;
- le vocabulaire utilisé pour décrire les phénomènes communicationnels;
- la plausibilité du recours aux *lieux communs métadiscursifs* (*metadiscursive commonplaces*);
- l'intérêt de la remise en question de ces lieux communs métadiscursifs.

Le tableau 1.1 synthétise remarquablement bien un champ de la connaissance qui est parfois complexe à saisir à cause, entre autres, de l'abondance de la réflexion dans le domaine. La tradition sémiotique et la tradition fondée sur la critique sont deux approches peu appliquées au domaine de la communication professionnelle; nous ne les incluons qu'à titre de références générales. Le tableau 1.2 permet de mettre en relief les différences qui séparent les diverses positions théoriques en rapprochant les arguments avancés selon chaque tradition, ce qui fait bien ressortir les particularités de chaque point de vue sur les concepts fondamentaux: signifiant-signifié; soi-autre; cognitif-perceptif; interne-externe; règles; particulier-général.

Une caractéristique frappante de l'espèce humaine est sa capacité de donner une signification à tout ce qui est accessible à la conscience. Aussi, la communication ne se limite pas au langage. En fait, tout comportement peut servir à communiquer: l'usage d'un territoire, la distance entretenue avec l'autre, la manière de bouger, la posture, la manière d'utiliser la voix, l'apparence, les odeurs, le contact visuel, les expressions du visage, le toucher, etc. (Marsh, 1988). Tous ces aspects du comportement contribuent simultanément à une communication qui, bien qu'elle provienne d'un individu donné, est socialement comprise. Si elle ne l'était pas, l'individu serait un étranger dans sa propre société.

Nous limiterons notre approche du dialogue à l'utilisation de la parole. Contrairement aux textes écrits, qui exigent une clarté de l'expression, la parole comporte des négociations et des ajustements portant sur le sens, des énoncés vagues, ambigus et polysémiques, de l'incompréhension, des conflits, des secrets, des oppositions, l'exercice du pouvoir, la répartition inégale du savoir et des habiletés, etc. De plus, dans le contexte d'une entrevue médicale, les interactions sont d'entrée de jeu asymétriques, ce qui implique des contraintes sur le tour de parole de même que sur les sujets traités.

Tableau 1.1 **Sept traditions de la théorie de la communication**

	LA RHÉTORIQUE	LA SÉMIOTIQUE	LA PHÉNO-MÉNOLOGIE	LA CYBERNÉTIQUE	LA SOCIO-PSYCHOLOGIE	LA THÉORIE SOCIOCULTURELLE	LA THÉORIE FONDÉE SUR LA CRITIQUE
Façon dont on conçoit la communication	Art de la pratique du discours.	Intersubjectivité établie au moyen des signes.	Expérience de l'altérité, dialogue.	Traitement de l'information.	Expression, interaction et influence.	Production (ou reproduction) de l'ordre social.	Réflexion discursive.
Façon dont on conçoit les problèmes de communication	Des exigences sociales nécessitant des délibérations collectives et une décision.	Malentendu ou écart entre des points de vue subjectifs.	Absence de relations humaines authentiques ou échec dans la tentative d'en établir.	Bruit, surcharge (surabondance), anomalie ou bogue dans un système.	Situations qui exigent qu'on tienne compte des causes du comportement pour atteindre des résultats précis.	Conflit, aliénation, décalage, échec de coordination.	Idéologie dominante, altération systématique des actes de langage.
Vocabulaire utilisé pour décrire les phénomènes communicationnels	Art, méthode, communicateur, auditoire, stratégie, lieu commun, logique, émotions.	Signe, symbole, icône, indice, sens, référent, code, langage, moyen de transmission, compréhension (ou incompréhension).	Expérience, le soi et l'autre, dialogue, authenticité, soutien, ouverture.	Source, récepteur, signal, information, bruit, rétroaction, redondance, réseau, fonction.	Comportement, variable, effet, personnalité, émotion, perception, cognition, attitude, interaction.	Société, structure, pratique, rituel, règle, socialisation, culture, identité (nature), coconstruction.	Idéologie, dialectique, oppression, conscientisation, résistance, émancipation.
Plausibilité du recours aux lieux communs métadiscursifs	Pouvoir des mots, valeur d'un jugement éclairé, possibilité d'améliorer la pratique.	La compréhension exige un langage commun ; danger constant d'incompréhension.	Tout le monde a besoin de contacts humains ; il faut considérer les autres comme des personnes, respecter les différences et rechercher un terrain d'entente.	Nature de l'esprit et du cerveau ; valeur de l'information et de la logique ; les systèmes complexes peuvent être imprévisibles.	La communication reflète la personnalité ; les croyances et les sentiments biaisent les jugements ; les membres d'un groupe s'influencent mutuellement.	L'individu est une production de la société ; toute société a une culture distincte ; les actions sociales ont des effets non voulus.	Autoperpétuité du pouvoir et de la richesse ; importance de la liberté, égalité et raison ; la discussion entraîne la prise de conscience, l'introspection.
Intérêt de la remise en question des lieux communs métadiscursifs	Les mots seuls ne sont pas des actions ; les apparences ne sont pas la réalité ; le style n'est pas le fond ; une opinion n'est pas la vérité.	Les mots ont des sens précis et ils représentent des idées. Les moyens de transmission sont des véhicules neutres.	La communication est une habileté ; le mot n'est pas la réalité ; les faits sont objectifs et les valeurs sont subjectives.	Les êtres humains sont différents des machines ; l'émotion n'est pas logique ; représentation linéaire de la cause et de l'effet.	Les êtres humains sont des êtres rationnels ; on connaît sa propre façon de penser ; on connaît ce qu'on voit.	Action et responsabilité liées à l'individu, caractère absolu de l'identité personnelle, caractère naturel de l'ordre social.	Caractère naturel et relationnel de l'ordre social traditionnel, objectivité de la science et de la technologie.

Source : Traduit et adapté de Craig (1999), tableau 1.

Tableau 1.2 **L'argumentation selon les différentes traditions de la pensée**

	LA RHÉTORIQUE	LA SÉMIOTIQUE	LA PHÉNOMÉNOLOGIE	LA CYBERNÉTIQUE	LA SOCIOPSYCHOLOGIE	LA THÉORIE SOCIOCULTURELLE	LA THÉORIE FONDÉE SUR LA CRITIQUE
À l'égard de la rhétorique	On ne peut apprendre l'art de la rhétorique que par la pratique ; la théorie ne fait que détourner l'attention.	On n'utilise pas les signes ; ce sont plutôt eux qui nous utilisent.	De façon intrinsèque, la communication stratégique est non authentique et souvent contre-productive.	Intervenir dans un système complexe entraîne des problèmes techniques que la rhétorique n'arrive pas à appréhender.	La rhétorique manque de preuves empiriques solides qui montrent que ses techniques de persuasion produisent vraiment les effets attendus.	La rhétorique est tributaire de la culture et accorde trop d'importance au rôle de l'individu par rapport à la structure sociale.	La rhétorique reflète les idéologies traditionalistes, instrumentalistes et individualistes.
À l'égard de la sémiotique	N'importe quel usage des signes est rhétorique.	Le langage est une fiction ; le sens et l'intersubjectivité sont indéterminés.	Les oppositions langage-parole et signifiant-signifié sont erronées. L'usage du langage constitue le monde.	Le *sens* consiste en des relations fonctionnelles dans des systèmes informationnels dynamiques.	La sémiotique n'arrive pas à expliquer les facteurs qui influent sur la production et l'interprétation des messages.	Les systèmes de signes ne sont pas autonomes ; ils n'existent que dans les pratiques partagées au sein de communautés réelles.	Le sens n'est pas déterminé par un code ; il est plutôt l'objet d'un conflit social.
À l'égard de la phénoménologie	L'authenticité est un mythe dangereux ; la bonne communication peut faire preuve d'habileté et, donc, être stratégique.	Le soi et l'autre sont des sujets déterminés sur le plan sémiotique et n'existent que comme signes ou à l'intérieur de signes.	L'expérience de l'autre n'est jamais directe, elle fait partie intégrante de la conscience de l'ego.	L'*expérience* phénoménologique doit être un traitement de l'information qui se produit dans le cerveau.	L'introspection phénoménologique tient faussement pour acquis la conscience de l'individu à l'égard de ses processus cognitifs.	L'intersubjectivité est produite par un processus social que la phénoménologie n'arrive pas à expliquer.	La conscience individuelle se constitue socialement, elle est donc idéologiquement biaisée.
À l'égard de la cybernétique	Le raisonnement pratique ne peut (ou ne devrait) pas être limité à des calculs formels.	Les explications fonctionnalistes ne tiennent pas compte des subtilités du système de signes.	Le fonctionnalisme n'arrive pas à expliquer le sens en tant qu'expérience qui prend forme dans la conscience.	Comme le système inclut l'observateur, il devient indéterminé (imprévisible).	La cybernétique est trop rationaliste ; par exemple, elle sous-estime le rôle des émotions.	Les modèles cybernétiques n'arrivent pas à expliquer comment le sens apparaît dans les interactions sociales.	La cybernétique reflète la dominance de la pensée instrumentaliste.
À l'égard de la sociopsychologie	Les effets sont situationnels et ne peuvent être prédits avec précision.	Les *effets* sur le plan sociopsychologique sont des propriétés internes du système de signes.	On doit transcender la dichotomie sujet-objet de la sociopsychologie.	La communication implique une boucle de causalité et non une causalité linéaire.	L'efficacité prédictive des théories sociopsychologiques est limitée, même en laboratoire.	Les *lois* sociopsychologiques sont tributaires de la culture et biaisées par l'individualisme.	La sociopsychologie reflète les idéologies individualistes et instrumentalistes.
À l'égard de la théorie socioculturelle	Les règles socioculturelles et autres constituent des contextes et des ressources pour le discours rhétorique.	Les règles socioculturelles et autres sont toutes des systèmes de signes.	Les fondements des rapports sociaux sont phénoménologiques.	On peut établir le modèle formel de l'organisation fonctionnelle de n'importe quel système social.	La théorie socioculturelle est vague et impossible à expérimenter, et elle ne tient pas compte des processus psychologiques sous-jacents à tout ordre social.	L'ordre socioculturel est caractéristique et négocié sur une base locale, mais la théorie doit être abstraite et générale.	La théorie socioculturelle privilégie le consensus au détriment du conflit et du changement.
À l'égard de la théorie fondée sur la critique	Le raisonnement pratique repose sur des situations particulières et non sur des principes universels.	Rien n'existe à l'extérieur du texte.	La critique est immanente à tout contact authentique avec la tradition.	Les modèles de systèmes auto-organisés rendent compte des conflits et changements sociaux.	La théorie fondée sur la critique confond les faits et les valeurs, elle impose une idéologie dogmatique.	La théorie fondée sur la critique impose un cadre d'interprétation et ne reconnaît pas les sens particuliers.	La théorie fondée sur la critique est élitiste et n'a pas vraiment d'influence sur l'évolution de la société.

Source : Traduit et adapté de Craig (1999), tableau 2.

Les six principes généraux de la communication

Nous présentons ici six principes généraux habituellement reconnus en communication et qui s'appliquent à la communication professionnelle en santé :

- la rétroaction fait partie intégrante de la communication ;
- la communication comporte une cogestion du dialogue ;
- il est impossible de ne pas communiquer ;
- la communication interpersonnelle est irréversible ;
- la communication est un processus complexe ;
- la communication est contextuelle[3].

La rétroaction fait partie intégrante de la communication

Dans un dialogue, chaque production verbale est non seulement une production originale, mais aussi une rétroaction au tour de parole qui précède (ou à un commentaire sur le tour de parole qui précède). Dans une séquence d'échanges verbaux, on voit que chacun des interlocuteurs exerce une influence sur l'autre grâce à la rétroaction. Winkin (1981, p. 7) propose la métaphore d'une formation de jazz pour décrire la situation :

> La communication est conçue comme un système à multiples canaux auquel l'acteur social participe à tout instant, qu'il le veuille ou non : par ses gestes, son regard, son silence, sinon son absence... En sa qualité de membre d'une certaine culture, il fait partie de la communication, comme le musicien fait partie de l'orchestre. Mais dans ce vaste orchestre culturel, il n'y a ni chef, ni partition. Chacun joue en s'accordant sur l'autre.

La communication comporte une cogestion du dialogue

Au cours de la communication, il est nécessaire qu'il y ait, entre les interlocuteurs, un certain degré de coordination et de cohérence, c'est-à-dire une cogestion de l'interaction. Il faut aussi qu'il y ait un certain degré d'asymétrie entre les partenaires. Dans les faits, il y a toujours une certaine asymétrie, car personne n'est tout à fait identique à l'autre, et la très grande majorité des dialogues sont construits à partir des complémentarités de chacun. À part les rituels, comme la façon de se présenter et de se saluer, qui constituent quelques exemples d'échanges verbaux hautement stéréotypés, les participants *cogèrent* le sens, la compréhension et le déroulement des conversations (Cronen, Pearce et Harris, 1982).

Pour illustrer la cogestion du dialogue, nous vous proposons un bref échange de paroles entre un nouveau patient et un médecin au moment où ce dernier invite le patient à entrer dans son bureau.

LE MÉDECIN — *Monsieur Tassé ?*

LE PATIENT — *Bonjour, Doc ! Belle journée, aujourd'hui !*

LE MÉDECIN — *Bonjour, je suis le Dr Lussier.*

Par sa réponse (rétroaction), le médecin indique clairement au patient qu'il n'a pas envie de s'engager sur la voie de la *familiarité* qui lui est proposée avec le diminutif *doc*[4]. Le médecin signale au patient qu'il désire plutôt le rencontrer sur un terrain plus formel.

En effet, il ne se présente pas comme un ami, mais comme un médecin au travail. L'acceptation ou le refus de cette redéfinition de la relation que le médecin apporte sera inscrit dans la réplique suivante du patient. C'est ainsi qu'une entrevue est cogérée par les participants. Le médecin et le patient exercent tous les deux une influence sur le déroulement de l'entrevue. Refuser de tenir compte des réactions de son vis-à-vis dans un entretien peut, dans le pire des scénarios, mener à la rupture de la communication et marquer la fin de l'entrevue.

On peut concevoir un dialogue comme une machine à penser où le traitement de l'information est distribué à plusieurs systèmes cognitifs[5], c'est-à-dire à plusieurs individus (au moins deux). Le dialogue n'est pas seulement le moyen d'*interconnecter* les systèmes cognitifs, mais c'est aussi le prolongement des systèmes cognitifs qui débouche sur un système cognitif plus large, dépassant le cadre de chaque individu (Bateson, 1972; Leudar et Antaki, 1988; Wertsch et Penuel, 1996).

Le sens n'est donc pas le fruit d'une production individuelle: l'esprit (*mind*) n'est pas seulement *dans le corps* de l'individu, mais aussi à l'extérieur, *dans le monde social* (Bateson, 1972). Il faut dépasser le dualisme corps-esprit, dans lequel le corps est séparé de l'esprit, et où l'esprit est aussi séparé du monde social (Bracken et Thomas, 2002). Un dialogue est donc un acte éminemment social et collectif, où le locuteur est dépendant de son interlocuteur, tous deux étant les coauteurs du dialogue. Dans ce contexte, les interactions l'emportent sur les contenus, et le sens est souvent subordonné à l'expression d'émotions, de même qu'à l'expression et à l'entretien de la relation.

Il est impossible de ne pas communiquer

L'impossibilité de ne pas communiquer n'équivaut pas à rendre publiques ses pensées les plus secrètes. En fait, peu importe la volonté de communiquer d'un individu et les efforts qu'il fait pour y arriver, son interlocuteur fera nécessairement une *lecture* de ce qu'il voit et entend, il en cherchera une interprétation. En effet, on accorde toujours un sens à ce qu'on voit ou entend, et cette lecture peut correspondre ou non à l'intention de son interlocuteur. Ainsi, si un individu s'habille pour donner de lui-même une impression de sérieux, il se peut que l'autre y voit une marque de sérieux, mais il se peut aussi qu'il perçoive plutôt un manque de goût, d'originalité ou d'imagination! Ce qui est vrai pour l'apparence est aussi vrai pour le verbal, car, le plus souvent, les intentions des interlocuteurs ne sont pas explicites. On n'entend pas les intentions de son interlocuteur, mais seulement ses paroles. Les mots ont de multiples sens, selon, entre autres, le contexte et les interprétations précédentes qu'on en a faites. Le sens n'est donc pas figé, il est construit et sans cesse reconstruit par l'interlocuteur.

La communication interpersonnelle est irréversible

De la même manière qu'on ne peut remonter dans le temps, on ne peut retirer ses paroles une fois qu'elles sont exprimées. S'il est possible d'effacer un événement de la mémoire d'un ordinateur, ce n'est pas aussi simple dans le cas d'un être humain. On peut toujours recourir à des artifices (exemple: « Oublie ce que j'ai dit», «Je me suis trompé» ou «N'en tiens pas compte»), mais si l'autre a entendu les paroles, l'information transmise pourra influencer son comportement ultérieur. Il n'y a qu'à penser aux jurés à qui un juge demande de ne pas prendre en considération certaines déclarations... Ici, le cercle qui représente la rétroaction n'est plus approprié: on a plutôt affaire à une structure hélicoïdale – qui revient sur elle-même tout en avançant (voir la figure 1.2).

Figure 1.2 **La structure hélicoïdale de la communication humaine dans le contexte médecin-patient**

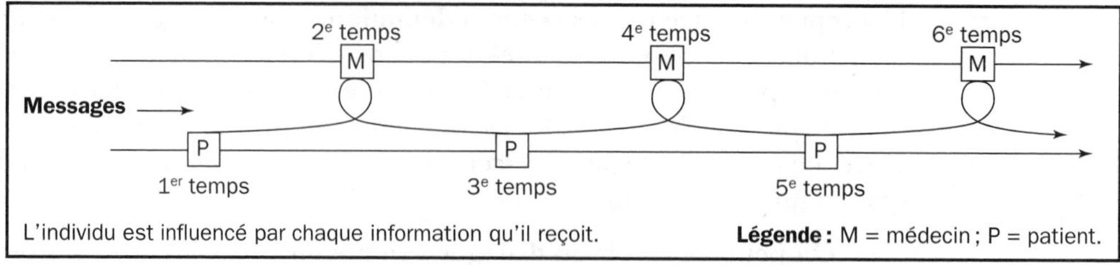

Source : Adaptée de Richard, C., et M.-T. Lussier (1999). « Un peu de théorie, DOC? », *Le médecin du Québec*, vol. 34, nº 7, p. 31.

La communication est un processus complexe

Communiquer est un processus complexe parce que l'individu s'insère dans une structure sociale qui définit pour lui avec qui il peut communiquer et de quelle manière. Dans un sens, il s'insère dans la communication, il ne communique pas. La communication était là avant lui, et il emprunte ce véhicule selon ses besoins. Ainsi, la langue (exemple : le français) utilisée pour communiquer précède tout usage de cette langue par un individu particulier. C'est évident pour une langue, mais c'est aussi vrai de l'ensemble des idées utilisées. Une idée entièrement nouvelle serait probablement inexprimable et incompréhensible. La nouveauté se découvre à partir de proximités et d'associations successives.

De plus, on communique toujours en tenant compte des perceptions qu'on a de l'autre et des perceptions qu'on a des perceptions de l'autre à notre égard. Autrement dit, si un individu croit que l'autre le considère comme un imbécile, eh bien ! il agira en fonction de cette croyance. D'autres aspects peuvent influencer la conduite de l'individu avec un interlocuteur :

- Parmi les multiples rôles de son interlocuteur, lequel veut-il privilégier ? Exemple : le médecin compétent ou l'ami.
- À quel titre cet interlocuteur veut-il parler à l'individu ? Exemple : à titre de patient ou de représentant pharmaceutique.

À cette complexité des représentations de l'autre, ajoutons que deux interlocuteurs ne partagent pas tout à fait le même usage des mots. Que la communication paraisse simple est une illusion qui est utile, mais qui ne résiste pas à l'analyse. On le réalise parfois quand il y a une rupture dans le flot normal de la communication et que, tout à coup, il faut s'expliquer. Il peut être alors très laborieux de clarifier ses propres propos ! Par chance, la plupart du temps, on n'est pas conscient de la complexité en jeu. Le contexte de la communication, lui-même assez standardisé, aide à opérer une sélection parmi les sens possibles qu'on peut attribuer aux propos de l'autre et élimine le besoin de pousser l'analyse plus loin. Dialoguer paraît simple parce qu'on échange généralement des propos dans le respect des conventions sociales (ou autres) et que ces propos reposent sur des *présupposés* ou des *implicites communs*, ainsi que sur le *partage de connaissances.* Tentez d'expliciter les implicites et les présupposés nécessaires à la compréhension ou de proposer une idée radicalement nouvelle, et la simplicité devient un souvenir du passé !

La communication est contextuelle

Nous discernons quatre contextes qui permettent de clarifier la communication.

- **Le contexte psychologique.** Les facteurs psychologiques constituent le premier contexte de la parole. Les interlocuteurs ne peuvent se parler et se comprendre qu'à partir de ce qu'ils sont : leurs besoins, leurs valeurs, leurs attitudes, leurs rôles, leur image, leur estime de soi, leurs connaissances, etc. Tous ces aspects modulent la manière dont ils interviendront, mais la connaissance de ces aspects chez l'autre module aussi la manière dont chacun interprétera ce qui est dit.

- **Le contexte relationnel.** Le deuxième contexte concerne la relation. La production verbale et son interprétation dépendent de la relation (son histoire, son type, sa durée et le degré de confiance mutuelle) qui existe entre les deux interlocuteurs.
- **Le contexte situationnel.** Le troisième contexte touche la situation. Par exemple, les mêmes personnes n'échangeront pas les mêmes propos selon qu'elles se rencontrent par hasard dans la rue ou dans un bureau ou chez le notaire, et l'interprétation des propos variera. Selon le contexte, les propos d'un médecin seront interprétés différemment : ainsi, la suggestion de faire de l'exercice constitue une prescription dans le contexte d'une consultation, mais elle ne constitue qu'un simple conseil dans un salon.
- **Le contexte socioculturel.** Le quatrième contexte est social et culturel. Il s'agit du premier point de repère qu'on utilise en présence d'un inconnu. Je m'adresse à qui ? À un policier dans l'exercice de ses fonctions ? à un psychologue ? à un notaire ? à un prêtre ? Il faut adapter sa manière d'agir selon le rôle tenu par son interlocuteur. Ainsi, pour le même problème de santé, la manière de l'aborder et les propos tenus seront quelque peu différents selon que le médecin s'adresse à un patient ayant une formation universitaire ou à un patient n'ayant pas terminé ses études primaires. De nos jours, on répugne à parler des différences, comme si admettre une différence conférait une supériorité ou une infériorité. La différence peut parfois poser certaines difficultés de communication, et il vaut mieux en être conscient[6].

Une entrevue médicale constitue donc un contexte, au sens où l'entendent Beebe, Beebe et Redmond (1996), qui précise les genres d'activités qui peuvent s'y dérouler. Cependant, le médecin n'est pas maître des propos de son interlocuteur. Celui-ci peut obliger le médecin à explorer des territoires inattendus. Patient et médecin ne sont pas de pures *cognitions* échangeant de l'information. Ils interagissent selon les perspectives qui leur sont propres. Ainsi, lorsqu'ils parlent du monde, ils parlent d'eux-mêmes (Schutz, 1962) et, d'un individu à l'autre, les réalités sont multiples et différentes (Berger et Luckmann, 1966).

La connaissance, les émotions, le sens des messages, rien de tout cela n'est constitué, tout est recréé, reproduit, renégocié, reconceptualisé et recontextualisé à chaque rencontre. C'est la rencontre de l'événement et de l'histoire. C'est comme une pièce de théâtre qui existe bien avant la représentation particulière à laquelle un individu assiste. Cependant, pour que cette pièce continue d'exister, il faut la jouer et la rejouer[7]. Ainsi, les échanges de paroles qui ont lieu entre le médecin et son patient au cours de la consultation s'insèrent dans une longue histoire commençant bien avant la rencontre.

La figure 1.3 illustre comment les divers contextes discutés jusqu'à maintenant se transposent dans ce qu'il est convenu d'appeler une situation conversationnelle. On y trouve l'ensemble des éléments contextuels inhérents à toute communication. Brown et Fraser (1979) ajoutent à la notion des contextes celle de *but*, qui, en pratique, s'avère fort utile pour expliquer le déroulement de l'action. En effet, le contexte peut être vu comme le décor qui permettra aux acteurs de jouer, mais le but oriente l'action. Cette façon d'organiser l'information permet d'avoir une vue d'ensemble des diverses composantes qui ont une influence sur le dialogue médecin-patient et rappelle la toile de fond de la consultation médicale. Observons le cas clinique suivant et le schéma qui en découle (voir la figure 1.4).

Figure 1.3 **Les dimensions clés de la situation conversationnelle**

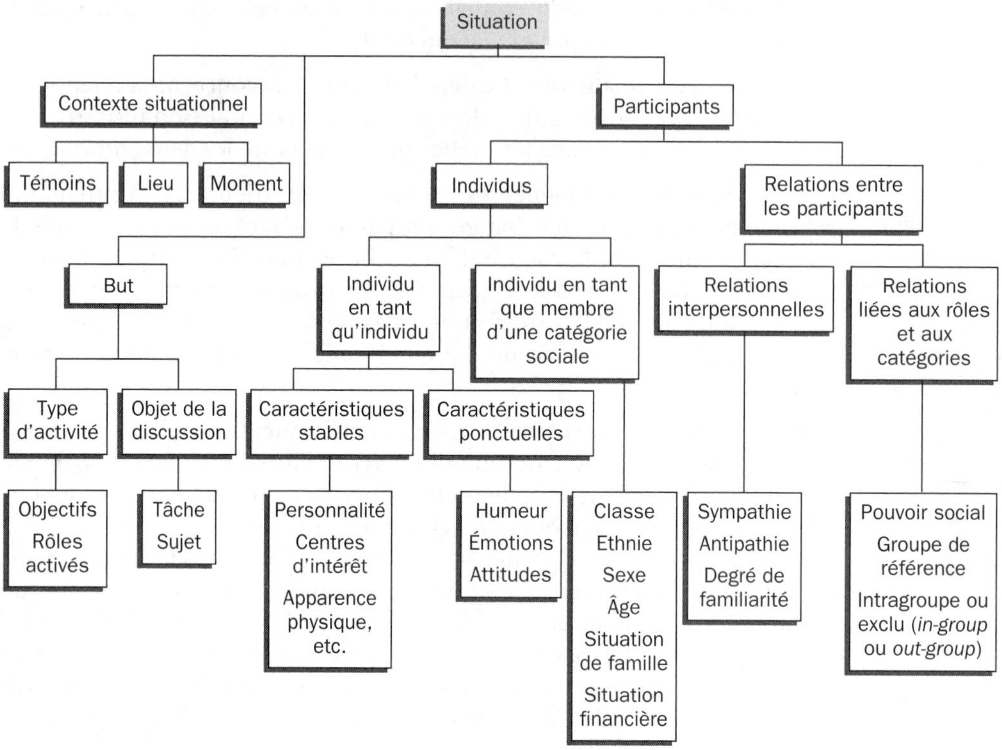

- Situation
  - Contexte situationnel
    - Témoins
    - Lieu
    - Moment
  - But
    - Type d'activité
      - Objectifs
      - Rôles activés
    - Objet de la discussion
      - Tâche
      - Sujet
  - Participants
    - Individus
      - Individu en tant qu'individu
        - Caractéristiques stables
          - Personnalité
          - Centres d'intérêt
          - Apparence physique, etc.
        - Caractéristiques ponctuelles
          - Humeur
          - Émotions
          - Attitudes
      - Individu en tant que membre d'une catégorie sociale
        - Classe
        - Ethnie
        - Sexe
        - Âge
        - Situation de famille
        - Situation financière
    - Relations entre les participants
      - Relations interpersonnelles
        - Sympathie
        - Antipathie
        - Degré de familiarité
      - Relations liées aux rôles et aux catégories
        - Pouvoir social
        - Groupe de référence
        - Intragroupe ou exclu (*in-group* ou *out-group*)

Source : Traduite et adaptée de Brown et Fraser (1979), p. 32. Déja parue dans Richard, C., et M.-T. Lussier (1999). « Un peu de théorie, DOC ? », *Le médecin du Québec*, vol. 34, nº 7, p. 33.

Le Dr Desjardins connaît M. Danis depuis quelques années. Âgé de 55 ans, marié, père de trois enfants, ce patient pourvoit seul aux besoins de sa famille. Il travaille comme livreur. Le médecin le suit pour de multiples problèmes de santé : un diabète insulinodépendant, de l'hypertension et de l'hyperlipidémie. Malgré les nombreuses explications que le médecin lui a données et un séjour au centre de traitement et de contrôle du diabète, M. Danis ne maîtrise pas très bien son traitement à l'insuline.

Le patient se présente au cabinet de son médecin de famille pour discuter de la suspension de son permis de conduire, les policiers l'ayant trouvé dans un état stuporeux au volant de son camion immobilisé à une intersection. Les agents avaient alors conduit l'individu à l'hôpital, où on avait diagnostiqué une hypoglycémie grave. M. Danis a vu son permis de conduire un véhicule lourd suspendu. Il est en colère et désemparé.

Dans cet exemple, le diagnostic de diabète a des effets sur les différents aspects de la réalité du patient : sa représentation de lui-même et de sa santé, ses relations avec sa conjointe et avec ses enfants, son travail et ses loisirs, pour n'en nommer que quelques-uns. L'approche dialogique montre comment l'attention qu'on porte aux contenus et aux processus interactifs dans l'action et la connaissance du contexte permettent au médecin de voir que son patient lui fournit une information extrêmement riche, qui ne demande qu'à être explorée.

Figure 1.4 **Une situation : un individu consulte son médecin de famille**

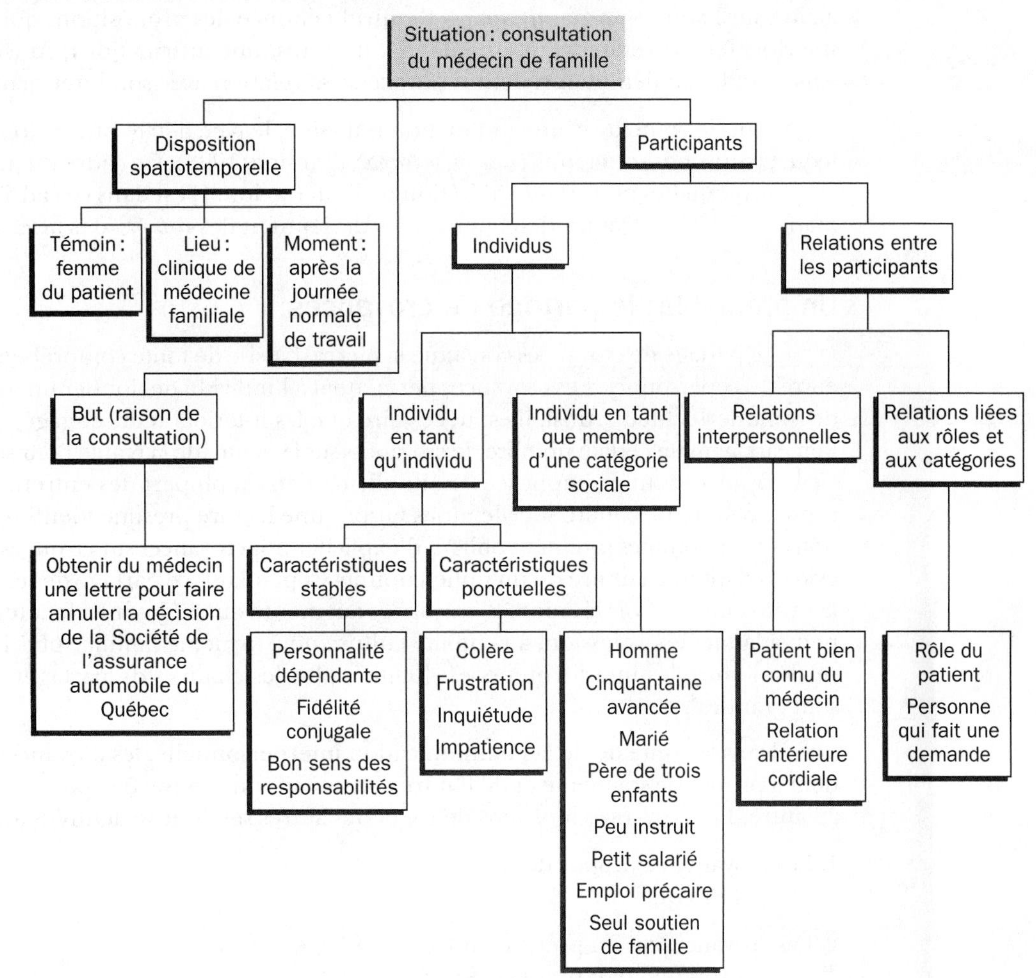

Source : Traduite et adaptée de Brown, P., et C. Fraser (1979), p. 33. Déja parue dans Richard, C., et M.-T. Lussier (1999). « Un peu de théorie, DOC ? », *Le médecin du Québec*, vol. 34, nº 7, p. 34.

Les actes de langage et l'analyse conversationnelle

Jusqu'ici, nous n'avons fait que couvrir les principes généraux de la communication qui sous-tendent le dialogue. Pour bien rendre compte de la dynamique médecin-patient, il est utile de faire intervenir une autre notion : l'action. À cette fin, l'analyse conversationnelle montre en quoi le contexte et la relation à laquelle nous participons – plus précisément l'ensemble de nos croyances à propos de l'autre et à propos de notre société – déterminent nos échanges.

Il existe une croyance selon laquelle la *parole* est une chose et l'*action* en est une autre. Or, selon le point de vue dialogique, ces deux notions sont inséparables, puisque les individus *interagissent* grâce à la parole. Il est certain que le type d'action auquel nous nous référons est différent du type d'action observé dans le monde physique. On ne déplace pas des objets par la parole, mais on déplace les gens, au sens métaphorique, en les faisant passer, par exemple, de la joie à la colère. Chaque fois qu'il y a échange d'information entre deux interlocuteurs, le réseau de croyances de chacun en est modifié ou renforcé : c'est le premier sens de l'*action sur l'autre* pendant la communication. Le second sens de cette action sur l'autre transparaît quand l'individu énonce des propositions qui engagent son interlocuteur (exemples: une demande, un refus, une affirmation). Ainsi, par son langage, l'individu définit et redéfinit sans cesse sa relation avec son interlocuteur.

Dans le contexte d'une interaction humaine, le type d'acte varie selon le cadre dans lequel les propos sont tenus (*discourse frame*) (Tannen, 1993). Ce cadre est une des composantes essentielles pour l'interprétation de l'interaction. C'est dans ce cadre que les informations échangées entre deux personnes deviennent des *actions*, des *actes de langage*.

Un préalable: le partage de croyances

Le partage de croyances constitue la pierre d'assise de toute compréhension mutuelle entre deux personnes. Les croyances permettent à l'individu de donner un sens aux propos de son interlocuteur. Ainsi, il est nécessaire que les interlocuteurs engagés dans l'interaction partagent un certain nombre de croyances sur la nature de la réalité pour se comprendre. Ces croyances sont présupposées ou implicites dans la plupart des entretiens. En effet, à cause de notre proximité sociale, nous faisons une lecture presque identique d'une situation et nous sommes rarement obligés d'expliciter nos croyances sur ce qui est tenu comme évident dans une culture ou un milieu donné. Cependant, ce partage des croyances varie: la probabilité d'avoir les mêmes croyances augmente quand les interlocuteurs appartiennent à la même profession, à la même culture ou à la même famille; plus l'histoire de la relation entre les interlocuteurs est longue, plus les chances de partager des croyances sont grandes[8].

Dans le contexte de la communication interpersonnelle, les croyances qu'on entretient à propos de soi-même et de l'autre constituent un groupe très pertinent qui nous lie à l'autre. Les croyances à propos de soi et des autres seraient structurées ainsi:

1. Les croyances à propos de soi
   - «Je crois que...»;
2. Les croyances qu'on prête à l'autre
   - «Je crois que tu crois que...»;
3. Les croyances que l'on prête à l'autre à propos de soi
   - «Je crois que tu crois que je crois que...».

Ce système nous permet de nous *situer* vis-à-vis de l'autre. Et c'est cette *position* qui nous permet de poser un *geste verbal* et d'anticiper la réaction de l'autre.

Par exemple, pour communiquer en tant que médecin, le professionnel doit, dès le départ, croire qu'il est bel et bien médecin, mais il faut également que son interlocuteur croie qu'il a affaire à un médecin. Si le patient croit que le médecin est le concierge de l'immeuble, il y a fort à parier que l'entretien prendra une autre tournure. Si le médecin croit que son interlocuteur ne croit pas qu'il a affaire à un médecin, il précisera son rôle d'entrée de jeu.

Les catégories d'actes de langage

Pour catégoriser les actes de langage à partir de ce jeu de croyances mutuelles, nous avons choisi l'approche de Labov et Fanshel (1977). Ces auteurs ont déterminé quatre grandes catégories d'actes de langage (*speech acts*) et ont formalisé un certain nombre de règles normatives d'interaction qui sont habituellement reconnues par les interlocuteurs de nos sociétés occidentales.

Les quatre catégories (voir le tableau 1.3) de Labov et Fanshel (1977) se présentent comme suit.

- La première catégorie consiste dans les **aspects métalinguistiques** des échanges verbaux (exemples : amorcer le dialogue, interrompre, rediriger, poursuivre, répondre, mettre fin au dialogue). Ces actes jouent un rôle important dans la régulation et l'enchaînement de répliques.
- La deuxième catégorie renvoie aux **représentations**, qui se subdivisent en deux sous-catégories :
  - Les *événements du domaine de la vie privée* (l'histoire personnelle de l'individu), qui comprennent les actes suivants : donner de l'information sur soi, exprimer un sentiment, une croyance, un accord, un désaccord, etc.
  - Les *événements du domaine public*, qui regroupent les actes suivants : faire une *affirmation* au sujet d'un événement public, évaluer, interpréter. Le contenu de ces actes peut être discutable et remis en question, étant donné qu'il renvoie à des événements de nature publique.
- La troisième catégorie est constituée des **demandes** de toutes sortes et des actes qui leur sont associés (exemples : faire une demande, répondre à une demande, refuser d'y répondre, avec ou sans explication).
- Les **défis** (*challenges*) constituent la dernière catégorie d'actes de langage. Par exemple, si un des interlocuteurs émet un doute sur la compétence de l'autre, il y a là un défi qui influencera beaucoup le déroulement de l'interaction. Lorsqu'un médecin en formation se présente en début d'entrevue et que le patient lui demande s'il va rencontrer un *vrai* médecin, la réaction du clinicien à ce défi pourrait prendre diverses formes : se justifier (« J'ai mon diplôme de médecin, vous savez ») ; répondre par un autre défi (« Doutez-vous de ma compétence professionnelle ? ») ; devenir hostile (« Vous savez, j'ai mon diplôme de médecin et je peux très bien évaluer votre problème de santé »).

Tableau 1.3 **Les catégories d'actes de langage selon Labov et Fanshel**

CATÉGORIE		EXEMPLES
Les aspects métalinguistiques		Amorcer le dialogue, interrompre, rediriger, poursuivre, répondre, mettre fin au dialogue.
Les représentations	Domaine privé	Donner de l'information sur soi, exprimer un sentiment, une croyance, un accord, un désaccord.
	Domaine public	Faire une affirmation au sujet d'un événement public, évaluer, interpréter.
Les demandes		Poser une question, répondre à une question, refuser d'y répondre.
Les défis		Émettre un doute sur la compétence professionnelle de son interlocuteur.

Source : Traduit et adapté de Labov et Fanshel (1977).

Labov et Fanshel (1977) croient que les actions cruciales qui permettent d'établir la cohérence de l'enchaînement dans la conversation ne sont pas les actes de langage du type demandes ou du type affirmations, mais plutôt ceux du type défis, qui sont tous en lien avec la situation de fait des participants, leurs droits et leurs devoirs, ainsi qu'avec l'évolution de leur relation. Ce sont ces actes qui définissent la position mutuelle des interlocuteurs et leur relation.

Comment reconnaître un acte de langage

À partir de l'analyse conversationnelle, Labov et Fanshel (1977) proposent une série de conditions qui permettent de ranger un énoncé dans une catégorie d'actes de langage. Au tableau 1.4, nous prenons l'exemple de la demande directe pour illustrer leur démarche. Il est cependant à noter que, dans la vie quotidienne, la fréquence des demandes indirectes est beaucoup plus élevée que celle des demandes directes.

Tableau 1.4 **Les conditions de validité d'une demande directe**

Si l'interlocuteur A adresse à l'interlocuteur B une demande spécifiant une action X à faire à un moment T1, et si l'interlocuteur B croit que l'interlocuteur A croit :

- (condition 1a) que l'action X devrait être faite pour une raison Y (nécessité de l'action) ;
- (condition 1b) que l'interlocuteur B ne fera pas l'action X en l'absence d'une demande (nécessité de la demande) ;
- (condition 2) que l'interlocuteur B peut faire l'action X (capacité de faire l'action) ;
- (condition 3) que l'interlocuteur B a l'obligation de faire l'action X ou est disposé à la faire ;
- (condition 4) que l'interlocuteur A a le droit de dire à l'interlocuteur B de faire l'action X ;

alors, on considère que l'interlocuteur A fait une demande valide d'action.

L'illustration clinique d'une demande

Illustrons maintenant les conditions de validité d'une demande à l'aide d'un bref cas clinique[9].

M. Julien est suivi par le Dr Levasseur depuis quelques années. Il est traité pour hypertension artérielle depuis plusieurs mois. Il y a eu plusieurs modifications de la médication au cours des visites récentes et le Dr Levasseur commence à s'impatienter parce que son patient a des difficultés à prendre ses médicaments selon le plan de traitement.

Le médecin reçoit le patient en consultation, et l'examen physique révèle une tension qui reste élevée, à 160 sur 100.

LE MÉDECIN — *Cette fois-ci, avez-vous suivi les conseils qu'on vous a donnés pour vous aider à prendre vos médicaments ?*

LE PATIENT — *Mais bien sûr, Docteur, je n'ai pas manqué une seule pilule !*

Avant d'appliquer la règle d'interprétation, il nous faut d'abord expliciter les présupposés et les implicites de cet énoncé. Pour ce faire, la figure 1.3 peut servir de guide.

Les présupposés

- **Le contexte.** Il s'agit d'une consultation de suivi faite au cabinet avec un patient hypertendu qui présente des difficultés d'observance de la médication. Le patient ne fait preuve d'observance que durant de courtes périodes. Le médecin lui a déjà proposé plusieurs stratégies pour l'aider à prendre ses médicaments. En fait, le problème, c'est que le médecin n'arrive pas à faire adopter au patient le comportement désiré.
- **Les rôles.** Le médecin est le soignant et le patient, le soigné.
- **Les droits et les devoirs.** Le patient doit collaborer en donnant l'information nécessaire au médecin pour lui permettre l'évaluation complète de son problème, tandis que le médecin doit déterminer correctement la nature du problème, prescrire un traitement approprié et comprendre la situation du patient.

Les implicites

Du côté du médecin, les implicites se résument par la phrase suivante : « Je m'attends à ce que M. Julien fasse preuve d'observance. » Du coté du patient, ce pourrait être : « Le médecin va comprendre que je n'arrive pas à prendre les médicaments prescrits. »

Les implicites sont en relation avec ce qui a été dit au cours des consultations antérieures au sujet de ce problème et avec les attentes de chacun des interlocuteurs. Le médecin s'attend à ce qu'un patient qui désire régler ou améliorer son problème de santé suive les prescriptions qu'il lui fait. Il continue donc de vouloir que ce patient respecte le traitement prescrit : c'est pourquoi il s'attend à un changement de comportement de la part du patient. Pour sa part, le patient s'attend à ce que le médecin comprenne ses difficultés. Nous pourrions poursuivre et couvrir, à la limite, tout ce qui est pertinent par rapport aux rôles de chacun, leur passé commun et tout ce qui est connu du contexte médical. L'ensemble de ces éléments intervient dans une interaction, mais, aux fins de l'analyse, nous nous limiterons aux aspects essentiels.

Les conditions de validité de la demande

Pour que la demande du Dr Levasseur soit valide, elle doit remplir quatre conditions.

- *La première condition : l'action devrait être faite.*
  a) Le patient devrait respecter sa prescription, car il a déjà subi des effets indésirables liés la prise irrégulière de ses médicaments et son hypertension n'est toujours pas maîtrisée.
  b) En ce moment, le patient suit plus ou moins la médication et il ne change pas de comportement.
- *La deuxième condition : le patient peut faire l'action.* Le patient, selon toute vraisemblance, peut faire l'action demandée. Il s'agit de prendre deux comprimés antihypertenseurs le matin, ce qui est faisable par lui, comme par presque tous les patients. De plus, de façon irrégulière, le patient a déjà suivi la prescription.
- *La troisième condition : le patient a l'obligation de faire ce que le médecin lui demande ou est disposé à le faire.* En consultant le médecin, le patient s'attend à poser des actions pour mettre en pratique les conseils que le médecin va lui prodiguer. La relation dans laquelle il se place l'engage à une certaine obligation – sinon il n'a qu'à changer de médecin. On sait aussi qu'il a la volonté d'essayer car, pendant un certain temps, il a suivi la prescription.

- *La quatrième condition : le médecin a le droit et l'obligation de dire au patient de prendre le médicament correctement.* D'abord, c'est un médecin qui parle. Il a donc toutes les connaissances voulues pour parler avec compétence de la manière dont on doit prendre le médicament. Il est compétent sur le plan clinique. Il a bien cerné le problème dont souffre le patient et il a prescrit le médicament approprié. De plus, c'est le rôle du médecin de conseiller les patients et de les soigner au sens large. Enfin, le patient est venu librement consulter le médecin et lui a demandé explicitement de l'aider au sujet de sa santé.

Ces quatre conditions étant respectées, on peut affirmer que le patient a reçu une demande valide (« Cette fois-ci, avez-vous suivi les conseils qu'on vous a donnés pour vous aider à prendre vos médicaments ? »). Mais il y a beaucoup plus qu'il n'y paraît au premier abord : en effet, nous n'avons pas affaire à une simple demande. Sans entrer dans les détails de l'analyse, mentionnons que ce simple énoncé du médecin est porteur de deux demandes, d'une affirmation et d'un défi. C'est ce qu'on appelle la *surdétermination du signal*, qui correspond à la présence de plusieurs actes de langage dans un même énoncé :

- Au premier niveau se trouve une demande d'information évidente : « Avez-vous pris vos médicaments ? »
- Cependant, avec le « cette fois-ci », la question cache une affirmation : « Vous avez tendance à ne pas prendre vos médicaments. »
- Compte tenu de son état, le patient doit continuer de prendre correctement ses médicaments : il y a donc une seconde demande implicite de le faire.
- Enfin, comme le médecin souligne le manque d'observance du patient, il y a présence d'un défi. Le médecin met en doute que le patient soit un bon patient, dans la mesure où il s'était engagé à suivre les prescriptions *justifiées* du médecin et il ne les suit pas. Il lance donc un défi au patient sous la forme d'une critique.

Parmi cet ensemble d'actes de langage posés par le médecin, auxquels le patient choisira-t-il de répondre ? Il pourra répondre à plusieurs, sinon à tous, et même en produire un certain nombre de son cru. Par exemple, le patient peut répondre : « Mais bien sûr, Docteur, je n'ai pas manqué une seule pilule ! »

À un premier niveau, le patient donne l'information demandée : « Je prends mes médicaments. » De plus, il affirme être un bon patient en précisant que la chose est évidente : « Bien sûr. » Il lance alors un défi en s'opposant à l'affirmation implicite du médecin qui sous-entendait qu'en faisant preuve d'inobservance il n'était pas un bon patient. Il répond aussi à la demande implicite du médecin (de continuer à prendre ses médicaments correctement) en lui indiquant, par sa réponse positive, qu'il est effectivement prêt, d'une part, à continuer de prendre ses médicaments et, d'autre part, à poursuivre sa relation avec lui. Enfin, il lance un autre défi au médecin en remettant en question son jugement sur son inobservance.

Cette chaîne d'échanges de paroles se poursuit jusqu'à la fin de l'entrevue. La cohérence n'est pas dans l'enchaînement des contenus, mais dans les liens que créent les actes de langage les uns avec les autres. Les contenus ont certes de l'importance, mais ce n'est pas à ce niveau que se tisse la relation.

Il est certain que la microanalyse des interactions n'est pas un outil utilisable en pratique clinique. Cependant, lorsque le médecin acquiert une sensibilité à cette dimension interactive, il peut, sans passer par ce long processus d'analyse, saisir la multiplicité et la complexité de ses entretiens avec le patient. Il gagne ainsi sur deux tableaux : les entrevues lui paraîtront plus riches et multidimensionnelles, et sa relation avec le patient sera facilitée, car il sera maintenant sensible aux mécanismes qui font et défont une relation.

L'incompréhension sous toutes ses formes

À première vue, la mise en application de l'approche dialogique peut sembler extrêmement compliquée. Pourtant, il n'en est rien, c'est aussi naturel que de marcher ou de respirer. On participe à des dialogues quotidiennement sans en souffrir. C'est seulement lorsque le dialogue prend une tournure inattendue et qu'on doit agir délibérément pour le corriger que toute la complexité de l'opération nous apparaît. Ainsi, marcher peut paraître simple, mais qu'on se fasse une blessure aux membres inférieurs, et la complexité de la marche nous apparaît brusquement ! Il en est ainsi pour la conversation.

Le modèle que nous proposons est simple : il vise à aider le clinicien lorsque le dialogue dérape ou lorsqu'il n'obtient pas les résultats espérés de l'entrevue. Garder présent à l'esprit qui on est comme professionnel est utile : particulièrement, rester sensible à son style d'entrevue, à ses préférences liées au déroulement de l'entrevue, ainsi qu'au niveau du discours et à la distance sociale idéale désirés avec un patient (exemple : le tutoiement ou le vouvoiement).

Cela dit, ce qui est encore plus important, ce sont les *croyances* que le médecin entretient à l'endroit de son patient. Ces croyances sont susceptibles d'évoluer rapidement au fur et à mesure que la relation médecin-patient progresse. Au tout début d'une relation, on ne peut que se référer à des idées plus ou moins préconçues, à une vision normative du patient : il s'agit d'un homme, francophone, col bleu, etc. Cette image simplifiée de l'autre devrait cependant suivre l'évolution de la relation, le médecin ajustant progressivement son discours à *cet* individu. Peu à peu, par le dialogue, le patient devient une personne de plus en plus riche et complexe aux yeux du médecin. Ainsi, le clinicien apprendra que ce patient est parfaitement bilingue, qu'il a un diplôme d'études collégiales et que c'était un entrepreneur prospère qui a récemment connu la faillite, etc. De plus, grâce au dialogue, un certain nombre de croyances deviendront communes aux deux interlocuteurs, parce que fondées sur l'échange de vues et partagées.

Le processus d'ajustement des croyances mutuelles

Le médecin a des présupposés, des implicites et des croyances qui détermineront sa conduite. C'est à partir de ces éléments qu'il décidera de ses comportements à l'égard du patient et qu'il s'attendra à ce que ce dernier ait certains comportements. Les croyances à l'égard du patient constituent donc le matériau que le médecin utilisera pour décider de la conduite de l'entrevue. Normalement, ces aspects ne font qu'affleurer à la conscience et on utilise l'information disponible automatiquement en vue d'obtenir du patient les comportements attendus (exemple : obtenir du patient des informations sur ses symptômes et non le résumé critique du dernier film qu'il a vu).

Lorsque le médecin pose un acte verbal, il lui est utile de faire émerger dans son champ de conscience les comportements auxquels il s'attend de la part du patient. Dans les échanges verbaux qui coulent de source, ce processus se fait naturellement : « Ce que je crois à son sujet correspond assez bien à ce qu'il est, et je pose donc des actes qu'il comprend. Car, en retour, il réagit d'une manière attendue et compréhensible pour moi. »

Par contre, lorsque le patient ne réagit pas selon les attentes du médecin, celui-ci devrait réagir : c'est un signal d'alerte ! La difficulté peut être banale : le patient aura mal compris, il n'aura pas entendu, un mot lui sera inconnu, etc. Une simple reformulation suffit à régler ce genre de difficulté. Mais si, après deux ou trois reformulations, le comportement du patient ne correspond toujours pas à celui attendu, la difficulté est peut-être plus grave.

Une autre situation peut se produire : à la suite de son propre comportement verbal, le médecin juge que celui du patient est incompréhensible, apparemment incohérent ou, à tout le moins, illogique par rapport au sien. D'emblée, il peut croire qu'il s'agit d'une difficulté communicationnelle plus grave. Il lui faut alors ménager un temps d'arrêt dans le déroulement, puis revenir en arrière pour comprendre la difficulté. Le médecin doit faire le tour des croyances qu'il entretient à l'égard de son patient par rapport au sujet abordé :

- « À ce sujet, je crois que mon patient croit que... »
- « Il ne comprend peut-être pas certaines informations essentielles. »
- « Il n'a aucune idée de ce qu'est le diabète. »
- « Il ne comprend peut-être pas l'action dans laquelle il est engagé. »
- « Il ne comprend peut-être pas ce que j'attends de lui. »

Le médecin doit alors revoir ses présupposés, ses implicites et ses croyances au sujet de son patient. Ce qui nous intéresse ici, ce sont les croyances que le médecin entretient à propos de celles du patient, qui peuvent inclure, à la limite, les croyances que le patient entretient à propos de celles du médecin. Ainsi, le médecin pourrait croire que son patient croit que son médecin n'est pas sérieux... Croyance que le médecin s'empressera de corriger de façon explicite. Après cet ajustement des croyances mutuelles, le médecin sera plus réaliste dans ses attentes liées aux comportements du patient et il pourra alors poser des actes verbaux reconnus par lui.

Il y a donc deux aspects essentiels à retenir dans ce processus d'ajustement des croyances mutuelles (voir la figure 1.5) : le médecin doit tenter de prévoir les réactions du patient ; si les réactions du patient ne correspondent pas à cette anticipation, le médecin doit revenir aux croyances qu'il entretient à propos de son patient et les corriger. Plus ce système de croyances à propos du patient sera proche de sa réalité, plus le dialogue sera harmonieux.

Le cas clinique suivant illustre ce processus.

Un patient diabétique rencontre son médecin de famille pour un suivi. Lors de la dernière consultation de ce patient, le médecin avait traité une sinusite.

LE MÉDECIN	— *Bonjour, Monsieur Talbot.*	
LE PATIENT	— *Bonjour, Docteur Leclerc.*	
LE MÉDECIN	— *Comment va votre sinusite ?*	Le médecin s'informe du résultat de sa dernière intervention. La réponse attendue devrait ressembler à « Ça va mieux » ou à « Ça ne va pas mieux ».
LE PATIENT	— *Je continue à prendre mes médicaments régulièrement.*	Le médecin s'interroge : la réponse du patient ne correspond pas à ce qui est attendu. D'une part, l'ordonnance devrait être épuisée depuis longtemps ; d'autre part, le patient semble se porter bien. Lui parle-t-il vraiment de sa sinusite ? Le clinicien va donc reformuler sa question pour s'assurer que le patient l'a bien comprise.

LE MÉDECIN	*— Je ne comprends pas très bien ce que vous me dites... De quels médicaments voulez-vous parler?*	Le médecin tente de lever l'ambiguïté.
LE PATIENT	*— Mais de mes médicaments pour le diabète!*	Le patient apporte des précisions à sa première réponse. Il n'avait pas compris ce que le médecin lui avait demandé.
LE MÉDECIN	*— Ah! Moi, je vous parlais de la sinusite pour laquelle vous m'aviez consulté la dernière fois.*	Le médecin est plus explicite que la première fois.
LE PATIENT	*— Ah! Ma sinusite... Je m'excuse. Oui, j'ai fini de prendre les médicaments et je n'ai plus de symptômes de ce côté.*	Après les éclaircissements du médecin, le patient donne l'information attendue. Le médecin a résolu l'incompréhension ponctuelle. L'entrevue médicale se poursuit. Un peu plus tard, le médecin s'informe des habitudes alimentaires du patient.
LE MÉDECIN	*— Avec vos injections d'insuline, vous n'oubliez pas de manger régulièrement?*	Si le patient a bien compris la question, il devrait répondre « Oui », « Non », « Parfois », « J'essaie », etc. Le médecin présuppose que le patient comprend bien le rôle des repas et de l'injection d'insuline dans la régulation de la glycémie.
LE PATIENT	*— Je mange très bien, Docteur.*	Cette réponse n'est pas du tout ce qu'attend le médecin : le patient a mal interprété ou il ne comprend pas le processus de la régulation.
LE MÉDECIN	*— Oui, mais après avoir fait votre injection du matin par exemple, mangez-vous une collation?*	Le médecin tente de reformuler sa question.
LE PATIENT	*— Je n'ai pas toujours faim, ça dépend des fois. Je n'attends pas d'avoir faim, je grignote un peu tout le temps.*	Encore une fois, ce n'est pas le genre de réponse que le médecin s'attend à entendre. La réponse du patient semble indiquer l'incompréhension du processus de régulation. Une difficulté majeure s'annonce. Il est temps de revenir en arrière et de vérifier la compréhension que le patient a de son traitement.

Figure 1.5 **Le processus d'ajustement des croyances mutuelles***

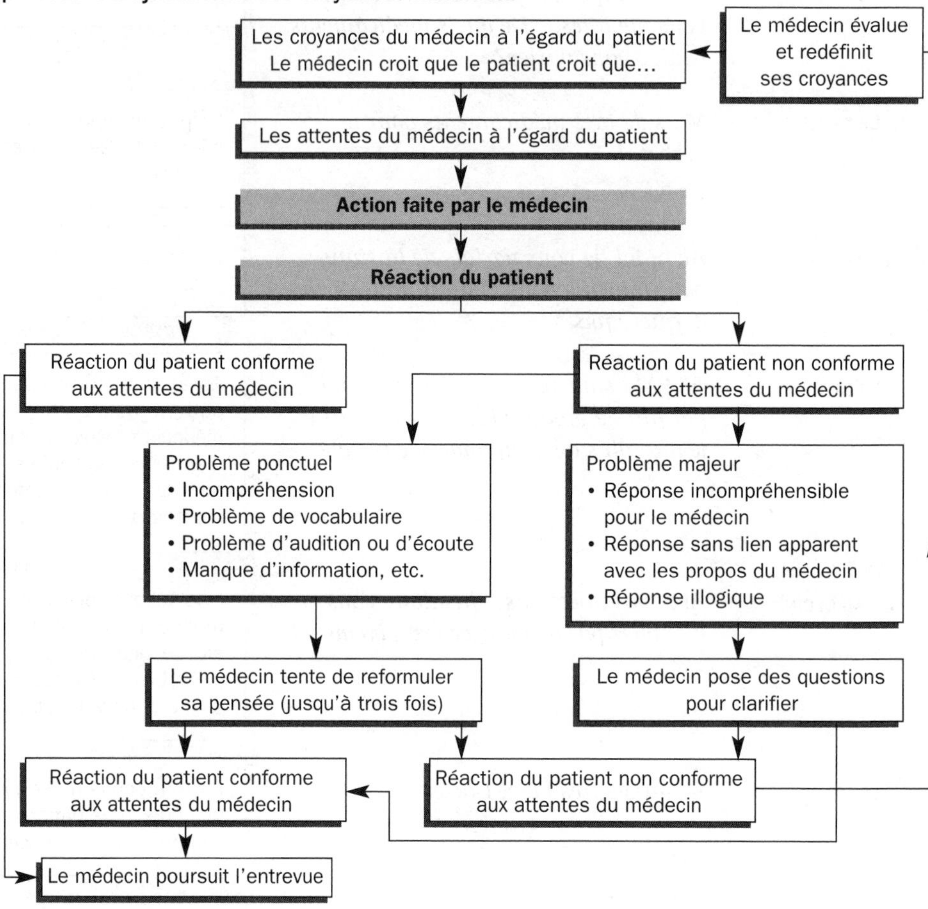

* Les caractères gras indiquent le dialogue et les caractères maigres correspondent aux processus cognitifs.

Conclusion

L'approche dialogique met l'accent non seulement sur la façon dont les dimensions sociale, culturelle, informationnelle et cognitive prennent vie dans les dialogues médecin-patient, mais aussi sur le contexte du dialogue et la nécessaire relation qu'il exprime. Le médecin a donc avantage à acquérir une sensibilité au contexte et à la relation qui constituent les premiers cadres de référence utilisables pour interpréter le discours du patient. Parallèlement, le patient aussi doit s'appuyer sur le contexte et sur sa relation avec le professionnel pour comprendre les propos de ce dernier. L'habileté du médecin à bien gérer l'entrevue dépend de sa capacité à observer les marqueurs présents dans les propos du patient. Ces marqueurs lui indiqueront le but poursuivi par le patient, qui il est comme individu et comment il perçoit sa relation avec le professionnel. Si le développement de la connaissance médicale repose sur une approche scientifique, la relation avec le patient repose plutôt sur la capacité du médecin à entretenir un dialogue avec lui. On fait donc appel à la connaissance médicale du professionnel, mais aussi à sa capacité de rencontrer une personne, c'est-à-dire de dialoguer, de communiquer, d'écouter les narrations, de gérer les émotions et d'explorer la subjectivité du patient. À partir de cette rencontre se construira une réalité partagée qui influencera les rencontres futures et changera les participants (Wilson, 2000; Massad, 2003; Toulmin, 1993).

Dans ce chapitre, nous avons proposé une approche qui permet de rendre compte des constructions les plus abstraites de notre société aux actes les plus concrets que nous faisons. Nous avons également décrit quelques règles communicationnelles de base que nous croyons fonctionnelles en toutes circonstances. Enfin, nous avons illustré grâce à l'analyse conversationnelle comment l'ensemble de nos croyances sur la culture, la société et l'autre intervient dans l'interaction pour actualiser une relation. Dans une relation, l'interaction est le lieu où s'exprime l'ensemble des représentations qu'utilisent les individus; l'interaction est aussi le processus par lequel se font et se défont les relations.

Notes

1. Des parties de ce chapitre ont déjà été publiées dans Richard, C., et M.-T. Lussier (1999). « Un peu de théorie, DOC? », *Le médecin du Québec,* vol. 34, n° 7, p. 29-34.
2. Linell (1968, p. 67) : « Dialogism is a general framework for understanding discourse, cognition and communication. However, its basic principles are derived from observations of talk in focussed, face-to-face encounters between people. »
3. Les quatre derniers principes de cette liste ont été élaborés par Beebe, Beebe et Redmond (1996).
4. Au Québec, le terme *doc* comporte une certaine familiarité, comparable à celle du terme *toubib.*
5. Mead (1934, p. 21) : « conversation as a socially distributed cognitive system ».
6. Pour en apprendre davantage sur ces problèmes de communication liés aux différences, lire les chapitres 15, 17 et 18, intitulés respectivement « Les patients aux prises avec des problèmes d'alphabétisme fonctionnel », « Les patients défavorisés » et « Les patients de culture différente ».
7. Linell (1968, p. 63) : « The construction, conceptualization, negotiation and contextualization of understandings of the world that take place in situated interactions build upon constructions, concepts, negotiated contracts and contextual frames that are in a sense taken as given, and used as resources for re-construction, re-conceptualization, re-negotiation and re-contextualization there-and-then. »
8. Pour en apprendre davantage sur les façons de résoudre les difficultés communicationnelles liées aux différences de croyances, lire les chapitres 4, 15, 17 et 18, intitulés respectivement « Les représentations profanes liées aux maladies », « Les patients aux prises avec des problèmes d'alphabétisme fonctionnel », « Les patients défavorisés » et « Les patients de culture différente ».
9. Bachmann, Lindenfeld et Simonin (1981) font un tour d'horizon (en français) des traditions anglosaxonnes.

Références

Anderson, R., K.N. Cissna et R.C. Arnett (sous la dir. de) (1994). *The reach of dialogue: Confirmation, voice and community,* Cresskill (New Jersey), Hampton.

Bachmann, C., J. Lindenfeld et J. Simonin (1981). *Langage et communications sociales,* coll. Langues et apprentissage des langues, Paris, Hatier-CREDIF.

Bateson, G. (1972). *Steps to an ecology of mind,* New York, Chandler.

Beebe, S.A., S.J. Beebe et M.V. Redmond (1996). *Interpersonal communication: Relating to others,* Needham Heights (Massachusetts), Allyn and Bacon.

Berger, P.L., et T. Luckmann (1966). *The social construction of reality: A treatise in the sociology of knowledge,* Garden City (New York), Anchor Books.

Billig, M. (1996). *Arguing and thinking: A rhetorical approach to social psychology,* 2e édition, Cambridge, Cambridge University Press.

Boileau, N. (1674). *L'art poétique.*

Bracken, P., et P. Thomas (2002). « Time to move beyond the mind-body split », *British Medical Journal,* vol. 325, n° 7378, p. 1433-1434.

Brown, P., et C. Fraser (1979). « Speech as marker of situation », dans *Social markers in speech,* sous la direction de K.R. Scherer et H. Giles, Cambridge, Cambridge University Press.

Craig, R.T. (1999). « Communication theory as a field », *Communication Theory,* vol. 9, n° 2, p. 119-161, document Web (www.colorado.edu/communication/metadiscourses/index.htm).

Cronen, V.E., W.B. Pearce et L.M. Harris (1982). « The coordinated management of meaning: A theory of communication », dans *Human communication theory: Comparative essays,* sous la direction de F.E.X. Dance, New York, Harper and Row.

Duck, S. (1994). *Meaningful relationships: Talking, sense, and relating,* coll. Sage series on Close relationships, Thousand Oaks (Californie), Sage.

Harré, R. (1992). « New methodologies: The turn to discourse », *American Behavioral Scientist,* vol. 36, n° 1.

Hellstrom, O. (1998). « Dialogue medicine: A health-liberating attitude in general practice », *Patient Education and Counseling,* vol. 35, n° 3, p. 221-231.

Labov, W., et D. Fanshel (1977). *Therapeutic discourse: Psychotherapy as conversation*, New York, Academic Press.

Lazare, A. (1995). « The interview as a clinical negotiation », dans *The medical interview: Clinical care, education, and research*, sous la direction de M. Lipkin, S.M. Putnam et A. Lazare, New York, Springer-Verlag, p. 50-62.

Leudar, I., et C. Antaki (1988). « Completion and dynamics in explanation seeking », dans *Analysing everyday explanations: A casebook of methods*, sous la direction de C. Antaki, Londres, Sage, p. 145-155.

Linell, P. (1968). *Approaching dialogue: Talk, interaction and contexts in dialogical perspectives*, Philadelphie, John Benjamins.

Marsh, P. (1988). *Eye to eye: How people interact*, Topsfield (Massachusetts), Salem House.

Massad, S. (2003). « Performance of doctoring: A philosophical and methodological approach to medical conversation », *Advances in Mind-Body Medicine*, vol. 19, nº 1, p. 6-13.

Mead, G.H. (1934). *Mind, self, and society: Social attitudes and the physical world*, Chicago, University of Chicago Press.

Richard, C., et D. Roberge (1989). « Conversation: contexte et interaction », dans *Pour un paradigme écologique*, sous la direction de R. Tessier, Montréal, Hurtubise HMH, chapitres 2 et 4.

Richard, C., et M.-T. Lussier (1999). « Un peu de théorie, DOC? », *Le médecin du Québec*, vol. 34, nº 7, p. 29-34.

Schutz, A. (1962). *Collected papers: The problem of social reality*, sous la direction de M.A. Natanson, La Haye, Martinus Nijhoff.

Tannen, D. (1993). *Framing in discourse*, Oxford, Oxford University Press.

Toulmin, S. (1993). « Knowledge and art in the practice of medicine: Clinical judgment and historical reconstruction », dans *Science, technology and the art of medicine: European-American dialogues*, sous la direction de C. Delkeskamp-Hayes et M.A. Gardell Cutter, New York, Kluwer Academic.

Wertsch, J.V., et W.R. Penuel (1996). « The individual-society antinomy revisited: Productive tensions in theories of human development, communication and education », dans *The handbook of education and human development: New models of learning, teaching and schooling*, sous la direction de D.R. Olson et N. Torrance, Oxford, Blackwell, p. 415-433.

Wilson, H.J. (2000). « The myth of objectivity: Is medicine moving towards a social constructivist medical paradigm? », *Family Practice*, vol. 17, nº 2, p. 203-209.

Winkin, Y. (sous la direction de) (1981). *La nouvelle communication*, Paris, Seuil.

Zoppi, K. (1997). « Interviewing as clinical conversation », dans *Introduction to clinical skills: A patient-centered textbook*, sous la direction de M.B. Mengel et S.A. Fields, New York, Plenum Medical Book, chapitre 2.

CHAPITRE 2

Les manifestations et les composantes d'une relation

Claude Richard
Marie-Thérèse Lussier

Les patients placent la relation qu'ils entretiennent avec leur médecin tout de suite après celle qu'ils ont avec leur famille[1].
Pincock (2003)

Au début était la relation.
Buber (1970)

Dans le chapitre 5 du présent manuel, Lise Giroux explore les divers modèles de la relation médecin-patient qui ont cours dans la littérature médicale. Nous abordons ici la question sous l'angle plus général de la communication sociale (Leeds-Hurwitz, 1995; Gergen, 1994, 1999; Duck, 1993, 1994). À cette fin, nous adopterons la description générale suivante:

> Les relations se réalisent, se transforment et se définissent dans et par l'ensemble des dialogues que les individus entretiennent (Gergen, 1999).

Cette approche s'inspire du constructivisme social, perspective selon laquelle nos construits, nos comportements et, en particulier, nos relations sont produits et maintenus grâce essentiellement à nos interactions avec notre environnement personnel et social (Berger et Luckmann, 1967; Shotter, 1993; Sarbin et Kitsuse, 1994; McNamee et Gergen, 1992, 1999).

La relation est immanente à l'interaction

Les relations sont constituées des interactions entre des individus dans divers contextes et environnements. Dans la perspective théorique que nous adoptons, l'accent est placé sur les comportements observables et sur la façon dont les relations cliniques se constituent et deviennent efficaces. Cette perspective est nettement interactive, et elle inclut les propos portant sur les interactions elles-mêmes. Nous avons tout un bagage de concepts pour décrire les relations. Ces concepts comportent souvent une double dimension: ils renvoient fréquemment, d'une part, à un état intérieur ou à une émotion et, d'autre part, à des ensembles d'interactions observables, comme l'amitié ou l'amour. Ces deux aspects s'entremêlent continuellement. Par exemple, on interagit de manière amicale, mais aussi on peut parler de notre amitié. Parler de l'amitié constitue un *méta*regard sur l'interaction amicale qui se déroule. Ce genre de métaconcept, bien qu'intéressant à connaître pour les interventions, n'est nullement nécessaire pour participer à une relation. Ainsi, un individu peut avoir une relation amicale sans jamais parler de son amitié.

Au sens strict, une relation n'*existe* pas. C'est une abstraction pour une ou des séquences d'interactions. Une relation s'actualise continuellement dans l'action et grâce aux réactions de chacun des participants. Il s'agit donc d'un processus perpétuel de construction et de reconstruction, qui a également la caractéristique de se reproduire à sa propre image, donnant ainsi l'illusion de stabilité (Duck, 1993).

Dans une relation, comme dans une conversation, on ne sait pas à l'avance comment les choses vont évoluer. On ne peut qu'émettre une hypothèse sérieuse quant à l'évolution des sujets et du déroulement d'une rencontre, mais on ne peut avoir aucune certitude. A priori, toute relation donnée peut évoluer de plusieurs façons.

De manière générale, en communication sociale, on reconnaît que la réalité de la relation clinique n'est pas un fait ou un ensemble de faits existant *avant* l'activité humaine – puisque c'est cette activité qui entraîne la relation. Dans cette perspective, le monde de la relation clinique se crée par l'interaction entre les personnes dans un cadre où elles collaborent à la réalisation d'un but commun: l'amélioration ou la restauration de la santé du patient (McNamee et Gergen, 1992).

L'évolution de la relation

La parole constitue un lien entre des gens plutôt qu'un lien entre des concepts : les paroles que nous échangeons nous procurent le sentiment d'*être en relation*. Il y a toujours primauté des interactions sur les contenus. En retour, une relation suppose une construction de sens, une inférence et une transformation de la parole. Le simple fait de parler soutient la relation, et on ne peut dissocier la relation de la parole. Celui qui parle suggère une vision du monde que l'autre peut accepter, rejeter, défier, etc. La parole est un argument en faveur de l'existence d'un certain monde conceptuel (Hauser, 1986). La relation qu'on propose à l'autre constitue une manière de présenter son propre point de vue sur le monde. La conversation, sous quelque forme que ce soit, est la pierre d'assise du développement d'une relation, puisque c'est en parlant que nous entrons en relation (Beebe, Beebe et Redmond, 1996). Cependant, pour que les échanges de vues se fassent de manière satisfaisante, un certain nombre de principes doivent être respectés. Sur le plan social, nous puisons dans le répertoire de relations qu'une société nous propose. Aussi, bien que nous définissions nos relations dans l'interaction, que nous les nommions, puis qu'en retour le fait de les avoir nommées influence la formation de nos futures relations, nous nous servons du répertoire offert par notre culture pour les nommer et les produire. En ce sens, nous *entrons* dans une relation, nous ne la créons pas. Mais, toujours, la relation s'inscrit dans l'interaction ou, si on préfère, est immanente à l'interaction.

Toute relation interpersonnelle est fondée sur la continuité (intériorisée et nommée) des interactions qu'une personne entretient avec une ou plusieurs autres. Chaque nouvelle interaction contribue ainsi à définir la relation. Au début d'une relation, il est plutôt inhabituel de partager les aspects les plus privés de sa vie. Cependant, au fur et à mesure qu'évolue la relation, il devient anormal de ne rien partager de privé ou même de secret (Duck, 1993).

Bien sûr, cette évolution, habituelle dans les relations interpersonnelles, contraste avec la relation clinique où, d'entrée de jeu, on s'attend à ce que le patient révèle des faits ou des pensées intimes, alors que le médecin, lui, ne révèle rien de son intimité. Cette situation hautement artificielle ne peut être maintenue que grâce au soutien d'une organisation sociale. Il existe même un cadre juridique qui gère ce type de relation dans nos sociétés occidentales (exemple : les divers codes de déontologie). Cependant, les règles qui régissent la relation médecin-patient ont suffisamment de souplesse pour permettre que se forme une relation particulière entre les individus en présence.

Zoppi et McKegney (1997) décrivent la consultation médicale comme une « conversation clinique ». Le tableau 2.1 permet de comparer les caractéristiques d'une conversation sociale avec celles d'une conversation clinique.

Depuis longtemps, nous codifions collectivement les types de relations. Un exemple frappant est celui de l'évolution des relations homme-femme au cours de ces 50 dernières années. Prusank, Duran et DeLillo (1993) rappellent que la conception de la *bonne relation* homme-femme a beaucoup évolué depuis les années cinquante. Dans les années cinquante à soixante, la femme mariée devait être respectueuse de son mari ; on croyait qu'un problème conjugal n'avait qu'une seule solution et que tous les experts s'entendraient sur celle-ci. Dans les années soixante à soixante-dix, on mettait plutôt de l'avant l'opinion que chacun devait régler ses propres problèmes avec authenticité et au

Tableau 2.1 **Deux types de conversation**

CONVERSATION SOCIALE	CONVERSATION CLINIQUE
C'est une entreprise de collaboration où il y a contrôle mutuel et réciprocité.	C'est une entreprise de collaboration où il y a contrôle mutuel.
Elle peut inclure plusieurs sujets de conversation et faire apparaître plusieurs types d'émotions.	Elle inclut plusieurs sujets de conversation, mais dans un domaine plus limité, et peut faire apparaître plusieurs types d'émotions.
Chaque participant s'attend à ce que l'autre divulgue des informations à propos de lui-même et chacun s'attend à ce que l'autre fasse preuve d'intérêt à son égard.	Le patient ne s'attend pas à ce que le médecin divulgue des informations sur lui-même, mais il s'attend à ce que le médecin fasse preuve d'intérêt à l'égard des informations qu'il lui divulgue.
Les interlocuteurs ont pour but principal de fonder, de maintenir ou de terminer la relation, de s'engager dans un rituel et de se dévoiler dans une même mesure.	Les interlocuteurs ont pour but principal de s'occuper du problème de santé du patient, de produire un plan de traitement et de favoriser le dévoilement du patient, mais non celui du médecin.
Habituellement, les participants se posent mutuellement des questions, partagent le temps de parole et s'écoutent.	Le médecin pose plus de questions que le patient, il a plus de temps de parole et il ne se dévoile que peu ou pas du tout.
Les intéressés ne dépendent pas l'un de l'autre.	Le patient peut dépendre du médecin physiquement ou psychologiquement ainsi que pour des conseils ou des avis.

Source : Traduit et adapté de Zoppi et McKegney (1997).

moyen d'une *communication ouverte*. Depuis les années quatre-vingt, on souligne l'importance de l'égalité des partenaires et l'importance non seulement de la conscience de soi et de ses buts individuels, mais aussi de l'adaptation ou de l'accommodation à ceux de l'autre.

Le parallèle entre la relation homme-femme et la relation médecin-patient est intéressant. Dans les années cinquante, on s'attendait à ce que le patient soit respectueux du médecin expert, qui jouait le rôle de guide auprès du patient. On s'attendait aussi à ce qu'il n'y ait qu'une seule solution au problème de santé et que tous les experts s'entendraient sur cette solution. Dans les années soixante, on s'attendait à ce que le médecin soit sensible à son propre épanouissement dans la relation (tout en protégeant ses patients de ses problèmes personnels) et tienne compte des aspects psychosociaux du patient. Il devenait alors responsable du bien-être psychologique du patient, auquel il offrait soutien et réconfort. La relation avec le médecin devenait le traitement (Persaud, 2003).

L'approche centrée sur le patient domine les années quatre-vingt et quatre-vingt-dix. Le médecin doit tenir compte du point de vue et des opinions du patient et lui *suggérer* un choix de traitements en conséquence. Ces dernières années, on assiste plutôt à l'émergence d'une relation de collaboration, dans laquelle une double expertise est reconnue[2] : l'expertise biomédicale du médecin et l'expertise personnelle du patient (Kennedy, 2003). Deux individus entament, *d'égal à égal*, mais selon des perspectives différentes, un dialogue en vue de favoriser la santé et la qualité de vie de l'un d'eux : c'est une démarche qui vise le mieux-être global du patient. Depuis la naissance de la médecine, le médecin s'est toujours préoccupé de la santé du patient : auparavant, on le reconnaissait comme celui qui avait *la* réponse ; aujourd'hui, on l'invite à collaborer avec le patient pour trouver *une* réponse – la mieux adaptée pour *ce* patient.

Le partenariat dans la relation médecin-patient

Le partenariat est au premier plan de la réflexion contemporaine portant sur la relation médecin-patient (Roter, 2000 ; Gafni, Charles et Whelan, 1998 ; Charles, Gafni et Whelan, 1997). On a tendance à considérer le partenariat comme une relation clinique particulière, dans laquelle le patient joue un rôle très actif et participe au choix du traitement et, même, au diagnostic. Ce point de vue émane de recherches qui montrent qu'un patient plus actif et engagé dans l'entrevue semble plus satisfait des soins qu'il reçoit et agit de manière plus responsable à l'égard de sa santé (Roter, Hall et Katz, 1988 ; Stewart, 1995). Pourtant, dès lors que nous entrons dans une relation, nous sommes engagés dans une forme de partenariat. S'il s'agit d'une relation de type paternaliste, le partenariat est plutôt complémentaire, et le médecin sert de guide au patient.

Cette façon contemporaine d'envisager le partenariat s'inscrit dans la tendance sociétale à valoriser de plus en plus l'autonomie de l'individu (Roter, 2000). Aussi, au fur et à mesure que ce changement se généralisera, le médecin rencontrera des patients désirant plus d'autonomie dans la gestion de leur santé – et capables de l'assumer.

Idéalement, dans ce genre de partenariat, il est souhaitable que les capacités cognitives, affectives et comportementales des intéressés soient sensiblement de même niveau, ce qui n'est pas toujours le cas dans la relation clinique[3]. Au-delà de la différence dans les connaissances médicales, les patients sont parfois en position désavantageuse par rapport au médecin (Korsch et Harding, 1997). Le médecin doit s'efforcer de compenser les différences et de permettre au patient une participation à la mesure de ses capacités et de ses désirs. Amener le patient à participer nécessite plus de temps et des compétences communicationnelles plus développées (Say et Thomson, 2003). Si le médecin est mal préparé à cette tâche, la situation peut devenir exigeante pour lui sur le plan émotif, car un patient plus actif exige un plus grand engagement du clinicien. Il semblerait que les médecins qui sont plus engagés sur le plan émotif risquent davantage de souffrir d'épuisement professionnel ou d'autres difficultés psychologiques (Persaud, 2003).

Il y a des circonstances et des sujets qui se prêtent mieux à la participation du patient que d'autres. Le premier domaine qui relève directement du patient est sa connaissance de lui-même et son expérience de la maladie ou du traitement, en particulier s'il s'agit d'une maladie chronique. Kennedy (2003) ainsi que Richard et Lussier (Richard et Lussier, 2003) montrent que le patient intervient davantage dans la discussion qui porte sur la médication lorsqu'il a déjà pris ce médicament (l'effet principal, les effets indésirables observés, les attitudes ou les émotions) ou qu'il le connaît pour en avoir entendu parler. Par contre, les sujets techniques (la posologie, les effets attendus, les situations où il est indiqué de consulter un professionnel de la santé) relèvent de l'expertise du médecin.

Pour justifier la participation active du patient, on invoque souvent le fait qu'il est le mieux placé pour juger des conséquences que les décisions auront dans sa vie et qu'il devrait donc pouvoir évaluer les possibilités de traitement en fonction de ses préférences et de ses désirs. Cette opinion est certainement raisonnable dans la plupart des cas, lorsqu'il faut choisir entre différents traitements équivalents. On peut aussi admettre qu'un patient choisisse un traitement qui n'est pas le meilleur mais qu'il appliquera, plutôt que le traitement idéal, impossible à intégrer dans son quotidien.

Cependant, il y a des situations où le choix effectué par le patient aura des conséquences irréversibles et dramatiques sur sa vie. Dans ces cas, le problème particulier est que la personne malade peut difficilement imaginer ce que sera sa vie dans les nouvelles circonstances. Pour décider, le patient doit imaginer l'inconnu, ce qui n'est pas chose facile. A priori, une des seules solutions à ce dilemme, c'est qu'une *autre instance* (un médecin, un ami, un membre de sa famille, des convictions religieuses ou philosophiques, etc.) en qui il a confiance lui signifie que le traitement en vaut la peine. Cet *autre* peut lui fournir le pont essentiel entre le présent connu et l'avenir à découvrir. Encore faut-il que le patient s'abandonne à l'autre et accepte d'explorer cet avenir. Il faut que ce genre de décision de vie ou de mort repose sur plus d'un individu, et le médecin a un rôle important dans cette sphère *personnelle* de la vie du patient. Par son expérience et ses connaissances, il est un des mieux placés pour aider le patient qui le désire à faire ce saut dans un avenir incertain.

Tenir compte de ce que le patient veut est essentiel, mais le patient se réfère à sa vie telle quelle était avant le drame. Si une transformation vers une vie différente et inconnue survient, à la question « Qu'est-ce que le patient veut ? » s'ajoute celle-ci : « Est-il prêt à s'aventurer dans des bouleversements dont l'issue est imprévisible ? » En effet, ce que le patient peut imaginer de sa vie future peut être différent de ce qu'elle sera véritablement. Une certaine forme d'orientation et de soutien psychologique reste, à notre avis, souhaitable pour le patient.

Néanmois, la continuité de l'interaction ou de la vie n'est pas assurée par les contenus, mais par les gestes que font les interlocuteurs les uns envers les autres. Le geste à faire ici, et auquel le patient peut réagir, est un geste de solidarité :

LE MÉDECIN — *Je suis avec vous.*

LE PATIENT — *Parce que vous êtes avec moi, je vais essayer.*

Mais tout cela est dit de manière indirecte... Même s'il est bien éduqué et informé, le patient devra dans les faits faire confiance au médecin. Il y a des limites pratiques au cheminement que peut faire un patient dans le cadre d'une consultation. En dernière analyse, la confiance au médecin est un incontournable et le patient devra accepter qu'il ne puisse tout comprendre (sauf si le patient est lui-même un médecin ou s'il a déjà vécu la situation). Le patient doit savoir que le médecin ne lui refuse pas l'information, que le médecin collabore activement avec lui pour qu'il atteigne un niveau de compréhension avec lequel il est à l'aise et qu'il peut toujours compter sur son médecin pour répondre à ses questions lorsqu'elles surgiront.

La vie vue sous l'angle des relations

Les communications sont indissociablement liées aux différentes relations que nous avons pendant notre vie. Nos relations changent dans le temps et, pour un même épisode de notre vie, nous entretenons plusieurs relations simultanément. Chaque type de relation entraîne des communications différentes sous un ou plusieurs aspects. Pour donner un aperçu de l'évolution des relations dans le temps (Coupland et Nussbaum, 1993 ; Marsh, 1988), nous présentons à la figure 2.1 les grandes étapes (ou le cycle) de la vie.

Figure 2.1 **Les grandes étapes de la vie**

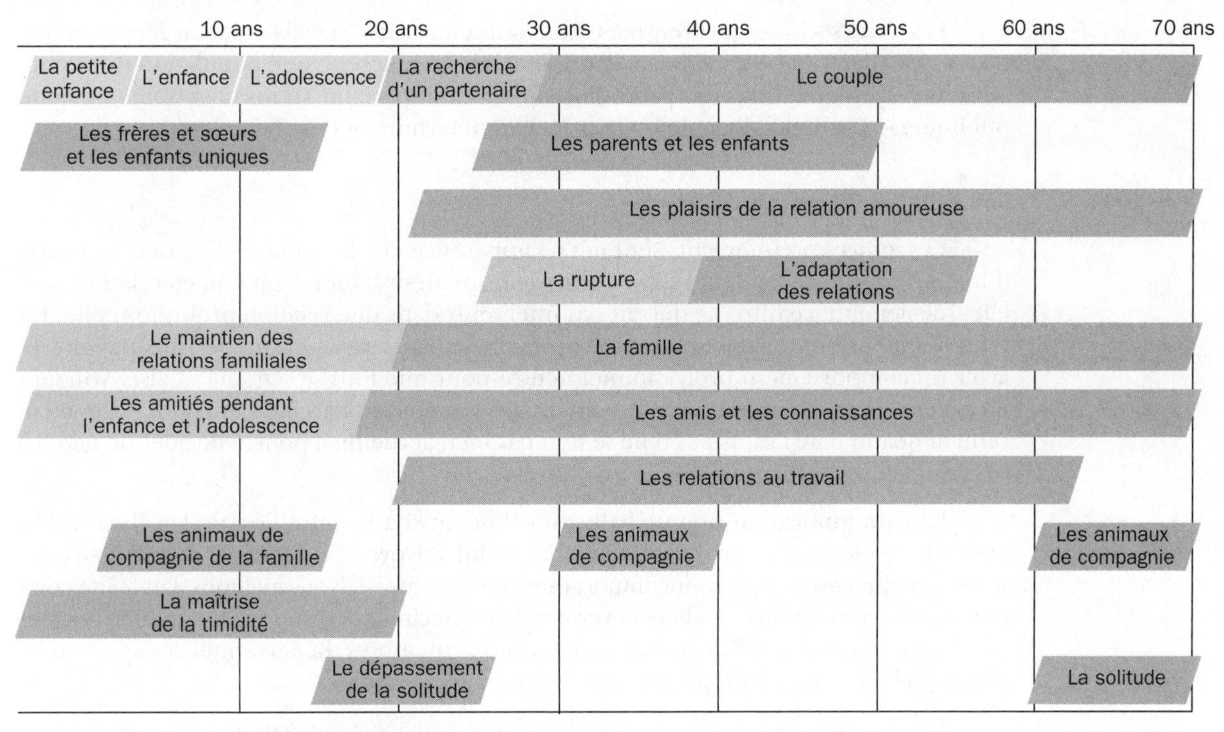

Source : Traduite et adaptée de Marsh (1988), p. 14-15.

Un des aspects importants du rôle de tout professionnel de la santé est justement de se présenter constamment au patient sous l'aspect d'un professionnel. Les autres aspects de sa vie ne devraient pas transparaître dans ses relations avec ses patients. La situation est bien différente pour un patient. En effet, tous les aspects de la vie d'une personne sont pertinents quand il s'agit de la santé, et le patient est donc susceptible d'en parler. Si le médecin croit que l'un ou l'autre de ces aspects est important pour la santé de son patient, il devrait l'interroger à ce propos. Le médecin doit donc toujours avoir présente à l'esprit cette représentation générale de l'évolution des relations et des communications au fil des grandes étapes de la vie ; il aura ainsi une bonne idée des dimensions relationnelles à explorer en priorité selon l'âge du patient.

Les filtres de la clientèle

Rappelons brièvement que, malgré le fait que les relations entretenues avec les patients dans un cadre professionnel sont très formalisées et que le système de santé tente de niveler les différences individuelles par l'universalité des soins, il demeure que le médecin n'a pas accès à un échantillon *représentatif* de toute la population malade. En adaptant et en transposant dans le contexte médical le *relationship filtering model* de Duck (1994), qu'on pourrait traduire par « modèle de filtrage des relations », on peut discerner quatre filtres qui contribuent à la sélection de la clientèle, soit les filtres sociologiques, les indices préinteractifs, les indices interactifs et les indices cognitifs. Si le médecin ne peut empêcher ces filtres d'agir, il lui faut cependant, en tant que professionnel, tenter d'en limiter les effets (Duck, 1985). Mais insistons sur le fait que ces filtres sont inévitables et que, selon les contextes sociaux, on peut choisir d'en amplifier ou d'en diminuer l'effet.

LES FILTRES SOCIOLOGIQUES

Les filtres sociologiques renvoient aux contraintes associées à la situation géographique ou au type d'activités du médecin. Ainsi, le médecin a accès à une population différente selon l'endroit où il exerce sa profession ou selon sa spécialité. Dans un système de santé publique, le filtre sociologique est le principal déterminant des clientèles.

LES INDICES PRÉINTERACTIFS

Les indices préinteractifs sont liés à l'apparence et à la manière d'agir ou de parler d'une personne ; ils seraient responsables de notre désir d'entrer ou non en relation avec elle. Idéalement, ce filtre ne devrait pas intervenir dans une relation professionnelle. En effet, les médecins devraient être tout aussi accueillants avec chacun de leurs patients et avoir un comportement professionnel neutre pour que tous se sentent à l'aise. Voilà un idéal vers lequel il faut tendre. Cependant, un patient sait très bien quand il est le bienvenu et quand il ne l'est pas : s'il ne se sent pas bien accueilli, il pourra décider de ne plus se présenter, exprimant lui-même un choix !

La communication non verbale contribue aussi à la définition de la relation. Par exemple, le médecin peut, parfois bien malgré lui, envoyer des messages non verbaux qui indiquent qu'il est une personne importante et très occupée. Nous incluons dans cette communication non verbale les allées et venues du médecin, les « distractions » qu'il se permet pendant l'entrevue (les discussions avec les autres membres du personnel, les appels téléphoniques, la sonnerie de son téléavertisseur), etc.

De façon plus générale, l'habillement du médecin communique au patient des informations sur son statut social, son expérience, sa culture et, même, sur ses opinions. En effet, une blouse de médecin, une cravate et un chemisier ne font pas qu'habiller le médecin : ils sont porteurs d'un sens social. Au contraire, un professionnel qui est dans une tenue négligée peut-il être digne de confiance ? A-t-il établi son diagnostic avec plus de soin qu'il ne s'habille ?

Bien sûr, des échanges verbaux satisfaisants peuvent toujours corriger ou compenser une mauvaise impression causée par les aspects non verbaux. Il est utile cependant de se rappeler que le sentiment de confiance se construit sur l'ensemble du non-verbal et du verbal. Toute incohérence entre les deux plans de communication peut entraver ou retarder l'émergence du sentiment de confiance chez le patient. Aussi, s'il y a contradiction entre le verbal et le non-verbal, le patient retiendra le plus souvent le non-verbal, avec lequel il est plus difficile de mentir.

LES INDICES INTERACTIFS

Les indices interactifs ressemblent aux indices préinteractifs, sauf qu'ils prennent place dans l'interaction, là où les impressions se précisent. Encore une fois, si le médecin n'intervient pas de son plein gré et en toute connaissance de cause pour sélectionner sa clientèle, c'est souvent le patient qui ne se sentira pas à l'aise et qui cessera de lui-même de le consulter. Le médecin effectue ainsi une forme passive de sélection.

LES INDICES COGNITIFS

Les indices cognitifs, soit la manière de penser et la personnalité, entrent en jeu lorsqu'on porte un jugement sur l'autre. Les préférences d'un individu le poussent naturellement vers une personne qui a un style cognitif proche du sien, qui a des réactions ou des comportements semblables aux siens par rapport à la vie. Le médecin n'a pas la liberté de choisir ses patients d'après ses affinités cognitives, mais il pourra être influencé par le style cognitif d'un patient donné.

Le filtre qui façonne le plus la relation médecin-patient est sans contredit celui de la profession médicale elle-même. En effet, le plus souvent, le patient se dévoilera uniquement sous l'angle qui appuie sa demande de soins : la perception qu'aura le médecin du patient sera ainsi filtrée par le motif de consultation. Par ailleurs, le médecin ne rencontre jamais que les gens qui ont besoin de lui.

Le contexte de la relation

L'interaction interpersonnelle est le point émergent de la structure complexe qui la soutient. Pour expliquer le fonctionnement de la relation médecin-patient, nous devons faire appel non seulement à des caractéristiques personnelles des individus en relation, mais aussi au contexte immédiat ou encore à des structures plus complexes. Par exemple, la définition sociale et culturelle des interlocuteurs est importante ; en effet, c'est le premier repère qu'un individu utilise lorsqu'il est face à un inconnu. Pour illustrer cette complexité, nous allons maintenant décrire un ensemble d'aspects qui se trouvent, pour la plupart, dans la figure 1.3 de ce manuel, à savoir la préparation de la rencontre, les buts poursuivis, les règles, les rôles, les émotions et l'endroit (Brown et Fraser, 1979).

La situation particulière dans laquelle se trouvent les interlocuteurs et les différents rôles que chacun joue contribuent à structurer la communication en cours. Plusieurs des rapports sociaux que nous entretenons sont en grande mesure prédéterminés. Par exemple, la façon de s'adresser à un juge, à un policier ou à un médecin dans le cadre de leur travail est relativement préétablie et régie par des normes qui, même si elles ne sont pas toujours explicites, sont opérantes. Ainsi, l'examen par un étranger d'un corps dévêtu devient acceptable dans le cadre d'une visite médicale, alors qu'il serait tout à fait proscrit dans le contexte d'une rencontre sociale. Durant une consultation médicale, le médecin et le patient se conforment habituellement au rôle social qu'on attend d'eux dans cette situation particulière. Tout écart par rapport au rôle attendu peut devenir source de malaise et de dysfonctionnement (Edmond, 1997).

La préparation de la rencontre

Habituellement, dans le contexte de la vie privée, lorsque nous recevons quelqu'un, nous nous y préparons ; par exemple, nous faisons le ménage, nous prévoyons de la nourriture, nous pensons à acheter des fleurs et nous changeons de vêtements. Pour les événements de la vie privée, ces préparatifs sont assez évidents, mais, dans le cadre médical, ils ont été formalisés au point où on ne se rend plus compte des dispositions prises pour recevoir les patients. Mentionnons-en quelques exemples.

D'abord, les lieux doivent être propres et ordonnés et ne pas montrer de signe de négligence ou de laisser-aller, les patients étant très sensibles à ces aspects lorsqu'ils entrent en contact avec le milieu médical. Il faut prévoir quelqu'un pour accueillir les patients ainsi qu'une salle d'attente confortable. Dans son cabinet, le médecin doit disposer de tout ce qu'il croit nécessaire à ses fonctions et au confort du patient. Dans la salle d'examen, il ne doit pas y avoir de trace du patient précédent, le papier de la table d'examen doit avoir été changé et les instruments souillés, rangés hors de la vue. Dans un premier temps, ces détails sont les seuls indices dont le patient dispose pour se faire une opinion de la compétence médicale du professionnel qu'il consulte.

Après avoir été soigné par le médecin, le patient pourra porter un jugement plus éclairé sur sa compétence, mais là encore, n'étant pas lui-même spécialiste, il ne pourra porter un jugement que sur certains aspects accessibles de la pratique. Ce jugement est pourtant d'une très grande importance, car il est directement lié à la confiance qui est accordée au professionnel. Si, d'entrée de jeu, un patient doute des compétences du professionnel – en particulier parce que celui-ci travaille dans un environnement désorganisé et sale –, puis n'arrive pas à établir avec lui une relation de confiance, le médecin part avec un handicap qui risque de miner sa capacité à poser un diagnostic et à engager le patient dans son plan de traitement. Maintenant que la toute-puissance du médecin est remise en question dans nos sociétés occidentales, la confiance du patient repose sur l'habileté du professionnel à établir une relation de confiance mutuelle (Mechanic, 1998).

Du côté du patient, la préparation à la rencontre avec un professionnel de la santé est plus simple car, habituellement, il sait qu'il aura à raconter et à décrire ses symptômes, puis à se laisser examiner (toucher). Ainsi, dans un contexte normal, le patient sera bien mis et propre, par respect pour le médecin et parce qu'il sait que le contact physique sera intime.

Les buts poursuivis

Les buts poursuivis ont une importance majeure dans le déroulement de l'entrevue. Dans ce dialogue médical, deux personnes sont en jeu, et les buts que chacun poursuit ne convergent pas nécessairement. Le médecin s'attend à ce que les buts poursuivis par le patient soit d'un certain ordre, mais il n'est pas rare, en particulier dans les rendez-vous de suivi, que les objectifs du médecin et ceux du patient diffèrent. Ainsi, le médecin peut avoir prévu une visite pour le suivi d'une hypertension, alors que le patient se présente pour un arrêt de travail. Pour cette raison, il est souhaitable qu'au début de toute entrevue le médecin clarifie les objectifs de chacun. Un bon moyen pour y arriver est d'établir ensemble un ordre du jour commun[4].

Les règles

Du point de vue que nous adoptons, la majorité des comportements communicationnels sont régis par des règles sociales générales (exemples : règles de politesse, règles de comportement en public) qui seront complétées par des règles sociales propres à la situation. On ne peut échapper à ce système de règles sur la façon de parler et de bouger, qui encadre nos propos dans différentes circonstances ; ainsi, à l'occasion d'un décès, certains propos sont attendus et d'autres sont à proscrire. Dans le cadre médical, d'autres règles plus particulières sont formalisées dans des codes professionnels et dans des lois. Les membres de la profession médicale sont passibles de sanctions par leur ordre professionnel ou même par la justice s'ils ne les respectent pas. Par exemple, dans le cadre de l'exercice de sa profession, il est interdit au médecin d'avoir des relations sexuelles avec un patient.

En général, plus le contexte est informel, moins le respect des règles semble important. Le maintien de certaines conventions aide donc à maintenir la relation dans le cadre désiré. Ce cadre est particulièrement important en médecine, car le professionnel de la santé est amené à être proche physiquement du patient et à s'entretenir avec lui de sujets qui sont habituellement considérés comme de nature tout à fait privée. Dans ce contexte, la frontière entre l'acte professionnel et l'acte plus personnel risque davantage de s'estomper. Il faut donc limiter les aspects informels qui pourraient engendrer l'ambiguïté dans la relation professionnelle.

Les rôles

Tout individu remplit plusieurs rôles au cours de sa vie, et à chacun de ces rôles sont rattachés des droits, des devoirs et des obligations qui varient d'une culture à l'autre, et aussi dans une même culture. Selon les contextes, nous mettons de l'avant un rôle plutôt qu'un autre. Il y a des rôles sociaux très généraux, comme celui d'homme ou de femme adulte. Le professionnel de la santé exerce aussi d'autres rôles, comme ceux d'époux, de parent, d'entraîneur de l'équipe locale de soccer, etc., mais lorsqu'il exerce au cabinet ou à l'hôpital, son rôle professionnel domine. Ce rôle détermine la nature des propos que le médecin peut tenir et aussi la manière dont il doit les tenir.

Les émotions

Une entrevue avec un patient amène nécessairement le médecin à vivre des émotions, qui peuvent être liées au patient ou à son comportement, ou être indépendantes de lui et provenir d'irritants extérieurs, tels les collègues de la clinique ou les membres de la famille. Quelle que soit l'origine des émotions, il est clair que le médecin doit les contenir afin de conserver un jugement clinique le plus neutre possible. Les différentes organisations professionnelles interdisent formellement certaines situations parce qu'on estime que le jugement du professionnel peut en être altéré. Ainsi, on interdit aux médecins de traiter un membre de leur famille à cause des émotions qui sont alors en jeu.

L'endroit

La communication entre un patient et un médecin commence bien avant qu'ils ne s'adressent effectivement la parole. En effet, le contexte dans lequel se déroulent leurs entretiens fournit des informations aux interlocuteurs et influence leur comportement (Mucchielli, 1997). Il est peut-être plus facile de saisir l'incidence du contexte si nous sortons la communication professionnelle du cadre habituel dans lequel elle s'effectue, c'est-à-dire le centre hospitalier ou la clinique. Pensons à la richesse des informations qu'un médecin peut obtenir sur un patient, avant même de lui parler, lorsqu'il le visite à domicile. Le quartier et ses environs, le type de résidence, son état extérieur et son organisation intérieure renseignent déjà le médecin sur la personne qu'il s'apprête à rencontrer[5]. Réciproquement, le patient commence à *connaître* le médecin dès qu'il téléphone pour prendre rendez-vous ou lorsqu'il se présente à la clinique, car une brève conversation téléphonique et le lieu de travail véhiculent déjà des informations sur le médecin lui-même.

LA CRÉATION DES TERRITOIRES

Nous divisons mentalement et constamment l'espace que nous utilisons, ce qui nous aide à gérer nos communications avec l'entourage (Marsh, 1988). On pourrait dire que les espaces d'un individu se répartissent sur un continuum de territoires, des plus privés aux territoires que nous n'hésitons pas à partager.

Dans la résidence, par exemple, se trouvent des lieux, comme le vestibule, qui sont accessibles à presque tous : la famille, les amis, les livreurs, les colporteurs, etc. Mais, même dans le cas du vestibule, on s'attend à ce que la personne qui s'y rend ait une raison, car il s'agit déjà de l'aire privée de la maison. Il en est autrement du trottoir longeant la rue qui, lui, est public : aucune restriction d'usage ne s'y applique. Une fois passé le vestibule, on trouve habituellement le salon, qui, bien que plus privé, est accessible à la plupart des visiteurs. Le caractère privé augmente d'un degré dans la salle à manger, et dans la cuisine où, traditionnellement au Québec, on invite les amis proches. Enfin, les espaces réservés au repos et aux activités intimes sont les plus privés, généralement non accessibles aux visiteurs. Ce sont surtout les chambres, celles des enfants étant cependant moins privées que celle des parents.

Dans une clinique, nous assistons à un phénomène territorial semblable. L'aire de stationnement est le premier filtre : habituellement, seul le personnel et les clients de la clinique y ont accès. Puis, la réception occupe une position analogue à celle du vestibule d'une maison : presque tout le monde – patients, facteurs, livreurs, représentants — est autorisé à y circuler. Le patient qui consulte est invité à passer à la salle d'attente. La réception sert de filtre pour empêcher les indésirables d'entrer. Lorsque le patient est appelé par le médecin, il peut alors passer de la salle d'attente au cabinet de consultation. Le cabinet est privé, mais la salle d'examen l'est encore davantage. C'est ce système de filtres qui permet de gérer le travail, mais aussi la nature des communications, car en chacun de ces lieux certains types de propos sont appropriés et d'autres sont à proscrire ; ainsi, on ne donnera pas un diagnostic à un patient dans la salle d'attente. Le fait d'isoler les échanges verbaux du contexte dans lequel ils devraient normalement se produire créerait des incohérences susceptibles d'affaiblir les messages que le médecin désire transmettre au patient.

Dans la majorité des cliniques médicales, l'aménagement des lieux (le secrétariat, la salle d'attente et les bureaux des médecins) est axé sur la fonctionnalité et l'efficacité. L'organisation spatiale de la salle d'attente (constituée essentiellement de rangées de chaises) rappelle la plupart des lieux de transit, très souvent impersonnels et neutres. En fait, la salle d'attente offre peu de repères liés à la consultation médicale, à laquelle elle est censée introduire le patient, à la vision du monde qui guide la pratique médicale et aux croyances qui sous-tendent et légitiment cette pratique. Certaines salles d'attente ressemblent à la salle d'attente de n'importe quel bureau administratif, où chacun attend d'être appelé pour consulter le préposé au *guichet*.

Les contacts avec les réceptionnistes sont de même nature que les contacts avec l'environnement physique, c'est-à-dire fonctionnels et efficaces. Ces personnes gèrent les dossiers, les appels téléphoniques et les rendez-vous, et elles paraissent sans aucun doute très occupées aux yeux des patients. Cette image véhicule le message qu'il n'est pas approprié de s'attarder au secrétariat à moins d'y être invité.

L'ORGANISATION PHYSIQUE DU BUREAU

Selon Marsh (1988), l'aménagement d'un espace de bureau révèle la fonction des occupants dans l'organisation ainsi que leurs attentes envers les visiteurs. Il définit deux zones, l'une privée, où le médecin travaille, et l'autre publique, où on accueille les visiteurs. La distance entre les occupants et les visiteurs et la disposition des meubles reflète la distance hiérarchique entre eux (Winkin, 1981). Ainsi, un bureau placé entre le médecin et le patient peut créer une distance qui facilite les interactions ou, au contraire, les gêne. Plusieurs médecins préfèrent placer les chaises dans le prolongement du bureau plutôt qu'en face, afin de diminuer l'impression de distance sociale et de favoriser le partenariat. En invitant le patient à s'asseoir près du bureau, le médecin témoigne de son rôle d'interlocuteur principal et il s'assure d'un bon contact visuel et auditif avec lui.

Le tableau 2.2 présente les caractéristiques d'un aménagement dans lequel la dimension humaine des soins serait mise de l'avant. De telles particularités contextuelles, assez simples somme toute, envoient au patient le message qu'on le considère comme un individu qui a de l'importance et qu'il sera écouté, et elles se prêtent bien à l'approche biopsychosociale.

Tableau 2.2 **Un aménagement favorable à la communication médicale**

1. Une réception qui montre qu'on considère le patient comme une personne.
2. Une salle d'attente confortable, où le patient trouve des références à la pratique médicale, au corps humain et à son fonctionnement ainsi qu'aux soins offerts. Bien visible, l'énoncé de la mission de l'établissement peut souligner le type de relation que les médecins veulent établir avec leurs patients.
3. Un bureau de consultation confortable, qu'on sent *habité* par le médecin et où il y a une place pour le patient.
4. Une garantie de tranquillité, à l'abri des interruptions (sans appel téléphonique, sans discussion avec les membres du personnel, etc.), qui favorise une période de véritable contact avec le patient.

La distance interpersonnelle

Avec les personnes que nous rencontrons, nous respectons habituellement une distance physique jugée confortable et naturelle. La distance interpersonnelle va de pair avec l'impression qu'on a les uns des autres, et une modification de cette distance peut signifier un désir d'intimité ou de retrait. Aussi, cette distance prend toujours son sens dans une situation ou un contexte donné.

La distance aide à régir les interactions. En Amérique du Nord, les chercheurs ont déterminé quatre zones de distance interpersonnelle (Marsh, 1988) :

- La *distance intime* se situe à l'intérieur de 45 centimètres. Dans cette zone, on trouve les amoureux, les bons amis, et les amis de la famille lorsqu'ils sont engagés dans des activités comme le réconfort et le soutien. On y tolère également des étrangers si on est engagé dans la danse ou dans un sport de contact.
- La *distance personnelle* se situe entre 0,5 mètre et 1,2 mètre. Dans cette zone, les interactions sont moins intenses, le toucher est plus limité, et on ne sent plus la chaleur du corps de l'autre ni son odeur. Il faut se parler plus fort et le regard prend davantage d'importance dans la communication.
- La *distance sociale* se situe entre 1,2 mètre et 3,7 mètres. Les interactions sont plus formelles, et c'est la distance typique des relations d'affaires. Les indices visuels sont encore plus importants que dans la distance personnelle.
- La *distance publique* est de 3,7 mètres et plus ; elle est caractéristique des interactions brèves et circonstancielles, comme le fait de saluer une connaissance dans la rue.

Les caractéristiques de ces zones varient d'une culture à l'autre. Ainsi, les Britanniques et les Européens du Nord sont habitués à une distance interpersonnelle assez grande. Les Américains, eux, la préfèrent plus réduite. Au Québec, on se situerait entre les Français, chez qui la distance est plus courte, et les Américains. Les Italiens et les Arabes tolèrent une distance interpersonnelle assez petite. Le non-respect des diverses catégories de distance peut être source de malentendus : on peut le percevoir comme une intrusion ou, au contraire, comme un rejet. Il n'y a pas de recettes faciles pour résoudre ce genre de difficulté interculturelle. Cependant, les étrangers semblent pouvoir s'adapter assez facilement aux différences après une immersion relativement brève dans la culture d'accueil.

Dans la relation médecin-patient, si ce n'est pour l'examen physique, la distance confortable se situe dans le chevauchement de la zone personnelle et de la zone sociale. Au moment de l'examen physique, le médecin est exceptionnellement admis dans la zone intime. Le patient doit toujours pouvoir associer la proximité physique à une raison précise d'ordre médical (exemples: faire un examen ou un prélèvement). Le médecin atténue l'inconfort de cette intrusion par des pratiques ritualisées, en tenant des propos plus neutres et en évitant, le plus possible, le regard du patient. Lorsque la tâche est terminée, il retourne à la distance habituelle d'environ 1,2 mètre.

La meilleure façon de limiter les mésinterprétations de la distance physique par le patient est d'aménager le bureau de consultation pour que tout rappelle le rôle du médecin et les raisons de la présence du patient. Les patients sont sensibles à ce qui s'écarte de la norme et à un comportement du médecin qu'ils ne comprennent pas. Il est donc important que le médecin prévienne le patient des actes qu'il va faire et de leur raison d'être. Ainsi, on s'assure que le patient est toujours à l'aise dans des situations qui pourraient, dans d'autres circonstances, être très embarrassantes.

Le langage du corps

L'ensemble de notre personne sert à communiquer. Lorsque le contenu du message est important, les mots sont essentiels, mais il semble bien qu'ils jouent un rôle bien moins grand quand il s'agit de donner une impression, de véhiculer une attitude ou des émotions. Marsh (1988) fait état de recherches qui ont montré que c'est le langage du corps qui joue le plus grand rôle (55 %) dans la communication, suivi de près par les caractéristiques de la voix et les indices paralinguistiques (38 %), et en dernier lieu viennent les mots (7 %). Quand il y a contradiction entre le non-verbal et le verbal, il semble qu'on fasse plus confiance au non-verbal, par lequel il est plus difficile de mentir.

L'expression du visage, le contact visuel, le toucher, le ton de la voix, la posture, la gestuelle et l'apparence physique sont tous importants dans les relations interpersonnelles[6]. On peut travailler tous ces éléments, un peu comme le comédien apprend à exprimer l'émotion ou l'attitude juste, dans le but explicite de mettre le patient à l'aise. Le fait que le médecin prenne conscience de la dimension non verbale de la communication professionnelle et s'exerce à l'harmoniser avec les messages verbaux ne diminue en rien son authenticité; bien au contraire, elle l'augmente. L'expression du visage doit changer en fonction des émotions qu'on dit ressentir. En effet, le patient peut interpréter un visage figé comme l'absence d'émotions ou le désir de les masquer. Le médecin doit être capable de maintenir un contact visuel, sans pour autant fixer son patient dans les yeux. Le regard fuyant est parfois interprété comme un indice de non-sincérité. À part les gestes nécessaires à l'examen physique, le professionnel doit réserver les touchers aux moments où il désire communiquer de l'empathie ou attirer l'attention sur un aspect important du message qu'il veut transmettre. Une voix trop aiguë ou fluette est souvent associée à l'insécurité et peut miner la crédibilité du professionnel. La gestuelle qui soutient les propos est toujours la bienvenue pour atténuer la froideur qui pourrait se dégager de l'attitude professionnelle; elle permet aussi de faire ressortir ou d'atténuer le discours.

Évidemment, l'apparence physique a son importance. Le code vestimentaire du professionnel a grandement évolué depuis les années soixante. À cette époque, les patients hospitalisés reconnaissaient facilement le médecin et l'infirmière grâce à leurs uniformes distinctifs. De nos jours, l'assouplissement des règles vestimentaires amène plutôt les professionnels à se présenter et à préciser leur fonction au patient.

Les sources d'incompréhension

Toute interaction sociale est basée sur le présupposé que le récepteur d'un énoncé en aura une compréhension conforme à l'intention du locuteur. Pourtant, dans le cadre d'une communication, les sources d'incompréhension sont multiples (Young, 1999). Par exemple, les styles cognitifs peuvent être différents, ou encore certains procédés langagiers peuvent obscurcir le sens, comme la soustraction de parties du contenu, la distorsion du message ou la généralisation à outrance (Bandler et Grinder, 1975).

L'incompréhension peut aussi être attribuable au fait que les interlocuteurs n'utilisent pas certains termes dans le même sens. Les mots peuvent différer en fonction des perceptions de la situation et des représentations d'un phénomène, en fonction de biais culturels (sexuels et ethniques), de référents sociaux différents (dus à l'appartenance à une autre classe sociale, par exemple) (Young, 1999).

La sociolinguiste Deborah Tannen (1990, 1994) a étudié les différences conversationnelles qui existent entre les hommes et les femmes qui peuvent susciter des difficultés communicationnelles dans la vie quotidienne. D'abord, selon elle, les interlocuteurs adoptent des *positions conversationnelles* les uns par rapport aux autres. Elle observe que les femmes se placent souvent en position basse (style indirect) dans une conversation et qu'elles s'attendent à ce que les autres en fassent autant. Les hommes se placent plutôt en position haute (style direct) et s'attendent aussi à ce que les autres en fassent autant. Ainsi, la façon dont les femmes utilisent le langage a pour effet de diminuer leur importance, alors que les hommes, au contraire, ont tendance à rehausser la leur. En général, les femmes posent plus de questions et demandent plus souvent une opinion, ce qui, dans une conversation avec des hommes, leur fait courir le risque de paraître moins intelligentes et moins positives. Leur style, plus indirect, leur fait aussi courir le risque de paraître plus indécises. Dès lors, on voit facilement comment une conversation homme-femme peut fréquemment donner lieu à des malentendus.

Le style interpersonnel des femmes diffère de celui des hommes, ce qu'on a documenté à plusieurs reprises. Roter, Hall et Aoki (2002) rapportent que les femmes en général facilitent l'expression verbale de leur interlocuteur, en particulier l'expression des émotions, et qu'elles ont un comportement non verbal plus chaleureux que les hommes. Hall et Roter (2002) montrent que les patients parlent davantage aux femmes médecins qu'aux hommes médecins, partagent avec elles davantage d'information de nature biomédicale et psychosociale et qu'ils s'affirment plus, comme l'indique le nombre plus élevé d'interruptions qu'ils font. Selon ces auteurs, les différences notées refléteraient un plus grand degré d'aisance des patients en présence d'une femme médecin. Ces résultats confirment que le style interpersonnel des femmes médecins reflète celui des femmes en général.

Par ailleurs, Roter et autres (2002) ont analysé les différences liées au sexe du médecin dans la communication médicale. Elles ont passé en revue 23 études et 3 enquêtes, et elles en concluent que les femmes médecins en soins de première ligne ont plus de comportements de partenariat et qu'elles s'intéressent davantage au domaine psychosocial en posant plus de questions et en donnant plus de conseils. Elles consacrent plus de temps à chaque entrevue médicale que leurs confrères. Par ailleurs, on n'a relevé aucune différence significative quant à la quantité d'information biomédicale donnée. Selon Street (2002), il faut cependant nuancer quelque peu : les différences associées au sexe du médecin et observées dans de nombreuses études sont plutôt modestes et, somme toute, les hommes et les femmes médecins se ressemblent plus qu'ils ne se distinguent dans leur façon de communiquer avec leurs patients. Il rappelle que le sexe du médecin n'est qu'un des facteurs (avec l'âge, l'ethnie, le niveau d'éducation et le type de maladie du patient, le contexte de l'entrevue) qui influencent le style communicationnel et que chaque professionnel adapte son style à la situation.

Tannen (1998) explique en quoi la manière nord-américaine habituelle de converser peut être source de conflits. En effet, la croyance répandue que l'opposition et l'argumentation mènent à la vérité entraîne une certaine manière de voir les choses : tout échange de vues ressemble à un conflit, soit que l'un des interlocuteurs l'emporte sur l'autre, soit qu'on arrive à un compromis par la négociation. On cherche ainsi à trouver un vainqueur et un perdant, à donner raison à l'une des parties. Dans une situation d'autorité comme celle où se trouve le médecin, il est facile d'*écraser* les arguments du patient et de lui *prouver* qu'il a tort. Dans la littérature, le fait de suggérer l'usage de la négociation avec le patient illustre bien la situation d'opposition dans laquelle on veut camper la relation médecin-patient. Tannen propose plutôt la métaphore du *dialogue*, qui peut permettre de constater qu'il n'y a pas opposition entre les points de vue et qu'une solution peut émerger de la mise en commun de l'expertise clinique du médecin et de l'expertise personnelle du patient. Le dialogue implique l'exploration et la réflexion communes, la discussion et l'échange d'idées, toutes des stratégies utiles pour régler des différends avant qu'ils ne se transforment en conflits.

Les fondements de la relation

L'encadré 2.1 présente huit principes fondamentaux qui régissent les relations interpersonnelles. À ces principes s'ajoutent les trois caractéristiques principales de toute relation, soit la confiance, l'acceptation ou le respect de l'autre et l'influence, que nous décrivons ici.

La confiance

Jusqu'à quel point un individu peut-il se livrer à un autre en toute sécurité ? Consciemment ou non, nous avons toujours une limite à la confiance que nous accordons, quelle que soit la relation dans laquelle nous sommes engagés. La confiance est un sentiment qui peut être assez *circonscrit*. Ainsi, bien que nous disions « J'ai confiance en X », cette confiance peut très bien se limiter à certains aspects de X. Par exemple, nous pouvons avoir confiance en lui, par rapport à une habileté particulière de X, à sa préoccupation de notre bien-être, à sa discrétion ou encore à son respect.

La question de la confiance est particulièrement importante dans le cadre de la communication médicale, qui comporte la révélation d'informations intimes. La confiance qu'on accorde au médecin n'est pas liée à sa personne, du moins dans un premier temps, mais au représentant d'une institution sociale reconnue. Si la relation se prolonge, la confiance pourra être liée de plus en plus à la personne.

La nature de la relation de confiance qui s'établit entre un patient et son médecin a fait l'objet de nombreux écrits et études (Thom et Campbell, 1997 ; Mechanic, 1998 ; Safran et autres, 1998). Les auteurs distinguent la compétence technique et la compétence interpersonnelle du professionnel, les deux constituant la base de la confiance. Le patient jauge la *compétence technique* du médecin d'après la perception qu'il a des deux éléments suivants : l'évaluation complète du problème et un choix de traitement approprié et efficace. En d'autres mots, la compétence technique repose sur la perception que le

Encadré 2.1 **Huit principes qui régissent la relation interpersonnelle**

1. La relation interpersonnelle est un *processus.* La relation médecin-patient évolue constamment au fil du temps, mais aussi en fonction des maladies traitées (Lyons, Sullivan, Ritvo et Coyne, 1995). Elle est également irréversible : on ne peut effacer ce qui s'est passé et il y a un effet d'accumulation. Il faut donc rester attentif et ne pas tenir un patient pour acquis.
2. La relation interpersonnelle est un *système.* Toute action d'un interlocuteur a un effet sur l'autre, et vice versa ; les individus en relation sont liés par des boucles de rétroaction. C'est un système ouvert, sensible aux événements extérieurs (exemple : la mort d'un des proches du patient) qui peuvent toucher l'un ou l'autre des intéressés.
3. Les partenaires définissent *mutuellement* la relation qui les unit. Seul, on ne peut avoir une relation d'amitié : il faut un ami. Il ne peut y avoir de relation médecin-patient sans patient ou sans médecin : ce sont des rôles complémentaires. Dans une certaine mesure, le patient définit le type de médecin qu'il consulte. Par exemple, si un patient est agressif, le médecin répondra à cette agressivité mais ce médecin ne sera pas tout à fait le même avec un patient doux et conciliant.
4. La relation interpersonnelle est en *constante redéfinition.* Au fur et à mesure qu'elle progresse, elle se modifie, et les partenaires décident dans quelle direction ils désirent la voir évoluer. Rien n'est automatique ni nécessaire. Chacun doit faire des choix, et ces choix modifient peu à peu la nature de la relation.
5. La relation interpersonnelle fait appel à *plusieurs rôles.* En effet, dans la relation médecin-patient, le médecin a un rôle principal de soignant, mais il pourra aussi jouer, par exemple, un rôle de conseiller ou de figure parentale.
6. De façon générale, la *perception* de la relation interpersonnelle varie selon les partenaires ; même dans une grande passion partagée, chacun des amoureux vit différemment la relation. Dans le cas de la relation médecin-patient, cette différence est particulièrement évidente, car la relation est de type complémentaire et asymétrique. On se complète, mais on ne partage pas la même réalité. Ainsi, l'importance que le médecin revêt pour le patient est rarement réciproque.
7. Les *relations passées* sont déterminantes dans les relations présentes et futures. Les relations présentes dépendent des connaissances et des expériences cumulées dans les relations passées. Le médecin jouit ici d'un avantage sur le patient, car il a connu de multiples relations avec d'autres patients, alors que le patient n'a eu que peu de relations avec un autre médecin. Le patient se présente généralement avec beaucoup d'idées préconçues et il est beaucoup plus anxieux ou inquiet que le médecin quant à la nature et à l'évolution de leur relation.
8. Chaque relation interpersonnelle comporte un *compromis entre le confort et l'engagement.* Plus un professionnel s'engage avec un patient, plus il prend des risques sur le plan émotif, et plus il sera sollicité (exemple : consacrer plus de temps au patient). Par contre, moins le professionnel s'engage avec un patient, moins il aura accès à des informations personnelles de nature intime qui pourraient l'aider à faire son travail. À la limite, si le professionnel maintient une trop grande distance avec son patient, il peut compromettre la relation de confiance, si importante dans les résultats des soins. Entre la réserve et l'engagement, le médecin doit donc rechercher le juste milieu – toujours à redéfinir au gré de l'évolution de chaque situation.

Source : Traduit et adapté de Beebe et autres (1996), p. 220.

médecin a recours aux assises scientifiques de la médecine moderne. La *compétence interpersonnelle*, quant à elle, touche les aspects plus humains des *soins* que le professionnel donne au patient: l'expression d'intérêt pour l'expérience personnelle de la maladie, le reflet de la préoccupation du patient et l'expression d'empathie, une communication claire et complète, l'établissement d'un partenariat, le partage du pouvoir, l'expression de respect et l'apparence d'honnêteté.

Thom et Campbell (1997) ainsi que Mechanic (1998) ajoutent à ces deux composantes principales des éléments de nature *institutionnelle* ou *organisationnelle* qui contribuent à l'instauration d'un sentiment de confiance: la courtoisie du personnel de soutien, l'accessibilité du médecin, la circulation efficace de l'information dans l'organisation. Safran et autres (1998) ont montré que le sentiment de confiance est significativement associé à trois résultats des soins: la satisfaction du patient, son observance du traitement et l'amélioration réelle de l'état de santé.

Lorsqu'un patient entre en relation avec un professionnel de la santé, il accepte d'être vulnérable. Le professionnel doit prendre soin de ne pas trahir la confiance de son patient, parce que sans cette confiance sa capacité de soigner sera moindre. Il est donc primordial de gagner la confiance du patient pour pouvoir soigner efficacement.

L'acceptation de l'autre et le respect

Dans toute relation professionnelle, il est nécessaire d'accepter l'autre. Plus la relation est *intime*, plus l'acceptation de l'autre s'avère essentielle. Dans la relation professionnelle, le médecin doit accepter et respecter le patient en tant qu'individu (Burkitt Wright, Holcombe et Salmon, 2004). Selon Burkitt Wright et autres, chaque patient veut être reconnu comme individu unique. Les patients désireraient d'abord un médecin qui soit compétent et qui les respecte. Ils ne seraient pas à la recherche d'une information technique, mais plutôt d'une information qui entretiendrait l'espoir et la confiance. Ils seraient à la recherche d'une relation de soins où ils se sentent en sécurité avec un professionnel qui les respecte et en qui ils ont confiance. Pour le patient, l'acceptation du médecin en tant qu'individu n'est pas nécessaire (bien que toujours souhaitable), car ce n'est pas d'abord la personne que le patient vient consulter, mais le professionnel, c'est-à-dire le représentant d'une profession qui jouit d'une reconnaissance publique.

L'influence

L'INFLUENCE ET LA COMPÉTENCE

Volontairement ou non, nous exerçons tous une influence, directe ou indirecte, les uns sur les autres. Dans une relation, notre capacité d'influence peut être globale ou limitée, tout comme le sentiment de confiance. Une structure d'influence peut être *formelle* (exemple: la relation patron-employé), *informelle* (exemple: la relation d'amitié ou amoureuse) ou *semi-formelle* (exemple: la relation thérapeutique). Dans ce dernier cas, le patient s'attend à ce que le professionnel puisse lui faire des suggestions à partir de ses compétences et jouisse d'une certaine autorité, liée à sa capacité de prescrire des examens, des tests et des traitements.

Le fait de posséder des compétences, des qualités ou des aptitudes particulières confère habituellement à un individu la capacité d'influencer ceux qui en sont moins dotés. On reconnaît généralement au médecin une grande compétence dans le domaine du diagnostic et du traitement des maladies. Dans ce type de relation, le patient accepte volontairement l'influence du médecin. Cette attitude n'implique nullement l'acceptation de la supériorité ou de l'infériorité de l'un des intéressés, elle se limite à l'acceptation de l'influence de l'autre sur soi dans un domaine précis.

L'INFLUENCE ET LA PERSUASION

Jusqu'à quel point le médecin peut-il tenter de convaincre le patient? À cette question délicate certains répondront: «Jamais.» Cependant, nous croyons qu'un médecin agit conformément à l'éthique et à la morale en tentant de convaincre un patient lorsqu'il est persuadé qu'il en résultera un plus grand bien-être pour ce dernier. En effet, le fait d'exercer une influence sur l'autre nous semble tout à fait normal et nécessaire au bon fonctionnement d'une relation saine. De plus, comme il est impossible de ne pas communiquer, il est également impossible de ne pas influencer les autres.

On utilise constamment des arguments pour agir les uns sur les autres. La persuasion est généralement mal perçue parce qu'on l'associe à la manipulation de l'autre à son propre avantage. Essayer de convaincre le patient à l'aide d'arguments ne veut pas dire manipuler le patient pour parvenir à ses fins, mais simplement lui présenter adéquatement un point de vue et lui montrer l'intérêt qu'il a à suivre les recommandations proposées. Selon Billig (2001), il s'agit de *raisonner* avec lui sur sa maladie. Ce processus nous apparaît essentiel, car, avec le temps, il contribue à l'autonomie du patient plus que la simple transmission d'information.

Dans l'esprit de plusieurs médecins, *convaincre* le patient signifie « lui faire comprendre la *vérité*», comme si le raisonnement scientifique suffisait pour convaincre tout être intelligent. Dès lors, si le patient n'est pas convaincu par les explications, le médecin dira qu'il fait du déni, qu'il éprouve des difficultés cognitives ou, simplement, qu'il est de mauvaise foi – plutôt que de penser que le patient a un point de vue différent ou que ses propres explications ne sont pas convaincantes. Pourtant, l'univers du patient est complexe, les modes de pensée sont divers et les sensibilités, variées. Certains patients seront plus sensibles aux arguments pragmatiques (axés sur les conséquences, les résultats), d'autres à la pensée déductive, d'autres encore au sens commun, etc. (Bellenger, 1992).

Tenter de persuader, c'est aussi indiquer à l'autre que nous tenons à lui, que son bien-être nous tient à cœur et que nous sommes convaincus de la valeur de nos connaissances. Ainsi, si le médecin est certain d'un diagnostic et de la valeur d'un traitement, il est de son devoir de tenter de convaincre son patient. D'ailleurs, le patient manifeste déjà une ouverture en venant voir un professionnel parce que, justement, il croit que ce dernier possède un savoir et une compétence susceptibles de l'aider. Il ne faudrait pas que le médecin lui-même, par une attitude de retrait, mine la confiance que le patient a en lui.

La gestion des conflits

Dans toute relation interpersonnelle, les conflits sont inévitables, et ils peuvent même jouer un rôle positif dans l'évolution d'une relation. Dans une relation asymétrique comme celle qui s'établit entre un patient et son médecin, la difficulté majeure réside dans le fait que le conflit risque de se manifester indirectement par la résistance passive du patient: celui-ci acquiesce dans le bureau du médecin, évite l'affrontement et adopte une tout autre conduite une fois sorti du bureau de consultation. Dans de telles circonstances, il devient difficile pour le médecin de percevoir la difficulté et d'en discuter avec son patient.

Lorsqu'un conflit ou un différend devient apparent, la première étape est de bien cerner la difficulté. La reconnaissance d'un différend dans une consultation est habituellement chargée d'émotions (Beaudoin, 1999). Pour cette raison, il faut d'abord que le médecin résiste à l'envie de présenter des contre-arguments à chacune des objections qu'avance le patient. Si renvoyer la balle est utile au tennis, cette stratégie risque d'échouer dans une relation professionnelle. En effet, si le médecin réagit de façon émotive et abrupte à la résistance du patient, ce dernier pourra se taire puis agir selon sa propre idée en sortant du bureau. Pis encore, le patient pourra simplement décider de ne plus consulter ce médecin, et alors tous deux seront perdants. Pendant la résolution d'un conflit, le médecin doit éviter de trancher et plutôt tenter de maintenir le dialogue avec le patient. Cette souplesse peut permettre que la situation de confrontation évolue vers une solution.

Pour résoudre un conflit, Beaudoin (1999) suggère les étapes suivantes :

1. Circonscrire le différend : s'agit-il de la définition du problème, du choix de la solution ou de la définition des rôles respectifs ? Le différend peut porter aussi sur les croyances liées à la situation et au contexte.
2. Poser cette difficulté comme un problème à résoudre.

Encadré 2.2

Cinq mythes relatifs aux conflits dans les relations interpersonnelles

1. **On peut toujours éviter les conflits.**
   Absolument faux. Les conflits font partie intégrante des interactions humaines. Est-il possible d'éviter les conflits graves ? On peut l'espérer. C'est en fait à ces derniers qu'on pense en parlant de conflits, les différends quotidiens n'étant très souvent pas perçus comme des conflits. De plus, comme le médecin constitue une autorité, il est parfois difficile pour lui de repérer les conflits (exemple : mésentente sur le diagnostic ou sur le traitement), car ils ne se manifesteront pas toujours ouvertement.
2. **Les conflits sont liés à l'incompréhension.**
   Faux. On peut parfaitement comprendre le point de vue de l'autre sans pour autant le partager. Dans ce cas, l'explication répétée de son propre point de vue mène le plus souvent à une impasse, et on assiste à des accusations mutuelles de mauvaise foi. Explorer des solutions de rechange constitue une stratégie plus appropriée.
3. **Les conflits sont le signe d'un problème dans la relation.**
   Pas nécessairement vrai. En fait, devant un patient très poli et toujours d'accord, le médecin devrait se poser des questions. Au contraire, il devrait être rassuré en présence d'un patient capable d'exprimer son désaccord et d'en discuter franchement. L'entente avec un patient capable de discuter ouvertement d'un différend augmente les probabilités que celui-ci respecte la décision prise.
4. **On peut toujours résoudre un conflit.**
   Pas toujours vrai, malheureusement. Une fois le désaccord constaté explicitement, il faut parfois simplement l'accepter et se centrer sur ce qu'on peut accomplir ensemble.
5. **Les conflits sont toujours mauvais.**
   Faux. Si les patients exprimaient leur désaccord ouvertement et plus souvent, il est probable qu'on pourrait trouver des solutions originales aux difficultés.

Source : Traduit et adapté de Beebe et autres (1996).

3. S'assurer que son interlocuteur est d'accord avec l'énoncé du problème.
4. Fixer clairement l'objectif à atteindre.
5. Établir avec le patient autant de solutions acceptables que possible.
6. Analyser avec le patient chacune des solutions émises pour trouver celle qui atteint le mieux les objectifs fixés.

Il importe surtout d'abord de faire émerger explicitement les désaccords de manière à pouvoir en parler, puis de préserver la relation. En effet, si les efforts ne sont pas couronnés de succès cette fois-ci, ils le seront peut-être la prochaine fois. L'encadré 2.2 présente cinq mythes relatifs aux conflits dans les relations interpersonnelles. Aussi, si un patient a dû attendre indûment et en est irrité, il appréciera recevoir des excuses simples et une brève explication (McCord, Floyd, Lang et Young, 2002).

Lorsqu'un patient persiste dans une demande jugée irrecevable et qu'il résiste à toute invitation ou suggestion visant à trouver une autre solution, le médecin doit alors mettre un terme à l'entrevue avec courtoisie, tout en gardant la porte ouverte à d'autres interventions ou à d'autres intervenants susceptibles d'aider le patient dans ses difficultés. Un médecin ne peut se permettre de devenir complaisant et il a avantage à communiquer clairement au patient son refus d'accéder à sa demande (Beaudoin, 1999).

La multiplicité et le dynamisme de la relation

L'examen attentif des contextes variés dans lesquels les patients et les médecins interagissent montre qu'il n'y a pas *une* mais bien *des* relations. En fait, la relation entre un patient et son médecin se transforme dans le temps (exemple : au gré de l'évolution d'une maladie chronique), et les relations sont différentes d'un type de médecin à l'autre (exemple : la relation avec un médecin spécialiste comparativement à la relation avec un médecin généraliste pour un même problème). Force est de constater que la manière d'entrer en relation varie d'une situation à l'autre. Bien sûr, il s'agit toujours d'une relation professionnelle, mais l'expression de cette relation change en fonction des interlocuteurs, du motif de consultation et du contexte de la rencontre (exemples : avec rendez-vous, sans rendez-vous, à l'urgence, dans une chambre d'hôpital, à domicile) (Lyons et autres, 1995 ; Northouse et Northouse, 1998). Elle change également à travers le temps en fonction de la connaissance mutuelle des interlocuteurs.

L'évolution dans le temps

AVANT LA RENCONTRE

Avant même la rencontre d'un patient donné, la relation est virtuellement commencée pour le médecin, car toute sa formation professionnelle le prépare à fournir un certain type de service. Le médecin sait déjà que l'individu qui le consulte se présente soit parce qu'il souffre physiquement ou psychologiquement, soit parce qu'il veut prévenir un problème, soit parce qu'il a des formulaires à faire remplir, etc. (McWhinney, 1989 ; Hanner et Witek, 1995).

AU FIL DES RENCONTRES

En médecine générale, le scénario le plus fréquent est celui des relations qui évoluent à travers plusieurs rencontres. La première entrevue constitue l'amorce de la relation.

Dans les rencontres subséquentes (s'il y en a !), on assiste à une forme d'exploration, tant et aussi longtemps que le médecin n'a pas établi la nature du problème du patient. Puis, au fur et à mesure des rencontres de suivi, la relation s'intensifie et une forme de proximité peut s'établir. Une relation évolue ainsi constamment dans le temps en fonction du nombre et de la fréquence des rencontres, mais aussi en fonction du passage du temps et du cycle de vie de chacun des intéressés.

LA FIN DE LA RELATION

En raison de sa nature asymétrique, la relation active entre un médecin et un patient se terminera différemment selon que c'est l'un ou l'autre qui y met fin. Pour le médecin, la fin de la relation correspond le plus souvent à l'évolution de la maladie ou à l'atteinte des objectifs cliniques. Un médecin peut choisir d'arrêter prématurément une relation avec un patient s'il perçoit des difficultés majeures qui l'empêchent d'effectuer son travail professionnel. La façon dont un médecin doit s'y prendre dans de telles circonstances exceptionnelles est réglementée par son ordre professionnel. Le médecin a alors l'obligation de trouver un autre médecin pour fournir des soins au patient, d'en faire la suggestion au patient et de faciliter la prise de rendez-vous. Lorsqu'un patient met fin à la relation avec son médecin, sa stratégie est plus indirecte et, le plus souvent, il n'y a pas de discussion claire sur les difficultés en cause : le patient cesse simplement de voir le médecin.

L'évolution au cours d'une entrevue

Une recherche intéressante de Robinson (2003) montre bien comment une relation médecin-patient se définit dès le début de l'entrevue. Ainsi, l'usage de la question ouverte tout au début de l'entrevue oriente l'interaction qui suivra. La relation proposée a alors trait à un service professionnel : le patient recherche un service et le médecin offre un service. De plus, les deux individus ont un objectif commun et reconnu, soit la résolution d'un problème.

Dans les paragraphes qui suivent, nous présentons en quelque sorte une relation idéalisée. Nous divisons l'entrevue en fonction de moments où nous croyons que les rôles des interlocuteurs changent. Les rôles proposés s'inspirent des résultats des travaux de recherche de Richard et Lussier (2003) portant sur la discussion relative à la médication et aux médicaments.

Le Dr Dubuc reçoit un patient, M. Tessier. L'objectif est de lui offrir un service professionnel, ce qui fixe le cadre général de leur relation. Le patient désire que le médecin l'aide à gérer sa santé ou à se soigner. Nous dirons alors que le patient est l'*instigateur* de la demande de service, alors que le médecin met ses compétences au service du patient. Dans ce sens, la relation médecin-patient s'inscrit dans un cadre où le *patient* domine ; c'est lui qui, au bout du compte, disposera des suggestions du médecin. Dans l'entrevue elle-même, la dominance est inversée. Il est utile de se rappeler que, dans le cadre le plus général de la demande de service, c'est le patient qui domine ; on comprend alors mieux certains comportements *rebelles* du patient, comme nous le verrons plus loin.

À partir du moment où le patient et le médecin sont dans le bureau, la relation se précise : le patient présente sa demande et le médecin accepte d'aider le patient. Le patient suspend alors sa souveraineté et se soumet à l'autorité-expertise du médecin pour qu'il puisse faire son travail, c'est-à-dire répondre à la demande du patient. À son tour, le médecin joue le rôle d'*instigateur* et recueille toute l'information nécessaire pour cerner la difficulté du patient. Il choisit donc des stratégies communicationnelles pour obtenir et isoler l'information qui lui est nécessaire pour répondre à la demande. Puis il complète la démarche avec l'examen physique, pendant lequel il domine complètement la recherche d'informations. Il se situe jusque-là dans une relation de spécialiste-profane.

Une fois son opinion arrêtée, le médecin communique son analyse au patient. Il entre alors dans une relation d'*informateur-informé*. Lorsque le patient s'est approprié l'analyse du médecin, celui-ci lui présente les solutions possibles et s'enquiert du point de vue du patient quant à leur acceptabilité et à leur réalisme. Il sollicite également des suggestions du patient. S'engage alors un dialogue où patient et médecin deviennent des *participants* et où seront considérées les contributions du patient et ses réactions aux propositions du médecin. Ce dialogue permet alors la « coconstruction » d'une solution clinique, acceptable pour les deux parties. La solution est alors conjointement mise au point. La relation s'est donc transformée encore pour devenir une collaboration dans l'élaboration de solutions. Le patient récupère en partie sa souveraineté pour participer à l'élaboration d'une solution.

Lorsqu'ils se sont entendus sur les solutions, le patient et le médecin partagent un projet de santé et conjuguent leurs efforts pour atteindre cet objectif commun. Ils précisent ensemble les modalités (quand et comment) de réalisation du projet et les sous-objectifs. Au cours du suivi, le médecin et le patient font le point sur l'évolution de leur projet et décident ensemble des actions à venir. Le médecin joue alors le rôle de *superviseur* (*coaching*) pour aider le patient à appliquer le traitement : il le motive, lui suggère des stratégies, l'encourage, etc.

De retour dans son environnement habituel, le patient réévalue le projet qui a été élaboré de concert avec son médecin ; il mesure son inconfort et la difficulté pratique à le réaliser. Dans une telle perspective, on voit que le patient n'est pas nécessairement *désobéissant* lorsqu'il fait preuve d'inobservance. En effet, il ne fait que reprendre son rôle de personne qui a sollicité un service et qui, maintenant, continue de gérer son quotidien en prenant les décisions qui lui semblent les meilleures en fonction de ses désirs. Il est possible qu'il ne sente plus la nécessité de poursuivre le projet élaboré avec son médecin. Billig (2001) rappelle qu'une décision n'est jamais définitive et qu'elle fait continuellement l'objet de réévaluations en fonction des nouvelles informations.

Conclusion

Dans ce chapitre, nous avons voulu montrer comment les principes généraux du développement des relations interpersonnelles s'appliquent aussi à la relation professionnelle. Nous espérons avoir sensibilisé le lecteur à la dynamique et à la multiplicité des manifestations de la relation médecin-patient. On assiste à l'organisation complexe d'éléments intégrés, allant d'un cadre d'action général (une relation liée à un service professionnel) aux actes particuliers du professionnel (offrir du soutien, donner de l'information, conseiller et motiver) qui, à leur tour, s'inscrivent dans un certain style relationnel (paternaliste, consommateuriste, centré sur le patient) ; le style relationnel sera lui-même modulé selon les caractéristiques socioéconomiques des interlocuteurs et selon des variables d'ordre psychologique comme la personnalité des individus en présence.

La relation médecin-patient est donc multidimensionnelle et dynamique, elle se modifie dans le temps et selon les situations. En réduisant le processus à une relation de confiance harmonieuse et agréable, on ne rendrait pas justice à toute la complexité et à toute la variété qui la constituent. Il ne faut jamais perdre de vue que le médecin et le patient ont une tâche à accomplir ensemble, et que c'est cette tâche qui doit les guider dans l'établissement de leur relation multiple. Ces relations que doit entretenir le médecin supposent une évolution des rôles dans le temps et une participation active de chacun des participants à leur définition. Le médecin est nécessairement en relation avec son patient à partir du moment où il commence à interagir avec lui, mais cette relation se transforme selon les circonstances ; il doit savoir passer d'un type de relation à un autre dans le cadre plus général d'une relation de soins.

Notes

1. « Patients put their relationship with their doctors as second only to that with their families. »
2. À ce sujet, lire le chapitre 8, intitulé « La structure et le contenu de l'entrevue médicale ».
3. À ce sujet, le lecteur peut consulter les chapitres 9, 15, 17 et 18, intitulés respectivement « La gestion des émotions », « Les patients aux prises avec des problèmes d'alphabétisme fonctionnel », « Les patients défavorisés » et « Les patients de culture différente ».
4. Voir le chapitre 8, intitulé « La structure et le contenu de l'entrevue médicale ».
5. Pour en savoir davantage, lire le chapitre 30, « La communication en soins à domicile ».
6. Le chapitre 9, intitulé « La gestion des émotions », comprend une section qui porte sur l'expression non verbale des émotions.

Références

Bandler, R., et J. Grinder (1975). *The structure of magic*, Palo Alto, Science and Behavior Books.

Beaudoin, C. (1999). « Dire non à un patient : comment minimiser son insatisfaction tout en l'aidant », *Le Médecin du Québec*, vol. 37, n° 4, p. 41-47.

Beebe, S.A., S.J. Beebe et M.V. Redmond (1996). *Interpersonal communication : Relating to others*, Needham Heights (Massachusetts), Allyn and Bacon.

Bellenger, L. (1992). *L'argumentation : connaissance du problème*, coll. Formation permanente en sciences humaines, n° 37, Paris, ESF.

Berger, P.L., et T. Luckmann (1967). *The social construction of reality : A treatise in the sociology of knowledge*, Garden City, Anchor Book.

Billig, M. (2001). « Arguing », dans *The new handbook of language and social psychology*, sous la direction de W.P. Robinson et H. Giles, New York, John Wiley and Sons.

Brown, P., et C. Fraser (1979). « Speech as marker of situation », dans *Social markers in speech*, sous la direction de K.R. Scherer et H. Giles, Cambridge, Cambridge University Press.

Buber, M. (1970). *I and thou*, New York, Charles Scribner's Sons.

Burkitt Wright, B., C. Holcombe et P. Salmon (2004). « Doctors' communication of trust, care, and respect in breast cancer : Qualitative study », *British Medical Journal*, vol. 328, n° 7444, p. 864-867.

Charles C., A. Gafni et T. Whelan (1997). « Shared decision-making in the medical encounter : What does it mean ? (or it takes at least two to tango) », *Social Science and Medicine*, vol. 44, n° 5, p. 681-692.

Coupland, N., et J.F. Nussbaum (1993). *Discourse and lifespan identity*, coll. Language and Language Behavior Series, vol. 4, Londres, Sage.

Duck, S. (1985). « Social and personal relationships », dans *Handbook of interpersonal communication*, sous la direction de M.L. Knapp et G.R. Miller, Beverly Hills (Californie), Sage, p. 665-686.

Duck, S. (1993). *Social context and relationships*, Londres, Sage.

Duck, S. (1994). *Meaningful relationships : Talking, sense, and relating*, Londres, Sage.

Edmond, M. (1997). « Le face à face et ses enjeux », *Sciences humaines*, n° 16, p. 30-32.

Gafni, A., C. Charles et T. Whelan (1998). « The physician-patient encounter : The physician as a perfect agent for the patient versus the informed treatment decision-making model », *Social Science and Medicine*, vol. 47, n° 3, p. 347-354.

Gergen, K.J. (1994). *Realities and relationships : Soundings in social constructionism*, Cambridge, Harvard University Press, 1994.

Gergen, K.J. (1999). *An invitation to social construction*, Londres, Sage.

Hall, J.A., et D.L. Roter (2002). « Do patients talk differently to male and female physicians ? A meta-analytic review », *Patient Education and Counseling*, vol. 48, n° 3, p. 217-224.

Hanner, L., et J. Witek (1995). *Healing wounded doctor-patient relationships*, Delano (Californie), Kashan.

Hauser, J. (1986). *Introduction to rhetorical theory*, New York, Harper and Row.

Kennedy, I. (2003). « Patients are experts in their own field », *British Medical Journal*, vol. 326, n° 7402, p. 1276-1277.

Korsch, B.M., et C. Harding (1997). *The intelligent patient's guide to the doctor-patient relationship : Learning how to talk so your doctor will listen*, Oxford (Royaume-Uni), Oxford University Press.

Leeds-Hurwitz, W. (1995). *Social approaches to communication*, New York, Guilford Press.

Lyons, R.F., M.J.L. Sullivan, P.G. Ritvo et J.C. Coyne (1995). *Relationships in chronic illness and disability*, coll. Close Relationship, n° 11, Londres, Sage.

Marsh, P. (sous la direction de) (1988). *Eye to eye: How people interact*, Topsfield (Massachusetts), Salem House.

McCord, R.S., M.R. Floyd, F. Lang et V.K. Young (2002). « Responding effectively to patient anger directed at the physician », *Family Medicine*, vol. 34, n° 5, p. 331-336.

McNamee, S., et K.J. Gergen (1992). *Therapy as social construction*, Londres, Sage.

McNamee, S., et K.J. Gergen (1999). *Relational responsibility: Resources for sustainable dialogue*, Londres, Sage.

McWhinney, I.R. (1989). *A textbook of family medicine*, Oxford, Oxford University Press.

Mechanic, D. (1998). « Public trust and initiatives for new health care partnerships », *The Milbank Quarterly*, vol. 76, n° 2, p. 281-302.

Mucchielli, A. (1997). « L'approche communicationnelle », *Sciences humaines*, n° HS16.

Northouse, L.L., et P.G. Northouse (1998). *Health communication: Strategies for health professionals*, 3e édition, Prentice Hall.

Persaud, R. (2003). « Both sides need to keep the relationship going », *British Medical Journal*, vol. 326, n° 7402, p. 1337.

Prusank, D.T., R.L. Duran et D.A. DeLillo (1993). « Interpersonal relationships in women's magazines: Dating and relating in the 1970s and the 1980s », *Journal of Social and Personal Relationships*, vol. 10, n° 3, p. 307-320.

Richard, C., et M.-T. Lussier (2003). « Development of a "Dialogic Index" to better describe physician and patient participation in discussions of medications during primary care encounters », North American Primary Care Research Group (NAPCRG), Banff (récipiendaire d'une mention d'honneur dans la catégorie Présentation par un fellow).

Robinson, J.D. (2003). « An interactional structure of medical activities during acute visits and its implications for patients' participation », *Health Communication*, vol. 15, n° 1, p. 27-57.

Roter, D.L. (2000). « The medical visit context of treatment decision-making and the therapeutic relationship », *Health Expectations*, vol. 3, n° 1, p 17-25.

Roter, D.L., J.A. Hall et Y. Aoki (2002). « Physician gender effects in medical communication: A meta-analytical review », *The Journal of the American Medical Association*, vol. 288, n° 6, p. 756-764.

Roter, D.L., J.A. Hall et N.R. Katz (1988). « Patient-physician communication: A descriptive summary of the literature », *Patient Education and Counseling*, vol. 12, p. 99-119.

Safran, D.G., D.A. Taira, W.H. Rogers, M. Kosinski, J.E. Ware et A.R. Tarlov (1998). « Linking primary care performance to outcomes of care », *The Journal of Family Practice*, vol. 47, n° 3, p. 213-220.

Sarbin, T.R., et J.I. Kitsuse (sous la direction de) (1994). *Constructing the social*, coll. Inquiries in social construction, n° 12, Londres, Sage.

Say, R.E., et R. Thomson (2003). « The importance of patient preferences in treatment decisions: Challenges for doctors », *British Medical Journal*, vol. 327, n° 7414, p. 542-545.

Shotter, J. (1993). *Conversational realities: Constructing life through language*, coll. Inquiries in social construction, n° 11, Londres, Sage.

Stewart, M.A. (1995). « Effective physician-patient communication and health outcomes: A review », *Canadian Medical Association Journal*, vol. 152, n° 9, p. 1423-1433.

Street, R.L. (2002). « Gender differences in health care provider-patient communication: Are they due to style, stereotypes, or accomodation? », *Patient Education and Counseling*, vol. 48, n° 3, p. 201-206.

Tannen, D. (1990). *You just don't understand: Women and men in conversation*, New York, William Morrow and Co.

Tannen, D. (1994). *Talking from 9 to 5*, New York, William Morrow and Co.

Tannen, D. (1998). *The argument culture: Moving from debate to dialogue*, New York, Random House.

Thom, D.H., et B. Campbell (1997). « Patient-physician trust: An exploratory study », *The Journal of Family Practice*, vol. 44, n° 2, p. 169-176.

Winkin, Y. (sous la direction de) (1981). *La nouvelle communication*, Paris, Seuil.

Young, R.L. (1999). *Understanding misunderstandings: A practical guide to more successful human interaction*, Austin, University of Texas Press.

Zoppi, K.A., et C.P. McKegney (1997). « The difficult clinical conversation », dans *Introduction to clinical skills: A patient-centered textbook*, sous la direction de M.B. Mengel et S.A. Fields, New York, Plenum.

CHAPITRE 3

Les enjeux éthiques de la communication

Yvette Lajeunesse

Le discours éthique fécond devrait dépasser la simple expression d'une conviction[1].
John Stuart Mill

L'éventualité du conflit – et de la tragédie – ne peut jamais être totalement éliminée de la vie humaine, qu'elle soit personnelle ou sociale.
Isaiah Berlin

LA FILLE DU PATIENT — *Vous n'y pensez pas, Docteur ! Mon père est mourant, ce n'est pas le temps de l'opérer. Laissez-le donc mourir en paix !*

LE MÉDECIN — *Mais, Madame, il est essentiel de l'opérer pour constater avec précision comment son cancer s'est disséminé ; cela nous aidera à mieux comprendre sa maladie.*

L'analyse de cet échange sous l'angle de la communication révèle non seulement la présence d'un conflit, mais l'impasse qui se dessine. L'examen, sous l'angle de l'éthique, met en évidence le conflit lié à une décision de fin de vie et l'impasse irréductible des systèmes de valeurs qui se heurtent. Cependant, ce deuxième aspect de l'analyse n'exclut en rien le rôle central que la communication peut jouer dans une telle situation. Est-ce à dire que les situations problématiques d'ordre éthique se résument à une communication mal gérée ? Peut-on suivre les traces de Silverman, Kurtz et Draper (1998), qui semblent réduire l'éthique à des « problèmes spécifiques de communication[2] » ? Autrement dit, l'éthique clinique n'est-elle qu'un domaine particulier de la médecine ? Un domaine distinct, constitué de questions particulières, dont les réponses feraient appel à des compétences en communication, tout comme cela se produita dans d'autres domaines : le domaine culturel, le domaine lié aux spécificités de chaque sexe (*gender issues*), le domaine lié à l'âge[3], etc. ?

Le présent chapitre vise ainsi à établir les rapports qui unissent la communication et l'éthique clinique. Les questions soulevées sont nombreuses. Dans le cadre de l'éthique clinique, la communication se conçoit-elle comme un simple outil ? La communication est-elle un simple moyen utilisé en vue d'arriver à une fin ? Si oui, quelle est cette fin ? S'agit-il de la résolution des conflits ? N'existerait-il pas par ailleurs un lien plus étroit, plus fondamental ? Dans le chapitre 1, intitulé « Une approche dialogique de la consultation », le terme *communication* a été approfondi par la présentation de diverses théories de la communication et par l'examen particulier des manifestations et des composantes de l'approche dialogique. Tout comme il a été nécessaire de préciser l'horizon de l'utilisation de ce terme, il s'avère indispensable de circonscrire l'emploi du terme *éthique*. La signification du terme *éthique clinique*, qui est fort d'une longue tradition, peut sembler évidente en pratique médicale. Néanmoins, ces dernières années, le concept de bioéthique s'est imposé à la pratique médicale et les rapports entre la bioéthique et l'éthique clinique demeurent problématiques pour plusieurs.

C'est pourquoi nous préciserons d'abord le sens que nous attribuons au terme *éthique clinique*. Bien sûr, il ne s'agit pas d'imposer une conception de l'éthique clinique, mais plutôt d'explorer les diverses facettes de cette dernière. Ensuite, nous analyserons un thème fondamental en éthique clinique : le consentement et ses rapports avec la communication. Enfin, au-delà d'une simple relation entre moyen et fin, nous défendrons la thèse de l'existence d'un lien plus fondamental qui unit la communication et l'éthique clinique.

La bioéthique et l'éthique clinique

Depuis plus de 30 ans, la pratique médicale est sans cesse appelée à se redéfinir. La morale[4], en particulier la morale médicale, a été jugée inapte à répondre aux nouvelles questions soulevées par la croissance exponentielle du savoir scientifique et de la technologie médicale. En plus de la révolution biotechnologique et de l'échec de la morale traditionnelle et de la pensée rationnelle moderne[5], on trouve d'autres facteurs déterminants de l'émergence de la bioéthique : le pluralisme et le relativisme, voire le scepticisme moral de la société, la démocratie participative, le juridisme de notre époque et la conception « commerciale » de la médecine.

Né aux États-Unis, le mouvement de la bioéthique[6] s'est avéré le tremplin d'une remise en question fondamentale, voire radicale, des us et coutumes, aussi bien en recherche médicale qu'en pratique clinique. Le livre *Morals and medicine*, de Fletcher (1954), considéré comme la « première œuvre de bioéthique » (Doucet, 1996, p. 19), bien qu'il précède de près de 20 ans l'usage de ce terme[7], indique la voie d'un changement dans la réflexion morale en médecine. Le livre de Fletcher expose un nouveau paradigme : une morale médicale fondée sur l'intérêt du patient et sur ses droits. Une telle position se démarque de la morale médicale *traditionnelle*, qui s'appuie essentiellement sur les doctrines et les interdits religieux[8].

Les principes d'une nouvelle éthique

En 1966, en dénonçant de multiples scandales de la recherche médicale dans le *New England Journal of Medicine*, le Dr Henry Beecher amorce une réflexion qui conduira à la création de deux commissions américaines, à l'origine des principes de la nouvelle éthique :

1. La National Commission for the Protection of Human Subjects of Biomedical and Behavioral Research, créée en 1973 et axée principalement sur la recherche, aboutira à ce qu'on appelle communément le rapport Belmont. De ce rapport (Commission nationale pour la protection des sujets humains dans le cadre de la recherche biomédicale et béhavioriste, 1976), les premiers théoriciens de la bioéthique retiendront trois principes éthiques fondamentaux : l'autonomie[9], la bienfaisance et la justice.

2. La President's Commission for the Study of Ethical Problems in Medicine and Biomedical and Behavioral Research, créée en 1978, poursuivra la réflexion dans la même voie, en visant aussi bien la pratique que la recherche médicale.

La bioéthique fut d'abord conçue comme « une pragmatique éthique [qui] vise à déterminer les conditions d'une bonne décision dans des conditions difficiles » (Doucet, 1996, p. 64). La bioéthique accorde la préséance à des principes dits de second niveau[10], puisque les théories éthiques[11] classiques ne réussissent pas à résoudre les dilemmes moraux en général et, en particulier, dans le domaine de la médecine[12]. Dans le livre qui deviendra la bible des bioéthiciens, Beauchamp et Childress (2001[13]) ont ainsi élaboré une méthode de prise de décision qui s'appuie sur les quatre principes de base que sont l'*autonomie*, la *bienfaisance*, la *non-malfaisance* et la *justice*, sans toutefois faire totalement abstraction des théories éthiques générales[14]. Les auteurs ont adjoint le principe de non-malfaisance (la maxime du *primum non nocere* de la tradition hippocratique) aux trois principes tirés du rapport Belmont. Ils élaborent ainsi une approche qui a pour tâche « de fournir un cadre au jugement moral et au processus de prise de décision dans le contexte des récents développements [scientifiques, technologiques et sociaux] » (Beauchamp et Childress, 2001, p. 3). Comme toute œuvre pionnière, cette approche, désormais « classique, canonique » (Doucet, 1996, p. 101), connue sous le nom de *principlism*, a été l'objet de multiples critiques.

Premièrement, plusieurs auteurs ont démontré les limites et les insuffisances de la méthode de Beauchamp et Childress sans parvenir à l'éliminer, mais tel n'était pas nécessairement le but de chacun. En élaborant une pensée différente, certains ont ainsi défendu une théorie reposant sur un principe en particulier. Pellegrino et Thomasma (1988) considèrent le principe de bienfaisance comme le principe fondamental, bien qu'en pratique médicale ce principe soit intimement lié à l'autonomie du patient; Daniels (1983) et Callahan (1987, 1990, 1993) définissent, quoique dans des registres quelque peu différents, la pratique médicale sous l'angle du principe de justice.

Deuxièmement, d'autres auteurs ont centré leur approche sur la révision de la relation médecin-patient, sans faire appel, du moins directement, aux principes: May (1983) décrit la relation médecin-patient à l'aide du concept d'« alliance » thérapeutique, en référence au pacte fondateur du christianisme (penser à l'arche d'alliance, dans laquelle les Hébreux conservaient les Tables de la Loi), alors que Siegler (1979, 1992) conçoit le concept de relation médecin-patient à l'image d'une rencontre entre proches, par opposition à l'image d'une rencontre entre étrangers.

Troisièmement, certaines critiques se dissocient radicalement de l'approche fondée sur les principes. Les modèles proposés ont en commun le rejet de la bioéthique avec ses normes et ses règles abstraites, sa nature conservatrice et ses structures de domination et de pouvoir, son insensibilité aux situations concrètes et son éloignement de la vie morale réelle et concrète. Ils partagent le souci de trouver un sens aux situations humaines particulières.

Le tableau 3.1[15] présente ces différentes approches et indique les ouvrages qui en explicitent les théories sous-jacentes.

Soulignons au passage la parenté de ces controverses avec celles qu'on trouve en philosophie morale. Quoi qu'il en soit, ce bilan soulève le constat de l'échec de la bioéthique dans la réponse qu'elle devait apporter au problème du relativisme éthique. Enfin, la bioéthique semble actuellement se trouver dans une impasse en raison même de ses présupposés, principalement celui qui nie la possibilité d'un fondement de l'éthique.

En théorie et en pratique… médicale

Ainsi, même d'ardents défenseurs de la bioéthique prennent leurs distances par rapport à ce qui constituait l'essence même de la bioéthique, soit l'appel à des principes de second niveau, sur lesquels tout le monde s'accorde quant il s'agit de la résolution de problèmes concrets. Roy et Lambert (2002) posent le diagnostic suivant: les décennies de bioéthique démontrent que le « consensus sur les jugements pratiques pour définir ce qu'il est possible de faire ou de ne pas faire, et ce qui est tolérable ou pas dans certains cas particuliers » laisse dans l'ombre le problème de fond, soit « la mésentente […] sur les raisons et les principes avancés pour appuyer ces décisions et ces jugements pratiques » (p. 6). Autrement dit, même si les individus peuvent s'accorder sur les principes de second niveau (l'autonomie, la bienfaisance, la non-malfaisance et la justice), les dilemmes demeurent. Les dilemmes sont même de plus en plus manifestes, si on considère la complexité des problèmes soulevés par l'évolution récente des biotechnologies, justement parce qu'ils sont liés au désaccord qui divise les individus sur les fondements premiers ou les points de vue normatifs de leurs actions. Les bioéthiciens, en jugeant impossible l'établissement d'un consensus sur ce plan, ont cherché une autre voie; mais cette voie était vouée à l'échec puisqu'elle ne prenait pas en compte le problème de fond.

La bioéthique en appelle dorénavant à une « méthode plus élaborée, appelé (*sic*) l'éthique pour la complexité [qui] exige une interaction constante entre éthique pratique et éthique normative » (p. 6). Cette interaction conduit à une « remise en question qui

Tableau 3.1 **Les théories en bioéthique**

L'APPROCHE CLASSIQUE	
Le *principlism* : une méthode de prise de décision qui s'appuie sur les quatre principes de base que sont l'autonomie, la bienfaisance, la non-malfaisance et la justice.	Beauchamp et Childress (2001)
LE RENOUVELLEMENT DU MODÈLE CLASSIQUE	
Tendances centrées sur la relation médecin-patient	
La bienfaisance : le bien de la personne doit toujours guider le travail médical ; la bienfaisance appelle le médecin à valoriser l'autonomie du patient dans le respect de la situation concrète de ce dernier.	Pellegrino et Thomasma (1988)
L'alliance thérapeutique : la relation médecin-patient repose sur un principe de solidarité plutôt que sur une approche contractuelle.	May (1983)
L'éthique clinique : la rencontre médecin-patient devient une relation entre proches plutôt qu'entre étrangers.	Siegler (1979, 1992)
Tendances comportant une dimension communautaire	
Justice et équité : une théorie visant une distribution juste des soins de santé.	Daniels (1981, 1983, 1985)
Justice et finitude humaine : une théorie centrée sur le devenir social de la médecine et sur la finitude humaine.	Callahan (1987, 1990, 1993)
Justice et éthique médicale : une théorie juxtaposant le respect des droits des patients et la prise en compte des établissements dans lesquels se pratique la médecine.	Brennan (1991)
LA CRÉATION D'UN NOUVEAU MODÈLE	
L'éthique des vertus : redevenir des saints ?	Drane (1988)
L'éthique féministe : miser sur la dimension relationnelle et le souci d'autrui.	Nodding (1984) Sherwin (1992) Holmes et Purdy (1992)
La casuistique : redonner au cas individuel sa signification propre.	Jonsen et Toulmin (1988)
L'éthique narrative : retrouver la description vivante de la vie morale des individus.	Burrel et Hauerwas (1977)

pourrait signifier l'abandon de la neutralité philosophique » (p. 5), à un « réexamen critique des principes, des normes, des jugements pratiques et des politiques publiques à la lumière des croyances fondamentales, des présupposés et des perceptions qui ont été à la source de l'ordre moral » (p. 6). L'enjeu de cette révision est de veiller « à la sauvegarde des acquis de la civilisation dans la société » (p. 6) au prix de l'« abandon de la neutralité philosophique [de la bioéthique] » (p. 5). Autrement dit, la résolution des dilemmes éthiques exige dorénavant une entente sur ce qui peut constituer le point de vue moral de la société, « point de vue à partir duquel les questions morales peuvent être évaluées *impartialement* » (Habermas, 1999, p. 18). Cette entente, fondée sur un consensus, consiste à déterminer les valeurs qui doivent prévaloir dans notre société. Or, nous savons très bien que les valeurs de notre société sont à la fois pluralistes et divergentes. Ainsi, en appeler au principe d'autonomie ou de bienfaisance, ou à tout autre principe, pour déterminer si un couple peut recourir ou non au clonage pour résoudre un problème d'infertilité s'avère insuffisant parce que cette pratique soulève des controverses éthiques fondamentales, qui sont liées, entre autres, à l'avenir de l'être humain et qui requièrent des décisions de société. De telles décisions de société portent autant sur les nouvelles pratiques, telle la génomique, que sur les plus anciennes, comme l'avortement et l'euthanasie.

La bioéthique doit donc dorénavant être le lieu d'un constant dialogue, aussi bien avec les sciences et ses représentants qu'avec les instances publiques, porte-parole du citoyen. L'éthique pour la complexité devient une éthique publique (Larouche, 2002, p. 12). Il découle de cette caractéristique que le droit qui « offre la possibilité de décider de la légitimité des décisions par la pure légalité » (Lajeunesse et Sosoe, 1996, p. 234) constitue l'une des composantes significatives de ce dialogue nécessaire. Les rapports qui existent entre les sciences, l'éthique et la politique demeurent en filigrane pour Roy et Lambert (2002), alors que Larouche (2002), citant Edgar Morin, met l'accent sur la nécessité d'un lien formel entre les trois instances. Les analyses de Roy et Lambert, tout comme le commentaire de Larouche, valident ainsi la conclusion de Lajeunesse et Sosoe (1996, p. 231) : « La prise en compte de l'univers démocratique a des implications directes sur la nature même de la théorie éthique. » Ces analyses escamotent cependant l'enjeu majeur d'une telle théorie pour tout ce qui concerne l'individu et son rôle dans ce qu'on appelle la décision éthique et l'agir éthique : « Aussi bien au plan de l'application que de la fondation, la tâche de l'éthique demeure la reconnaissance de la compétence du sujet moral à évaluer lui-même les situations et à agir » (p. 233).

Par la mise en évidence de la diversité des approches et des courants de la bioéthique, le bilan qui précède et sa remise en question radicale avaient pour but de démontrer le caractère problématique de la bioéthique en matière de pratique médicale. Rappelons que le *principlism* demeure la théorie, ou plutôt la méthode, la plus connue, voire la plus utilisée en bioéthique. Cependant, les limites d'un tel modèle et l'apport réflexif des théories qui se sont construites en réaction à ce modèle, quel que soit leur succès, nous obligent à prendre en compte leurs critiques et à considérer l'approche éthique en médecine dans une perspective plus globale. Par ailleurs, il n'est pas inutile de souligner que le terme *bioéthique* a fait place à d'autres appellations au cours de l'évolution du mouvement. Ainsi, relevant à part entière du champ de la bioéthique, l'ouvrage de Beauchamp et Childress (2001) porte le titre de *Principles of biomedical ethics*. Cette distinction signale une différence de nature : le terme *bioéthique* englobe tout ce qui concerne les sciences de la vie, alors que celui d'*éthique biomédicale* se limite habituellement au champ de la médecine. La littérature fournit d'autres termes, souvent considérés comme synonymes : éthique clinique, éthique médicale, éthique des soins de santé (*healthcare ethics*), etc. Cette diversité repose sur des différences qui, dans la pratique, peuvent ou non s'avérer subtiles, alors que, dans le domaine théorique, ces différences de pensée sont fondamentales et suscitent des controverses et de nombreux écrits[16].

Pour éviter de nous égarer dans les considérations terminologiques, peu utiles dans le cadre du présent ouvrage, retenons le terme *éthique clinique* pour désigner la spécialisation de la bioéthique (avec l'éthique de la recherche et l'éthique publique, ou éthique des politiques de la santé, selon les termes de Durand, 1999), qui « touche toutes les décisions, incertitudes, conflits de valeurs et dilemmes auxquels les médecins et les équipes médicales sont confrontés au chevet des patients, en salle d'opération, en cabinet de consultation ou en clinique et même à domicile » (Roy et autres, 1995, p. 54). Cette finalité correspond à celle de la bioéthique conçue comme « pragmatique éthique [qui] vise à déterminer les conditions d'une bonne décision dans des conditions difficiles » (Doucet, 1996, p. 64). Par ailleurs, comme nous l'avons dit plus haut, la pratique médicale nécessite une conception de l'éthique clinique qui dépasse cette finalité étroite consistant à « aboutir à un jugement pratique sur ce qu'il faut faire » (Roy et autres, 1995, p. 54) dans les situations conflictuelles. Loin de l'exclure, l'éthique clinique englobe plutôt cette finalité. Autrement dit, pour éviter que l'éthique clinique ne soit conçue de façon réductrice, c'est-à-dire limitée à la résolution de problèmes ou de dilemmes moraux, elle doit toucher tous les aspects de la relation médecin-patient.

Pour ne pas se limiter à la résolution de problèmes ou de dilemmes moraux, l'éthique clinique doit toucher non seulement les décisions, mais également la façon d'être en relation avec l'autre. L'éthique clinique doit prendre en compte les différents aspects de la relation médecin-patient, même si une triangulation est toujours possible : médecin, enfant, parent ; médecin, personne âgée, famille ; voire médecin, patient, équipe médicale. Plusieurs chapitres, en particulier les chapitres 14, 19, 20 et 28 (qui portent respectivement sur la communication avec les personnes âgées, la communication avec la famille, la communication avec les patients accompagnés et la communication dans le cadre des soins palliatifs), mettent justement en évidence les difficultés particulières de la triangulation. Soulignons que la prise de décision s'inscrit dans un processus, dans une démarche relationnelle, souvent complexe en raison de l'asymétrie des individus en relation, et gardons à l'esprit qu'il n'existe pas de modèle unique valable pour définir la relation médecin-patient. Le chapitre 5, intitulé « Les modèles de relation médecin-patient », propose une présentation détaillée de différents modèles de cette relation qui reposent sur des prémisses éthiques différenciées.

Un fait subsiste : la décision médicale demeure au centre de la rencontre médecin-patient. C'est probablement pourquoi la majorité des courants en bioéthique concernent les principes qui servent à juger de ce qu'il faut faire. L'éthique narrative a, pour sa part, souligné la dimension éthique de certaines facettes de la communication propre à la relation médecin-patient. L'éthique des vertus s'est attardée à l'attitude et à la conduite du médecin. Enfin, la réflexion de l'éthique clinique concerne également le souci moral que le médecin porte à autrui. Autrement dit, le comportement éthique résulte de l'intégration du savoir, du savoir-être et du savoir-faire. Parcourir le champ de l'éthique clinique, c'est scruter les différentes dimensions de la relation spéciale[17] qu'est la relation médecin-patient, y compris la dimension de la communication.

La pratique clinique : entre communication et éthique

La bioéthique s'est développée parallèlement à l'évolution – pour ne pas dire la révolution – des biotechnologies, qui a suscité de nouvelles questions morales. Qu'il s'agisse de transplantations d'organes, de techniques de reproduction assistée, de recherches en génétique, etc., la bioéthique a joué un rôle important dans la prise de conscience des embûches morales soulevées par ces champs particuliers de la médecine. Elle a également permis d'enrichir la réflexion sur des sujets aussi controversés que l'avortement, le suicide assisté ou l'euthanasie, même si, à l'instar des éthiques classiques, elle n'a pas pu permettre de résoudre les conflits idéologiques sous-jacents. De plus, la bioéthique a été à l'origine d'une révision approfondie de certaines pratiques cliniques dont les fondements, éthiques aussi bien que culturels, n'avaient jamais été remis en question de façon notable avant son avènement. C'est ainsi que de nouvelles règles, comme le consentement à l'acte médical ou le droit à la vérité, se sont imposées ; c'est ainsi que de nouveaux concepts, tels que l'acharnement thérapeutique, la futilité, la qualité de vie ou les soins proportionnés, sont apparus dans le discours de la médecine, alors que des définitions, comme celle de la mort, ont été révisées de façon notable ; c'est ainsi également que certaines requêtes, comme le refus de traitement, l'abstention ou l'arrêt de traitement, ne font plus l'objet de décisions unilatérales, mais sont reconnues comme sujets possibles de discussion entre médecin et patient.

La règle du consentement

Illustrons maintenant l'importance de la communication dans l'éthique clinique à l'aide de la règle du consentement.

LA PATIENTE — *Bonjour, Docteur. J'avais hâte de vous revoir. Je suis inquiète, mes saignements persistent et je me sens si fatiguée !*

LE MÉDECIN — *Eh bien ! Madame, vos problèmes vont se résoudre très bientôt. Vous entrez la semaine prochaine à l'hôpital : une petite chirurgie et vous pourrez reprendre vos activités normalement d'ici quelques semaines. Vous n'avez pas à vous inquiéter, tout est réglé. Ma secrétaire va s'occuper des arrangements avec votre mari.*

Discours d'une époque révolue à plusieurs égards, direz-vous, qui rend compte d'un manque de moyens et d'un accès aux ressources médicales sans complications bureaucratiques, mais qui, pour plusieurs, illustre des rapports interpersonnels aujourd'hui dépassés, qu'il s'agisse des rapports sociaux ou des rapports médecin-patient. Le paternalisme qu'on jugeait de bon aloi et qui régnait dans la société – quand le père, le curé, le médecin, le notaire ou tout homme qui exerçait une profession libérale pouvait décider jusqu'à un certain point à la place de quelqu'un d'autre – est devenu caduc. L'un des bouleversements majeurs de la pratique médicale de ces 30 dernières années est, sans conteste, la reconnaissance du droit à l'autodétermination du patient.

Ramsey (1970) reprend la thèse de Fletcher, quoiqu'en des termes différents de ceux qui concernent les droits. En effet, pour Ramsey, la relation médecin-patient se conçoit comme une « entreprise coopérative dans laquelle le patient est partenaire[18] », une entreprise dans laquelle le consentement « constitue une exigence constante[19] ». En 1976, les recommandations du rapport Belmont statuent sur l'obligation d'obtenir le consentement pour toute recherche médicale : « l'importance d'un consentement [...] ne se pose même pas » (p. 9). En 1982, la President's Commission for the Study of Ethical Problems in Medicine and Biomedical and Behavioral Research applique cette recommandation à la rencontre médecin-patient. Le premier volume du rapport de cette commission[20] examine en détail le concept du « consentement éclairé en tant que prise de décision active et partagée[21] ».

Au Québec, depuis les années quatre-vingt, l'enseignement de l'éthique dans les facultés de médecine s'inspire de la démarche bioéthique, consolidant ainsi l'implantation de cette pratique. De plus, la réforme du Code civil du Québec, entrée en vigueur le 1er janvier 1994, en légalisant la règle du consentement « libre et éclairé » (article 10) rend cette pratique obligatoire. Ailleurs, les résistances ont été plus vives, en France particulièrement[22], où le principe de bienfaisance domine la relation médecin-patient, accordant au médecin un rôle prépondérant dans la décision : « Le consentement éclairé aux soins est apparu dans la pratique médicale comme une contrainte, brutalement imposée par le juge judiciaire en 1997, puis par le juge administratif en 1998[23] » (Jolly, 1999, p. 1). Par ailleurs, en avril 1997, la Convention européenne sur les droits de l'homme et la biomédecine du Conseil de l'Europe établit à un *niveau international* des règles contraignantes dans le domaine médical. L'article 5 du chapitre II de la Convention porte sur le consentement ; il y est spécifié :

> Une intervention dans le domaine de la santé ne peut être effectuée qu'après que la personne concernée y a donné son consentement libre et éclairé. Cette personne reçoit préalablement une information adéquate quant au but et à la nature de l'intervention ainsi que quant à ses conséquences et ses risques. La personne concernée peut, à tout moment, librement retirer son consentement.

La règle du consentement à l'acte médical est dorénavant reconnue socialement comme une norme essentielle, quasi absolue[24]. Cependant, son application est loin d'être aussi indiscutable, comme le précise le rapport Belmont (1976, p. 9) : « Alors que l'importance d'un consentement fondé sur l'information ne se pose même pas, la controverse l'emporte sur la nature et la possibilité d'un consentement fondé sur l'information. » En fait, ce sont les différents aspects du consentement qui soulèvent des difficultés : le sujet du consentement, son objet et le contenu, c'est-à-dire la nature de l'information à donner. Il y a divergence d'opinions non seulement sur la définition d'un consentement « éclairé » et sur l'information à donner pour que le consentement soit véritablement « éclairé », mais aussi sur l'existence même d'un consentement éclairé.

Longtemps, le concept de consentement a été assimilé au rituel de la signature du formulaire de consentement général standard qu'on fait signer au patient à l'admission. Un consentement éclairé peut exister en l'absence de signature et, à l'inverse, il peut y avoir absence de consentement éclairé malgré la signature d'un tel document (Devettere, 1995, p. 91). Ce document demeure indispensable dans notre société bureaucratique même si, dans les faits, la signature ne garantit pas la validité du consentement à l'acte médical[25]. Pour être valide, le consentement doit être donné librement, par une personne apte, qui a obtenu les informations appropriées (consentement éclairé). Le consentement ainsi conçu implique « un échange personnel entre le médecin et le patient » (Devettere, 1995, p. 83) qui doit aller au-delà des explications minimalistes données par le médecin dans le court dialogue présenté plus haut.

Considérons les trois situations suivantes ; chacune illustre sommairement l'une des trois conditions de validité du consentement.

Situation 1 **Albert, âgé de 79 ans, est transporté à l'urgence d'un hôpital en raison d'une occlusion intestinale.**

Veuf, Albert vit dans un centre d'accueil depuis trois mois. Il présente des troubles de mobilité causés par une coxarthrose grave et de légers troubles cognitifs. Sa fille unique vit aux États-Unis.

À son arrivée à l'hôpital, l'évaluation démontre une lésion sténosante du côlon, probablement due à un cancer. Le médecin explique à Albert le problème et les causes probables de sa condition. Il lui explique l'intervention qu'il envisage, insistant sur la nécessité de la colostomie en raison de la localisation de la lésion, sans oublier de l'informer sur les conséquences de cette intervention et sur les risques qu'il court. Il lui explique qu'il y a peu de solutions de rechange. Un traitement médical pourrait soulager ses symptômes et des soins palliatifs lui éviteraient de souffrir inutilement, mais, sans chirurgie, il est probable qu'il mourra dans les semaines à venir. Le patient refuse l'intervention. Devant ce refus, le chirurgien communique avec la fille d'Albert, avec qui il reprend toutes ses explications. La fille donne le consentement à la chirurgie.

Situation 2 **Béatrice, âgée de 37 ans, consulte un médecin pour un brûlement mictionnel avec pollakiurie.**

LE MÉDECIN — *Avec les symptômes que vous décrivez, il est certain que vous avez une infection urinaire. Voici deux ordonnances: la première est destinée à une analyse et à une culture d'urine; la seconde est un traitement aux antibiotiques que vous commencerez dès que vous serez allée porter les échantillons. Avec ce produit, vous ne devriez pas avoir d'effets secondaires. Je vous appelle si la culture démontre quelque chose d'anormal.*

Béatrice reste silencieuse, considère la prescription d'antibiotiques pendant quelques secondes. Puis, elle sort et se rend à la pharmacie.

Situation 3 **Carl, âgé de 49 ans, est suivi par un médecin depuis trois ans pour hypertension.**

Pour la troisième visite consécutive, le médecin constate que la tension artérielle de Carl est anormale. Il fait part de son étonnement à son patient, puisque, depuis quelques années, sa tension restait normale, et lui suggère de procéder à un bilan de santé afin de découvrir ce qui ne va pas. Carl avoue avoir négligé de prendre régulièrement ses médicaments; il minimise les conséquences de son comportement.

LE MÉDECIN — *Votre pression est encore élevée, à 180/90. Je constate encore une fois que vous n'avez pas pris vos médicaments.*

CARL — *Mais je les ai pourtant pris, disons… un peu plus régulièrement.*

LE MÉDECIN — *Oui, mais quand on dit* régulièrement, *cela veut dire «régulièrement». Je vous ai expliqué à deux reprises pourquoi il fallait suivre mes recommandations.*

CARL — *Oui, mais, Docteur, je me sens bien! Et puis, je fais beaucoup de route à cause de mon travail. Je dois me casser la tête pour ne pas oublier de prendre vos pilules!*

LE MÉDECIN — *Écoutez! L'hypertension, c'est votre problème! Si vous n'êtes pas plus motivé, je ne sais pas pourquoi je continuerais à vous suivre.*

CARL — *Mais, Docteur…*

LE MÉDECIN — (interrompant Carl) *Revenez me voir dans un mois. Mais si vous n'avez pas pris vos médicaments, il est inutile de revenir. Vous perdez votre temps et vous me faites perdre le mien.*

Bien que la situation 1 soit assez représentative des informations à donner pour obtenir un consentement éclairé, la validité même du consentement demeure problématique. En effet, le refus du patient n'est pas en soi une marque d'inaptitude, pas plus que la mention au dossier de la présence de troubles cognitifs ne l'est. Bien sûr, la conjonction de l'état clinique (les symptômes de l'occlusion intestinale, y compris la douleur, peuvent certes obscurcir les facultés du patient), de troubles cognitifs et du refus du patient laisse entrevoir la *possibilité* que le patient soit inapte à consentir au traitement de sa condition (ou à le refuser). Cependant, le texte n'indique aucunement que l'inaptitude du patient est manifeste ; il permet de constater que le médecin admet la nécessité d'obtenir le consentement d'un tiers. Un processus formel, qui n'est pas nécessairement long ni complexe à suivre, aurait permis au médecin d'évaluer l'aptitude d'Albert à consentir à cette intervention, c'est-à-dire s'assurer qu'en requérant le consentement de la fille, il ne déroge pas au respect de l'autonomie du patient. De plus, au-delà du processus formel comprenant diverses étapes, l'évaluation de l'aptitude repose sur un échange qui permet au médecin non seulement de préciser l'aptitude à consentir, mais de mieux comprendre le choix du patient.

Ce qui saute aux yeux en comparant les deux premières situations, c'est la différence sur le plan des informations transmises en vue d'un consentement éclairé. Alors que la situation 1 donne un aperçu de l'ensemble des informations requises (la nature du problème ou le diagnostic, le traitement proposé, les conséquences du traitement, les bénéfices attendus et les risques pertinents ; les solutions de rechange ainsi que leurs bénéfices et leurs risques ; les conséquences de refuser, voire de retarder le traitement), la situation 2 s'avère pauvre en informations. Comme nous l'avons déjà précisé, même si la règle du consentement est fondée, son application demeure problématique. En effet, le consentement à l'acte médical diffère selon les types de rencontre : plus la situation est complexe, plus les informations doivent être détaillées ; plus l'intervention (examen ou traitement) est énergique, invasif, et plus les informations, en particulier celles concernant les risques, doivent être exhaustives.

Par ailleurs, les informations doivent tenir compte de la situation du patient, ce qui signifie qu'obtenir un consentement éclairé ne relève pas uniquement d'un processus, mais nécessite un échange pour que le contenu soit vraiment adapté aux besoins de la personne. Ainsi, le médecin aurait pu fournir à Béatrice des précisions sur l'antibiotique prescrit et sur ses effets secondaires, il aurait pu lui proposer d'autres d'antibiotiques (ne serait-ce que pour lui permettre de choisir en fonction de son budget), etc. La comparaison entre la situation 1 et la situation 2 montre bien qu'il ne suffit pas de remettre une liste exhaustive des conséquences et des risques potentiels d'une intervention pour que le consentement du patient soit éclairé. Sans un échange qui, d'une part, apporte au médecin les éléments lui permettant de situer les besoins et les attentes du patient, et, d'autre part, éclaire le patient sur les conséquences et les risques liés à sa situation particulière, donc sans un dialogue qui implique une compréhension mutuelle, le consentement ne peut pas être pleinement éclairé.

Enfin, la situation 3 est propice à de multiples interprétations et possibilités d'analyse. Nous l'abordons délibérément en rapport avec la liberté de consentir, troisième condition de la validité du consentement. L'abandon du traitement peut sembler relever d'un caprice, d'une preuve de mauvaise volonté, puisque le médecin intervient pour la troisième fois en vue de faire « entendre raison » à Carl. La rationalité des explications ne semble pas atteindre Carl.

Il existe diverses stratégies pour aider un patient à respecter un traitement ou encore à changer des comportements nuisibles dont la chronicité peut conduire le médecin à reconsidérer son engagement envers son patient (Richard et Lussier, 2002a). Les situations de refus explicite de traitement entraînent des réactions légitimes de la part du médecin, comme la remise en question de l'engagement envers de tels patients. Le médecin n'est pas un simple pourvoyeur d'informations, aussi objectives soient-elles, avec lesquelles le patient doit se débrouiller. Le rôle du médecin ne se limite pas à présenter des informations et à entériner la décision ou le comportement du patient. Le médecin joue un rôle important dans les décisions du patient. Le patient qui consulte cherche habituellement l'avis d'une personne en qui il a confiance, et le médecin peut utiliser divers arguments pour infléchir la décision du patient. Il faut cependant garder à l'esprit que certains arguments ou certaines manières de présenter ces arguments appellent la réflexion éthique.

Par exemple, en théorie, il est équivalent de dire qu'un traitement réussit dans 20 % des cas ou de dire qu'il échoue dans 80 % des cas. La pratique nous apprend que la façon d'utiliser les données de ce genre permet, dans la plupart des cas, d'orienter la décision du patient. Ainsi, le médecin qui souhaite influencer favorablement son patient dans une décision mettra l'accent sur les chances de réussite et il se fera rassurant sur les risques et les effets secondaires liés au traitement. Au contraire, le médecin qui souhaite détourner le patient d'un traitement mettra plutôt l'accent sur le taux d'échec et sur les risques et les effets secondaires liés au traitement. N'y a-t-il pas là tromperie ? Pas nécessairement. Il est légitime, et même éthiquement requis, pour le médecin de tenter d'influencer le patient en faveur du traitement qu'il considère le meilleur ou même en faveur du traitement pour lequel il se sent le plus compétent. Qu'on pense ici aux techniques chirurgicales. Le médecin n'est pas un boutiquier qui étale sa marchandise, ses diverses options thérapeutiques (ou choix de traitement, dans le langage éthique) et laisse le patient choisir ce qu'il désire, mais il ne doit pas non plus imposer une option particulière selon sa vision personnelle de ce qui est bon pour le patient. Le médecin doit exercer son influence honnêtement, c'est-à-dire sans chercher à tromper le patient, que ce soit en insistant sur les avantages d'une seule option, en omettant de présenter les autres options possibles ou en omettant sciemment des informations dont le patient aurait pu tenir compte pour prendre sa décision. Ces considérations jouent un rôle fondamental dans la controverse suscitée par le concept de traitement futile (*futility, futile treatment*[26]) dans la pratique médicale.

La même réserve est de mise dans les situations où le médecin menace de rompre la relation dans le but d'amener le patient à accepter un traitement. Selon Beauchamp et Childress (2001), ce procédé constitue clairement une forme de coercition, quoique, dans certains contextes, le recours à un tel moyen puisse être justifié[27]. Il est clair que cette pratique exceptionnelle est éthiquement acceptable seulement à certaines conditions. Ainsi, elle ne doit en aucun cas servir de punition ou de menace. Légitimée par une évaluation adéquate du contexte, elle constitue une solution ultime à une situation d'impasse et doit faire l'objet d'un échange approprié entre le patient et le médecin – ce qui met l'accent sur la nécessité du dialogue. Le patient et le médecin ne voient pas le monde selon la même perspective : ils doivent réconcilier ces points de vue pour déterminer ce qui est le plus approprié, et ce, par l'échange d'informations que chacun considère légitimes dans sa sphère propre. La communication sert donc à mettre progressivement en place une intercompréhension de la situation, qui aboutira à des stratégies efficaces : le choix des traitements appropriés et l'observance de ces traitements. Dans les échanges entre le médecin et Carl, la mise en place d'une telle intercompréhension est difficilement perceptible, ce qui peut, du moins en partie, expliquer l'échec de cette relation, à laquelle le médecin veut mettre un terme. L'inobservance du traitement, partielle ou totale, ne découle pas nécessairement des caprices ou du mauvais caractère du patient. L'observance du traitement exige, d'une part, que le médecin tienne compte des limites du patient et des obstacles que celui-ci affronte pour lui proposer des choix appropriés et, d'autre part, que le médecin donne des explications suffisantes pour que le patient adhère à ces choix. Lorsque les échanges démontrent clairement que le patient refuse un traitement parce qu'il ne partage pas le point de vue du médecin, c'est-à-dire lorsque la communication ne mène pas à une intercompréhension, le médecin peut proposer au patient, de façon plus naturelle et éthique, de trouver un autre interlocuteur qui, lui, pourrait partager sa vision de la situation.

Ce bref regard sur le consentement et les conditions de sa validité démontre la complexité de la tâche lorsqu'il s'agit d'appliquer des règles, des normes ou des principes. La décision fait appel au jugement. La tâche du jugement est, d'une part, de déterminer la règle, la norme ou le principe qui s'applique à la situation (dans les trois situations présentées plus haut, il s'agit de la règle du consentement, sous-jacente au principe d'autonomie) et, d'autre part, de déterminer comment ce principe ou cette règle s'applique dans chaque cas particulier. Le jugement a donc également pour objet de clarifier les éléments pertinents de la situation, tant dans la recherche du principe que dans son application. Ricœur (1996) souligne la complexité de cette tâche: « Ce qui paraît propre à l'approche thérapeutique (clinique) est qu'elle suscite des actes de jugement relevant de plusieurs niveaux différents » (p. 21). La tâche du jugement précédemment décrite implique les trois niveaux qu'on trouve dans l'analyse de Ricœur: prudentiel, déontologique et réflexif. Par ailleurs, comment déterminer les éléments pertinents à chaque niveau, sinon par le dialogue?

Pour le médecin qui rencontre Albert, Béatrice ou Carl, la recherche du consentement prend une signification différente dans les conditions mêmes de validité de chaque cas. Ainsi, la recherche du consentement à l'acte médical, comme beaucoup d'autres situations relatives à l'éthique, doit être conçue, non comme un processus formel statique ou une liste de vérification dans laquelle on ne fait que cocher les éléments pertinents, mais bien comme un *processus dynamique, adapté à chaque patient et à chaque situation, et dans lequel la règle, la norme ou le principe n'est qu'un guide qui permet d'engager un dialogue continu.*

La communication au cœur de la pratique éthique

Dans les trois situations présentées plus haut, comme dans plusieurs autres qu'on trouve au fil des chapitres, il nous semble difficile de dissocier le plan de la communication du plan de l'éthique. Comme il a été dit dans le chapitre 1, « Une approche dialogique de la consultation », l'entrevue médicale constitue un genre particulier de communication interpersonnelle: il s'agit d'une forme de *dialogue* entre deux interlocuteurs distincts, un médecin et un patient. Deux éléments caractérisent cette relation « spéciale »: l'asymétrie des interlocuteurs et la vulnérabilité du patient, vulnérabilité non seulement somatique, mais existentielle. La maladie atteint l'être humain non seulement dans son corps, mais dans son existence même. La science médicale et, en particulier, les nouvelles biotechnologies qui ont pour objet la maladie (*disease*) se bornent à la dysfonction physiologique, sur le plan de l'intégrité corporelle. Or, la médecine doit englober les aspects expérientiels de la maladie (*illness*[28]). Selon Cassell (1991), le patient qui consulte un médecin a certes comme but l'éradication du mal physique, mais ce qui est plus fondamental, bien que souvent inexprimé, c'est qu'il s'agit pour lui de recouvrer son intégrité en tant que personne[29]. C'est-à-dire retrouver son fonctionnement, ses rôles dans la société, dans sa culture, faire partie de nouveau de son monde, duquel il est exclu par la maladie. « Le médecin est un intégrateur[30] », précise l'auteur (1991).

Toujours selon Cassell (1991), la rencontre clinique doit donc se concevoir comme la mise en présence de deux personnes: « les médecins ne soignent pas des maladies, ils soignent des patients[31] ». Une telle conception de la rencontre clinique repose sur un changement de paradigme: « Dire que les soins médicaux visent d'abord le patient constitue une prise de position propre à une théorie de la médecine – une théorie différente de celles qui considèrent la maladie comme la préoccupation première des médecins[32]. » Répondre aux exigences éthiques de la pratique médicale signifie donc, d'abord et avant tout, qu'il faut reconnaître le patient comme personne.

Le malade prend conscience de sa maladie à travers le sentiment d'une déficience (Gadamer, 1998, p. 62). Il se présente au médecin avec une demande concernant un dérèglement corporel ou fonctionnel, mais l'activité clinique (établir un diagnostic, déterminer la cause, choisir le traitement, établir un pronostic, mais aussi renseigner, conseiller, rassurer et réconforter) ne peut être conséquente, du point de vue éthique, que par la prise en considération de la personne malade dans sa totalité. La communication centrée sur la maladie peut certes conduire à un diagnostic exact et à un traitement approprié de la maladie. Cependant, un tel mode de communication réduit le patient à l'organe malade et élimine toute possibilité d'un véritable dialogue. La communication centrée sur la maladie, du moins telle qu'elle a été enseignée pendant de nombreuses décennies, n'est pas de l'ordre du dialogue ; selon la définition précédemment donnée, elle s'apparente plutôt à un interrogatoire. Bien que la démarche clinique ne doive pas négliger cette tâche qui permet de cerner en partie le problème, le rôle véritable du médecin consiste à aller au-delà, à « voir au-delà de ce qui constitue le strict objet de son savoir et de son savoir-faire » (p. 53), parce que la maladie s'intègre dans le concept global d'un « problème existentiel qui touche la personne tout entière » (p. 65).

De plus, la communication centrée sur la maladie confine le médecin à un rôle de simple technicien, remplaçable par un programme informatisé, à l'exemple du « médecin » à bord du vaisseau intergalactique USS Voyager dans l'émission de science-fiction *Star Trek*, le *EMH (Emergency Medical Holographic) program*[33]. La rencontre clinique est la mise en présence de *deux* personnes, non la mise en présence d'un technicien et d'un organe malade. Cela signifie donc que le médecin *aussi* s'engage comme personne dans la relation. En tant que personne, il s'adresse à l'« autre » (qui est aussi une personne) en considérant la maladie comme une expérience de vie et en envisageant le traitement approprié non pas comme une solution technique à la déficience somatique, mais bien comme le moyen qui peut le mieux répondre à des choix existentiels, à une conception de la vie bonne, bref à des choix éthiques. Gadamer (1996, p. 11) précise bien cette idée : « La compréhension et l'interprétation des textes ne sont pas seulement affaire de science, mais relèvent bien évidemment de l'expérience générale que l'homme fait du monde. » Dans le cadre de la rencontre médicale, le patient devient le « texte » à lire, à déchiffrer, à comprendre. En tant que personne, le médecin tient également compte de la charge émotionnelle que les rencontres cliniques comportent et qu'il ne peut occulter sous prétexte d'efficacité ou de maintien de sa neutralité.

L'asymétrie n'est pas remise en cause pour autant ; le rôle du médecin exige de maintenir une certaine distance parce qu'il ne saurait, sans risque, se dévoiler comme personne (Richard et Lussier, 2002b). Considérée comme une relation entre un professionnel et une personne, la relation médecin-patient exige donc, de la part du médecin, un jugement continu dans la recherche d'un équilibre *entre l'objectivité scientifique et la subjectivité de la rencontre*, entre l'exigence d'une certaine distanciation professionnelle et l'engagement humain. Le dialogue s'avère non seulement un outil, mais aussi le point d'ancrage de la relation médecin-patient.

L'éthique de la discussion

Il nous semble nécessaire de mettre l'approche dialogique en lien avec l'éthique de la discussion. Au cours de ces dernières années, de nombreux écrits en éthique clinique renvoient, explicitement ou non, à l'éthique de la discussion. Ainsi, interpellant la profession médicale en vue du « développement d'une éthique de la responsabilité partagée », le Collège des médecins du Québec (1998, p. 84), par la voix de la Commission sur l'exercice de la médecine des années 2000, énonce, parmi d'autres, la conclusion suivante : « dans sa pratique, chaque médecin doit s'efforcer [...] de développer une *éthique de la discussion* dans le cadre du processus de décision et du travail dans une équipe multidisciplinaire où le patient et sa famille ont leur place » (p. 84-85 ; c'est nous qui soulignons). L'éthique de la discussion fournit-elle un cadre plus approprié à la pratique médicale ? La Commission est très explicite dans ce qu'elle attend de l'éthique de la discussion :

> Que ce soit à l'intérieur des comités d'éthique clinique, des comités d'éthique de la recherche ou à l'occasion d'une rencontre d'un médecin ou d'une équipe de professionnels de la santé avec un patient et sa famille, il semble que la *recherche du consensus* constitue le mode de décision le plus approprié dans le contexte actuel de pluralisme et d'absence d'une morale indiscutable (p. 82 ; ce sont les auteurs qui soulignent).

Pourquoi alors ne pas plutôt adopter l'éthique de la discussion, encore appelée « éthique de la communication », pour penser le cadre éthique de la pratique médicale ? Existe-t-il un rapport entre l'approche dialogique et l'éthique de la discussion ? La première se confond-elle avec la seconde ? C'est ce que nous allons examiner.

L'éthique de la discussion est une *théorie morale* élaborée par les philosophes Karl-Otto Apel et Jürgen Habermas[34]. Elle s'oppose à la philosophie analytique, qui date du début du XXe siècle, c'est-à-dire au « tournant linguistique » de la philosophie morale (ou éthique) qui a introduit l'idée que l'éthique ne peut être qu'une « analyse neutre du discours moral » ou, en d'autres mots, qu'il est impossible à l'éthique de dicter ce qu'il faut faire parce que le sens réel de mots comme *bon*, *mal*, *vérité* et *devoir* reste indéterminé. C'est en établissant les intuitions liées au « tournant linguistique » que toute une génération de philosophes ont pavé la voie à l'éthique de la discussion. Car, qui dit « langage » dit « échange », c'est-à-dire *intersubjectivité*[35], ce qui constitue l'assise même de l'éthique de la discussion.

La thèse fondamentale de l'éthique de la discussion est que *tout être humain* a la capacité de comprendre les raisons de la validité des principes éthiques et la capacité de trouver des solutions. Ainsi, l'éthique de la discussion engage l'individu (le sujet) à penser la résolution d'un conflit comme devant faire l'objet d'une négociation par *tous les intéressés* eux-mêmes. L'éthique de la discussion est une éthique formelle, *procédurale*, au sens d'une « négociation par *tous les intéressés* eux-mêmes », et qui repose sur la thèse de l'universalité de la capacité éthique humaine, que Apel et Habermas nomment « pragmatique transcendantale ». Pour que cette négociation témoigne d'une décision à valeur morale[36], la discussion doit respecter les conditions suivantes :

1. Chaque personne doit avoir un droit égal de participer à la discussion, c'est-à-dire avoir le même droit à la parole que tout le monde (ce qui exclut toute autorité, quelle qu'en soit la fonction ou l'importance sociale de l'individu) : c'est le principe de l'*égalité fondamentale des sujets*.

2. La discussion doit être *exempte de toute forme de violence*, qu'il s'agisse du recours à la force physique, bien sûr, mais également de toute autre forme de contrainte : chantage, extorsion, menace, etc.

3. La norme, qui est l'aboutissement de la discussion rationnellement motivée, demeure juste jusqu'à la prochaine remise en question par un des membres du groupe (ce qui signifie qu'on admet la *faillibilité* de la norme, qui n'est valide qu'aussi longtemps qu'elle n'est pas remise en cause par un participant à la discussion).

4. La solution préconisée doit être acceptable pour toutes les personnes concernées, c'est-à-dire qu'elle doit s'appuyer sur un *consensus*.

L'éthique de la discussion repose sur une distinction fondamentale entre l'éthique et la morale, distinction à laquelle nous avons fait allusion en début de chapitre. Habermas (1999, p. 11) signale qu'il existe une « distinction explicite entre discussions morales et discussions éthiques ». Il ajoute qu'en raison de l'évolution de sa pensée même et « pour être plus précis » (p. 11), la théorie conçue avec Apel devrait plutôt porter le nom de « théorie discursive de la morale », mais qu'il est sage de maintenir l'« usage terminologiquement convenu d'éthique de la discussion » (p. 11). Cette distinction est fondamentale, puisque l'éthique de la discussion n'entend pas résoudre *toutes* les questions concernant l'*agir rationnel*, mais vise explicitement les questions « qui peuvent [...] être décidées rationnellement sous l'aspect de la justice, ou de l'universalisation des intérêts » (p. 39). C'est-à-dire que contrairement « aux éthiques classiques qui [se rapportent] à toutes les questions concernant la "vie bonne" », l'éthique de la discussion, tout comme l'éthique kantienne, « ne se rapporte plus qu'aux problèmes de l'agir juste ou équitable » (p. 17). Nous ne pouvons donc demander à l'éthique de la discussion de prendre en charge toutes les situations pratiques, c'est-à-dire toutes les situations impliquant les questions du genre « Comment dois-je me comporter ? » ou « Que dois-je faire ? », mais seulement celles pour lesquelles doivent se décider des normes dans l'égal intérêt de tous.

De plus, l'éthique de la discussion n'est pas une éthique substantielle, c'est-à-dire qui fournit le contenu des normes. Autrement dit, nous ne devons pas chercher dans l'éthique de la discussion des règles explicites du type « l'avortement est interdit », « réanimer un patient cancéreux en phase terminale constitue de l'acharnement thérapeutique », etc. Cette éthique ne précise ni quoi ni comment faire. Chercher des directives prescriptives dans l'éthique de la discussion serait vouloir lui attribuer un rôle contraire à sa nature. C'est une théorie réflexive et non une théorie pratique. L'éthique de la discussion est donc une théorie morale, selon un « concept restreint de morale » qui concerne seulement l'agir juste ou équitable et met en jeu un principe procédural qui vise *la validation ou la justification des normes morales.* Elle s'occupe de la résolution rationnelle des conflits par la « recherche sans violence de solutions capables d'un consensus universel » (Vossenkhul, 1993, p. 111). Non seulement l'éthique de la discussion n'éclaire-t-elle pas la pratique clinique au moyen de normes prêtes à appliquer, mais l'universalisation des normes oblige les participants à se dégager des situations particulières qui sont les leurs, à « décontextualiser » leur argumentation. Par ailleurs, la recherche du consensus dans la pratique s'avère utopique, compte tenu des contraintes (ne serait-ce que la contrainte de temps) que la décision clinique impose, contraintes interdites, selon Habermas, dans les discussions consacrées à la recherche de la « vérité[37] ».

La décision clinique

L'éthique de la discussion ne peut donc, *en tant que telle*, servir de cadre à la pratique médicale, puisque son but est la recherche des normes universelles. Cependant, elle n'est pas pour autant dépourvue d'intérêt quand on considère la rencontre médecin-patient. En écartant la recherche du consensus comme objectif du dialogue entre le médecin et le patient, le cadre discursif de l'éthique de la discussion fournit néanmoins les conditions qui président à une communication authentique, à un véritable dialogue. L'égalité fondamentale des personnes concernées par la décision, l'absence de toute forme de violence, la faillibilité de la décision et l'acceptabilité de la décision pour toutes les personnes concernées (le médecin et le patient, voire le représentant du patient ou la famille, selon les situations) demeurent des préalables à la décision partagée. Il faut cependant entendre ici l'« acceptabilité de la décision pour toutes les personnes concernées » dans un sens plus restreint que l'idée du consensus. Cela n'exclut pas que médecin et patient puissent parvenir à un accord consensuel en matière de décision clinique, mais le consensus ne saurait être la norme dans la rencontre clinique. C'est pourquoi nous utilisons l'expression « décision partagée », qui signifie, au premier chef, que le patient doit être partie prenante dans les choix relatifs à sa santé.

Du point de vue éthique, la décision clinique concerne la recherche de la vie bonne et heureuse. Dans le cadre de la décision éthique, la décision « s'oriente en fonction d'un but posé par moi absolument, à savoir en fonction du bien suprême d'une conduite de vie autarcique, recelant sa valeur en elle-même[38] » (Habermas, 1999, p. 99). Nul ne peut dicter à un individu sa conduite, nul ne peut répondre à une question d'ordre éthique à sa place, mais, *pour autant qu'un individu veuille participer au monde qui a un sens pour lui,* sa conduite doit demeurer cohérente avec l'horizon de ce monde vécu. Les règles institutionnelles, déontologiques ou religieuses et les règles relevant de tout autre domaine concerné constituent le terreau de la réflexion qui en appelle à la faculté de juger réfléchissante, qui amène l'individu à tenter de concilier « sa propre histoire de vie [...] dans l'horizon de formes de vie qu'il partage avec d'autres » (p. 104). La décision doit permettre à l'individu de maintenir cette cohérence, voire de maintenir l'estime qu'il se porte à lui-même et, le cas échéant, l'estime que les autres lui portent.

La rencontre clinique est provoquée par la demande d'un patient qui, avons-nous dit, cherche à retrouver son intégrité, non seulement somatique mais existentielle, c'est-à-dire son intégrité en tant que personne dans l'horizon de son histoire de vie, de son monde. Le médecin offre au patient une solution à partir d'une autre perspective, qu'il s'agisse du diagnostic ou du traitement ; or, cette perspective peut être en contradiction avec celle du patient, si 'on pense aux situations de refus de traitement, par exemple. D'où la nécessité du dialogue pour que le médecin puisse « voir au-delà de son savoir et de son savoir-faire ». La décision repose ainsi en grande partie sur la conception de la vie bonne et heureuse de celui dont la vie a basculé dans l'incohérence de la maladie. Cependant, du point de vue du médecin, la décision clinique doit avoir un sens qui s'intègre dans l'horizon de son propre monde et qui lui permette de se considérer lui-même comme une personne et non comme un simple technicien. Pour le médecin, la décision doit donc pouvoir s'intégrer à l'idée de bonne pratique, englobée dans le concept de la vie bonne ; on pensera ici spontanément aux situations de demandes irrecevables. Mais la décision peut également soulever des divergences entre le médecin et le patient à un niveau plus fondamental, celui des valeurs ; on pense d'abord aux demandes d'avortement ou d'euthanasie, mais les demandes d'arrêt de traitement suscitent également de tels conflits. Ce dernier type de situations renvoie aux questions proprement morales, selon qu'on distingue ou non entre éthique et morale.

Diverses théories ont mis de l'avant un cadre, en l'occurrence des principes, pour favoriser la « prise de décision dans des conditions difficiles », mais il est bon de rappeler que pas une loi, pas une norme, pas une règle, pas un principe ne vaut sans qu'un échange préalable ait fait surgir les enjeux de la situation, sans qu'un dialogue véritable ne permette à chacun de justifier sa position. Dans le champ de la pratique médicale, comme dans tout autre domaine, la lecture unilatérale d'une situation conflictuelle entraînerait une décision arbitraire, même si elle s'appuyait sur un principe reconnu. Le dialogue qui « véhicule l'idée d'un effort vers une compréhension mutuelle », vers l'intercompréhension, demeure donc l'assise de la décision éthique, l'assise d'une décision partagée, basée sur des discussions éthiques qui n'excluent ni les concessions ni les compromis.

Ainsi, l'éthique de la discussion peut fournir à la pratique les conditions du dialogue (« conditions de la discussion », dirait Habermas), mais nous ne pouvons y adhérer intégralement, en raison des limites pratiques qu'elle impose et compte tenu de son objectif. Par contre, la « théorie de la discussion[39] » de Habermas (1987), « point de départ d'une théorie de la société » (tome 1, p. 13), peut nous aider, du point de vue de la pratique médicale, à mieux comprendre la valeur du dialogue comme « agir orienté vers l'intercompréhension ». Cette théorie introduit des distinctions entre discussion pragmatique, discussion éthique et discussion morale par rapport aux « problèmes pratiques [qui] s'imposent à nous dans différentes situations » (tome 1, p. 96), c'est-à-dire qu'elle explicite comment la spécification du contexte du problème aide à nous orienter pour répondre à la question « Que dois-je faire ? ».

En effet, toutes les rencontres médicales n'exigent pas le même investissement de soi, de temps, d'émotion, voire de communication. On peut établir une certaine analogie entre différentes catégories de rencontres médicales et les champs « d'interrogations pragmatiques, éthiques et morales » de Habermas (1987, tome 1, p. 96), champs dans lesquels « des prestations différentes [...] sont attendues de la raison pratique » (tome 1, p. 96). Les discussions pragmatiques concernent les problèmes pratiques, c'est-à-dire la recherche de « techniques, stratégies ou programmes adéquats » (tome 1, p. 97), alors que la fin est déjà établie. Il est vrai que toute rencontre médicale est susceptible d'aboutir à de telles discussions, mais un grand nombre de rencontres médicales sont bel et bien centrées sur ce type de discussion, à l'exemple de la situation 2. Les discussions éthiques renvoient aux « décisions axiologiques graves [...] concernant la vie bonne » (tome 1, p. 98).

Il s'agit de décisions qui concernent l'« auto-compréhension d'une personne, le type de conduite de vie, le caractère [et qui sont] liées à l'identité propre » (tome 1, p. 98). Non seulement la maladie grave (qui bouscule soudainement la compréhension de soi[40]), mais également la maladie chronique (qui entraîne une constante révision de qui on est ou qui on aimerait être) exigent que les échanges accèdent à ce niveau. La situation 1 présente un contexte imposant de telles discussions. Enfin, les discussions morales surgissent à l'occasion de décisions qui « heurtent les intérêts d'autrui et conduisent à des conflits qui doivent être réglés de façon impartiale, donc sous l'égide du point de vue moral » (tome 1, p. 99). Il s'agit ici encore une fois de répondre à la question « Que dois-je faire ? », et d'y répondre dans le sens suivant : « il est juste, et donc [...] c'est un devoir, d'agir ainsi » (tome 1, p. 101).

En médecine, les demandes d'avortement, d'euthanasie ou d'aide au suicide demeurent les exemples paradigmatiques les plus courants de ces discussions. Cependant, de nombreuses autres situations peuvent entraîner de tels conflits chez le médecin, dont certaines demandes de cessation de traitement ou, comme nous en avons déjà discuté plus haut, les demandes liées aux pratiques génomiques. La finalité de chaque catégorie de discussion diffère. La discussion pragmatique aboutit à la « recommandation d'une technologie appropriée ou d'un programme réalisable » (tome 1, p. 102) ; la discussion éthique vise le « conseil quant à l'orientation juste dans la vie, quant à l'organisation d'une conduite de vie personnelle » (tome 1, p. 103) ; la discussion morale a pour but l'« intercompréhension à propos de la solution juste d'un conflit dans le domaine de l'agir régulé par les normes » (tome 1, p. 102). Transposées dans la pratique médicale, ces finalités soulignent à nouveau la complexité de la tâche du médecin.

Un dernier argument justifie le fait que l'éthique de la discussion ne peut pas servir de cadre à la pratique médicale. Comme l'éthique de la discussion vise la validation des normes morales, elle s'appuie sur un « *principe d'universalisation* qui contraint les participants à la discussion, dégagés des situations et sans égard aux motifs existants et aux institutions en place » (tome 1, p. 106). Or, les décisions éthiques et morales se fondent sur les normes ainsi validées. Du point de vue pratique, l'application des normes, des principes ou des règles doit être faite selon un *principe d'adéquation* (p. 106) « à la lumière de toutes les caractéristiques de situations pertinentes, saisies de la façon la plus complète » (p. 106). La décision éthique ou morale ainsi fondée sur des principes repose sur le dialogue, où chaque participant, dans un processus d'échange continu, expose son point de vue, précise son interprétation de la situation, de ses enjeux, etc., ce qui favorise la compréhension de la situation par chacun, l'intercompréhension, peu importe la présence ou non d'un conflit.

Conclusion

À la suite de Paul Ricœur (1990), nous soulignons que le dialogue constitue un *engagement* de l'un vis-à-vis de l'autre. Un tel engagement du médecin, le « souci de l'autre », se conçoit au moyen du dialogue privilégié avec son patient, que certains appellent « conversation » et d'autres, « discussion ». N'oublions pas que, dans notre société en bouleversement, l'engagement du médecin est perçu comme un enjeu primordial. « Le spécialiste[41] n'est pas seulement un spécialiste, il est également un acteur qui a une responsabilité politique et sociale » (Gadamer, 1998, p. 35). L'importance attribuée à cet engagement s'est traduite par la production récente d'une charte sur le professionnalisme médical (American Board of Internal Medicine, American College of Physicians – American Society of Internal Medicine et European Federation of Internal Medicine, 2002), « qui veut concourir à assurer des rapports plus *engagés* entre les patients et les médecins[42] » (c'est nous qui soulignons).

Pour les auteurs de la charte, « les conditions actuelles de l'exercice de la médecine poussent les médecins à mettre en veilleuse leur *engagement* envers la primauté du bien-être du patient[43] » (c'est nous qui soulignons). Ainsi, les principes qui ont guidé l'élaboration de cette charte « tournent autour de la primauté du bien-être du patient, de son autonomie et de la justice sociale[44] ». Cet engagement doit également impliquer d'autres principes, dont les principes d'égalité, de solidarité et de responsabilité liés à une « seule et même source de la morale » (Habermas, 1999, p. 21) : la vulnérabilité humaine. Si l'on considère que « le dialogue permet d'humaniser la relation entre deux êtres fondamentalement inégaux : le médecin et son patient » (Gadamer, 1998, p. 122), le médecin a dorénavant la possibilité de conjuguer expertise scientifique et humanisme, c'est-à-dire placer l'être humain au centre de ses intérêts[45].

Notes

1. « Productive moral discourse should consist of more than a mere statement of conviction. »
2. P. 135 : « specific communication issues ».
3. P. 145 : « Many other communication issues in medicine can be carefully explored in a similar way, again relating the core skills (which are described in the *Calgary-Cambridge Observation Guide* [...]) to the particular issue-specific skills required for the particular issue or challenge : ethical issues, gender issues [...] ».
4. Nous utilisons ici le terme *morale* selon l'usage d'autrefois. Aujourd'hui, on emploie plutôt le terme *éthique*. Expliquer ce changement de terminologie ou établir la distinction entre la morale et l'éthique dépasse le cadre de ce texte. Signalons que certains auteurs considèrent ces deux termes comme des synonymes ; par exemple, Durand (1999), p. 93. D'autres auteurs maintiennent une distinction essentielle entre les deux termes ; par exemple, Habermas (1999), p. 11. Pour les besoins du texte, nous retenons le terme *éthique*, selon l'usage contemporain.
5. Au sujet des « pertes éthiques et ontologiques de l'Occident », lire Engelhardt (1986).
6. Pour en apprendre davantage sur l'histoire de la bioéthique, lire Doucet (1996). Ce livre a servi d'ouvrage de référence à l'élaboration de la présente section.

7. Le nom de *bioéthique* a été introduit par l'oncologue Potter (1971). Dans son livre, il se donnait pour but de « contribuer au futur de l'espèce humaine en promouvant la formation d'une nouvelle discipline, la discipline de la *bioéthique* » (*The purpose of this book is to contribute to the future of the human species by promoting the formation of a new discipline, the discipline of Bioethics*, p. VII ; c'est l'auteur qui souligne). La bioéthique doit servir de *pont* entre « deux cultures qui semblent incapables de communiquer entre elles – la science et les humanités » (*two cultures that seem unable to speak to each other – science and the humanities*, p. VII).

8. La lecture du livre de Jules Paquin, s.j., *Morale et médecine*, qui fut un livre de référence dans l'enseignement de la morale médicale au Québec, est à ce titre exemplaire. La dernière édition est parue en 1969.

9. En fait, le rapport se lit comme suit : « trois principes fondamentaux s'appliquent tout particulièrement à l'éthique de la recherche faisant appel à la participation de sujets humains : les principes du respect de la personne, la bienfaisance et la justice » (p. 4 et 5). Le principe d'autonomie découle du principe du respect de la personne : « le principe du respect de la personne se divise donc en deux exigences morales distinctes : l'exigence de reconnaître l'autonomie et l'exigence de protéger ceux qui ont une autonomie diminuée » (p. 5).

10. Voir Beauchamp et Childress (2001), p. 23 : « Ces principes viennent d'abord de jugements mûrement réfléchis de la morale commune et de la tradition médicale » (*These principles initially derive from considered judgments in the common morality and medical tradition* [...]). Dans le même esprit, on lit, dans le rapport Belmont (1976, p. 3) : « Trois principes, ou jugements consacrés par l'usage [...] ». Les membres de la Commission nationale pour la protection des sujets humains dans le cadre de la recherche biomédicale et béhavioriste, auteurs du rapport Belmont, considèrent que les trois principes déterminés « sont complets, et sont énoncés à un niveau de généralisation pouvant aider les scientifiques, les sujets, les critiques et les personnes qui s'y intéressent, à comprendre les questions d'éthique propres à la recherche faisant appel à la participation de sujets humains ». Cependant, ils précisent que ces principes « ne peuvent pas toujours s'appliquer d'une manière incontestable pour résoudre des problèmes d'éthique particuliers » (p. 3).

11. Les auteurs font référence aux théories éthiques qui se fondent sur un ou plusieurs principes fondamentaux, tels que l'utilitarisme, le déontologisme kantien et d'autres théories qui ont pour dessein de guider la vie morale ou de fournir les critères permettant de juger des actes ou du caractère des individus. C'est pourquoi Beauchamp et Childress (2001) font appel à la notion d'éthique appliquée pour qualifier leur approche. Ils ne rejettent pas l'apport des théories éthiques, contrairement au mouvement anti-théorique, mais ils en limitent la portée. Chacune de ces théories éthiques est jugée individuellement insuffisante pour répondre de la vie morale, mais, ensemble, ces théories fournissent les éléments qui pourront aider à la décision : « Dans le raisonnement moral quotidien, nous faisons souvent appel aux principes, aux règles, aux droits, aux vertus, aux passions, aux analogies, aux paradigmes, aux récits et aux paraboles. [...] Vouloir accorder la priorité à l'une de ces catégories morales comme l'élément clef de la vie morale relève d'une entreprise hasardeuse de certains auteurs en éthique qui souhaitent façonner à leur propre image ce qui est le plus central à la vie morale. » (*In everyday moral reasoning, we effortlessly blend appeals to principles, rules, rights, virtues, passions, analogies, paradigms, narratives and parables.* [...] *To assign priority to any one of these moral categories as the key ingredient in the moral life is a dubious project of certain writers in ethics who wish to refashion in their own image what is most central to the moral life*, p. 408).

12. Beauchamp et Childress (1994), p. 3 : « Toutefois, il est déraisonnable de penser qu'une théorie puisse englober les contingences de la vie quotidienne et prétendre à l'universalité » (*However, it is unreasonable to expect any theory to overcome all the limitations of time and place and reach a universally acceptable perspective*). Les auteurs du rapport Belmont (1976, p. 3) soulignaient déjà ce problème en d'autres mots : « Les codes sont constitués de règles, certaines générales, d'autres spécifiques, qui guident les enquêteurs ou les critiques dans leur travail de recherche. Ces règles sont fréquemment inadéquates pour traiter de situations complexes ; elles entrent parfois en conflit et elles sont souvent difficiles à interpréter ou à mettre en application. Des principes d'éthique plus larges fourniraient une base à partir de laquelle des règles spécifiques pourraient être formulées, critiquées et interprétées. » L'un des membres de la Commission nationale pour la protection des sujets humains dans le cadre de la recherche biomédicale et béhavioriste, Toulmin (1981), explique comment les membres de cette commission « trouvent relativement facile de parvenir à un accord [dans des cas problématiques], mais continuent à avoir des désaccords fondamentaux et profonds quant aux principes moraux ». Leur accord est d'autant plus troublant que chacun en appelle à ses principes moraux (fondamentaux) pour justifier ses positions sur les questions concrètes. Il y a donc accord en pratique, mais désaccord sur les fondements. Pour une analyse de ce phénomène, lire Lajeunesse et Sosoe (1996), p. 48-54.

13. Il s'agit de la cinquième édition ; la première édition date de 1979.

14. Au sujet du contenu des théories éthiques qui ne peuvent répondre de notre vie morale, Beauchamp et Childress (2001) précisent : « Le général (les principes, les règles, les théories, etc.) et le particulier (les jugements de cas, les sentiments, les perceptions, les pratiques, les paraboles, etc.) sont entièrement liés dans notre réflexion morale [...] » [*The more general (principles, rules, theories, etc.) and the more particular (case judgments, feelings, perceptions, practices, parables, etc.) are integrally linked in our moral thinking*, p. 408].

15. Le texte qui précède et le tableau 3.1 ont leur source dans le chapitre 4 de Doucet (1996). Il existe d'autres classifications des méthodes et des tendances de la bioéthique. À titre d'exemple, lire la partie II, *The methods of bioethics*, de Jecker, Jonsen et Pearlman (1997, p. 113-259).

16. La comparaison des tables des matières de Veatch (1997) et de Garrett, Baillie et Garrett (2000) avec celles de Roy et autres (1995) et de Durand (1999) démontre la difficulté de trancher entre ces termes.

Pour comprendre les distinctions qui importent à certains auteurs, lire le chapitre II de Roy et autres (1995) et le chapitre III de Durand (1999).

17. Nous reprenons les termes que Troy Brennan a utilisés dans une conférence donnée à l'occasion de l'inauguration d'une charte sur le professionnalisme médical (American Board of Internal Medicine, American College of Physicians – American Society of Internal Medicine et European Federation of Internal Medicine, 2002) : « Il est certain qu'un médecin doit se sentir concerné par le bien-être de son patient et que *leur relation est privilégiée par rapport à toute autre relation* » (*The fact is that a doctor must be committed to the good of his patient and that is a special relationship not forged with any other citizen*; c'est nous qui soulignons).
18. P. 6 : « cooperative enterprise in which he [the patient] is one partner ».
19. P. 6 : « is a continuing and repeatable requirement ».
20. À ce sujet, le titre du rapport est explicite : *Making health care decisions : A report on the ethical and legal implications of informed consent in the patient-practitioner relationship*. Deux autres rapports de la même commission porteront sur des enjeux différents : *Defining death* (1981) et *Deciding to forgo life-sustaining treatment* (1983).
21. P. 15 : « informed consent as active, shared decision making ».
22. Il est à noter qu'en France et dans les pays francophones en général, la bioéthique n'a pas eu le retentissement qu'elle a obtenu au Canada ou dans certains pays anglophones. À ce sujet, consulter Lajeunesse et Sosoe (1996), p. 19.
23. Soulignons que l'article 16.3 du Code civil français, également modifié en 1994, insistait sur la règle du consentement eu égard au principe du respect de l'intégrité de la personne : « Le consentement de l'intéressé doit être recueilli préalablement, hors le cas où son état rend nécessaire une intervention thérapeutique à laquelle il n'est pas à même de consentir. » Le terme *thérapeutique* sera remplacé par le terme *médical* selon l'article 70 de la Loi 99-641 du 27 juillet 1999. Le consentement à l'acte médical était l'objet du rapport n° 58 du 12 juin 1998 du Comité consultatif national d'éthique (CCNE). Le consentement à la recherche était balisé depuis décembre 1988 par la loi Huriet, qui fut révisée, elle aussi, en 1994.
24. Il y a des exceptions reconnues à la règle du consentement : l'obligation découlant de certaines lois, telle la Loi sur la santé publique, la situation d'urgence médicale, l'inaptitude du patient, le privilège thérapeutique et la renonciation du patient à son droit à l'information (*patient waiver*). Ainsi, Veatch (1997, p. 203-205) mentionne ces « justifications au défaut de consentement » (*justifications for not obtaining consent*). En réalité, seulement deux de ces situations constituent de véritables exceptions, c'est-à-dire quand le médecin procède au traitement sans obtenir un consentement préalable : la situation d'urgence médicale et le privilège thérapeutique. La situation d'urgence sous-entend que le consentement ne peut être obtenu en temps opportun ; quant au concept de privilège thérapeutique, bien que repris dans tous les manuels d'éthique, il demeure très controversé. Pour ce qui est de l'inaptitude du patient et de l'obligation découlant de certaines lois, ce sont des situations qui constituent des exceptions dans un sens fort différent : bien que le patient ne donne pas lui-même son consentement, le consentement d'un tiers est *nécessairement requis* pour que le médecin puisse procéder au traitement. Ainsi, le consentement sera donné par le représentant légal dans le cas d'un patient inapte et par le tribunal dans les situations de refus de traitement d'une maladie à traitement obligatoire (MATO). Enfin, dans le cas du patient qui renonce à son droit à l'information, c'est la qualité du consentement qui fait exception et non le consentement à l'acte médical, c'est-à-dire que le consentement donné n'est pas éclairé, tel que la loi le requiert.
25. En fait, l'exigence légale du consentement écrit ne touche que le domaine de la recherche. La signature du consentement à l'acte médical est une exigence institutionnelle et le consentement est dit « explicite ». Un consentement explicite peut également être donné verbalement. En cabinet privé, lorsque le patient prend la prescription tendue, le consentement est implicite, tacite. Il est intéressant de noter que la gestion subséquente de l'ordonnance par le patient, décrite en termes d'observance, fait rarement appel à une interprétation liée au concept du consentement.
26. Schneiderman, Jecker et Jonsen (1990) élaborèrent le concept de *futility* dans le contexte de la rationalisation des ressources de santé. En effet, certaines demandes de soins faites par les patients ou leurs proches apparaissent excessives aux médecins et s'opposent à ce que ces derniers jugent le plus approprié : demande de réanimation cardiorespiratoire chez un patient cancéreux en phase terminale ; demande de traitements intensifs chez des patients en coma végétatif, etc. Comme la prise en compte du principe de l'autonomie des patients semblait faire obstacle à l'intégrité professionnelle, ces auteurs proposèrent ce qui suit : « lorsque les médecins concluent (soit selon leur expérience personnelle, selon l'expérience de leurs collègues ou d'après des données empiriques portées à leur connaissance) que, dans les 100 derniers cas, le traitement médical s'est avéré inutile, ils peuvent considérer le traitement comme futile » [*we propose that when physicians conclude (either through personal experience, experiences shared with colleagues, or consideration of reported empirical data) that in the last 100 cases, a medical treatment has been useless, they should regard that treatment as futile*, p. 951]. Deux ans plus tard, devant l'ampleur des problèmes liés aux coûts du secteur de la santé, Jecker et Schneiderman (1992) suggérèrent une nouvelle définition du traitement futile, en élargissant son champ d'application : « le traitement médical est futile s'il a moins de 1 chance sur 100 de succès ou bien s'il ne fait que maintenir de façon permanente un état d'inconscience ou la dépendance à des soins médicaux intensifs » (*medical treatment is futile if it has less than 1 chance on 100 of success or if it merely preserves permanent unconsciousness or dependence on intensive medical care*, p. 190). Et on trouve plusieurs autres définitions du traitement futile dans la littérature sur le sujet. Malgré tous ces efforts et bien que le concept soit largement utilisé dans la pratique, il suscite de nombreuses polémiques. Les opposants font valoir, entre autres, que le concept fait appel à un jugement de valeur (de la part du médecin) qui porte sur des éléments de la décision relevant plutôt de la compétence du patient, comme la

qualité de vie, ce qui constitue, selon eux, un retour au paternalisme médical.

27. P. 166 : « If a physician responsible for a disruptive and childishly noncompliant patient threatens to discontinue treatment unless the patient alters certain behaviors, the physician's mandate may be justified even though coercive. »
28. Kleinman (1988, p. 4-8) fait la différence entre *illness, disease* et *sickness.*
29. P. 106 : « wholeness ».
30. P. 106 : « [t]he doctor is an integrator ».
31. P. 20 : « doctors do not treat diseases, they treat patients ».
32. P. VIII : « To say that the focus of medical care is the sick person [...] is a statement of a theory of medicine – a different theory from when the disease is the primary concern of doctors. »
33. Appelé *The Doctor,* cet hologramme interactif peut diagnostiquer tout problème (y compris chez les non-humains, qui pullulent évidemment dans les galaxies explorées) et choisir le traitement approprié parmi les cinq millions de traitements possibles inclus dans sa banque de données. Il est à noter qu'au fil du temps, le « docteur » a pris conscience de son déficit relationnel avec les membres de l'équipage du USS Voyager et a demandé que son programme soit « humanisé » en vue d'améliorer sa relation médecin-patient !
34. Dans ce qui suit, nous nous référons uniquement aux écrits de Jürgen Habermas, même si les deux auteurs ont élaboré conjointement le programme philosophique de l'éthique de la discussion. Mentionnons qu'ils se sont par ailleurs dissociés sur la question de la possibilité d'une fondation *ultime* de leur théorie.
35. En philosophie, l'intersubjectivité correspond à une situation de communication qui unit deux sujets, entre lesquels s'établit une relation de réciprocité.
36. Comme nous l'avons démontré (Lajeunesse et Sosoe, 1996, p. 175-176), la notion de négociation établie dans l'éthique de la discussion ne doit pas être confondue avec celle prônée par le bioéthicien Engelhardt (1986), qui rejette toute universalité et refuse à la raison toute possibilité de dire ce qui est moralement juste.
37. À ce propos, lire Courtois (2000), p. 127-142.
38. Nous soulignons qu'il s'agit ici du chapitre V, « De l'usage pragmatique, éthique et moral de la raison pratique ».
39. Sur cette notion, lire, en particulier, le chapitre III du tome 1, « Première considération intermédiaire : agir social, activité finalisée et communication ».
40. Il nous apparaît utile de souligner ce que Habermas (1999, tome 1, p. 98) entend par la « compréhension de soi » : « La manière dont on se comprend ne dépend pas seulement de la manière dont on se décrit, mais aussi des modèles vers lesquels on tend. L'identité propre se détermine simultanément par la manière dont on se voit et dont on aimerait se voir, qui on est déjà, et *à quels idéaux se mesure la vie à venir* » (c'est nous qui soulignons). Il est ainsi aisé de saisir que la maladie, avec son bagage d'inconnu, la maladie grave en particulier, entraîne inévitablement une redéfinition de la vie bonne, une redéfinition des idéaux, et exige conséquemment des discussions de fond concernant les décisions de vie du patient.
41. Lire « le médecin ».
42. Conférence de Troy Brennan donnée à l'occasion de l'inauguration de la charte sur le professionnalisme médical : « that would help guarantee a more committed relationship between patients and their doctors ».
43. American Board of Internal Medicine (ABIM), American College of Physicians – American Society of Internal Medicine (ACP-ASIM) et European Federation of Internal Medicine (2002), p. 243 : « the conditions of medical practice are tempting physicians to abandon their commitment to the primacy of patient welfare ».
44. Conférence de Troy Brennan donnée à l'occasion de l'inauguration de la charte sur le professionnalisme médical : « revolve around primacy of patient welfare, patient autonomy, and social justice ».
45. Selon Foulquié (1962), p. 324.

Références

American Board of Internal Medicine (ABIM), American College of Physicians – American Society of Internal Medicine (ACP-ASIM) et European Federation of Internal Medicine (2002). « Medical professionalism in the new millennium : A physician charter », *Annals of Internal Medicine,* vol. 136, nº 3, p. 243-246.

Beauchamp, T.L., et J.F. Childress (2001). *Principles of biomedical ethics,* New York, Oxford University Press.

Brennan, T. (1991). *Just doctoring : Medical ethics in a liberal state,* Berkeley, University of California Press.

Burrel, D., et S. Hauerwas (1977). « From system to story : An alternative pattern for rationality in ethics », dans *Knowledge, value and belief,* sous la direction de H.T. Engelhardt et D. Callahan, Hastings-on-Hudson (New York), The Hasting Center.

Callahan, D. (1987). *Setting limits : Medical goals in an aging society,* New York, Simon and Schuster.

Callahan, D. (1990). *What kind of life ? The limits of medical progress,* New York, Simon and Schuster.

Callahan, D. (1993). *The trouble dream of life : Living with mortality,* New York, Simon and Schuster.

Cassell, E.J. (1991). *The nature of suffering and the goals of medicine,* New York, Oxford University Press.

Collège des médecins du Québec (1998). *Commission sur l'exercice de la médecine des années 2000 : nouveaux défis professionnels pour le médecin des années 2000,* Montréal.

Commission nationale pour la protection des sujets humains dans le cadre de la recherche biomédicale et béhavioriste (1976). *Protection des sujets humains. Rapport Belmont : principes éthiques et directives concernant la protection des sujets humains dans le cadre de la recherche,* version électronique en fichier PDF (www.cdc.gov/od/ads/ihsr/docs/FrenchBelmont.pdf).

Courtois, S. (2000). « L'éthique de la discussion offre-t-elle un cadre d'analyse adéquat aux comités d'éthique clinique ? Quelques remarques critiques », dans *Méthodes et interventions en éthique appliquée,* sous la direction de A. Lacroix et A. Létourneau, Montréal, Fides.

Daniels, N. (1981). « Cost-effectiveness and patient welfare », dans *Rights and responsibilities in modern medicine*, sous la direction de M. Bason et autres, New York, Alan R. Liss.

Daniels, N. (1983). *In search of equity, health needs and the health care system*, New York, Plenum.

Daniels, N. (1985). *Just health care*, Cambridge, Cambridge University Press.

Devettere, R.J. (1995). *Practical decisions making in health care ethics : Cases and concepts*, Washington (District de Columbia), Georgetown University Press.

Doucet, H. (1996). *Au pays de la bioéthique : l'éthique biomédicale aux États-Unis*, Genève, Labor et Fides.

Drane, J.F. (1988). *Becoming a good doctor : The place of virtue and character in medical ethics*, Kansas City, Sheed & Ward.

Durand, G. (1999). *Introduction générale à la bioéthique : histoire, concepts et outils*, Montréal, Fides.

Engelhardt, H.T. (1986). *Foundations of bioethics*, New York, Oxford University Press.

Fletcher, J. (1954). *Morals and medicine : The moral problems of the patient's right to know the truth, contraception, artificial insemination, sterilization, euthanasia*, Boston, Beacon Press.

Foulquié, P. (1962). *Dictionnaire de la langue philosophique*, Paris, PUF.

Gadamer, H.-G. (1996). *Vérité et méthode : les grandes lignes d'une herméneutique philosophique*, Paris, Seuil.

Gadamer, H.-G. (1998). *La philosophie de la santé*, Paris, Grasset-Mollat.

Garrett, T.M., H.W. Baillie et R.M. Garrett (2000). *Health care ethics : Principles and problems*, 4e édition, Englewood Cliffs (New Jersey), Prentice Hall.

Habermas, J. (1987). *Théorie de l'agir communicationnel*, 2 tomes, Paris, Fayard.

Habermas, J. (1999). *De l'éthique de la discussion*, coll. Champs, nº 421, Paris, Flammarion.

Holmes, H.B., et L.M. Purdy (1992). *Feminist perspective in medical ethics*, Bloomington, Indiana University Press.

Jecker, N.S., A.R. Jonsen et R.A. Pearlman (1997). *Bioethics : An introduction to the history, methods, and practice*, Sudbury (Massachusetts), Jones and Bartlett Publishers.

Jecker, N.S., et L.J. Schneiderman (1992). « Futility and rationing », *The American Journal of Medicine*, nº 92, p. 189-196.

Jolly, D. (sous la direction de) (1999). *L'information du patient : du consentement éclairé à la décision partagée*, Paris, Flammarion.

Jonsen, A., et S. Toulmin (1988). *The abuse of casuistry*, Berkeley, University of California Press.

Kleinman, A. (1988). *The illness narratives : Suffering, healing and the human condition*, New York, Basic Books.

Lajeunesse Y., et L. Sosoe (1996). *Bioéthique et culture démocratique*, Montréal, L'Harmattan.

Larouche, J.-M. (2002). « Au carrefour… de l'éthique, de la science et du politique », *Sélections de médecine/sciences*, nº 20, p. 11-12.

May, W.F. (1983). *The physician's covenant : Images of the healer in medical ethics*, Philadelphie, Westminster Press.

Nodding, N. (1984). *Caring : A feminist approach to ethics and moral education*, Berkeley, University of California Press.

Pellegrino, E., et D. Thomasma (1988). *For the patient's good : The restoration of beneficence in health care*, New York, Oxford University Press.

Potter, V.R. (1971). *Bioethics : Bridge to the future*, Englewood Cliffs (New Jersey), Prentice Hall.

President's Commission for the Study of Ethical Problems in Medicine and Biomedical and Behavioral Research (1982). *Making health care decisions : A report on the ethical and legal implications of informed consent in the patient-practitioner relationship.*

Ramsey, P. (1970). *The patient as person : Explorations of medical ethics*, New Haven (Connecticut), Yale University Press.

Rapport Belmont (1976). Voir Commission nationale pour la protection des sujets humains dans le cadre de la recherche biomédicale et béhavioriste (1976).

Richard, C., et M.-T. Lussier (2002a). « Le dialogue au rendez-vous : savez-vous comment aider vos patients à changer de comportement ? », *MedActuel FMC*, juillet-août, p. 42-45.

Richard, C., et M.-T. Lussier (2002b). « Le dialogue au rendez-vous : le dévoilement de soi ? », *MedActuel FMC*, octobre, p. 29-31.

Ricœur, P. (1990). *Soi-même comme un autre*, Paris, Seuil.

Ricœur, P. (1996). « Les trois niveaux du jugement médical », *Esprit*, nº 12, p. 21-33.

Roy, D.J., et R.D. Lambert (2002). « L'éthique des sciences de la vie à un carrefour ? », *Sélections de médecine/sciences*, nº 20, p. 5-10.

Roy, D.J., et autres (1995). *La bioéthique : ses fondements et ses controverses*, Montréal, ERPI.

Schneiderman, L.J., N.S. Jecker et A.R. Jonsen (1990). « Medical futility : Its meaning and ethical implications », *Annals of Internal Medicine*, nº 112, p. 949-954.

Sherwin, S. (1992). *No longer patient : Feminist ethics and health care*, Philadelphia, Temple University Press.

Siegler, M. (1979). « Clinical ethics and clinical medicine », *Archives of Internal Medicine*, nº 139, p. 914-915.

Siegler, M. (1992). « A medicine of strangers or a medicine of intimates : The two legacies of Karen Ann Quinlan », *Second Opinion*, nº 17, p. 64-69.

Silverman, J., S. Kurtz et J. Draper (1998). *Skills for communicating with patients*, Abingdon (Royaume-Uni), Radcliffe Medical Press.

Toulmin, S. (1981). « The tyranny of principles », *Hastings Center Report*, vol. 11, nº 6, p. 31-39.

Veatch, R. (1997). *Medical ethics*, Sudbury (Massachusetts), Jones and Bartlett Publishers.

Vossenkhul, W. (1993). « Éthique de la discussion », dans *Petit dictionnaire d'éthique*, sous la direction de O. Höffe, Paris, Cerf.

Les représentations profanes liées aux maladies

Luc Lamarche
Claude Richard

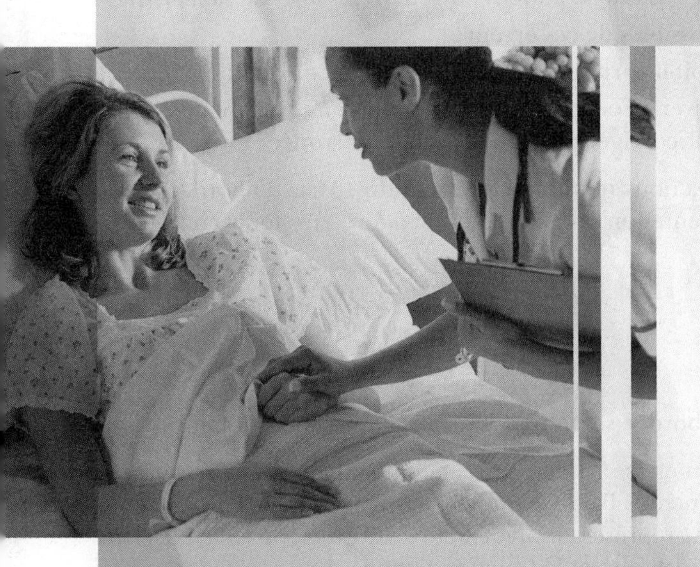

Par *représentations profanes liées aux maladies*[1], on entend toutes ces idées ou ces théories que les gens peuvent entretenir sur les maladies et qui dévient plus ou moins des connaissances médicales. Or, le comportement d'un individu devant la maladie dépend en grande partie des représentations qu'il a de cette dernière.

Au-delà de cette observation générale, de nombreuses raisons militent en faveur de la nécessité pour le médecin d'être sensibilisé à l'existence de ces représentations. La raison la plus évidente est sans doute que cette connaissance lui permet de corriger plus efficacement les idées fausses du patient qui entretient de telles représentations. Et de cette mise au point découlent des effets favorables sur le comportement du patient. Si le patient comprend bien les tenants et les aboutissants de sa maladie, on peut penser, par exemple, que cela aura un effet bénéfique sur son observance thérapeutique. De plus, le médecin aura une meilleure crédibilité auprès de son patient s'il lui tient un discours taillé sur mesure pour contrer ses objections qui peuvent provenir de la déviance de ses représentations par rapport à celles du médecin. Indépendamment des objections que soulève le patient, le médecin transmettra plus efficacement les informations pertinentes si, au lieu de perdre son temps à communiquer des informations déjà connues du patient, il concentre plutôt son énergie à combler les lacunes de son savoir. Enfin, en connaissant les représentations que se fait le patient de sa maladie, le médecin peut mieux le comprendre, ce qui réduit d'autant les possibilités de malentendus à l'une ou à l'autre des étapes de leur interaction.

La considération des représentations profanes liées à la maladie soulève de nombreuses questions :

- Quelle est l'origine de ces représentations ?
- Comment évoluent-elles ?
- Quel est leur degré de complexité ?
- En quoi le fait d'être atteint ou non d'une maladie modifie-t-il les représentations qu'on en a ?
- Comment les représentations liées aux maladies influencent-elles le comportement ?
- Dans quelles situations et par rapport à quelles maladies le médecin est-il le plus susceptible de se tromper sur les représentations que le patient entretient au sujet de sa maladie ?
- Quelles sont les conséquences possibles de ces erreurs ?
- Jusqu'à quel point le médecin doit-il corriger les fausses représentations du patient ?
- Comment le médecin peut-il arriver à connaître les représentations du patient ?
- Comment doit-il s'y prendre pour corriger une représentation erronée ?

Telles sont les questions auxquelles nous tenterons de répondre. Mais d'abord, il nous semble utile de parler de la représentation en général, c'est-à-dire sans tenir compte de son objet.

La représentation

La représentation peut être abordée selon *trois approches* ou objectifs différents.

- Selon la première approche, on s'intéresse à une représentation simplement pour la *décrire*. Par différents moyens, habituellement à l'aide de rapports verbaux, il s'agit de s'assurer que la personne puisse exprimer sa représentation de telle sorte qu'on puisse en décrire par la suite les différentes caractéristiques et le fonctionnement.

- Selon la deuxième approche, l'objectif est de se prononcer d'un point de vue *normatif* sur la représentation. Il s'agit de mesurer l'écart entre la représentation et les connaissances obtenues par des moyens reconnus comme les plus efficaces pour cerner la réalité de l'objet de la représentation : le résultat de cette opération est donc un jugement sur le degré d'exactitude de la représentation. Toutefois, décréter qu'une représentation est erronée ne renseigne pas sur la valeur adaptative de cette représentation. Une représentation peut être à la fois inexacte et fonctionnelle.

- La troisième approche consiste justement à se demander si une représentation est *adaptative*, autrement dit, si elle permet à la personne qui a cette représentation de satisfaire les objectifs qu'elle vise.

Ces trois approches sont complémentaires mais, le plus souvent, on met l'accent sur une seule.

Par ailleurs, quelle que soit la nature de l'intérêt porté à une représentation, on distingue entre sa *structure* et sa *fonction*. On peut considérer la structure de la représentation soit dans son aspect *statique*, soit dans son aspect *dynamique*. Le premier aspect se rapporte à la représentation telle qu'elle est à un moment donné, alors que le second renvoie à son évolution.

La représentation, considérée dans son aspect *statique*, est définie en fonction d'éléments interreliés, les *croyances*, l'unité de base d'une représentation étant justement la croyance. Il existe différents catégories de croyances. Ainsi, une croyance d'attribution est constituée d'une relation entre un objet et une qualité qu'on lui attribue. Par exemple, prenons l'objet « peine de mort » et l'attribut « barbare » : la croyance est que « la peine de mort est barbare ». Notons qu'on peut entretenir une telle croyance avec un degré plus ou moins grand de confiance, de certitude. Ainsi, différents individus peuvent être convaincus à des degrés divers que la peine de mort est barbare.

Un ensemble de croyances constitue un *système de croyances* liées à un objet particulier. On donne parfois le nom de *schème* ou de *modèle* à un tel ensemble de croyances. Si la représentation est constituée de croyances qui servent à expliquer un phénomène, on parle alors de théories *implicites*, pour les distinguer des théories scientifiques. On les qualifie aussi d'implicites parce que les personnes qui s'en servent ne les formulent pas systématiquement. Ces individus pourraient même être étonnés d'apprendre qu'ils y ont recours pour expliquer ce qu'ils observent. Par souci de clarté, nous ferons la distinction, dans le reste du texte, entre les termes *information* et *croyance*. Une information devient une croyance lorsque la personne la fait sienne. Et conformément à un usage répandu, nous réserverons le terme *opinion* à l'expression verbale d'une croyance.

La *différenciation* d'une représentation peut être plus ou moins grande. Nous voulons dire que la représentation contient un nombre plus ou moins grand de croyances. Il ne faut pas confondre la différenciation d'une représentation et son organisation. Celle-ci porte sur le nombre de liens qui unissent les croyances d'une représentation. Habituellement, plus une représentation est fortement organisée, plus il sera difficile de la modifier. L'*ancrage* d'une représentation porte sur les liens qui existent entre les croyances d'une représentation et celles d'une représentation portant sur d'autres objets. En effet, une représentation est rarement complètement isolée : un individu a tôt fait de la rattacher à d'autres représentations qu'il entretient.

Les représentations peuvent être *individuelles*, mais elles peuvent aussi être collectives. Dans ce dernier cas, elles sont le résultat d'une construction réalisée par plusieurs personnes. Depuis les travaux de Moscovici (1961), on distingue souvent les représentations collectives sous le nom de *représentations sociales*. Cette référence à la construction de la représentation nous mène à la notion de dynamique de la représentation.

Par *dynamique*, nous entendons l'ensemble des processus qui servent à la formation, au maintien et au changement de la représentation. La dynamique de la représentation repose sur trois sources qui alimentent les croyances :

- l'expérience directe avec l'objet ;
- la communication d'information par une autre personne ;
- le raisonnement.

Ces trois sources peuvent, bien sûr, se compléter. Par inférence, une personne peut aboutir à de nouvelles croyances et au remaniement de sa représentation ; nous verrons plus loin quelques exemples de ce processus.

Tout ce qui précède relève de la *structure* de la représentation. Quant à sa *fonction*, il s'agit de l'utilisation qu'on en fait pour atteindre des fins, comme interpréter la réalité, prendre des décisions ou communiquer avec autrui. Dans ce qui suit, nous mettrons en application cette approche théorique pour passer en revue les recherches et les travaux effectués sur les représentations liées à la maladie.

Les représentations liées à la maladie

Les représentations liées à la maladie elle-même peuvent porter sur différents objets. Il peut s'agir, par exemple, de représentations liées à la maladie en général ou de représentations liées à des maladies particulières. Toutefois, cela ne couvre pas l'ensemble des objets de la représentation liée à la maladie. Comme nous le verrons, les représentations peuvent aussi porter sur des maladies prototypiques (exemple : le rhume), ou même sur des catégories de maladies plus larges (exemple : les maladies chroniques).

On peut aussi faire une distinction entre les sujets qui entretiennent telle ou telle représentation liée à la maladie. Le sujet peut être collectif ; par exemple, la population en général, ou encore les membres d'un groupe, comme la famille. Toutefois, dans le contexte de la rencontre avec un patient, le médecin a affaire à une représentation individuelle, quelle qu'en soit l'origine. Qui plus est, il a affaire à la représentation individuelle d'un patient réel, c'est-à-dire à une représentation qui se manifeste dans une situation concrète. L'individu ne s'interroge pas sur une maladie abstraite, mais sur la maladie dont il est atteint. Par conséquent, c'est surtout ce dernier cas qui retiendra notre attention.

La structure des représentations

L'ASPECT STATIQUE

Les études portant sur les représentations liées aux maladies ont montré que les gens perçoivent celles-ci à la lumière d'un nombre limité de *dimensions*. Leventhal et ses collaborateurs (Leventhal, Meyer et Nerenz, 1980 ; Leventhal et Nerenz, 1985) retiennent les cinq dimensions suivantes.

- **L'identité.** Cette dimension renvoie à l'étiquette donnée à la maladie par le patient (le diagnostic médical) et aux symptômes qu'il éprouve. Exemple: «J'ai le rhume» correspond au diagnostic et «Mon nez coule» est l'expression du symptôme.
- **La cause perçue.** La cause peut être biologique, par exemple un virus, ou psychosociale, par exemple le stress. L'individu peut percevoir certaines causes liées à lui-même, donc internes (exemples: le manque de sommeil, le manque d'attention à prendre soin de soi, les mauvaises habitudes alimentaires, une déficience génétique), ou comme externes et trouvant alors leur origine dans l'environnement (exemple: les microbes, le temps qu'il fait, un accident, un empoisonnement alimentaire). Ainsi, si un individu estime que sa maladie dépend de ses traits de personnalité ou encore de son patrimoine génétique, il en situe la cause en lui-même (cause interne). En revanche, si cet individu pense que sa maladie dépend d'autres facteurs, tels que son environnement social ou physique ou bien la malchance, il situe alors la cause en dehors de lui-même (cause externe). Cependant, la façon de concevoir cette opposition n'est pas claire pour les chercheurs: un continuum dont les pôles sont les causes internes et les causes externes ou bien deux entités distinctes.
- **La chronologie.** Cette dimension renvoie à la durée qu'aura la maladie, à son caractère aigu ou chronique.
- **Les conséquences.** Il s'agit des effets de la maladie que le patient perçoit dans sa vie. Ces effets peuvent être physiques (exemples: la douleur, les problèmes de mobilité) ou affectifs (exemples: la perte de contact social, la diminution de l'estime de soi), ou être une combinaison de facteurs appartenant à ces deux catégories.
- **Le traitement et le contrôle.** Peut-on traiter et guérir la maladie en question? Peut-on la contrôler soi-même (exemple: par le repos)? Peut-elle être contrôlée par d'autres personnes (exemple: un médecin qui prescrit un médicament)?

Des chercheurs ont expressément conçu un questionnaire, le *Illness perception questionnaire* (IPQ), pour mesurer ces cinq dimensions (Moss-Morris et autres, 2002; Weinman, Petrie, Moss-Morris et Horne, 1996). Nous avons traduit la version revue et corrigée de l'IPQ (*revised IPQ*) ou IPQ-R: le tableau 4.1 en donne une version détaillée. Ainsi, pour mesurer l'*identité*, on demande au patient d'indiquer la présence des symptômes, comme la douleur, la nausée, la perte de poids, les maux de tête, etc. On a utilisé l'IPQ pour étudier la perception de nombreuses maladies, telles que les maladies cardiaques, l'arthrite, le cancer, le diabète. On peut aussi s'en servir pour connaître les croyances de l'entourage du patient. L'IPQ présente l'avantage d'être un instrument standardisé, et il a été traduit en différentes langues. Avant son utilisation, les chercheurs devaient construire des questionnaires adaptés à chaque situation, ce qui ne facilitait pas la comparaison des données provenant de sources différentes; ou encore, ils recouraient à des entrevues qui demandaient un travail d'analyse ardu.

Les analyses de données obtenues grâces à l'IPQ (Moss-Morris et autres, 2002) montrent que les gens font une distinction entre la maîtrise de soi et les croyances d'autoefficacité (être capable d'obtenir un résultat par ses propres moyens), d'une part, et, d'autre part, la croyance que le traitement ou les avis peuvent aboutir ou non à un résultat heureux. L'IPQ-R tient aussi compte des représentations émotionnelles (exemple: «Ma maladie ne m'inquiète pas») et de la compréhension globale que la personne a de sa maladie. Des items représentatifs de cette dimension s'énoncent comme «Ma maladie est un mystère pour moi» ou «J'ai une bonne compréhension de ma maladie».

Tableau 4.1 **Le questionnaire revu et corrigé portant sur la perception de la maladie (IPQ-R)**

VOTRE POINT DE VUE SUR VOTRE MALADIE

Vous trouverez, ci-dessous, une liste de symptômes que vous avez peut-être constatés depuis le début de votre maladie.

Dans la première colonne, encerclez *Oui* (pour chaque symptôme que vous avez constaté) ou *Non* (pour les autres symptômes).

Dans la deuxième colonne, encerclez *Oui* (pour chaque symptôme que vous pensez être lié à votre maladie) ou *Non* (pour les autres symptômes).

	J'ai constaté ce symptôme depuis le début de ma maladie		Ce symptôme est lié à ma maladie	
Douleur	Oui	Non	Oui	Non
Mal de gorge	Oui	Non	Oui	Non
Nausée	Oui	Non	Oui	Non
Essoufflement	Oui	Non	Oui	Non
Perte de poids	Oui	Non	Oui	Non
Fatigue	Oui	Non	Oui	Non
Raideur des articulations	Oui	Non	Oui	Non
Irritation des yeux	Oui	Non	Oui	Non
Respiration bruyante	Oui	Non	Oui	Non
Maux de tête	Oui	Non	Oui	Non
Troubles de la digestion	Oui	Non	Oui	Non
Difficulté à dormir	Oui	Non	Oui	Non
Vertiges ou étourdissements	Oui	Non	Oui	Non
Affaiblissement	Oui	Non	Oui	Non

Nous voulons connaître *votre* façon de voir votre maladie. Il n'y a donc ni bonne ni mauvaise réponse.

Les énoncés ci-dessous concernent votre maladie. Pour chacun, veuillez indiquer dans quelle mesure vous êtes d'accord ou non en cochant la case correspondant à votre choix.

		PAS DU TOUT D'ACCORD	PAS D'ACCORD	PLUS OU MOINS D'ACCORD	D'ACCORD	TOUT À FAIT D'ACCORD
IP1	Ma maladie durera peu de temps.					
IP2	Ma maladie est permanente plutôt que temporaire.					
IP3	Ma maladie durera longtemps.					
IP4	Cette maladie passera rapidement.					
IP5	Je m'attends à avoir cette maladie pour le reste de mes jours.					
IP6	Ma maladie est un état grave.					
IP7	Ma maladie a des conséquences importantes sur ma vie.					
IP8	Ma maladie n'a pas eu beaucoup d'effets sur ma vie.					

		PAS DU TOUT D'ACCORD	PAS D'ACCORD	PLUS OU MOINS D'ACCORD	D'ACCORD	TOUT À FAIT D'ACCORD
IP9	Ma maladie modifie fortement la manière dont les autres me voient.					
IP10	Ma maladie a de conséquences financières importantes.					
IP11	Ma maladie cause des difficultés à mes proches.					
IP12	Je peux poser plusieurs actions en vue de contrôler mes symptômes.					
IP13	Ma façon d'agir a une influence sur l'évolution de ma maladie.					
IP14	L'évolution de ma maladie dépend de moi.					
IP15	Rien de ce que je fais ne peut influencer ma maladie.					
IP16	J'ai la capacité d'influencer ma maladie.					
IP17	Mes actions n'auront pas d'effets sur l'évolution de ma maladie.					
IP18	Ma maladie diminuera avec le temps.					
IP19	Il y a très peu de choses qui peuvent être faites pour diminuer ma maladie.					
IP20	Les traitements seront efficaces pour soigner ma maladie.					
IP21	Les traitements peuvent prévenir les effets négatifs de ma maladie.					
IP22	Les traitements peuvent contrôler ma maladie.					
IP23	Il n'y a rien à faire pour améliorer mon état de santé.					
IP24	Je ne comprends rien à mes symptômes.					
IP25	Ma maladie est un mystère pour moi.					
IP26	Je ne comprends pas ma maladie.					
IP27	Ma maladie n'a aucun sens pour moi.					
IP28	Je comprends clairement ma maladie.					
IP29	Les symptômes de ma maladie changent beaucoup d'un jour à l'autre.					
IP30	Mes symptômes apparaissent et disparaissent de manière cyclique.					
IP31	L'évolution de ma maladie est imprévisible.					
IP32	Selon un cycle continu, mon état de santé s'améliore, puis il se détériore.					
IP33	Penser à ma maladie me déprime.					
IP34	Quand je pense à ma maladie, je deviens de mauvaise humeur.					
IP35	Ma maladie me met en colère.					
IP36	Ma maladie ne m'inquiète pas.					
IP37	Ma maladie me rend anxieux.					
IP38	Ma maladie me fait peur.					

Tableau 4.1 **Le questionnaire revu et corrigé portant sur la perception de la maladie (*suite*)**

LES CAUSES DE VOTRE MALADIE

Nous voulons connaître ce que *vous* pensez être les causes de votre maladie. Comme tous les gens sont différents, il n'y a ni bonne ni mauvaise réponse. Nous nous intéressons à *votre* point de vue sur ce qui aurait pu causer votre maladie, et non au point de vue de vos amis, des membres de votre famille ou de votre médecin.

Les énoncés ci-dessous concernent les causes possibles de votre maladie. Pour chacun, veuillez indiquer dans quelle mesure vous êtes d'accord ou non en cochant la case correspondant à votre choix.

	PAS DU TOUT D'ACCORD	PAS D'ACCORD	PLUS OU MOINS D'ACCORD	D'ACCORD	TOUT À FAIT D'ACCORD
C1 Le stress et les préoccupations ont causé ma maladie.					
C2 Mon hérédité a causé ma maladie.					
C3 Une bactérie ou un virus a causé ma maladie.					
C4 Mon alimentation a joué un rôle majeur dans l'apparition de ma maladie.					
C5 J'ai contracté cette maladie par hasard ou par malchance.					
C6 Ma maladie a été causée par des soins médicaux inappropriés que j'ai reçus dans le passé.					
C7 La pollution de l'environnement a causé ma maladie.					
C8 Ma maladie est largement due à mon propre comportement.					
C9 Mon état d'esprit a joué un rôle majeur dans l'apparition de ma maladie (exemples : des pensées ou des attitudes négatives).					
C10 Des problèmes familiaux ou d'autres soucis ont joué un grand rôle dans l'apparition de ma maladie.					
C11 Le surmenage a causé ma maladie.					
C12 Mon état émotif est la cause de ma maladie (exemples : état dépressif, solitude, anxiété, sentiment de vide).					
C13 Ma maladie est associée au fait de vieillir.					
C14 Ma maladie a été causée par un accident ou une blessure.					
C15 Ma personnalité a joué un rôle dans l'apparition de ma maladie.					
C16 C'est l'affaiblissement de mon système immunitaire qui est la cause de ma maladie.					

Nommez les trois principaux facteurs qui, selon vous, ont causé votre maladie. Placez-les selon l'importance que vous leur accordez, en commençant par celui qui vous apparaît le plus important. Vous pouvez choisir parmi les causes mentionnées précédemment ou en ajouter de nouvelles.

Selon moi, les causes les plus importantes de ma maladie sont les suivantes :

1. ____________ 2. ____________ 3. ____________

Source : Moss-Morris et autres (2002). Traduction et reproduction autorisées par Taylor & Francis Ltd. (www.uib.tandf.co.uk/journals).

Les croyances correspondant à ces différentes dimensions ne sont pas toujours présentes dans la représentation. Quand la représentation mûrit, sa différenciation augmente généralement. Ce qui ne veut pas dire pour autant que les diverses composantes de la représentation auront une importance égale. Les liens entre ces composantes relèvent de l'organisation de la représentation, ils servent à lui donner de la cohérence. Dans ce qui suit, nous verrons des représentations liées à certaines maladies, en commençant par les maladies générales pour terminer avec les maladies particulières.

On ne peut parler des représentations liées à la *maladie en général* sans d'abord faire appel aux représentations liées à la santé. Baumann (1961) s'est intéressée à cette question et a fait ressortir que, selon les gens qu'elle avait interrogés, la santé pouvait se ramener à trois critères : une sensation générale de bien-être, l'absence de symptômes et la capacité de faire ce qu'une personne physiquement en forme est capable de faire. On trouve déjà dans ces observations l'annonce d'une conclusion que Herzlich (1975) explicitera plus tard à partir de ses propres données : maladie et santé ne sont pas les pôles d'une simple opposition. En fait, Herzlich relève trois conceptions de la santé : la santé-vide, le fond de santé et l'équilibre.

- La *santé-vide* se rapporte à l'absence de maladie ou à l'absence de conscience du corps. L'individu prend conscience d'avoir été en santé seulement lorsque la maladie le frappe. Il réalise alors qu'il a perdu quelque chose.
- En revanche, le *fond de santé* est une qualité que les gens ont à des degrés divers. C'est la robustesse ou la résistance aux maladies. On peut en avoir hérité ou l'enfance peut en avoir favorisé l'accumulation. C'est en se comparant avec les autres qu'un individu peut évaluer l'importance de cette réserve (« Je suis moins sujet aux rhumes que les autres », « Je n'ai jamais été malade de ma vie »).
- Dans la troisième conception, l'*équilibre* est lié aux événements vécus par la personne. C'est le bien-être psychologique. Si tout va bien, la personne sentira que cet équilibre est atteint. On peut constater cet état, par exemple, dans l'apparence : des yeux vifs, un bon teint, etc. L'équilibre est présent ou absent, il ne comporte pas de graduation, contrairement à la conception de la santé considérée comme un fond.

Alors que la *santé-vide* est un fait, une condition impersonnelle, le *fond de santé* est une valeur, une réserve qui s'accumule ou se vide, et l'*équilibre* est une norme qui sert à se comparer, soit avec soi-même à un autre moment de sa vie, soit avec les autres. Toujours selon Herzlich (1975), on peut donc aborder la santé selon trois aspects bipolaires : absence ou présence ; caractère impersonnel ou personnel ; fait ou norme. Ainsi, santé et maladie ne sont pas en simple opposition. De plus, cette auteure constate que ce que les gens rapportent comme étant le plus fréquent n'est ni la santé ni la maladie, mais un état intermédiaire, l'expérience de petits troubles, comme le mal de tête, l'indigestion, le mal de genou, etc.

En posant la question « Que veut dire être malade ? » à de jeunes adultes en santé, Lau (1997) obtient des réponses variées : ne pas se sentir normal, éprouver des symptômes précis, avoir une maladie particulière, endurer les conséquences de la maladie (ne pas pouvoir faire ce qu'on fait habituellement) et souffrir de l'absence de santé. Pour plusieurs, la maladie c'est ne plus pouvoir s'accommoder de ses symptômes et reconnaître la nécessité de recourir au médecin. Cela est particulièrement vrai quand les symptômes nuisent à l'activité professionnelle ou physique (Zola, 1973). En fait, selon Herzlich (1975), l'élément clé est le fait d'être contraint à l'inactivité, ce qui se produit, par exemple, quand il faut garder le lit. La satisfaction des besoins suscités par cette nouvelle situation ne va pas sans contrecoup sur l'entourage du malade. Ainsi, dans un couple, le conjoint du malade devra prendre en charge certaines activités habituellement assumées par l'autre. Cela étant, la reconnaissance du statut de malade à l'un des conjoints pourra faire l'objet d'une négociation dans laquelle la maladie est offerte comme un *cadeau* qui permet de se déresponsabiliser par rapport à ses tâches habituelles (Twaddle, 1969).

Toutefois, ce qui est perçu comme un symptôme par un individu ne le sera pas par un autre. À cet égard, il peut y avoir des différences culturelles importantes. Par exemple, Zola (1966) constate que les femmes de la classe ouvrière considèrent que le mal de dos n'est pas une maladie, mais fait partie de la vie de tous les jours. De la même façon, les Amérindiens du sud-ouest des États-Unis n'accordent pas le statut de maladie à la diarrhée, à la transpiration excessive ou à la toux : il s'agit là d'expériences de la vie de tous les jours plutôt que de symptômes qui requièrent une attention médicale. Ces exemples portent à croire que la différence entre une maladie et ce qui n'en est pas une est la fréquence des symptômes. Les gens en viennent à avoir des attentes par rapport à ce qu'il est raisonnable de supporter comme inconfort.

Les représentations liées à la maladie en général ne concernent pas seulement la définition profane de la maladie ou de ce qui n'en est pas, mais elles concernent aussi les attributs de la maladie. Ainsi, Pill et Stott (1982) notent que les médecins pratiquant auprès de la classe ouvrière qu'ils ont interrogés perçoivent la maladie comme quelque chose d'incontrôlable. Ces médecins font preuve d'une vision fataliste de la santé.

De nombreux chercheurs (entre autres Barondess, 1979) insistent sur la distinction, qui n'existe pas en français, entre *disease* et *illness. Disease* correspond à la maladie en tant qu'état physique observé de l'extérieur, que changements pathologiques de l'organisme, alors que *illness* est l'expérience de la maladie telle que le patient la vit. Cette différence de perspective dans la perception peut être à l'origine d'un écart entre le point de vue du médecin et celui du patient. Elle pourrait aussi expliquer pourquoi deux personnes souffrant de la même maladie ne vivent pas la même expérience.

La représentation profane liée à la maladie, c'est plus que la seule représentation liée à la maladie en général. À un niveau moins abstrait, certaines dimensions se dégagent de la comparaison que font les gens des maladies entre elles (Lau, Bernard et Hartman, 1989). Ainsi, on distingue fréquemment entre les maladies aiguës, cycliques et chroniques (Keller, Leventhal, Prohaska et Leventhal, 1989). À la suite de l'analyse statistique des données résultant de la comparaison 2 à 2 de 22 maladies, Bishop (1991) obtient 2 dimensions : la gravité de la maladie et son degré de contagion. Lau et autres (1989) relèvent une autre dimension : la perception de la maladie comme une conséquence de ses propres comportements ou du simple hasard. Les dimensions varient selon la culture. Ainsi, les habitants de Singapour ont recours aux trois dimensions suivantes : la cause spirituelle ou psychologique ; la gravité ; la cause virale ou non virale (Bishop, 1998).

À un niveau d'abstraction encore moins élevé, certaines maladies serviraient de prototypes. Ainsi, le sida est le prototype des maladies qui menacent la vie et sont contagieuses, la grippe est le prototype des maladies contagieuses qui ne mettent pas la vie en danger et la crise cardiaque est le prototype des maladies graves, mais non contagieuses (Bishop, 1991).

Par ailleurs, les chercheurs qui se sont intéressés aux représentations profanes liées à des *maladies spécifiques* ont trouvé, comme on peut l'imaginer, diverses croyances plus ou moins exactes, et ce pour une grande diversité de maladies. Boyle (1970) a demandé à des patients de décrire différentes maladies. Il a constaté que les répondants définissaient bien certaines maladies dans les proportions suivantes : l'arthrite (85 %), la jaunisse (77 %), les palpitations (52 %) et la bronchite (80 %). Les résultats étaient moins bons, cependant, quand il s'agissait de localiser les organes internes, tels que le cœur (42 %), l'estomac (20 %) et le foie (49 %).

La détermination des *causes des maladies* par les patients laisse aussi beaucoup à désirer. Par exemple, Roth (1979) a demandé à des patients de se prononcer sur les causes des ulcères d'estomac et a obtenu des réponses comme les suivantes : des problèmes avec les dents et les gencives, le genre de nourriture ingérée, les problèmes digestifs ou l'excès d'acide dans l'estomac. Quant au cancer du poumon, même si Roth observe que les gens comprennent que fumer augmente de beaucoup les risques d'apparition de cette maladie, la moitié des personnes interrogées croient pourtant qu'un cancer des poumons causé par le tabagisme a de bonnes chances de guérir. Chez les femmes ayant un cancer du sein, Taylor, Lichtman et Wood (1984) ont fait ressortir la présence des causes suivantes : 41 % d'entre elles l'attribuent au stress ; 32 %, à un élément carcinogène, tel que la pilule anticonceptionnelle ou des déchets nucléaires ; 26 %, à des facteurs héréditaires ; 17 %, à leur diète ; 10 %, à un coup reçu à la poitrine.

Bien qu'on sache, en médecine, que les infections des voies respiratoires supérieures, telles que le rhume commun, sont causées par des virus, Helman (1978) observe que les personnes interrogées croient que le rhume est dû à des variations soudaines du temps qu'il fait ou à la présence d'humidité dans l'environnement. Se mouiller les pieds, rester sous la pluie ou passer d'une pièce chaude à une pièce froide seraient des causes typiques du rhume. La personne souffrant d'un rhume est donc perçue comme responsable de son état. En revanche, la grippe est perçue comme le résultat de l'action d'un microbe extérieur à l'individu. Cependant, on ne considère pas ce microbe comme extérieur à la société, puisqu'il est perçu comme transporté par les gens. On s'en remet donc à une relation sociale. La personne atteinte d'une grippe est ainsi perçue comme une victime passive.

Meyer, Leventhal et Gutmann (1985) ont posé la question suivante à des hypertendus : « Une personne peut-elle dire si sa tension est élevée ou non ? » Dans une proportion de 80 %, on leur a répondu que cela n'était pas possible, ce qui démontrait, chez ces hypertendus, une connaissance exacte de leur maladie. De façon étonnante, toutefois, à la question « Pouvez-vous dire si votre tension est élevée ? », 92 % des *mêmes répondants* ont affirmé qu'ils en étaient capables, ce qui démontrait ainsi un écart entre leur savoir conceptuel et leur savoir perceptif. À la question « Comment pouvez-vous le dire ? », les répondants disaient pouvoir y arriver en se livrant au monitorage des battements de leur cœur, en évaluant l'échauffement de leur visage, par le simple fait de se sentir tendu, etc.

L'angine de poitrine est une autre maladie qui suscite couramment de fausses croyances : cet état serait causé par un cœur fatigué ; l'angine produirait un dommage irréparable au cœur ; l'angine serait un petit infarctus du myocarde ; la personne victime d'une angine devrait modérer ses activités, ne pas faire d'exercice, éviter toute excitation ; l'angine pourrait être le résultat d'un surcroît d'inquiétude ; il ne faut pas discuter avec quelqu'un qui a eu une angine ; le repos est le meilleur traitement, etc. (Furze, Roebuck, Bull, Lewin et Thompson, 2002 ; Maeland et Havik, 1987).

Pour leur part, Jayne et Rankin (2001), afin d'étudier la représentation du diabète sucré (de type 2), utilisent les cinq dimensions de Leventhal et autres (1980) dont nous avons parlé précédemment. Ils constatent que les patients souffrant de cette maladie ont tendance à confondre la perception qu'ils ont de la gravité et le caractère aigu de leurs symptômes. Les patients expliquent les causes de leur maladie comme suit : le fait de manger excessivement ; le fait de ne pas manger la *bonne sorte de nourriture* ; le vieillissement, qui amènerait un affaiblissement des organes ; le stress ; le manque d'exercice, etc.

La majorité d'entre eux disaient craindre de devenir aveugles ou d'avoir à se faire amputer un membre. À ces causes présumées s'ajoutent des problèmes liés au fonctionnement du cerveau. Plusieurs patients croient que le diabète est contagieux. Quant à la perception de l'évolution de cette maladie, les patients qui n'ont pas de symptômes n'ont pas tendance à s'inquiéter pour l'avenir, alors que les autres, au contraire, ont une attitude plus fataliste que réaliste. Si le patient évalue la gravité de la maladie à partir de la gravité des symptômes qu'il perçoit, il l'évalue aussi à partir du type de traitement prescrit. Ainsi, l'injection d'insuline est perçue comme l'annonce d'une évolution moins favorable.

Les fausses croyances foisonnent, même au sujet de maladies bien connues ; à plus forte raison, les maladies aux contours moins nets selon la médecine traditionnelle constituent un terreau idéal pour le développement de représentations fantaisistes. Il en est ainsi pour le syndrome de fatigue chronique. Petrie (2001) a consacré un livre à cette maladie ; le chapitre qui porte uniquement sur la perception des gens qui en souffrent montre l'existence de ce genre de représentations. Cet auteur aussi aborde la question par le biais des dimensions de Leventhal et autres (1980).

- En rapport avec la première dimension, l'identité, Petrie (2001) constate que très peu d'individus qui souffrent de fatigue chronique le reconnaissent spontanément. En revanche, une fois le diagnostic accepté, ils ont tendance à y associer de trop nombreux symptômes. Par exemple, ils peuvent se percevoir comme des personnes plus susceptibles d'attraper le rhume que les autres. Ils en viennent aussi à associer plus facilement à leur maladie des symptômes que n'importe qui peut éprouver à un moment ou à un autre. Nous aurons l'occasion de revenir sur cette question dans la section portant sur la fonction des représentations.
- Pour ce qui est de la deuxième dimension de Leventhal, les gens ont tendance à percevoir les causes de la maladie comme étant de nature physique plutôt que psychosociale. Ils ne sont donc pas portés à s'attribuer une part de responsabilité (liée à leur comportement) pour expliquer leur maladie. En fait, ils privilégient la cause virale. Ils sont généralement plutôt pessimistes en ce qui a trait à la guérison. Devant l'impuissance apparente de la médecine pour traiter le syndrome de fatigue chronique, ils auront tendance à se tourner vers les médecines parallèles, ils se gaveront de vitamines et de suppléments minéraux.
- Quant à la chronologie, la troisième dimension de la représentation, il va de soi que la plupart des personnes souffrant de fatigue chronique considèrent cette maladie comme… chronique.
- Enfin, au sujet de la quatrième dimension, les conséquences de la maladie, Petrie (2001) observe peu de variabilité dans le groupe de patients interrogés, mais une certaine diversité dans les façons de guérir, même si le repos est vu par plusieurs comme *la* solution.

Parfois, les fausses croyances ne portent pas sur des maladies particulières, mais sur les *traitements*. Ward et ses collaborateurs (Donovan et Ward, 2001 ; Ward et autres, 1993) relèvent ainsi neuf sujets d'inquiétude communs à propos du traitement de *la* douleur à l'aide d'analgésiques :

- le fatalisme, la croyance selon laquelle la douleur ne peut pas être traitée ;
- la peur d'acquérir une dépendance à ces substances ;
- la croyance selon laquelle les effets secondaires des opioïdes sont inévitables et non traitables ;
- la croyance selon laquelle les *bons* patients ne se plaignent pas de la douleur ;
- la croyance selon laquelle le fait de parler de la douleur va distraire l'attention du médecin, qui négligera ainsi de bien traiter la maladie ;
- la peur d'acquérir une tolérance aux analgésiques ;

- le souci de limiter le nombre de médicaments qu'on prend ;
- la crainte que l'utilisation des opioïdes ait un effet négatif sur le système immunitaire ;
- la peur que l'utilisation des opioïdes masque d'autres changements corporels possibles.

Le traitement préventif est aussi l'objet de fausses croyances. Dans un document portant sur la vaccination, la Direction générale de la santé de la population et de la santé publique (2000) de Santé Canada relève six conceptions erronées courantes. Après avoir rappelé que certains patients s'opposent à la vaccination pour des raisons religieuses ou philosophiques, que d'autres voient dans la vaccination obligatoire une ingérence de l'État dans la vie privée, on énumère les six croyances suivantes pour s'opposer à la vaccination :

- les progrès de l'hygiène et de la salubrité ont éliminé les maladies avant même l'invention des vaccins ;
- même immunisés, les gens peuvent tomber malades ;
- les vaccins ne sont pas sécuritaires, ils peuvent s'accompagner d'effets négatifs nombreux et même causer la mort ;
- les vaccins peuvent provoquer des effets à long terme dont nous ne savons rien ;
- les maladies que la vaccination peut prévenir ont été quasiment éliminées au Canada ;
- le fait de recevoir plusieurs vaccins pour des maladies différentes augmente les risques et peut surcharger le système immunitaire.

Le sondage d'opinion est la façon la plus efficace de connaître les croyances de la population en général. Un sondage de Harris Interactive (2002), effectué auprès de 2 000 adultes américains en novembre 2001, montre que, malgré tout, les gens sont plutôt bien informés sur l'utilisation et l'abus des antibiotiques. Il n'en reste pas moins que même si 79 % des répondants de ce sondage savent que les grippes et les rhumes sont causés par des virus et que 61 % savent que les antibiotiques ne sont pas efficaces pour traiter les virus, la moitié d'entre eux entretiennent la croyance que les antibiotiques peuvent avoir une certaine efficacité pour traiter… les rhumes et les grippes.

Nous ne visions pas à faire le relevé exhaustif des représentations liées à toutes les différentes maladies. Un tel relevé est impossible à réaliser parce qu'on ne connaît pas les représentations profanes liées à toutes les maladies. Par ailleurs, certaines représentations peuvent être plus ou moins partagées et, à la limite, être idiosyncrasiques, de là le peu d'intérêt à documenter ces représentations uniques. Les exemples que nous avons donnés devraient avoir permis au lecteur de se familiariser avec le contenu d'une représentation profane liée à la maladie. Dans la section suivante, nous nous penchons sur l'origine de ces représentations.

L'ASPECT DYNAMIQUE

La formation, le maintien et le changement des représentations profanes liées à la maladie dépendent de nombreuses variables qui relèvent des trois sources dont nous avons parlé précédemment et que nous explorerons dans l'ordre suivant : la communication d'information par autrui, le processus d'inférence et l'expérience directe.

La communication d'information par autrui

Dans notre société, l'*information* sur la santé et la maladie abonde. Pour le profane, il n'est pas toujours facile de faire la différence entre l'information de qualité et le reste (DiMatteo, 1991), d'autant plus que la construction d'une représentation liée à la maladie s'accomplit souvent alors que l'individu est submergé par des émotions fortes qui ne l'aident pas à voir clair dans ce qui lui est présenté. À cette difficulté s'ajoutent parfois des avis conflictuels de la part de ceux mêmes qui ont une formation équivalente et qui devraient donc s'entendre. Nous reviendrons sur cette question. Pour l'instant, nous nous attacherons à souligner un autre aspect qui touche l'information : l'opposition entre la médecine moderne et la médecine traditionnelle.

Bishop (1998) a montré que même si la médecine allopathique prédomine à Singapour, les habitants de cette ville ont aussi accès aux médecines traditionnelles de diverses origines (chinoise, malaise, indienne). Le recours à ces médecines peut favoriser des représentations qui divergent fortement de celles que pourrait susciter la médecine moderne. La tentation pour un individu de recourir aux médecines parallèles, quelles qu'elles soient, sera évidemment d'autant plus grande que la médecine moderne ne semble pas avoir de traitement efficace pour soulager tel ou tel état physique (Petrie, 2001).

Bien qu'il ne faille pas sous-estimer l'influence de l'information transmise dans le cadre des médecines traditionnelles, parallèles et complémentaires sur la construction de représentations profanes liées à la maladie, il faut aussi voir que la famille et les amis jouent indéniablement à cet égard un rôle privilégié (Leventhal, Diefenbach et Leventhal, 1992 ; Ogden, 2000 ; Sanders, 1982). Ces sources d'information que sont les proches constituent un véritable *réseau de consultation profane* (Freidson, 1970). Une étude de Sanders (1982) montre qu'en moyenne trois « non-experts » (des amis ou des membres de la famille) sont consultés et que leur avis influence le comportement de celui qui les consulte dans 68 % des cas. Ces réseaux de consultation profane renforcent certaines croyances liées à la maladie et à son traitement (Radley, 1994). Freidson, qui a étudié les caractéristiques de ces réseaux de consultation, les distingue selon leur taille, leur complexité et la concordance de leur culture avec celle de la médecine. Ainsi, il constate que la décision d'avoir recours à l'aide médicale sera d'autant plus probable que la culture du système selon lequel la décision a été prise est semblable à la culture des médecins.

Pour sa part, McKinlay (1973) observe que les individus qui utilisent le plus les services médicaux appartiennent à une famille dont les membres habitent loin les uns des autres. On observe une utilisation moins grande des services médicaux quand les membres de la famille vivent sous le même toit. Ces comportements ne sont pas différents de ceux observés par Salloway, Dillon et Dillon (1973) : plus le réseau familial est grand, plus la consultation d'un médecin sera éloignée. Toutefois, ces auteurs ajoutent que la taille du réseau d'amis est directement proportionnelle à la probabilité d'une consultation médicale. Il se peut que la variabilité d'âge, plus grande dans la famille que dans le réseau d'amis, permette d'avoir accès à une source d'information qui s'est enrichie de ses propres expériences au fil des ans. Cela dit, il ne faut pas croire que le réseau de consultation (formé des amis ou des membres de la famille) existe en soi, prêt à être utilisé. Ce réseau serait plutôt une création des chercheurs, subséquente à leur observation des comportements des individus (Radley, 1994).

Les sources d'information profane peuvent s'influencer mutuellement, ce qui aboutit à la création collective de représentations, inspirées de l'information scientifique simplifiée, déformée. Ces sources d'information concourent ainsi à maintenir de fausses croyances et à les transmettre (Leventhal et autres, 1992). On a alors affaire à des représentations sociales, au sens où l'entend Moscovici (1961).

Les considérations émises jusqu'à maintenant relèvent de ce qu'on appelle l'*influence informationnelle*, c'est-à-dire le recours aux autres pour tenter de réduire l'incertitude vécue à la suite, par exemple, de l'apparition d'un symptôme. Un autre genre d'influence sociale est possible, soit l'*influence normative*. Dans ce cas, le comportement de l'individu n'est pas tellement dicté par le besoin de savoir, mais par le besoin de se conformer pour être accepté. L'individu s'en remet alors à des normes sociales subjectives, autrement dit, il s'en remet à sa perception des attentes des autres et à sa propre motivation, plus ou moins grande, de se conformer à ces attentes (Cialdini et Trost, 1998).

Les normes sociales concernant les comportements à adopter pour favoriser une meilleure santé sont communiquées tôt dans la vie d'un individu. Elles se rapportent à l'hygiène personnelle en général, à l'hygiène dentaire, à une alimentation saine, à la pratique de l'exercice, etc. (DiMatteo, 1991). La plupart du temps, l'individu n'est pas conscient de l'effet de ces normes sur son comportement, et ce n'est que lorsqu'il les transgresse qu'elles deviennent apparentes à ses yeux. Le respect de ces normes varie d'un individu à l'autre, certains affichant carrément, là comme dans d'autres domaines, leur indépendance, ou même leur anticonformisme. Les normes elles-mêmes varient aussi d'un individu à l'autre, selon la composition de son groupe d'amis ou de sa famille et selon sa culture.

La formidable et récente pénétration de l'Internet[2] dans les résidences a des effets majeurs sur les représentations profanes liées à la maladie, et l'influence de cette technologie est autant de nature informationnelle que normative. Plus de 110 millions d'adultes américains utilisent Internet pour obtenir de l'information sur la santé, et ce trois fois par mois en moyenne (Harris Interactive, 2002). Les plus enthousiastes sont qualifiés de *cyberchondriaques*! Ils représentent 53 % de tous les adultes qui utilisent l'Internet, et ce pourcentage croît rapidement d'année en année. Leur profil est le suivant: plus jeunes, mieux éduqués et plus riches que la population en général. On consulte davantage l'Internet pour certains états physiques (les problèmes gynécologiques, la sinusite chronique, l'arthrite, la migraine et les maladies liées à la thyroïde) que pour d'autres (l'asthme, les problèmes de peau, un taux de cholestérol élevé, l'hypertension). Les ressources de l'Internet sont particulièrement utiles à ceux qui n'ont pas accès aux services de santé.

D'un autre côté, l'influence normative des sources d'information profane sur les représentations liées à la maladie se fait surtout sentir dans les groupes de discussion (*newsgroups*) formés de personnes qui souffrent de la même maladie. Davison et Pennebaker (1997) ont étudié les messages échangés dans les groupes de discussion consacrés au syndrome de fatigue chronique. Ils ont constaté que les individus qui osent soulever la possibilité que des facteurs psychosociaux soient liés aux causes de cette maladie (ce qui laisse entendre que le patient pourrait contrôler sa maladie) sont sujets à la réprobation générale. Ce comportement normatif a pour effet de réduire l'information accessible aux membres de ces groupes de discussion. Comme la plupart des symptômes du syndrome de fatigue chronique sont physiques, les patients en viennent à croire que la cause aussi est physique (Powell, Bentall, Nye et Edwards, 2001).

Les médecins contribuent aussi à la construction des représentations profanes liées à la maladie et leurs interventions peuvent elles-mêmes être une source de confusion pour le patient (Ogden, 2000). Malgré une formation médicale poussée et commune à tous les médecins, il faut bien se rendre à l'évidence qu'il existe chez les médecins des différences plus ou moins grandes dans leur pratique. Cette variation peut se rapporter autant au diagnostic qu'au traitement ou aux méthodes pour obtenir de l'information sur le patient. Selon Ogden, la variation peut s'expliquer selon plusieurs facteurs:

- les croyances du médecin relatives à la nature biomédicale ou psychosociale des problèmes cliniques;
- les croyances antérieures du médecin relatives à la prévalence et à l'incidence d'une maladie;
- les croyances du médecin relatives à la gravité d'une maladie et aux possibilités de la traiter;
- les connaissances personnelles du patient.

Le processus d'inférence

Dans l'incertitude, un individu peut donc avoir recours à l'information fournie par les autres pour donner un sens à ce qu'il vit. Il complète souvent cet apport externe à l'aide d'un autre moyen utilisé pour aller au-delà de l'information connue : le *raisonnement.* Ces dernières années, les psychologues se sont beaucoup intéressés au raisonnement dit *naturel,* par opposition au raisonnement *classique,* qui obéit aux règles de la logique formelle. Ainsi, ils ont montré que les individus utilisent tout un arsenal de règles heuristiques. Ces règles sont essentielles au bon fonctionnement de l'individu, mais elles peuvent, dans certaines situations, le mener à des conclusions qui s'éloignent sensiblement de la réalité. Il ne fait pas de doute que les gens utilisent ces règles dans la construction de leurs représentations liées à la maladie. L'espace nous manque pour présenter ici ces règles ; nous renvoyons donc le lecteur intéressé au livre de Plous (1993). Nous nous contenterons de donner quelques exemples d'inférences observées dans la construction des représentations liées à la maladie.

Le patient peut consacrer beaucoup de temps à déterminer le niveau de gravité de sa maladie. Pour y parvenir, il s'en remet souvent à un processus de comparaison sociale. La maladie dont souffre un patient lui apparaîtra moins grave s'il se compare avec des personnes qui souffrent d'une maladie qu'il considère lui-même comme plus grave ; inversement, la gravité de sa maladie lui semblera plus importante s'il se compare avec des personnes qui ont une maladie qu'il juge moins grave. Dans une étude menée auprès de femmes souffrant du cancer du sein, Taylor et autres (1984) ont observé les deux catégories de comparaison sociale, mais la comparaison vers le bas (avec des patients considérés comme plus affectés) était la plus fréquente.

Pour leur part, Croyle et Jemmott (1991) observent que des personnes auxquelles on annonce qu'elles souffrent d'un déficit enzymatique sont beaucoup plus bouleversées si on leur dit qu'elles sont les seules personnes de leur groupe à avoir ce problème. La prévalence d'une maladie a donc une incidence sur la perception de sa gravité par le patient.

Nous avons vu plus haut que les gens concluent que la fatigue chronique a une cause physique parce que la plupart des symptômes sont physiques (Powell et autres, 2001). C'est là une autre façon d'aller au-delà du connu pour réduire l'incertitude. Un autre exemple d'inférence est celui de la confusion commune entre l'hypertension et la tension émotive trop grande, le mot *tension* renvoyant à deux notions différentes : la *tension artérielle* et la *tension nerveuse.* Dans ce cas, c'est la sémantique qui trompe les profanes (Bishop, 1991).

L'expérience directe

La troisième source d'information qui entre en ligne de compte dans la construction d'une représentation liée à la maladie est l'*expérience* qu'a l'individu de cette maladie. Être atteint d'une maladie permet d'en apprendre beaucoup sur cette dernière. Une fois la maladie reconnue, l'expérience qu'on en a peut livrer des informations précieuses sur ses différentes caractéristiques : son évolution, ses conséquences, son degré de contrôlabilité, etc. L'expérience vécue d'une maladie permet à l'individu de concrétiser un savoir abstrait, en particulier pour ce qui est des symptômes. Par exemple, un patient peut apprendre à distinguer entre la douleur due au zona, celle qui est causée par un calcul rénal ou par de l'hyperacidité et celle qui provient d'un colon irritable. Le modèle qu'un individu applique à une maladie peut changer avec le temps : une maladie d'abord perçue comme aiguë pourra, avec le temps, être plutôt considérée comme chronique. C'est ce qu'ont observé Leventhal, Easterling, Coons, Luchterhand et Love (1986) auprès de femmes ayant un cancer du sein avec métastases.

L'expérience d'une maladie permet aussi à la personne de se faire une représentation plus ou moins personnelle de cette maladie. Par cette expérience directe, l'individu pourra en venir à mieux comprendre, entre autres, comment réagit son organisme à certains excès et ce qu'il peut ou non se permettre. L'expérience directe pourra l'amener à évaluer dans quelle mesure la maladie perturbe ses activités, en fonction de la nature de ces dernières, en fonction de sa personnalité et en fonction des contraintes de son environnement physique et social. Tout cela, on ne peut le savoir en se fiant uniquement à ses propres connaissances générales concernant cette maladie. Faire l'expérience d'une maladie peut donc amener la personne à s'en construire une représentation différente de celle de son entourage (Furze et autres, 2002).

La fonction des représentations

Une fois formées, les représentations profanes liées à la maladie permettent à l'individu de déterminer la maladie dont il souffre, d'en établir les causes, d'en évaluer la gravité et d'adopter une façon d'y réagir. Qu'est-ce qui influe sur le comportement de l'individu qui doit faire face à la maladie ? Les chercheurs ont proposé différents modèles explicatifs. Nous retiendrons les trois le plus fréquemment invoqués :

- le modèle de l'action raisonnée (*reasoned action model* ou RAM) ;
- le modèle des croyances relatives à la santé (*health belief model* ou HBM) ;
- le modèle d'autorégulation du comportement lié à la maladie (*self-regulatory model of illness behavior* ou SRM).

Ces modèles ont en commun l'explication des comportements par la mise en relation de croyances de diverses natures, mais ils présentent des différences importantes et n'ont pas tous la même valeur explicative. Au fil du texte, nous signalerons ces différences et nous évaluerons la pertinence de ces modèles.

LE MODÈLE DE L'ACTION RAISONNÉE

Le modèle de l'action raisonnée, ou RAM (voir la figure 4.1), est une théorie très large qui a pour objectif d'expliquer tous les comportements volontaires, quels qu'ils soient (Ajzen et Fishbein, 1980). Appliquée au domaine de la santé, cette théorie a surtout servi à rendre compte des comportements à risque : le tabagisme, la consommation d'alcool, les relations sexuelles non protégées, etc. Selon les concepteurs, les éléments de la théorie seraient suffisants pour prédire si un comportement aura lieu ou non.

Selon le RAM, c'est grâce à l'*intention* qu'a un individu d'avoir un comportement qu'on peut prédire le plus efficacement ce comportement chez lui. Cette intention repose elle-même sur deux éléments :

- L'*attitude* de l'individu à l'égard du comportement, c'est-à-dire une évaluation positive ou négative du comportement (exemple : évaluer positivement le fait de prendre tel médicament).
- La *norme subjective*, c'est-à-dire la pression qu'on perçoit des personnes influentes à l'égard du comportement en question (exemple : croire que ces personnes ne veulent pas qu'on consomme tel médicament).

L'attitude à l'égard du comportement est le produit des croyances plus ou moins fortes de l'individu à l'égard des résultats (comme la guérison ou certains effets secondaires) et de l'évaluation plus ou moins positive ou négative que l'individu fait de ces résultats (exemple : la valeur que la personne accorde à la guérison ou aux effets secondaires nocifs).

Figure 4.1 **Le modèle de l'action raisonnée (RAM)**

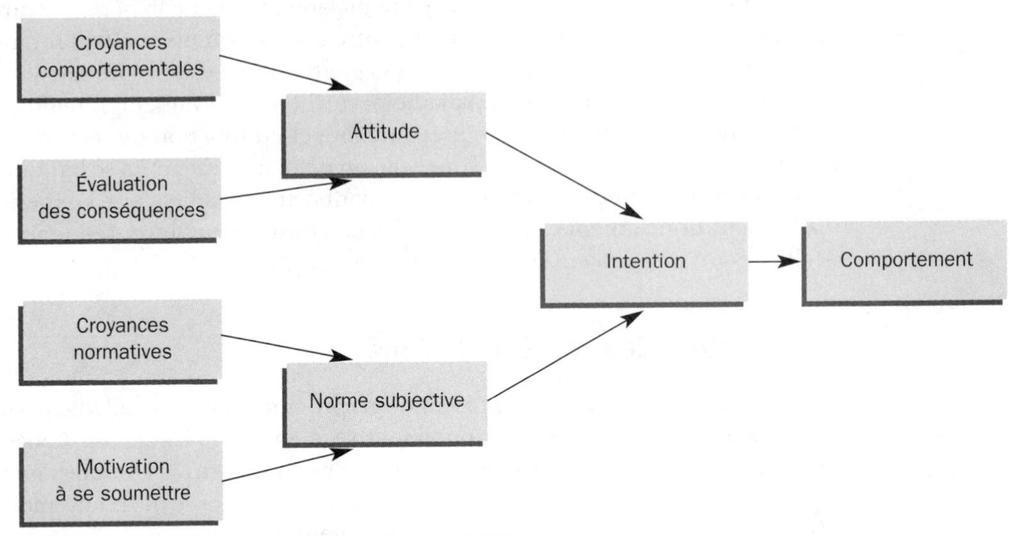

Source : Traduite et adaptée de Ajzen et Fishbein (1980).

La norme subjective, elle, est le produit de ce que l'individu considère comme la position de son entourage par rapport à ce comportement (exemple : la perception qu'un individu a du fait que sa femme veut ou ne veut pas qu'il consomme le médicament en question) et de sa propre motivation à satisfaire les personnes qui composent son entourage (exemple : l'influence que cet individu est prêt à accorder à l'opinion de sa femme). Dans le cas de la maladie, l'entourage correspond habituellement aux membres de la famille, aux amis et aux professionnels de la santé.

Malgré le soutien empirique considérable qu'a reçu cette théorie, elle a été l'objet de nombreuses critiques. C'est afin de répondre en partie à ces critiques que Ajzen (1988) en a proposé une version améliorée, en ajoutant la variable du *contrôle comportemental.* Il a nommé cette théorie *théorie de l'action planifiée* (*planned action theory* ou PAT). Un individu aura un comportement dans la mesure où il a l'aptitude à l'avoir (contrôle interne) et dans la mesure où il n'y a pas d'obstacles à ce comportement (contrôle externe). Le contrôle comportemental permet de prédire, à lui seul et directement à partir des variables, le comportement d'un individu ; il peut aussi avoir un effet sur le comportement en modifiant l'intention qu'a l'individu d'avoir ce comportement.

La modification apportée au RAM par la PAT laisse encore inexpliqué un grand pourcentage de variance du comportement. Par ailleurs, on peut aussi reprocher à ces deux théories de se limiter au comportement rationnel, un comportement qui est le résultat d'un froid calcul des coûts et des bénéfices. En plus d'être trop générales, ces théories ne sont pas dynamiques : on prend en considération les croyances d'un individu à un moment donné pour expliquer son comportement à ce moment uniquement (aspect statique).

LE MODÈLE DES CROYANCES RELATIVES À LA SANTÉ

Le modèle des croyances relatives à la santé, ou HBM (Becker, 1974 ; Rosenstock, 1974 ; Rosenstock, Strecher et Becker, 1988), a été élaboré avant le RAM et la PAT, mais il a été conçu en rapport direct avec les comportements liés à la santé. Il repose sur le postulat que la conduite d'une personne dépend de la valeur qu'elle accorde à un but et à la croyance que sa conduite va lui permettre d'atteindre ce but.

Ainsi, avant de prendre une décision, un individu prendrait en compte certaines variables. On peut évaluer ces dernières en analysant les réponses d'un individu à un questionnaire conçu à cet effet. Les variables sont au nombre de quatre :

- La *susceptibilité perçue*: « Quelle est la probabilité que vous soyez atteint de la maladie *X* dans l'avenir prochain ? »
- La *gravité perçue*: « À quel point la maladie *X* est-elle grave ? »
- Les *bénéfices perçus*: « En supposant qu'un examen montre que vous souffrez de la maladie *X*, cela ferait-il une différence de commencer les traitements maintenant plutôt que dans six mois ? »
- Les *obstacles perçus*: « Qu'est-ce qui pourrait vous empêcher d'entreprendre un programme de prévention ? »

Bien qu'il porte particulièrement sur les comportements liés à la santé, le HBM demeure trop global et trop simplificateur. Ainsi, les croyances n'y sont pas spécifiées, et le rôle des facteurs sociaux y est négligé. Enfin, tout comme les deux théories précédentes (le RAM et la PAT), ce modèle ne couvre que l'aspect statique du comportement : il ne permet pas d'aborder la question de l'évolution de la démarche de l'individu, il ne prévoit pas d'étapes.

LE MODÈLE D'AUTORÉGULATION DU COMPORTEMENT LIÉ À LA MALADIE

Le modèle d'autorégulation du comportement lié à la maladie, ou SRM (voir la figure 4.2), est à l'heure actuelle le modèle le plus complet (Leventhal et autres, 1997; Leventhal, Nerenz et Steele, 1984). Il est basé sur le processus de résolution de problèmes. En présence d'un problème, l'individu est motivé à le résoudre et à rétablir un état antérieur qui était plus satisfaisant. Dans le cas d'un individu atteint par la maladie, cet état antérieur est la santé. Les concepteurs de ce modèle distinguent trois étapes :

1. L'*interprétation*: l'individu tente de comprendre le problème.
2. L'*adaptation* (*coping*) : l'individu cherche à agir afin de rétablir l'état recherché.
3. L'*évaluation*: l'individu évalue l'efficacité de son adaptation.

À la première étape, l'individu peut devenir conscient du problème soit par la perception d'un symptôme, soit à la suite d'un diagnostic médical. Il tente alors de donner un sens à ce problème ; pour ce faire, il a recours à ses croyances relatives à la maladie selon les cinq dimensions établies par Leventhal et ses collaborateurs (l'identité ; la cause perçue ; la chronologie ; les conséquences ; le traitement et le contrôle). La compréhension du problème permet à l'individu de choisir une stratégie d'adaptation. La prise de conscience d'un problème s'accompagne aussi de changements affectifs ; par exemple, la découverte d'une tumeur peut susciter de l'anxiété. La deuxième étape comporte deux catégories générales d'adaptation : l'approche (exemples : se soigner en prenant des médicaments, parler du problème, se reposer) ; l'évitement (exemples : succomber au déni, manquer de réalisme). Pendant la troisième étape, l'individu évalue l'efficacité de son adaptation et décide de conserver ou non sa stratégie.

Les travaux portant sur la *perception des symptômes* (une des composantes de la première étape) ont montré qu'il existe des différences individuelles significatives quant à l'importance de l'attention qu'on accorde aux phénomènes physiques survenant dans son corps[3] (Pennebaker, 1982). Il n'y a pas nécessairement de corrélation entre le fait d'être focalisé sur ses phénomènes physiologiques et l'exactitude de la perception qu'on en a. Par exemple, Pennebaker (1982) a montré que les personnes qui se focalisent de la sorte pouvaient surestimer grandement les changements de leur rythme cardiaque.

Figure 4.2 **Le modèle d'autorégulation du comportement lié à la maladie**

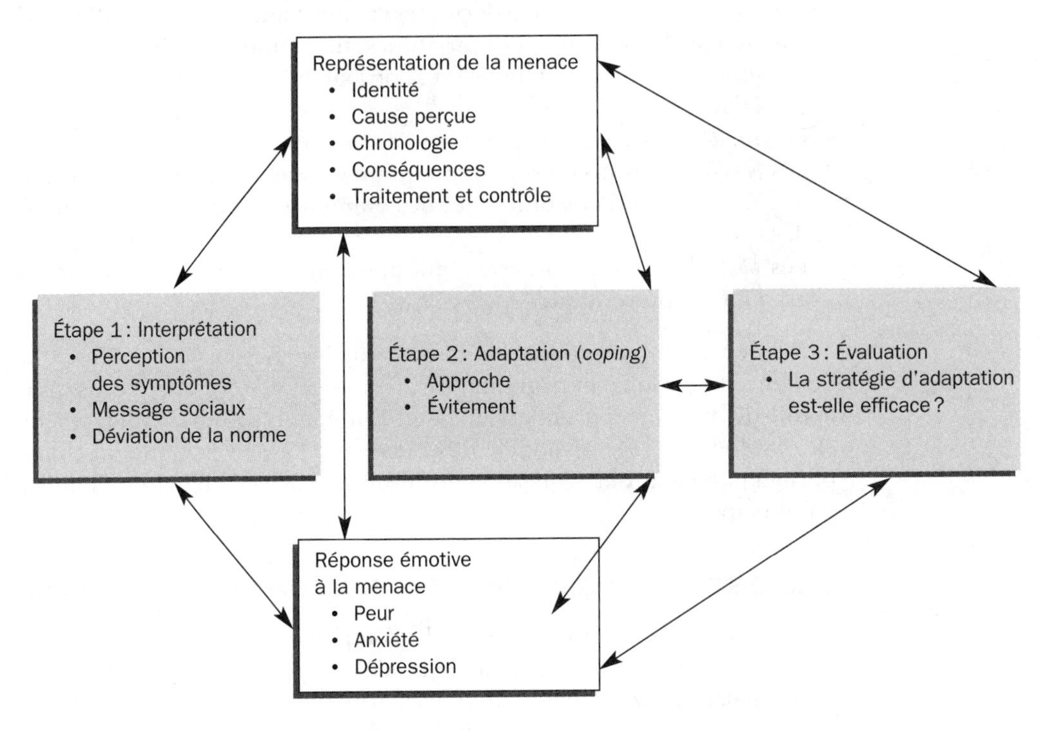

Source : Traduite et adaptée de Leventhal et autres (1997) et de Leventhal, Nerenz et Steele (1984).

Dans le même ordre d'idées, Leventhal et autres (1997) observent que l'individu utilise une règle de symétrie, selon laquelle des événements perceptifs le poussent à *étiqueter* (exemple : reconnaître une maladie), étiquetage, qui, à son tour, pousse l'individu à trouver un référent perceptif qui s'y rapporte. Ainsi, Easterling et Leventhal (1989) constatent, chez des femmes qui se perçoivent comme vulnérables au cancer du sein, l'expression de plaintes relatives à des symptômes somatiques, bien qu'aucun de ces symptômes ne soit propre au cancer. De la même façon, Bauman, Cameron, Zimmerman et Leventhal (1989) obtiennent, chez des personnes soumises à une fausse rétroaction de leur tension sanguine, le rapport de symptômes semblables à ceux dont se plaignent les personnes véritablement atteintes d'hypertension.

Pour déterminer sa maladie, l'individu utilise souvent les représentations liées à des *maladies prototypiques* (Bishop, 1991). Les prototypes servent alors de standards, que l'individu utilise pour vérifier si les symptômes éprouvés concordent avec certains symptômes de ces prototypes. La correspondance parfaite n'est pas nécessaire pour que la personne retienne un prototype. Si les symptômes ne peuvent être liés à un prototype, l'individu analyse alors les symptômes un à un, plutôt que comme un ensemble intégré. Lorsque le manque de correspondance a trait à des symptômes relativement bénins, la tentative d'associer ceux-ci à une étiquette laisse la place à la recherche de causes, contrairement à ce qui se passe si les symptômes sont graves. Après avoir retenu un prototype pour rendre compte de ses symptômes, l'individu peut juger non pertinents les symptômes qui ne sont pas conformes au prototype et, par conséquent, les négliger.

L'individu se sert aussi de *règles* pour interpréter les symptômes qu'il éprouve et leur donner un sens (Leventhal et Diefenbach, 1991). Par exemple, pour déterminer s'il a vraiment affaire à une maladie, l'individu pourra d'abord se demander si ce qu'il éprouve n'est pas plutôt une réaction normale au stress. Une autre règle consiste à distinguer entre ce qui est dû à l'âge et ce qui est dû à la maladie. L'individu peut en effet percevoir un symptôme comme un changement normal lié au vieillissement. Plus les symptômes perçus sont bénins, plus ils apparaissent graduellement et sont communs chez les personnes de plus de 65 ans, et plus l'individu les attribuera à l'âge. Une telle interprétation a pour résultats d'amener l'individu à repousser la consultation et à atténuer son inquiétude. Cette attribution excessive des causes des changements à l'âge pourrait expliquer les faits suivants : dans une recherche, 60 % des patients ne se plaignaient pas de leur difficulté à uriner et 71 % ne se plaignaient pas de l'enflure de leurs pieds et de leurs chevilles (Brody et Kleban, 1981).

Selon le SRM, on conçoit donc le comportement lié à la maladie comme un processus dynamique entre la cognition et le comportement lui-même. On intègre aussi les mécanismes d'adaptation (*coping*) et d'évaluation, tout en prévoyant la possibilité d'une boucle de rétroaction. Dans ce modèle, le patient est vu comme un *solutionneur* de problèmes actif. On distingue les croyances générales, plus objectives, rationnelles, scientifiques, des croyances personnelles. Enfin, on pourrait enrichir le SRM en y intégrant les croyances relatives aux médicaments.

Encadré 4.1

Un guide d'entrevue pour aider le patient à bien se représenter sa maladie

Dans la littérature spécialisée, nous trouvons surtout les représentations telles qu'elles ont été définies et recueillies par des chercheurs. Cependant, nous avons suffisamment d'informations pour convenir que le modèle de Leventhal est probablement le plus complet et utile. Plusieurs recherches ont en effet confirmé les cinq dimensions que Leventhal accorde à la représentation : l'identité ; la cause perçue ; la chronologie ; les conséquences ; le traitement et le contrôle.

Si ces cinq dimensions sont très utiles pour déterminer les représentations qui ont cours dans la population, elles peuvent être tout aussi utiles pour aider le médecin ou tout autre intervenant en santé à transmettre à ses patients des représentations complètes et adéquates liées à la santé et aux pathologies. Dans ce petit guide, nous tenterons de montrer comment ces différentes dimensions peuvent servir à informer le patient *et* le médecin. Nous croyons qu'en donnant au patient la représentation la plus juste possible de ses difficultés et du traitement, le médecin l'amènera à une meilleure observance et à une prise en charge plus active. De plus, si le médecin parvient à une connaissance plus précise des représentations du patient à propos de sa maladie et des traitements, il pourra faire des interventions mieux adaptées et il aura de meilleures chances de convaincre son patient de la pertinence de ces traitements.

Pour aider le patient à fournir au médecin une représentation la plus précise possible, nous suggérons quelques stratégies établies en fonction des cinq dimensions que Leventhal propose. Au moment de la collecte d'information, le médecin doit tenir compte du fait que le patient sait qu'il a devant lui un expert. Le patient est donc susceptible de se montrer réticent à transmettre des informations qu'il sait partielles, incomplètes, erronées ou de source populaire : d'une part, pour éviter le ridicule et, d'autre part, pour ne pas faire perdre son temps au médecin. Par ailleurs, le médecin trouvera utile de donner des informations et de tenter d'en obtenir sur *chacune* des cinq dimensions.

Encadré 4.1

Un guide d'entrevue pour aider le patient à bien se représenter sa maladie (*suite*)

La démarche d'entrevue que nous proposons diffère quelque peu des démarches habituelles en la matière. Nous voulons ainsi éviter de placer le patient devant son ignorance, tenir compte du fait qu'il se trouve dans une relation de dépendance par rapport au médecin et respecter son désir d'avoir une relation avec un professionnel. Quand un patient se présente en se plaignant de symptômes, il faut d'abord déterminer si c'est la première fois qu'ils se produisent:

- Le patient a-t-il déjà éprouvé ces symptômes?
- Ont-ils déjà été traités? Si oui, comment l'ont-ils été?
- Quel diagnostic avait-on alors posé?

Une fois qu'on sait que le problème est nouveau, il faut s'attacher à le faire décrire au patient. En questionnant le patient pour avoir davantage d'informations, le médecin trouvera utile de lui donner régulièrement une idée de ses hypothèses et du raisonnement qui le mène à ses conclusions. Il propose alors au patient le premier élément de la nouvelle représentation en lui fournissant une ou des identités *temporaires* pour ses symptômes.

Il n'y a pas vraiment d'ordre précis dans lequel il faut explorer les cinq dimensions de la représentation: le médecin peut les traiter dans l'ordre qu'il juge efficace et passer de l'une à l'autre en alternance, jusqu'à ce que chacune ait été couverte. Bien sûr, le processus peut s'étendre sur plusieurs entrevues, par exemple lorsqu'on n'arrive pas à un diagnostic rapidement.

L'identité

Cette dimension renvoie au nom donné à la maladie et aux symptômes que le patient éprouve.

Le médecin tente de donner un nom, ne serait-ce que temporairement, aux symptômes que le patient éprouve. Ensuite, il devrait demander au patient si cela lui fait penser à autre chose (le renvoi temporel n'est pas évident ici). Si le patient ne fait que répéter le diagnostic, le médecin devrait insister en précisant la question: quelle est sa façon de nommer ou de décrire les symptômes à ses amis ou à des membres de sa famille?

La cause

La cause peut être biologique (exemple: un virus), psychosociale (exemple: le stress), etc.

Au moment pertinent, le médecin aborde la cause de la maladie et des symptômes. Il demande ensuite au patient si cette cause correspond à celle qu'il imaginait (cause perçue). Le patient comprend-il les explications du médecin et trouve-t-il plausible la cause avancée par ce dernier? L'accord entre le patient et le médecin sur la cause de la maladie est important, car le traitement proposé en dépend. De plus, si le patient peut contrôler la cause en question, il pourra peut-être agir et éviter de tomber malade de nouveau.

La chronologie

La chronologie renvoie à la durée qu'aura la maladie, à son caractère aigu ou chronique.

La durée de la maladie prévue par l'individu lui-même fera en sorte qu'il sera impatient ou non par rapport à son évolution. Selon le cas, il sera encouragé ou découragé par l'évolution de la maladie. Il est donc important que le médecin soit explicite à ce sujet. Cependant, après avoir informé le patient sur l'évolution et la durée de sa maladie, le médecin doit vérifier ce que pense le patient : selon lui (dans son cas, puisqu'il n'est pas une donnée statistique), la maladie progressera-t-elle ou sera-t-elle guérie ? Qu'espère-t-il comme évolution, étant donné la connaissance qu'il a de ses propres réactions à la maladie ?

Les conséquences

Les conséquences sont les effets perçus par le patient de la maladie sur sa vie : elles peuvent être physiques, affectives ou mixtes.

Avec la connaissance qu'il a de son patient, le médecin suggère d'abord des conséquences possibles. Puis, il vérifie si ces conséquences sont plausibles aux yeux du patient et si celui-ci en prévoit d'autres. Les conséquences perçues ne sont pas à négliger, car les croyances du patient influenceront grandement ses attitudes et ses comportements par rapport à son avenir (exemple : si le patient croit qu'il ne pourra plus travailler). Le patient peut alors se mettre à éprouver un sentiment de désespoir, sentiment qui risque de retarder sa guérison et de gâcher inutilement sa vie.

Le traitement et le contrôle

La maladie en question peut-elle être traitée et guérie ? Peut-on la contrôler soi-même (exemple : par le repos) ou peut-elle être contrôlée par quelqu'un d'autre (exemple : un médecin qui prescrit un médicament) ?

Cette information est cruciale, car, si le patient est convaincu qu'il n'y a rien à faire, les chances de succès du plan thérapeutique sont très réduites. Non seulement le patient peut-il devenir très dépressif s'il croit qu'il n'y a rien à faire, mais encore, en ne croyant pas au traitement, il n'y sera probablement pas fidèle. L'effet Pygmalion[4] (*self-fulfilling prophecy*) peut alors se produire. Le médecin ne peut pas *trop* insister sur le traitement. Il doit chercher à cerner la perception du patient : celui-ci perçoit-il le traitement comme pertinent et efficace ? Le médecin doit chercher à savoir si l'action du patient peut faire une différence ou si, en fait, le traitement est perçu comme une sorte de *cataplasme* inutile, destiné seulement à le rassurer.

Dans le cas où le patient se montre réticent à parler de ses représentations, le médecin peut lui demander de parler plutôt des maladies de ses proches et des explications que ces derniers en donnent. Ainsi, en procédant indirectement, le médecin peut avoir une idée de la nature des représentations de son patient, sans que celui-ci n'ait vraiment l'impression de se révéler lui-même. Le médecin peut alors discuter avec le patient des représentations de ses proches et les corriger, au besoin. Le patient sera alors à même de retenir ce qui le concerne dans les propos du médecin, ce qui l'amènera peut-être à s'ouvrir explicitement au sujet de ses propres représentations.

Conclusion

Il est certain que les représentations du patient ont un effet important sur son comportement et que ces représentations correspondent rarement à celles du médecin. Il est certain également que des représentations fausses peuvent avoir un effet néfaste sur le patient. Le médecin doit donc connaître les représentations de son patient et s'assurer, s'il est convaincu que ces représentations sont nuisibles, de les faire concorder avec les siennes. Nous proposons d'ailleurs au médecin un petit guide d'entrevue qui lui permettra d'aider le patient à bien se représenter sa maladie (voir l'encadré 4.1).

Comment le médecin peut-il en arriver à connaître les représentations du patient? Deux principales approches ressortent de la recherche et de la littérature spécialisée pour y arriver: l'analyse qualitative en profondeur du discours; l'utilisation de questionnaires. Toutefois, ces techniques, d'utilisation courante dans le cadre de recherches, se prêtent mal à un usage habituel en médecine clinique: dans la plupart des cas, le médecin n'a pas le temps de se livrer à une telle analyse des représentations de son patient. Que faire alors?

Déjà, la lecture du présent chapitre devrait sensibiliser le médecin à différentes perspectives qui s'écartent du modèle biomédical. Encore une fois, il est important de garder à l'esprit que les représentations profanes, quelles qu'elles soient, ont toujours une organisation, une dynamique et une fonction. À cet égard, il ressort que le SRM offre une excellente vue d'ensemble de la place qu'occupent les représentations dans le processus de construction de sens que le patient effectue, des principaux éléments qui constituent ces représentations et des fonctions que celles-ci revêtent.

Quand le médecin veut connaître les représentations que le patient entretient par rapport à la maladie, l'IPQ est sans doute, à l'heure actuelle, l'instrument le plus adéquat. Comme nous l'avons vu, l'IPQ permet, entre autres, de connaître les représentations que se font en général les personnes par rapport à telle ou telle maladie. Il faut souhaiter que les recherches portant sur la connaissance des représentations profanes liées à des maladies précises à l'aide de l'IPQ se multiplient, ce qui pourrait constituer un réservoir de connaissances utiles dans le domaine. Ce projet est d'autant plus réalisable que l'IPQ se prête aux modifications nécessaires pour obtenir de l'information sur des maladies particulières. Par ailleurs, l'administration intégrale de l'IPQ à un patient peut s'avérer fastidieuse dans la pratique médicale. Deux autres possibilités s'offrent au médecin: utiliser l'IPQ comme un canevas pour orienter ses questions et ainsi mieux connaître les représentations de son patient; utiliser une version abrégée du questionnaire, de façon à pouvoir assimiler plus rapidement les informations fournies par le patient.

Bien sûr, la prise en considération des représentations du patient exige des efforts, mais, pour toutes les raisons énumérées au début du chapitre, il nous semble que ces efforts sont amplement compensés par les bénéfices que le patient *et* le médecin en tirent.

Notes

1. Dans l'expression *représentations profanes*, l'adjectif renvoie vraiment à ce qu'on appelle en psychologie l'imagerie populaire ou les représentations mentales communes. Ce glissement de sens s'est produit, probablement sous l'influence de l'anglais, par opposition aux spécialistes d'un domaine et par analogie avec les gens profanes, c'est-à-dire, dans le contexte, non initiés à la médecine. Une représentation profane se rapporte donc généralement à un individu qui n'a pas de connaissances particulières en médecine.
2. Au sujet du rôle d'Internet dans l'information du patient, lire le chapitre 27, intitulé « L'influence de l'Internet sur la communication médecin-patient ».
3. Lire le chapitre 21, intitulé « Les patients aux plaintes physiques inexpliquées ».
4. On peut définir l'effet Pygmalion comme suit : la croyance à la venue d'un événement chez un individu touché par une situation donnée modifie son comportement de telle sorte que la probabilité de l'événement augmente.

Références

Ajzen, I. (1988). *Attitudes, personality, and behavior*, Chicago (Illinois), Dorsey Press.

Ajzen, I., et M. Fishbein (1980). *Understanding attitudes and predicting social behavior*, Englewood Cliffs (New Jersey), Prentice Hall.

Barondess, J.A. (1979). « Disease and illness : A crucial distinction », *The American Journal of Medicine*, vol. 66, n° 3, p. 375-376.

Baumann, B. (1961). « Diversities in conceptions of health and physical fitness », *Journal of Health and Human Behavior*, vol. 2, p. 39-46.

Bauman, L.J., L.D. Cameron, R.S. Zimmerman et H. Leventhal (1989). « Illness representations and matching labels with symptoms », *Health Psychology*, vol. 8, n° 4, p. 449-469.

Becker, M.H. (1974). *The health belief model and personal health behavior*, Thorofare (New Jersey), Charles B. Slack.

Bishop, G.D. (1991). « Understanding the understanding of illness : Lay disease representations », dans *Mental representation in health and illness*, sous la direction de J.A. Skelton et R.T. Croyle, New York, Springer-Verlag, p. 32-59.

Bishop, G.D. (1998). « Cognitive organization of disease concepts in Singapore », *Psychology and Health*, vol. 13, p. 121-133.

Boyle, C.M. (1970). « Differences between patients' and doctors' interpretations of common medical terms », *British Medical Journal*, vol. 2, p. 286-289.

Brody, E.M., et M.H. Kleban (1981). « Physical and mental health symptoms of older people : Who do they tell ? », *Journal of the American Geriatrics Society*, vol. 29, p. 442-449.

Cialdini, R.B., et M.R. Trost (1998). « Social influence : Social norms, conformity and compliance », dans *The handbook of social psychology*, sous la direction de D.T. Gilbert, S.T. Fiske et G. Lindzey, 4e édition, New York, McGraw-Hill, vol. 2, p. 151-192.

Croyle, R.T., et J.B. Jemmott (1991). « Psychological reactions to risk factor testing », dans *Mental representation in health and illness*, sous la direction de J.A. Skelton et R.T. Croyle, New York, Springer-Verlag, p. 85-107.

Davison, K.P., et J.W. Pennebaker (1997). « Virtual narratives : Illness representations in online support groups », dans *Perceptions of health and illness : Current research and applications*, sous la direction de K.J. Petrie et J.A. Weinman, Amsterdam, Harwood Academic, p. 463-486.

DiMatteo, M.R. (1991). *The psychology of health, illness and medical care : An individual perspective*, Pacific Grove (Californie), Brooks/Cole.

Direction générale de la santé de la population et de la santé publique (2000). « Six conceptions erronées courantes de la vaccination », Santé Canada, document Web (www.hc-sc.gc.ca/pphb-dgspsp/dird-dimr/index_f.html).

Donovan, H.S., et S.Ward (2001). « A representational approach to patient education », *Journal of Nursing Scholarship*, vol. 33, n° 3, p. 211-216.

Easterling, D.V., et H. Leventhal (1989). « The contribution of concrete cognition to emotion : Neutral symptoms as elicitors of worry about cancer », *Journal of Applied Psychology*, vol. 74, p. 787-796.

Freidson, E. (1970). *Profession of medicine : A study of the sociology of applied knowledge*, Chicago (Illinois), University of Chicago Press.

Furze, G., A. Roebuck, P. Bull, R.J.P. Lewin et D.R. Thompson (2002). *A comparison of the illness beliefs of people with angina and their peers : A questionnaire study*, BMC Cardiovascular Disorders, document Web (www.biomedcentral.com/1471-2261/2/4).

Harris Interactive (2002). « The use and abuse of antibiotics : Surprise ! Most people are reasonably well informed », *Health Care News*, vol. 2, n° 2, version électronique en format PDF (www.harrisinteractive.com/news/newsletters_healthcare.asp).

Helman, C.G. (1978). « "Feed a cold, starve a fever" : Folk models of infection in an English suburban community, and their relation to medical treatment », *Culture, Medicine and Psychiatry*, vol. 2, n° 2, p. 107-137.

Herzlich, C. (1975). *Santé et maladie : analyse d'une représentation sociale*, 2e édition, Paris, Mouton.

Jayne, R.L., et S.H. Rankin (2001). « Application of Leventhal's self-regulation model to Chinese immigrants with type 2 diabetes », *Journal of Nursing Scholarship*, vol. 33, n° 1, p. 53-59.

Keller, M.L., H. Leventhal, T.R. Prohaska et E.A. Leventhal (1989). « Beliefs about aging and illness in a community sample », *Research in Nursing and Health*, vol. 12, p. 247-255.

Lau, R.R. (1988). « Beliefs about control and health behavior », dans *Health behavior : Emerging research perspectives*, sous la direction de D.S. Gochman, New York, Plenum Press, p. 43-63.

Lau, R.R. (1997). « Cognitive representations of health and illness », dans *Handbook of health behavior research, vol. 1 : Personal and social determinants*, sous la direction de D.S. Gochman, New York, Plenum Press, p. 51-69.

Lau, R.R., T.M. Bernard et K.A. Hartman (1989). « Further explorations of common-sense representations of common illness », *Health Psychology*, vol. 8, n° 2, p. 195-220.

Leventhal, H., Y. Benyamini, S. Brownlee, M. Diefenbach, E.A. Leventhal, L. Patrick-Miller et C. Robitaille (1997). « Illness representations : Theoretical foundations », dans *Perceptions of health and illness : Current research and applications*, sous la direction de K.J. Petrie et J.A. Weinman, Amsterdam, Harwood Academic, p. 19-45.

Leventhal, E.A., et M. Crouch (1997). « Are there differences in perceptions of illness », dans *The patient's perception of illness and treatment : Current research and applications*, sous la direction de J. Weinman et K. Petrie, Londres, Harwood Academic, p. 77-102.

Leventhal, H., et M. Diefenbach (1991). « The active side of illness cognition », dans *Mental representation in health and illness*, sous la direction de J.A. Skelton et R.T. Croyle, New York, Springer-Verlag, p. 247-272.

Leventhal, H., M. Diefenbach et E.A. Leventhal (1992). « Illness cognition : Using common sense to understand treatment adherence and affect cognition interactions », *Cognitive Therapy and Research*, vol. 16, p. 143-163.

Leventhal, H., D.V. Easterling, H. Coons, C.M. Luchterhand et R.R. Love (1986). « Adaptation to chemotherapy treatments », dans *Women with cancer*, sous la direction de B. Andersen, New York, Springer-Verlag, p. 172-203.

Leventhal, H., D. Meyer et D. Nerenz (1980). « The common sense representation of illness danger », dans *Contributions to medical psychology*, sous la direction de S. Rachmann, New York, Pergamon Press, vol. 2, p. 7-30.

Leventhal, H., et D. Nerenz (1985). « The assessment of illness cognition », dans *Measurement strategies in health psychology*, sous la direction de P. Karoly, New York, John Wiley, p. 517-555.

Leventhal, H., D. Nerenz et D.J. Steele (1984). « Illness representations and coping with health threats », dans *Handbook of psychology and health*, vol. 4 : Social psychology and health, sous la direction de A. Baum, S.E. Taylor et J. Singer, Hillsdale (New Jersey), Lawrence Erlbaum Associates, p. 219-252.

Maeland, J.G., et O.E. Havik (1987). « The effects of an in-hospital educational programme for myocardial infarction patients », *Scandinavian Journal of Rehabilitation Medicine*, vol. 19, p. 57-65.

McKinlay, J.B. (1973). « Social networks, lay consultation and help-seeking behavior », *Social Forces*, vol. 51, p. 275-292.

Meyer, D., H. Leventhal et M. Gutmann (1985). « Common-sense models of illness : The example of hypertension », *Health Psychology*, vol. 4, n° 2, p. 115-135.

Moscovici, S. (1961). *La psychanalyse, son image et son public : étude sur la représentation sociale de la psychanalyse*, Paris, PUF.

Moss-Morris, R., J. Weinman, K.J. Petrie, R. Horne, L.D. Cameron et D. Buick (2002). « The Revised Illness Perception Questionnaire (IPQ-R) », *Psychology and Health*, vol. 17, p. 1-16.

Ogden, J. (2000). *Health psychology : A textbook*, 2e édition, Philadelphie (Pennsylvanie), Open University Press.

Pennebaker, J.W. (1982). *The psychology of physical symptoms*, New York, Springer-Verlag.

Petrie, K.J. (2001). *Chronic fatigue syndrome*, Florence (Kentucky), Routledge.

Pill, R., et N.C. Stott (1982). « Concepts of illness causation and responsibility : Some preliminary data from a sample of working class mothers », *Social Science and Medicine*, vol. 16, n° 1, p. 43-52.

Plous, S. (1993). *The psychology of judgment and decision making*, New York, McGraw-Hill.

Powell, P., R.P. Bentall, F.J. Nye et R.H.T. Edwards (2001). « Randomised controlled trial of patient education to encourage graded exercise in chronic fatigue syndrome », *British Medical Journal*, vol. 322, p. 1-5.

Radley, A. (1994). *Making sense of illness : The social psychology of health and disease*, Londres, Sage Publications.

Rosenstock, I.M. (1974). « Historical origins of the Health Belief Model », *Health Education Monographs*, n° 2, p. 328-335.

Rosenstock, I.M., V.J. Strecher et M.H. Becker (1988). « Social learning theory and the Health Belief Model », *Health Education Quarterly*, vol. 15, p. 175-183.

Roth, H.P. (1979). « Problems in conducting a study of the effects of patient compliance of teaching the rationale for antacid therapy », dans *New directions in patient compliance*, sous la direction de S.J. Cohen, Lexington (Massachusetts), Lexington Books, p. 111-126.

Salloway, J.C., J.C. Dillon et P.B. Dillon (1973). « A comparison of family networks and friend networks in health care utilization », *Journal of Comparative Family Studies*, vol. 4, n° 1, p. 131-142.

Sanders, G.S. (1982). « Social comparison and perceptions of health and illness », dans *Social psychology of health and illness*, sous la direction de G.S. Sanders et J. Suls, Hillsdale (New Jersey), Lawrence Erlbaum Associates, p. 129-157.

Scottish Intercollegiate Guidelines Network (2002). *Cardiac rehabilitation – Section 2 : Psychological and educational interventions*, SIGN Publication n° 9, document Web (www.show.scot.nhs.uk/sign/guidelines/fulltext/57/section2.html).

Skelton, J.A., et R.T. Croyle (sous la direction de) (1991a). *Mental representation in health and illness*, New York, Springer-Verlag.

Skelton, J.A., et R.T. Croyle (1991b). « Mental representation, health, and illness : An introduction », dans *Mental representation, health, and illness*, sous la direction de J.A. Skelton et R.T. Croyle, New York, Springer-Verlag, p. 1-9.

Taylor, S.E., R.R. Lichtman et J.V. Wood (1984). « Attributions, beliefs about control, and adjustment to breast cancer », *Journal of Personality and Social Psychology*, vol. 46, n° 3, p. 489-502.

Twaddle, A.C. (1969). « Health decisions and sick role variations : An exploration », *Journal of Health and Social Behavior*, vol. 10, n° 2, p. 105-115.

Ward, S.E., N. Goldberg, B. Miller-McCauley, C. Mueller, A. Nolan, D. Pawlik-Plank, A. Robbins, D. Stormoen et D.E. Weissman (1993). « Patient-related barriers to management of cancer pain », *Pain*, vol. 52, n° 3, p. 319-324.

Weinman, J., K.J. Petrie, R. Moss-Morris et R. Horne (1996). « The Illness Perception Questionnaire : A new method for assessing the cognitive representation of illness », *Psychology and Health*, vol. 11, p. 431-445.

Zola, I.K. (1966). « Culture and symptoms : An analysis of patients' presenting complaints », *American Sociological Review*, vol. 31, p. 615-630.

Zola, I.K. (1973). « Pathways to the doctor : From person to patient », *Social Science and Medicine*, vol. 7, p. 677-689.

PARTIE

2

L'entrevue

Les modèles de relation médecin-patient

Lise Giroux

CHAPITRE 5

Dans les chapitres précédents, les principales théories de la communication et les éléments essentiels à la communication ont été présentés et illustrés à l'aide d'exemples issus de la pratique médicale. Dans le présent chapitre, nous abordons la relation médecin-patient dans une perspective théorique : nous décrivons les principaux modèles de cette relation et nous en faisons une analyse critique.

Dans un premier temps, nous examinerons les notions de modèle et de modèle professionnel, pour préciser leurs fonctions et les éléments nécessaires à leur construction. En médecine, ce sont les modèles de relation médecin-patient qui servent de modèles professionnels et ce sont les épisodes de soins[1] et les entrevues qui sont modélisés. Dans un deuxième temps, nous décrirons les trois principaux modèles d'interaction médecin-patient. Enfin, nous terminerons ce tour d'horizon en examinant les autres modèles ou approches de la relation médecin-patient qui ont cours dans la pratique médicale.

Qu'est-ce qu'un modèle de relation médecin-patient ?

L'expression *relation médecin-patient* est très courante dans la littérature médicale. Au premier abord, on peut donc trouver pour le moins étrange le fait de se demander en quoi consiste un modèle d'une telle relation. Cependant, en examinant de plus près les différentes significations de l'expression, on constate aisément qu'elle renvoie tantôt à des styles d'interaction ou à des catégories d'entrevues, tantôt à diverses typologies. Pour comprendre ces variantes sémantiques et mieux saisir leur portée, nous préciserons d'abord les concepts de modèle et de modèle professionnel, avant d'analyser ce qui, dans la relation médecin-patient, peut être modélisé.

Les sortes de modèles et leurs fonctions

Selon Legendre (1993, p. 857), un modèle est une représentation fonctionnelle, simplifiée, organisée et plus ou moins structurée d'une classe d'objets ou de phénomènes, qui se fait à l'aide de symboles et dont l'analyse devrait permettre une compréhension accrue du phénomène et la formulation de nouvelles hypothèses de recherche. Dans cette optique, un modèle d'une profession est une conception, une représentation structurée, fonctionnelle, tout en étant simplifiée, des caractéristiques de cette profession, de ses registres d'intervention et de ses contextes de pratique.

Il existe deux grandes familles de modèles :

- les modèles concrets d'objets matériels (maquettes et prototypes), qui ne s'appliquent pas à notre propos ;
- les *modèles conceptuels*, qui comprennent les modèles iconiques, analogiques et théoriques.

Les *modèles iconiques* font appel à une représentation graphique du phénomène étudié : la figure 5.1 est un exemple de ce que pourrait être un modèle iconique d'une consultation médicale. Évidemment, pour être vraiment un modèle de consultation, ce genre de schéma doit être accompagné d'explications qui permettent d'en comprendre le sens et la portée. Par exemple, il faudrait préciser : 1) que la conception de la relation est biaxiale (axe du médecin et axe du patient) ; 2) que la compétence disciplinaire renvoie à la capacité d'élaborer un diagnostic juste et un plan de traitement approprié ; 3) que la compétence relationnelle englobe l'ensemble des échanges interpersonnels, c'est-à-dire qu'elle concerne autant le médecin que le patient ; 4) que le motif de consultation est en relation avec un problème de santé (malaise, symptôme, maladie).

Figure 5.1 **Un modèle iconique de consultation médicale**

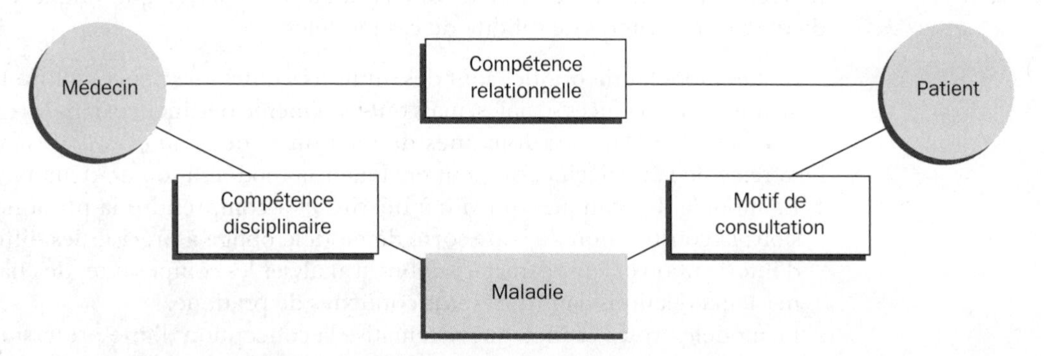

Les *modèles analogiques* se fondent sur des ressemblances, des similitudes, voire des métaphores. On exploite souvent l'analogie *pour faire comprendre*, surtout en éducation. Par exemple, en biologie, on compare la circulation sanguine au circuit de distribution d'eau potable dans une ville. En médecine, on utilise l'analogie de la négociation d'un contrat pour faire ressortir la nature du dialogue médecin-patient, ou encore l'analogie de la relation parent-enfant ou vendeur-consommateur pour illustrer certains genres d'interaction médecin-patient (voir le tableau 5.2). Dans quelles conditions une analogie se transforme-t-elle en modèle ? À notre connaissance, il n'y a actuellement pas de réponse précise à cette question dans la littérature sur le sujet.

Les *modèles théoriques* font appel à un processus de modélisation plus exigeant car, pour les construire, il est nécessaire :

- de décrire les composantes de base du phénomène ou du système à modéliser, c'est-à-dire tout ce qui constitue la partie structurale du modèle ;
- de préciser les relations spatiotemporelles (réelles ou hypothétiques) qui unissent ces composantes de base, de façon à décrire les différentes situations ou les différents états du système ; cette précision permet de comprendre l'évolution du phénomène ou du système et constitue l'aspect dynamique de la modélisation ;
- de déterminer la « topographie » du phénomène ou du système, c'est-à-dire l'ensemble des situations auxquelles le modèle peut s'appliquer, de même que ses limites d'application.

Ces trois éléments sont les ingrédients de base de tout modèle théorique. Dans la littérature spécialisée, on les appelle *aspect synchronique, aspect diachronique* et *champ d'application d'un modèle.*

À quoi servent les modèles conceptuels, en particulier les modèles théoriques ? Ce sont d'abord des productions mentales, des outils élaborés pour faciliter la compréhension et la communication d'un phénomène complexe, ce qui suppose au moins la définition et la description du phénomène en question. Ils ont aussi des fonctions complémentaires : expliquer, interpréter, prédire, prescrire ou explorer.

Ainsi, en sciences naturelles, les modèles scientifiques visent à expliquer et à prédire. Pour être jugés scientifiquement valables, ces modèles théoriques doivent contenir un élément supplémentaire : l'énonciation des règles de passage d'un état à un autre, c'est-à-dire les *relations causales* qui expliquent le fonctionnement du système et en prédisent les transformations de même que l'évolution. Leur capacité à rendre compte de la réalité, leur cohérence interne et leur pouvoir prédictif sont les critères de validité des modèles dans ce domaine. Par contre, en sciences humaines et en sciences sociales, les modèles ont surtout une fonction herméneutique (compréhension d'un phénomène à l'aide de sa description et de son interprétation) et une fonction heuristique (génération d'hypothèses à vérifier au cours de recherches ultérieures) ; c'est donc la valeur heuristique qui remplace le pouvoir prédictif dans les critères de validité de ces modèles.

Les modèles théoriques sont des outils très utiles en sciences naturelles, en sciences humaines et en sciences sociales, mais ont-ils la même pertinence dans les diverses *pratiques professionnelles*? Dans les domaines de l'action et des *pratiques professionnelles*, comme l'exercice de la médecine, on peut envisager la modélisation de deux façons:

1. Le modèle de pratique, qui vise à décrire et à comprendre la pratique d'une profession; la construction de cette sorte de modèle oblige à préciser les différents registres d'intervention et leurs caractéristiques, à analyser les composantes de chacun et à examiner leurs relations dans différents contextes de pratique.
2. Le modèle professionnel, qui systématise la conception d'une profession donnée.

Ces deux sortes de modèles ont évidemment une fonction heuristique-exploratoire importante pour la recherche, mais ils ont aussi une *fonction prescriptive*, en précisant ce qu'il est opportun de faire ou de ne pas faire. De plus, ces modèles semblent jouer un rôle important dans la formation professionnelle, en servant de cadre de référence aux étudiants dans l'apprentissage des caractéristiques de leur profession. Dans quelles professions de tels modèles existent-ils? Comment les élabore-t-on? Sont-ils utiles aux professionnels ou seulement aux théoriciens? C'est ce que nous examinerons, en nous concentrant sur les sciences de la santé.

Les modèles professionnels

Deux sources différentes révèlent l'existence de modèles professionnels: les réflexions théoriques sur les pratiques; les données empiriques issues des recherches sur les représentations qui existent dans les groupes sociaux. Ces travaux permettent de préciser ce qu'est, concrètement, un modèle professionnel. Sur le plan empirique, les études des représentations sociales propres à certaines professions ont mis en évidence l'existence de représentations professionnelles (Bataille, 1999; Blin, 1997; Mardellat, 1994; Morant, 1995; Piaser, 1999), dont certaines s'articulent pour former des *schémas organisateurs de la conception d'une profession.* Ces recherches s'appuient sur une approche socioconstructiviste[2] et tentent d'unifier le cognitif et le social, ce qui constitue, selon Schoenfeld (1999), une condition essentielle pour comprendre une pratique complexe comme celle de la médecine.

Dans ses travaux, Blin (1997, p. 80) définit un modèle professionnel comme un ensemble de représentations professionnelles qui forme un système organisé représentant ce que sont la profession et son activité. Chaque modèle regroupe des finalités, des conceptions, des valeurs, des attitudes et des schémas d'action, car ces éléments servent d'assises à l'approche professionnelle privilégiée par le groupe et permettent d'orienter les choix inhérents aux prises de décision et aux actions dans la pratique quotidienne.

Blin (1997) avance l'idée que l'identité professionnelle s'élabore autour d'un tel modèle professionnel (qu'il soit implicite ou explicite), puisque la conception de soi en tant que professionnel se construit par l'articulation des représentations des objets importants et des éléments du contexte de pratique. Il se constitue ainsi un réseau de *représentations qui est activé en situation d'interaction professionnelle.* En plus des fonctions de compréhension, d'exploration et de prescription mentionnées plus haut, les modèles professionnels auraient donc aussi une fonction identitaire, parce que ces outils conceptuels joueraient un rôle important dans l'*enculturation*[3] d'un individu à l'intérieur de sa profession, surtout durant la formation. Dans certains cas, les modèles professionnels occupent une place privilégiée dans le discours des associations et des ordres professionnels, parce qu'ils servent à transmettre les normes, les standards de pratique et les orientations souhaitées de la formation professionnelle initiale et continue (Giroux et Garnier, 2001). En servant ainsi de véhicule à la conception dominante de la profession à une époque donnée, ces modèles contribueraient au processus de professionnalisation et au maintien de l'identité professionnelle tout au long de la vie professionnelle.

Dans cette optique, les modèles professionnels ne sont pas que des outils conceptuels, mais ils constituent aussi des courroies de transmission de l'idéologie dominante. Comme Morin (1991) le souligne, l'évolution des connaissances et l'élaboration de modèles conceptuels sont des processus sociaux qui sont situés historiquement. Ils s'insèrent dans des systèmes d'idées, c'est-à-dire dans des ensembles organisés, structurés et hiérarchisés, selon le schéma suivant :

Concepts ↔ Réseau conceptuel ↔ Modèle conceptuel ↔ Théorie ↔ Paradigme

Dans ce processus, les idées et les concepts s'organisent en réseaux de plus en plus vastes et imbriqués les uns dans les autres, jusqu'à produire un paradigme, qui est une conception, une vision globale du monde. Bien que le plus souvent implicite, cette vision est sous-jacente à tout système d'idées, toute construction mentale, tout discours. Pour Morin (1991, p. 215), le paradigme est infralogique, prélogique et supralogique. C'est le paradigme qui détermine l'ensemble des étapes des processus de conceptualisation et de modélisation, à partir de la sélection des composantes et des concepts jusqu'à la détermination des catégories, des hiérarchies et des normes de recevabilité et de validité du modèle. L'évolution des modèles professionnels refléterait donc soit des changements de paradigme, soit des transformations importantes des conceptions de la pratique professionnelle.

Les modèles professionnels en sciences de la santé

En sciences de la santé, les études empiriques ont mis en évidence la présence de réseaux structurés de représentations professionnelles, en particulier chez les infirmières (Guimelli, 1994 ; Guimelli et Reynier, 1999). De plus, les modèles conceptuels issus des réflexions théoriques occupent une place importante dans la littérature portant sur cette profession. En effet, l'évolution des sciences infirmières au cours de ces dernières décennies a été marquée par l'importance accordée à la réflexion théorique (George, 1990 ; Kérouac, Pepin, Ducharme, Duquette et Major, 1994), ce qui a suscité l'apparition de nombreuses conceptions des soins dans cette discipline. De celles-ci se dégagent trois principaux modèles professionnels, présentés dans le tableau 5.1.

Ces modèles professionnels sont fondés sur trois concepts considérés comme centraux dans la pratique des soins infirmiers, soit la personne, la santé et l'environnement. En attribuant des connotations différentes à chacun des trois concepts centraux, on a créé des conceptions différentes des soins infirmiers, conceptions qui se transposent dans la pratique sur le terrain par des approches différentes. Par exemple, dans le modèle dit médical, la démarche infirmière (*nursing process*) consiste d'abord à établir des diagnostics de soins infirmiers et ensuite à préparer un plan de soins infirmiers. Le modèle psychosocial met plutôt l'accent sur la relation d'aide et de soutien au moyen de l'interaction humaine, tandis que le modèle d'autonomisation, avec sa conception holistique de la personne, accorde la primauté à l'éducation, de façon à rendre le patient autonome. Les concepts utilisés par les théoriciennes pour construire ces modèles professionnels ne sont pas des termes spécialisés à caractère technique ou scientifique : ils font référence au domaine (la santé) et aux buts visés par la pratique (la personne et son environnement). Bien qu'ils soient issus de réflexions théoriques, ces modèles conceptuels correspondent à la définition, proposée par Blin (1997), d'un modèle professionnel établi à partir des données empiriques obtenues sur le terrain, suivant les conceptions que se font les professionnels touchés.

Tableau 5.1 **Les trois principaux modèles conceptuels en sciences infirmières**

CONCEPTS FONDAMENTAUX	MODÈLE MÉDICAL	MODÈLE BIOPSYCHOSOCIAL	MODÈLE D'AUTONOMISATION
Personne	Organisme biologique	Être biopsychosocial	Personne capable d'autosoins
Santé	Absence de maladie	État de bien-être	Processus
Relation avec l'environnement	Milieu biologique	Adaptation à son environnement	Interaction bidirectionnelle personne-milieu
Soins infirmiers	*Curing* (faire quelque chose pour une personne)	*Caring* (prendre soin d'une personne, intervenir auprès d'elle)	Éducation en vue d'autonomiser (faciliter la prise en charge)
Perspective	Catégorisation (perspective unidimensionnelle)	Intégration (perspective multidimensionnelle)	Transformation (perspective globale)

On ne trouve pas, dans la littérature médicale, de *modèles professionnels articulés autour de trois ou quatre concepts centraux*, comme le sont ceux élaborés en sciences infirmières. Dans le domaine médical, c'est la notion de modèle de relation patient-médecin qui joue le rôle de modèle de pratique. De prime abord, les modèles relationnels de la médecine ressemblent à ceux des soins infirmiers, mais ils s'en distinguent parce qu'ils s'enracinent dans un seul concept : la maladie. Cependant, les conceptions de la maladie diffèrent d'un modèle à l'autre. Est-ce dû à la fragmentation du domaine de pratique en plusieurs spécialités, ce qui rend très difficile la construction de représentations professionnelles communes et l'élaboration de modèles professionnels représentatifs de l'ensemble des conceptions ou des activités propres à cette profession ? Cette diversité de la pratique permet de comprendre que les modèles professionnels en médecine sont des modèles de relation médecin-patient élaborés à l'aide de connotations différentes de la maladie. Les implications de cette approche ne sont toutefois pas négligeables.

En effet, utiliser dans la formation médicale des modèles de relation médecin-patient comme modèles de pratique implique que cette relation est la composante centrale de toute activité professionnelle en médecine, et ce pour toutes les spécialités et pour tous les médecins. Pour qu'ils puissent jouer le rôle de modèles professionnels, ces modèles relationnels devraient préciser et articuler les concepts centraux de la médecine comme profession. En dernière analyse, toute relation médecin-patient présente les trois caractéristiques communes et fondamentales suivantes :

1. C'est une relation professionnelle et elle est donc assujettie à des normes, à des standards spécifiés dans un code de déontologie qui balise l'exercice de la profession médicale.
2. Elle s'articule autour des problèmes de santé, réels ou appréhendés.
3. Son but ultime est de guérir le patient, de le soulager ou de favoriser son mieux-être.

Ces caractéristiques établissent le cadre général de toutes les relations professionnelles en sciences de la santé, mais elles ne sont pas assez précises pour permettre l'élaboration de modèles de relation médecin-patient et, a fortiori, de modèles professionnels ou de modèles de pratique médicale. Pour aller plus loin, il est nécessaire d'examiner davantage la signification de l'expression *relation médecin-patient*.

Les différents sens de l'expression *relation médecin-patient*

Si on tente de cerner davantage la notion de modèle de relation médecin-patient, on est aux prises avec une difficulté de taille, car l'expression *relation médecin-patient* est polysémique. Son sens prend en effet une connotation différente, selon le contexte :

1. La connotation thérapeutique : quand on considère les buts de la relation, l'expression est synonyme de *relation thérapeutique*, parce qu'il s'agit d'une relation qui vise à guérir le patient, à le soulager, à lui faire du bien.
2. La connotation temporelle de longue durée : considérée dans ses rapports avec le temps, la relation peut renvoyer à l'ensemble du processus relationnel qui s'établit progressivement entre un praticien et son patient à l'occasion d'une prise en charge, ce qui peut s'étendre sur quelques rencontres ou plusieurs années, voire sur une vie entière.
3. La connotation temporelle de nature ponctuelle : considérée dans ses rapports avec le temps, la relation peut désigner l'ensemble des interactions qui se produisent durant une consultation, une entrevue, une visite, un épisode de soins.

Quand on parle de modèle de relation médecin-patient, à laquelle de ces significations fait-on référence ? Existe-t-il des modèles relationnels correspondant à chacune de ces définitions ? Pour répondre à ces questions, il faut d'abord déterminer les caractéristiques propres à chaque signification et préciser ensuite dans quelle mesure ces caractéristiques peuvent servir de base à l'élaboration de modèles.

LA RELATION THÉRAPEUTIQUE

Si on considère le sens thérapeutique de l'expression *relation médecin-patient*, on peut dès lors déterminer trois caractéristiques essentielles de la relation interpersonnelle particulière qu'est la relation thérapeutique :

- la confiance ;
- l'acceptation de l'autre ;
- la capacité d'influence liée à la compétence.

La *confiance* est la première caractéristique essentielle à toute relation qui comporte des visées thérapeutiques. Elle ne repose pas sur des a priori généraux au sujet des communications interpersonnelles, comme la présomption que, jusqu'à preuve du contraire, notre interlocuteur est digne de confiance et ne vise pas délibérément à nous mentir ni à nous tromper. Dans la relation médecin-patient, la confiance initiale repose essentiellement sur le *caractère professionnel* de cette relation. En effet, lorsqu'un patient consulte un médecin pour la première fois, la confiance qu'il lui accorde se base sur *quatre postulats qui sont les préceptes centraux de l'éthique médicale et les composantes fondamentales du code de déontologie des médecins*. Ces postulats sont les suivants :

1. Le médecin possède la compétence et les connaissances nécessaires à l'exercice de la médecine ; si ce n'est pas le cas, la relation professionnelle est par le fait même absente, et le patient est trompé, qu'il en soit ou non conscient.
2. Le médecin traitera avec discrétion les informations fournies par le patient, en les considérant comme strictement confidentielles.

3. Le médecin maintiendra un cadre professionnel et une distance appropriée à la situation, malgré le caractère intime de l'examen médical.
4. Le médecin agira avec bienveillance, en proposant au patient des choix dans la seule recherche du mieux-être de ce dernier.

Conférée initialement au médecin en tant que *professionnel de la santé* par son permis d'exercer la médecine, la confiance devrait, dans une relation de longue durée entre un médecin et un patient, évoluer vers un lien de confiance personnalisé et mutuel entre *ce* médecin et *ce* patient, grâce à la communication interpersonnelle.

Deuxième caractéristique de toute relation thérapeutique, l'*acceptation de l'autre* repose également sur une bonne communication interpersonnelle. L'acceptation de l'autre devrait être mutuelle et son importance ressort davantage lorsqu'il y a des différences de culture ou de génération entre le médecin et son patient. Pour le praticien, ce n'est pas une approbation inconditionnelle des comportements du patient, mais plutôt un souci d'écoute et de compréhension de la personne, une prise en compte de ses souffrances et de sa vulnérabilité, même lorsque celles-ci sont peu manifestes, et une volonté de maintenir la relation interpersonnelle au-delà des incompréhensions et des divergences possibles. Pour le patient, l'acceptation de l'autre implique d'entrer dans l'univers de la médecine et d'en accepter les règles, ce qui oblige souvent à devoir subir des manipulations ou des interventions douloureuses ou agressantes et à accepter une perte relative d'intimité, voire, dans certains cas, la perte d'une partie de son corps malade. Dans le cadre normatif d'une relation professionnelle, l'ajustement à l'univers de l'autre et une compréhension mutuelle sont difficilement envisageables en l'absence d'une communication interpersonnelle adéquate entre le médecin et son patient.

Troisième caractéristique inhérente aux relations à visées thérapeutiques, la *capacité d'influence* est implicite, a priori dans toute relation d'aide, et a fortiori dans toute relation professionnelle, parce qu'elle fait appel à une compétence, à une expertise particulière qui amène le patient à consulter et, ultimement, à accepter l'influence que le médecin exerce dans *ce* contexte. Pour le praticien, la capacité d'influence est évidemment liée à son expertise de médecin (établir un diagnostic, proposer un plan d'investigation et de traitement, poser l'acte médical approprié), ce qui l'associe directement *au pouvoir décisionnel*. Le patient dispose aussi de la capacité d'influencer le travail du médecin : celle-ci est liée à la vision de la santé de cette personne et elle est tributaire de sa capacité à décrire adéquatement son problème et ses symptômes, à faire connaître ses attentes et ses valeurs, ainsi qu'à participer activement à la prise de décision concernant les soins requis. Par son acceptation ou son refus des recommandations de son médecin, le patient exerce finalement une influence déterminante sur le résultat concret de la consultation.

Plusieurs chercheurs ont examiné la relation médecin-patient sous l'angle du partage de pouvoir, en tentant de situer le locus décisionnel (ou locus de contrôle), c'est-à-dire la personne qui exerce le rôle prépondérant dans la prise de décision au cours d'une consultation médicale. Plusieurs auteurs (Szasz et Hollender, 1956 ; Botelho, 1992 ; Stewart et Roter, 1989 ; Roter et Hall, 1992 ; Girard et Grand'Maison, 1993 ; Emanuel et Emanuel, 1992) ont proposé une classification des différentes catégories de relation médecin-patient en utilisant le locus décisionnel comme principal ou seul critère et en établissant trois ou quatre catégories basées sur le degré de participation du patient. Ces catégories sont mutuellement exclusives et elles font souvent référence à des analogies avec d'autres modes de relation (exemples : le paternalisme, le mutualisme et le partenariat) ou, parfois, au mode communicationnel privilégié par le clinicien. Bien qu'elles reposent sur des nomenclatures différentes (voir le tableau 5.2), ces classifications sont très semblables d'un point

Tableau 5.2 **Les principales typologies d'entrevues selon le degré de contrôle exercé par le patient dans la prise de décision**

DEGRÉ DE CONTRÔLE EXERCÉ PAR LE PATIENT	SZASZ ET HOLLENDER (1956)	BOTELHO (1992)	ROTER ET HALL (1992)	EMANUEL ET EMANUEL (1992)	GIRARD ET GRAND'MAISON (1993)
Très faible, voire nul*	Passivité-activité	Autocratie		Paternalisme	Passivité-contrôle
De faible à moyen	Guide-coopération	Parentalisme	Parentalisme	Interprétation	Dépendance-expertise
De moyen à fort	Participation mutuelle	Partenariat égalitaire	Mutualité	Délibération	Coopération-partenariat
De fort à très fort		Autonomie	Consommateurisme	Information	Autonomie-facilitation

* En situation d'urgence, avec un patient inconscient non accompagné.

de vue conceptuel, puisqu'elles émanent essentiellement d'un *processus descriptif de catégorisation ancré sur la variation d'un seul trait, soit le locus décisionnel.*

Certains des auteurs qui se sont penchés sur la question utilisent le terme *modèle* pour désigner leurs catégories, mais celles-ci sont en fait des *types* de partage de pouvoir, décrits à l'aide de représentations analogiques : ces classifications sont donc des typologies, non des modèles professionnels, puisqu'elles ne lient pas entre eux des concepts de base de la pratique. Ce ne sont pas non plus des modèles théoriques, car, comme nous l'avons vu précédemment, la construction de tels modèles suppose : 1) de déterminer rigoureusement les principales composantes du phénomène qu'on veut modéliser et de sélectionner les composantes principales et les concepts clés (aspect synchronique) ; 2) de préciser une relation entre les composantes sélectionnées (aspect diachronique) ; 3) de montrer que cette présentation simplifiée du phénomène peut exprimer l'ensemble de ses occurrences, c'est-à-dire qu'elle couvre tout le champ d'application du modèle.

Les typologies présentées dans le tableau 5.2 ne sont pas inutiles, car elles facilitent la compréhension de l'un des aspects importants de la relation médecin-patient, soit le locus décisionnel. Ce processus de catégorisation peut toutefois produire des effets indésirables, comme la généralisation abusive, comme l'attribution a priori de jugements de valeur aux catégories d'entrevues, sans qu'on ne tienne compte des contextes de pratique, ou même comme la confusion entre typologie et modèle professionnel. Voyons en quoi consistent ces effets indésirables.

Au départ, on a élaboré ces typologies dans un contexte de recherche, par l'observation d'entrevues, d'épisodes de soins, en créant des catégories d'entrevues selon le locus décisionnel. L'étiquette d'une catégorie donnée a d'abord été accolée à l'interaction observable entre tel médecin et tel patient ; par la suite toutefois, ces catégories ont parfois été associées à des types de personnalité (médecin paternaliste ou autoritaire, patient autonome ou dépendant, etc.), d'où le glissement d'une catégorisation des entrevues à une catégorisation des personnes. Dans certains cas, une catégorie d'entrevue est devenue, par extension, l'étiquette du mode d'interaction d'un médecin avec tous ses patients. C'est ce que nous entendons par *généralisation abusive*: on passe d'une caractéristique d'entrevue à un trait de personnalité, pour en arriver à attribuer un style relationnel à un médecin.

Quant aux jugements de valeur attribués a priori aux catégories d'entrevues, il peut s'agir de la dévalorisation de certaines catégories, en fonction des valeurs dominantes du moment, ou encore de la surévaluation d'autres catégories, qu'on présente alors comme des prototypes parfaits. Par exemple, la relation égalitaire et l'approche négociée, idéalement souhaitables, paraissent être devenues dans certains milieux la panacée contre les difficultés et les maux de la relation, au détriment du contexte et des besoins personnels de chaque patient. Disposer d'une variété de styles d'entrevues n'est-il pas au contraire souhaitable… si on veut personnaliser la rencontre et adapter la relation à chaque situation ?

Par ailleurs, avec le temps, certaines de ces catégories sont devenues un peu caricaturales. Enfin, on en arrive à considérer certaines catégories de ces typologies comme de véritables modèles, au détriment d'une analyse plus approfondie des processus impliqués dans l'activité professionnelle et au détriment d'un travail de modélisation plus rigoureux de la relation médecin-patient.

Rappelons que la capacité d'influence, comme les deux autres caractéristiques d'une relation thérapeutique (la confiance et l'acceptation de l'autre), ne peut s'exercer que par la communication interpersonnelle et qu'elle est mutuelle, car l'expertise professionnelle du médecin est contrebalancée par l'expérience personnelle du patient, qui éprouve ses symptômes dans son propre corps. Dans une relation de longue durée, la capacité d'influence peut évoluer parallèlement à l'évolution de la confiance et de l'acceptation de l'autre. Ces trois caractéristiques sont des ingrédients essentiels à *toute relation qui comporte des visées thérapeutiques* et elles constituent un référent commun, quoiqu'il soit implicite, aux modèles de relation médecin-patient que nous décrirons plus loin. Dans le même esprit, Novack (1987) a proposé un ensemble de composantes et de stratégies communicationnelles qui semblent associées au caractère thérapeutique d'une rencontre, mais il ne les a pas organisées dans un modèle conceptuel et opérationnel d'une relation thérapeutique.

À notre connaissance, il n'existe pas de véritable modèle de relation thérapeutique dans un contexte médical, c'est-à-dire un modèle qui précise les relations entre les composantes nécessaires et suffisantes pour transformer une interaction médecin-patient en une relation réellement thérapeutique. On sait toutefois que la confiance et une bonne communication entre les partenaires sont des facteurs importants de la satisfaction du patient, de l'observance et, ultimement, des résultats de la rencontre.

Les caractéristiques fondamentales d'une véritable relation thérapeutique pourraient-elles être des éléments d'un modèle complexe, dans lequel elles participeraient à l'aspect synchronique, structural du modèle ? Leur évolution apparente les relierait-elle plutôt à l'aspect diachronique, évolutif d'un modèle de relation patient-médecin ? C'est ce que nous examinerons dans la section suivante.

LA RELATION DE LONGUE DURÉE ASSOCIÉE À LA PRISE EN CHARGE

Si on considère maintenant l'expression *relation patient-médecin* dans son sens de relation durable associée à la prise en charge d'un patient par un médecin, c'est évidemment la durée du processus relationnel, plutôt que ses visées, qui constitue le facteur important. Prise dans ce sens, l'expression renvoie à l'ensemble des interactions qui se produisent entre un praticien et un patient, tout au long de la prise en charge. L'aspect diachronique, évolutif, s'avère donc le plus important dans la construction du modèle.

Dans la prise en charge, la relation est alors essentiellement un *processus relationnel* marqué par le *passage du temps*, et ce processus peut être qualifié comme suit :

- évolutif ;
- dynamique ;

- à géométrie variable, fondamentalement asymétrique de nature, mais comportant des visées de coparticipation, si le patient désire participer à la prise de décision ;
- cumulatif, puisqu'il se construit de rencontre en rencontre au fil de la communication interpersonnelle ;
- mutuel, le médecin et le patient participant au processus de façon interdépendante ;
- en redéfinition continuelle, par appauvrissement ou par élargissement, par raffinement ou par transformation des rôles de chacun.

L'évolution de la relation s'inscrit alors dans une histoire de vie, autant pour le patient que pour le médecin. Inscrite dans la durée, la relation a un début et une fin, qui surviennent dans des circonstances très variées et qui dépendent d'événements plus ou moins fortuits, comme un déménagement, la retraite du médecin, etc.

La notion de prise en charge suppose des épisodes de soins multiples, qui se déroulent à intervalles variables et dont le nombre et la durée varient aussi, non seulement d'un patient à l'autre, mais selon la spécialité du médecin. De plus, l'évolution de la relation peut être influencée, positivement ou négativement, par des incidents très divers, qui peuvent n'avoir aucune relation avec la qualité de la communication entre le médecin et son patient. C'est pourquoi on peut dire que la communication est un élément indispensable à toutes les phases de la relation de prise en charge, mais que, paradoxalement, son évolution n'est pas entièrement réductible à celle-ci. À cause des nombreux éléments idiosyncrasiques qui l'influencent, il est pratiquement impossible de modéliser globalement ce processus évolutif. On peut cependant en dégager une orientation optimale, vers une personnalisation progressive d'interactions. En effet, comme nous l'avons mentionné précédemment, la confiance accordée initialement par le patient au médecin en tant que professionnel de la santé devrait évoluer, dans une relation de longue durée, vers un lien de confiance personnalisé, c'est-à-dire propre aux deux personnes touchées. Cette évolution n'est possible que si le médecin, au fil des rencontres : 1) apprend à connaître son patient, ses habitudes de vie, ses ancrages familiaux et sociaux, ses préoccupations, ses conceptions et ses valeurs ; 2) explique ses recommandations et discute des diverses solutions possibles afin de tenir compte de la personnalité, du style de vie et des attentes de son patient ; 3) respecte et soutient les choix de son patient.

Il peut alors s'établir entre le médecin et le patient une sorte de complicité, comme le soulignait ce patient de 86 ans, en parlant de son médecin de famille : « Il me connaît depuis plus de 20 ans ; il a soigné ma femme, mes filles et tous mes petits bobos durant tout ce temps. On n'a presque plus besoin de discuter, parce qu'il sait ce que je pense et ce que je désire pour ma santé. Même s'il est beaucoup plus jeune que moi, on est devenus complices, comme de vieux amis… »

LA RELATION PONCTUELLE AU COURS D'UN ÉPISODE DE SOINS

Voyons maintenant l'expression *relation médecin-patient* dans le sens de l'ensemble des interactions d'un praticien avec un patient au cours d'une consultation médicale ponctuelle. La majorité des écrits sur la relation médecin-patient lui attribuent surtout cette signification. Les auteurs ont examiné cette relation selon des cadres de référence et d'analyse très diversifiés. Par exemple, on l'a décrite à l'aide de notions d'interactions sociales (Henderson, 1935), de contrat social (Parsons, 1951) et de rôles multiples (Schneider, 1991), ce qui mettait l'accent sur sa dimension sociale. D'autres auteurs ont insisté sur les dimensions subjectives ou inconscientes des échanges, tantôt dans une perspective de relation d'aide (Carkhuff, 1969 ; Truax et Carkhuff, 1967), tantôt dans une perspective psychothérapeutique, en s'inspirant de l'entretien non directif de Rogers (Rogers et Kinget, 1966) ou du courant psychanalytique (Balint, 1957; Katz, 1984). Avec un ancrage philosophique, d'autres auteurs ont examiné les dimensions éthique, dialogique et phénoménologique de la relation médecin-patient (Brody, 1987; Abramovitch et Schwartz, 1992; Cassel, 1976; Toombs, 1987; Toombs, 1992). Enfin, Dufour-Gompers (1992) utilise plutôt un cadre de lecture éclectique. Malgré leur abondance, ces travaux n'ont mené ni à la construction de modèles professionnels ni à celle de modèles conceptuels de l'entrevue ou de la relation médecin-patient. Ils ont toutefois permis de déterminer les dimensions et les composantes principales de la relation médecin-patient considérée sous l'angle ponctuel.

En utilisant une approche centrée sur la tâche des médecins pendant une rencontre, d'autres auteurs (Cohen-Cole, 1991; Silverman, Kurtz et Draper, 1998) ont analysé les épisodes de soins, les ont décortiqués et les ont découpés en étapes et en sous-étapes. Ce type d'analyse procède d'une démarche réductionniste classique, par la segmentation de l'entrevue en unités élémentaires qui sont ensuite transposées en de multiples objectifs comportementaux qu'on insère dans une séquence. Cette démarche produit une liste de procédures à suivre et de choses à faire, c'est-à-dire un « procédurier ». Les actions que le médecin doit poser durant la rencontre y sont décrites par de longues énumérations de sujets à aborder, de choses à faire, de comportements observables et, donc, évaluables. En général, ces outils sont fort bien accueillis dans l'enseignement médical, où dominent actuellement la pensée instrumentale et les approches procédurales. Avec leurs listes d'opérations concrètes à réaliser en cours d'entrevue, ces procéduriers peuvent être de bons outils pédagogiques pour enseigner les habiletés communicationnelles de base. Ils sont, en tout cas, très utiles pour produire des grilles d'observation (*check lists*) destinées à évaluer les futurs médecins. Ce genre d'approche réductionniste a été vigoureusement critiquée par certains auteurs (Marinker, 1997).

Pourrait-on voir ces procéduriers comme des *opérationnalisations* d'un modèle conceptuel d'entrevue appliqué à la pratique de la médecine familiale? C'est peut-être le cas, mais la réalisation d'un procédurier ne peut pas remplacer les modèles professionnels élaborés grâce à la réflexion et à l'analyse approfondie de la pratique médicale – pratique qui ne se limite pas aux entrevues réalisées dans le cadre des soins de première ligne. Les procéduriers ne peuvent servir de schémas organisateurs de la pratique ni remplacer un modèle professionnel intégrateur. Il existe cependant, dans la littérature médicale, quelques modèles de relation médecin-patient qui proposent des conceptions ou des représentations plus ou moins formelles d'un épisode de soins. Ce sont eux qui sont maintenant le sujet de notre analyse.

Les principaux modèles de l'entrevue médicale

Dans la littérature médicale, on reconnaît actuellement trois principales approches relationnelles: le modèle biomédical, l'approche biopsychosociale et l'entrevue centrée sur le patient[4]. Ces modèles ont été formalisés à des époques différentes et ils ont été tour à tour le modèle de référence dans la formation médicale. L'approche biopsychosociale et l'entrevue centrée sur le patient semblent avoir été élaborées plus ou moins en réaction au modèle biomédical traditionnel; en effet, on oppose souvent les modèles centrés sur le médecin (le modèle biomédical) aux modèles centrés sur le patient (McWhinney, 1985). Cette tendance à opposer entre eux les modèles n'est pas propre à la médecine; elle est aussi présente dans d'autres professions (Jecker et Self, 1991). Toutefois, quand on examine attentivement les ancrages théoriques des trois principaux modèles en médecine, leur mise en opposition ne semble pas très justifiée, car l'approche biopsychosociale et l'entrevue centrée sur le patient intègrent les éléments de base du modèle biomédical. De plus, ces modèles sont tous, à juste titre, centrés sur la maladie (c'est-à-dire sur le problème de santé présenté par le patient), mais chacun met l'accent sur des dimensions différentes de l'expérience de la maladie. On devrait donc les considérer comme des modes d'intervention complémentaires plutôt que comme des approches opposées.

Pour faciliter leur comparaison, nous décrirons successivement ces trois modèles sensiblement de la même façon : leur origine, leurs fondements théoriques (ou paradigme d'ancrage), leur conception de la pratique médicale, la structure de l'entrevue, le style d'interaction et de communication qu'ils privilégient et, finalement, leurs avantages et leurs limites.

Le modèle biomédical

Depuis plus de 50 ans, le modèle biomédical a été l'objet de si nombreuses critiques qu'il est devenu presque gênant d'en parler de manière favorable. Pourtant, ses principaux éléments demeurent des composantes fondamentales de la formation et de la pratique médicales. Pour comprendre ce paradoxe apparent, il faut rappeler brièvement la genèse de ce modèle, ses fondements et son évolution. À la lumière de ces éléments, nous pourrons expliquer pourquoi, malgré ses limites, le modèle biomédical : 1) demeure largement utilisé ; 2) peut être appliqué intégralement dans certains contextes ; 3) est un élément incontournable de tous les modèles de relation médecin-patient.

L'ORIGINE

Selon McWhinney (1985, 1989), c'est en Europe, au XIXe siècle, qu'émerge ce modèle, à la suite de deux changements majeurs qui se sont produits dans la pratique médicale :

- le raffinement de l'examen physique à l'aide d'instruments, survenu grâce à la découverte et à l'emploi systématique du stéthoscope, ancêtre de toutes les technologiques complémentaires d'investigation clinique ;
- l'établissement des examens anatomopathologiques, qui permettent les corrélations clinicopathologiques.

Ces changements ont eu des conséquences majeures sur l'évolution de la médecine, car ils ont modifié, progressivement mais radicalement, les paramètres de référence de la nosologie et la conception même de la maladie que se faisaient les praticiens. Avant cette évolution, une maladie correspondait, pour le médecin, à un ensemble de symptômes exprimés par le patient et de signes physiques, qui consistaient surtout en des changements d'apparence, d'humeur ou de comportement rapportés par le patient ou par ses proches. Cette conception n'était pas très différente de celle des personnes qui n'étaient pas médecins. Le cadre nosologique était alors constitué par un ensemble de syndromes, chacun étant essentiellement un assemblage de signes et de symptômes. Grâce aux autopsies et aux corrélations clinicopathologiques, on a pu associer les syndromes à des lésions tissulaires, vérifier ces corrélations dans d'autres cas, puis émettre des hypothèses sur leurs mécanismes d'apparition, d'où l'émergence des notions de physiopathogénèse et de processus pathologiques expliquant l'apparition et l'évolution des maladies.

Ce passage d'une approche descriptive à une approche explicative de la maladie marque l'essor de la médecine contemporaine, car cette transformation a eu cinq conséquences principales :

- Les symptômes et les signes perdent progressivement leur primauté dans la classification descriptive des maladies : ils deviennent des indicateurs utiles à un premier travail de diagnostic différentiel. Poser un diagnostic ne se limite plus à reconnaître un ensemble de symptômes subjectifs et à les lier dans le tableau descriptif qu'est le syndrome : cet acte correspond désormais à transformer des *symptômes subjectifs* en *indices objectifs*. Les plaintes du patient ne sont alors pertinentes que dans la mesure où elles reflètent un processus pathologique responsable d'une maladie.

- On perçoit désormais la maladie comme un dérèglement de mécanismes physiologiques. Cette nouvelle conception confère à la maladie le statut de concept scientifique, concept qu'on pourra utiliser dans la recherche scientifique basée sur l'observation et la vérification. Au cours du XXe siècle, cela équivaudra à privilégier en médecine les méthodes déjà répandues en sciences naturelles (protocoles expérimentaux, essais cliniques randomisés à double insu, analyses quantitatives et méthodes statistiques d'analyse des résultats).
- L'établissement du diagnostic devient un processus d'investigation scientifique dans lequel les différentes hypothèses diagnostiques (diagnostic différentiel) doivent être confirmées (ou infirmées) par la présence d'indicateurs biologiques du processus pathologique ou de lésions tissulaires caractéristiques, d'où l'importance grandissante des méthodes d'investigation complémentaires.
- Le choix d'un traitement adéquat découle rationnellement du processus pathologique causal, de sorte que la compétence du médecin repose sur sa capacité à poser le bon diagnostic.
- La conception que se font les médecins du symptôme, de la maladie et du traitement se dissocie progressivement de la conception expérientielle et fonctionnelle des patients.

En associant une démarche rigoureuse d'investigation à cette conception physiopathologique de la maladie, on a pu non seulement construire un nouveau cadre nosologique, mais aussi concevoir la médecine comme une science appliquée. En corollaire de l'émergence de cette conception scientifique s'est développée une méthode de travail clinique appelée *démarche clinique.* Conçue comme un processus hypothético-déductif, celle-ci reproduit les étapes de la recherche scientifique, comme le montrent les deux séquences de la figure 5.2.

Figure 5.2 **Les similitudes entre la démarche scientifique et la démarche clinique**

Démarche scientifique
Collecte des données → Analyse des données → Résultats → Conclusions

Démarche clinique
Questionnaire + Examen → Raisonnement clinique → Diagnostic → Choix de traitement

C'est dans cette perspective que se structure l'*anamnèse.* Cette observation clinique réalisée à l'aide des antécédents médicaux, qu'on appelle couramment « histoire de cas » ou « histoire médicale » sous l'influence des expressions anglaises *case study* et *medical history,* acquiert sa forme actuelle vers 1880. L'anamnèse devient dès lors le moyen privilégié utilisé pour résumer et faire un compte rendu de la démarche clinique.

Si l'application de cette méthode s'était *limitée à la construction d'une nosologie scientifique* des maladies organiques, on ne parlerait probablement pas, de nos jours, de l'approche biomédicale comme d'un modèle ou d'un style de relation médecin-patient. Sa diffusion et son adoption comme *modèle de pratique* sont largement attribuables à l'organisation très centralisée de la formation médicale (l'American Association of Medical Colleges, qui détermine les standards, est un bon exemple de cette centralisation) et à l'importance qu'a eue le célèbre rapport Flexner dans le secteur de la médecine. Publié en 1910, ce rapport prônait une médecine scientifique et la mise en œuvre de programmes de formation médicale mettant l'accent sur l'enseignement des sciences fondamentales et cliniques. La démarche clinique inhérente à l'approche biomédicale correspondait tout à fait à ce qui était recherché. Cette conception est donc devenue *la* référence dans l'enseignement médical aux États-Unis et au Canada, non seulement parce qu'elle était pédagogiquement utile, mais aussi parce qu'elle a été, pendant des décennies, le *credo* imposé aux écoles de médecine pour que soient reconnus officiellement (« agréés ») leurs programmes de formation. La perpétuation et la généralisation de ce modèle tiennent évidemment, d'une part, au succès réel de l'approche et, d'autre part, à ses ancrages théoriques dans la conception positiviste des sciences qui prédominait dans la première moitié du XXe siècle.

L'ANCRAGE PARADIGMATIQUE

La vision du monde qui avait cours à l'époque où se développait le modèle biomédical comportait une idéalisation de la science comme une source de progrès continuel. L'épistémologie d'alors était dominée par le positivisme : les connaissances scientifiques étaient valables dans la mesure où elles pouvaient être vérifiées empiriquement. Ce sont aussi les méthodes de recherche, le type de causalité et les critères de scientificité reconnus en sciences naturelles (méthode expérimentale, causalité forte, approches quantitatives à visées prédictives) qui ont prévalu, car à cette époque les sciences humaines émergeaient à peine en tant que grandes disciplines scientifiques.

Sur le plan conceptuel, ce paradigme lié au positivisme correspond à une conception matérialiste et mécaniste du corps et de l'univers en général, un dualisme corps-esprit et un réductionnisme physique (Longino, 1997). Avec de telles prémisses, c'est le corps physique qui est le substrat anatomophysiologique de la maladie et, par conséquent, le locus de traitement. Le réductionnisme physique donne lieu à une approche analytique qui fractionne le phénomène à étudier en ses constituants les plus élémentaires, dans le but de déterminer des relations causales entre ces constituants. En biologie et en médecine, cette démarche conduit à décrire les mécanismes des maladies à des niveaux d'organisation de plus en plus élémentaires (physiopathologiques, biophysicochimiques, moléculaires, géniques, etc.), en fonction du degré de l'analyse rendue possible par les progrès technoscientifiques. Mais cette conception conduit aussi à négliger, voire à exclure, tous les déterminants associés aux niveaux supérieurs d'organisation, tels que les déterminants psychosociaux et culturels.

Comme le soulignait Engel (1977) à juste titre, le modèle biomédical est un modèle de méthode clinique ancré dans une conception positiviste de la science. Initialement conçu comme une sorte de devis utilisé dans l'élaboration d'une nouvelle nosologie, il s'est transformé en modèle d'entrevue, puis en modèle de pratique et, par extension, en modèle de relation médecin-patient. La conception de la maladie que ce modèle véhicule s'est aussi progressivement répandue et elle paraît être actuellement la représentation dominante dans notre milieu[5].

LA CONCEPTION DE LA PRATIQUE ET LES CRITÈRES DÉCISIONNELS

Dans le modèle biomédical, la conception de la pratique découle directement de la conception de la maladie qui lui est sous-jacente : une dysfonction organique. Le médecin est d'abord un expert, dont le rôle principal est d'établir un diagnostic correct, selon un processus formel, hypothético-déductif et analytique sur le plan du raisonnement, et en utilisant la démarche clinique comme méthode d'investigation. Le choix du traitement approprié résulte de ce processus rigoureux et se fonde sur des données scientifiques probantes.

La conception du médecin qui résulte de cette conception technoscientifique de la médecine est celle d'un scientifique neutre, objectif et détaché, suivant la conception positiviste de la science. S'il adopte intégralement le paradigme positiviste, le médecin est un expert qui privilégie les critères objectifs, les études randomisées, les approches technologiques ou pharmacologiques, les analyses quantitatives et les résultats des méta-analyses produisant des données probantes.

LA STRUCTURE DE L'ENTREVUE ET LE STYLE COMMUNICATIONNEL

C'est la démarche diagnostique qui constitue la structure de l'entrevue du modèle biomédical, de sorte que celle-ci prend généralement la forme d'une anamnèse classique, mais simplifiée en fonction du contexte. L'anamnèse est complétée par une période d'information et de discussion avec le patient, au sujet du plan d'investigation, de traitement et de suivi.

Suivant ce modèle, la communication médecin-patient est essentiellement vue comme un outil servant à recueillir et à transmettre des informations. Comme le premier rôle du médecin est de poser le diagnostic, il devient donc essentiel de caractériser le plus minutieusement possible les symptômes pour en faire des indicateurs pertinents dans l'établissement de ce diagnostic. Dans ce type de consultation, les médecins auraient tendance à orienter l'entrevue et à se focaliser sur ce qui contribue directement à alimenter leur raisonnement déductif conduisant au diagnostic. Pour des raisons d'efficacité, ils préfèrent les questions fermées, afin de rassembler le plus d'informations pertinentes. C'est pourquoi McWhinney (1985) émet l'idée que la consultation est alors centrée sur le médecin, même si elle est fondamentalement centrée sur le diagnostic de la maladie et sur le traitement du problème de santé du patient.

LES AVANTAGES ET LES LIMITES

La principale force du modèle biomédical est sa cohérence interne, tant en théorie qu'en pratique. Sur le plan conceptuel, la conception scientifique et physiopathogénique de la maladie offre non seulement un cadre explicatif logiquement satisfaisant, mais aussi une justification des choix thérapeutiques faits par le médecin. Ce cadre permet en effet au clinicien de se baser sur des données probantes, engendrées par des recherches rigoureuses dont les critères de validité sont objectifs et vérifiables au cours de recherches subséquentes. Sur le plan de la pratique, l'approche méthodologique du modèle biomédical découle de sa conception scientifique de la maladie et elle est directement liée à la fonction première du médecin: établir un diagnostic approprié. Cette tâche est non seulement un acte professionnel réservé, mais c'est ce qui distingue en premier lieu la médecine des autres professions des domaines de la santé, de l'éducation et des relations d'aide. De plus, ce sont ce cadre et cette approche méthodologique qui ont permis les réussites les plus marquantes de la médecine au cours du siècle dernier. Enfin, le champ d'application du modèle biomédical s'étend pratiquement à toutes les spécialités et à tous les contextes de pratique. Il constitue donc un modèle conceptuel unificateur, très utile en formation médicale, où il est d'ailleurs devenu l'axe central de presque tout le premier cycle dans la majorité des programmes de formation en médecine.

Les limites de ce modèle sont l'envers de la médaille de ses forces. Pour Engel (1977, 1980) et pour McWhinney (1985, 1989), cette approche néglige les aspects sociaux, culturels et fonctionnels de la maladie, et elle ignore totalement les dimensions subjectives de cette expérience. Toujours selon ces auteurs, le modèle biomédical est axé uniquement sur le corps biologique, voire le système ou l'organe malade, et il donne lieu à une surévaluation des données quantitatives, des aspects technologiques et des données probantes. On y privilégie le *curing* et les traitements, au détriment des soins, du *caring*, car il n'offre qu'un cadre très limité (habitudes de vie, antécédents médicaux personnels et familiaux) pour intégrer les facteurs psychosociaux de la maladie. Enfin, avec ce modèle on se préoccupe peu des attentes du patient, car on ne dispose d'aucun cadre, ni pour prendre en compte les conceptions populaires et les modèles explicatifs non scientifiques, ni pour situer la maladie dans l'histoire de vie du patient.

Ces critiques ont émergé progressivement, parallèlement aux résultats des recherches sur la relation médecin-patient, en particulier en anthropologie médicale, en communication, en sociologie et en psychologie de la santé. Elles se sont fait jour dans un contexte de remise en question du paradigme positiviste, ce qui a facilité l'émergence de modèles de remplacement, comme l'approche biopsychosociale.

L'approche biopsychosociale

L'ORIGINE

C'est à l'interniste et psychiatre Engel qu'on attribue la paternité de l'approche biopsychosociale. Dans un premier article devenu une référence majeure de cette approche, Engel (1977) insiste surtout sur les limites du modèle biomédical, qui ne prend pas en compte les facteurs sociaux, psychologiques et culturels de la maladie. L'auteur souligne avec force la nécessité d'un nouveau modèle, mais il ne remet pas en question les fondements théoriques du modèle biomédical ancré dans le paradigme positiviste ni la méthode clinique ou la structure classique des entrevues. Engel recommande alors aux médecins de connaître et d'utiliser rationnellement les données qui proviennent de l'anthropologie, de la sociologie et de la psychologie, afin de mieux interpréter les expressions subjectives, souvent ambiguës, que les patients emploient pour décrire leurs symptômes. Cet article est donc essentiellement une critique du modèle biomédical. L'auteur recommande d'ajouter de nouvelles perspectives à ce modèle grâce à l'apport de ce qu'on appelait souvent à l'époque les sciences du comportement, mais il ne propose pas de changement radical de paradigme.

L'ANCRAGE PARADIGMATIQUE

Très différent du premier, un deuxième article de Engel (1980) précise l'ancrage paradigmatique du modèle biopsychosocial, qu'il situe dans le paradigme systémique formalisé par Von Bertalanffy (1968). À l'intérieur de ce paradigme, l'univers est conçu comme un ensemble fortement hiérarchisé, composé de multiples systèmes s'emboîtant les uns dans les autres, à la manière des poupées russes. Chaque système correspond à un niveau d'organisation, c'est-à-dire à une configuration, stable dans le temps et dans l'espace, dotée d'une dynamique interne qui coordonne ses composantes et de frontières que traversent la matière et l'information. À l'époque où Engel publiait ses articles, cet apport théorique a été reçu très favorablement, particulièrement en biologie et en sciences biomédicales, car il permettait de remplacer la métaphore mécaniste du corps humain par une métaphore organiciste. Dans cette perspective, Engel (1980) propose explicitement d'*utiliser la structure hiérarchique du canevas systémique pour analyser l'influence des facteurs environnementaux et contextuels dans l'évolution d'une maladie*. Pour illustrer son approche, il présente une situation clinique assez complexe et il décrit le type de travail d'interprétation qu'il recommande.

LA CONCEPTION DE LA PRATIQUE ET LES CRITÈRES DÉCISIONNELS

La conception de la pratique médicale qui soutient l'approche biopsychosociale est tout à fait comparable à celle du modèle biomédical, car Engel (1977, 1980) insiste pour conserver l'approche hypothético-déductive et rationnelle du raisonnement clinique ainsi que les différentes étapes de la démarche clinique traditionnelle. Cependant, il propose d'élargir la vision du médecin, en incluant les données psychosociales et comportementales à la collecte des données. Sa pensée semble d'ailleurs avoir évolué en ce qui concerne les éléments psychosociaux à considérer. En effet, dans son article de 1977, Engel fait surtout référence au rôle et au statut social de malade, ce qui renvoie au volet social (*sickness*) de l'expérience de la maladie, alors qu'en 1980 il inclut un plus grand nombre d'aspects subjectifs (pensées, émotions, opinions). L'apport de Engel est donc essentiellement un élargissement de la conception de la maladie, par l'intégration des dimensions sociales et subjectives, négligées par le modèle biomédical.

LA STRUCTURE DE L'ENTREVUE ET LE STYLE COMMUNICATIONNEL

Engel ne décrit pas de manière détaillée la structure d'une entrevue médecin-patient établie selon l'approche biopsychosociale, mais il recommande d'ajouter systématiquement à l'anamnèse des données sur les déterminants psychosociaux, le style de personnalité et les pensées et émotions des patients. Il n'aborde pas non plus directement la communication entre médecin et patient, sauf pour mentionner l'importance de la prévention et de l'éducation dans la pratique médicale. Comme l'approche biopsychosociale s'arrime au paradigme scientifique, positiviste, la communication y conserve, selon Brody et Lansing (1999) la même fonction instrumentale que dans le modèle biomédical, où elle est réduite à un outil de collecte d'informations précises et rigoureuses, destinées à servir de données pertinentes au raisonnement clinique.

LES AVANTAGES ET LES LIMITES

Le principal apport du modèle biopsychosocial est la conception élargie, multidimensionnelle, de la maladie, ce qui a été perçu comme très innovateur et très pertinent en médecine. Par son ancrage systémique, le modèle biopsychosocial amène à concevoir le patient « comme un être social et émotif dont les interactions avec l'environnement physique et social agissent sur sa santé[6] » (Longino, 1997). Ce modèle est donc rapidement devenu *le* cadre de référence, surtout en médecine familiale, parce qu'il propose une conception du patient plus proche du vécu de ce type de pratique. Dans les années quatre-vingt, ce modèle a été adopté par plusieurs facultés de médecine, qui ont alors enrichi leur programme de formation par des contenus d'enseignement liés aux sciences du comportement.

Les principales limites de cette approche sont étroitement liées entre elles et se situent sur deux plans : le plan théorique et celui de l'opérationnalisation. Sur le plan théorique, bien que la conception multidimensionnelle de la maladie ait été innovatrice en médecine, la conceptualisation de ses composantes est demeurée assez floue, puisque l'approche regroupe, sous la dénomination *déterminants psychosociaux,* tout un ensemble de facteurs et d'éléments disparates :

- les facteurs socioéconomiques et comportementaux qui prédisposent aux maladies ;
- les effets concrets des maladies sur la vie sociale et relationnelle du patient, sur son fonctionnement dans les activités de la vie quotidienne et son identité ;
- les facteurs culturels qui influencent l'expression des symptômes et la représentation de la maladie ;
- sur un plan plus subjectif, les pensées, les opinions (incluant le modèle explicatif), les attentes et les émotions du malade.

Faute de précisions conceptuelles, les trois registres de l'expérience de la maladie (*disease, sickness* et *illness*) sont demeurés flous dans les écrits de Engel, si bien qu'en ajoutant quelques-uns de ces ingrédients à l'entrevue, on a pu prétendre adopter une approche biopsychosociale. Sur le plan conceptuel, la principale limite de l'approche est donc l'absence de vision globale, intégrative, de l'expérience de la maladie.

Sur le plan opérationnel, l'approche biopsychosociale de Engel est aussi très peu formalisée : elle est surtout une réflexion sur la maladie et la pratique médicale, assortie de quelques recommandations pratiques. Elle ne répond ni aux critères d'un modèle professionnel ni à ceux d'un modèle conceptuel structuré de la relation médecin-patient. De plus, l'approche biopsychosociale prend difficilement en compte les aspects éthiques et pragmatiques de la situation de soins, comme l'ont souligné Sadler et Hulgus (1990, 1992). Certains auteurs (Delbanco, 1992 ; Smith et Hoppe, 1991 ; Sadler et Hulgus, 1992) ont fait des suggestions pour faciliter l'arrimage de l'approche biopsychosociale et de la démarche clinique.

Malgré ses lacunes opérationnelles, l'approche biopsychosociale a montré qu'on pouvait transformer le discours sur la relation médecin-patient sans toucher à la démarche clinique ni écarter la structure de base de l'entrevue du modèle biomédical, ce qui a favorisé l'émergence de modèles de remplacement, dont le plus connu est l'approche centrée sur le patient. Cette approche corrige les limites conceptuelles du modèle médical et les lacunes opérationnelles de l'approche biopsychosociale, puisqu'elle propose un modèle bien structuré et intégrateur d'entrevue médicale, grâce à l'arrimage de la démarche clinique et d'une conception élargie de la maladie.

L'approche centrée sur le patient

Depuis les travaux de McWhinney (1985, 1989), ceux de Roter et Hall (1992), ceux de Stewart et Roter (1989) et, surtout, ceux de l'équipe de médecine familiale de l'Université de Western Ontario (Stewart et autres, 1995), l'approche centrée sur le patient est devenue un modèle d'entrevue bien structuré. Son origine et son ancrage paradigmatique sont toutefois plus difficiles à cerner que dans le cas de l'approche biopsychosociale.

L'ORIGINE

Dans le chapitre 6, intitulé « L'approche centrée sur le patient : diverses manières d'offrir des soins de qualité », les auteurs situent, à juste titre, l'origine de l'expression *médecine centrée sur le patient* dans les travaux de Balint (1957). Comme Engel, Balint proposait d'élargir le cadre du modèle biomédical pour prendre en compte la perspective du patient, mais il s'inspirait de son expérience et des études en psychothérapie plutôt que des recherches en sociologie, en anthropologie et en psychologie médicales. Comme Balint était psychanalyste, l'angle psychanalytique a fortement influencé sa réflexion : son analyse de la relation médecin-patient accorde donc une grande place aux notions de transfert, de contre-transfert et de conflit interne des patients et des médecins. Parce que la nosologie de la médecine et celle de la psychanalyse sont fondées sur des catégories de troubles physiopathologiques et psychopathologiques, Balint a proposé aux médecins d'établir un double diagnostic : le diagnostic biomédical de la maladie et un diagnostic plus global, qui tiendrait compte de la personne malade.

Cette proposition est très différente de celle de Rogers (1957) et de Rogers et Kinget (1966). Après avoir étudié les conditions essentielles aux changements personnels, Rogers faisait les deux recommandations suivantes aux thérapeutes : éviter de se focaliser sur l'établissement d'un diagnostic, comme dans le modèle biomédical ; laisser la place à l'expression de la personne qui consulte, en adoptant une attitude psychique d'ouverture et de réceptivité. Dans cette optique, le travail du praticien n'est plus de poser des diagnostics, mais de créer un climat de soutien et un espace de travail dans lequel la personne peut cheminer vers un changement souhaité. Rogers avait employé l'expression *centrée sur la personne* pour qualifier cette approche non directive d'entretien psychothérapeutique. Ancrée dans la perspective humaniste, qui accorde une valeur intrinsèque à la personne, l'approche rogérienne intègre aisément les valeurs, les principes éthiques et la notion d'empathie, sous-jacents aux relations à visées thérapeutiques, autant en médecine qu'en psychothérapie.

La distinction entre ces deux modes d'intervention est importante. En effet, pour établir un diagnostic, le clinicien doit faire un travail d'interprétation et de sélection des données pertinentes, et il doit aussi chercher à valider ses hypothèses diagnostiques par des signes, des critères objectifs en faisant appel à son expertise médicale, ce qui nécessite un *travail évaluatif constant*. Par contre, le travail de soutien du thérapeute suppose d'accueillir favorablement l'expérience du patient et de la valider comme *expérience subjective de la maladie*, sans porter de jugement sur sa valeur, ce qui demande de suspendre temporairement l'activité évaluative et, bien sûr, de ne pas profiter de la vulnérabilité du patient pour dominer la relation. La méthode clinique centrée sur le patient a-t-elle évolué selon la perspective de Balint ou selon celle de Rogers ? Pour répondre à cette question, on peut soit examiner les contributions des principaux concepteurs de l'approche centrée sur le patient[7], soit analyser l'ancrage paradigmatique des six préceptes fondateurs retenus par Stewart et autres (1995) pour opérationnaliser l'approche en médecine familiale. C'est la deuxième démarche que nous adoptons.

L'ANCRAGE PARADIGMATIQUE

Les six préceptes centraux de l'approche centrée sur le patient sont les suivants :

1. Explorer la maladie et l'expérience de la maladie vécue par le patient.
2. Comprendre la personne dans sa globalité biopsychosociale.
3. S'entendre avec le patient sur le problème, les solutions et le partage des responsabilités.
4. Valoriser la prévention et la promotion de la santé.
5. Établir et maintenir la relation médecin-patient.
6. Faire preuve de réalisme.

Comme le notent Côté et Hudon au chapitre 6 (« L'approche centrée sur le patient : diverses manières d'offrir des soins de qualité »), les trois premiers préceptes concernent la nature de la relation médecin-patient, tandis que les trois derniers précisent les orientations de la rencontre qui en découlent dans un contexte de pratique en médecine familiale. Ce sont donc surtout les trois premiers qui sont révélateurs des fondements de ce modèle.

Le premier précepte – explorer la maladie et l'expérience de la maladie vécue par le patient – est capital, puisqu'il précise le sens du mot *maladie* dans l'approche centrée sur le patient. La maladie est donc conçue comme un phénomène bipolaire, avec un aspect biopathologique (*disease*) et un aspect expérientiel (*illness*), qui concerne l'expérience vécue par la personne malade. Selon cette approche, on prescrit d'explorer ces deux aspects (Stewart et Roter, 1989 ; Stewart et autres, 1995). Comme le modèle biopsychosocial, cette approche correspond à une vision pluridimensionnelle de la maladie, mais elle met nettement l'accent sur ses aspects subjectifs, personnels, plutôt que sur les déterminants psychosociaux. De plus, la méthode centrée sur le patient précise clairement les dimensions à explorer :

- le modèle explicatif, qui renvoie à l'aspect cognitif et permet de cerner la compréhension que se fait le malade de son problème de santé ;
- la dimension affective, qui permet de cerner les préoccupations et les émotions du patient ;
- l'aspect fonctionnel, qui permet de comprendre les effets concrets du problème de santé dans la vie du patient, en particulier dans sa vie familiale, sociale et professionnelle ;
- les attentes du patient, par lesquelles il exprime ses valeurs.

Les partisans de l'approche centrée sur le patient veulent ainsi prendre en compte tous les aspects de l'expérience humaine. Cette conception permet une ouverture à l'apport des recherches qualitatives, d'autant plus qu'elle ne privilégie aucun des grands courants (pragmatisme, cognitivisme, phénoménologie, etc.) dans lesquels s'inscrivent ces recherches.

Le deuxième précepte – comprendre la personne dans sa globalité biopsychosociale – met en évidence l'influence du modèle biopsychosocial dans l'élaboration de l'approche centrée sur le patient. Les deux modèles sont basés sur la même conception de la personne, celle d'un système en interaction constante avec son milieu, ce qui met en relief leur ancrage commun dans le paradigme systémique.

Le troisième précepte – s'entendre avec le patient sur le problème, les solutions et le partage des responsabilités – sous-entend que le modèle intègre les perspectives de l'approche négociée.

Quant aux trois derniers préceptes, ils montrent en filigrane l'influence de la médecine communautaire, de l'école du *caring* et… du gros bon sens qui découle de l'expérience de la pratique et de ses contraintes !

Les fondements de l'approche centrée sur le patient ne s'enracinent pas dans un paradigme unique ou dominant, contrairement aux deux modèles précédents. Il s'agit plutôt d'une approche éclectique, puisqu'elle tente d'intégrer des dimensions venant d'horizons très diversifiés.

LA CONCEPTION DE LA PRATIQUE ET LA STRUCTURE DE L'ENTREVUE

Comme nous l'avons mentionné plus haut, le concept de maladie dans l'approche centrée sur le patient est bipolaire (*disease-illness*), mais le volet subjectif (*illness*) de l'expérience vécue est multidimensionnel, ce qui permet d'élargir le champ d'études de la relation médecin-patient et d'adopter une vision plus globale des soins. Cela permet aussi de concevoir une structure biaxiale de l'entrevue (voir la figure 5.1), un axe étant orienté vers le diagnostic de la maladie, l'autre concernant l'exploration du vécu de la personne malade. Dans le milieu médical, ou utilise souvent les expressions *agenda du médecin* et *agenda du patient* pour résumer les différences de perspectives qui sous-tendent ces deux axes de la relation médecin-patient.

Dans la collecte des données d'une entrevue centrée sur le patient, le médecin doit donc effectuer parallèlement deux investigations : la première conduira au diagnostic de la maladie, comme dans le cas de l'entrevue médicale traditionnelle ; la seconde permettra de comprendre l'expérience subjective de la maladie vécue par le patient, par l'exploration de son modèle explicatif, de ses préoccupations, de ses attentes et des conséquences de sa maladie sur sa vie (voir le tableau 5.3). Le praticien doit synthétiser les données de chacune des deux investigations, et en discuter avec le patient pour parvenir à les intégrer dans un plan d'action commun ou, au moins, acceptable par les deux parties. Cette conception biaxiale de l'entrevue est donc très semblable à celle proposée par Balint il y a près d'un demi-siècle.

Tableau 5.3 **La structure de l'entrevue centrée sur le patient**

ÉTAPES DE L'ENTREVUE	AXE I DIAGNOSTIC DE LA MALADIE (agenda du médecin)		AXE II EXPLORATION DU VÉCU DU PATIENT (agenda du patient)
Collecte des données	Questionnaire et examen physique usuels	INTÉGRATION	• Présentation du problème par le patient • Exploration par le médecin : – du modèle explicatif du patient – de ses préoccupations – de ses émotions – des conséquences de la maladie sur sa vie – de ses attentes
Analyse et synthèse des données	Diagnostic différentiel Investigation complémentaire au besoin ↓ Diagnostic		Synthèse des données ↓ Compréhension du patient
Résultats et conclusions	**Négociation d'un plan d'action commun** ↓		
Mise en œuvre du plan d'action	**Acte médical (traitement ou autre)** **Planification du suivi**		

LES CONSÉQUENCES SUR LA COMMUNICATION MÉDECIN-PATIENT

Dans une entrevue centrée sur le patient, la communication n'est pas seulement un outil de collecte et de transmission d'information, c'est aussi un moyen privilégié pour comprendre la perspective du patient et parvenir à intégrer les deux agendas dans un plan d'action commun. Cette étape de « coconstruction » paraît être un élément majeur de la satisfaction du patient, de sa motivation et de son observance. Dans ce modèle d'entrevue, la communication est aussi le principal outil de prévention, d'éducation et de promotion de la santé. La communication devient donc elle-même un outil majeur, puisqu'elle permet le passage d'un entretien qui comporte des visées diagnostiques à une relation thérapeutique.

Les tenants du modèle centré sur le patient privilégient évidemment une approche peu directive et l'emploi de questions ouvertes pour comprendre la perspective du patient et favoriser sa participation active à la rencontre. Au besoin, on peut cependant utiliser une approche plus directive et poser des questions fermées, en particulier lorsqu'il s'agit de préciser davantage les caractéristiques des symptômes décrits par le patient. Ce sont donc la flexibilité et la souplesse qui caractérisent le mieux le mode de communication correspondant à ce modèle.

LES AVANTAGES ET LES LIMITES

Comme le modèle biopsychosocial, l'approche centrée sur le patient offre une définition élargie de la maladie, mais elle se distingue de ce modèle par une conception bipolaire de la maladie (*disease-illness*) et par la place qu'elle accorde à la dimension subjective de cette expérience vécue par le patient. En outre, elle précise clairement les principaux aspects à explorer pour comprendre le vécu du patient.

Cette approche propose aussi une structure d'entrevue cohérente avec sa conception de la maladie, sans remettre en question la démarche clinique. Voilà l'un de ses apports importants, car cette structure d'entrevue est assez souple pour être adaptée à plusieurs contextes de la pratique médicale en soins de première ligne. En modulant l'importance accordée aux deux axes selon les différents aspects de l'expérience vécue par le patient, le médecin peut s'ajuster aux besoins de ce dernier et aux contraintes du contexte. Dans cette optique, le nom de l'approche – approche centrée sur le patient – est juste, même si c'est en réalité une approche centrée sur la maladie, au sens large du terme.

Un autre avantage de ce modèle est la possibilité d'inclure les composantes de l'entrevue centrée sur le patient dans les procéduriers dont nous avons parlé précédemment (Cohen-Cole, 1991 ; Cole et Bird, 2000 ; Silverman et autres, 1998), ce qui permet de produire des outils pédagogiques fort utiles dans l'enseignement des habiletés communicationnelles de base en formation médicale.

Le modèle centré sur le patient est un bon cadre général pour conceptualiser la relation médecin-patient dans un épisode de soins ; c'est aussi un bon modèle de méthode clinique, parce qu'il propose un modèle d'entrevue cohérent, structuré, tout en étant doté de la souplesse nécessaire pour son adaptation à plusieurs contextes. Il n'est donc pas étonnant qu'il soit de plus en plus utilisé comme modèle de référence dans la formation médicale. La transposition et l'opérationnalisation de ce modèle dans l'enseignement posent toutefois un certain nombre de problèmes, parce qu'il semble qu'on comprenne mal sa nature et ses limites. Voyons en quoi consistent ces problèmes.

D'abord, on oublie souvent de préciser les limites du champ d'application de l'approche centrée sur le patient. Dans ces cas, le modèle est présenté dans les programmes de formation comme *le seul ou le meilleur modèle de relation médecin-patient,* alors qu'il faudrait plutôt dire, comme nous l'avons vu, que c'est *un bon modèle d'entrevue dans un contexte de soins de première ligne.* En effet, McWhinney l'a conçu dans le contexte des soins de première ligne, à partir de l'analyse des interactions médecin-patient satisfaisantes de sa propre pratique médicale. L'approche centrée sur le patient résulte donc du repérage des composantes d'entrevues médicales réussies, de sorte que c'est l'aspect descriptif, synchronique, qui prédomine. L'aspect diachronique du modèle, soit les relations, la modulation et l'évolution dans le temps de ses composantes, n'a pas été formalisé. Bien sûr, quand on considère l'approche centrée sur le patient comme un modèle de relation médecin-patient, sans préciser le sens (thérapeutique, de longue durée ou ponctuel) auquel on se réfère, il s'agit d'une lacune. Cette lacune perd cependant son importance quand il s'agit de proposer un *modèle de structure d'entrevue,* c'est-à-dire de modéliser un épisode de soins *ponctuel.*

Une autre difficulté est liée à la transposition de ce modèle dans l'enseignement. Quand on enseigne les habiletés communicationnelles de base, on utilise généralement, comme outils pédagogiques et d'évaluation, des procéduriers et des grilles d'observation, comme ceux de Silverman et autres (1998). On passe alors d'un modèle conceptuel à un procédurier (c'est-à-dire une liste de procédures à suivre, de choses à faire, de comportements et d'attitudes à manifester), on passe d'une conception multidimensionnelle de la maladie à une perspective instrumentale et procédurale du travail du médecin au cours d'une entrevue. Ce passage de la théorie à la pratique soulève la question de l'arrimage de perspectives différentes entre elles, par exemple l'arrimage du *curing* et du *caring* ou celui du rôle évaluatif et de l'attitude réceptive, requis pour chacun des deux axes de la méthode proposée. Si on veut que ce modèle devienne plus qu'un mode d'entrevue parmi d'autres, il faudra préciser davantage son ancrage paradigmatique et analyser la compatibilité des différentes perspectives qu'il intègre, car toutes les conceptions éclectiques comportent un risque de rupture épistémologique entre des théories incompatibles, si on omet d'en analyser soigneusement les divergences.

Enfin, l'approche centrée sur le patient prend très peu en compte certains facteurs importants dans l'expérience de la maladie, car elle sous-estime l'importance du sentiment d'aliénation, de la rupture du rapport au corps et de la crise existentielle qui accompagnent l'expérience de certaines maladies graves.

Comme les limites de son champ d'application n'ont pas été clarifiées et que les relations dynamiques de ses composantes n'ont pas été précisées selon différents contextes (aspect diachronique), l'approche centrée sur le patient n'est pas un véritable modèle théorique de relation médecin-patient, puisqu'elle ne répond pas aux exigences requises d'un tel modèle. Pourrait-on la qualifier de modèle professionnel en médecine familiale ? Sans données issues de recherches empiriques, la réponse à cette question n'est pas claire. Quoi qu'il en soit, cette approche demeure une *bonne méthode clinique* et un *très bon modèle d'entrevue*, en particulier dans le contexte de la pratique en médecine familiale.

D'autres modèles de relation médecin-patient

Pour terminer notre tour d'horizon des modèles de relation médecin-patient, nous décrirons brièvement :

- deux approches, parfois considérées comme des modèles relationnels, soit l'approche consommateuriste[8] et le modèle centré sur la relation ;
- des modélisations systémiques, moins connues que les modèles analysés ci-dessus, mais qui pourraient contribuer à l'émergence d'un modèle plus global, plus intégrateur que les modèles actuels.

L'approche consommateuriste

Certains voient l'approche consommateuriste comme un autre modèle de relation médecin-patient. Sous cette étiquette, il semble qu'on regroupe deux types de situations relationnelles différentes. Dans le premier cas, il s'agit d'une relation où le médecin agit comme un expert-consultant auprès d'un patient bien informé et très autonome dans la prise de décision. Cette conception maintient le caractère professionnel de la relation, mais elle correspond davantage à une variante d'une des catégories de style d'interaction qu'on trouve dans les typologies des entrevues basées sur le locus décisionnel (voir le tableau 5.2). Dans le second cas, l'approche consommateuriste comporte, au contraire, une connotation négative ; elle est alors issue d'un certain courant de pensée qui considère la santé et les soins comme un objet de consommation parmi d'autres. Cette perspective attribue au patient le rôle d'acheteur ou de consommateur de soins, le rôle de *décideur* de ses achats en la matière. Dans les pires cas, cette façon de voir réduit le médecin à une sorte de guichet automatique dispensateur d'actes médicaux sur demande (que ces actes médicaux soient ou non médicalement justifiés) ou elle le relègue au rôle de source d'information – en niant que l'expertise des médecins réside dans leur capacité de poser des jugements cliniques éclairés.

Le modèle centré sur la relation

Le modèle centré sur la relation (*relationship-centered care*) renvoie à une conception des soins proposée par les membres d'un groupe de travail multidisciplinaire[9] sur les relations professionnelles (Tresolini et Pew-Fetzer Task-Force, 1994). Préoccupé par la formation professionnelle en santé, ce groupe s'est fixé les objectifs suivants :

- créer un modèle intégrateur de la pratique dans les sciences de la santé, en se focalisant sur l'arrimage des dimensions biologique, psychologique et sociale de l'expérience de la maladie ;
- circonscrire les obstacles à l'intégration des deux axes de la relation (biomédical et psychosocial) ;
- proposer des stratégies pour éliminer ces obstacles.

En raison de l'importance accordée aux relations qui unissent les axes de la pratique, cette approche semble très prometteuse : elle pourrait permettre d'élaborer la composante diachronique d'un modèle relationnel et d'enrichir ainsi l'approche centrée sur le patient.

En pratique, ce groupe de travail critique les approches des modèles précédents, insiste sur l'interdépendance des différentes dimensions de la maladie et propose de définir cette dernière comme une « expérience intégrale[10] ». Selon les auteurs, une approche centrée sur la relation exige que les professions liées à la santé « deviennent des disciplines plus réflexives ou contemplatives[11] ». Ils proposent de changer le paradigme de ces professions, en adoptant une vision « holographique » du monde (le tout est dans chacune des parties) et une conception holistique de la relation thérapeutique :

> Le guérisseur et le malade ne sont pas des éléments distincts et indépendants. Chacun d'eux observe l'autre, interprète et construit un monde subjectif, et ces deux mondes se modifient au fil du dialogue qui les unit. Le guérisseur et le malade se transforment au cours du processus. Le guérisseur et le malade, de même que l'humain et son environnement, sont un tout inséparable constitué de sujets interdépendants. Il n'est plus possible de soutenir que le *subjectif* et l'*objectif* sont des domaines différents de la connaissance[12].

Certes, cette perspective suppose une conception coconstructiviste de la communication, mais elle manque de réalisme si on postule que le praticien sera changé par ses interactions avec chacun des patients qu'il voit au cours d'une journée de consultation dans une clinique de consultation sans-rendez-vous ! Malgré son titre, *Health professions education and relationship-centered care,* le rapport de ce groupe ne propose pas de modèle relationnel. Pour soutenir leur vision des soins, les auteurs se limitent à donner un exemple de relation *typique* de leur approche. Enfin, la conception de la relation proposée est très large, puisqu'on l'insère dans un réseau relationnel assez diffus (patient-intervenant, intervenant-intervenant, intervenant-communauté), ce qui devient pratiquement impossible à modéliser.

Le principal apport de ces auteurs concerne la formation de tous les professionnels de la santé, car il permet de déterminer les éléments nécessaires à la relation intervenant-patient dans leur conception des soins :

- la pensée réflexive et la conscience de soi (*self-awareness*) ;
- des connaissances sur l'expérience de la maladie ;
- l'établissement et le maintien d'une relation aidante (*caring*) ;
- les habiletés liées à une communication efficace.

Pour chacun de ces éléments, les auteurs apportent une réflexion et proposent des activités pédagogiques appropriées. Dans une perspective d'élaboration de programme d'enseignement, ils proposent une séquence où ces éléments seraient insérés dans l'ordre qu'on trouve dans l'énumération précédente. En reléguant les habiletés communicationnelles à la dernière étape de l'apprentissage, la séquence ne fait pas ressortir le rôle charnière de la communication lorsqu'il s'agit d'établir et de maintenir la relation et de faire concrètement l'arrimage des deux axes dans un épisode de soins. Du point de vue de la psychologie du développement, la séquence proposée semble aussi problématique. Avant de pouvoir améliorer la capacité de réflexion sur ses activités professionnelles et la conscience de soi dans l'action, c'est-à-dire durant la consultation médicale, le futur médecin ne devrait-il pas apprendre les *composantes d'une entrevue médicale* et s'entraîner à faire de véritables entrevues, de façon à acquérir une maîtrise minimale des outils communicationnels de base ? Peut-on, comme la séquence de ces auteurs le fait penser, apprendre à établir et à maintenir une relation aidante, surtout dans des situations complexes ou difficiles, avant même d'acquérir les habiletés nécessaires à une communication efficace ? D'autres auteurs (Masciotra, 1996 ; Masciotra et Ackerman, 1997 ; Masciotra, Giroux et Ackerman, 1998) se sont intéressés au concept de la relation à autrui et ont proposé, dans d'autres contextes relationnels, une séquence développementale et des étapes très différentes.

En soulignant l'importance de la pensée réflexive, des connaissances sur l'expérience de la maladie et de la conscience de soi, le modèle centré sur la relation propose des éléments de réflexion utiles pour les responsables de la formation médicale. Il offre des pistes pour aller au-delà de l'approche procédurale des interactions dans une consultation, en suggérant des approches pédagogiques susceptibles d'améliorer la conscience de soi et la pensée réflexive des futurs médecins. En effet, si on veut favoriser le développement progressif d'un savoir-agir et d'un savoir-être relationnels chez les intervenants, il faut aussi leur fournir des occasions d'acquérir ces outils complémentaires pour qu'ils puissent faire face à des situations relationnelles complexes ou très difficiles.

Le modèle centré sur la relation apporte une contribution intéressante à la réflexion dans le domaine de la formation des professionnels de la santé, mais on ne peut le qualifier, loin de là, ni de modèle d'entrevue ni de nouveau modèle de relation médecin-patient.

Les autres modélisations systémiques

À l'époque où Engel (1977, 1980) proposa l'approche biopsychosociale, les travaux de Von Bertalanffy (1968, 1973) sur la perspective systémique avaient eu une influence marquée sur les idées. Ils ont donné lieu à une contribution majeure à l'élaboration de modèles, car la méthode de modélisation systémique de Le Moigne a été publiée en 1977. Dans différents domaines du savoir, cette méthode est rapidement devenue très populaire pour construire des modèles systémiques.

Dans le domaine des relations professionnelles, le paradigme et la modélisation systémiques ont permis, entre autres, la création d'approches systémiques centrées sur la famille, en thérapie familiale (Elkaïm, 1994) et en médecine. Dans la pratique médicale, l'approche centrée sur la famille (Doherty et Baird, 1983, 1987; Epstein, Campbell, Cohen-Cole, McWhinney et Smilkstein, 1993) porte surtout sur le système familial, et on considère alors le contexte familial comme le principal contexte social influençant l'expérience de la maladie. Selon cette approche, la relation bipolaire médecin-patient s'élargit naturellement sur la relation tripolaire médecin-patient-proches du patient. Le symptôme devient le mode d'exploration d'un problème envisagé dans une perspective systémique, qu'on veut plus globale que dans les autres approches. Comme dans le modèle biopsychosocial, l'entrevue est constituée d'un amalgame de questions appartenant aux domaines biomédical et psychosocial, mais le génogramme[13] est considéré comme un outil essentiel à la compréhension du système familial du patient. Et par extension, le génogramme devient aussi le cadre à privilégier pour développer la conscience de soi (*self-awareness*) des praticiens qui utilisent cette approche.

La modélisation systémique a aussi servi à construire d'autres modèles d'entrevue médicale (Rodrigue, 1991; Lehoux, Levy et Rodrigue, 1995), mais la portée de ces études est restée assez limitée. La modélisation systémique de Lehoux et autres (1995) mérite que nous nous y attardions parce qu'elle est issue d'une recherche collaborative[14] et qu'elle émane directement de l'expérience de plusieurs praticiens de première ligne œuvrant dans notre milieu. De plus, elle se situe dans une perspective constructiviste, ce qui la rend particulièrement intéressante aux yeux de ceux qui s'intéressent à la communication médecin-patient.

Du point de vue de ces praticiens, chaque rencontre, chaque épisode de soins ou chaque entrevue est une zone de travail, de coparticipation, dans laquelle le contenu est mutuellement construit grâce à l'ensemble des échanges, verbaux et non verbaux. Chaque rencontre est un système complexe caractérisé comme suit:

- Le système a un cadre professionnel prédéfini qui balise les échanges et établit des normes de pratique.
- Il est situé dans un lieu déterminé, tant sur le plan physique que sur le plan social, en fonction de la place qu'il occupe dans le système de santé et en fonction de la culture de l'établissement et du milieu.
- Il est situé dans le temps et sa durée est délimitée, même s'il fait partie d'une relation de longue durée.
- Il a un centre d'intérêt, un objet particulier (la raison de la consultation), vu sous l'angle d'un problème de santé (malaise, symptôme, maladie) réel ou perçu comme tel.
- Il est doté d'une structure et d'étapes constantes (collecte des données, explications, etc.).
- Il implique au minimum deux personnes, le médecin et son patient, chacun ayant ses ressources, son agenda, ses attentes, ses contraintes et une personnalité différente, d'où la nécessité d'un processus d'ajustement.
- Il est constitué d'interactions très diversifiées, parmi lesquelles on peut déterminer, pour chacun des participants, des actions, des réactions et des rétroactions multiples, la communication interpersonnelle demeurant l'outil essentiel pour assurer l'ajustement des attentes et une coconstruction d'un plan d'action mutuellement satisfaisant.

L'intérêt majeur de la modélisation systémique de Lehoux et autres (1995) réside dans l'établissement clair des principales composantes de tout épisode de soins, ce qui constitue, rappelons-le, l'étape initiale de toute modélisation et correspond à l'aspect synchronique d'un modèle. Cette approche montre que chaque consultation est un système complexe qui possède une structure, un canevas et un ensemble de composantes constantes qui peuvent servir de base au processus de modélisation. Il est possible d'examiner et de catégoriser les variantes possibles de chaque composante pour engendrer des classifications, comme celle de Miller (1992), ou des typologies, comme celles centrées sur le locus décisionnel (voir le tableau 5.2). Le fait de considérer une consultation médicale comme un tel système permet d'analyser les *interrelations entre certaines des composantes* et de déterminer des *patterns* et des *processus* liés à l'aspect diachronique des modèles conceptuels. Cette modélisation d'un épisode de soins est *ouverte*, car elle peut intégrer les typologies, les différents modèles d'entrevue et les divers styles communicationnels. Elle pourrait donc servir de canevas à l'élaboration d'un modèle théorique de relation médecin-patient, assez large pour englober différents contextes de pratique.

Conclusion

Malgré la quantité impressionnante d'écrits sur la relation médecin-patient, on ne peut que constater l'absence d'un modèle conceptuel intégrateur de tous les constituants nécessaires à l'élaboration d'un véritable modèle théorique. Ce n'est guère surprenant, compte tenu de la complexité de la pratique médicale. En fait, si on exclut les typologies caractérisées par l'usage trop large, voire abusif, du mot *modèle*, on se rend compte que les véritables modèles de relation médecin-patient sont peu nombreux et qu'ils présentent les trois caractéristiques communes suivantes :

- Ce sont des modélisations d'entrevues, d'épisodes de soins ponctuels.
- Ils ont toujours pour objet la maladie, mais le sens de ce concept se transforme d'un modèle à l'autre, en fonction des dimensions considérées.
- Ils intègrent la structure de base du modèle biomédical, ce qui n'est pas surprenant puisque le diagnostic de la maladie (*disease*) demeure un élément central de la pratique médicale.

Cependant, les modes d'interaction et les styles d'intervention ou de communication varient d'un modèle à l'autre, étant donné que chaque modèle est basé sur une conception particulière de la maladie.

Comme nous l'avons vu, le modèle biomédical correspond à une conception unidimensionnelle de la maladie, considérée seulement dans son aspect biopathologique. Dans ce modèle, la communication est d'abord un moyen de cerner les caractéristiques des symptômes du patient, d'où la pertinence d'un questionnaire serré, construit à l'aide de questions précises, dans le but d'obtenir des réponses précises, des données factuelles pertinentes, utiles pour poser le diagnostic d'une maladie organique. Ainsi, au patient qui se plaint de douleurs rétrosternales, le médecin posera une série de questions fermées concernant le genre de douleur, sa durée, son intensité, sa localisation, son irradiation, le moment et les conditions de son apparition, ses facteurs aggravants, etc. La collecte de ces informations est nécessaire pour cerner les caractéristiques de tout symptôme somatique et pour poser un diagnostic. Dans certains contextes (urgence ou clinique de consultation sans rendez-vous) et pour certains genres de problèmes (aigus, bénins, facilement curables), l'approche biomédicale est parfaitement justifiée et elle peut même constituer la conduite la plus appropriée, dans la mesure où le médecin prend en compte les besoins du patient.

Par comparaison avec l'approche biomédicale, l'approche centrée sur le patient est basée sur une conception multidimensionnelle de la maladie et une structure biaxiale de l'entrevue. Si on veut comprendre l'expérience de la maladie vécue par le patient, un style d'interaction moins directif, plus souple et plus ouvert est en effet préférable. Cette approche privilégie les questions ouvertes, comme « À quoi attribuez-vous cette douleur ? », « Comment ce problème vous affecte-t-il ? », « Quelles en sont les conséquences pour vous ? »

ou « Qu'attendez-vous de moi ? ». L'approche centrée sur le patient permet donc de comprendre la perspective du patient, de construire une véritable relation interpersonnelle et de l'entretenir, de sorte que c'est une approche très pertinente et efficace pour amorcer une relation de prise en charge.

Compte tenu de leurs caractéristiques communes et de leurs différences, ces principaux modèles sont bel et bien des modèles d'entrevue ou de style d'interaction, à la fois différents et complémentaires. Le choix d'appliquer l'un ou l'autre dépend de la nature du problème, des attentes du patient et des contraintes liées au contexte de pratique. Soulignons encore une fois qu'aucun modèle n'est une panacée, la solution magique à tous les problèmes de la relation médecin-patient. Chaque approche est une sorte de structure, qu'on peut utiliser comme un prêt-à-porter, comme un système clés en mains, et qui répond à des objectifs particuliers. En médecine familiale, le modèle le plus polyvalent est certainement l'approche centrée sur le patient. Cependant, pour établir une relation de confiance personnalisée, le meilleur style relationnel est probablement le *sur mesure*, car le *bon mélange* et la *bonne distance* font appel chez le médecin à un processus d'ajustement complexe, basé sur la communication réelle, sur une grande flexibilité et sur… une bonne dose d'expérience.

Notes

1. Nous préférons l'expression « épisode de soins » (calquée sur l'expression anglaise *episode of care*) à l'équivalent « période de traitement » parce qu'elle englobe la plupart des rencontres entre les professionnels de la santé et leurs patients et qu'un grand nombre de ces rencontres n'impliquent pas à proprement parler de traitement ; de plus, le mot « traitement » renvoie essentiellement à l'aspect curatif de la pratique médicale, sans tenir compte de l'aspect *caring* ni de l'aspect préventif.
2. Dans le paradigme constructiviste, les connaissances ne sont pas des découvertes, mais des créations de l'esprit humain, et la science est une activité de construction de modèles visant à rendre compte des phénomènes. Les constructivistes classiques, comme Piaget et von Glasersfeld, se sont intéressés au développement individuel des savoirs, en mettant surtout l'accent sur le rôle actif de l'individu dans la construction de schèmes conceptuels qui lui permettent de structurer sa réalité. Les socioconstructivistes mettent plutôt en relief le rôle primordial des processus sociaux dans cette construction (Schwandt, 1994). Certains auteurs, comme Elkaïm (1998), utilisent l'expression *constructionnisme social* comme synonyme de *socioconstructivisme.*
3. L'enculturation renvoie à l'ensemble des processus par lequel un individu assimile la culture de son milieu d'origine, tandis que le milieu assimile l'individu (Legendre, 1993, p. 493). Par analogie, la professionnalisation est aussi un processus de socialisation.
4. Certains auteurs considèrent aussi l'approche consommateuriste comme un modèle, mais nous en traiterons plutôt dans la section suivante.
5. Quand on demande aux élèves sortants du collégial au Québec de définir le terme *maladie*, plus de 90 % des réponses ont le sens de « dysfonction organique du corps biologique ». Un faible pourcentage de ces élèves distinguent entre les maladies physiques et les maladies mentales ou associent la maladie à des signes et à des symptômes. La notion de maladie comme expérience humaine est pratiquement absente dans les réponses (résultats non publiés issus d'une recherche exploratoire réalisée par l'auteure sur les représentations sociales et professionnelles en sciences de la santé).
6. P. 846 : « as a social and emotional body interacting with physical and social environment in ways that affect the patient's health ».
7. À ce sujet, consulter le chapitre 6, intitulé « L'approche centrée sur le patient : diverses manières d'offrir des soins de qualité ».
8. L'anglicisme *consumérisme* et l'adjectif *consumériste* qui en est dérivé sont aussi très fréquents dans la littérature spécialisée.
9. Ce groupe comprend différents professionnels de la santé : médecins, infirmières, psychologues, bioéthiciens, etc.
10. P. 15 : « integral experience ».
11. P. 22 : « the need for the health professions to become more reflective or contemplative disciplines ».
12. P. 22 : « Healer and sufferer are not separate and independent units. Each is an observer of the other ; each interprets and constructs a subjective world, and these worlds are modified by the dialogue between them. Both healer and sufferer are changed in the process. Healer and sufferer, human and environment, form an inseparable unit of interdependent subjects. The notion of "subjective" and "objective" as different categories of knowledge becomes untenable. »
13. Un génogramme est la représentation schématique des tendances héréditaires d'un individu.
14. La recherche collaborative est une forme de recherche-action, qui vise à mettre en lumière les savoirs tacites des praticiens experts dans leur domaine respectif et qui fait appel à une collaboration étroite entres chercheurs et praticiens (Reason, 1994, p. 331).

Références

Abramovitch, H., et E. Schwartz (1992). « Three stages of medical dialogue », *Theoretical Medicine*, vol. 13. p. 175-187.

Balint, M. (1957). *The doctor, his patient and the illness*, Londres, Pitman.

Bataille, M. (1999). « Représentations, implicitation et implication : des représentations sociales aux représentations professionnelles », dans *Représentations sociales et éducation*, sous la direction de C. Garnier et M. L. Rouquette, Montréal, Éditions Nouvelles, p. 163-186.

Blin, J.F. (1997). *Représentations, pratiques et identités professionnelles*. Paris, L'Harmattan.

Botelho, R.J. (1992). « Negotiation model for the doctor-patient relationship », *The Journal of Family Practice*, vol. 9, n° 2, p. 210-218.

Brody, H. (1987). « The physician-patient relationship : Models and criticisms », *Theoretical Medicine*, vol. 8, p. 205-220.

Brody, H., et E. Lansing (1999). « The biopsychosocial model, patient-centered care and culturally sensitive practice », *The Journal of Family Practice*, vol. 48, n° 8, p. 585- 587.

Carkhuff, R.R. (1969). *Helping and human relations : A primer for lay and professional helpers*, deux vol., New York, Holt, Rinehart and Winston.

Cassel, E.J. (1976). *The healer's art : A new approach to the doctor-patient relationship*, Cambridge (Massachusetts), The MIT Press.

Cohen-Cole, S.A. (1991). *The medical interview : The three-function approach*, Saint Louis (Missouri), Mosby Year Book.

Cole, S.A., et J. Bird (2000). *The medical interview : The three-function approach*, 2e édition, Saint Louis (Missouri), Mosby Year Book.

Delbanco, T.L. (1992). « Enriching the doctor-patient relationship by inviting the patient's perspective », *Annals of Internal Medicine*, vol. 116, n° 5, p. 414-418.

Doherty, W.J., et M.A. Baird (1983). *Family therapy and family medicine : Toward the primary care of families*, New York, Guilford Press.

Doherty, W.J., et M.A. Baird (1987). *Family-centered medical care : A clinical casebook*. New York, Guilford Press.

Dufour-Gompers, R. (1992). *La relation avec le patient*, Toulouse, Privat.

Elkaïm, M. (sous la direction de) (1994). *La thérapie familiale en changement*, coll. Déjà classique, Paris, Les empêcheurs de penser en rond.

Elkaïm, M. (1998). « Du constructivisme au constructionnisme social : un rappel historique », dans *Constructivisme et constructionnisme social : aux limites de la systémique ?*, sous la direction de E. Goldbeter-Merinfeld, coll. Cahiers critiques de thérapie familiale et de pratiques de réseaux, n° 19, Paris, De Boeck Université, p. 13-26.

Emanuel, E.J., et L.L. Emanuel (1992). « Four models of the physician-patient relationship », *The Journal of the American Medical Association*, vol. 267, n° 16, p. 2221-2226.

Engel, G.L. (1977). « The need for a new medical model : A challenge for biomedicine », *Science*, vol. 196, p. 129-136.

Engel, G.L. (1980). « The clinical application of the biopsychosocial model », *The American Journal of Psychiatry*, vol. 137, p. 535-544.

Epstein, R.M., T.L. Campbell, S.A. Cohen-Cole, I.R. McWhinney et G. Smilkstein (1993). « Perspectives on doctor-patient communication », *The Journal of Family Practice*, vol. 34, n° 4, p. 377-388.

George, J.B. (1990). *Nursing theory : The base for professional nursing practice*, Norwalk (Connecticut), Appleton & Lange.

Girard, G., et P. Grand'Maison (1993). « L'approche négociée : modèle de relation médecin-patient », *Le médecin du Québec*, vol. 28, n° 5, p. 31-39.

Giroux, L., et C. Garnier (2001). « La représentation du corps dans la formation médicale », dans *Les représentations sociales : des méthodes de recherche aux problèmes de société*, sous la direction de M. Lebrun, Montréal, Logiques, p. 133-150.

Guimelli, C. (1994). « La fonction d'infirmière : pratiques et représentations sociales », dans *Pratiques sociales et représentations*, sous la direction de J.-C. Abric, Paris, PUF, p. 83-108.

Guimelli, C., et J. Reynier (1999). « Structuration progressive d'une représentation sociale : la représentation de l'infirmière », dans *La genèse des représentations sociales*, sous la direction de M.L. Rouquette et C. Garnier, Montréal, Éditions Nouvelles, p. 171-183.

Henderson, L.J. (1935). « Physician and patient as a social system », *The New England Journal of Medicine*, vol. 212, p. 819-823, repris dans *Encounters between patients and doctors*, sous la direction de J.D. Stoeckle, Cambridge (Massachusetts), The MIT Press, p. 137-146.

Jecker, N.S., et D.J. Self (1991). « Separating care and cure : An analysis of historical and contemporary images of nursing and medicine », *The Journal of Medicine and Philosophy*, vol. 16, p. 285-306.

Katz, J. (1984). *The silent world of doctor and patient*, New York, The Free Press.

Kérouac, S., J. Pepin, F. Ducharme, A. Duquette et F. Major (1994). *La pensée infirmière*, Montréal, Études Vivantes.

Legendre, R. (1993). *Dictionnaire actuel de l'éducation*, Montréal, Guérin.

Lehoux, P., R. Levy et J. Rodrigue (1995). « Conjuguer la modélisation systémique et l'évaluation de la 4e génération : vers la conceptualisation d'une pratique en médecine familiale », *Ruptures*, vol. 2, n° 1, p. 56-73.

Le Moigne, J.-L. (1977). *La théorie du système général : théorie de la modélisation*. Paris, PUF.

Longino, C.F. (1997). « Pressure from our aging population will broaden our understanding of medicine », *Academic Medicine*, vol. 72, n° 10, p. 841-847.

Mardellat, R. (1994). « Pratiques commerciales et représentations dans l'artisanat », dans *Pratiques sociales et représentations*, sous la direction de J.-C. Abric, Paris, PUF, p. 145-178.

Marinker, M. (1997). « Myth, paradox and the hidden curriculum », *Medical Education*, vol. 31, p. 293-298.

Masciotra, D. (1996). « La genèse de la relation à l'autre : de la symbiose à l'extériorité et à l'intériorité », *Archives de psychologie*, vol. 64, p. 207-225.

Masciotra, D., et E. Ackerman (1997). « To know is to relate : The art of distancing in human transactions », dans *The 12th Annual Adult Development Symposium*, Boston, Society for Research in Adult Development, version électronique en document Web (www.er.uqam.ca/nobel/k32277/Know.relate.conference.htm).

Masciotra, D., L. Giroux et E. Ackerman (1998). « La part du temporel et de l'intemporel dans le développement de l'agir expert, *Temporalistes*, vol. 37, p. 18-26, version électronique en format PDF (www.sociologics.org/temporalistes/home/index.html).

McWhinney, I.R. (1985). « Patient-centered and doctor-centered models of clinical decision-making », dans *Decision-making in general practice*, sous la direction de M. Sheldon, J. Brooke et A. Rector, New York, Stockton Press, p. 31-45.

McWhinney, I.R. (1989). « The need for a transformed clinical method », dans *Communicating with medical patients*, sous la direction de M. Stewart et D. Roter, Newbury Park (Californie), Sage Publications, p. 25-40.

McWhinney, I.R. (1997a). « L'importance d'être différent : le statut marginal de la médecine familiale », *Le médecin de famille canadien/Canadian Family Physician*, vol. 43, n° 2, p. 203-205.

McWhinney, I.R. (1997b). « L'importance d'être différent : transcender la démarcation corps-esprit », *Le médecin de famille canadien/Canadian Family Physician*, vol. 43, n° 3, p. 414-417.

Mechanic, D. (1992). « Health and illness behavior and patient-practitioner relationship », *Social Science & Medicine*, vol . 34, n° 12, p. 1345-1350.

Miller, W.L. (1992). « Routine, ceremony or drama : An exploratory field study of the primary care clinical encounter », *The Journal of Family Practice*, vol. 34, n° 3, p. 289-296.

Morant, N. (1995). « What is mental illness ? Social representations of mental illness among British and French mental health professionals », *Textes sur les représentations sociales/Papers on Social Representations*, vol. 4, n° 1, p. 41-52, version électronique en format PDF (www.psr.jku.at/psrindex.htm).

Morin, E. (1991). *La méthode (tome 4) : les idées, leur habitat, leur vie, leurs mœurs, leur organisation*, Paris, Seuil.

Novack, D.H. (1987). « Therapeutic aspects of the clinical encounter », *Journal of General Internal Medicine*, vol. 2, p. 346-355.

Parsons, T. (1951). « Illness and the role of physician : A sociological perspective », *The American Journal of Psychiatry*, vol. 21, p. 452-460, repris dans *Encounters between patients and doctors*, sous la direction de J.D. Stoeckle, Cambridge (Massachusetts), The MIT Press, p. 147-156.

Piaser, A. (1999). *Représentations professionnelles à l'école. Particularités selon le statut : enseignant, inspecteur*, thèse de doctorat, Toulouse, Université de Toulouse Le Mirail.

Quill, T.E. (1983). « Partnerships in the patient care : A contractual approach », *Annals of Internal Medicine*, vol. 111, p. 51-57.

Reason, P. (1994) « Three approaches to participative inquiry », dans *Handbook of qualitative research*, sous la direction de N.K. Denzin et Y.S. Lincoln, Thousand Oaks (Californie), Sage Publications, p. 324-339.

Rodrigue, J. (1991). *Une modélisation systémique de l'épisode de soin*, mémoire de maîtrise en santé communautaire, Montréal, Université de Montréal.

Rogers, C.R. (1957). « The necessary and sufficient conditions of therapeutic personality change », *Journal of Consulting Psychology*, vol. 21, p. 95-103.

Rogers, C.R., et G.M. Kinget (1966). *Psychothérapie et relations humaines : théorie et pratique de la thérapie non directive*, Louvain, Publications Universitaires de Louvain.

Roter, D.L., et J.A. Hall (1992). *Doctors talking with patients, patients talking with doctors*, Westport (Connecticut), Auburn House.

Sadler, J.Z., et Y.F. Hulgus (1990). « Knowing, valuing, acting : Clues to revising the biopsychosocial model », *Comprehensive Psychiatry*, vol . 31, p. 185-195.

Sadler, J.Z., et Y.F. Hulgus (1992). « Clinical problem solving and the biopsychosocial model », *The American Journal of Psychiatry*, vol. 149, p. 1315-1323.

Schneider, P.B. (1991). *Regards discrets et indiscrets sur le médecin*, Paris, Masson.

Schoenfeld, A.H. (1999). « Looking toward the 21st Century : Challenges of educational theory and practice », *Educational Researcher*, vol. 28, n° 7, p. 4-14, version électronique en document Web (www.aera.net/pubs/er).

Schwandt, T.A. (1994). « Constructivist, interpretivist approaches to human inquiry », dans *Handbook of qualitative research*, sous la direction de N.K. Denzin et Y.S. Lincoln. Thousand Oaks (Californie), Sage Publications, p. 118-137.

Silverman, J., S. Kurtz et J. Draper (1998). *Skills for communicating with patients*, Abingdon (Royaume-Uni), Radcliffe Medical Press.

Smith, R.C., et R.B. Hoppe (1991). « The patient's story : Integrating the patient- and physician-centered approaches to interviewing », *Annals of Internal Medicine*, vol. 115, n° 6, p. 470-477.

Stewart, M., J. Brown, W.W. Weston, I.R. McWhinney, C.L. McWilliam et T.R. Freeman (1995). *Patient-centered medicine : Transforming the clinical method*, Thousand Oaks (Californie), Sage Publications.

Stewart, M., et D. Roter (sous la direction de) (1989). *Communicating with medical patients*, Newbury Park (Californie), Sage Publications.

Stoeckle, J.D. (sous la direction de) (1987). *Encounters between patients and doctors : An anthology*, Cambridge (Massachusetts), The MIT Press.

Strasser, R. (1992). « The doctor-patient relationship in general practice », *The Medical Journal of Australia*, vol. 156, p. 334-335.

Szasz, T.S., et M.H. Hollender (1956). « A contribution to the philosophy of medicine : The basic models of the doctor-patient relationship », *Archives of Internal Medicine*, vol. 97, p. 585-592.

Toombs, S.K. (1987). « The meaning of illness : A phenomenological approach to the patient-physician relationship », *The Journal of Medicine and Philosophy*, vol. 12, p. 219-240.

Toombs, S.K. (1992). *The meaning of illness : A phenomenological account of the different perspectives of physician and patient*, Boston, Kluwer Academic Publishers.

Tresolini, C.P., et Pew-Fetzer Task-Force (1994). *Health professions education and relationship-centered care*, San Francisco, Pew Health Professions Commission, version électronique en format PDF (futurehealth.ucsf.edu/pubs.html).

Truax, C.B., et R.R. Carkhuff (1967). *Toward effective counseling and psychotherapy : Training and practice*, Chicago, Aldine Publishing Company.

Twaddle, A.C. (1972). « The concepts of the sick role and illness behavior », *Advances in Psychosomatic Medicine*, vol. 8. p. 337- 346.

Von Bertalanffy, L. (1968). *General system theory*, New York, Braziller.

Von Bertalanffy, L. (1973). *Théorie générale des systèmes*, Paris, Dunod.

CHAPITRE 6

L'approche centrée sur le patient : diverses manières d'offrir des soins de qualité

Luc Côté
Éveline Hudon

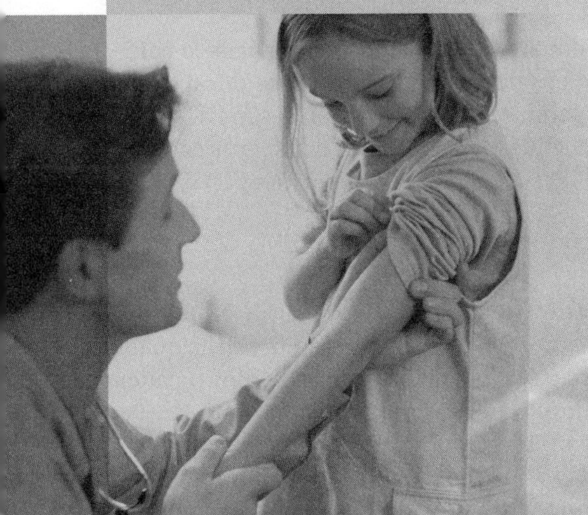

Isabelle, une adolescente de 16 ans, se présente à la clinique de consultation sans rendez-vous pour un bouton au visage. C'est la première fois qu'elle consulte le médecin de garde.

LE MÉDECIN — *Bonjour, Isabelle. Qu'est-ce que je peux faire pour toi ce matin ?*

ISABELLE — *J'ai un bouton sur le front qui me fait mal depuis trois semaines et qui ne s'en va pas.*

LE MÉDECIN — *As-tu fait quelque chose pour le traiter ?*

ISABELLE — *Oui, j'ai acheté plusieurs produits contre l'acné à la pharmacie, mais ça ne fonctionne pas !*

À la suite de l'examen, le médecin conclut qu'il s'agit d'un simple kyste sébacé, très enflammé.

LE MÉDECIN — *Ce que tu as là, c'est bien de l'acné. C'est fréquent à l'adolescence.*

ISABELLE — *Une de mes amies m'a dit que ça pouvait être un début de cancer de la peau parce que je me fais bronzer souvent. Docteur, est-ce que…*

LE MÉDECIN — (souriant et interrompant la jeune fille) *Mais non, voyons ! Isabelle, c'est juste un bouton d'acné. Tiens !* (en lui remettant une ordonnance) *Prends ça, avec cette crème-là, ton bouton devrait disparaître rapidement.*

ISABELLE — *Mais j'ai déjà pris trois crèmes différentes à la pharmacie. Et ça n'a pas marché…*

LE MÉDECIN — *Celle que je te prescris est plus efficace.*

ISABELLE — *C'est sûr que ce n'est pas dangereux, ce bouton-là ?*

LE MÉDECIN — *Pas du tout ! Je te l'ai dit : c'est simplement un bouton d'acné.*

ISABELLE — *D'accord ! Merci, Docteur.*

Le médecin se lève, salue Isabelle et appelle le patient suivant.

À la fin de la journée, en quittant le bureau, il marche sur quelque chose dans le hall d'entrée de la clinique. Il regarde, se penche et ramasse … l'ordonnance d'Isabelle. Perplexe, il se demande si cette adolescente a perdu son ordonnance ou si elle l'a jetée, jugeant inutile de s'en servir. Se pourrait-il plutôt que ses explications n'aient pas contribué à rassurer sa patiente, au point qu'elle ait décidé de jeter l'ordonnance ?

Dans la littérature médicale anglo-saxonne, on fait largement état de la nécessité pour le médecin de se préoccuper de sa relation avec les patients, c'est-à-dire de la qualité de sa communication et de sa manière d'être avec eux. En effet, la relation médecin-patient est la pierre angulaire du travail clinique, quel que soit le contexte de la pratique. Peu importent le motif et la durée de la consultation, c'est à partir de la problématique de santé du patient que le médecin et le patient établissent des liens thérapeutiques plus ou moins significatifs. La relation est toujours présente, qu'elle soit établie sur la confiance ou sur la méfiance, et cette relation influence inévitablement l'ensemble de l'entrevue.

Depuis une trentaine d'années, l'*approche centrée sur le patient*[1] s'est développée et a acquis de plus en plus de popularité, surtout dans la communauté médicale nord-américaine, en particulier dans les programmes de formation en médecine familiale. Même si plusieurs définitions sont proposées (Mead et Bower, 2000), il apparaît que les objectifs de cette approche sont de permettre de bien se représenter les problèmes de santé, de comprendre le vécu du patient qui y est lié et d'intégrer cette compréhension à l'ensemble de la démarche de soins, soit de la collecte des données au suivi thérapeutique.

S'il y a de plus en plus d'écrits et d'activités de formation qui portent sur la relation médecin-patient en général et sur l'approche centrée sur le patient en particulier, c'est parce que plusieurs résultats de recherche montrent que la qualité de cette relation contribue à une meilleure efficacité des soins (Stewart et autres, 1999, 2000; Stewart, 1995). Par exemple, Kaplan, Greenfield et Ware (1989) ont montré que la qualité de la communication médecin-patient influence l'amélioration de l'état de santé du patient: si, pendant l'entrevue, le patient peut exprimer ses préoccupations à l'égard de son problème de santé, qu'il peut poser les questions qu'il juge nécessaires à la compréhension de son problème et qu'il obtient des informations claires de la part du médecin, les glycémies et les mesures de tension artérielle sont abaissées (diminution de 2 mmole/L et de 10 mm à 13 mm de mercure pour la pression diastolique).

Dans le même ordre d'idées, une étude importante sur la céphalée a démontré que l'élément associé à la disparition des céphalées, 12 mois après le début de l'étude, était la perception qu'avaient les patients d'avoir pu discuter de façon satisfaisante de leur problème avec leur médecin (Bass, McWhinney et Dempsey, 1986). Diverses études montrent aussi que l'observance des diverses recommandations médicales par le patient est meilleure lorsque la relation médecin-patient est jugée bonne par le patient (Stewart et autres, 1999; Bachman, 1993; Anderson et Kirk, 1982). Par ailleurs, il semble aussi que l'entrevue centrée sur le patient ne prendrait pas plus de temps que l'entrevue centrée sur la maladie (Marvel, Epstein, Flowers et Beckman, 1999; Levinson, Gorawara-Bhat et Lamb, 2000). Bien qu'il manque encore de données scientifiques permettant d'établir une relation claire entre l'approche centrée sur le patient et l'amélioration de l'état de santé de ce dernier (Mead et Bower, 2002), nous croyons que cette approche comporte plusieurs avantages pour le médecin soucieux d'être efficace dans sa tentative d'améliorer la santé des individus qui le consultent.

Toutefois, même si l'approche centrée sur le patient apparaît séduisante pour l'esprit, son application dans les entrevues cliniques quotidiennes soulève plusieurs questions, des réserves, voire des difficultés. Par exemple, quelle est la pertinence de s'intéresser au vécu du patient lorsque ce dernier consulte pour des problèmes médicalement simples, comme la lésion d'acné d'Isabelle ? Comment se centrer sur le patient, alors que les rendez-vous se succèdent à un rythme rapide au cabinet de consultation et à une cadence effrénée à l'urgence ? Comment prendre en compte la dimension psychosociale des problèmes de santé, sans le faire au détriment de la dimension médicale ? Comment se préoccuper du patient pendant l'entrevue autrement qu'en limitant son intervention à un bref questionnaire psychosocial dénué d'empathie ?

Ce chapitre a pour but d'aider le médecin à bien se représenter ce que signifie *se centrer sur le patient* et à intégrer cette représentation dans sa pratique. Après avoir décrit l'émergence de l'approche centrée sur le patient et présenté ses caractéristiques, nous proposerons différentes manières d'intégrer l'approche à la démarche de soins, auprès de nouveaux patients et auprès de patients connus, dans le contexte d'entrevues réalisées sur rendez-vous ou sans rendez-vous[2].

L'émergence de l'approche centrée sur le patient

Bien se représenter comment l'approche centrée sur le patient a vu le jour nous apparaît nécessaire à une juste compréhension des valeurs relationnelles qu'elle véhicule, puisqu'il s'agit d'une philosophie de soins et non d'un simple amalgame de techniques d'entrevue. Les contributions à son développement qui semblent les plus significatives sont celles de Balint (1980; Balint, Hunt, Joyce, Marinker et Woodcock, 1970), de McWhinney (1972), de Engel (1977), de Kleinman, Eisenberg et Good (1978), de Levenstein (1984) et de Weston et Brown (1995).

L'expression *médecine centrée sur le patient* fut proposée par le psychanalyste britannique Balint et ses collaborateurs il y a plus de 30 ans (Balint et autres, 1970). Ce psychanalyste a montré que le médecin, d'abord formé pour être centré sur la maladie (ce dernier mot étant pris dans le sens physiopathologique) dans le but d'établir un diagnostic biomédical (*traditional diagnosis*), devait faire un virage conceptuel et se centrer aussi sur la personne malade s'il voulait établir un diagnostic plus global (*overall diagnosis*). Balint a alors insisté sur trois aspects du rôle du médecin, aspects susceptibles de l'aider à établir une bonne relation médecin-patient et à avoir une influence sur le plan thérapeutique: sa qualité d'écoute, sa capacité à comprendre la signification physique et psychologique des plaintes du malade et sa capacité à utiliser cette compréhension en vue d'un effet thérapeutique (Balint, 1980).

Au début des années soixante-dix, McWhinney (1972) s'est intéressé à l'importance pour le médecin d'intégrer les dimensions psychologique et sociale des problèmes de santé à la compréhension des symptômes du patient. Ce médecin de famille a alors recommandé à ses collègues d'être particulièrement attentifs à l'*agenda caché*[3], aux intentions non déclarées du patient, c'est-à-dire la raison non dite pour laquelle il consulte à ce moment (McWhinney, 1972). Tout médecin d'expérience sait que ces arrière-pensées constituent habituellement le véritable motif de la consultation. Par exemple, un homme de 25 ans se présente pour un bilan de santé (demande apparente), alors que, dans les faits, il veut un examen de dépistage de MTS-VIH (demande réelle) parce qu'il a eu une relation sexuelle non protégée qu'il juge être à risque. Dans ce cas, la qualité de la relation du médecin avec le patient, en particulier l'attitude d'écoute et de respect du médecin, ainsi que le souci de comprendre les inquiétudes et les attentes du patient, contribueront, selon McWhinney (1972), à l'expression de la vraie demande et, donc, à l'efficacité et à la qualité des soins.

Vers la fin des années soixante-dix, Engel (1977) critiqua vivement le modèle biomédical nord-américain de l'approche des problèmes de santé, lui reprochant d'être réducteur, car il ne prenait pas en compte les dimensions psychologique et sociale de la santé – dimensions devenues de plus en plus manifestes dans l'expression et l'explication des problèmes de santé. Pensons par exemple aux liens qui existent entre le stress et la maladie, à l'importance de la présence d'un réseau de soutien significatif comme facteur d'adaptation à la maladie, aux conditions socioéconomiques et aux aspects culturels pouvant influencer l'expression de la demande et le processus décisionnel du patient. À partir d'une analyse systémique, Engel proposa le *modèle biopsychosocial*, selon lequel un problème de santé doit être analysé comme un système dans lequel s'influencent mutuellement les dimensions biologique, psychologique et sociale. Toutefois, bien que son apport ait été fort pertinent sur le plan conceptuel du modèle, Engel donna, hélas, peu d'indications sur son application clinique.

En 1978, Kleinman, psychiatre et anthropologue médical, proposa le *modèle transactionnel* (Kleinman et autres, 1978). S'inspirant de ses propres recherches transculturelles, cet auteur souligna l'importance en médecine d'une dimension évidente en anthropologie, à savoir que les individus possèdent, par leur culture, un savoir populaire qui véhicule une conception des causes de la maladie et des démarches à entreprendre (ou à ne pas entreprendre) en vue de guérir. Selon Kleinman, le médecin intervient, dans la consultation, en fonction d'un savoir scientifique, alors que le patient intervient à partir d'un savoir populaire. Ces savoirs constituent les modèles explicatifs de la maladie (MEM) selon chacun des points de vue. Ainsi, l'entrevue devient le lieu d'une transaction et d'une négociation entre le modèle explicatif du patient et celui du médecin. Pour Kleinman (Kleinman et autres, 1978), le patient est une personne active que le médecin doit inclure dans une négociation visant à définir et à résoudre un problème de santé. Pour y parvenir, le médecin doit nécessairement avoir une bonne représentation du savoir du patient (en fait, un savoir à plus d'une facette : populaire, scientifique et culturel) et en tenir compte pendant la consultation. Tout comme Engel, il est malheureux que Kleinman n'ait fourni que peu d'indications pratiques pour aider les médecins à se représenter ces savoirs et à inclure les patients dans cette négociation pendant l'entrevue.

Dans les années quatre-vingt, Levenstein (1984), à partir de l'analyse de plusieurs centaines de ses consultations médicales, montra l'importance d'intégrer *les motivations du patient* dans l'entretien clinique. Il établit des données cliniques qui démontraient que la prise en compte par le médecin des inquiétudes et des attentes du patient pendant la consultation influençait favorablement le degré de satisfaction de ce dernier et son observance des recommandations. Par la suite, la collaboration de Levenstein avec l'équipe du département de médecine familiale de l'Université Western Ontario a stimulé le développement conceptuel de la *méthode* clinique centrée sur le patient et son application par les médecins de famille.

Les caractéristiques de l'approche

La méthode clinique centrée sur le patient, élaborée par Stewart et ses collaborateurs (1995), comporte six composantes (ou caractéristiques) complémentaires et interreliées. Récemment, Stewart a d'ailleurs réitéré l'affirmation que ces composantes forment un tout cohérent et indivisible (Stewart, 2001). Selon ces auteurs, les trois premières composantes renvoient davantage à la nature de l'interaction médecin de famille-patient, alors que les trois dernières ciblent plutôt le contexte dans lequel se situe cette interaction.

1. Explorer la maladie et l'expérience de la maladie vécues par le patient.
2. Comprendre la personne dans sa globalité biopsychosociale.
3. S'entendre avec le patient sur le problème, les solutions et le partage des responsabilités.
4. Valoriser la prévention et la promotion de la santé.
5. Établir et développer la relation médecin-patient.
6. Faire preuve de réalisme.

Explorer la maladie et l'expérience de la maladie vécues par le patient

Le travail habituel du médecin de famille et du médecin spécialiste consiste à recueillir les données pertinentes auprès du patient ou de ses proches afin d'établir un diagnostic et d'élaborer une conduite appropriée, l'idéal visé étant de résoudre le problème de santé du patient. Les données pertinentes relèvent de deux aspects des soins : la maladie et le patient. D'une part, en explorant la maladie (*disease*), le médecin effectue une démarche de raisonnement clinique, au cours de laquelle il recueille et analyse des données qu'il juge pertinentes sur le plan médical : description et clarification des symptômes, examen physique, planification d'examens complémentaires, s'il y a lieu. D'autre part, le médecin s'intéresse au vécu du patient en regard de ses symptômes afin de bien comprendre son expérience de la maladie, son malaise (*illness*). Il tiendra compte de cette compréhension, notamment dans la planification des choix thérapeutiques.

Pour que le médecin parvienne à cette compréhension, Stewart et ses collaborateurs (1995, 1999) lui recommandent d'explorer les quatre dimensions suivantes :

1. Le point de vue du patient quant à l'explication de son problème de santé : quelles sont les causes, selon lui ?
2. Ses sentiments par rapport à ce problème : a-t-il des inquiétudes ou des préoccupations particulières ?
3. L'influence de ce problème sur son fonctionnement : comment ce problème modifie-t-il son quotidien, à la maison, dans ses loisirs, au travail ?
4. Ses attentes à l'égard du médecin : a-t-il des attentes précises quant à l'investigation et au traitement ?

Il importe de saisir ici que le fait de se centrer sur le patient n'implique pas d'explorer systématiquement ces dimensions avec tous les patients, quels que soient le problème et le contexte de consultation. En effet, pour un problème aigu et simple, la compréhension de l'expérience de la maladie se fait habituellement assez rapidement, le médecin se limitant souvent à s'enquérir des inquiétudes potentielles du patient et à vérifier en fin d'entrevue si celui-ci est d'accord avec la conduite proposée. Par contre, plus le problème est complexe ou chronique, plus le médecin aura avantage à prendre le temps d'écouter le patient dès le début de l'entrevue et à l'amener à verbaliser sur son expérience de la maladie en fonction des dimensions mentionnées précédemment (Boulé et Girard, 1999). Ainsi, en début d'entrevue, poser à un patient diabétique la question « Comment allez-vous ? » n'a pas la même portée que lui poser la question « Comment vont vos glycémies ces temps-ci ? ».

Dans une récente publication (Platt et autres, 2001), des auteurs, dont Stewart, suggèrent que, pour être centré sur la personne du patient, le médecin doit être en mesure de répondre aux cinq questions suivantes :

1. Qui est le patient ? Exemples : ses intérêts, son travail, ses relations significatives.
2. Quelles sont ses attentes à l'égard du médecin ?
3. Quelle est l'influence de sa maladie dans sa vie ?
4. Quelle est sa compréhension de sa maladie ?
5. Comment le patient vit-il sa maladie ? Exemples : ses inquiétudes, ses sentiments de colère ou de tristesse.

En d'autres termes, ces auteurs suggèrent au médecin d'avoir la curiosité de demander au patient de parler de lui-même et, surtout, d'avoir la patience d'attendre et d'écouter ce qu'il a à dire !

Comprendre la personne dans sa globalité biopsychosociale

En plus d'explorer la maladie et l'expérience de la maladie vécues par la personne malade, le médecin centré sur le patient enrichit son analyse de la problématique médicale en tenant compte de l'histoire de vie du patient, notamment des enjeux liés à son âge, ainsi que de son contexte de vie. En d'autres termes, il tente d'obtenir les informations de nature psychosociale qu'il juge pertinentes pour une meilleure compréhension du problème. Ces informations peuvent se rapporter, par exemple, aux moyens que le patient prend pour composer avec le stress en rapport avec sa maladie, à la présence ou à l'absence d'un réseau de soutien significatif, au contexte familial et de travail ou aux facteurs socioéconomiques et culturels susceptibles d'expliquer certaines décisions du patient. Ces informations peuvent aider le médecin et le patient à faire des liens entre l'apparition de symptômes (exemples : la céphalée, la dyspepsie, un reflux gastro-œsophagien qui devient gênant) et certaines situations de vie (exemple : des soucis financiers) ou des enjeux liés à l'âge (exemple : la ménopause).

Le fait de situer le problème d'un patient dans une perspective biopsychosociale, sans pour autant chercher à tout prix une explication psychologique ou sociale à tous les problèmes de santé, peut aider le médecin à confirmer ou à infirmer des hypothèses diagnostiques, à privilégier certaines approches thérapeutiques et à offrir un soutien adapté à ce patient. Il ne s'agit donc pas de procéder à un questionnaire psychosocial exhaustif avec chaque patient, mais d'évaluer quels aspects méritent d'être approfondis en vue d'enrichir l'analyse du problème de santé et les choix d'intervention s'y rapportant. Tout comme pour le questionnaire médical, il s'agit d'un questionnaire orienté qui doit avoir son utilité sur le plan clinique. Ainsi, autant il peut être indiqué de demander à un patient fatigué de parler de sa vie familiale, autant il semble de prime abord inapproprié de poser ce genre de question à un patient qui consulte, par exemple, pour une entorse post-traumatique. Si le médecin décide de poser des questions de nature psychosociale, nous lui recommandons d'expliquer brièvement au patient la raison d'être de ces questions : « Si vous êtes d'accord, je vais vous poser quelques questions pour mieux vous connaître et ainsi mieux comprendre vos problèmes de santé. » Cette attitude améliore la collaboration du patient, car elle l'aide à saisir la pertinence de ces questions, qui peuvent paraître à ses yeux totalement inappropriées, voire indiscrètes.

Par ailleurs, comprendre la personne dans sa globalité n'implique pas que le médecin doive nécessairement intervenir directement dans la vie du patient. Et s'il y a matière à intervention, le médecin doit se demander *qui* la fera : lui, un autre professionnel ou une ressource communautaire. Par exemple, quand le patient dit au médecin que son divorce contribue à son insomnie, il ne nous semble pas indiqué d'évaluer la nature des problèmes conjugaux, alors qu'il est essentiel d'évaluer l'insomnie, de mettre en évidence la présence éventuelle d'autres symptômes dépressifs et de vérifier si le patient reçoit du soutien de la part d'un proche ou d'un professionnel. Dans ce cas, une intervention telle que « Un divorce, ce n'est jamais simple ; je comprends que vous dormiez plus mal ces temps-ci » pourrait être suffisante pour manifester son empathie au patient. Dans d'autres situations, comme celle d'une nouvelle mère qui consulte parce qu'elle se sent épuisée, le médecin trouvera certainement utile de s'intéresser à l'adaptation de la patiente à sa nouvelle vie familiale. Enfin, dans des situations très complexes sur le plan psychosocial (exemple : des soupçons de violence parentale), le médecin pourrait proposer aux parents de faire appel aux ressources psychosociales appropriées, tout en les soutenant dans leurs démarches.

S'entendre avec le patient sur le problème, les solutions et le partage des responsabilités

Le médecin centré sur le patient considère le patient comme un véritable partenaire dans la gestion de ses problèmes de santé. En ce sens, la relation médecin-patient, même si elle n'est pas égalitaire, est une relation de coopération, c'est-à-dire de partage des responsabilités. Pour parvenir à ce partage, le médecin sollicite régulièrement le patient pendant l'entrevue, en particulier par l'utilisation de questions visant à en comprendre le point de vue et les attentes, et il l'inclut dans la prise de décision thérapeutique. Pour Stewart et ses collaborateurs (1999), cette recherche d'un terrain d'entente entre le médecin et le patient s'articule autour de trois moments: la définition du problème, la recherche des solutions possibles et la précision des rôles respectifs du médecin et du patient dans la démarche de soins. Analysons davantage ces aspects.

Même si le médecin est convaincu d'avoir posé le bon diagnostic et d'avoir choisi le meilleur traitement, la démarche est incomplète s'il ne s'assure pas que ce diagnostic et ce traitement sont acceptables pour le patient. En effet, le patient n'adhérera au traitement que si celui-ci correspond à sa logique, c'est-à-dire à sa manière de concevoir les choses, car on s'implique dans la mesure où on peut donner un sens à cette implication, quelle qu'elle soit. Par exemple, en présence d'un patient fumeur souffrant d'une bronchite chronique et refusant de cesser de fumer, le médecin aura avantage à comprendre comment ce patient se représente son problème et à s'enquérir des solutions qu'il envisage. Il expliquera au patient, dans un langage clair, adapté et dépourvu de blâme, les conséquences potentielles de son choix sur sa santé; il tentera de trouver un terrain d'entente quant à une conduite, ce qui toutefois n'est pas toujours possible. Le médecin centré sur le patient ne s'érige pas en expert qui décide unilatéralement: il se définit plutôt comme un expert dans son domaine, qui aide le patient ou ses proches à faire des choix éclairés. Si le médecin est convaincu de la valeur d'un traitement, son rôle est d'en informer le patient et d'essayer de le convaincre d'y adhérer. Son rôle est aussi de maintenir la relation thérapeutique, même si le patient décide de ne pas suivre les recommandations médicales. Résister à la tentative de *sermonner* le patient et de lui dire de ne revenir que lorsqu'il sera décidé à collaborer demande une certaine ouverture d'esprit!

Valoriser la prévention et la promotion de la santé

Cette composante renvoie à l'importance d'adopter une orientation préventive dans les entrevues habituelles en médecine familiale. Cette orientation implique qu'il faut établir des priorités quant aux besoins de santé du patient, évaluer ses risques de maladie et le sensibiliser à l'importance des interventions jugées pertinentes. Pour McWilliam et Freeman (1995), les interventions visant la prévention et la promotion de la santé seront maximalisées si le médecin est centré sur le patient, c'est-à-dire s'il intègre à la démarche de soins les trois premières composantes de l'approche: explorer la maladie et l'expérience de la maladie vécues par le patient; comprendre la personne dans sa globalité biopsychosociale; s'entendre avec le patient sur le problème, les solutions et le partage des responsabilités. Ces auteurs insistent sur l'importance d'une relation de collaboration dans laquelle il y a un partage des responsabilités entre le médecin et le patient.

Bien que nous soyons en accord avec l'orientation préventive des soins et la nécessité de créer et de maintenir une relation de collaboration avec le patient pour maximaliser l'efficacité des interventions préventives, nous croyons que la prévention est une dimension des soins qui n'est pas liée en soi à l'approche centrée sur le patient. En effet, un médecin très centré sur la maladie pourrait valoriser l'approche préventive des soins et bien le faire. Par contre, le fait d'être centré sur le patient aidera certainement le médecin à faire des interventions préventives plus efficaces, et ce pour deux raisons: d'une part, le médecin comprend le patient dans sa globalité biopsychosociale et, d'autre part, il se préoccupe de partager avec lui la responsabilité des soins. Par exemple, dans le cas d'un patient âgé de 50 ans qui consulte pour une blessure consécutive à une chute de bicyclette, il pourrait être indiqué de l'encourager à porter l'équipement de protection d'usage et de tenter de comprendre ses motivations à ne pas le faire, le cas échéant. Par contre, dans la même situation, le médecin peut certes vérifier le risque de maladies cardiovasculaires du patient, quoique, à notre point de vue, son approche ne sera pas moins centrée sur le patient s'il ne le fait pas. Une possibilité d'intervention serait, dans ce cas, de vérifier l'ouverture du patient à discuter du risque cardiovasculaire pendant l'entretien, si le temps le permet, ou à l'occasion d'une autre consultation.

Établir et développer la relation médecin-patient

Stewart et ses collaborateurs (1999) insistent sur l'importance pour le médecin de réfléchir à sa manière d'être avec les patients, à ce qu'il ressent en leur présence, ainsi qu'aux enjeux de la relation médecin-patient. Cette réflexion est nécessaire, puisque la place qu'occupe la dimension relationnelle dans la consultation est souvent majeure, a fortiori lorsque le médecin et le patient ne s'entendent pas sur la définition du problème ni sur ses solutions.

Toutefois, il est étonnant que Stewart et ses collaborateurs aient fait de la relation médecin-patient une composante de la *méthode clinique centrée sur le patient*, alors que celle-ci est, qu'on le veuille ou non, une façon de concevoir la relation médecin-patient. En effet, selon cette conception, on accorde une place prépondérante au vécu et au point de vue du patient dans le cadre de la relation, ce qui valorise le partenariat médecin-patient. Il est évident que la relation médecin-patient sera d'autant meilleure si le médecin communique clairement et de manière adaptée à son patient, s'il est attentif à ce dernier et qu'il lui manifeste son empathie et son respect.

Mais alors, est-il possible qu'un médecin ait une bonne relation thérapeutique sans être centré sur le patient, au sens où l'entendent Stewart et ses collaborateurs ? Nous pensons que oui. En effet, un médecin peut démontrer du respect et de la compassion, sans pour autant comprendre le patient dans sa globalité biopsychosociale ni l'inclure dans la prise des décisions thérapeutiques. Par contre, un médecin ne peut être réellement centré sur le patient sans démontrer les attitudes et les comportements relationnels mentionnés précédemment. Ces attitudes et ces comportements seront d'une aide toute particulière dans les situations cliniques plus difficiles, telles que l'annonce d'une maladie grave, le suivi d'un patient atteint d'une maladie chronique et peu coopératif, etc. Bref, il n'y a pas une, mais plusieurs manières d'être en relation avec les patients, étant donné que le médecin se doit d'adapter sa manière d'être et d'agir à chaque situation clinique. Voilà à la fois une des beautés et un des défis de l'exercice de la médecine.

Par ailleurs, il nous semble illusoire de croire que la relation médecin-patient est réussie simplement parce que le médecin tente de se centrer sur le patient. La réalité est plus complexe. Comprendre pourquoi un patient n'est pas satisfait, pourquoi il revendique ou pourquoi il résiste tant à une intervention, et en discuter avec lui, ce n'est pas facile. D'ailleurs, tous les médecins ne possèdent pas cette ouverture d'esprit, ni la motivation, ni la capacité de réfléchir à leur manière d'être en entrevue. Cela étant, les tentatives de se centrer sur le patient ont le mérite d'éviter parfois des impasses relationnelles ou d'aider à sortir de ces impasses, le cas échéant. Ce *travail sur le processus* aide aussi le médecin à éviter de blâmer, voire de culpabiliser les patients de ne pas suivre les recommandations médicales !

Faire preuve de réalisme

Un bon clinicien sait quelles questions poser en fonction du problème et il discrimine les informations essentielles de celles qui sont secondaires, voire inutiles. Il adopte donc une démarche structurée et orientée. Il en va de même pour le clinicien centré sur le patient. Tout en gardant le cap sur l'analyse du problème dans une perspective globale, le médecin adapte sa démarche en fonction du patient, de la nature du problème, du temps disponible, des ressources dont il dispose et de son champ de compétence. En ce sens, bien qu'elle soit essentielle, cette composante n'est pas particulière à l'approche centrée sur le patient, elle appartient plutôt à la démarche clinique dans son ensemble.

Le médecin doit toujours placer le patient au centre de ses préoccupations, étant donné que l'application des composantes de l'approche centrée sur le patient varie selon les circonstances. Ainsi, un médecin exerçant en contexte de pratique « à haut débit » peut être très centré sur le patient même s'il ne lui consacre que quelques minutes, dans la mesure où il prend les moyens pour l'écouter attentivement et vérifier si la conduite proposée lui convient. Au contraire, avec un patient anxieux qu'il traite depuis longtemps en raison d'une maladie chronique, le médecin aura certainement avantage à prendre un peu plus de temps pour se préoccuper de son vécu, en particulier de son adaptation à sa maladie.

Des manières de se centrer sur le patient en pratique

Nous l'avons dit plus haut: il n'y a pas une, mais plusieurs manières de se centrer sur le patient. Dans cette section, à partir de six situations cliniques réelles, nous verrons comment le médecin peut y parvenir. Pour commencer, revenons à l'entrevue du médecin avec Isabelle et examinons une autre façon de gérer cette consultation en tenant davantage compte de l'inquiétude de la patiente.

Le bouton d'acné

LE MÉDECIN — *Bonjour, Isabelle. Qu'est-ce que je peux faire pour toi ce matin ?*

ISABELLE — *J'ai un bouton sur le front qui me fait mal depuis trois semaines et qui ne s'en va pas.*

LE MÉDECIN — *As-tu fait quelque chose pour le traiter?*

ISABELLE — *Oui, j'ai acheté plusieurs produits contre l'acné à la pharmacie, mais ça ne fonctionne pas!*

LE MÉDECIN — *As-tu pensé que ça pouvait être autre chose que de l'acné?*

Le médecin se renseigne sur le point de vue de la patiente, en particulier sur ses inquiétudes.

ISABELLE — *Oui. Une de mes amies m'a dit que ça pouvait être un début de cancer de la peau parce que je me fais bronzer souvent. Est-ce que c'est possible?*

LE MÉDECIN	— *Viens, je vais regarder ça de plus près.*	
	À la suite de l'examen, le médecin conclut qu'il s'agit d'un simple kyste sébacé, très enflammé.	
	— *Ce que tu as là, c'est bien de l'acné. C'est fréquent à l'adolescence.*	Ici, le médecin peut expliquer dans un langage clair et simple la différence entre un bouton d'acné et un mélanome ; ces explications tiendraient compte à la fois du symptôme et de l'inquiétude.
	Est-ce que tu comprends mieux la différence entre ton bouton et ce qui ferait penser à un cancer de la peau ?	Le médecin vérifie si la patiente a bien saisi l'information.
	Il y a deux choses qu'on peut faire pour un bouton d'acné comme celui-là : soit on attend que ça revienne à la normale, soit je te prescris une crème antibiotique qui va diminuer l'inflammation.	Le médecin offre le choix du traitement plutôt que de décider unilatéralement.
ISABELLE	— *Mais j'ai déjà acheté trois crèmes à la pharmacie ! Et ça n'a pas marché…*	
LE MÉDECIN	— *Je comprends, Isabelle. La différence entre les crèmes que tu as prises et celle que je pourrais te prescrire, c'est… En fin de compte, avec ou sans crème, ton bouton va guérir. L'avantage de la crème, c'est que l'inflammation va diminuer plus rapidement.*	Le médecin fournit des explications dans un langage clair et simple afin d'aider la patiente à faire un choix éclairé.
	Qu'est-ce que tu en penses ?	Le médecin inclut la patiente dans la prise de décision.
ISABELLE	— *Bon, je vais essayer votre crème.*	
LE MÉDECIN	— (en remettant l'ordonnance à Isabelle) *As-tu d'autres questions par rapport à ton bouton ?*	Le médecin vérifie si la patiente est rassurée.
ISABELLE	— (après avoir réfléchi un moment) *Non, Docteur. Merci beaucoup !*	
	Le médecin se lève, salue Isabelle et appelle le patient suivant.	

En tenant davantage compte de l'inquiétude d'Isabelle, le médecin a non seulement démontré qu'il comprenait la nature de cette inquiétude, mais il a tenté de rassurer la patiente en lui donnant des explications adaptées. Ce faisant, la patiente est vraisemblablement plus satisfaite et a tendance à mieux collaborer au traitement.

Une radiographie pour Charles-Antoine

À partir de l'exemple d'une patiente connue, consultant sans rendez-vous pour son fils, voici deux versions de l'entrevue médicale : une version centrée sur la maladie et une version centrée sur la patiente, celle-ci illustrant comment le médecin peut mieux prendre en compte les inquiétudes et les attentes de cette patiente à l'aide du questionnaire et des explications.

Chantal, âgée de 25 ans, est une jeune mère de famille que le médecin connaît depuis quelques années. Elle se présente à la clinique de consultation sans rendez-vous, accompagnée de son fils Charles-Antoine, âgé de 3 ans, parce que celui-ci tousse depuis 48 heures.

Grâce au questionnaire, le médecin apprend que la toux, tant diurne que nocturne, est sèche, que le jeune garçon a une rhinorrhée claire, qu'il ne fait pas de fièvre, qu'il mange un peu moins que d'habitude et qu'il n'a aucune atteinte véritable de son état général. Le médecin apprend également que le père de l'enfant termine un rhume et que Charles-Antoine a fait une pneumonie un an plus tôt. Chantal voudrait qu'on fasse une radiographie des poumons à son fils. L'examen physique de l'enfant est normal.

ENTREVUE CENTRÉE SUR LA MALADIE	ENTREVUE CENTRÉE SUR LA PATIENTE
Un questionnaire caractérisé par des questions fermées et uniquement orientées sur les symptômes de l'enfant.	Un questionnaire caractérisé par des interventions ouvertes et fermées, et orientées sur les symptômes de l'enfant, de même que sur les inquiétudes, les idées et les attentes de la mère.
Exemples de questions : « Depuis quand tousse-t-il ? » « A-t-il des sécrétions ? De quelle couleur ? » « Fait-il de la fièvre ? » « Son appétit a-t-il changé ? »	Exemples d'interventions : « Parlez-moi de la toux de votre fils. » « Comment a-t-elle commencé ? » « A-t-il des sécrétions ? De quelle couleur ? » « Fait-il de la fièvre ? » « Avez-vous des inquiétudes particulières par rapport à cette toux ? » « Selon vous, qu'est-ce qui occasionne cette toux chez Charles-Antoine ? » « En venant me consulter aujourd'hui, espérez-vous que je fasse quelque chose en particulier ? »
Après un examen physique complet, y compris un examen ORL et pulmonaire attentif, le médecin donne des explications centrées sur les symptômes.	Après un examen physique complet, y compris un examen ORL et pulmonaire attentif, le médecin donne des explications qui tiennent compte des symptômes de l'enfant,

	du vécu de la mère par rapport à ces symptômes et de ses attentes à l'égard du médecin.
LE MÉDECIN — *C'est un rhume. Ça va guérir tout seul avec le temps. Je veux revoir Charles-Antoine si la toux change, si la fièvre dure plus de deux jours ou si son état général change.*	LE MÉDECIN — *C'est un rhume et je ne crois pas qu'il soit nécessaire de faire une radiographie : Charles-Antoine ne fait pas de fièvre, il a un bon état général, il ne tousse que depuis deux jours. Son père termine un rhume et va mieux.* *J'ai de bonnes raisons de croire que Charles-Antoine, lui aussi, ira mieux dans quelques jours.* *Je comprends que la possibilité d'une pneumonie vous inquiète. Actuellement, votre fils ne présente aucun signe de pneumonie. Toutefois, si la toux change, si la fièvre dure plus de deux jours ou si son état général change, revenez me voir et je réévaluerai la situation.*
Le médecin donne ensuite les conseils d'usage pour soulager les symptômes.	Le médecin donne ensuite les conseils d'usage pour soulager les symptômes et il vérifie l'accord de la mère. LE MÉDECIN — *Qu'est-ce que vous pensez de ma proposition ?*
La mère insiste pour obtenir la radiographie par crainte d'une pneumonie.	La mère peut être rassurée, en se fiant à l'expertise du médecin. Elle peut toutefois insister pour obtenir la radiographie, par crainte d'une pneumonie. Dans ce cas-ci, c'est ce qu'elle fait.
Le médecin peut choisir de refuser, et c'est l'impasse. Il peut aussi choisir de prescrire la radiographie afin d'éviter une discussion qui prendra vraisemblablement du temps.	Le médecin aura avantage à explorer en quoi la radiographie est si importante pour la mère et vérifier ce qui pourrait la rassurer, outre la radiographie. Il pourrait aussi choisir de prescrire la radiographie pour démontrer à cette mère que le symptôme de la toux n'est pas forcément un symptôme de pneumonie : ce pourrait être une stratégie pour rassurer la mère et ainsi l'aider à parfaire son expertise parentale pour la prochaine infection des voies respiratoires de son fils.

L'adénopathie cervicale

Comme nous l'avons mentionné précédemment, il est essentiel que le médecin soit réaliste dans sa manière de se centrer sur le patient. Pour y parvenir, il doit choisir les interventions qu'il juge les plus utiles à la définition et à la résolution du problème de santé. Voici un exemple d'un médecin qui, compte tenu de la simplicité du cas, aurait avantage à être plus réaliste en se limitant à s'enquérir des inquiétudes du patient, sans chercher à approfondir son expérience de la maladie. Dans des cas comme celui-ci, il peut être tout à fait approprié, tout en restant très centré sur le patient, de ne s'intéresser qu'au problème de santé, une fois les inquiétudes du patient vérifiées.

Michel, un jeune homme de 18 ans, se présente à la clinique de consultation sans rendez-vous pour une adénopathie cervicale isolée, douloureuse et présente depuis quelques jours. Le médecin recueille quelques informations et apprend que le patient termine une IVRS. Après avoir fait l'examen, ce médecin, soucieux d'être très centré sur le patient, intervient de la façon suivante.

LE MÉDECIN — *Ce que tu as là, Michel, c'est un ganglion qui est dû à ta grippe. Est-ce que ce ganglion t'inquiète ?*

MICHEL — *Pas du tout, Docteur. Combien de temps encore pensez-vous que ça va faire mal ?*

LE MÉDECIN — *Probablement que d'ici une ou deux semaines tout sera disparu. Avais-tu une idée de ce qui pouvait causer ce ganglion ?*

MICHEL — *Non.*

LE MÉDECIN — *Penses-tu que ce ganglion va t'incommoder pour tes études ?*

MICHEL — *Non, ça ne me fait pas assez mal pour ça.*

LE MÉDECIN — *As-tu des attentes particulières ?*

MICHEL — *Je ne comprends pas votre question.*

LE MÉDECIN — *Je veux dire, en venant consulter sans rendez-vous, t'attendais-tu à ce que je fasse quelque chose en particulier ?*

MICHEL — *Non, juste me dire ce que c'était. Et c'est fait. Je vous remercie.*

LE MÉDECIN — *Y a-t-il autre chose que je puisse faire pour toi ?*

MICHEL — *Non.*

La non-observance thérapeutique

Il n'est pas facile de travailler avec un patient qui fait preuve de non-observance thérapeutique. Dans un tel cas, se centrer sur le patient aide le médecin à comprendre ses motivations et à respecter ses choix, quelles que soient les recommandations unanimes des experts ! En adoptant, au contraire, une approche centrée uniquement sur la maladie, le médecin risque d'être insensible aux difficultés du patient à modifier ses habitudes de vie et de susciter une relation d'affrontement plutôt que de collaboration.

M. Moisan est un patient de 62 ans qui a eu un infarctus du myocarde trois ans auparavant. Depuis, son médecin le suit régulièrement, à raison d'une entrevue tous les trois mois ; M. Moisan s'est présenté à tous ses rendez-vous. Cependant, le médecin a remarqué que, depuis un an, son patient engraisse ; cette prise de poids rend de plus en plus difficile le contrôle de son diabète et de son hypertension artérielle. De plus, M. Moisan a recommencé à mener une vie sédentaire, à boire de 5 à 10 bières par jour et il n'a jamais cessé de fumer. Après avoir fait plusieurs tentatives infructueuses d'ajustement de la médication et répété des explications sur les dangers d'avoir plusieurs facteurs de risque, le médecin réalise que cet homme banalise de plus en plus la situation.

ENTREVUE CENTRÉE SUR LA MALADIE	ENTREVUE CENTRÉE SUR LE PATIENT
LE MÉDECIN — *Écoutez, Monsieur Moisan, votre diabète et votre tension artérielle ne sont pas bien contrôlés. On s'en va tout droit vers un deuxième infarctus si vous continuez. Il faudrait que vous arrêtiez de fumer et que vous perdiez du poids. Autant d'alcool, ce n'est pas bon pour vous. Est-ce que je me fais bien comprendre, Monsieur Moisan ?*	LE MÉDECIN — *Monsieur Moisan, il y a quelque chose que je ne comprends pas. Il y a deux ans, après votre infarctus, je vous sentais très motivé à maigrir et à mieux contrôler vos maladies, comme le diabète et l'hypertension. Depuis un an, j'ai l'impression que vous êtes redevenu comme vous étiez avant votre infarctus. De plus, vous avez recommencé à boire. Moi, ça m'inquiète. En même temps, je suis impuissant à vous aider, car toutes mes tentatives échouent. J'en suis rendu à vous demander de m'aider à vous comprendre et à mieux vous aider.*
M. MOISAN — *Bof ! Mourir de ça ou d'autre chose, c'est du pareil au même.* LE MÉDECIN — *Oui, à condition d'en mourir ! Mais vous pouvez rester très malade, sans en mourir pour autant. Par exemple, vous pourriez vous retrouver paralysé, en fauteuil roulant, pour le reste de vos jours ! Je ne veux pas vous faire peur, mais vous devez absolument comprendre qu'il faut recommencer à perdre du poids et à diminuer l'alcool. Quant à la cigarette, je ne vous en parle même pas, car je sais que vous n'êtes pas motivé à cesser de fumer.*	M. MOISAN — *Écoutez, Docteur. Je vous trouve très gentil de vouloir m'aider, mais dans ma famille, tout le monde meurt d'une crise cardiaque. Mon père et mon grand-père sont morts bien avant l'âge de 62 ans. Je me considère comme privilégié d'avoir vécu jusqu'à maintenant et, pour vous dire la vérité, je ne suis pas intéressé à dépasser l'âge de 65 ans. Vous savez que j'ai un travail difficile. Fumer, manger et boire ma bière sont mes seuls plaisirs dans la vie. Au risque de vous scandaliser, je suis heureux comme ça !*
M. MOISAN — *Je comprends, Docteur, je comprends tout ça. Mais j'ai un travail difficile et ce n'est pas facile de changer à mon âge.* LE MÉDECIN — *Je suis convaincu que vous êtes capable de faire mieux que ça. On peut changer à tout âge. Bon. On se revoit dans trois mois et on en reparle. D'ici là, je m'attends à des améliorations de votre part.*	LE MÉDECIN — *J'apprécie votre honnêteté, Monsieur Moisan. Je comprends votre point de vue et je sais que vous avez une vie difficile. Mais je ne partage pas votre pessimisme quant à l'évolution de vos maladies. Mon rôle sera donc de faire en sorte que vos maladies vous incommodent le moins possible pour continuer à travailler et pour vous rendre jusqu'à 65 ans. Après, on verra. Qu'en pensez-vous ?*
M. MOISAN — *Je vais essayer, Docteur.*	M. MOISAN — *Ça me convient.*

Dans cette situation, nous croyons que le fait d'être centré sur le patient aidera le médecin à être davantage à l'écoute des besoins du patient et à avoir des attentes plus réalistes envers lui. Cette attitude diminuera la frustration graduelle qui s'installe inévitablement au fur et à mesure que le médecin constate que le patient fait preuve de non-observance du traitement. La relation sera donc probablement plus harmonieuse et agréable pour chacun.

L'insomnie

Voici une conversation téléphonique qui rapporte une situation clinique dans laquelle le médecin ne cherche pas à comprendre l'expérience de la maladie de la patiente, ce qui mène à une impasse probable (première version). Au contraire, en se centrant davantage sur la patiente, c'est-à-dire en l'incluant dans la prise de décision, le médecin augmente ses chances qu'elle s'implique et collabore (deuxième version).

Une fille téléphone à sa mère âgée de 75 ans pour s'informer de sa visite chez son médecin la veille.

APPROCHE CENTRÉE SUR LE MÉDECIN	APPROCHE CENTRÉE SUR LA PATIENTE
LA FILLE — *Allô, maman! Comment ça va?*	LA FILLE — *Allô, maman! Comment ça va?*
LA MÈRE — *Ça ne va pas très bien. Je dors très mal ces temps-ci: je me réveille vers quatre heures du matin et je ne réussis pas à me rendormir.*	LA MÈRE — *Ça ne va pas très bien. Je dors très mal ces temps-ci: je me réveille vers quatre heures du matin et je ne réussis pas à me rendormir.*
LA FILLE — *As-tu des soucis?*	LA FILLE — *As-tu des soucis?*
LA MÈRE — *Non. Une fois réveillée, je ne me rendors plus et je ne sais pas pourquoi. Hier, j'ai demandé des somnifères à mon médecin et il a refusé de m'en prescrire. Il me semble que ça m'aiderait.*	LA MÈRE — *Non. Une fois réveillée, je ne me rendors plus et je ne sais pas pourquoi.*
	LA FILLE — *En as-tu parlé à ton médecin?*
	LA MÈRE — *Oui. Je lui ai demandé de me prescrire des somnifères.*
LA FILLE — *Pourquoi a-t-il refusé?*	LA FILLE — *Et qu'est-ce qu'il t'a répondu?*
LA MÈRE — *Il m'a dit que c'était dangereux en raison de mon âge, que je pouvais tomber et perdre la mémoire. Il m'a dit de boire de la tisane et de faire des exercices de relaxation. Mais je déteste la tisane. Moi, je lui ai répondu que c'est un somnifère qu'il me faut, pas de la tisane ni de la relaxation.*	LA MÈRE — *Il m'a demandé si j'étais préoccupée par quelque chose en particulier. Je lui ai dit que non. Il m'a rassurée en me disant que c'était normal à mon âge d'avoir besoin de moins d'heures de sommeil. De plus, il m'a suggéré différentes choses que je peux faire quand je me réveille la nuit et que je suis incapable de me rendormir. Il m'a aussi suggéré de boire de la tisane de passiflore avant de me coucher. Moi, j'aurais préféré qu'il me prescrive un somnifère…*
LA FILLE — *Qu'est-ce qu'il t'a répondu?*	LA FILLE — *Pourquoi a-t-il refusé de te prescrire des somnifères? Est-ce qu'il te l'a dit?*
LA MÈRE — *Il m'a dit non avec gentillesse et il a changé de sujet. Si ça continue, je pense que je vais chercher un autre médecin. On ne se comprend pas, lui et moi…*	LA MÈRE — *Oui. Il m'a dit qu'il était prudent quand il s'agissait de prescrire des somnifères aux gens de mon âge, en raison des risques de dépendance et de chute au lever le matin. Il a ajouté qu'il n'était pas fermé à l'idée de m'en prescrire, mais qu'il voulait d'abord*

que j'essaie ses suggestions. Il m'a demandé si j'étais d'accord pour mettre ses conseils en pratique jusqu'à la prochaine visite. On doit en reparler à ce moment-là.

LA FILLE — *Qu'est-ce que tu en penses?*

LA MÈRE — *Je n'ai pas l'impression que ça va marcher: tu le sais, je déteste la tisane! Mais je suis prête à essayer ce qu'il m'a proposé. C'est un médecin qui me comprend, et je suis certaine qu'il va tout faire pour m'aider si ça ne marche pas avec la tisane. D'ailleurs, il me demande toujours mon opinion et il en tient compte avant de décider.*

L'impasse relationnelle

Se centrer sur le patient n'est pas une panacée. Voici l'exemple d'un médecin qui, malgré sa tentative de comprendre l'expérience de la maladie de sa patiente et d'inclure cette dernière dans les prises de décision, en arrive à une impasse relationnelle pendant l'entrevue. Même en se centrant sur le patient, le médecin doit parfois refuser de satisfaire les demandes de ce dernier, s'il juge ces demandes cliniquement inappropriées.

Le médecin rencontre Eugénie, une jeune femme de 20 ans, pour un suivi de grossesse. Elle vient de déménager dans le quartier et aimerait que ce médecin devienne son médecin traitant. Elle est enceinte de cinq semaines et désire passer une échographie. Elle se dit heureuse de sa grossesse, mais aussi très inquiète car, six mois plus tôt, elle a dû se faire avorter à 20 semaines de grossesse. On avait découvert un fœtus anencéphale à l'échographie de routine. Eugénie craint énormément que la même situation ne se reproduise. Elle pleure en racontant cet événement, tout en ayant un ton revendicateur qui semble laisser peu de place à la discussion.

EUGÉNIE — *Docteur, je n'ai pas l'intention de revivre ça! Je veux passer une échographie dès maintenant.*

LE MÉDECIN — *Eugénie, ta crainte est bien légitime et je comprends que tu ne veuilles pas revivre une situation aussi difficile. Une échographie sera certainement indiquée plus tard, mais actuellement, à cinq semaines, elle ne sera d'aucune utilité, car on ne pourra pas voir assez clairement si le fœtus est normal ou non.*

EUGÉNIE — *Oui, mais moi, je ne veux pas attendre, je veux le savoir tout de suite. Vous ne savez pas à quel point ça a été difficile de perdre mon bébé…*

LE MÉDECIN — *Eugénie, je comprends ton empressement et je sais à quel point l'expérience a pu être difficile pour toi. Malheureusement, il y a parfois des situations où il n'y a pas d'autre solution que d'attendre. Comme je te l'ai dit, une échographie à cinq semaines ne nous permettra pas de voir si ton fœtus est normal. Par contre, je pourrais déjà planifier une échographie qui sera faite lorsque le fœtus sera plus développé. Qu'est-ce que tu en penses?*

EUGÉNIE — (en élevant la voix) *Écoutez, Docteur ! Ma situation est particulière. Perdre un bébé, ce n'est pas banal ! Je pense que ça justifie d'avoir une échographie avant le moment habituel.*

LE MÉDECIN — *Je comprends que tu sois très inquiète et en colère, Eugénie. Tu as perdu un bébé et tu ne veux pas en perdre un autre. Tu as tout à fait raison de vouloir être rassurée. Je suis prêt à te suivre régulièrement et à te consacrer toute l'attention nécessaire pour m'assurer que ta grossesse évolue bien. Est-ce que tu me crois ?*

EUGÉNIE — *Oui, mais je veux quand même une échographie.*

LE MÉDECIN — *Écoute, aide-moi à comprendre. Je te dis qu'actuellement l'échographie sera inutile pour préciser si ton fœtus est normal ou pas, et tu insistes quand même pour l'avoir. En quoi l'échographie va-t-elle te rassurer ?*

EUGÉNIE — *Je saurai au moins que mon bébé est là.*

LE MÉDECIN — *Qu'est-ce que tu veux dire ?*

EUGÉNIE — *Je veux dire : je saurai que mon bébé est vivant.*

LE MÉDECIN — *Qu'est-ce qui te fait croire que ton bébé pourrait être mort ?*

EUGÉNIE — *Je ne sais pas, c'est une impression. Je veux savoir s'il est vivant et normal. C'est pour ça que je veux une échographie.*

LE MÉDECIN — *C'est certain que ton bébé est vivant : tu as tous les signes d'une femme enceinte, ton test de grossesse est positif et l'examen médical confirme que tu es enceinte. De plus, tu n'as pas eu de pertes sanguines. Voici ce que je suis prêt à faire : on va se revoir dans un mois et je vais m'organiser pour que tu aies ton échographie à ta douzième semaine de grossesse. Entre-temps, tu pourras évidemment me téléphoner au besoin. Qu'est-ce que tu en penses ?*

EUGÉNIE — *Je suis déçue. Je vais aller consulter un autre médecin afin d'avoir cette échographie.*

LE MÉDECIN — *Je respecte ta décision, même si je ne suis pas d'accord. J'aurais aimé qu'on parvienne à une entente. Veux-tu au moins prendre un jour ou deux pour y penser ?*

EUGÉNIE — *Non.*

LE MÉDECIN — *D'accord. Si tu décides de revenir me consulter, ça me fera plaisir de te revoir.*

Le fait que le médecin ait pris le temps d'écouter cette patiente et ait tenté d'apaiser ses craintes n'aura pas permis de dénouer l'impasse. Toutefois, son attitude aura peut-être aidé à ce que la patiente sollicite à nouveau son aide un jour ou l'autre.

Conclusion

Nous avons exploré la signification de l'expression *se centrer sur le patient* en présentant diverses applications cliniques de cette approche. Nous espérons que le lecteur aura retenu qu'il s'agit d'une philosophie de soins fort utile au médecin dans sa tentative de mieux comprendre et d'aider efficacement le patient. En fait, il s'agit de beaucoup plus qu'une simple technique relationnelle consistant à poser quelques questions de nature psychosociale au patient : ce n'est pas en soi le fait de questionner le patient, par exemple sur ses inquiétudes ou sur ses attentes, qui créera, comme par enchantement, une bonne relation médecin-patient et qui améliorera la collaboration au traitement. Se centrer sur le patient implique pour le médecin de placer le patient, en tant que personne, au centre de ses préoccupations en lui démontrant, par ses comportements verbaux et non verbaux, qu'il est important à ses yeux et qu'il constitue un véritable partenaire dans la relation thérapeutique. Voilà le principal enjeu clinique quand on se centre sur le patient.

Notes

1. Nous préférons l'expression *approche centrée sur le patient* à celle de *méthode centrée sur le patient*; en effet, selon notre point de vue, la première traduit bien le fait qu'il s'agit d'une philosophie de soins, alors que la seconde renvoie plutôt à un ensemble de règles ou de procédures.
2. Pour en savoir davantage sur les principaux modèles relationnels en médecine, lire le chapitre 5, intitulé « Les modèles de relation médecin-patient ».
3. Bien que l'expression « agenda caché » soit un calque de l'anglais *hidden agenda*, son usage est répandu dans le domaine médical. L'expression désigne les intentions non déclarées ou les arrière-pensées.

Références

Anderson, R.J., et L.M. Kirk (1982). « Methods of improving patient compliance in chronic disease states », *Archives of Internal Medicine*, vol. 142, n° 9, p. 1673-1675.

Bachman, R.M. (1993). « Better compliance : Physician making it happen », *The Lancet*, vol. 342, p. 717-718.

Balint, M., J. Hunt, D. Joyce, M. Marinker et J. Woodcock (1970). *Treatment or diagnosis : A study of repeat prescriptions in general practice*, Philadelphie, J.B. Lippincott.

Balint, M. (1980). *Le médecin, son malade et la maladie*, Paris, Payot.

Bass, M.J., I.R. McWhinney et J.B. Dempsey (1986). « Predictors of outcomes in headache patients presenting to family physicians : A one year prospective study », *Headache*, vol. 23, n° 1, p. 43-47.

Boulé, R., et G. Girard (1999). « L'approche centrée sur le patient : concepts et exemples », *Revue de la Médecine Générale*, vol. 166, p. 374-381.

Engel, G.L. (1977). « The need for a new medical model : A challenge for biomedicine », *Science*, vol. 196, p. 129-136.

Kaplan, S.H., S. Greenfield et J.E. Ware (1989). « Assessing the effect of physician-patient interactions on the outcomes of chronic disease », *Medical Care*, vol. 27, p. S110-S127.

Kleinman, A., L. Eisenberg et B. Good (1978). « Culture, illness, and care : Clinical lessons from anthropologic and cross-cultural research », *Annals of Internal Medicine*, vol. 88, n° 2, p. 251-258.

Levenstein, J.H. (1984). « The patient-centred general practice consultation », *South Africa Family Practice*, vol. 5, p. 276-282.

Levinson, W., R.R. Gorawara-Bhat et J.A. Lamb (2000). « Study of patients clues and physicians responses in primary care and surgical settings », *The Journal of the American Medical Association*, vol. 284, n° 8, p. 1021-1027.

Marvel, M.K., R.M. Epstein, K. Flowers et H.B. Beckman (1999). « Soliciting the patient's agenda : Have we improved ? », *The Journal of the American Medical Association*, vol. 281, n° 3, p. 283-287.

McWhinney, I.R. (1972). « Beyond diagnosis : An approach to the integration of clinical medicine and behavioural science », *The New England Journal of Medicine*, vol. 287, p. 384-387.

McWilliam, C.L., et T.R. Freeman (1995). « The fourth component : Incorporating prevention and health promotion », dans *Patient-Centered Medicine : Transforming the clinical method*, sous la direction de M. Stewart, J.B. Brown, W.W. Weston, I.R. McWhinney, C.L. McWilliam et T.R. Freeman, Thousand Oaks (Californie), Sage Publications, p. 73-84.

Mead, N., et P. Bower (2000). « Patient-centredness : A conceptual framework and review of the empirical literature », *Social Science and Medicine*, vol. 51, n° 7, p. 1087-1110.

Mead, N., et P. Bower (2002). « Patient-centred consultations and outcomes in primary care : A review of the literature », *Patient Education and Counseling*, vol. 48, n° 1, p. 51-61.

Platt, E.W., D.L. Gaspar, J.L. Coulehan, L. Fox, A.J. Adler, W.W. Weston, R.C. Smith et M. Stewart (2001). « Tell me about yourself : The patient-centered interview », *Annals of Internal Medicine*, vol. 34, n° 11, p. 1079-1085.

Putnam, S.M., et M. Jr. Lipkin (1995). « The patient-centered interview : Research support », dans *The medical interview. Clinical care, education and* research, sous la direction de M. Lipkin, S.M. Putnam et A. Lazare, New York, Springer-Verlag, p. 530-537.

Stewart, M. (1995). « Effective physician-patient communication and health outcomes : A review », *Journal de l'Association médicale canadienne / Canadian Medical Association Journal*, vol. 152, n° 9, p. 1423-1433.

Stewart, M. (2001). « Towards a global definition of patient centred care », *British Medical Journal*, vol. 322, n° 7284, p. 444-445.

Stewart M, J.B. Brown, H. Boon, J. Galajda, L. Meredith et M. Sangster (1999). « Evidence on doctor-patient communication », *Cancer Prevention and Control*, vol. 3, n° 1, p. 25-30.

Stewart M, J.B. Brown, A. Donner, I.R. McWhinney, J. Oates, W.W. Weston et J. Jordan (2000). « The impact of patient-centered care on outcomes », *The Journal of Family Practice*, vol. 49, nº 9, p. 796-804.

Stewart, M., J.B. Brown, W.W. Weston, I.R. McWhinney, C.L. McWilliam et T.R. Freeman (1995). *Patient-centered medicine: Transforming the clinical method*, Thousand Oaks (Californie), Sage Publications.

Weston, W.W., et J.B. Brown (1995). « Overview of the patient-centered clinical method », dans *Patient-centered medicine: Transforming the clinical method*, sous la direction de M. Stewart et autres, Thousand Oaks (Californie), Sage Publications, p. 21-30.

Les fonctions de l'entrevue médicale et les stratégies communicationnelles[1]

Marie-Thérèse Lussier
Claude Richard

CHAPITRE 7

Au cours de ces 15 dernières années, nous avons eu l'occasion d'observer des milliers d'entrevues effectuées par des médecins en formation. Notre principal constat : à ce stade de leur carrière, les futurs médecins ont tendance à mener leurs entrevues selon la structure qu'ils utilisent pour rédiger leurs dossiers. Si un fil conducteur peut s'avérer utile dans la rédaction du dossier du patient, la séquence dans laquelle les éléments de l'entrevue seront abordés ne doit cependant pas être calquée sur l'organisation du dossier. La réalisation d'une entrevue exige du médecin un dynamisme et une souplesse qui ne sauraient être freinés par le carcan rigide qu'impose le partage d'un document écrit.

Le dossier médical et l'entrevue ont des fonctions différentes. Le dossier médical est un document confidentiel qui a une valeur légale (Collège des médecins du Québec, 1996). Il sert principalement d'aide-mémoire au médecin traitant, qui y consigne les faits saillants des antécédents, de l'histoire de la maladie actuelle, de l'examen physique, des examens paracliniques et des traitements prescrits. Le dossier médical constitue également un précieux outil de communication pour les professionnels de la santé qui partagent les soins d'un même patient. Une façon *standardisée* de consigner les informations au dossier offre certes plusieurs avantages, mais le dossier reste alors plutôt centré sur l'information clinique, en particulier celle de nature biomédicale. Quant aux informations de nature interpersonnelle ou psychosociale, il est clair que le dossier en est, en général, un reflet beaucoup moins précis (Frankel et Beckman, 1995).

Jusqu'à récemment, dans le milieu médical, on désignait par le terme *interrogatoire* la partie de la consultation où le médecin questionne le patient au sujet de ses symptômes et de ses malaises. Pour la formation à l'entrevue, on s'est ainsi longtemps limité à remettre à l'étudiant une liste de questions portant sur le fonctionnement de chacun des systèmes organiques. L'accent était mis sur le contenu de la communication, au détriment du processus. Or, la qualité de l'information qu'on peut recueillir au cours de cette rencontre est intimement liée à la capacité du médecin d'interroger le patient et d'établir une relation avec lui. C'est de cette information que le médecin pourra tirer un diagnostic. C'est aussi grâce à ses interactions, et donc grâce à sa relation avec le patient, que le médecin pourra favoriser la participation de ce dernier dans le processus de soins.

Bird et Cohen-Cole (1990), suivis de Lazare, Putnam et Lipkin (1995), ont proposé un modèle d'entrevue médicale établi dans une perspective de processus dynamique. Ils s'attardent sur les fonctions génériques de toute entrevue médicale, qu'elle se tienne au chevet du patient hospitalisé, à la salle d'urgence, en clinique externe, en cabinet ou à domicile. Cette façon de conceptualiser l'entrevue s'éloigne de la perspective traditionnelle, selon laquelle on aborde l'entrevue par sa structure (ou séquence) : l'accueil, la discussion des problèmes actuels et antérieurs, l'examen physique, les impressions diagnostiques, le plan de traitement et la conclusion.

Les chapitres 7 et 8 présentent l'entrevue médicale à la fois sous l'angle novateur du processus et sous l'angle traditionnel du contenu. Dans le présent chapitre, nous abordons d'abord les fonctions de l'entrevue médicale, et ensuite les différentes stratégies communicationnelles que le professionnel de la santé peut utiliser pour mener une entrevue de façon satisfaisante. Comme le chapitre 8 comporte la synthèse des diverses étapes du déroulement d'une entrevue, nous y examinons la structure d'une entrevue médicale et les contenus qui s'y rapportent.

Les fonctions de l'entrevue médicale

L'entrevue médicale comporterait trois fonctions (Lipkin et autres, 1995 ; Cole et Bird, 2000), qui sont rapportées au tableau 7.1 :

1. La collecte des informations dans le but de comprendre le patient et le problème qu'il présente.
2. La mise en place d'une relation avec le patient et la capacité de répondre adéquatement à l'expression de ses émotions.
3. L'enseignement thérapeutique du patient, qui englobe la transmission d'informations et le recours à des stratégies motivationnelles.

Tableau 7.1 **Les trois fonctions de l'entrevue médicale et les objectifs correspondants**

FONCTIONS	OBJECTIFS
Première fonction La collecte des informations	1. Établir le diagnostic et proposer les examens diagnostiques complémentaires. 2. Comprendre la perspective du patient et son vécu du problème. 3. Surveiller (*monitor*) les changements dans la maladie ou les comportements de santé du patient. 4. Construire avec le patient une compréhension de son problème qui servira d'assise à la troisième fonction.
Deuxième fonction La mise en place d'une relation avec le patient et la capacité de répondre à ses émotions	1. Créer un climat de collaboration et de confiance. 2. Faciliter l'engagement du patient dans son plan de traitement. 3. Soulager sa souffrance physique et sa détresse psychologique. 4. S'assurer de la satisfaction du patient et de celle du médecin.
Troisième fonction L'enseignement thérapeutique et la motivation du patient	1. Expliquer au patient la nature du problème. 2. Lui expliquer les techniques diagnostiques proposées. 3. Discuter avec lui les possibilités de traitement. 4. S'assurer de parvenir à un consensus avec le patient au sujet des trois objectifs précédents. 5. S'assurer d'obtenir le consentement éclairé du patient. 6. Soutenir le patient dans ses mécanismes d'adaptation à la maladie. 7. Soutenir le patient dans ses changements de comportement.

Source : Traduit et adapté de Lazare, Putnam et Lipkin (1995), p. 6-7.

Dans la deuxième édition de *The medical interview: The three-function approach*, Cole et Bird (2000) ont proposé que la mise en place de la relation soit considérée comme la première fonction, étant donné le rôle primordial que la relation joue dans l'atteinte des objectifs des deux autres fonctions. À notre avis, les trois fonctions sont essentielles et interdépendantes, si bien que l'ordre dans lequel elles sont traitées revêt peu d'importance. Pour cette raison, nous les présenterons selon l'ordre habituel. Une autre raison qui nous amène à conserver l'ordre initial proposé par Cohen-Cole (1991) et Lazare et autres (1995) est que les médecins eux-mêmes reconnaissent formellement l'échange d'information comme une partie essentielle de leur travail, alors qu'ils considèrent le plus souvent la relation comme la toile de fond sur laquelle le travail s'effectue. Le modèle des trois fonctions est une transposition, dans la pratique clinique, du modèle biopsychosocial[2], introduit par Engel dans les années 1970 (Cole et Bird, 2000; Engel, 1977).

La première fonction: la collecte des informations

La première fonction consiste pour le médecin à recueillir des renseignements suffisamment précis et complets pour comprendre le patient et le problème qu'il présente, poser un diagnostic, proposer une démarche diagnostique complémentaire et suggérer des traitements. Bien que les médecins reconnaissent spontanément l'importance de cette fonction, il semble y avoir un problème dans la façon dont ils s'y prennent pour échanger l'information au cours de l'entrevue.

Les médecins perçoivent, avec raison, que leur tâche première est de poser un diagnostic. En effet, il est généralement reconnu que le questionnaire fournit entre 60 % et 80 % de l'information nécessaire pour établir un diagnostic précis (Hampton, Harrison, Mitchell, Prichard et Seymour, 1975; Sandler, 1980). Cependant, les médecins se préoccupent peu de la façon dont ils vont chercher cette information, c'est-à-dire du contexte relationnel qu'ils créent en discutant avec leurs patients; or, ce manque d'intérêt peut nuire à la qualité de l'information obtenue (Platt et McMath, 1979; Waitzkin, 1991). Pour saisir l'importance de la manière de faire du professionnel, il n'y a qu'à penser à l'influence que peut avoir sur la réponse une question suggestive («Vous n'avez pas de douleurs, n'est-ce pas?»), une question multiple («Avez-vous eu des régurgitations, des brûlures ou des douleurs à l'estomac?») ou, encore, une interruption qui redirige la conversation avant que le patient n'ait pu vraiment terminer ce qu'il disait («J'aimerais que vous me parliez plutôt de vos douleurs abdominales»).

D'autres études nous apprennent que les médecins et les patients s'entendent sur les raisons de la consultation dans moins de 50 % des cas (Stewart, McWhinney et Buck, 1979). Les médecins éprouvent également des difficultés à transmettre les données médicales à l'aide de termes que les patients peuvent comprendre (Tuckett, Boulton, Olson et Williams, 1985). Ainsi, 36 % des patients qui ont reçu de l'information à propos d'un diagnostic ne se rappellent pas ce que le médecin leur a dit ou ne peuvent pas le reformuler en leurs propres mots. Par ailleurs, les médecins sous-estiment le désir du patient de recevoir de l'information dans 65 % des cas et ils surestiment, selon un facteur de 7, le temps qu'ils passent à donner de l'information (Waitzkin, 1984). Ces données révèlent des difficultés significatives sur le plan de l'échange d'information.

Dans une revue systématique de 21 études qui traitaient des effets de la communication sur divers résultats de soins, Stewart (1995) a montré que les stratégies communicationnelles associées à des résultats de soins positifs étaient les suivantes:

- le médecin s'informe de la compréhension qu'a le patient de son problème de santé, de ses préoccupations et de sa perception de l'effet du problème sur ses capacités fonctionnelles ;
- le médecin s'informe des aspects affectifs associés au problème et il exprime son empathie au patient.

Plus récemment, Stewart et autres (2000) ont démontré qu'une approche communicationnelle centrée sur le patient, dans les consultations de soins de première ligne, améliore l'état de santé des patients et diminue le nombre de demandes de tests diagnostiques et de consultations de spécialistes.

Les objectifs et les tâches associés à la première fonction

La première fonction renvoie à la collecte de l'ensemble des renseignements nécessaires à l'établissement d'un diagnostic ou suffisants pour déterminer l'approche diagnostique appropriée à la situation. Lazare et autres (1995, p. 7) associent les objectifs suivants à la première fonction :

1. Établir le diagnostic et proposer les examens diagnostiques complémentaires.
2. Comprendre la perspective du patient et son vécu du problème.
3. Surveiller (*monitor*) les changements dans la maladie ou les comportements de santé du patient.
4. Construire avec le patient une compréhension de son problème qui servira d'assise à la troisième fonction.

Ces auteurs relèvent plusieurs tâches en lien avec les quatre objectifs rapportés au tableau 7.1 :

- acquérir un savoir en anatomie, en physiologie et en pathologie permettant de reconnaître une maladie ;
- acquérir un savoir en psychologie et en sociologie permettant de comprendre les comportements du patient en rapport avec sa maladie ;
- faire ressortir les éléments de nature biomédicale et psychosociale qui sont reliés au problème ;
- reconnaître ces éléments soulevés et leur rôle dans le problème ;
- produire et vérifier de nombreuses hypothèses diagnostiques.

Ainsi, la première fonction nécessite que le médecin soit capable, d'une part, d'écouter attentivement ce que le patient dit et, d'autre part, de faire ressortir de ses antécédents et de la description de ses malaises les informations de nature biomédicale et psychosociale essentielles au diagnostic. La première fonction correspond à la rencontre entre les connaissances scientifiques du médecin en anatomie, en physiologie et en pathologie et l'expérience de la maladie vécue par le patient. Plus loin, nous verrons un ensemble de stratégies communicationnelles de base qui facilitent la collecte de l'information et la rendent plus efficace et précise.

L'observation directe de médecins en formation et les résultats de la recherche dans le domaine nous amènent à constater que, malgré les faiblesses observées dans sa réalisation, la première fonction prédomine sur les deux autres. À notre avis, ces faiblesses expliquent en partie un ensemble de difficultés que les médecins rapportent dans l'exercice de leur profession, en particulier les problèmes d'observance des recommandations[3] (Beaulieu, Leclere et Bordages, 1993).

La deuxième fonction : la mise en place d'une relation avec le patient et la capacité d'accueillir ses émotions

Toute relation se définit dans et par la communication ; en effet, sans communication, il ne peut y avoir de relation. On peut dire qu'une relation se définit au fil des interactions et à travers le temps. Si l'asymétrie inscrite dans la relation médecin-patient est incontournable, elle n'exclut pas la mise en place d'une relation basée sur le respect mutuel, où le médecin répond adéquatement à l'expression des émotions du patient. Le respect et la confiance renvoient à des concepts théoriques qui ont cependant des expressions très concrètes dans la rencontre entre un médecin et son patient. De plus, l'environnement dans lequel le médecin exerce peut aussi contribuer à créer un climat de confiance.

La deuxième fonction consiste à créer un climat de collaboration qui facilite l'échange d'information, que ce soit dans le but de poser un diagnostic (la première fonction) ou de favoriser l'engagement du patient dans son plan de traitement (la troisième fonction). Ainsi, l'atteinte des objectifs de cette fonction joue un rôle important dans la réalisation des deux autres fonctions. De plus, le genre de relation mis en place contribue au soulagement de la douleur physique et psychologique du patient, ainsi qu'au sentiment de satisfaction à la fois du médecin et du patient.

La place de la relation dans le processus de soins

Selon une synthèse critique récente portant sur la nature de la relation médecin-patient (Roter, 2000), ce concept se trouve déjà dans des traités de médecine qui remontent à la Grèce antique. Au XXe siècle, les historiens de la médecine ont noté le déclin de la prépondérance de la relation professionnelle dans le processus de soins, déclin qu'ils attribuent à la prédominance du paradigme biomoléculaire de la médecine. Dans un environnement de santé caractérisé par la découverte du génome humain et l'évolution des nanotechnologies, la place qu'on reconnaît à la relation dans le processus de soins peut être encore plus réduite (Stange, Miller et McWhinney, 2001), en particulier quand il s'agit de soins spécialisés ou de certains secteurs de pointe de la médecine.

Par contre, si on se réfère aux définitions contemporaines des soins de première ligne, et au rapport du Collège royal des médecins et chirurgiens du Canada (1996) sur les compétences des médecins spécialistes pour le nouveau millénaire, il est permis de penser que la relation professionnel-patient conservera une place de premier plan (Starfield, 1998 ; Murray et Safran, 1999). La reconnaissance officielle d'un partenariat entre les patients et les professionnels de la santé, dans le contexte de la famille et de la communauté, renforce notre conviction en ce sens. En effet, une enquête internationale récente, rapportée dans le *British Medical Journal*, indique que les patients placent leur relation avec leur médecin au deuxième rang, immédiatement après les relations familiales (Pincock, 2003). Par ailleurs, une étude récente (Zins Beauchesne et associés, 2000) qui portait sur les attentes et la satisfaction de la population montréalaise à l'égard des services de santé et des services sociaux révèle que les attentes jugées les plus importantes par les usagers relèvent des dimensions relationnelle et communicationnelle des soins (l'écoute attentive, les explications adéquates, le respect).

Plusieurs sortes de relations peuvent s'établir entre un médecin et son patient[4]. Deux synthèses d'études sur la communication (Hall, Roter et Katz, 1988 ; Stewart, 1995) ont cependant montré que plus les médecins semblent soucieux d'établir une relation de collaboration plutôt qu'une relation d'autorité, meilleure est la compréhension des patients, meilleure est leur observance des recommandations et plus grande est leur satisfaction.

Les objectifs et les tâches associés à la deuxième fonction

Lazare et autres (1995, p. 6) associent les objectifs suivants à la deuxième fonction:

1. Encourager la participation du patient au processus du diagnostic en mettant en place un climat de collaboration et de confiance propice au partage de l'information.
2. Faciliter l'engagement du patient dans son plan de traitement ou le processus de discussion qui y mène.
3. Soulager la douleur physique et psychologique du patient.
4. S'assurer de la satisfaction du patient et de celle du médecin.

Voici les tâches que ces auteurs (p. 7) relient à la deuxième fonction.

- Définir la nature de la relation. Dans le domaine de la pratique professionnelle, St-Arnaud (1995, p. 11) rappelle ceci:

  > On reconnaît aujourd'hui le principe de la double compétence: une compétence disciplinaire reliée à la maîtrise du savoir et du savoir-faire propres à une discipline et, d'autre part, une compétence interpersonnelle reliée à l'utilisation du savoir et du savoir-faire dans l'interaction.

- Communiquer l'expertise professionnelle. Le médecin communique son expertise professionnelle de plusieurs manières. Sa façon de s'habiller et de se comporter, la connaissance des éléments antérieurs du dossier qu'il démontre, les questions qu'il pose, les explications qu'il donne et l'attitude confiante qu'il montre sont autant de facettes qui permettent au patient de décoder si le médecin est compétent ou non.
- Communiquer l'expertise interpersonnelle. Sur le plan interpersonnel, le médecin communique son expertise en montrant du respect et de l'intérêt à la personne qui le consulte. Ce faisant, il doit garder une distance professionnelle appropriée entre lui et le patient. Cette tâche nécessite que le médecin entende le patient et soit sensible à la dimension affective de son problème. Plusieurs stratégies communicationnelles avancées sont utiles pour y arriver, comme l'expression du soutien et de l'empathie[5].
- Reconnaître et résoudre les barrières relationnelles et communicationnelles. Selon Quill (1995), diverses catégories de barrières peuvent entraver la relation et la communication. Il les classe comme suit:
  - les barrières environnementales;
  - les barrières physiques;
  - les barrières psychologiques;
  - les barrières socioculturelles.

  Le médecin doit être capable de déceler les barrières et chercher à les nommer lorsqu'il perçoit une incohérence entre le langage verbal et le langage non verbal du patient, lorsqu'il se trouve en présence d'un problème d'observance ou lorsqu'il constate l'échec d'un traitement. Le médecin doit tenter de lever les barrières environnementales en prêtant attention au contexte dans lequel la consultation se déroule. En vérifiant le niveau de confort du patient en début d'entrevue et en restant sensible aux indices d'un changement de ce niveau de confort tout au long de l'entrevue, le médecin peut contrer les barrières physiques qui nuisent à l'efficacité de la communication. Un autre exemple est le dépistage des déficits sensoriels du patient (la surdité ou les troubles visuels) : le médecin peut alors faire les ajustements nécessaires (la position relative des interlocuteurs, le niveau d'éclairage, etc.). Les barrières psychologiques peuvent renvoyer à des émotions et à certains traits de personnalité. Le médecin doit d'abord détecter ce genre de barrières, puis soit tenter de les lever en ayant recours à des stratégies de soutien, d'empathie et de légitimation, soit acheminer les patients à des confrères spécialisés. De nos jours, les barrières socioculturelles peuvent être nombreuses ; le médecin doit donc rester sensible aux différences culturelles[6] et sociales[7].

- Rechercher la perspective du patient. La recherche de la perspective du patient est une tâche intimement liée à la première fonction. Ce que le patient comprend de son problème et des solutions proposées influence ses comportements de santé. Le fait d'inviter le patient à partager sa perspective sur ses craintes, les causes, les solutions et les conséquences de son problème permet au médecin de déceler les barrières et les conflits potentiels et de mieux arrimer l'investigation et le traitement proposé.

Comme nous venons de le voir, la deuxième fonction de l'entrevue est liée au domaine socioaffectif de la pratique médicale. Elle s'appuie sur la compétence interpersonnelle du clinicien. La consultation médicale étant souvent le théâtre de l'expression d'émotions, le médecin a avantage à d'abord mettre en lumière ces émotions, puis à les gérer dans le meilleur intérêt du patient et de la relation. L'anxiété, la colère, la tristesse sont des réactions habituelles chez le patient qui doit faire face à une maladie grave ou chronique. La charge émotive ressentie ou exprimée varie énormément d'un patient à l'autre et d'une consultation à l'autre. Ces émotions peuvent revêtir un caractère exagéré ou anormal, ce qui rend les interactions plus difficiles et moins satisfaisantes. Quelle que soit la nature ou l'intensité de l'émotion vécue, il existe des stratégies communicationnelles éprouvées pour aider le clinicien à la gérer[8] (Smith, 1996).

Bien que la qualité de la relation soit importante dans toutes les entrevues, elle l'est particulièrement dans certaines circonstances, comme le rappellent Lazare et autres (1995) :

- annoncer un diagnostic grave ou un changement de diagnostic ;
- annoncer un traitement douloureux, débilitant ou comportant des effets secondaires graves ;
- annoncer une erreur médicale ;
- intervenir auprès d'un patient difficile ;
- annoncer la fin de la relation médecin-patient.

L'atteinte des objectifs de la deuxième fonction mène à des entrevues plus satisfaisantes, à la fois pour le clinicien et pour le patient. Pourtant, cette dimension des soins est le plus souvent délaissée ou attribuée aux habiletés *naturelles* de l'intervenant. Plusieurs auteurs soutiennent qu'il est possible de définir les compétences requises, de les apprendre et de les appliquer systématiquement de façon appropriée dans l'exercice de la profession médicale[9] (Simpson et autres, 1991 ; Makoul, 2001 ; Smith et autres, 1998 ; Hulsman, Ros, Winnubst et Bensing, 1999 ; Maguire et Pitceathly, 2002).

La troisième fonction : l'enseignement thérapeutique et la motivation du patient

La troisième fonction consiste à faire comprendre au patient la nature de son problème, les techniques diagnostiques qui lui sont proposées et les divers traitements possibles. Elle vise également à soutenir le patient dans ses mécanismes d'adaptation à la maladie et dans ses changements de comportement. Le partenariat médecin-patient est donc à la base de cette fonction.

Des trois fonctions de l'entrevue, la troisième est sans doute la moins bien documentée et la moins bien maîtrisée. Cette fonction est celle qui est le plus souvent négligée. En effet, les médecins considèrent fréquement leur travail comme terminé lorsque le diagnostic est établi et que l'ordonnance est écrite.

Pourtant, la recherche fournit des données accablantes sur l'inobservance des recommandations faites par les médecins. L'estimation du taux d'inobservance des prescriptions varie de 30 % à 70 % (DiMatteo et autres, 1993; Tamblyn et Perreault, 1998). Ce taux d'inobservance serait encore plus important quand il s'agit d'un changement de comportement (Haynes, Taylor et Sackett, 1979). Bien qu'on ait délimité un ensemble de facteurs qui provoquent l'inobservance, nul ne peut nier que les interactions médecin-patient y contribuent aussi. Dans le même ordre d'idées, une étude québécoise récente (Lussier, Collin et Richard, 2001) révélait que 44 % des ordonnances d'un nouveau médicament (c'est-à-dire prescrit pour la première fois à un patient) faites par des omnipraticiens à des patients âgés au cours d'une entrevue médicale ne comportaient aucune explication sur la posologie. Il suffit de penser aux nombreux médicaments que doivent prendre les patients âgés aux prises avec de multiples maladies chroniques pour comprendre l'importance de cette donnée. Malheureusement, cet état de fait inquiétant ne semble pas interpeller les médecins: tout se passe comme si l'échec relevait uniquement du patient. Ce qu'on entend le plus souvent, c'est « Le patient manque d'observance » ou « Le patient est difficile[10] ».

Par ailleurs, dans le domaine de la prévention médicale et de la promotion de la santé, les études observationnelles révèlent que les interventions des médecins sont généralement superficielles et que ceux-ci n'abordent que rarement de façon approfondie les liens qui existent entre les facteurs de risque et les problèmes de santé (Beaudoin, Lussier, Gagnon, Lalande et Brouillet, 2001 ; Stange et autres, 1998 ; Arborelius et Bremberg, 1994 ; Russell et Roter, 1993).

Les objectifs et les tâches associés à la troisième fonction

Selon Lazare et autres (1995, p. 6), la troisième fonction sous-tend plusieurs objectifs:

1. S'assurer de la compréhension qu'a le patient de la nature de sa maladie.
2. S'assurer de la compréhension qu'il a des techniques diagnostiques proposées.
3. S'assurer de sa compréhension des traitements possibles.
4. S'assurer de parvenir à un consensus avec le patient au sujet des trois objectifs précédents.
5. S'assurer d'obtenir le consentement éclairé du patient.
6. Améliorer les mécanismes d'adaptation à la maladie chez le patient.
7. Encourager et soutenir les changements de comportement liés au style de vie du patient.

Selon ces mêmes auteurs (p. 7), plusieurs tâches relèvent de la troisième fonction:

- cerner les différends (ou conflits) quant à la nature du problème, de la relation et du traitement, et en discuter afin de les régler;
- discuter de la signification du diagnostic (les causes, la physiopathologie, le pronostic) tout en tenant compte de la perspective du patient;
- recommander les techniques diagnostiques et les traitements appropriés;

- recommander les mesures préventives appropriées, y compris les changements liés au style de vie ;
- soutenir le patient dans ses mécanismes d'adaptation à la maladie, ce qui exige de prêter attention aux dimensions affective et sociale de la maladie.

La troisième fonction regroupe un ensemble de stratégies communicationnelles[11] utiles pour influencer le comportement du patient, pour faire de l'enseignement thérapeutique auprès de lui, pour discuter et implanter un traitement et pour motiver (Cole et Bird, 2000). Cette fonction nous rappelle que le médecin doit souvent dépasser le simple échange d'information pour compléter le cycle de son action clinique. Informer est certes une étape essentielle, mais c'est insuffisant lorsqu'il s'agit d'accompagner le patient dans la mise en œuvre de recommandations qui modifient ses habitudes. Certains diront qu'il suffit d'informer, que la responsabilité d'agir revient au patient – en fonction des informations qu'on lui donne. Par contre, il est clair que le médecin a une perspective qui lui permet d'appréhender des réalités que le patient, à ce moment précis de sa vie, peut difficilement comprendre.

Les stratégies communicationnelles qui permettent d'influencer le patient se situent sur le *continuum* enseignement-motivation-coercition (Tomlinson, 1986). Le degré de contrôle exercé par le médecin augmente d'une stratégie à l'autre, et la coercition est rarement justifiée dans le contexte médical.

S'inspirant des travaux de Lazare et autres (1995) et de Grüninger, Duffy et Goldstein (1995), Cole et Bird (2000) proposent un ensemble d'étapes pour guider le médecin dans les tâches d'enseignement thérapeutique et de discussion du plan de traitement. Ils abordent également la motivation du patient qui fait preuve d'inobservance[12].

FAIRE L'ENSEIGNEMENT THÉRAPEUTIQUE RELIÉ À LA MALADIE

Cole et Bird (2000, p. 36) dégagent six étapes dans le processus d'enseignement thérapeutique relatif à la maladie :

1. S'informer auprès du patient des représentations et des craintes qu'il entretient par rapport à l'étiologie du problème médical[13].
2. Donner un diagnostic de base, succinct et clair.
3. Être attentif à l'expression des émotions du patient en réaction à ce diagnostic et y réagir.
4. Vérifier auprès du patient ses connaissances par rapport au diagnostic.
5. Poursuivre la transmission du diagnostic en donnant plus de détails.
6. Vérifier régulièrement la compréhension du patient et susciter chez lui des questions pour augmenter sa participation.

DISCUTER UN PLAN DE TRAITEMENT

Cole et Bird (2000, p. 39) divisent la discussion du plan de traitement en sept étapes distinctes :

1. Vérifier l'information de base que le patient possède sur le traitement.
2. Décrire succinctement et clairement les objectifs du traitement et les divers choix qui s'offrent au patient.

3. Vérifier la compréhension du patient relativement au plan de traitement.
4. Susciter l'expression des préférences du patient et son engagement.
5. Discuter le plan de traitement, en gardant présent à l'esprit que, sur ce sujet, les objectifs du patient diffèrent souvent de ceux du médecin.
6. Demander au patient d'expliciter ses intentions par rapport au traitement.
7. Planifier des visites de suivi pour maintenir l'observance thérapeutique et prévenir les rechutes.

Ainsi, il est préférable de vérifier l'état d'esprit du patient avant de commencer à lui faire des recommandations. Le médecin doit organiser les explications en courtes séquences et favoriser la participation du patient en lui demandant ce qu'il connaît de son problème ou de son traitement. En complément à ce qu'il dit, le médecin peut fournir au patient de la documentation écrite ou audiovisuelle ou même des adresses de sites Internet, s'il y a lieu. Le médecin doit vérifier si le message est compris. Après avoir rédigé une ordonnance, il devrait lire à haute voix ce qu'il a écrit et compléter l'information : la raison de l'ordonnance ; le nom du médicament ; l'effet principal attendu et les effets secondaires possibles ; le délai d'action prévisible ; les indications quant aux circonstances dans lesquelles le patient devrait consulter de nouveau[14]. Le médecin doit aussi tenter de cerner les éventuels obstacles au respect du plan de traitement et discuter avec le patient des stratégies pour les surmonter. Le médecin devrait ensuite vérifier l'engagement du patient, évaluer le potentiel d'actualisation du traitement et prévoir le suivi.

Traditionnellement, le médecin réserve la fin de l'entrevue pour discuter du traitement. Cependant, la plupart du temps, le temps presse et les conseils sont trop souvent escamotés, avec les résultats catastrophiques qu'on connaît. Pour diminuer les incompréhensions, l'insatisfaction et le fardeau de l'inobservance, le médecin doit être sensible à la troisième fonction (l'enseignement thérapeutique et la motivation du patient), gérer le déroulement de l'entrevue et en soigner la fin autant que le début.

Conclusion sur les trois fonctions

Les trois fonctions sont concomitantes et interactives. Par exemple, en se souciant de la qualité de l'information échangée dans le but de connaître la nature du problème, le médecin prépare le terrain à un enseignement thérapeutique pertinent et efficace, tout en tenant compte du contexte. Par ailleurs, l'importance relative de chacune des fonctions variera selon les circonstances (une première entrevue, une rencontre de suivi avec un patient atteint d'une maladie chronique ou l'annonce d'une mauvaise nouvelle) et le contexte dans lequel l'entrevue se passe (à l'urgence, au cabinet, au domicile).

À la section suivante, nous présentons les principales stratégies communicationnelles, non verbales et verbales, que le médecin peut utiliser pour atteindre les objectifs associés aux trois fonctions de l'entrevue médicale.

Les stratégies de communication non verbale

Les experts en communication soutiennent que les paroles échangées entre deux interlocuteurs ne sont qu'un des éléments d'un système communicationnel complexe (Watzlawick, Beavin et Jackson, 1972). De nombreuses informations proviennent du contexte de l'entrevue, des rôles sociaux des personnes en présence et des indices fournis par leur tenue vestimentaire et leur comportement non verbal[15]. En particulier lorsque la durée de l'entrevue médicale est relativement courte par rapport au temps que le patient a passé dans la salle d'attente, le médecin doit se rappeler que le message d'*efficacité* qui se dégage de l'environnement physique de la consultation risque de dominer la rencontre. Le médecin lui-même pourra, parfois bien malgré lui, donner toute une série de messages non verbaux qui indiquent au patient que le professionnel qu'il rencontre est une personne importante et très occupée. Dans cette communication non verbale du médecin, nous incluons ses allées et venues, son téléavertisseur en mode actif, les discussions avec le personnel, les appels téléphoniques qu'il prend, etc. Il n'y a qu'à penser à l'environnement feutré, personnalisé et calme des cabinets de consultation d'homéopathes, de naturopathes ou d'acupuncteurs pour faire ressortir le rôle important que joue l'environnement physique dans la consultation.

L'aménagement du cabinet de consultation contribue à définir la relation que le médecin veut entretenir avec le patient. Par exemple, certaines cliniques qui offrent des consultations sans rendez-vous omettent de placer des chaises dans les salles d'entrevue médicale. Le patient est accueilli dans un bureau à cloisonnettes et, d'emblée, invité à s'asseoir sur la table d'examen. Combiné à une salle d'attente bondée, ce genre d'aménagement est porteur d'un message très clair : « Ici, nous avons une tâche à accomplir et nous devons être efficaces. » Un autre exemple d'aménagement, plus classique celui-là, est celui de la pièce de consultation : le bureau, placé entre le médecin et le patient, peut contribuer à la perception d'une distance hiérarchique entre les deux individus (Witkin, 1981 ; Billings et Stoeckle, 1999). En soi, ce n'est pas nécessairement un problème, il s'agit d'une question de degré. Un bureau imposant, qui sépare les interlocuteurs par plus de 1,5 mètre, ne favorise pas le dévoilement d'informations personnelles. Si à la distance s'ajoutent des obstacles physiques, comme un écran d'ordinateur, un clavier, des piles de dossiers ou de livres, il risque fort d'y avoir des problèmes de communication. Une chaise disposée dans le prolongement du bureau plutôt qu'en face de ce dernier peut diminuer l'effet de la distance sociale. En invitant le patient à s'asseoir près du bureau, le médecin s'assure d'un bon contact visuel et lui confirme ainsi son rôle d'interlocuteur principal. Il s'assure également que les propos seront audibles. Pour atténuer les inconvénients des fréquents déficits sensoriels des personnes âgées, Adelman, Greene et Ory (2000) proposent d'éclairer adéquatement la pièce de consultation (il n'y a pas de place pour une lumière tamisée dans ce contexte !) et de conserver une distance d'environ 1,5 mètre entre le patient et le médecin[16].

Un des principes de base en communication est la nécessité de maintenir la cohérence entre le langage verbal et le langage non verbal. Les études en communication nous apprennent qu'en cas de discordance entre un message verbal et un message non verbal qu'il reçoit en même temps, l'individu a intuitivement tendance à favoriser le message non verbal. Par exemple, un médecin qui dit à son patient « Je vous écoute », tout en consultant ses notes au dossier, ne réussit pas à le convaincre qu'il a toute son attention. Dans de telles conditions, on observe souvent que le patient ralentit son débit, montrant une hésitation à continuer.

Au cours d'un entretien avec le patient, l'attention que le médecin prête à la position de son corps, à l'expression de son visage, au contact visuel, au débit et au timbre de sa voix contribue à un échange efficace de l'information. Le tableau 7.2 présente quelques exemples de moyens par lesquels le médecin peut montrer, au-delà des mots, qu'il est attentif.

Tableau 7.2 **Quelques indices non verbaux exprimant l'attention aux propos de l'interlocuteur**

CANAL	EXPRESSION NON VERBALE D'ATTENTION
Position du corps	• S'asseoir plutôt que rester debout, dans la mesure du possible. • Garder le corps tourné vers le patient, le tronc légèrement penché vers lui.
Expression faciale	• Adopter une expression ouverte sur le visage ; éviter de froncer les sourcils, ce qui indique la contrariété.
Contact visuel	• Prêter attention à la distance verticale et horizontale entre soi et le patient, afin de maintenir un contact visuel. • Garder le contact visuel en parlant avec le patient.
Contrôle de la voix	• Toujours parler avec un débit qui donne le temps au patient de comprendre le message. • Ajuster le timbre de sa voix.

Enfin, la clé de la compréhension des émotions réside dans la sensibilité au décodage du langage non verbal du patient[17]. En effet, la dimension affective s'exprime le plus souvent par le canal non verbal (Hall, 1995).

Les stratégies de communication verbale

Au cours d'une entrevue médicale, le médecin recourt à plusieurs stratégies verbales pour communiquer avec le patient. Certaines sont des stratégies de base, utiles tout au long de l'entrevue ; essentiellement, elles servent à la collecte et à la transmission des informations. D'autres stratégies, plus complexes, sont particulières à l'atteinte de certains objectifs, par exemple la réaction à l'expression d'émotions[18].

Passons d'abord en revue les principales stratégies de communication de base tout en donnant des exemples concrets à l'aide d'extraits d'entrevues tirés de notre pratique.

Les stratégies de communication verbale de base

Voici les principales stratégies de communication verbale qui sont utiles à l'échange d'information au cours d'une entrevue :

- l'écoute active ;
- les facilitateurs ;
- les questions ouvertes ;
- les questions fermées ;
- les énoncés de clarification ;
- les énoncés de vérification et de synthèse ;
- les énoncés d'entretien ;
- les interruptions et les redirections.

L'écoute active

Selon Bouchard (1992), pour écouter le professionnel doit garder le silence – et le silence consiste simplement à se taire. Il est bon de rappeler une définition aussi simple.

En effet, pour le médecin dont toute la formation vise l'action et la prise de décision, se taire semble parfois associé à la passivité, et la passivité va à l'encontre de ce qui est généralement valorisé dans sa profession. Est-il nécessaire d'ajouter que, pour bien entendre, il faut d'abord écouter ?

Le silence est une forme puissante d'encouragement à continuer, s'il est accompagné des signes non verbaux adéquats, tels qu'une posture chaleureuse ou un regard soutenu qui dénotent l'attention à l'égard de l'autre.

Les facilitateurs

Selon St-Arnaud (1995), les facilitateurs sont des techniques qui favorisent la participation de l'interlocuteur. Ils se situent dans le prolongement de l'écoute et constituent une invitation à développer, à donner des détails, à apporter des précisions.

Les facilitateurs peuvent prendre plusieurs formes. D'abord, un encouragement minimal à parler peut s'exprimer de façon non verbale par un sourire, un hochement de la tête, une interjection (« Hum ! Hum ! »), une interpellation à poursuivre (« Continuez ! », « Et ensuite ? ») ou même une phrase simple (« Je vous écoute », « Pouvez-vous m'en dire plus ? »).

Une autre manière d'encourager son interlocuteur à poursuivre est la répétition de un ou deux mots de ses derniers propos, ce que certains auteurs appellent « faire écho aux propos de l'interlocuteur » (Bouchard, 1992 ; Bourassa, 1998). Voici deux exemples :

LE PATIENT — *Ça fait mal.*

LE MÉDECIN — *Ça fait mal ?*

LE PATIENT — *J'ai été très stressé ces dernières semaines.*

LE MÉDECIN — *Stressé ?*

Les questions

Questionner un patient n'est pas aussi simple qu'il n'y paraît de prime abord. Il existe des façons de questionner qui sont plus efficaces que d'autres, en ce sens qu'elles permettent d'obtenir des informations plus complètes et plus objectives.

Bouchard (1992) rappelle les principales qualités des questions efficaces en entrevue médicale. D'abord, la question doit être *claire* et *directe*. Elle doit comporter *un seul objet à la fois* et éviter les suggestions en série, telles que « Avez-vous eu des maux de tête, des engourdissements, ou des faiblesses ? » Une telle question *à multiples facettes* force un choix, car la personne ne peut pas répondre aux trois éléments à la fois. Enfin, la question doit *s'insérer dans un processus*, c'est-à-dire que celui qui la pose doit tenir compte des propos précédents de l'interlocuteur, comme ceci :

LE PATIENT — *J'ai très mal au genou.*

LE MÉDECIN — *Pouvez-vous me décrire votre mal de genou ?*

Les questions de type « Pourquoi ? » invitent à donner une réponse de type explication, justification, rationalisation et intellectualisation. Ce type de questions est efficace pour comprendre les représentations du problème que se fait le patient, et cette compréhension pourra servir dans la présentation des arguments pour convaincre ou motiver une action du patient. Les questions de type « Comment ? » se rapportent davantage aux faits, à leur enchaînement, à leur importance et, de ce fait, sont plus utiles sur le plan clinique parce qu'elles donnent plus facilement accès aux symptômes.

Plusieurs auteurs distinguent la question *ouverte* de la question *fermée* (Cole et Bird, 2000 ; Lipkin et autres, 1995 ; Platt et Gordon, 1999). Selon Bouchard (1992) et Coulehan et Block (1997), la question ouverte, générale et non directive invite l'interlocuteur à poursuivre, à expliquer, à donner des détails et à développer le propos. Elle stimule l'échange de vues entre le patient et le médecin. Elle facilite la contextualisation de l'information, ce qui pourrait échapper au médecin qui utilise un style de questions fermées en rafale. Elle fait appel aux manières de voir, de penser ou de sentir, ainsi qu'aux opinions. « Comment cela se passe-t-il au quotidien ? » est un bon exemple de question ouverte. Ce genre de questions est particulièrement approprié en début d'entrevue et lorsqu'on veut inciter le patient à décrire son problème et ses préoccupations (Smith, 1996). Les questions ouvertes sont essentielles dans l'exploration de la dimension psychosociale des problèmes. Le dévoilement d'informations pertinentes sur le plan clinique est associé à l'utilisation de questions ouvertes (Coulehan et Block, 1997).

Comme, le plus souvent, les questions ouvertes générales ne permettent pas d'obtenir le degré de précision que le médecin souhaite, Coulehan et Block (1997) décrivent une sous-catégorie de questions ouvertes, qui sont plus précises que les questions ouvertes générales décrites au paragraphe précédent. Ainsi, les questions qui commencent par « Qui ? », « Quoi ? », « Quand ? », « Comment ? » et « Où ? » servent à décrire les caractéristiques des symptômes et à préciser les antécédents.

Pour amener le patient à développer ses propos, il est parfois nécessaire de compléter la partie des antécédents à l'aide de questions fermées, plus directives, qui limitent à des réponses elles aussi fermées et courtes, telles que « Oui », « Non », « Toujours », « Jamais », « Peut-être », etc. Une question fermée, comme « Combien d'heures dormez-vous par nuit ? », restreint le champ de la réponse. Les questions fermées servent à la fois à contenir un patient loquace et à encourager un patient réservé à fournir l'information désirée. On doit les utiliser lorsque les questions ouvertes générales et les questions de type « Qui ? », « Quoi ? », « Quand ? », « Comment ? » et « Où ? » n'ont pas réussi à obtenir une information suffisamment précise. Par exemple, les questions fermées peuvent aider le clinicien à bien cerner un problème au moment de l'exploration des antécédents médicaux et de la revue des systèmes. Cependant, le clinicien doit se rappeler qu'il risque de créer un climat qui ressemble davantage à un interrogatoire qu'à un entretien s'il se limite à des questions fermées. Qui plus est, un des effets pervers possibles de ce type de questions est de *forcer* une précision et d'obtenir des informations erronées.

Les deux types de questions sont utiles et leurs fonctions sont complémentaires. Leur utilisation combinée selon l'approche dite *en entonnoir* devrait progresser des questions ouvertes vers des questions fermées. Le tableau 7.3 montre comment passer d'un type de question à l'autre au cours d'une entrevue. Cette approche permet aux médecins, en particulier, de vérifier leurs hypothèses diagnostiques en se concentrant sur des points précis après avoir effectué un balayage exploratoire assez large (Cole et Bird, 2000).

Les types de *questions à éviter* sont les questions à multiples facettes, qui comportent plus d'un élément (« Avez-vous des maux de ventre, de la diarrhée, de la constipation ? »),

Tableau 7.3 **La séquence des questions au cours d'une entrevue**

Pour commencer	Questions ouvertes générales Questions ouvertes précises Facilitateurs
Pour poursuivre	Questions ouvertes • « Qui ? » • « Quoi ? », • « Comment ? » • « Quand ? » Questions fermées • Questions à deux choix (oui ou non)
À éviter	Questions de type « Pourquoi ? » Questions suggérant des réponses Questions à multiples facettes

Source : Traduit et adapté de Coulehan et Block (1997), p. 52.

et les questions qui suggèrent une réponse soit par l'utilisation de la forme négative (« Vous n'avez pas de... »), soit par l'inclusion d'un qualificatif (« La douleur est-elle si difficile à supporter ? »).

Les énoncés de clarification

Les énoncés de clarification permettent au médecin de lever toute ambiguïté et de s'assurer que le patient et lui parlent de la même chose. Il s'agit de faire préciser les propos plutôt que de les évaluer. Bouchard (1992) suggère les énoncés suivants : « Qu'entendez-vous par... ? », « Pouvez-vous me donner un synonyme pour... ? » Billings et Stoeckle (1999), ainsi que Levinson (1987), proposent les formulations suivantes : « Je ne suis pas certain de bien comprendre ce que vous voulez dire par... Pouvez-vous me l'expliquer à nouveau ? », « Laissez-moi vous reposer la question pour que je sois certain d'avoir bien compris. »

La règle générale est simple ici : si le médecin n'arrive pas à se faire une idée précise de ce que le patient dit, il lui faut tenter de faire clarifier les propos, comme dans l'exemple suivant.

LE PATIENT — *J'ai des difficultés avec ma digestion. J'ai de l'acidité.*

LE MÉDECIN — *Qu'est-ce que vous entendez par « acidité » ?*

LE PATIENT — (pointant sa région sternale) *J'ai des brûlures ici et j'ai des régurgitations aigres.*

La clarification peut porter non seulement sur le contenu des discussions (ce que nous venons de discuter), mais également sur le processus de l'entrevue. Billings et Stoeckle (1999) rappellent que les patients, au fil de leurs expériences antérieures avec les médecins, ont compris ce qu'ils désirent obtenir comme information. Le plus souvent, les patients ont appris à être brefs dans leurs explications. Pour cette raison, ces auteurs croient que le médecin doit guider le patient (lui donner une rétroaction sur le processus) pour ce qui est de la quantité et du type d'information qu'il désire obtenir. Il doit indiquer au patient s'il désire davantage de détails ou, inversement, s'il trouve que les détails sont trop nombreux.

La clarification est une technique précieuse dans les interactions avec des patients d'origine culturelle différente de celle du médecin. En effet, il est fréquent que ces patients utilisent des références culturelles différentes pour désigner une réalité, et il est souhaitable que le médecin s'assure que lui-même et le patient se comprennent bien.

Les énoncés de vérification-synthèse

Selon Cole et Bird (2000), la vérification-synthèse est une des stratégies les plus puissantes pour la collecte des informations. Les énoncés de cette catégorie prennent habituellement la forme d'un résumé des propos du patient. Il s'agit d'un résumé descriptif et non évaluatif de ce qui a été entendu. C'est ce que fait le médecin dans l'exemple suivant:

LE MÉDECIN — *J'aimerais prendre quelques instants pour m'assurer que je vous comprends bien. Vous m'avez dit que la douleur à l'épaule droite était apparue il y a quelques semaines à la suite d'une corvée de lavage de fenêtres. Vous ressentez la douleur dans toute la région, mais elle est la pire juste ici (en pointant l'insertion du deltoïde) et elle vous réveille la nuit. L'ibuprophène vous soulage un peu, mais pas longtemps. Vous avez de la difficulté à lever votre bras, et tout ça, la douleur et la limitation des mouvements, vous nuit dans vos activités. Est-ce bien ça?*

L'énoncé de synthèse-vérification a plusieurs fonctions (Cole et Bird, 2000, p. 71; Coulehan et Block, 1997, p. 56):

- revoir ce qui a déjà été dit et dégager les points qui restent à préciser;
- vérifier la justesse de ce qu'on a compris;
- exprimer son intérêt pour le patient;
- donner l'occasion au patient de participer à la discussion en remédiant à des imprécisions ou en corrigeant les perceptions incorrectes du médecin;
- faciliter la transition d'une partie de l'entrevue à une autre.

Le clinicien devrait utiliser les énoncés de vérification-synthèse chaque fois qu'il a l'impression de ne pas comprendre ou qu'il n'arrive plus à suivre son patient. Ces énoncés aident également le médecin à organiser l'entrevue et l'information recueillie, ce qui est particulièrement utile lorsque les antécédents sont longs ou complexes. Dans le doute, le médecin doit vérifier si sa compréhension correspond à ce que le patient tente de lui expliquer. Tout comme la clarification, la vérification-synthèse constitue une stratégie précieuse dans les interactions avec des patients d'origine culturelle autre que celle du médecin.

Les énoncés d'entretien

Le terme « énoncés d'entretien » est emprunté à St-Arnaud (1995). Il s'agit de formules discursives qui ont pour but de commenter le processus de l'entrevue, c'est-à-dire ce qui est en train de se passer entre le professionnel et le patient. Ces énoncés permettent d'expliciter des transitions au cours de la rencontre et indiquent au patient que le médecin le prend en considération dans le processus. C'est une autre façon d'amener le patient à s'engager dans la conversation.

Selon St-Arnaud (1995, p. 105-106), les énoncés d'entretien ont les fonctions suivantes :

- Orienter ou rediriger la consultation : « Maintenant, je vais examiner votre abdomen », « Jusqu'à présent, nous avons parlé de vos problèmes de digestion, j'aimerais maintenant discuter du stress que vous vivez. Cela vous va-t-il ? »
- Annoncer un changement de style de questions : « J'ai besoin maintenant de vous poser une série de questions très précises pour évaluer la fonction de votre glande thyroïde. »
- Présenter une recommandation difficile : « Je sais que vous n'aimez pas prendre des médicaments, mais j'aimerais vous expliquer ce qui m'amène à vous prescrire un deuxième médicament pour votre hypertension. »
- Souligner un différend, soit par rapport à la compréhension du problème ou par rapport à son traitement : « Je constate que nous n'avons pas la même façon d'envisager la solution du problème que vous vivez au travail. Est-ce aussi votre avis ? »
- Souligner un différend par rapport aux rôles de chacun dans la relation : « Vous me demandez d'intervenir auprès de votre compagnie d'assurances. J'aimerais que nous prenions quelques minutes pour clarifier le rôle que vous croyez que je dois jouer ici. »

L'observation d'entrevues médicales indique cependant qu'il s'agit là de stratégies très peu utilisées par les cliniciens, à l'exception peut-être de leur forme la plus simple, qui sert à orienter ou à rediriger la consultation.

Les interruptions et les redirections

Lorsqu'on enseigne comment mener l'entrevue médicale, on se rend compte que les étudiants croient souvent, à tort, que l'interruption n'est pas une stratégie à inclure dans leur répertoire communicationnel. Ils croient que cette stratégie s'oppose à l'écoute. Or, il n'en est rien. L'interruption, utilisée avec tact et au bon moment, peut être extrêmement efficace pour garder une entrevue bien centrée et atteindre les objectifs de cerner le problème et de proposer des traitements appropriés malgré les contraintes de temps.

Il y a plusieurs types d'interruptions, mais elles ont toutes pour effet de couper la parole à son interlocuteur : on ne le laisse pas terminer ses propos et on prend la parole. Cependant, et voilà la nuance, une interruption peut être justifiée ou non.

Lorsqu'elle se produit *sans justification*, l'interruption peut être perçue comme un affront et constituer un manque flagrant de délicatesse. À cause de la nature asymétrique de la relation médecin-patient, le patient relèvera rarement l'interruption du professionnel et n'aura d'autre choix que de se conformer à la volonté du médecin. Ce genre d'interruptions est celui qui doit être évité. En voici un exemple :

LA PATIENTE — *J'ai très mal au ventre depuis plusieurs mois. C'est comme des gastros que je fais. J'ai la nausée et des crampes. De vraiment grosses crampes pendant plusieurs jours. J'étais comme ça lorsque j'étais petite. Je me souviens que ma mère devait me garder à la maison. Elle disait que je ne tolérais pas les produits laitiers…*

LE MÉDECIN — *Avez-vous des diarrhées avec ça ?*

Par contre, il se produit des situations où l'interruption est bienvenue, en particulier quand le patient se perd en détails superflus : le médecin doit lui couper la parole afin de l'amener à recentrer ses propos. Il est toujours possible pour le médecin de partager avec le patient le motif de son interruption, ce qui, le plus souvent, en atténue l'effet négatif et permet de rediriger la conversation vers des données plus pertinentes pour l'entrevue médicale. Reprenons l'exemple et voyons comment le médecin peut justifier son interruption.

LA PATIENTE — *J'ai très mal au ventre depuis plusieurs mois. C'est comme des gastros que je fais. J'ai la nausée et des crampes. De vraiment grosses crampes pendant plusieurs jours. J'étais comme ça lorsque j'étais petite. Je me souviens que ma mère devait me garder à la maison. Elle disait que je ne tolérais pas les produits laitiers…*

LE MÉDECIN — *Veuillez m'excuser, Madame Marchand, mais j'ai besoin qu'on revienne un instant sur la description des malaises que vous avez en ce moment pour mieux comprendre ce qui se passe maintenant.*

Lorsque le patient considère l'interruption comme justifiée, il l'interprète souvent comme un signe de compétence du médecin plutôt que comme un signe d'impolitesse ou d'insensibilité.

Les techniques que nous venons de décrire sont reconnues comme des techniques de base, que tout clinicien doit maîtriser afin de mener des entrevues satisfaisantes à la fois de son point de vue et de celui de son patient. Le recours à ces techniques facilitera l'échange d'informations pertinentes, claires et précises. Pour atteindre les objectifs associés aux trois fonctions de l'entrevue médicale, le médecin doit avoir recours à ces stratégies communicationnelles de base, qui sont utiles tout au long de l'entretien. Cependant, le répertoire des outils de communication ne peut se limiter à ces techniques, insuffisantes pour aborder des sujets plus délicats, en particulier les comportements à risque, les émotions, la santé mentale et le fonctionnement sexuel.

La maîtrise des habiletés de base est un préalable à l'acquisition de compétences interactives plus avancées, telles que les stratégies argumentatives, le reflet, l'empathie, le respect, la légitimation, le soutien et la rassurance. Il est intéressant de conceptualiser l'organisation de ces stratégies comme une pyramide dont la base est constituée des stratégies simples, alors que les stratégies avancées intègrent ces stratégies simples et se construisent sur elles.

Les stratégies de communication verbale avancées

Abordons maintenant une série de stratégies communicationnelles, dites *avancées* parce qu'elles nécessitent la connaissance et la maîtrise des stratégies de base que nous venons de présenter. Il suffit de penser à l'expression d'empathie qui, comme nous le verrons un peu plus loin, exige la capacité d'écoute active et la capacité d'émettre des énoncés de vérification-synthèse. Il ne s'agit pas pour le médecin de devenir un expert dans l'art d'utiliser l'empathie. En effet, à lui seul, l'apprentissage de l'empathie exige de faire un stage de formation de plusieurs mois dans le programme universitaire des psychologues et d'autres intervenants psychosociaux.

Dans la section qui suit, nous discuterons des stratégies verbales qui relèvent de la tradition de l'argumentation, puis nous énumérerons les stratégies verbales utiles pour la gestion des émotions. Ces dernières sont présentées en détail dans le chapitre 9, qui porte sur la gestion des émotions.

Les stratégies argumentatives

Nous consacrons quelques pages à la présentation des stratégies verbales de communication – qu'il est rare de voir aborder systématiquement dans un livre sur la communication médecin-patient. Le lecteur sera probablement étonné de découvrir la richesse des stratégies argumentatives qui peuvent être utilisées au cours d'une entrevue médicale. Il faut faire une brève incursion dans le domaine de la rhétorique pour mettre en évidence la diversité des arguments auxquels les médecins et les patients peuvent avoir recours en dialoguant.

Dans cette tradition, les propos échangés servent à influencer, à convaincre, à résister, à atteindre ses objectifs, etc. (Perelman et Olbrechts-Tyteca, 1976; Plantin, 1990). Ces stratégies sont toujours présentes, même si en médecine contemporaine il n'est pas courant d'en parler. Cependant, il ne faut jamais oublier que, peu importe l'argument utilisé, il est nécessaire d'avoir une certaine crédibilité auprès de son interlocuteur: rien ne peut remplacer la relation de confiance médecin-patient.

L'encadré 7.1 propose une liste assez exhaustive des catégories d'argumentation qu'il est possible d'utiliser. Parmi les catégories les plus connues, on trouve les arguments de type causal et les arguments contraignants, qui comprennent l'*alternative* ou l'excès. Enfin, mentionnons la fonction persuasive du questionnement. D'autres catégories d'arguments, tout aussi importantes, ne sont habituellement pas reconnues comme des stratégies pour convaincre, bien qu'elles soient régulièrement utilisées à cette fin: l'explication (très utilisée), la comparaison, l'analogie, la description (très utilisée), la narration, les preuves et les chiffres. Dans le vocabulaire médical, on parlera alors d'échange d'information ou d'enseignement thérapeutique du patient.

Encadré 7.1

Les principales catégories d'arguments selon Bellenger

1. Les mouvements de la pensée
   - Induction
   - Déduction
   - Raisonnement causal
     - Argumentation pragmatique
     - Justification par la cause
   - Raisonnement dialectique
2. La voie explicative et les arguments quasi logiques
   - Explication utilisée pour convaincre (définition, description, etc.)
   - Appel à la logique (incompatibilité, réciprocité, etc.)
   - Recours aux faits (preuves, chiffres, etc.)
3. L'argumentation contraignante et le recours aux valeurs
   - Argumentation fondée sur les valeurs (normes, bon sens, idées reçues, etc.)
   - Argumentation fondée sur l'autorité, sur l'enchaînement des circonstances (le « doigt dans l'engrenage »), etc.
   - Questionnement persuasif (questions suggestives, questions liées à la prise de conscience, questions pièges, etc.)
   - Argumentation fondée sur l'*alternative*
   - Argumentation fondée sur l'excès

Source: Adapté du tableau synoptique des mouvements de la pensée et de l'argumentation de Bellenger (1980), p. 77.

Certains diront que l'utilisation de stratégies argumentatives constitue une forme de manipulation et, donc, une forme de malhonnêteté. Il est évident qu'il faut éviter de tenir des propos qu'on sait être faux. Cependant, la réalité a de multiples visages, et attirer l'attention du patient sur certains de ces visages est certainement un service à lui rendre. De plus, le médecin, en tant qu'expert, a le devoir d'assurer au patient les meilleurs soins possibles dans le cadre de la médecine scientifique qu'il pratique.

Présentons maintenant un cas où le médecin doit utiliser un ensemble de stratégies verbales pour convaincre son patient de se rendre à l'urgence. Nous constaterons que le simple recours à l'autorité ne suffit pas pour persuader le patient.

M. Gauthier se présente à son rendez-vous de suivi régulier. Âgé de 52 ans, il a été hospitalisé six mois auparavant pour un infarctus. On a alors diagnostiqué un diabète non insulinodépendant. Le patient n'a pas d'autres antécédents personnels. Il est obèse, mais il ne fume pas et ne consomme ni alcool ni drogue. Son père est décédé d'un infarctus à l'âge de 55 ans. Il s'est trouvé un emploi il y a quelques semaines. Son patron apprécie son travail, mais il n'a encore aucune sécurité d'emploi. Il raconte au médecin que, la veille, il a dû quitter son travail plus tôt à cause d'une douleur écrasante à la poitrine, une douleur qui ressemblait à celle qu'il avait ressentie au moment de son infarctus. Depuis la veille, il n'a éprouvé aucune douleur forte, mais il rapporte des malaises thoraciques lorsqu'il tente de remplir des boîtes pour son déménagement. Le médecin tente de convaincre M. Gauthier de se rendre de nouveau à l'urgence.

LE MÉDECIN — *Je suis désolé, mais je dois vous envoyer à l'urgence.*

> Le médecin ne doute pas de son autorité et il se contente, dans ce premier temps, d'informer le patient en énonçant ce qu'il considère comme la chose à faire : c'est un **argument d'autorité**.
>
> Implicitement, le médecin utilise aussi un **argument pragmatique** : si le patient n'obtempère pas, les conséquences pourront être dramatiques pour lui.

LE PATIENT — *Attendre à l'urgence, ça ne m'intéresse pas. Non, je n'irai pas à l'urgence, Docteur. J'ai mon déménagement à organiser et je dois être au travail demain, mon patron a besoin de moi. Il compte sur moi.*

> Le patient s'oppose clairement au médecin. À son tour, il utilise un argument d'autorité. Il choisit un **argument indirect** en tentant de faire contrepoids à l'urgence médicale évoquée par le médecin par une autre urgence, qui est la sienne.

LE MÉDECIN — *Vous ne voulez pas aller à l'urgence… Vous êtes peut-être en train de faire un nouvel infarctus. Si nous intervenons à temps, nous pouvons éviter le pire pour vous. Il est important que vous y alliez.*

> Une des raisons pour lesquelles le patient refuse de se rendre à l'urgence est peut-être le fait qu'il n'a pas saisi l'*urgence* de la situation. Le médecin lui redonne donc l'**information** nécessaire pour démontrer la validité de sa décision et contrer les arguments du patient.

LE PATIENT — *Non, ça ne vaut pas la peine d'aller à l'urgence, Docteur. Je préfère en finir avec la vie… Il n'y a plus personne qui*

> L'argument du patient fait appel à ses **valeurs**. Il neutralise les arguments du médecin en suggérant que sa vie actuelle ne vaut pas la peine …

m'attend, on ne veut plus de moi et je peux dire adieu à mon emploi si je m'absente. Non, je ne peux pas y aller.

...

d'être vécue. L'**argument implicite** du médecin reposait sur le postulat que la vie vaut la peine d'être vécue.

LE MÉDECIN — *Si vous ne vous soignez pas maintenant, êtes-vous certain que vous allez mourir?*

Le médecin change de stratégie. Il tente d'amener le patient à lui faire expliciter le modèle de tout ou rien : une vie en santé ou la mort. Une bonne argumentation repose sur l'analyse de ce qui est dit. C'est comme un casse-tête que le patient propose, dans lequel il faut trouver la pièce manquante pour obtenir l'effet désiré.

LE PATIENT — *Bien, j'ai de bonnes chances d'y rester. Ça serait mon deuxième infarctus. Puis, mon père en est mort à l'âge que j'ai aujourd'hui.*

Le patient confirme le modèle de vie ou mort et ajoute deux raisons pour soutenir la validité de son modèle.

On peut modifier un modèle bipolaire en intercalant, entre les deux pôles, des solutions de remplacement moins intéressantes pour le patient : c'est l'**argumentation à l'aide d'une solution de rechange**.

LE MÉDECIN — *De bonnes chances, oui, mais pas la certitude. Vous pouvez en ressortir handicapé.*

Le médecin propose donc une modification au modèle du patient en introduisant une possibilité mitoyenne entre la santé et la mort : un handicap permanent (exemple : une insuffisance cardiaque débilitante). Le médecin parie sur le fait que le patient jugera cette possibilité très indésirable.

Si vous en ressortez handicapé, votre épouse ne vous aimera pas davantage et vous ne reprendrez pas votre travail. Je pense que vous pourriez vous retrouver dans une situation bien pire que la situation actuelle.

Le médecin raffine son attaque du modèle de tout ou rien en soulignant les conséquences désagréables de cette nouvelle possibilité. Il utilise donc un **argument pragmatique**.

LE PATIENT — *Bon, d'accord, je vais y aller. Mais c'est pour vous faire plaisir, Docteur, parce que moi, vous savez, je ne la trouve pas drôle, la vie, ces temps-ci.*

Le patient change d'avis et accepte finalement la proposition du médecin. Cependant, il sauve la face en affirmant que ce ne sont pas les arguments du médecin qui l'ont fait changer d'idée : il invoque plutôt sa relation avec le professionnel comme raison de sa décision.

Dans le monde médical, les arguments d'autorité, l'explication et les arguments pragmatiques sont utilisés plus couramment que d'autres. Les preuves et les chiffres sont également de plus en plus utilisés avec l'avènement de la médecine fondée sur les *données probantes*, et ainsi l'autorité de la science se substitue à l'autorité de la personne. Le contexte, les tâches et les rôles propres à chaque interlocuteur (exemple : le médecin est un expert en maladie) favorisent le recours à ces catégories d'arguments à l'occasion d'une rencontre médecin-patient. Mais, comme le cas de M. Gauthier l'a illustré, il faut parfois avoir recours à une palette beaucoup plus large de stratégies argumentatives pour convaincre le patient. Il faut prêter attention aux propos du patient, car ce sont eux qui indiquent quels sont les arguments auxquels il est susceptible de réagir favorablement. Pour chacun des arguments que le patient présente il existe des contre-arguments.

Dans notre exemple, un modèle bipolaire a été proposé par le patient. Le médecin le reprend et le modifie de manière à ce qu'une des conséquences du nouveau modèle devienne inacceptable pour le patient. Élargir sa palette de stratégies argumentatives n'est nullement une garantie de réussite, mais, plus les choix sont variés, meilleures sont les chances de trouver l'argument juste pour un patient donné.

Les stratégies de gestion de la relation et de l'expression des émotions

Le respect, le soutien, le reflet, l'empathie, le dévoilement de soi et la rassurance constituent une série de stratégies qui contribuent directement à la construction de la relation médecin-patient. Ces stratégies sont particulièrement utiles pour gérer l'expression d'émotions au cours d'une consultation ; elles font particulièrement l'objet du chapitre 9, intitulé « La gestion des émotions ».

Conclusion

Ce chapitre avait pour but de discuter des fonctions génériques de toute entrevue médicale et des stratégies communicationnelles nécessaires pour effectuer une entrevue médicale optimale et satisfaisante pour les deux interlocuteurs.

Le modèle des trois fonctions propose une vision dynamique de l'entrevue médicale, au-delà de l'approche structurelle traditionnelle qu'on enseigne habituellement et qui est abordée dans le chapitre 8, intitulé « La structure et le contenu de l'entrevue médicale ». Ce modèle fonctionnel de l'entrevue définit l'échange d'information, l'établissement d'une relation professionnelle et l'enseignement thérapeutique du patient comme les trois tâches que le médecin doit accomplir dans une rencontre avec un patient. À notre avis, la deuxième fonction n'est pas de la même nature que les deux autres. Nous envisageons davantage la relation comme la toile de fond sur laquelle les deux autres fonctions s'actualisent. La relation est à la consultation un peu ce que le bistouri est à l'opération : le bistouri est essentiel à l'opération de même que la relation est essentielle à l'entrevue, sans en être une véritable fonction. Que le médecin le veuille ou non, sa façon de communiquer avec le patient joue un rôle déterminant, d'une part dans la qualité des informations qu'il obtient, d'autre part dans la qualité des explications que le patient reçoit.

Par ailleurs, nous avons présenté les stratégies communicationnelles que tout médecin devrait maîtriser afin d'atteindre les objectifs associés aux trois fonctions. Nous avons attiré l'attention sur le rôle du message véhiculé par le contexte dans lequel l'entretien s'effectue et rappelé quelques stratégies non verbales simples, mais puissantes. Nous avons ensuite fourni une définition opérationnelle de plusieurs stratégies verbales, simples ou complexes, afin que le médecin puisse enrichir sa palette d'outils communicationnels.

Notes

1. Des portions de ce chapitre ont déjà été publiées dans les articles suivants:
   - Lussier, M.-T., et C. Richard (1997). « L'entrevue médicale : Décor, langage non verbal et rôles sociaux », *L'omnipraticien*, 4 juin, p. 24-27.
   - Richard, C., et M.-T. Lussier (2001). « Le dialogue au rendez-vous. "Je dois vous envoyer à l'urgence" : L'art de convaincre son patient », *MedActuel FMC*, octobre, p. 53-55.
2. Pour une description du modèle biomédical et de ses rapports avec les autres modèles, consulter le chapitre 5, intitulé « Les modèles de relation médecin-patient ».
3. À ce sujet, le chapitre 25, intitulé « Les médicaments », saura intéresser le lecteur.
4. Pour approfondir la question, le lecteur trouvera profitable la lecture des chapitres 2, 5 et 6, intitulés respectivement « Les manifestations et les composantes d'une relation », « Les modèles de relation médecin-patient » et « L'approche centrée sur le patient : diverses manières d'offrir des soins de qualité ».
5. À ce sujet, voir le chapitre 9, intitulé « La gestion des émotions ».
6. Le chapitre 18, intitulé « Les patients de culture différente », explique comment le médecin peut tenir compte efficacement des différences culturelles entre lui et son patient.
7. Les barrières à la communication liées aux différences sociales sont traitées aux chapitres 15 et 17, intitulés respectivement « Les patients aux prises avec des problèmes d'alphabétisme fonctionnel » et « Les patients défavorisés ».
8. Voir le chapitre 9, intitulé « La gestion des émotions ».
9. Le chapitre 11, intitulé « Une présentation de l'approche Calgary-Cambridge », traite de ces compétences.
10. Voir le chapitre 25, intitulé « Les médicaments ».
11. Pour en apprendre davantage sur ces stratégies, lire le chapitre 26, intitulé « L'enseignement thérapeutique et la motivation du patient ».
12. Ce dernier aspect est traité au chapitre 25, intitulé « Les médicaments ».
13. Le chapitre 4, intitulé « Les représentations profanes liées aux maladies », traite le sujet en profondeur.
14. Pour plus de détails, lire le chapitre 25, intitulé « Les médicaments ».
15. À ce sujet, lire le chapitre 2, intitulé « Les manifestations et les composantes d'une relation ».
16. Pour plus de détails, lire le chapitre 14, intitulé « Les personnes âgées et leurs proches ».
17. Pour une discussion plus poussée de ce sujet, lire le chapitre 9, intitulé « La gestion des émotions ».
18. Le chapitre 9, intitulé « La gestion des émotions », est consacré à cet aspect de l'entrevue médicale.

Références

Adelman, R.D., M.G. Greene et M.G. Ory (2000). « Communication between older patients and their physicians », *Clinics in Geriatric Medicine*, vol. 16, nº 1, p. 1-24.

Arborelius, E., et S. Bremberg (1994). « Prevention in practice : How do general practitioners discuss life-style issues with their patients ? », *Patient Education and Counseling*, vol. 23, p. 23-31.

Beaudoin, C., M.-T. Lussier, R. Gagnon, R. Lalande et M.-I. Brouillet (2001). « Discussion of lifestyle-related issues in family practice during visits with general medical examination as the main raison for encounter : An exploratory study of content and determinants », *Patient Education and Counseling*, vol. 45, nº 14, p. 275-284.

Beaulieu, M.-D., H. Leclere et G. Bordages (1993). « Taxonomy of difficulties in general practice », *Le médecin de famille canadien / Canadian Family Physician*, vol. 39, p. 1369-1375.

Bellenger, L. (1980). *L'argumentation : des techniques pour convaincre*, coll. Formation permanente en sciences humaines, Paris, ESF.

Billings, J.A., et J.D. Stoeckle (1999). *The clinical encounter : A guide to the medical interview and case presentation*, 2e éd., Saint Louis (Missouri), Mosby.

Bird, J., et S.A. Cohen-Cole (1990). « The three function model of the medical interview : An educational device », dans *Methods in teaching consultation-liaison psychiatry*, sous la direction de M. Hale, Basel (Suisse), Karger.

Bouchard, J.P. (1992). *Comment écouter pour mieux aider : introduction à l'écoute active*, Montréal, JPBL.

Bourassa, M. (1998). *Dentisterie comportementale : manuel de psychologie appliquée à la médecine dentaire*, Montréal, Méridien.

Cohen-Cole, S.A. (1991). *The medical interview : The three-function approach*, Saint Louis (Missouri), Mosby Year Book.

Cole, S.A., et J. Bird (2000). *The medical interview : The three-function approach*, 2e éd., Saint Louis (Missouri), Mosby Year Book.

Collège des médecins du Québec (1996). *Tenue de dossier : guide concernant la tenue du dossier par le médecin en centre hospitalier*, Service des communications, Service d'inspection professionnelle, Collège des médecins du Québec.

Collège royal des médecins et chirurgiens du Canada (1996). *Compétences pour le nouveau millénaire : rapport du groupe de travail sur les besoins sociétaux*, Projet canadien d'éducation des médecins spécialistes, ProMEDS 2000 (http://crmcc.medical.org/canmeds/canmed_f.html)

Coulehan, J.L., et M.R. Block (1997). *The medical interview : Mastering skills for clinical practice*, Philadelphie (Pennsylvanie), F.A. Davis.

DiMatteo, M.R., D.C. Sherbourne, R.D. Hays, L. Ordway, R.L. Kravitz, E.A. McGlynn, S. Kaplan et W.H. Rogers (1993). « Physicians' characteristics influence patients' adherence to medical treatment: Results from the medical outcomes study », *Health Psychology*, vol. 12, n° 2, p. 93-102.

Engel, G.L. (1977). « The need of a new medical model: A challenge for biomedicine », *Science*, vol. 196, p. 129-136.

Frankel, R., et H.B. Beckman (1995). « Accuracy of the medical history: A review of current concepts and research », dans *The medical interview: Clinical care, education, and research*, sous la direction de M. Lipkin Jr., S.M. Putnam et A. Lazare, New York, Springer-Verlag, p. 511-524.

Grüninger, U.J., D.F. Duffy et M.G. Goldstein (1995). « Patient education in the medical encounter: How to facilitate learning, behavior change, and coping », dans *The medical interview: Clinical care, education, and research*, sous la direction de M. Lipkin Jr., S.M. Putnam et A. Lazare, New York, Springer-Verlag, chap. 9, p. 122-134.

Hall, J.A. (1995). « Affective and non-verbal aspects of the medical visit », dans *The medical interview: Clinical care, education, and research*, sous la direction de M. Lipkin Jr., S.M. Putnam et A. Lazare, New York, Springer-Verlag, chap. 43, p. 495-504.

Hall, J.A., D.L. Roter et N.R. Katz (1988). « Meta-analysis of correlates of provider behaviour in medical encounters », *Medical Care*, vol. 26, n° 7, p. 657-675.

Hampton, J.R., M.J.G. Harrison, J.R.A. Mitchell, J.S. Prichard et C. Seymour (1975). « Relative contributions of history-taking, physical examination, and laboratory investigation to diagnosis and management of medical outpatients », *British Medical Journal*, vol. 2, p. 486-489.

Haynes, R.B., D.W. Taylor et D.L. Sackett (sous la direction de) (1979). *Compliance in health care*, Baltimore (Maryland), Johns Hopkins University Press.

Hulsman, R.L., W.J.G. Ros, J.A.M. Winnubst et J.M. Bensing (1999). « Teaching clinically experienced physicians communication skills: A review of evaluation studies », *Medical Education*, vol. 33, n° 9, p. 655-668.

Lazare, A., S.M. Putnam et M. Lipkin Jr. (1995). « Three functions of the medical interview », dans *The medical interview: Clinical care, education, and research*, sous la direction de M. Lipkin Jr., S.M. Putnam et A. Lazare, New York, Springer-Verlag, chap. 1, p. 3-19.

Levinson, D. (1987). *A guide to the clinical interview*, Philadelphie (Pennsylvanie), W.B. Saunders.

Lipkin, M. Jr., S.M. Putnam et A. Lazare (1995). *The medical interview: Clinical care, education, and research*, New York, Springer-Verlag.

Lussier, M.-T., J. Collin et C. Richard (2001). « Discussions on medications between elderly patients and their general practitioners », Vancouver, assemblée annuelle du Collège des médecins de famille du Canada, affiche du Forum 2001.

Lussier, M.-T., et C. Richard (1997). « L'entrevue médicale: Décor, langage non verbal et rôles sociaux », *L'omnipraticien*, 4 juin, p. 24-27.

Maguire, P., et C. Pitceathly (2002). « Key communication skills and how to acquire them », *British Medical Journal*, vol. 325, n° 7366, p. 697-700.

Makoul, G. (2001). « Essential elements of communication in medical encounters: The Kalamazoo consensus statement », *Academic Medicine*, vol. 76, n° 4, p. 390-393.

Murray, A., et D.G. Safran (1999). « The primary care assessment survey: A tool for measuring, monitoring, and improving primary care », dans *Handbook of psychological assessment in primary care settings*, sous la direction de M.E. Maruish, New York, Lawrence Erlbaum Associates.

Perelman, C., et L. Olbrechts-Tyteca (1976). *Traité de l'argumentation. La nouvelle rhétorique*, Bruxelles, Éditions de l'Université de Bruxelles.

Peterson, M.C., J.H. Holbrook, D.Von Hales, N.L. Smith et L.V. Staker (1992). « Contributions of the history, physical examination, and laboratory investigation in making medical diagnoses », *Western Journal of Medicine*, vol. 156, n° 2, p. 163-165.

Pincock, S. (2003). « Patients put their relationship with their doctors as second only to that with their families », *British Medical Journal*, vol. 327, n° 7415, p. 581.

Plantin, C. (1990). *Essais sur l'argumentation. Introduction linguistique à l'étude de la parole argumentative*, Paris, Kimé.

Platt, F.W., et G.H. Gordon (1999). *Field guide to the difficult patient interview*, Baltimore (Maryland), Lippincott Williams & Wilkins.

Platt, F.W., et J.C. McMath (1979). « Clinical hypocompetence: The interview », *Annals of Internal Medicine*, vol. 91, p. 898-902.

Quill, T.E. (1995). « Barriers to effective communication », dans *The medical interview: Clinical care, education, and research*, sous la direction de M. Lipkin Jr., S.M. Putnam et A. Lazare, New York, Springer-Verlag, chap. 8, p. 110-121.

Richard, C., et M.-T. Lussier (2001). « Le dialogue au rendez-vous. "Je dois vous envoyer à l'urgence": L'art de convaincre son patient », *MedActuel FMC*, octobre, p. 53-55.

Roter, D. (2000). « The enduring and evolving nature of the patient-physician relationship », *Patient Education and Counseling*, vol. 39, p. 5-15.

Russell, N.K., et D.L. Roter (1993). « Health promotion counseling of chronic-disease patients during primary care visits », *American Journal of Public Health*, vol. 83, n° 7, p. 979-982.

St-Arnaud, Y. (1995). *L'interaction professionnelle: efficacité et coopération*, coll. Intervenir, Montréal, Presses de l'Université de Montréal.

Sandler, G. (1980). « The importance of the history in the medical clinic and the cost of unnecessary tests », *American Heart Journal*, vol. 100, n° 6, p. 928-931.

Simpson, M., R. Buckman, M. Stewart, P. Maguire, M. Lipkin, D. Novack et J. Till (1991). « Doctor-patient communication: The Toronto consensus statement », *British Medical Journal*, vol. 303, n° 6814, p. 1385-1387.

Smith, R.C. (1996). *The patient's story. Integrated patient-doctor interviewing*, Boston, Little, Brown and Company.

Smith, R.C., J.S. Lyles, J. Mettler, B.E. Stoffelmayr, L.F. Van Egeren, A.A. Marshall, J.C. Gardiner, K.M. Maduschke, J.M. Stanley, G.G. Osborn, V. Shebroe et R.B. Greenbaum (1998). « The effectiveness of intensive training for residents in interviewing: A randomized, controlled study », *Annals of Internal Medicine*, vol. 128, n° 2, p. 118-126.

Stange, K.C., W.L. Miller et I. McWhinney (2001). « Developing the knowledge base of family practice », *Family Medicine*, vol. 33, n° 4, p. 286-297.

Stange, K.C., S.J. Zyzanski, C.R. Jaen, E.J. Callahan, R.B. Kelly, W.R. Gillanders, J.C. Shank, J. Chao, J.H. Medalie, W.L. Miller, B.F. Crabtree, S.A. Flocke, V.J. Gilchrist, D.M. Langa et M.A. Goodwin (1998).

« Illuminating the "black box" : A description of 4454 patient visits to 138 family physicians », *The Journal of Family Practice*, vol. 46, n° 5, p. 377-389.

Starfield, B. (1998). *Primary care : Balancing health needs, services, and technology*, New York, Oxford University Press.

Stewart, M.A. (1995). « Effective physician-patient communication and health outcomes : A review », Journal de l'Association médicale canadienne / *Canadian Medical Association Journal*, vol. 152, n° 9, p. 1423-1433.

Stewart, M.A., J.B. Brown, A. Donner, I.R. McWhinney, J. Oates, W.W. Weston et J. Jordan (2000). « The impact of patient centered care on outcomes », *The Journal of Family Practice*, vol. 49, n° 9, p. 796-804.

Stewart, M., I.R. McWhinney et C.W. Buck (1979). « The doctor-patient relationship and its effect upon outcome », *Journal of the Royal College of General Practitioners*, vol. 29, p. 77-82.

Tamblyn, R., et R. Perreault (1998). « Encouraging the wise use of prescription medication by older adults », dans *Canada health action : Building on the legacy*, volume 2, *Determinants of health : Adults and seniors*, papers commissioned by the National Forum on Health, Sainte-Foy, Multi Mondes.

Tomlinson, T. (1986). « The physicians' influence on patients' choices », *Journal of Theoretical Medicine*, vol. 7, p. 105-121.

Tuckett, D., M. Boulton, C. Olson et A. Williams (1985). *Meetings between experts : An approach to sharing ideas in medical consultations*, Londres, Tavistock.

Waitzkin, H. (1984). « Doctor-patient communication : Clinical implications of social scientific research », *The Journal of the American Medical Association*, vol. 252, n° 17, p. 2441-2446.

Waitzkin, H. (1991). *The politics of medical encounters : How patients and doctors deal with social problems*, New Haven (Connecticut), Yale University Press.

Watzlawick, P., J.H. Beavin et D. Jackson (1972). *Une logique de la communication*, Paris, Seuil.

Witkin, Y. (1981). *La nouvelle communication*, Paris, Seuil.

Zins Beauchesne et associés (2000). *Étude sur les attentes et la satisfaction des usagers à l'égard des services de santé et des services sociaux : mise à jour du concept de service pour l'an 2000 – Rapport final présenté à la Régie régionale de la santé et des services sociaux de Montréal-Centre*, Montréal, Zins Beauchesne et associés.

CHAPITRE 8

La structure et le contenu de l'entrevue médicale[1]

Marie-Thérèse Lussier
Claude Richard

Le présent chapitre porte sur la structure et le contenu de l'entrevue médicale. Les éléments de contenu qui seront présentés ici ont longtemps été les seuls à être enseignés dans les facultés de médecine. Or, comme nous l'avons vu au chapitre précédent, il y a une distinction à faire entre le contenu et le processus de l'entrevue. On a souvent comparé l'entrevue médicale à une pièce de théâtre qui se déroule en plusieurs actes consécutifs, soit l'anamnèse, l'examen physique et les recommandations. Il s'agit là d'une façon assez traditionnelle de concevoir le déroulement d'une rencontre entre un médecin et un patient. La séquence proposée reste essentiellement la même, quel que soit le contexte de la rencontre : au chevet d'un patient hospitalisé, en clinique externe, à la salle d'urgence ou encore à domicile.

Nous allons maintenant passer en revue chacun des éléments de l'entrevue et, accordant toute l'importance voulue à la nature des informations qui doivent être obtenues, nous nous efforcerons aussi de faire ressortir les façons optimales d'obtenir ces informations au cours de l'entrevue.

La durée de l'entrevue

Comme nous l'avons vu dans le chapitre 2, intitulé « Les manifestations et les composantes d'une relation », le cadre, tout comme les décors d'une pièce de théâtre, n'est pas neutre, et il contribue au déroulement de la pièce qui se joue. Aussi la durée de la rencontre exerce-t-elle inévitablement des contraintes sur le contenu qui peut y être couvert. Il convient ici de rappeler le cadre temporel dans lequel s'effectuent les consultations en médecine générale. Le tableau 8.1 présente la durée moyenne des entrevues dans divers pays (Deveugele, Derese, van den Brink-Muinen, Bensing et De Maeseneer, 2002 ; Stange et autres, 1998 ; Lussier, Rosenberg, Beaudoin, Richard et Gagnon, 1998).

Tableau 8.1 **La durée moyenne de la consultation médicale dans divers pays**

PAYS	DURÉE MOYENNE EN MINUTES (ÉCART TYPE)
Allemagne	7,6 (4,3)
Espagne	7,8 (4,0)
Grande-Bretagne	9,4 (4,7)
Pays-Bas	10,2 (4,9)
Belgique	15,0 (7,2)
Suisse	15,6 (8,7)
Pays européens	10,7 (6,7)
États-Unis	17,6 (13,3)
Canada (Québec)	17,0

En médecine générale, la durée moyenne des entrevues est donc de l'ordre de 10 à 15 minutes. Les pays mentionnés dans le tableau 8.1 présentent des systèmes de soins très différents, mais les tâches que les médecins doivent effectuer demeurent semblables. La nécessité pour le clinicien de bien gérer le temps à sa disposition s'impose. Ainsi, c'est au médecin qu'incombe la responsabilité de s'assurer du bon déroulement de l'entrevue et de décider de la proportion du temps à accorder à chaque section de l'entrevue. Cette proportion pourra varier en fonction de plusieurs paramètres, notamment l'expérience du médecin, le contexte dans lequel l'entrevue s'effectue, la connaissance antérieure du patient, la gravité ou l'urgence du problème présenté et, bien sûr, le temps disponible pour l'entrevue.

Les stratégies pour gérer le temps de l'entrevue

Du fait que les entrevues sont relativement courtes, les médecins ont acquis certaines stratégies pour gérer leur temps. Parmi celles-ci, mentionnons les interruptions et les redirections rapides du discours de leur patient au tout début de l'entrevue. Tout se passe comme si les médecins craignaient de perdre la maîtrise de la durée de la consultation en laissant le patient parler. Il n'est pas rare d'entendre des médecins affirmer qu'ils ne s'en sortiraient pas s'ils laissaient leurs patients parler sans les interrompre. Langewitz et autres (2002) ont demandé aux médecins d'essayer de ne pas interrompre les patients lorsqu'ils répondaient à la question « Qu'est-ce qui vous amène aujourd'hui ? ». L'étude se déroulait dans une clinique de médecine interne à Bâle, en Suisse, auprès d'un échantillon de patients qui consultaient pour la première fois ; 335 entrevues ont été enregistrées. Le temps moyen de parole spontanée des patients était de 92 secondes, et la médiane n'était que de 59 secondes ! En fait, 77 % des patients (258/335) ont terminé leur énoncé initial en dedans de 2 minutes, seulement 2 % (7/335) des patients ont parlé plus de 5 minutes d'affilée et, dans tous les cas, les médecins ont estimé que les informations données étaient pertinentes !

Les craintes maintes fois exprimées par les médecins ne semblent donc pas tenir la route. Ces derniers ne risquent pas d'être envahis par les plaintes de leurs patients si, en début d'entrevue, ils les écoutent sans les interrompre jusqu'à ce que ceux-ci indiquent qu'ils ont terminé de parler. Ainsi, même dans un contexte de contraintes de temps et d'argent, deux minutes d'écoute devraient être possibles et devraient suffire pour obtenir une liste assez complète des motifs de consultation du patient dans près de 80 % des cas.

Dans une étude maintenant reconnue comme un classique dans le domaine, Beckman et Frankel (1984) ont montré que les médecins interrompaient leurs patients en moyenne 18 secondes après le début de l'énoncé de leurs motifs de consultation, et que la grande majorité des patients interrompus ne complétaient pas cet énoncé. Marvel, Epstein, Flowers et Beckman (1999) ont voulu reprendre cette étude classique, cette fois auprès d'un échantillon plus nombreux de médecins de famille. Ils ont enregistré 264 entrevues effectuées par 29 médecins de famille aux États-Unis et au Canada. Ils ont trouvé que les médecins redirigeaient les propos des patients après 23,1 secondes de leur énoncé de motifs de consultation. La majorité des redirections se produisaient après l'expression de la première raison de consultation. Les motifs de consultation énoncés tardivement, soit au moment de la conclusion (exemple : « Au fait, Docteur, j'aurais aimé vous parler de ma douleur à la jambe »), ont été plus fréquents lorsque les patients n'avaient pas eu l'occasion de compléter l'énoncé de leurs raisons de consultation (34,9 % versus 14,9 %).

Ces données confirment celles qui provenaient d'une autre étude (White, Levinson et Roter, 1994) et qui montraient une fréquence de questions de dernière minute de 20 % à 35 % dans les entrevues où le survol initial des motifs de consultation n'avait pas été fait. Fait important à noter, l'entrevue n'était pas significativement plus longue si le médecin laissait le patient terminer l'énoncé de ses motifs de consultation (15 min 18 s versus 14 min 52 s, $p = 0{,}8$). La perte potentielle de la maîtrise de la durée de l'entrevue qu'invoquent si souvent les médecins pour justifier leur stratégie d'entrevue ne s'est donc pas manifestée.

Voilà plusieurs données scientifiques qui devraient rassurer les médecins. Il ressort de tout ce qui précède que les perceptions des médecins jouent un rôle déterminant dans les stratégies de gestion du temps qu'ils adoptent pour assurer l'efficacité – qu'ils perçoivent – de leur consultation. Non seulement ces stratégies d'orientation précoce de l'entretien ne sont pas nécessaires, puisque la majorité des patients ont intériorisé une norme implicite quant à la durée *habituelle* des entrevues (Pollock et Grime, 2002), mais elles sont porteuses de conséquences non négligeables sur le contenu et la qualité des informations échangées. En effet, les médecins et les patients s'entendent sur les raisons de consultation dans moins de 50 % des consultations, et 45 % des préoccupations des patients ne seraient pas élucidées par les médecins (Starfield et autres, 1981 ; Stewart, McWhinney et Buck, 1979).

La structure et le contenu de l'entrevue

Le tableau 8.2 présente la structure traditionnelle d'une entrevue médicale, élaborée d'après plusieurs textes portant sur le sujet (Kurtz, Silverman et Draper, 1998 ; Billings et Stoeckle, 1999 ; Smith, 1996 ; Cole et Bird, 2000 ; Lipkin, Frankel, Beckman, Charon et Fein, 1995 ; Coulehan et Block, 1997 ; Levinson, 1987). C'est à partir de ces éléments de structure et de contenu que le médecin peut arriver à établir un diagnostic et à proposer une investigation et un plan de traitement appropriés[2]. Tous les étudiants en médecine se souviennent de leurs premières entrevues et des difficultés qu'ils ont éprouvées à recueillir l'information. Et pour cause, la tâche, comme nous le verrons, est complexe.

Tableau 8.2 **La structure et le contenu de l'entrevue médicale**

L'amorce de l'entrevue
Les motifs de consultation
• Le survol des problèmes et l'établissement des priorités
• L'exploration des motifs de consultation ou l'histoire de la maladie actuelle
Les autres problèmes actifs
Le profil du patient
• Les données sociodémographiques de base
• Les antécédents médicaux personnels
• Le dossier pharmacologique
• Les allergies et les intolérances
• Les antécédents médicaux familiaux
• Les habitudes de vie
La revue des systèmes
L'examen physique
La conclusion de la rencontre
• Le diagnostic
• L'explication du plan de traitement
• L'entente sur le suivi

L'amorce de l'entrevue

La façon dont le médecin amorce l'entrevue donne souvent le ton pour la suite. Dans la majorité des textes qui portent sur l'entrevue médicale, on explique le début d'une première entrevue entre le médecin et son patient, mais on offre peu de conseils sur le début des visites de suivi. Or, de 80 % à 90 % des consultations effectuées sont des visites de suivi (Billings et Stoeckle, 1999 ; Stange et autres, 1998). Dans cette section, nous allons aborder chacune de ces deux situations.

Lorsqu'il s'agit d'un nouveau patient, le médecin doit effectuer les tâches suivantes :

- saluer la personne par son nom,
- vérifier l'identité de la personne,
- se présenter,
- préciser son rôle,
- s'assurer du confort du patient et de sa disposition à commencer l'entrevue.

Lorsqu'il s'agit d'un patient connu, l'ouverture de l'entrevue se réduit aux tâches suivantes :

- saluer la personne par son nom,
- s'assurer de son confort et de sa disposition à commencer l'entrevue.

L'amorce de l'entrevue de suivi

Voici deux scénarios de début d'entrevue de suivi qui mettent en scène les mêmes protagonistes, mais leur prêtent, pour les besoins de la cause, des comportements fort différents.

Scénario A **L'entrevue centrée sur les besoins du médecin**

Le médecin passe au secrétariat et prend distraitement le dossier sur le dessus de la pile, celui de M. Lemay. Il se dirige vers la salle d'attente, où M. Lemay attend depuis plus de 30 minutes.

LE MÉDECIN — (esquissant un sourire) *Monsieur Lemay ?*

M. LEMAY — *Oui.*

LE MÉDECIN — *Bonjour, Monsieur Lemay ; voulez-vous me suivre, s'il vous plaît ?*

Le médecin fait les salutations d'usage en utilisant le nom du patient et lui indique précisément ce qu'il doit faire.

M. LEMAY — *Bonjour !*

Le médecin a déjà tourné le dos à M. Lemay et se dirige d'un pas rapide vers son bureau. M. Lemay le suit sans rien dire. En arrivant à son bureau, le médecin s'assoit et ouvre le dossier. M. Lemay ferme la porte derrière lui et s'approche. Le médecin lui fait signe de s'asseoir.

Le pas rapide du médecin contribue à créer un contexte où le patient sent que son temps sera compté.

Le médecin arrive au secrétariat. Il s'assure qu'il n'a pas de messages urgents et qu'on ne viendra pas le déranger pendant la prochaine consultation. Il saisit le dossier sur le dessus de la pile et l'examine brièvement. Il doit maintenant rencontrer M. Lemay pour un suivi d'hypertension. Tous les résultats des tests de laboratoire demandés sont au dossier.

En procédant à la vérification du dossier avant de commencer l'entrevue, le médecin prépare sa rencontre. Aussi, il manifeste clairement au patient qu'il le considère comme *quelqu'un* ; il lui montre du respect.

Le médecin espère reprendre le dessus sur le retard qu'il a accumulé dans son horaire. Confiant, il se dirige vers la salle d'attente, où M. Lemay patiente depuis plus de 30 minutes. Il esquisse un sourire et tend la main à M. Lemay.

LE MÉDECIN — *Monsieur Lemay ?*

M. LEMAY — *Oui.*

LE MÉDECIN — *Bonjour Monsieur Lemay ; voulez-vous me suivre, s'il vous plaît ?*

Le médecin fait les salutations d'usage en utilisant le nom du patient et lui indique précisément ce qu'il doit faire.

M. LEMAY — *Bonjour Docteur Lussier, comment allez-vous ?*

LE MÉDECIN — *Bien, merci.*

Le médecin se dirige d'un pas rapide vers son bureau. M. Lemay le suit.

M. LEMAY — *Toujours aussi occupé ?*

Le patient émet un commentaire sur la charge de travail du médecin, dont le pas rapide révèle qu'il est pressé.

Le médecin lui sourit.

LE MÉDECIN — *Toujours. Je m'excuse de vous avoir fait attendre.*

Présenter des excuses pour le retard constitue une marque de respect puisque, ce faisant, le médecin reconnaît explicitement que le temps du patient est précieux.

M. LEMAY — *Ça va.*

En arrivant près de la porte du bureau, le médecin fait signe à M. Lemay d'entrer et l'invite à s'asseoir en lui indiquant où prendre place. Il referme la porte derrière lui. Il attend que M. Lemay soit assis, puis il prend place à son tour, le dossier ouvert devant lui.

Dans le scénario A, même si les premiers échanges de paroles entre le médecin et M. Lemay contiennent peu d'information, ils concourent à renforcer un type de relation asymétrique (Korsch et Harding, 1998) qui place le patient dans un rôle plus passif. L'attitude affairée du médecin laisse peu de place à M. Lemay, qui n'a d'autre choix que de s'engager dans la voie qu'on lui indique. Par contre, dans le scénario B, le médecin salue franchement son patient, reconnaît son retard et s'en excuse. Cette intervention ne constitue pas uniquement une politesse : elle situe la relation dans un contexte où il y aura respect mutuel.

L'amorce de l'entrevue initiale

Voyons maintenant comment un premier contact pourrait s'établir entre le patient qui se présente à un premier rendez-vous avec un médecin qu'il ne connaît pas. À nouveau, deux scénarios permettent d'illustrer comment l'approche initiale peut donner un ton bien différent à une entrevue.

Scénario A **L'entrevue centrée sur les besoins du médecin**

Le médecin passe au secrétariat et prend distraitement le dossier sur le dessus de la pile, celui de M. Lemay. Il ne reconnaît pas le nom du patient. Il se dirige vers la salle d'attente, où M. Lemay attend depuis plus de 30 minutes.

LE MÉDECIN — (esquissant un sourire) *Monsieur Lemay ?*

M. LEMAY — *Oui.*

LE MÉDECIN — *Bonjour, Monsieur Lemay ; voulez-vous me suivre, s'il vous plaît ?*

M. LEMAY — *Bonjour.*

Sans se présenter, le médecin a déjà tourné le dos à M. Lemay et se dirige d'un pas rapide vers son bureau. Le médecin enchaîne avec la prochaine entrevue. Il fera sa préparation en présence du patient. M. Lemay le suit sans rien dire. En arrivant à son bureau, le médecin s'assoit et il ouvre le dossier. M. Lemay ferme la porte derrière lui et s'approche. Le médecin lui fait signe de s'asseoir.

Scénario B **L'entrevue centrée sur les besoins du patient**

Le médecin arrive au secrétariat. Il s'assure qu'il n'a pas de messages urgents et qu'on ne viendra pas le déranger pendant la prochaine consultation. Il saisit le dossier

Le médecin se prépare à l'entrevue.

sur le dessus de la pile et l'examine brièvement. Il doit maintenant rencontrer M. Lemay pour la première fois. Il se dirige vers la salle d'attente, où M. Lemay patiente depuis plus de 30 minutes.

LE MÉDECIN — *Monsieur Lemay?*

M. LEMAY — *Oui.*

Le médecin s'assure de l'identité du patient et, en esquissant un sourire, lui tend la main.

LE MÉDECIN — *Bonjour, Monsieur Lemay, je suis le Dr Lussier. Voulez-vous me suivre, s'il vous plaît?*

M. LEMAY — *Bonjour, Docteur.*

LE MÉDECIN — *Je m'excuse de vous avoir fait attendre.*

M. LEMAY — *Ça va.*

LE MÉDECIN — *Le bureau se trouve au fond du couloir, allons-y!*

M. LEMAY — *Je vous suis.*

En arrivant près de la porte du bureau, le médecin fait signe à M. Lemay d'entrer et l'invite à s'asseoir en lui indiquant où prendre place. Il referme la porte derrière lui. Il attend que M. Lemay soit assis, puis il prend place à son tour, le dossier ouvert devant lui.

Se nommer, offrir une poignée de main, reconnaître explicitement le temps d'attente et indiquer où se trouve le bureau suffisent à créer une atmosphère détendue.

Les points de repère du patient dans un nouvel environnement ne sont pas toujours évidents. En plus, l'anxiété associée à la situation diminue la capacité du patient à s'orienter et à repérer les indications. Il arrive même que les patients s'installent dans la chaise du médecin...

Dans le scénario A, le début de l'entrevue paraît assez froid malgré des échanges de politesses entre le médecin et le nouveau patient. Bien qu'on comprenne que le médecin ne désire pas commencer son entrevue près de la salle d'attente, la réserve qu'il montre pourrait facilement être interprétée par son patient comme de l'indifférence. Quelques changements mineurs dans l'accueil, comme le montre le scénario B, contribuent pourtant à atténuer l'anxiété ressentie par un patient à l'occasion de toute nouvelle rencontre avec un médecin.

L'usage du nom et du vouvoiement en entrevue

Dans les quatre situations rapportées, le médecin interpelle le patient par son nom de famille. Il est toujours préférable de commencer l'entretien sur un ton plus formel quitte, dans certaines circonstances et avec le temps, à devenir plus informel au cours de l'entrevue. Redevenir formel après avoir été familier est beaucoup plus difficile à réussir élégamment (Lipkin et autres, 1995). De plus, le fait de se présenter comme le Dr X tout en appelant le patient par son prénom amplifierait l'asymétrie des rôles inhérente à toute consultation médicale (Korsch et Harding, 1998). Pour cette raison, il est préférable d'utiliser des désignations de même ordre: « Bonjour, Monsieur Lemay, je suis le Dr Lussier. »

Se pose aussi, dans la langue française, la question du vouvoiement. Est-il utile de rappeler que l'usage du *tu* indique un certain degré de familiarité qui est réservé aux conversations entre membres d'une même famille ou entre personnes de même âge ou de même rang social ? Dans plusieurs milieux, le vouvoiement va de soi dans toutes les autres circonstances et marque une distance sociale ou une relation d'autorité. Tutoyer un adulte dans une situation formelle, comme une consultation médicale, peut être perçu comme paternaliste ou condescendant par plusieurs, et même comme un manque de respect, en particulier par les patients plus âgés. De plus, le tutoiement employé par le médecin n'est généralement pas repris par le patient, ce qui confirme l'asymétrie des rôles. En effet, la familiarité implicite du tutoiement devient souvent évidente lorsque le patient y a recours, et plusieurs médecins ne sont pas à l'aise dans une telle situation. Pour ces raisons, le vouvoiement, sauf avec les enfants et les adolescents, nous semble préférable dans un contexte professionnel. À tout le moins, il est suggéré au médecin de vérifier les préférences du patient à cet égard et de s'ajuster en conséquence. Cette alternative peut influencer le degré de formalisme de la relation. Ainsi, on peut suggérer de passer du « vous » au « tu » ou s'y refuser même si le patient le fait. Le médecin peut être présent, sensible et à l'écoute, sans devenir familier pour autant, et le vouvoiement mutuel ne freinera pas la collaboration.

Le confort et la disponibilité au début de l'entrevue

Le médecin a la responsabilité de voir au confort du patient. De plus, comme le patient révèle une information de nature intime, le médecin doit faciliter cette expression en assurant la confidentialité des entretiens et en accordant toute son attention. Il veillera à percevoir les éventuels obstacles à une communication efficace, par exemple en éliminant les sources de bruit, en s'assurant d'un éclairage adéquat, en prévenant le secrétariat de limiter les interruptions en cours de consultation. Enfin, en prenant connaissance du dossier médical avant de commencer l'entrevue, le médecin manifeste clairement au patient l'importance qu'il lui accorde.

Le médecin a beau avoir les meilleures intentions du monde, c'est en prêtant attention à un ensemble de petits détails qu'il manifeste le respect du patient. Celui-ci sent alors qu'on le considère et il aura probablement tendance à collaborer davantage à toutes les étapes de la consultation.

Les motifs de consultation

Très souvent, le concept de *motif principal de consultation* n'est pas pertinent. En effet, on estime que les patients discutent en moyenne 2,3 problèmes actifs à chaque rencontre (Stange et autres, 1998), ce qui d'ailleurs a été confirmé par les résultats d'une étude québécoise sur la communication médecin-patient (Lussier et autres, 1998). Parmi les 1 011 patients recrutés, 45,4 % ont rapporté une seule raison de consultation, 31,5 % en ont indiqué deux, et 12,1 % en ont mentionné trois et plus. Il est donc préférable de parler simplement *des* motifs de consultation. Évidemment, il peut arriver qu'un des motifs soit prioritaire aux yeux du patient ou à ceux du médecin. L'ordre dans lequel les raisons de consultation sont énumérées ne reflète pas nécessairement l'importance ou la gravité que le patient leur prête. Nous y reviendrons un peu plus loin.

Le survol des problèmes et le programme de la rencontre

Le survol des motifs de consultation s'effectue en début d'entrevue et a pour but de faire ressortir, dans la mesure du possible, l'ensemble des problèmes. Bien évidemment, il y aura toujours des situations particulières où, malgré toute l'ouverture souhaitée de la part du médecin, le patient n'arrivera pas à exprimer certains malaises qui l'inquiètent ou qui provoquent de la honte ou de la gêne. Le survol des motifs de consultation permet de planifier le déroulement de l'entrevue.

Il s'agit donc d'établir le programme de la rencontre à partir de la liste des problèmes mentionnés. Si, aux yeux de certains, cet exercice peut sembler enlever de la spontanéité au début de l'entrevue, il n'en demeure pas moins qu'il permet de mieux utiliser le temps dont le médecin dispose. Il diminue les risques de questions de dernière minute et, du même coup, les frustrations de part et d'autre qui leur sont liées. Cette stratégie contribue à structurer l'entretien et à garder les interlocuteurs centrés sur la tâche qu'ils ont à accomplir. Les questions de dernière minute sont parfois inévitables, malgré les efforts déployés par le médecin pour fixer le programme de la rencontre. Lorsqu'elles surviennent, à moins d'une urgence évidente, le médecin ne peut pas rouvrir l'entrevue. Il s'agit plutôt de reconnaître le problème, de montrer un intérêt à s'en occuper et de convenir d'un autre moment pour en discuter.

Le temps d'écoute en début d'entrevue aura pour effet de créer un climat favorable au dévoilement plus précoce des autres motifs de consultation. Mais comment communiquer avec le patient pour utiliser efficacement le temps disponible avec un maximum de participation de sa part ? Poursuivons l'examen du début d'entrevue, au moment où le médecin tente d'établir avec le patient le programme de la consultation. Rejoignons nos deux protagonistes, le Dr Lussier et M. Lemay, juste après les salutations initiales. Nous allons être témoins de la mise en œuvre de certaines des stratégies de communication verbale présentées au chapitre 7, intitulé « Les fonctions de l'entrevue médicale et les stratégies communicationnelles ».

Scénario A **L'entrevue centrée sur les besoins du médecin**

En consultant rapidement sa dernière note au dossier, le médecin constate qu'il a fait revenir M. Lemay pour un contrôle de sa tension artérielle (TA). Il espère reprendre le dessus sur le retard qu'il a accumulé dans son horaire de la journée. Se sentant tout de même bousculé, il s'adresse à M. Lemay tout en continuant à examiner les pièces au dossier.

LE MÉDECIN — *Alors, Monsieur Lemay, vous venez aujourd'hui pour faire vérifier votre TA ?*

> Il s'agit d'un **énoncé de vérification-synthèse**.

M. LEMAY — *Oui. Vous m'aviez dit de revenir après trois mois, et...*

LE MÉDECIN — *Ça passe vite !*

> Il s'agit d'une **interruption** du patient par le médecin.

M. LEMAY — *Oui.*

LE MÉDECIN — *Avez-vous mesuré votre TA ?*

> Le médecin pose une **question fermée**.

M. LEMAY — *Oui.*

LE MÉDECIN — *Comment sont vos chiffres ?*

Le médecin pose une **question ouverte**.

M. LEMAY — *Bien, je crois. J'ai apporté mon carnet.*

LE MÉDECIN — *Bien, venez. Nous allons vérifier ça tout de suite. Passez à la salle d'examen.*

Le médecin tient pour acquis qu'il n'y a pas d'autre chose à discuter aujourd'hui que le suivi de la TA, et il passe à la salle d'examen avec son patient.

Scénario B **L'entrevue centrée sur les besoins du patient**

Le médecin, un peu en retard dans ses rendez-vous, se sent bousculé, mais il s'adresse quand même à M. Lemay en le regardant.

LE MÉDECIN — *Alors, Monsieur Lemay, comment ça va depuis votre dernière visite à la clinique ?*

Le médecin pose une **question ouverte**.

M. LEMAY — *Eh bien ! Ça va. Je me sens assez en forme.*

LE MÉDECIN — *Si je me souviens bien, la visite d'aujourd'hui avait été prévue pour vérifier votre TA ?*

Il s'agit d'un **énoncé de vérification-synthèse**.

M. LEMAY — *Oui. Vous m'aviez dit de revenir après trois mois.*

LE MÉDECIN — *J'ai prévu une quinzaine de minutes pour notre rencontre. Aussi, avant de parler de votre TA, j'aimerais savoir s'il y a autre chose dont vous vouliez discuter ce matin.*

Le médecin procède au survol des motifs de consultation en posant une **question ouverte**.

M. LEMAY — *Bien, justement, j'ai depuis quelques mois une petite toux sèche, assez fatigante.*

LE MÉDECIN — *Hum ! Hum !*

Le médecin utilise un **facilitateur**.

Dans le scénario A, le médecin entre rapidement dans ce qu'il croit être l'essentiel de la consultation de suivi. Bien que le médecin utilise un énoncé de vérification-synthèse et une question ouverte, M. Lemay n'a pas vraiment l'occasion de parler d'un autre problème. Le rythme est défini par les questions du médecin, et M. Lemay attend probablement que ce rythme ralentisse pour pouvoir discuter de son problème de toux.

Dans le scénario B, le médecin indique à son patient le temps qu'il lui a réservé de façon à ce que celui-ci puisse s'ajuster rapidement. Ce cadre de référence permet au patient d'évaluer ce dont il a à discuter dans le temps mis à sa disposition et, donc, de classer ses demandes par ordre d'importance. Les avis sont partagés quant à l'intérêt de divulguer le temps prévu de la consultation. Plusieurs médecins hésitent à le faire, car ils ont l'impression que le patient réagira mal à une limite imposée. Cependant, comme nous l'avons vu, la majorité des patients ont déjà intériorisé une norme implicite quant au temps dont ils peuvent bénéficier. Pour éviter le malaise associé à l'énoncé formel de la durée, le médecin peut opter pour une formule du genre « Aujourd'hui, j'ai prévu un court, moyen ou long rendez-vous ». Il importe cependant de situer l'emploi du temps dans le contexte de la continuité des soins.

Tout en reconnaissant le motif premier de consultation et en spécifiant qu'il va y revenir, le médecin pose ensuite une question ouverte pour inviter le patient à dévoiler les autres problèmes ou questions dont il désire discuter aujourd'hui. Il écoute le patient sans l'interrompre et il l'encourage à continuer en se servant d'un facilitateur. D'apparence banale, le dernier énoncé du médecin (« Hum ! Hum ! ») encourage M. Lemay à raconter son histoire.

Scénario A **L'entrevue centrée sur les besoins du médecin (suite)**

Le médecin et M. Lemay se dirigent vers la table d'examen.

LE MÉDECIN — *Assoyez-vous. Je vais vérifier votre pression.*

> Le médecin utilise un **énoncé d'entretien** qui sert à orienter la consultation.

M. LEMAY — *D'accord.*

LE MÉDECIN — *C'est 130/80. Excellent !*

M. LEMAY — *Oui, c'est ce que je trouve à la maison aussi.*

> Le médecin perd une occasion de renforcer un comportement souhaité chez M. Lemay. Le manque d'intérêt pour le carnet de TA pourrait diminuer la vigilance du patient.

LE MÉDECIN — *On va continuer comme ça. On pourrait se revoir dans six mois. Ça vous va ?*

M. LEMAY — *Oui.*

Le médecin retourne à son bureau et commence à écrire sa note pendant que M. Lemay reboutonne sa chemise.

LE MÉDECIN — *Avez-vous des questions ?*

> Le médecin pose au patient une **question ouverte** tardive.

M. LEMAY — *Eh bien ! Au fait, j'ai une toux...*

Scénario B **L'entrevue centrée sur les besoins du patient (suite)**

M. LEMAY — *Les gens autour de moi le remarquent. Comme je vous dis, j'hésite à en parler parce que je ne me sens pas malade. C'est juste un peu gênant. J'ai même failli oublier de vous mentionner cette toux. C'est ma femme qui me l'a rappelé ce matin.*

> Le patient parle de son problème de toux ; on parle alors de fil narratif, ce que nous verrons plus loin.

Le médecin	— *Une toux est donc apparue depuis notre dernière rencontre.*	Il s'agit d'un **énoncé de vérification-synthèse**.
M. Lemay	— *C'est ça.*	
Le médecin	— *Avant de pousser plus loin par rapport à cette toux, j'aimerais savoir, pour bien gérer notre temps, s'il y a autre chose dont vous désirez discuter avec moi ce matin.*	Le médecin utilise un **énoncé de vérification-synthèse** pour faciliter la transition. La **question ouverte** « Autre chose ? » a pour but d'encourager le patient à présenter l'ensemble de ses motifs de consultation.
M. Lemay	— *Non, pas vraiment. C'est tout.*	Le patient indique explicitement qu'il n'a rien d'autre à discuter.
Le médecin	— *Donc, ce matin, nous allons parler de votre TA et de cette toux qui est apparue. Je crois que nous aurons le temps de tout couvrir aujourd'hui. Est-ce que ça vous va ?*	Il s'agit d'un énoncé de **vérification-synthèse**.
M. Lemay	— *C'est d'accord.*	

Dans le scénario A, le médecin mène rondement son entrevue. Il passe rapidement à l'examen physique et confirme que la tension artérielle est bien maîtrisée. Il félicite le patient et lui indique que le suivi pourra être espacé. Il fixe le rendez-vous suivant six mois plus tard et s'empresse d'aller consigner les données de l'examen dans son dossier. Avant de conclure la consultation, il demande au patient s'il a des questions. Vérifier si le patient a des questions juste avant les salutations de départ est une stratégie fréquemment utilisée par les médecins, mais, à notre avis, sa valeur est discutable. En effet, cette ouverture tardive de la part du médecin risque fort de le mettre dans une situation où il devra reprendre tout le processus du questionnaire et de l'examen, avec les conséquences qu'on connaît sur la gestion du temps de la consultation, et même sur la perception qu'aura le patient de l'organisation de l'entrevue.

Dans le scénario B (centré sur le patient), le médecin laisse M. Lemay raconter son histoire en ses propres mots, et dans un ordre qui a du sens pour lui. Cette façon de faire permet de recueillir une foule de renseignements sans avoir recours à une série de questions fermées. Ainsi, le médecin apprend très tôt dans l'entrevue que son patient présente un symptôme qui peut être lié à la médication prescrite pour l'hypertension. Il pourra donc en tenir compte dans l'évaluation de l'état de son patient. Puis, il voit si le patient a d'autres problèmes à lui exposer, afin d'avoir une idée du programme de la rencontre. Le fait que la liste soit courte permet déjà au médecin de savoir qu'ils auront le temps d'aborder les deux sujets. Le processus de collecte de renseignements est déjà commencé, et le patient connaît les sujets qui seront discutés dans l'entrevue. L'énoncé de vérification-synthèse du médecin offre à M. Lemay une dernière chance d'ajouter quelque chose. Le patient exprime son accord, le médecin peut donc suivre ce programme de consultation.

L'ordre de priorité des motifs de consultation

Dans certaines situations (urgence, nombre trop élevé de demandes par rapport au temps disponible, etc.), il sera impossible de traiter l'ensemble des demandes du patient. Il est alors utile de demander au patient d'ordonner ses problèmes selon l'urgence ou l'importance qu'ils ont pour lui (Lipkin et autres, 1995). Si l'ordre de priorité ne correspond pas avec celui que le médecin envisage d'un point de vue clinique, celui-ci présente le sien en expliquant ses motifs. Puis, il faut voir quelles questions seront abordées au cours de la consultation et lesquelles seront remises à un rendez-vous ultérieur. Dans ce dernier cas, il faut inscrire les problèmes non discutés au dossier (en guise d'aide-mémoire qui aura pour effet de consolider le lien de confiance) et amorcer le rendez-vous suivant en vérifiant s'il est toujours pertinent d'en parler. Voyons comment le médecin peut présenter la situation à une patiente : « Madame Belhumeur, vous avez mentionné quatre problèmes différents, et nous ne disposons que d'une courte visite. Pourriez-vous m'indiquer le ou lesquels de ces problèmes nécessitent une attention immédiate. Je ferai la même chose et nous verrons comment nous pouvons le mieux utiliser le temps que nous avons aujourd'hui. Nous pourrions fixer un rendez-vous de suivi pour terminer la discussion. »

Le tableau 8.3 reprend les diverses tâches qui permettent au médecin de bien dégager l'ensemble des motifs de consultation et de choisir ceux qui seront traités dans la consultation.

Tableau 8.3 **Les principales tâches du médecin liées aux motifs de consultation**

TÂCHES	EXEMPLES D'INTERVENTIONS
Inviter le patient à énoncer son ou ses motifs de consultation sans l'interrompre.	« Qu'est-ce qui vous amène ? »
Faire un survol de ces motifs.	« Y a-t-il autre chose ? », à répéter jusqu'à épuisement des motifs.
Dresser la liste de tous les motifs de consultation.	« Alors, vous désirez discuter de cette douleur dans la poitrine, de votre douleur au genou et du nouveau médicament dont vous avez entendu parler pour remplacer le calcium. Est-ce bien ça ? »
Établir l'ordre des priorités avec le patient.	« Compte tenu du temps dont nous disposons, quels sont à votre avis les problèmes les plus pressants ? » « De mon côté, je crois qu'aujourd'hui il serait essentiel que je comprenne mieux la nature des douleurs que vous ressentez à la poitrine. Nous pourrions discuter par la suite, soit aujourd'hui, soit au prochain rendez-vous, de votre douleur au genou et du nouveau médicament. Qu'en dites-vous ? »

L'exploration des motifs de consultation ou l'histoire de la maladie actuelle

Nous venons de voir que le médecin a avantage à bien gérer le temps en clarifiant au tout début le programme de la rencontre, et qu'une information médicale de qualité peut être obtenue par des techniques d'entrevue simples, telles que l'écoute active, les questions ouvertes, les facilitateurs et les énoncés de vérification-synthèse. Ces mêmes stratégies sont également très utiles pour l'anamnèse de la maladie actuelle, qui est le cœur de toute entrevue médicale. Dans cette portion de l'entrevue, le médecin invite le patient à décrire le ou les malaises pour lesquels il consulte. On entre ici dans la phase hypothéticodéductive de l'entrevue, c'est-à-dire la phase cruciale dans laquelle le médecin tente d'obtenir l'information pertinente pour comprendre les malaises du patient dans un cadre scientifique et en arriver à un diagnostic. Le patient décrit ses symptômes, et le médecin, tout en écoutant l'histoire du patient, doit compiler, analyser et organiser en schémas reconnaissables les informations reçues.

Pour le médecin, le défi est de taille : obtenir une information aussi précise que possible tout en conservant les éléments de contexte particuliers à chaque patient. Il doit laisser le patient parler tout en l'amenant à donner l'information de façon claire, complète et brève, trois qualités extrêmement importantes pour pouvoir arriver à un diagnostic. S'il ne tient pas compte des éléments contextuels, le médecin ampute sa compréhension du malaise du patient et risque ainsi d'appauvrir son diagnostic. Smith (1996) suggère d'amorcer cette section de l'entrevue avec des questions ouvertes pour ensuite préciser le malaise par un ensemble de questions plus fermées.

> La reconstruction que le patient fait de l'histoire de sa maladie est rarement aussi claire que le laisse entendre le compte rendu écrit que le médecin en fait. Plutôt que d'avoir une organisation logique et détaillée de leur maladie, les patients en découvrent souvent l'évolution – la chronologie, les caractéristiques des symptômes, la relation entre les événements – au fil des questions du médecin. Les patients modifient ainsi leur histoire d'après les questions des différents médecins et en réaction à l'importance accordée par chaque médecin à certains aspects. Les versions changent dans le temps et en fonction de la personne qui questionne. (Traduction libre de Billings et Stoeckle, 1999, p. 21-22.)

La rencontre de deux visions du monde

L'histoire que le patient raconte au sujet de sa maladie donne lieu à la rencontre de deux visions du monde, celle de la science médicale et celle de la vie quotidienne (Mishler, 1984). Pour bien comprendre cette affirmation, il est utile de se référer à la langue de Shakespeare, qui, en ce qui a trait au concept de maladie, est plus précise que la nôtre. En effet, il existe en anglais plus d'un terme pour désigner la maladie. Le terme *disease* renvoie à l'anatomopathologie et correspond au monde de la médecine scientifique, alors que le terme *illness* renvoie à l'expérience qu'a un individu de la maladie et correspond au vécu du patient.

Le médecin, formé à l'approche scientifique biomédicale, cherche à poser un diagnostic objectif. Il effectue un découpage transversal du récit du patient pour en extraire les éléments anatomopathologiques. En d'autres mots, il cherche à organiser les informations que le patient lui apporte de manière à les faire correspondre à une classe nosographique.

Pour le patient, par contre, la maladie se définit dans le fouillis et l'enchevêtrement de son quotidien. Ainsi, un malaise s'imbrique parmi d'autres sensations qui retiennent son attention. Dans ce contexte, il lui est difficile d'isoler les faits qui sont importants pour le médecin. Le plus facile pour lui est de raconter son histoire : c'est ce qu'on appelle son *fil narratif.* Le lien chronologique entre les événements qu'il rapporte devient son guide pour parler de sa maladie. Ce fil conducteur se trouve affaibli par les interruptions et les questions techniques du médecin. Trop souvent, la démarche scientifique, qui est d'une logique implacable aux yeux du médecin, n'a aucun sens pour le patient, et il s'ensuit un dialogue de sourds.

L'histoire que le patient raconte

Pour arriver à une compréhension plus juste du malaise en cause, le médecin a avantage à respecter la structure narrative du récit de son patient et à passer en souplesse de son propre cadre de référence à celui de son patient. La figure 8.1 illustre le modèle de l'entrevue centrée sur le patient élaboré par l'équipe de la University of Western Ontario[4]. Suivant ce modèle, le médecin doit rechercher les signes et symptômes caractéristiques de la maladie tout en prêtant attention à la perspective et au vécu du patient, plus particulièrement à ses croyances, à ses craintes, à ses attentes et aux répercussions du problème dans sa vie et sur son fonctionnement (Stewart et autres, 2003, p. 48). Le processus de va-et-vient entre la perspective du médecin et celle du patient contribue à créer une interface réussie entre les deux cadres de référence décrits par Mishler (1984). La figure 8.2 montre une application pratique du modèle au cas de M. Riaux, un patient qui se présente chez le médecin pour un mal de tête. Plusieurs études ont montré que cette façon d'aborder le problème était associée à un degré plus élevé de satisfaction des patients pour les soins reçus, à une meilleure observance des recommandations du médecin et à un taux plus élevé de résolution des problèmes (Stewart et autres, 1979, 2000; Stewart, 1995).

Figure 8.1 **Le modèle de l'entrevue centrée sur le patient**

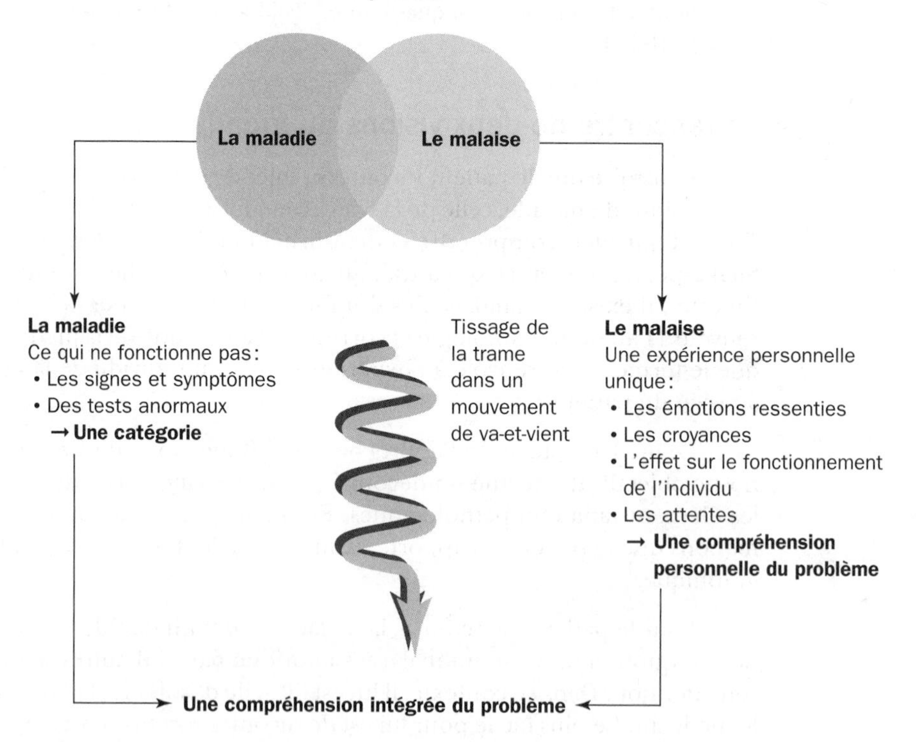

Source: Traduite et adaptée de Brown, Weston et Stewart (2003), p. 41.

Figure 8.2 **Le modèle de l'entrevue centrée sur le patient**
Exemple de M. Rioux, qui se présente pour un mal de tête

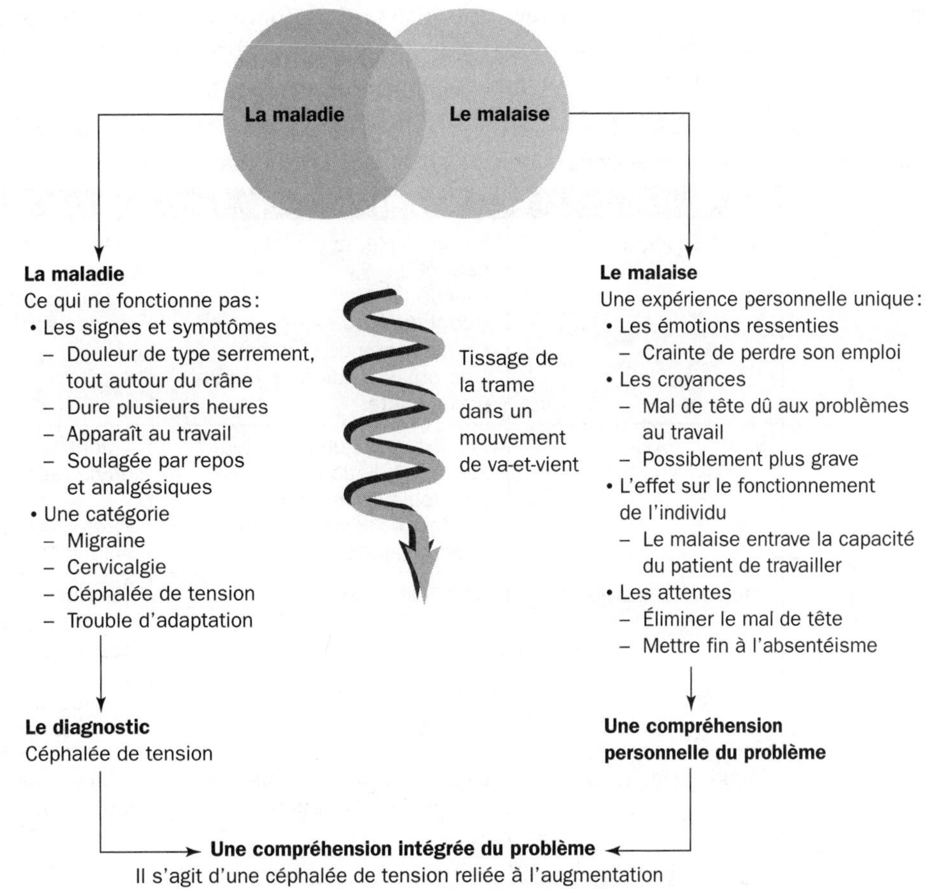
La maladie
Le malaise
La maladie
Ce qui ne fonctionne pas :
• Les signes et symptômes
– Douleur de type serrement, tout autour du crâne
– Dure plusieurs heures
– Apparaît au travail
– Soulagée par repos et analgésiques
• Une catégorie
– Migraine
– Cervicalgie
– Céphalée de tension
– Trouble d'adaptation
Tissage de la trame dans un mouvement de va-et-vient
Le malaise
Une expérience personnelle unique :
• Les émotions ressenties
– Crainte de perdre son emploi
• Les croyances
– Mal de tête dû aux problèmes au travail
– Possiblement plus grave
• L'effet sur le fonctionnement de l'individu
– Le malaise entrave la capacité du patient de travailler
• Les attentes
– Éliminer le mal de tête
– Mettre fin à l'absentéisme
Le diagnostic
Céphalée de tension
Une compréhension personnelle du problème
Une compréhension intégrée du problème
Il s'agit d'une céphalée de tension reliée à l'augmentation de la charge de travail et au stress associé à la restructuration en cours dans l'entreprise où travaille M. Rioux.

Le patient veut raconter *son* histoire, tandis que le médecin veut poser un diagnostic et, dans une moindre mesure, comprendre l'expérience du patient. Il existe toujours une tension entre ces deux perspectives. Les patients ont souvent besoin d'être guidés : s'ils ne donnent pas assez de détails, le médecin doit les amener à préciser, et s'ils en donnent trop, le médecin doit les orienter en recentrant leurs propos sur la question posée. Par exemple, lorsque M. Rioux patient se perd dans une foule de détails sur les difficultés qu'il vit au travail et dans ses relations interpersonnelles, le médecin doit l'interrompre pour le recentrer sur le problème qui l'a amené à consulter.

LE MÉDECIN — *Je vois qu'il y a eu plusieurs événements ces derniers temps. Cependant j'aurais besoin de mieux comprendre la douleur que vous ressentez à la tête. Pouvons-nous y revenir ?*

LE PATIENT — *Je m'excuse, bien sûr. Qu'est-ce que vous voulez savoir ?*

LE MÉDECIN — *Décrivez-moi comment le mal de tête débute.*

Les sept dimensions de tout symptôme

Le tableau 8.4 présente les sept dimensions de tout symptôme que le médecin doit explorer pour en arriver à une analyse approfondie et poser des hypothèses diagnostiques. Pour chaque symptôme, il s'agit d'obtenir des informations sur les caractéristiques, le site, l'intensité, la chronologie, le contexte, les facteurs modificateurs et les facteurs associés (Cole et Bird, 2000; Billings et Stoeckle, 1999).

Tableau 8.4 **Les sept dimensions d'un malaise ou d'un symptôme**

DIMENSION	DESCRIPTION	QUESTIONS TYPES À POSER
Caractéristiques	Par exemple, la douleur peut être : • aiguë, • continuelle, • sous forme de crampes, de brûlures, de serrements, • lancinante.	« Décrivez-moi votre douleur. » « Pouvez-vous me décrire ce que vous ressentez ? »
Site	Emplacement de la douleur et son irradiation ; exemple : une douleur qui monte à la gorge et descend dans le bras gauche.	« Montrez-moi l'endroit précis où ça fait mal. » « Ressentez-vous cette douleur ailleurs ? »
Intensité et gravité	Degré de la douleur.	« Sur une échelle de 0 à 10, où situeriez-vous votre douleur ? » « Est-ce la pire douleur que vous ayez ressentie à ce jour ? »
Chronologie	Début et évolution dans le temps du symptôme.	« Pouvez-vous me dire quand les symptômes ont débuté ? » « Comment cela se passe-t-il depuis ? »
Contexte	Circonstances d'apparition du symptôme.	« Qu'est-ce que vous étiez en train de faire quand les symptômes ont débuté ? »
Facteurs modificateurs	Éléments qui empirent ou qui peuvent soulager la douleur.	« Y a-t-il quelque chose qui empire la douleur ? » « Y a-t-il quelque chose qui soulage la douleur ? »
Facteurs associés	Autres symptômes qui accompagnent la douleur.	« Avez-vous remarqué d'autres symptômes en même temps que le mal de tête ? »

Source : Adapté de Billings et Stoeckle (1999), p. 41-43.

Dans cette phase de l'entrevue, la difficulté pour le médecin est de maintenir une approche ouverte. Plusieurs stratégies de communication peuvent être utilisées en entrevue pour établir une correspondance entre les deux cadres de référence évoqués ci-dessus, soit la vision scientifique du médecin et le vécu du patient. Il est possible d'arriver à poser un diagnostic sans bombarder le patient d'une série de questions fermées, comme on peut le voir dans le scénario suivant.

L'histoire d'une céphalée de tension

M. Rioux, un homme de 52 ans apparemment en bonne santé, se présente chez son médecin de famille parce qu'il souffre de maux de tête. Le dialogue débute au moment où le médecin cherche à obtenir des précisions sur la céphalée dont le patient se plaint.

LE MÉDECIN	— *Pouvez-vous me parler de vos maux de tête?*	Une **question ouverte** invite le patient à raconter son histoire.
LE PATIENT	— *Eh bien! Ça fait longtemps, mais on dirait que c'est pire depuis quelque temps.*	Le patient fait la **chronologie** du symptôme.
LE MÉDECIN	— *Hum! Hum!*	Un **facilitateur** encourage le patient à continuer son récit.
LE PATIENT	— *Avant, ça m'arrivait une fois de temps en temps, mais depuis mon retour de vacances, il y a trois mois, je dois parfois quitter le travail tellement ça fait mal. Et pour que je ne finisse pas ma journée de travail, ça en prend beaucoup… Un mal de tête tous les jours, c'est pas normal pour moi, et ça commence à m'inquiéter.*	Le patient exprime spontanément son inquiétude par rapport aux conséquences de ces maux de tête sur sa **capacité de fonctionner** au travail. Il décrit son expérience subjective.
LE MÉDECIN	— *Je comprends que ça vous inquiète. Pouvez-vous maintenant me dire comment ça se passe quand vous avez mal à la tête?*	Un **énoncé de soutien**, suivi d'une **question ouverte**, invite le patient à poursuivre sa narration et lui indique qu'il est sur la bonne voie.
LE PATIENT	— *Ce n'est pas toujours pareil, mais disons que ça commence en fin d'avant-midi, juste après la réunion administrative. Le plus souvent, ça commence par une pesanteur au-dessus des yeux. Là, je sais que ça s'en vient.*	Le patient décrit le **contexte** du symptôme, il en donne les **caractéristiques** et le **site**.
LE MÉDECIN	— *Et alors?*	Un **facilitateur** encourage le patient à progresser dans son récit et lui permet de raconter son histoire comme il l'entend. C'est le maintien du fil narratif du patient.
LE PATIENT	— *Quand c'est parti, toute la tête me fait mal. C'est comme si on me serrait quelque chose autour du crâne. Et là, je sais que j'en ai pour longtemps.*	Le patient décrit des **caractéristiques** importantes du symptôme et précise le **site**, ce qui permettra au médecin d'orienter le diagnostic différentiel.

Je dois absolument prendre de l'acétaminophène.

LE MÉDECIN — *Vous prenez alors de l'acétaminophène. Pouvez-vous m'indiquer, sur une échelle de 0 à 10, l'intensité de votre douleur ?*

Le médecin interrompt momentanément le récit du patient. Il pose une **question directe**, plus fermée, pour faire préciser l'**intensité** de la douleur et obtenir un point de repère qui lui permettra de suivre l'évolution de cette douleur.

LE PATIENT — *Vous savez, moi et les pilules, c'est pas une histoire d'amour. Je n'aime pas ça. Si j'en prends, c'est parce que le mal de tête est fort, disons au moins 7 sur 10.*

Le patient exprime ses **croyances** ou ses **sentiments** à l'égard du traitement médicamenteux : il exprime sa perception de l'**intensité** du symptôme.

LE MÉDECIN — *À part la douleur tout autour de la tête, avez-vous d'autres symptômes ?*

Le médecin pose une **question ouverte** sur les **facteurs associés** et il évite dans un premier temps de suggérer des réponses.

LE PATIENT — *Non, rien d'autre.*

LE MÉDECIN — *Combien de temps ça peut durer, vos maux de tête ?*

Le médecin pose une **question directe**, car il juge que le patient n'apportera plus d'informations nouvelles de lui-même. Il décide alors d'aller chercher, à l'aide d'une question précise, les informations supplémentaires qui lui sont nécessaires.

LE PATIENT — *J'ai remarqué que, si je peux aller me reposer après avoir pris des pilules, le mal de tête dure moins longtemps. Si je quitte le bureau et que je m'étends en arrivant à la maison, ça passe en une heure, et je ne suis pas obligé de reprendre de médicaments. Si je ne peux pas aller me coucher, alors, avec le bruit et l'éclairage du bureau, ça dure jusqu'à ce que je rentre à la maison. Mais je ne peux tout de même pas quitter le bureau à tout bout de champ !*

Le patient reprend sa narration et, non interrompu par le médecin, il livre spontanément plusieurs informations sur la **chronologie** du symptôme et ses **facteurs modificateurs**.

De plus, le patient a l'occasion d'exprimer à nouveau son **inquiétude** par rapport à l'incidence de son problème sur sa **capacité à fonctionner** au travail ; c'est son expérience subjective.

LE MÉDECIN — *Non, je comprends. Mais comment vous expliquez ça, vous ?*

Le médecin utilise un **énoncé de soutien** pour dire au patient que la situation est préoccupante. Il encourage le patient à partager ses idées par rapport au problème de santé. Il ouvre ainsi une porte à l'intuition et au vécu de son patient, qui fait une description de la situation stressante.

LE PATIENT — *Depuis mon retour des vacances, il y a eu plusieurs changements dans le service où je travaille, plusieurs mises à pied, comme partout dans l'entreprise privée. J'ai hérité des dossiers de deux anciens collègues, alors que mon assiette était déjà pleine. Je n'ai plus jamais l'impression d'être au-dessus de mes affaires. C'est pas mal stressant, et puis je me demande toujours si je ne suis pas le prochain sur la liste.*

LE MÉDECIN — *Hum… il s'agit d'un stress important.*

Le médecin fait montre d'**empathie** en reconnaissant la difficulté de la situation pour le patient.

LE PATIENT — *Oui, et il faut absolument régler le problème, Docteur. Je ne peux pas me permettre de me retrouver sans emploi à l'âge que j'ai. Se replacer à 50 ans, j'ai pas besoin de vous dire que ce n'est pas facile.*

Le patient exprime ses **attentes** par rapport aux résultats du traitement. Sur un ton plutôt impératif, il indique au médecin que cette situation ne peut plus durer, car il ne veut pas perdre son emploi ; il exprime ses **craintes**.

Avec ce cas, nous avons d'abord voulu montrer qu'il est possible d'arriver à poser un diagnostic sans bombarder le patient de questions fermées. En effet, on trouve dans la narration du patient les sept dimensions de contenu mentionnées au tableau 8.4. Ici, le patient souffre très probablement d'une céphalée de tension, somme toute assez banale du point de vue médical. Cependant, en le laissant raconter son histoire, le médecin apprend que le patient est menacé de perdre son emploi s'il ne trouve pas une solution à ce problème. Du point de vue du patient, le problème est important. Les informations qu'il fournit par rapport à ses croyances, ses craintes, ses attentes et les répercussions de son problème dans sa vie permettront au médecin d'ajuster le traitement à son contexte particulier.

Dans le scénario précédent, le rôle que joue le médecin est légèrement différent du rôle traditionnel : le médecin devient en quelque sorte un pont entre le *monde du patient* et le *monde médical*. Sur le plan des valeurs, l'accent est mis un peu plus sur le respect du patient et de ses croyances et sur sa participation active à l'entretien. Nous croyons qu'une telle approche améliore la relation médecin-patient ; en effet, les patients auront le sentiment d'avoir été écoutés et compris, et ils auront tendance à assumer un rôle plus actif dans l'interaction et dans la thérapie. Nous proposons un partenariat actif avec le patient où, avec le temps, la relation évolue et se transforme. L'exploration de chacun des motifs de consultation qu'il a été préalablement convenu d'aborder durant une rencontre tient de la même attitude.

Le profil du patient

Lorsque les problèmes actifs ont tous été décrits et explorés, le médecin passe à une autre étape, celle de la collecte des informations de base sur la personne. Ici, le médecin cherche à dresser un portrait global de la personne dans ses dimensions sociale et médicale. Dans cette partie de l'entrevue, le type et le rythme des questions vont différer quelque peu par rapport à l'approche initiale. Smith (1996) suggère d'aviser explicitement le patient du changement de style de questions. Un énoncé de transition comme le suivant est alors très utile : « Maintenant que j'ai une bonne idée de votre problème, j'aimerais vous poser quelques questions pour mieux vous connaître. Êtes-vous d'accord ? »

Le tableau 8.5 présente les éléments que comporte le profil du patient (Billings et Stoeckle, 1999 ; Coulehan et Block, 1997 ; Cole et Bird, 2000 ; Smith, 1996). L'organisation de ces rubriques peut varier en fonction de l'auteur qu'on consulte, mais le champ couvert reste essentiellement le même. Bien que normalement consignées dans une section particulière du dossier médical, ces informations ne sont pas nécessairement toutes obtenues durant cette phase de l'entrevue ni dans l'ordre présenté ici. En effet, de nombreuses données proviennent de l'exploration des problèmes.

Tableau 8.5 **Le profil du patient**

- Données sociodémographiques : âge, sexe, scolarité, occupation.
- Antécédents personnels, qu'ils soient médicaux, chirurgicaux, gynécologiques, obstétricaux ou psychiatriques.
- Dossier pharmacologique, y compris les médicaments présentement utilisés, les produits naturels et les médicaments en vente libre.
- Allergies et intolérances.
- Antécédents médicaux familiaux.
- Statut de vaccination.
- Habitudes de vie, y compris l'alimentation, les activités physiques, la consommation de tabac, d'alcool et de drogues, la sexualité.

Les données sociodémographiques

Pour les données de nature sociodémographique, il est probable que le médecin ait déjà une partie des informations dans la section du dossier réservée aux données administratives. Par exemple, au Québec, au moment de l'inscription du patient à la clinique, il est d'usage de consigner à son dossier les informations suivantes : le nom complet, l'adresse complète, le numéro de téléphone et le numéro d'assurance maladie, qui inclut la date de naissance et le sexe. Le médecin peut alors simplement vérifier l'exactitude des données et compléter ces dernières par une question sur l'occupation de la personne : S'agit-il d'un étudiant, d'un travailleur ou d'une personne à la retraite ? Si le patient est retraité, quelle était la nature du travail qu'il faisait avant de prendre sa retraite ? Avec l'occupation, il est facile de vérifier si la personne est exposée à des produits toxiques, à un niveau excessif de stress ou de bruit. Voici quelques exemples de questions :

- « Occupez-vous un emploi en ce moment ? »
- « Êtes-vous aux études ? »
- « À quel niveau êtes-vous rendu ? »
- « Dans quel domaine travaillez-vous ? »
- « Avant de prendre votre retraite, quel genre d'emploi aviez-vous ? »

Les antécédents personnels

Le médecin consigne les antécédents médicaux personnels du patient qui sont significatifs, par exemple les maladies, les hospitalisations, les chirurgies, les accidents ou les traumatismes, les faits gynécologiques et obstétricaux et les problèmes de santé mentale. Il ne s'agit pas de documenter ces questions de façon très détaillée, car ce sont des événements passés, souvent lointains, et la fiabilité des détails peut être douteuse : le diagnostic et la date approximative de l'événement suffisent. Billings et Stoeckle (1999) ainsi que Coulehan et Block (1997) proposent une série de questions *générales* pour couvrir le contenu de cette section du profil du patient, par exemple :

- « Avez-vous déjà été hospitalisé dans le passé ? »
- « Avez-vous déjà été opéré ? »
- « Avez-vous déjà été traité pour un problème de santé sérieux ? »
- « Avez-vous déjà été victime d'un accident ou d'un traumatisme grave ? »
- « Avez-vous eu des grossesses dans le passé ? »
- « Avez-vous déjà été traité ou suivi pour des problèmes de santé mentale ? »

Lorsque le patient répond oui à l'une de ces questions, le médecin poursuit en demandant des précisions sur le diagnostic et le moment où le problème est survenu. La quantité de détails recherchés variera en fonction de la nature des problèmes actifs pour lesquels le patient consulte. Pour bien gérer son temps, encore une fois, le médecin a avantage à indiquer au patient le degré de précision souhaité à l'aide d'un énoncé comme celui-ci : « J'aimerais maintenant vous poser quelques questions sur vos antécédents médicaux. Ce qui est important pour moi ici est d'avoir une idée des problèmes de santé majeurs que vous avez eus dans le passé. Je ne cherche pas une description détaillée des événements ou des maladies. Ça va ? »

Voici maintenant un exemple de la façon de poursuivre le questionnaire lorsque le patient répond par l'affirmative à l'une des questions ouvertes.

LE MÉDECIN — *Avez-vous déjà été hospitalisé ?*

LE PATIENT — *Eh oui ! Mais seulement une fois.*

LE MÉDECIN — *Pour quelle raison aviez-vous été hospitalisé ?*

LE PATIENT — *Pour une crise cardiaque.*

LE MÉDECIN — *Qu'est-ce que vous entendez par « crise cardiaque » ?*

LE PATIENT — *Bien, les médecins m'ont dit que j'avais un blocage dans les vaisseaux du cœur.*

LE MÉDECIN — *Est-ce que les médecins qui vous ont soigné à ce moment-là ont mentionné le mot « infarctus » ?*

LE PATIENT — *Je ne me souviens pas.*

LE MÉDECIN — *D'accord. À quel moment cela vous est-il arrivé ?*

LE PATIENT — *Ça doit bien faire 10 ans.*

LE MÉDECIN — *Est-ce que vous avez été suivi pour ce problème ?*

LE PATIENT — *Ah oui! J'ai visité un cardiologue pendant un an, et après c'est mon ancien médecin de famille qui s'est occupé de moi. Mais ce n'est jamais revenu après qu'ils ont passé le ballon dans mon cœur.*

LE MÉDECIN — *Et ils ont passé le ballon à quel moment?*

LE PATIENT — *Tout a été fait pendant que j'étais hospitalisé.*

LE MÉDECIN — *Donc, au moment où vous avez été hospitalisé pour votre crise cardiaque, on vous a passé le ballon.*

LE PATIENT — *Oui, c'est ça.*

LE MÉDECIN — *Bien, pour compléter l'information que vous m'avez donnée, j'aimerais faire venir votre dossier de l'hôpital. Ça vous va?*

LE PATIENT — *Bien sûr.*

Cet exemple illustre l'importance de faire préciser le sens que les patients donnent à un terme médical, ceux-ci utilisant souvent des termes populaires imprécis. Ainsi le terme « crise cardiaque » peut référer soit à de l'angine de poitrine, à un infarctus, à une insuffisance cardiaque ou à une arythmie. Ici, le médecin tente de savoir si le patient a eu un infarctus. Même si le patient ne se souvient pas précisément du diagnostic, ses explications permettent au médecin de confirmer la nature probable du problème. De plus, le patient indique qu'il a subi une intervention « chirurgicale » alors qu'il avait d'abord répondu non à la question des antécédents sur les opérations. Cela nous rappelle que souvent les patients ne considèrent pas comme une chirurgie une intervention qui ne nécessite pas une anesthésie générale.

Le dossier pharmacologique

Le dossier pharmacologique est souvent abordé de façon naturelle à la suite de la section sur les antécédents, en particulier lorsque le patient rapporte des maladies pour lesquelles il est encore en traitement. Nous renvoyons le lecteur au chapitre 25, intitulé « Les médicaments », pour une discussion plus développée sur ce sujet. S'y trouvent deux algorithmes utiles pour questionner efficacement un patient sur l'ensemble des produits pharmacologiquement actifs qu'il consomme, que ce soit des médicaments sur ordonnance ou en vente libre, ou bien des produits dits naturels ou homéopathiques. Cette séquence de questions sensibilise le patient, entre autres, à l'importance qu'accorde le médecin aux produits non prescrits.

Pour dresser cette liste de médicaments et d'autres substances, le médecin doit procéder systématiquement, en tentant d'obtenir, pour chaque produit, le nom précis, le dosage, la posologie et la raison de sa prise. Les deux algorithmes proposés aux figures 25.1 et 25.2 permettent au médecin de s'assurer de la qualité et de l'exhaustivité des informations concernant les médicaments que consomme le patient. Le médecin profite de ces questions pour favoriser la participation du patient en l'invitant à nommer les médicaments ou à répéter leur nom le cas échéant, à rapporter les effets indésirables qui leur sont associés et à discuter des difficultés éprouvées dans l'observance. La stratégie proposée va donc bien au-delà de la simple constitution d'une liste pour le dossier médical. Elle montre clairement au patient que le médecin est soucieux de sa consommation de médicaments. En outre, elle contribue à soutenir l'autonomie du patient en l'encourageant à bien connaître les médicaments qu'il utilise et à rapporter au médecin tout changement de son profil pharmacologique.

Les allergies et les intolérances

Il est aisé d'enchaîner avec le sujet des allergies à la suite des discussions sur les médicaments et autres produits en vente libre. Dans le cas où les allergies et les intolérances ont déja été mentionnées, il reste à compléter le portrait pour les autres allergies, comme les allergies saisonnières, alimentaires, animalières et autres. Si le sujet n'a pas été abordé, il est d'usage de vérifier la présence d'allergies en posant une question directe.

LE MÉDECIN — *Avez-vous des allergies ?*

LE PATIENT — *Oui, durant le mois d'août, je suis très congestionné et j'éternue.*

LE MÉDECIN — *Y a-t-il des allergies à des aliments ou à des animaux ?*

LE PATIENT — *Non.*

LE MÉDECIN — *Avez-vous des réactions allergiques à certains médicaments ?*

LE PATIENT — *L'amoxicilline ne me fait pas.*

LE MÉDECIN — *Que vous arrive-t-il quand vous en prenez ?*

LE PATIENT — *J'ai des douleurs abdominales et de la diarrhée. Mon autre médecin m'a dit de ne plus en prendre.*

LE MÉDECIN — *Cette réaction désagréable ressemble davantage à une intolérance qu'à une véritable allergie.*

LE PATIENT — *Comme ça, ce n'est pas une allergie ?*

LE MÉDECIN — *Non, une allergie peut se manifester par des rougeurs, des démangeaisons, une réaction asthmatique et de la difficulté à respirer. Alors, je ne crois pas que cette diarrhée soit une allergie.*

Ce dialogue montre comment il est utile de faire préciser au patient ce qu'il entend par « allergie ». Cela permet au médecin de corriger de fausses perceptions et d'éviter que le patient ne soit privé d'un produit dont il pourrait tirer profit.

Les antécédents médicaux familiaux

Obtenir des informations sur les antécédents médicaux familiaux sert à connaître les maladies héréditaires (exemples : la thalassémie, certaines maladies neuromusculaires comme la dystrophie musculaire de Duchesne) ou des maladies avec une composante génétique et une incidence familiale telles que les maladies cardiovasculaires, le diabète, l'hypertension et les néoplasies. Le plus souvent, on porte intérêt aux parents de premier degré, soit les père et mère, la fratrie et les enfants (Billings et Stoeckle, 1999). L'idée ici est de repérer les patients exposés à certaines maladies (exemples : la néoplasie du colon ou du sein et l'ostéoporose) et de leur offrir un dépistage. Toutes les informations sur les maladies et la longévité des personnes qui sont génétiquement liées au patient doivent être consignées au dossier dans la section « Antécédents familiaux ».

Lorsque le médecin questionne le patient sur la santé de sa famille, il doit se rappeler qu'il touche inévitablement à la sphère sociale, relationnelle et affective du patient. C'est souvent durant cette partie de l'entrevue que le médecin recueille des données sur les relations que le patient entretient avec ses proches, qu'ils soient liés génétiquement à lui ou non. En effet, pour le patient, la famille ne se limite pas aux personnes avec qui il partage un bagage chromosomique. Le médecin doit se tenir prêt à entendre l'expression d'émotions, parfois aussi fortes qu'inattendues. Dans ces cas, il serait tout à fait inapproprié de ne pas tenir compte de la réaction émotive et de s'en tenir aux faits[5]. Il suffit de prendre quelques instants pour ralentir le rythme des questions et émettre un énoncé empathique, puis de poursuivre avec les questions plus techniques lorsque le patient a repris sa contenance, ce qui, dans la grande majorité des situations, est assez rapide.

Voici quelques suggestions pour aborder les antécédents médicaux familiaux avec le patient. D'abord, un énoncé de transition aide le patient à se préparer au changement de contenu : « Maintenant que nous avons abordé vos antécédents médicaux, j'aimerais vous poser quelques questions sur la santé des membres de votre famille. Ça va ? » Ensuite, le type et l'ordre des questions à poser varient en fonction du contexte et de l'âge du patient. Voici un cas qui illustre cette étape de l'entrevue.

Mathilde Crevier, une professeure de 50 ans, s'est présentée chez un nouveau médecin de famille pour un examen général. Ils en sont rendus au questionnaire sur les antécédents médicaux familiaux.

LE MÉDECIN — *Est-ce que vos parents sont toujours en vie ?*

MME CREVIER — *Mon père est décédé, mais ma mère est vivante.*

LE MÉDECIN — *Quel âge a votre mère ?*

MME CREVIER — *Elle a 75 ans et elle commence à avoir de sérieux problèmes de mémoire.*

LE MÉDECIN — *Votre mère est-elle suivie par un médecin pour ce problème ou pour d'autres problèmes de santé ?*

MME CREVIER — *Elle n'a pas vu de médecin depuis la mort de mon père. Il me semble qu'elle a déjà été suivie pour de la haute pression. Elle refuse de voir un médecin, et ça devient très inquiétant car elle vit seule. Elle me téléphone trois ou quatre fois par jour.*

LE MÉDECIN — *Des appels trois ou quatre fois par jour, c'est inhabituel par rapport à avant ?*

MME CREVIER — *C'est un gros changement. Elle a toujours été très autonome, même après la mort de mon père il y a cinq ans. Je ne sais plus quoi faire. Je suis la seule qui soit physiquement proche. Mes sœurs habitent à l'extérieur.*

LE MÉDECIN — *Je comprends que ce changement vous inquiète. Si vous le désirez, nous pourrons y revenir.*

MME CREVIER — *Oui, j'ai besoin d'être guidée. Je ne sais plus quoi faire.*

LE MÉDECIN — *Bien, on parlera de cette difficulté lorsqu'on aura fait le tour de votre propre santé. Vous avez mentionné que votre père est décédé il y a cinq ans. Connaissez-vous la cause de son décès ?*

MME CREVIER — *Il a fait un AVC massif. Ç'a été très rapide. Il faisait un peu de sucre, autrement il n'était pas malade.*

LE MÉDECIN — *Quel âge avait-il au moment de son décès ?*

MME CREVIER — *Je crois qu'il avait 80 ans. Il était pas mal plus âgé que ma mère, mais il a toujours été en forme.*

LE MÉDECIN — *Donc, à votre connaissance, à part les troubles de mémoire actuels et l'hypertension pour votre mère, et le diabète pour votre père, il n'y a pas eu d'autres problèmes de santé majeurs chez vos parents.*

MME CREVIER — *C'est ça.*

LE MÉDECIN — *Vous avez parlé plus tôt de vos sœurs…*

MME CREVIER — *Oui, j'ai deux sœurs qui habitent en Ontario.*

LE MÉDECIN — *Comment est leur santé ?*

MME CREVIER — *Ma sœur aînée souffre d'ostéoporose et de haute pression. Mon autre sœur est en bonne santé.*

LE MÉDECIN — *Quel âge ont vos sœurs, au fait ?*

MME CREVIER — *Ma sœur la plus vieille a 55 ans, et ma sœur la plus jeune a 48 ans.*

LE MÉDECIN — *À part les problèmes que vous avez mentionnés, y en a-t-il d'autres, comme des cancers, des maladies pulmonaires ?*

MME CREVIER — *Non, Docteur, c'est tout. On est toutes en assez bonne santé pour l'instant.*

LE MÉDECIN — *Et vos enfants : vous m'avez dit que vous en aviez deux. Quel âge ont-ils ?*

MME CREVIER — *Mes filles ont 27 et 25 ans.*

LE MÉDECIN — *Sont-elles en bonne santé ?*

MME CREVIER — *Elles sont mariées toutes les deux et elles ont leur propre famille. Elles sont très occupées. Leur santé est excellente, mais elles travaillent trop. Les jeunes de nos jours doivent travailler très fort pour maintenir leur carrière et élever des enfants !*

Ces quelques échanges ont permis au médecin d'obtenir les informations médicales pertinentes au sujet de la santé des membres immédiats de la famille. Le questionnaire aura été aussi l'occasion d'apprendre que la patiente est sur la ligne de front avec sa mère en perte d'autonomie et qu'elle trouve cette situation éprouvante[6].

Voici un second exemple dans lequel le questionnaire sur les antécédents familiaux est moins complexe.

Le médecin reçoit Julie Lalonde pour un renouvellement de son contraceptif oral. Julie est âgée de 22 ans. Elle vit avec ses parents et son frère cadet de 18 ans. Elle a toujours été en excellente santé. Au dossier, le médecin avait noté, lors de la dernière visite de Julie il y a un an, que ses parents et son frère étaient également en bonne santé. Rejoignons-les au moment de la révision des antécédents familiaux.

LE MÉDECIN — *Julie, lors de notre dernière rencontre, vous m'aviez dit que vos parents étaient en bonne santé, de même que votre frère plus jeune. Est-ce que cela est toujours le cas ?*

JULIE — (après une petite hésitation) *Eh bien ! Oui.*

LE MÉDECIN — *Eh bien ! Oui… Je note une certaine hésitation dans votre réponse.*

JULIE — *Bien, c'est juste que mon frère a eu certaines difficultés avec sa santé.*

LE MÉDECIN — *Quel genre de difficultés ?*

JULIE — *Il a été hospitalisé pour une overdose il y a quelques mois. Il a participé à une soirée rave et il a consommé de l'ecstasy. Mes parents ne savaient pas qu'il participait à ce genre d'événement. Il devait être chez un ami. Ç'a été tout un choc.*

LE MÉDECIN — *J'imagine. Comment va-t-il maintenant?*

JULIE — *Il va beaucoup mieux. Il a été chanceux. Il est OK pour l'instant.*

LE MÉDECIN — *Et vos parents, comment est leur santé?*

JULIE — *À part le stress que tout cet épisode a généré, leur santé semble tenir le coup.*

LE MÉDECIN — *Oui, ce genre d'événement peut être très perturbant.*

L'exemple précédent indique comment procéder pour mettre à jour les antécédents médicaux familiaux. Le médecin a commencé son questionnaire familial en reprenant les informations au dossier et en demandant à la patiente s'il y avait des changements. Le médecin doit, ici aussi, être prêt à entendre et à gérer des informations de nature psychosociale.

Les habitudes de vie

Sous cette rubrique, le médecin doit noter les comportements du patient qui constituent un risque potentiel pour sa santé, notamment la consommation de tabac, d'alcool et de drogues dites récréatives, les activités physiques et l'alimentation. Il peut être approprié de questionner le patient sur son comportement sexuel.

Traditionnellement, les médecins incluent des informations de ce type dans leurs observations pour documenter les risques auxquels les patients s'exposent. Mais il devient de plus en plus difficile de se limiter à cette information. Les patients reconnaissent leur médecin comme l'une de leurs principales sources d'information au sujet de l'alimentation, de l'exercice et du tabac. Par contre, les médecins se sentent mal outillés pour discuter de ces sujets avec leurs patients (Wechsler, Levine, Idelson, Schor et Coakley, 1996; Lewis, Wells et Ware, 1986). Plusieurs recherches révèlent que les médecins font généralement des interventions de courte durée (entre une et trois minutes) et superficielles. Ils abordent rarement en profondeur les liens entre les facteurs de risque et les problèmes de santé (Arborelius et Bremberg, 1994; Russell et Roter, 1993; Beaudoin, Lussier, Gagnon, Lalande et Brouillet, 2001), et ce malgré le fait qu'ils reconnaissent avoir un rôle à jouer dans ce domaine (Wechsler, Levine, Idelson, Rohman et Taylor, 1983; Orleans, Georges, Houpt et Brodie, 1985; Maheux, Haley, Rivard et Gervais, 1999; Wechsler et autres, 1996).

Les chercheurs ont observé que de 17 % à 53 % des entrevues contiennent des discussions sur les habitudes de vie (Flocke, Stange et Goodwin, 1998; Johanson, Sätterlund-Larsson, Säljö et Svärdsudd, 1995; Arborelius et Bremberg, 1994), discussions qui sont plus fréquentes dans les entrevues initiales que dans les entrevues de suivi (Flocke et autres, 1998). Les thèmes de l'alimentation, de la perte de poids et de l'exercice sont plus souvent mis de l'avant par les patients et ils constituent les trois thèmes de promotion de la santé les plus souvent abordés dans des consultations consacrées à un examen général. À l'opposé, les discussions sur le tabac, la consommation de drogues récréatives et les relations sexuelles à risque sont moins fréquentes et elles sont le plus souvent amorcées par le médecin (Beaudoin et autres, 2001). Enfin, les interventions des médecins visent à informer le patient et comportent rarement des actions basées sur les théories connues

Tableau 8.6 **Une stratégie pour aborder le thème des habitudes de vie**

1. Annoncer le type de questions qui va suivre.
   « J'aimerais vous poser quelques questions sur vos habitudes de vie, en particulier celles qui comportent des risques pour votre santé. »

2. Aborder les thèmes généralement reconnus comme plus neutres (l'alimentation, l'exercice, le tabac) avant de passer aux sujets plus délicats (l'alcool, la drogue, la sexualité).

3. Débuter avec des questions générales factuelles et non évaluatives sur chacun des thèmes.
   « Est-ce que vous faites de l'exercice ? »
   « Est-ce que vous consommez de l'alcool ? »
   « Faites-vous usage de drogues ? »
   « Êtes-vous actif sexuellement ? »

4. Documenter l'habitude (le type, la durée, la fréquence).
   « Que faites-vous au juste comme activité physique ? »
   « À quelle fréquence vous adonnez-vous à cette activité ? »
   « Vous en faites combien d'heures par semaine ? »

5. Éviter les questions comportant une évaluation.
   « Faites-vous assez d'exercice ? »
   « Faites-vous attention au sel ? »
   « Mangez-vous trop de sucre ? »
   « Mangez-vous gras ? »
   « Buvez-vous beaucoup ? »
   « Fumez-vous beaucoup ? »
   « Avez-vous des relations sexuelles à risque ? »

des changements de comportement, telle la théorie *transthéorique* de Prochaska et Di Clemente (1984).

Ces données portent à croire que toutes les habitudes de vie ne peuvent être abordées de la même façon. Interroger un patient sur ses habitudes personnelles d'une façon efficace et délicate exige du médecin une compétence communicationnelle certaine. Le médecin entre alors dans un territoire où le risque d'incompréhension et de conflit des valeurs est élevé. Le tableau 8.6 donne un aperçu d'une stratégie utile pour aborder les habitudes de vie, y compris les formes de questions à privilégier et à éviter. Illustrons maintenant la discussion sur les habitudes de vie à l'aide d'un cas.

Le médecin rencontre M. Lapointe, un professionnel célibataire de 30 ans, pour la première fois. M. Lapointe se présente pour un examen général, car il doit se rendre à l'étranger pour son travail, et son employeur exige un certificat médical. Le médecin s'apprête à discuter des habitudes de vie avec lui.

LE MÉDECIN — *Maintenant, Monsieur Lapointe, que j'ai une bonne idée de votre état de santé en général, j'aimerais vous poser quelques questions sur vos habitudes de vie, en particulier celles qui comportent des risques pour votre santé. Ça va ?*

M. LAPOINTE — *Pas de problème.*

LE MÉDECIN	— *J'aimerais d'abord savoir si vous êtes actif physiquement.*
M. LAPOINTE	— *Absolument. Je m'entraîne au gymnase trois fois par semaine lorsque je ne suis pas à l'étranger.*
LE MÉDECIN	— *Excellent. Quelle type d'entraînement faites-vous ?*
M. LAPOINTE	— *Je fais un programme de musculation pendant 60 minutes, puis du cardio pendant 30 minutes.*
LE MÉDECIN	— *C'est un programme assez intensif à ce que je vois. Et depuis quand le faites-vous ?*
M. LAPOINTE	— *J'ai toujours fait beaucoup de sport. Je fréquente ce centre sportif depuis deux ans et je viens de me réabonner.*
LE MÉDECIN	— *Je peux juste vous encourager à continuer.*
M. LAPOINTE	— *Pas d'inquiétude ! Je ne me sens pas bien lorsque je ne suis pas actif.*
LE MÉDECIN	— *Parlons maintenant de votre poids. Est-ce que votre poids est stable ?*
M. LAPOINTE	— *Oui, assez. Je me pèse régulièrement : ça varie entre 70 kg et 72 kg.*
LE MÉDECIN	— *Comment décririez-vous votre alimentation ?*
M. LAPOINTE	— *Bonne, la plupart du temps, mais je mange régulièrement au restaurant, ce qui pose problème parfois.*
LE MÉDECIN	— *Quel genre de problème ?*
M. LAPOINTE	— *Au restaurant, c'est souvent difficile d'éviter la friture.*
LE MÉDECIN	— *C'est vrai, mais ma préoccupation est de savoir si, généralement, vous arrivez à avoir une alimentation saine ?*
M. LAPOINTE	— *Je dirais oui.*
LE MÉDECIN	— *Est-ce que vous fumez la cigarette ?*
M. LAPOINTE	— *Non, je ne fume pas.*
LE MÉDECIN	— *Félicitations ! Avez-vous déjà fumé ?*
M. LAPOINTE	— *Oui, mais ça fait très longtemps.*
LE MÉDECIN	— *Ça fait combien de temps que vous ne fumez plus ?*
M. LAPOINTE	— *Depuis plus de cinq ans. J'ai fumé de l'âge de 15 à 25 ans.*
LE MÉDECIN	— *Et combien fumiez-vous de cigarettes par jour à cette période ?*
M. LAPOINTE	— *Jamais plus d'un demi-paquet.*
LE MÉDECIN	— *Cesser de fumer est l'un des gestes les plus significatifs que vous pouviez faire pour votre santé.*
M. LAPOINTE	— *Oui, c'est pour ça que j'ai arrêté. Je commençais à être essoufflé et je n'aimais pas ça.*
LE MÉDECIN	— *Et est-ce que vous consommez de l'alcool, c'est-à-dire de la bière, du vin ou des spiritueux ?*
M. LAPOINTE	— *Je bois de la bière.*

LE MÉDECIN	— *Pourriez-vous me dire à quelle fréquence vous buvez de la bière ?*
M. LAPOINTE	— *Eh bien ! Je dirais quatre ou cinq bières par semaine en moyenne.*
LE MÉDECIN	— *Est-ce qu'il vous arrive de consommer du vin ou des spiritueux ?*
M. LAPOINTE	— *Une coupe de vin lorsque je sors au restaurant avec des amis.*
LE MÉDECIN	— *Des spiritueux ?*
M. LAPOINTE	— *Jamais.*
LE MÉDECIN	— *Faites-vous usage de drogues… par exemple de la marijuana ?*
M. LAPOINTE	— *C'est déjà arrivé, mais pas souvent.*
LE MÉDECIN	— *De la cocaïne ?*
M. LAPOINTE	— *Jamais.*
LE MÉDECIN	— *Avez-vous déjà fait usage de drogue par injection ?*
M. LAPOINTE	— *Non plus, Docteur. J'ai très peur de tout ce qui s'appelle drogues dures.*
LE MÉDECIN	— *Alors, si je comprends bien, vous maintenez votre forme et, généralement, vous veillez à la qualité de ce que vous mangez. Vous buvez quelques bières par semaine et vous fumez de la mari occasionnellement.*
M. LAPOINTE	— *C'est exact.*
LE MÉDECIN	— *Je vois que votre santé vous tient à cœur et que vous y voyez. J'aimerais maintenant aborder le sujet de vos relations sexuelles, dans le but d'évaluer si vous vous exposez à certains risques d'infection de ce côté. D'accord ?*
M. LAPOINTE	— *Oui.*
LE MÉDECIN	— *Est-ce que vous êtes actif sexuellement ?*
M. LAPOINTE	— *Oui, j'ai une compagne depuis plusieurs années.*
LE MÉDECIN	— *Est-ce une relation stable et unique ?*
M. LAPOINTE	— *Absolument.*
LE MÉDECIN	— *Avant la présente relation, diriez-vous que vous avez eu des relations sexuelles à risque ?*
M. LAPOINTE	— *Je ne pense pas.*
LE MÉDECIN	— *Par exemple, avez-vous déjà eu des relations avec des hommes ou des femmes qui consommaient des drogues par injection ?*
M. LAPOINTE	— *Pas à ma connaissance.*
LE MÉDECIN	— *Ou qui se prostituaient ?*
M. LAPOINTE	— *Jamais.*
LE MÉDECIN	— *Avez-vous déjà été traité pour une infection sexuellement transmissible ?*
M. LAPOINTE	— *Jamais.*

Le médecin a procédé ici systématiquement, en essayant d'enchaîner aussi naturellement que possible les questions sur les diverses habitudes de vie. Il traite d'abord des sujets plus neutres et aborde les questions plus délicates plus tard. Aussi, il utilise le plus souvent des questions générales fermées, suivies de questions factuelles de précision.

Le questionnaire sur les habitudes de vie a un double objectif, soit celui de documenter le plus précisément possible le style de vie du patient et aussi celui de renforcer les comportements sains. Il faut se rappeler que les éléments explorés dans cette section de l'entrevue sont porteurs de valeurs, et que la majorité des personnes qui consultent comprennent que l'usage abusif d'alcool et que l'usage tout court de la cigarette et de certaines drogues récréatives est mal vu. La formulation des questions doit tenir compte de cette difficulté.

La revue des systèmes

Lorsqu'il fait la revue des systèmes, le médecin cherche à *compléter* les informations déjà recueillies dans l'exploration des problèmes actifs et des antécédents médicaux. En principe, à ce stade avancé de l'entrevue, le médecin ne s'attend pas à découvrir de nouveaux problèmes majeurs de santé. Évidemment, il est toujours possible qu'un patient ait omis de présenter un symptôme au moment de l'énoncé des raisons de consultation, tout simplement parce qu'il n'en avait pas perçu le sérieux.

La façon de mener la revue des systèmes diffère quelque peu de celle qui est utilisée pour les autres sections de l'entrevue. Il s'agit de poser une série de questions directes, les unes à la suite des autres, à un rythme assez rapide. Levinson (1987) estime qu'il existe au-delà de 150 symptômes pouvant faire l'objet d'une investigation dans une revue complète des systèmes ! Le patient doit être avisé que ce que le médecin cherche ici est un symptôme présent ou récurrent, qui est significatif, soit par sa fréquence, sa gravité ou sa durée. Il ne s'agit pas pour le patient de rapporter des symptômes occasionnels ou des symptômes qu'il a déjà expérimentés dans un passé lointain. Dès le début de la revue des systèmes, le médecin a donc intérêt à indiquer au patient la nature des informations qu'il recherche afin d'éviter une énumération fastidieuse de symptômes mineurs qui ne contribuent pas au processus diagnostique. Il utilisera un énoncé dans le genre de celui-ci : « Je vais maintenant vous poser une série de questions qui me permettent de faire le tour de votre état de santé et de m'assurer que nous n'avons rien oublié d'important. Je peux ainsi obtenir des indices supplémentaires par rapport à votre problème. Je suis intéressé par les symptômes que vous ressentez en ce moment et qui vous occasionnent des malaises. »

Il existe plusieurs listes des symptômes ; chaque médecin en adopte une, qu'il doit mémoriser. Dans ces listes, les symptômes sont habituellement organisés selon les systèmes anatomiques. Les inventaires de symptômes que nous avons consultés (Smith, 1996, p. 58-63 ; Cole et Bird, 2000, p. 102 ; Billings et Stoeckle, 1999, p. 58-63 ; Levinson, 1987) s'organisent en général autour d'une quinzaine de catégories systémiques, qui sont énumérées au tableau 8.7. Les catégories ne sont pas mutuellement exclusives, en ce sens que le même symptôme peut être associé à plus d'un système. La douleur thoracique rétrosternale, par exemple, peut être le symptôme d'un problème cardiaque, digestif, pulmonaire ou même psychiatrique !

Comme le médecin s'inspire de ces listes de symptômes pour explorer les problèmes actifs du patient, il arrive souvent que plusieurs systèmes aient déjà été parcourus, et qu'au moment de la revue des systèmes il ne reste que les autres à couvrir. Un médecin expérimenté ne passera que quelques minutes dans cette section de l'entrevue. Il procédera

Tableau 8.7 **Les catégories systémiques du corps humain**

Le système ophtalmologique	Le système génital
Le système oto-rhino-laryngologique	Le système endocrinien
Le système neurologique	Le système hématologique
Le système psychiatrique	Le système immunitaire
Le système respiratoire	Le système locomoteur
Le système cardiovasculaire	Le système cutané
Le système gastro-intestinal	Les symptômes constitutionnels
Le système urinaire	

méthodiquement, pour chaque système, du général au spécifique. Si la réponse à la question générale sur le fonctionnement d'un système indique l'absence de problème, le médecin peut généralement passer à un autre système. Si la réponse à la question générale sur le fonctionnement du système indique un problème, alors le médecin doit explorer plus avant.

Voici quelques exemples de questions générales dont le but est de dépister un mauvais fonctionnement du système :

- « Comment vont vos yeux ? »
- « Comment vont vos oreilles ? »
- « Souffrez-vous de maux de tête ? »
- « Ressentez-vous de la faiblesse ? »
- « Avez-vous des engourdissements ? »
- « Comment va votre moral ? »
- « Avez-vous des douleurs dans la poitrine ? »
- « Avez-vous des palpitations ? »
- « Avez-vous des difficultés avec votre respiration ? »
- « Êtes-vous essoufflé ? »
- « Avez-vous des douleurs musculaires ? »
- « Avez-vous des douleurs dans les jointures ? »
- « Avez-vous noté des changements dans vos selles ? »
- « Avez-vous des problèmes du côté de vos urines ? »
- « Avez-vous noté des changements dans votre cycle menstruel ? »
- « Avez-vous noté des changements en ce qui concerne vos organes génitaux ? »
- « Avez-vous remarqué des changements dans votre fonctionnement sexuel ? »
- « Avez-vous des saignements anormaux ? »
- « Avez-vous noté des changements en ce qui concerne votre peau ? »

La revue des systèmes doit être adaptée au type de patient et au contexte dans lequel l'entrevue se déroule. Ainsi, elle sera très complète chez le patient hospitalisé, mais absente chez un patient en situation d'extrême urgence. Le degré d'exploration de chaque système variera également en fonction de l'âge du patient et du problème de santé présenté. Le médecin pourra se contenter d'une question générale de dépistage dans les divers systèmes chez une jeune personne en bonne santé, alors qu'il devra couvrir l'ensemble des catégories de symptômes avec un patient âgé atteint de plusieurs maladies.

La revue des systèmes prend habituellement place à la suite du profil du patient, juste avant son examen physique. Les médecins expérimentés complètent souvent la revue des systèmes au moment de l'examen physique, ce qui leur permet de gagner du temps. Il est essentiel que le médecin explique cette façon de faire au patient, car une question qui fait allusion à une dysfonction d'un système au moment de l'examen de cette partie du corps peut susciter de vives inquiétudes chez le patient. Par exemple, questionner sur un trouble de vision au moment de l'examen du fond de l'œil ou s'informer de la présence de sang dans les selles au moment d'un examen rectal pourra alarmer plus d'un patient.

La revue des systèmes positive

La revue des systèmes devient particulièrement fastidieuse et lourde dans les quelques cas où le patient répond oui à plusieurs des questions posées. On parle alors de la *revue des systèmes « positive partout »*, et le médecin a l'impression qu'il ne terminera jamais son questionnaire. Le médecin doit alors se demander s'il a effectué correctement les parties précédentes de l'entrevue, en particulier l'exploration des problèmes actifs et celle des antécédents médicaux. Le plus souvent, le patient est bien intentionné et désire tout simplement ne rien omettre. Coulehan et Block (1997, p. 109) proposent les stratégies suivantes pour rectifier une revue des systèmes qui traîne en longueur :

- *Poser des questions très générales sur chacun des systèmes et demander des détails seulement lorsque la réponse à une question générale est positive.*
- *Encourager le patient à éviter de fournir des détails inutiles en lui rappelant les contraintes de temps ou en lui demandant de choisir les symptômes les plus importants.*
- *Faire la revue des systèmes pendant l'examen physique.*

La revue des systèmes constitue une portion plus technique de l'entrevue, dans laquelle le médecin domine habituellement les échanges. Elle oblige en quelque sorte le patient à suspendre ses inquiétudes par rapport aux problèmes qui l'ont amené à consulter le médecin. Pour cette raison, il est possible que le patient minimise les autres symptômes rapportés pour inciter le médecin à revenir au problème principal. La cadence de cette partie est plus accélérée que celle des parties qui ont précédé. Le médecin en début de formation a souvent de la difficulté à maîtriser le contenu plutôt vaste de cette section et a tendance à se cantonner dans un carcan assez rigide pour ne rien oublier. La maîtrise progressive du contenu et l'expérience clinique permettent au médecin d'adapter cette portion de l'entrevue en fonction des besoins de la situation.

L'examen physique

La transition du questionnaire à l'examen physique mérite d'être soulignée par un énoncé du type « Avant de passer à l'examen physique, y a-t-il autre chose dont vous vouliez discuter ? » Voici des règles que le médecin doit respecter pour l'examen physique du patient :

- *S'assurer que l'intimité du patient est respectée.*
- *S'assurer du confort physique du patient.*
- *Éviter autant que possible tout geste brusque ou inattendu qui pourrait provoquer de la douleur ou de l'inconfort.*
- *Continuer à parler durant l'examen physique pour informer et rassurer le patient et faire de l'enseignement thérapeutique.*

Que ce soit dans une chambre d'hôpital, dans un couloir de salle d'urgence, dans un cabinet ou à domicile, il faut s'assurer que l'examen s'effectue avec la plus grande réserve. Dans une chambre d'hôpital, le médecin tire les rideaux pour créer un écran entre le patient et les autres occupants de la chambre. Bien sûr, cet écran n'est pas insonorisant, et la conversation peut encore être entendue de l'autre coté ; mais, dans ce contexte, l'élément d'intimité vaut son pesant d'or et indique au patient que le médecin fait des efforts pour préserver son confort. Aux urgences ou en cabinet, offrir une chemise d'hôpital au patient à qui on demande de se dévêtir est essentiel, et prévoir un endroit où il peut déposer ses vêtements est de mise. Dans certains bureaux, il n'y a pas de chemise d'hôpital ; il suffit alors de dévêtir le corps section par section. Par exemple, l'examen du cou et du thorax nécessite que la chemise et le soutien-gorge ou la camisole soient enlevés, alors que la jupe ou le pantalon restent en place. On peut aussi offrir un court drap qui protège la partie dénudée. On procède de la même façon pour l'examen de l'abdomen, des organes génitaux et des membres inférieurs. Le vêtement du haut reste en place et seuls les vêtements du bas sont enlevés. Le médecin peut ainsi dégager complètement la partie qu'il doit examiner tout en respectant la pudeur du patient.

Le médecin peut expliquer ses gestes en les faisant. Il annonce les étapes à venir par des énoncés de transition comme les suivants :

- « Je vais maintenant examiner votre abdomen. Je vais d'abord écouter, puis je vais palper votre ventre. J'aimerais que vous m'avisiez si cela vous gêne ou vous fait mal. »
- « L'examen semble normal du coté de votre cœur et de vos poumons. »
- « L'examen est terminé. Vous pouvez vous habiller et venir me rejoindre de l'autre côté. Je vais vous expliquer ce qui se passe, à mon avis, et nous allons discuter de ce qu'il y a à faire pour votre problème. »

L'examen physique est un moment où le patient est en position de grande vulnérabilité. Il revient au médecin de créer un climat propice et sécuritaire, qui ne génère ni douleur ni anxiété inutiles.

La conclusion de la rencontre

Lipkin et autres (1995) rappellent que la fin de l'entrevue est aussi importante que le début. Elle détermine souvent l'impression que le patient conserve de sa rencontre. Combien de fois avons-nous observé en clinique externe un médecin quitter la salle de consultation sans saluer le patient et entendre ce dernier demander à l'infirmière : « Est-ce fini ? » ! Ce genre de question révèle un problème majeur dans la gestion de la fin de l'entrevue. Bien souvent, le médecin a l'impression, à tort, que son travail est terminé lorsque son diagnostic est posé et que son plan de traitement est arrêté.

Kurtz et autres (1998) ont proposé des étapes génériques pour terminer une entrevue. Rappelons ici qu'il s'agit pour le médecin d'effectuer les tâches suivantes :

1. Résumer la rencontre en rappelant les problèmes actifs et les autres faits découverts grâce à l'examen physique et aux examens paracliniques.
2. Émettre son diagnostic ou ses hypothèses diagnostiques, en vérifiant la compréhension du patient et en l'invitant à poser des questions.
3. Proposer un plan de traitement qui soit adapté aux particularités du patient.
4. Faire de l'enseignement thérapeutique par rapport au diagnostic et au traitement.
5. S'entendre avec le patient sur les prochaines étapes, y compris le suivi.
6. Saluer le patient[7].

Chaque genre de rencontre nécessite un ajustement de cette structure générale. La fin d'une première entrevue, d'une rencontre de suivi, d'une consultation pour un problème unique ou d'une consultation dans laquelle plusieurs problèmes chroniques sont abordés pourra différer, par exemple par rapport à l'accent mis sur chacune des tâches et au temps qui leur est consacré. On imagine facilement que la conclusion d'une entrevue dans laquelle le médecin doit expliquer un nouveau traitement pour une maladie chronique soit plus longue que la fin d'une entrevue pour le suivi d'un problème chronique bien contrôlé. Voici maintenant un cas présentant la conclusion d'une consultation.

Mme Rémillard, âgée de 40 ans, est normalement en bonne santé et elle ne présente aucune allergie médicamenteuse. Elle est venue rencontrer le Dr Lagacé pour la première fois, dans le cadre d'une consultation sans rendez-vous ; elle se plaint de congestion et de céphalée. L'examen physique est maintenant terminé.

LE MÉDECIN	— *Madame Rémillard, si je résume notre rencontre jusqu'à maintenant, vous m'avez dit que vous aviez commencé un rhume il y a trois semaines. Bien que vous n'ayez pas de fièvre, vous vous sentez très congestionnée, vous présentez une douleur à la joue droite et vous avez des sécrétions qui coulent à l'arrière du nez. À l'examen, je reproduis la sensibilité à la joue et j'ai observé l'écoulement jaunâtre. Je crois que vous avez une sinusite.*	Le médecin résume la rencontre. Il utilise les renseignements obtenus au moment du questionnaire et de l'examen physique pour étayer son diagnostic.
MME RÉMILLARD	— *C'est ce que je pensais, Docteur. J'en ai déjà fait une il y a plusieurs années et je me rappelle de la sensation.*	La patiente exprime son accord et relie le présent épisode à un épisode antérieur lointain.
LE MÉDECIN	— *J'aimerais documenter la présence de cette sinusite par une radiographie des sinus.*	Le médecin propose une investigation radiologique.
MME RÉMILLARD	— *Est-ce vraiment nécessaire de faire une radiographie, Docteur ?*	La patiente se sent suffisamment à l'aise pour remettre en question la nécessité de la radiographie.
LE MÉDECIN	— *Ce n'est pas essentiel. L'histoire récente du rhume, la persistance de la congestion nasale, les sécrétions jaunâtres pendant plus de trois semaines et l'apparition de la douleur sont suffisants pour établir le diagnostic. Je crois que la radiographie n'est pas essentielle à ce moment-ci.*	Dans ce cas-ci, le médecin peut discuter de la pertinence de l'examen avec la patiente. En reprenant les éléments cliniques qui militent en faveur d'une sinusite, il montre qu'il a l'essentiel en main pour poser son diagnostic. Ainsi, il ne fait pas qu'acquiescer à la demande de la patiente, il la partage.

Mme Rémillard — *Je préfère ne pas avoir à me déplacer pour un autre examen. J'ai dû m'absenter du travail déjà. Ça se traite comment, une sinusite ? J'ai déjà utilisé un vaporisateur nasal que le pharmacien m'a suggéré et de l'acétaminophène pour le rhume, sans aucune amélioration.*

> La patiente indique la raison principale de sa réticence à passer une radiographie et s'informe de la nature du traitement.

Le médecin — *D'abord, je vous rappelle qu'il est très important de boire beaucoup d'eau : cela aide à liquéfier les sécrétions et facilite leur dégagement. Je vais aussi vous prescrire un décongestionnant nasal pour trois jours afin de diminuer l'enflure de la muqueuse du nez.*

> Le médecin aborde d'abord le traitement par les conseils non pharmacologiques ; cela fait partie de l'enseignement thérapeutique du patient.
>
> Le médecin propose un premier traitement local.

Mme Rémillard — *J'utilise déjà un vaporisateur, et ça n'a rien changé.*

> La patiente répète au médecin qu'elle utilise déjà ce genre de traitement et, indirectement, lui indique son désaccord.

Le médecin — *Celui-ci est différent. L'autre ne faisait qu'humidifier, alors que celui-ci va diminuer l'inflammation dans votre nez et permettre un écoulement plus efficace des sécrétions.*

> Le médecin donne de l'information et précise le mode d'action différent du produit qu'il propose.

Mme Rémillard — *D'accord.*

> La patiente se rallie à l'avis du médecin.

Le médecin — *Je vais aussi vous prescrire un antibiotique, car je ne crois pas que le vaporisateur seul sera suffisant. Je vous propose du Zithromax. Vous devrez prendre deux comprimés le premier jour, puis un comprimé par jour pour les quatre jours suivants.*

> Le médecin explique pourquoi il veut prescrire un antibiotique et donne clairement la posologie.

Mme Rémillard — *C'est parfait.*

> La patiente exprime son accord.

Le médecin — *Vous devriez commencer à voir des effets d'ici 48 heures. Si ce n'est pas le cas, il faudrait consulter de nouveau.*

> Le médecin indique le délai attendu pour observer l'effet.

Mme Rémillard — *D'accord.*

Le médecin — *Auriez-vous des questions concernant le problème ou le traitement ?*

> Le médecin vérifie qu'il ne reste pas de questions sur le **sujet en cours**, évitant par cette dernière précision qu'on aborde un autre sujet à ce stade de l'entrevue.

Mme Rémillard	— *Non Docteur, c'est clair.*	
Le médecin	— *Alors, très bien. Au revoir, Madame Rémillard, et bonne chance !*	Le médecin fait les salutations d'usage.
Mme Rémillard	— *Au revoir, Docteur. J'espère que je ne serai pas obligée de revenir pour ce fameux rhume.*	
Le médecin	— *J'espère que non, moi aussi, mais si vous en sentez le besoin, je serai disponible.*	Le médecin offre sa disponibilité dans l'éventualité où le traitement proposé n'aurait pas les effets escomptés.
Mme Rémillard	— *Merci.*	Le médecin et la patiente se saluent.
Le médecin	— *Au revoir.*	

Cet extrait nous a permis de réviser l'ensemble des étapes qui mènent à la clôture d'une rencontre entre un médecin et un patient. Cette partie de l'entrevue est souvent négligée par manque de temps. Pourtant, comme nous le verrons dans les chapitres 25 (« Les médicaments ») et 26 (« L'enseignement thérapeutique et la motivation du patient »), la fin de l'entrevue est aussi importante que son début. Ce constat oblige à certains aménagements dans la répartition du temps consacré aux différentes parties de l'entrevue.

Conclusion

Dans ce chapitre, nous avons décrit le contenu et la structure de l'entrevue médicale, telle qu'elle est enseignée encore aujourd'hui dans plusieurs facultés de médecine. Ainsi, nous avons précisé les éléments de contenu que le médecin doit explorer dans chacune des sections qui constituent l'anamnèse : l'accueil, les données sociodémographiques, les motifs de consultation, l'exploration des problèmes, le profil du patient, la revue des systèmes, l'examen physique, les explications et la clôture.

Nous ne nous sommes pas contentés de préciser les contenus de chacun des éléments de l'observation. En effet, nous avons eu le souci de proposer des stratégies de communication efficaces pour atteindre les objectifs de contenu. C'est pourquoi nous avons réintroduit dans la présentation du contenu les éléments de processus présentés au chapitre 7, intitulé « Les fonctions de l'entrevue médicale et les stratégies communicationnelles ».

Nous avons dû séparer en deux chapitres (le précédent et celui-ci) ce qui, à l'origine, ne devait faire qu'un, soit la structure et la fonction de l'entrevue médicale. Paradoxalement, cette division forcée illustre un malaise qui perdure dans l'enseignement de l'entrevue médicale[8]. Le contenu et le processus sont comme les deux faces d'une pièce de monnaie : l'un ne peut aller sans l'autre (Kurtz, Silverman, Benson et Draper, 2003). Jusqu'à récemment, on a tenu pour acquis que l'apprentissage du *contenu* suffisait pour mener à bien des entrevues médicales, mais les recherches de ces dernières décennies nous apprennent que cela est faux. Il faut donc voir ces deux chapitres comme inséparables. On ne peut faire l'économie ni de l'un ni de l'autre. Il ne peut y avoir une *bonne* entrevue médicale sans contenu, et il ne peut y avoir d'entrevue médicale efficace sans la maîtrise de stratégies communicationnelles élémentaires.

Notes

1. Des parties de ce chapitre ont déjà été publiées dans les articles suivants :
   • Lussier, M.-T., et C. Richard (1997a). « Le dialogue au rendez-vous. Gérer sa relation avec le patient. Mise en situation », *L'omnipraticien*, 6 août, p. 29-30.
   • Lussier, M.-T., et C. Richard (1997b). « Le dialogue au rendez-vous. Prendre son temps pour en gagner... », *L'omnipraticien*, 3 septembre, p. 16-18.
   • Lussier, M.-T., et C. Richard (1997c). « Le dialogue au rendez-vous. Histoire de la maladie actuelle : Écouter le patient ou l'interroger ? », *L'omnipraticien*, 6 novembre.
   • Lussier, M.-T., et C. Richard (2003). « Le dialogue au rendez-vous. L'importance de la "qualité" du temps de consultation », *MedActuel FMC*, juillet-août.
2. Nous retrouvons ici respectivement les première et troisième fonctions de l'entrevue médicale telles qu'elles sont présentées au chapitre 7, intitulé « Les fonctions de l'entrevue médicale et les stratégies communicationnelles ».
3. Le terme *histoire de cas*, également utilisé, est un calque de l'anglais *case history*.
4. Voir le chapitre 6 du présent manuel, intitulé « L'approche centrée sur le patient : diverses manières d'offrir des soins de qualité ».
5. Voir le chapitre 9, intitulé « La gestion des émotions ».
6. Voir les chapitres 14 et 30, intitulés respectivement « Les personnes âgées et leurs proches » et « La communication en soins à domicile ».
7. Plusieurs chapitres de ce volume abordent en profondeur chacune de ces étapes, en particulier les chapitres 11, 25 et 26, intitulés respectivement « Une présentation de l'approche Calgary-Cambridge », « Les médicaments » et « L'enseignement thérapeutique et la motivation du patient ».
8. Voir la discussion à ce sujet dans le chapitre 11, intitulé « Une présentation de l'approche Calgary-Cambridge ».

Références

Arborelius E., et S. Bremberg (1994). « Prevention in practice. How do general practitioners discuss life-style issues with their patients ? », *Patient Education and Counseling*, vol. 23, p. 23-31.

Beaudoin, C., M.-T. Lussier, R. Gagnon, R. Lalande et M.-I. Brouillet (2001). « Discussion of lifestyle-related issues in family practice during visits with general medical examination as the main raison for encounter : An exploratory study of content and determinants », *Patient Education and Counseling*, vol. 45, n° 14, p. 275-284.

Beckman, H., et R. Frankel (1984). « The impact of physician behavior on the collection of data », *Annals of Internal Medicine*, vol. 101, n° 5, p. 692-696.

Billings J.A., et J.D. Stoeckle (1999). *The clinical encounter. A guide to the medical interview and case presentation*, 2e éd., Saint Louis (Missouri), Mosby.

Brown, J.B., W.W. Weston et M. Stewart (2003). « The first component : Exploring both the disease and the illness experience », dans *Patient-centered medicine*, 2e édition, sous la direction de M. Stewart, J.B. Brown, W.W. Weston, I.R. McWhinney, C.L. McWilliam et T.R. Freeman, Thousand Oaks (Californie), Sage.

Cole, S.A., et J. Bird (2000). *The medical interview. The three-function approach*, 2e éd., Saint Louis (Missouri), Mosby Year Book.

Coulehan J.L., et M.R. Block (1997). *The medical interview. Mastering skills for clinical practice*, Philadelphie (Pennsylvanie), F.A. Davis.

Deveugele, M., A. Derese, A. van den Brink-Muinen, J. Bensing et J. De Maeseneer (2002). « Consultation length in general practice : Cross sectional study », *British Medical Journal*, vol. 325, n° 7362, p. 472-474.

Flocke, S.A., K.C. Stange et M.A. Goodwin (1998). « Patient and visit characteristics associated with opportunistic preventive services delivery », *The Journal of Family Practice*, vol. 47, n° 3, p. 202-208.

Johanson, M., U. Sätterlund-Larsson, R. Säljö et K. Svärdsudd (1995). « Lifestyle in primary health care discourse », *Social Science and Medicine*, vol. 40, n° 3, p. 339-348.

Korsch, B.M., et C. Harding (1998). *The intelligent patient's guide to the doctor-patient relationship : Learning how to talk so your doctor will listen*, Oxford University Press.

Kurtz, S.M., J.D. Silverman, J. Benson et J. Draper (2003). « Marrying content and process in clinical method teaching : Enhancing the Calgary-Cambridge guides », *Academic Medicine*, vol. 78, n° 8, p. 802-809.

Kurtz S.M., J.D. Silverman et J. Draper (1998). *Teaching and learning communication skills in medicine*, Oxford, Radcliffe Medical Press.

Langewitz, W., M. Denz, A. Keller, A. Kiss, S. Rüttimann et B. Wössmer (2002). « Spontaneous talking time at start of consultation in outpatient clinic : Cohort study », *British Medical Journal*, vol. 325, n° 7366, p. 682-683.

Levinson, D. (1987). *A guide to the clinical interview*, Philadelphie (Pennsylvanie), W.B. Saunders.

Lewis, C.E., K.B. Wells et J. Ware (1986). « A model for predicting the counseling practices of physicians », *Journal of General Internal Medicine*, vol. 1, n° 1, p. 14-19.

Lipkin M. Jr., R.M. Frankel, H.B. Beckman, R. Charon et O. Fein (1995). « Performing the interview », dans *The medical interview. Clinical care, education, and research*, sous la direction de M. Lipkin Jr., S.M. Putnam et A. Lazare, New York, Springer-Verlag, chap. 5, p. 65-82.

Lussier, M.-T., et C. Richard (1997a). « Le dialogue au rendez-vous. Gérer sa relation avec le patient. Mise en situation », *L'omnipraticien*, 6 août, p. 29-30.

Lussier, M.-T., et C. Richard (1997b). « Le dialogue au rendez-vous. Prendre son temps pour en gagner... », *L'omnipraticien*, 3 septembre, p. 16-18.

Lussier, M.-T., et C. Richard (1997c). « Le dialogue au rendez-vous. Histoire de la maladie actuelle : Écouter le patient ou l'interroger ? », *L'omnipraticien*, 6 novembre.

Lussier, M.-T., et C. Richard (2003). « Le dialogue au rendez-vous. L'importance de la "qualité" du temps de consultation », *MedActuel FMC*, juillet-août.

Lussier, M.-T., E. Rosenberg, C. Beaudoin, C. Richard et R. Gagnon (1998). « Doctor-Patient communication as a determinant of psychological distress detection in primary care », sommaire présenté dans *Communication in Health Care*, conférence prononcée à Amsterdam.

Maheux, B., N. Haley, M. Rivard et A. Gervais (1999). « Do physicians assess lifestyle health risks during general medical examinations ? A survey of general practitioners and obstetrician-gynecologists in Quebec », *Journal de l'Association médicale canadienne*, vol. 160, nº 13, p. 1830-1834.

Marvel, M.K., R.M. Epstein, K. Flowers et H.B. Beckman (1999). « Soliciting the patient's agenda : Have we improved ? », *The Journal of the American Medical Association*, vol. 281, nº 3, p. 283-287.

Mishler, E.G. (1984). *The Discourse of medicine : Dialectics of medical interviews*, Norwood (New Jersey), Ablex.

Orleans, C.T., L.K. Georges, J.L. Houpt et K.H. Brodie (1985). « Health promotion in primary care : A survey of US family practitioners », *Preventive Medicine*, nº 14, p. 636-647.

Pollock, K., et J. Grime (2002). « Patients' perceptions of entitlement to time in general practice consultations for depression : Qualitative study », *British Medical Journal*, vol. 325, nº 7366, p. 687-690.

Prochaska, J.O., et C.C. Di Clemente (1984). *The transtheoretical approach : Crossing traditional boundaries of therapy*, Homewood (Illinois), Dow Jones-Irwin.

Russell, N.K., et D.L. Roter (1993). « Health promotion counseling of chronic-disease patients during primary care visits », *American Journal of Public Health*, vol. 83, nº 7, p. 979-982.

Smith, R.C. (1996). *The patient's story. Integrated patient-doctor interviewing*, Boston, Little, Brown and Company.

Stange, K.C., S.J. Zyzanski, C.R. Jaen, E.J. Callahan, R.B. Kelly, W.R. Gillanders, J.C. Shank, J. Chao, J.H. Medalie, W.L. Miller, B.F. Crabtree, S.A. Flocke, V.J. Gilchrist, D.M. Langa et M.A. Goodwin (1998). « Illuminating the "black box". A description of 4 454 patient visits to 138 family physicians », *The Journal of Family Practice*, vol. 46, nº 5, p. 377-389.

Starfield, B., C. Wray, K. Hess, R. Gross, P.S. Birk et B.C. D'Lugoff (1981). « The influence of patient-practitioner agreement on outcome of care », *American Journal of Public Health*, vol. 71, nº 2, p. 127-131.

Stewart, M.A. (1995). « Effective physician-patient communication and health outcomes : A review », *Canadian Medical Association Journal*, vol. 152, nº 9, p. 1423-1433.

Stewart, M.A., J.B. Brown, A. Donner, I.R. McWhinney, J. Oates, W.W. Weston et J. Jordan (2000). « The impact of patient centered care on outcomes », *The Journal of Family Practice*, vol. 49, nº 9, p. 796-804.

Stewart, M., J.B. Brown, W.W. Weston, I.R. McWhinney, C.L. McWilliam et T.R. Freeman (2003). *Patient-centered medicine : Transforming the clinical method*, 2e édition, Thousand Oaks (Californie), Sage.

Stewart, M., I.R. McWhinney et C.W. Buck (1979). « The doctor-patient relationship and its effect upon outcome », *Journal of the Royal College of General Practitioners*, vol. 29, p. 77-82.

Wechsler, H., S. Levine, R.K. Idelson, M. Rohman et J.O. Taylor (1983). « The physician's role in health promotion. A survey of primary-care practitioners », *New England Journal of Medicine*, vol. 308, nº 2, p. 97-100.

Wechsler H., S. Levine, R.K. Idelson, E.L. Schor et E. Coakley (1996). « The physician's role in health promotion revisited. A survey of primary care practitioners », *New England Journal of Medicine*, vol. 334, nº 15, p. 996-998.

White, J., W. Levinson et D. Roter (1994). « "Oh by the way…" : The closing moments of the medical interview », *Journal of General Internal Medicine*, vol. 9, p. 24-28.

La gestion des émotions[1]

Claude Richard
Marie-Thérèse Lussier
Fabienne Gerard

CHAPITRE 9

Dans ce chapitre, nous abordons la dimension émotive de l'entrevue médicale, par opposition à sa dimension cognitive. Bien sûr, ces dimensions sont indissociables, puisqu'elles sont toutes deux toujours présentes, à des degrés variables. C'est pour la clarté de notre propos que nous convenons de les distinguer.

Comme la consultation médicale est souvent le théâtre de l'expression d'émotions, le médecin a avantage à savoir les repérer et les gérer pour une meilleure relation médecin-patient et pour le plus grand bénéfice du patient. Les émotions que le patient ressent ou exprime varient énormément, mais, quelle que soit la raison de la consultation, on a toujours affaire à des émotions. Quand sa santé est en jeu, aucune situation ne peut être neutre d'un point de vue émotif.

L'habileté à tenir compte des émotions au cours de l'entrevue médicale est sans conteste liée à des techniques et des attitudes couramment utilisées en psychothérapie. Dans un tel contexte, il nous apparaît essentiel de nous attarder d'abord sur l'approche thérapeutique et son rôle dans la consultation médicale.

La communication médicale et la communication psychothérapeutique

Le modèle de communication actuellement utilisé par les médecins est très influencé par celui de la psychothérapie, ce qui explique l'importance qu'on accorde à l'empathie et au dévoilement de soi. Cependant, dans la relation médecin-patient, la *situation psychothérapeutique* au sens strict n'est qu'occasionnelle. Certes, la très grande majorité des consultations médicales requièrent une attitude professionnelle de sensibilité à l'expression des émotions, mais non une approche psychothérapeutique : soigner une grippe ou une blessure mineure, par exemple, ne nécessite pas que le patient dévoile son état émotif ou parle de ses relations familiales. Dans de telles circonstances, le patient pourrait se sentir envahi ou même agressé par l'insistance du médecin à discuter d'aspects de sa vie que lui-même considère comme d'ordre privé et sans rapport avec les motifs de sa consultation.

En psychothérapie, l'objectif déclaré est de modifier la manière de se sentir et de penser du patient. Pour arriver à ce résultat, de manière traditionnelle, on crée un contexte interactif dans lequel on renvoie le patient à lui-même, de façon à ce qu'il puisse se servir de ce reflet comme d'un objet extérieur et ainsi agir sur lui-même à partir de cette information. Le patient peut ainsi revivre sans danger les conflits, les distorsions et les projections qu'il entretient hors du contexte thérapeutique. Il peut alors se permettre de comprendre et d'explorer de nouvelles solutions pour résoudre, sans risque, ses conflits, l'objectif ultime de la démarche étant bien sûr d'implanter ces nouvelles solutions en dehors du contexte thérapeutique (Hammond, Hepworth et Smith, 2002).

Suivant la théorie traditionnelle en psychothérapie, pour arriver à mettre en marche ce processus, le thérapeute doit rester le plus neutre possible à l'égard du patient, ce qui favorise la croissance personnelle et le développement de la connaissance approfondie de soi (*insight*) de ce dernier. Selon Hammond et autres (2002), cette position se justifie par la théorie psychanalytique, qui postule que le transfert est au cœur du travail psychothérapeutique. L'analyste doit chercher à entrer en relation avec le patient en tant qu'observateur neutre et non en tant qu'individu. Il doit donc éviter de se dévoiler s'il veut favoriser un climat où le patient pourra effectuer à son égard un transfert de sentiments, d'attitudes et de désirs qui se sont développés dans des relations antérieures.

Cependant, le cadre théorique sous-jacent à ce comportement a suscité des doutes chez les spécialistes et a amené des remises en question. Entre autres, on soutient que le patient a besoin d'être en relation avec une *vraie* personne et que la rencontre thérapeutique devrait justement lui en fournir l'occasion. On souligne que la rencontre dépersonnalisée n'a aucune contrepartie dans la vraie vie, c'est-à-dire en dehors du contexte thérapeutique. Ainsi, il y aurait peu de chances que le patient puisse transférer dans sa propre vie les apprentissages réalisés dans un contexte thérapeutique. De plus, une relation dépersonnalisée est anxiogène, car le patient ne peut jamais savoir ce que son vis-à-vis pense de lui. Les humanistes, et particulièrement ceux qui appartiennent à la tendance existentialiste, croient plutôt que le psychothérapeute doit faire preuve d'authenticité pour favoriser un climat de confiance et faciliter une ouverture réciproque. Cette expérience permettrait au patient d'établir des relations riches et satisfaisantes dans sa vie (Hammond et autres, 2002). L'approche dite *centrée sur le patient*[2], actuellement dominante en médecine familiale, est fortement ancrée dans la perspective humaniste (Rogers, 1957).

On peut constater l'évolution des attitudes en psychothérapie, mais qu'en est-il de la relation professionnelle non psychothérapeutique en médecine ? Une attitude professionnelle non psychothérapeutique donne beaucoup plus de latitude au médecin : il a plus de liberté pour se dévoiler, il peut donner un soutien ouvert, affirmer sa sympathie et sa compassion, etc. Or, la relation psychothérapeutique décourage ce genre de comportements, qui peuvent entraîner des problèmes de transfert et de contre-transfert. Il est reconnu en psychothérapie qu'un trop grand dévoilement ou engagement du thérapeute empêche le patient de revivre, dans son interaction avec lui, les situations difficiles vécues avec d'autres (Hammond et autres, 2002). Cette attitude de détachement explique probablement, du moins en partie, les plaintes émises par certains patients à l'égard de la froideur et de l'indifférence de leur médecin : « Je vais peut-être mourir, et tout ce que mon médecin trouve à me dire, c'est "J'entends beaucoup de colère dans vos propos". » Il est donc important pour le clinicien de distinguer son rôle de médecin de son rôle occasionnel de psychothérapeute.

Selon Szasz (1978), le terme *psychothérapie* est inapproprié et trompeur, puisqu'un traitement devrait toujours désigner une intervention physicochimique dans la structure et le fonctionnement du corps (voir l'encadré 9.1). Wachtel (1993) abonde dans le même sens en affirmant que la psychothérapie est un traitement par la parole. Il apporte cependant un tout autre éclairage par l'exploration de ce qui est réellement dit dans l'entrevue. Selon cet auteur, au-delà de la simple écoute, la capacité de communiquer correctement est une habileté qu'on peut apprendre et qui devrait, par conséquent, faire partie de la formation psychothérapeutique. Il faut ajouter au contenu à communiquer (*what to communicate*) l'art de le communiquer (*how to communicate*).

Encadré 9.1

Le mythe de la psychothérapie selon Szasz

La thèse centrale de Thomas Szasz est qu'un traitement (même hors de la pratique médicale) devrait toujours désigner une intervention physicochimique dans la structure et le fonctionnement du corps. Ainsi, une intervention *thérapeutique* viserait à combattre ou à guérir une maladie du corps. Selon Szasz, le terme *psychothérapie*, dans la mesure où il renvoie à deux ou plusieurs personnes parlant entre elles, est donc inapproprié et trompeur. Parce que cette *parole à plusieurs* peut aider, on dit que ce processus ressemble à un traitement médical, mais ce n'en est pas un. La psychothérapie serait une métaphore et un mythe. C'est le nom qu'on donne à l'activité langagière de personnes, qui parlent et qui s'écoutent d'une certaine manière et dont une, en particulier, tente d'influencer l'autre.

De ce point de vue, l'intervention psychothérapeutique n'est donc pas médicale, mais morale. On a donc une *métaphorisation* et une réification de l'influence interpersonnelle sous la forme de *psychothérapie.* Dans un tel cadre, on change la catégorie conceptuelle des problèmes personnels pour les transformer en maladies, ce qui autorise alors à « disqualifier » l'individu et donne ainsi la permission d'intervenir auprès de lui (ou de tenter de l'influencer), sans analyse plus poussée, et même parfois contre sa volonté.

Selon Szasz, la psychothérapie serait à classer avec la religion, la prière, la magie, le magnétisme animal, etc. Les psychothérapeutes seraient, en quelque sorte, de nouveaux prêtres laïques. Prêter des vertus thérapeutiques à la parole empêcherait d'étudier les processus actifs (c'est-à-dire : comment on influence) qui ont cours pendant ces rencontres et la façon dont ces processus peuvent aider ou soutenir certains individus.

En définissant la psychothérapie comme un processus d'influence qui se réalise par l'intermédiaire de la parole, Szasz, d'une part, remet en question la légitimité des actes d'un individu qui prétend influencer les autres et, d'autre part, ouvre le chemin à l'analyse de la morale implicite que cet individu propose. De plus, en adoptant le point de vue de Szasz, les techniques conversationnelles utilisées pour influencer deviennent accessibles à l'analyse et à la description. Débarrassé du mythe de la psychothérapie, on pourrait donc enfin envisager cette relation au même titre que bien d'autres situations : l'amitié, le mariage, l'enseignement, etc.

Source : Traduit et adapté de Szasz (1978).

Les émotions

Les émotions sont une partie vitale et universelle de l'expérience humaine. Elles exercent une influence puissante sur le comportement d'un individu. Elles jouent également un rôle primordial dans les relations interpersonnelles. Les réactions émotionnelles qu'on vit à l'égard des autres déterminent, dans une large mesure, la qualité des sentiments expérimentés dans les relations avec eux. Ce sont les émotions qui nous permettent de voir si notre vis-à-vis nous attire ou s'il nous repousse. Nous avons tendance à entretenir des relations avec des personnes qu'on trouve agréables, et à fuir celles qu'on perçoit moroses ou irritables. Le fait d'établir une relation significative avec une autre personne dépend largement du sentiment de bien-être que nous éprouvons en sa présence. Par ailleurs, l'étendue et la qualité des émotions partagées au sein d'une relation déterminent souvent le degré de satisfaction ressentie.

Les émotions jouent invariablement un rôle central dans les difficultés des personnes que les médecins cherchent à aider. Dans la majorité des cas, les problèmes présentés aux médecins impliquent des états émotionnels. Plus rarement, les patients peuvent être dominés par des peurs irrationnelles ou par des états dépressifs associés aux problèmes physiques. Le médecin aura alors besoin de compétences particulières afin de traiter ces émotions efficacement. Étant donné que les problèmes de santé impliquent invariablement des émotions et des sentiments, le médecin doit être très perspicace quand il est question d'émotions complexes et de sentiments manifestés ou perçus.

L'expression non verbale des émotions

La communication des émotions par le patient à son médecin ne se limite pas à l'utilisation de la parole. Au contraire, il est même rare qu'un patient exprime verbalement, de manière explicite, les émotions qu'il ressent. Dans le domaine de la perception des émotions, une voie à explorer est la paralinguistique, qu'on peut décrire comme la science de la musique du langage. Elle étudie toutes les caractéristiques du langage, autres que les mots eux-mêmes: le débit, le rythme, les arrêts, l'intonation et la hauteur, les soupirs, etc. Tous ces éléments fournissent au médecin des indices importants sur la personne qu'il a en face de lui et ils peuvent guider ses actes.

Le langage corporel du patient peut aussi constituer une mine d'information sur ses réactions émotionnelles; c'est ce qu'on appelle aussi le *langage non verbal* ou les *signaux non verbaux.* C'est souvent inconsciemment que l'émetteur envoie un message non verbal, ce qui n'empêche pas le récepteur d'accorder une signification à ce message. Pour le médecin, l'aspect extérieur du patient, sa façon de marcher ou de s'asseoir, sa posture et l'expression de son visage sont autant d'éléments qui lui fournissent des indices, notamment sur l'attitude calme ou indifférente, déprimée ou anxieuse du patient. Se tordre les mains, s'ébouriffer les cheveux, taper du pied, etc., voilà autant de manifestations possibles d'états émotionnels. Certes, la posture n'est pas aussi expressive que les mimiques et les gestes, mais elle sert à extérioriser l'intensité de l'émotion. Par exemple, les sujets atteints de dépression ont souvent une posture accablée, affalée, et ils regardent souvent vers le sol, tête baissée (Cassell, 1985; Mishler, 1984; Iandolo, 1996).

Enfin, soulignons que l'expression des émotions par les mimiques faciales varie selon la culture. Il faut donc être très prudent quand on interprète ces mimiques, surtout quand aucune expression verbale n'en confirme l'interprétation. Disons que l'idéal serait la convergence entre le verbal, le non-verbal et le paralinguistique.

Le tableau 9.1 présente quelques signaux non verbaux qui peuvent aider le médecin à reconnaître les émotions que le patient exprime autrement que par la parole. En effet, les mimiques faciales envoient un grand nombre de signaux sur l'état émotif d'un individu: la position des yeux, de la bouche, des sourcils ou des muscles faciaux, la couleur de la peau et la transpiration. À l'aide de ces éléments, le visage exprime les six émotions de base (ou affects primaires): la joie, la tristesse, la colère, le dégoût, la surprise et la peur. La figure 9.1, empruntée à Ekman (Ekman, 1979; Marsh, 1988), illustre bien l'expression de ces six affects.

Figure 9.1 **Les six émotions de base**

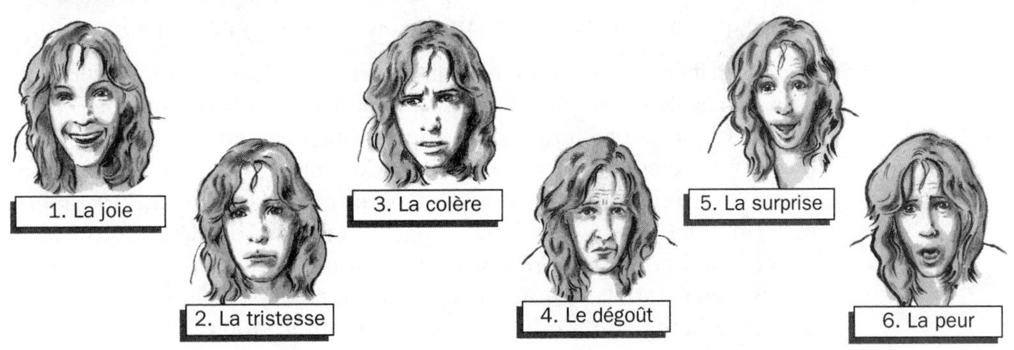

Source: Traduite de Ekman (1979) et Marsh (1988).

Tableau 9.1 **L'expression non verbale des émotions**

CORPS	ÉMOTIONS		
	Tristesse	Joie	Peur ou anxiété
Posture	Repli sur soi Affaissement des épaules	Changements fréquents de la posture Comportement ouvert	Brusquerie des mouvements Tortillements Raideur ou rigidité des mouvements Menton dirigé vers le bas Tremblements Raideur ou rigidité du corps et des gestes
Tête	Abaissement	Mobilité Redressement	Immobilité
Mains	Immobilité	Mouvements expansifs Mouvements circulaires	Moiteur Fermeture en poings Tapotement des doigts
Niveau d'activité	Apathie Indifférence Ralentissement	Excitation	Hypervigilance Agitation Hyperactivité
Contact visuel	Peu ou pas de contact visuel Mains sur les yeux	Recherche de contact visuel Tentatives de conserver le contact visuel	Yeux exorbités « Balayage » des yeux Regard furtif Regard inquiet
Visage	Froncement des sourcils Contraction musculaire Larmes, pleurs	Mobilité de l'expression Sourires Rires	Rougeur Serrement des lèvres Serrement des mâchoires

Le vocabulaire des émotions

Il arrive que le patient exprime ses émotions verbalement, mais sans les nommer explicitement, par exemple en racontant un fait chargé d'émotion pour lui. Le médecin doit être capable de susciter l'expression des émotions, d'y répondre et de comprendre le rôle qu'elles jouent dans les problèmes présentés par le patient.

Si le médecin veut tenir compte des émotions dans la communication avec son patient, il lui faut évidemment développer son habileté à les percevoir. De plus, si le médecin veut communiquer au patient qu'il comprend bien ses émotions, il doit être conscient de la diversité des émotions et y être sensible. Communiquer la compréhension exacte exige une richesse d'expressions et de mots liés aux émotions. Or, il apparaît que même des thérapeutes expérimentés ont un vocabulaire pauvre en matière d'émotions et qu'ils ont trop tendance à utiliser un nombre restreint de mots (Hammond et autres, 2002). Finalement, la richesse du vocabulaire pour décrire les émotions est également essentielle pour atteindre un degré élevé d'authenticité dans la communication.

Dans le but d'aider le médecin (ou tout intervenant en santé) à étendre son répertoire en matière d'émotions, Gazda, Childers et Walters (1982) ont élaboré un *vocabulaire des émotions*. Pour réaliser le tableau 9.2, nous nous sommes inspirés de leur travail et de celui de Hammond et autres (2002). Les listes de mots et d'expressions couvrent les 10 émotions ou sentiments les plus fréquents et sont présentées selon l'intensité de chaque émotion ou sentiment. Ces listes ne sont évidemment pas exhaustives, le lecteur pourra les compléter à l'usage. Afin d'alléger la présentation, nous n'avons pas indiqué les mots de même famille (exemple : on trouve *élogieux*, mais pas *éloge*). Le lecteur pourra facilement faire les transpositions nécessaires (exemple : *élogieux, être élogieux, faire l'éloge de*, etc.).

Des chercheurs de l'hôpital Sainte-Justine de Montréal ont mis au point une *échelle d'intensité des émotions* pour aider les parents à gérer leur colère dans l'escalade qui peut mener au syndrome du bébé secoué : le thermomètre de la colère (Lacroix, 2002). Au-delà de son application particulière, cet outil est intéressant, car il associe des mots et des expressions à des niveaux croissants de colère (voir la figure 9.2).

Figure 9.2 **Le thermomètre de la colère**

Explosion
Agressivité
Destruction
— Je vais le faire taire, moi !
— Ça suffit ! C'est assez !
— Il doit cesser !
— Je ne suis plus capable !
— C'est intolérable !

Besoin de contrôle
— Je dois lui faire comprendre.

Persécution
— Pourquoi me fait-il ça à moi ?
— Rien ne marche comme je veux.

Envahissement
— Je ne pensais pas qu'il pleurerait autant et si longtemps.
— Je suis incapable d'en venir à bout.

Désespoir
Impuissance
— Je ne vois pas ce que je pourrais faire d'autre.
— Je fais tout ce qu'il faut, mais ce n'est jamais assez.
— Il n'arrête pas de pleurer.
— Jamais personne pour m'aider.
— Je suis pris tout seul avec ça.

Exaspération
Intolérance
Impatience
— Il devrait arrêter, il a tout eu.
— Il fait exprès.
— Il pleure toujours.
— Je ne sais vraiment plus quoi faire.
— J'en ai plein les bras et les oreilles.
— Il exagère.

Incompréhension
Frustration
Contrariété
— Pourquoi pleure-t-il comme ça ?
— Il devrait dormir.
— Il me dérange, je veux être tranquille.

— Il pleure encore.

Élément déclencheur
— Le bébé pleure.

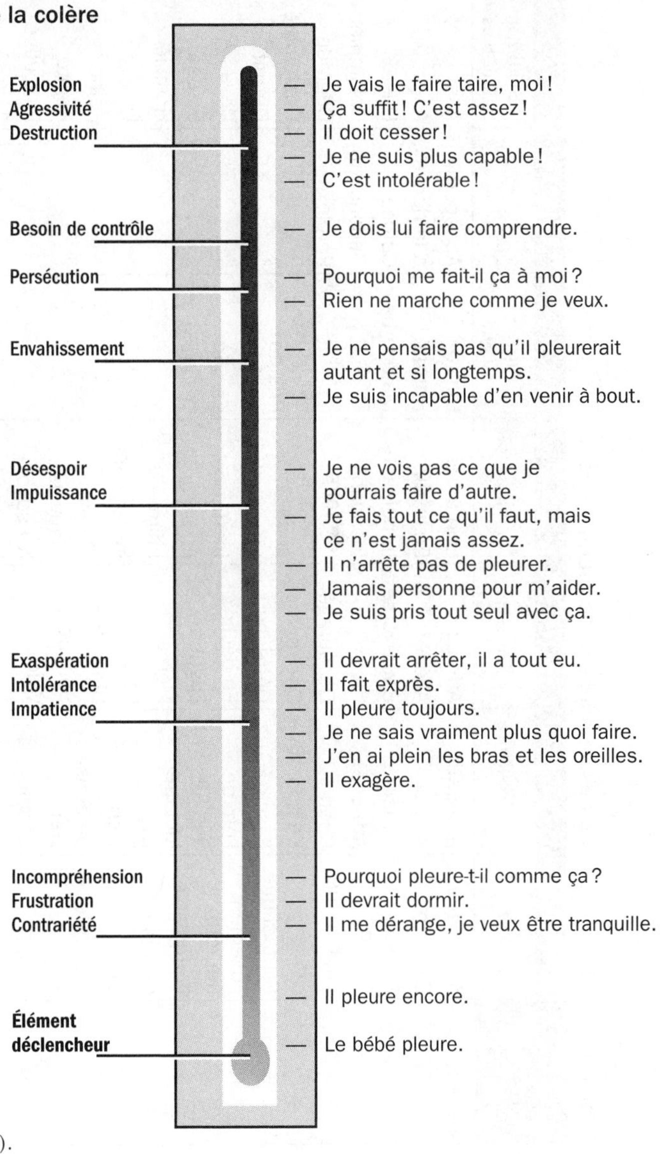

Source : Lacroix (2002).

Tableau 9.2 **Le vocabulaire des émotions et des sentiments**

INTENSITÉ	ÉMOTION OU SENTIMENT									
	Joie	Bienveillance	Tristesse	Impuissance	Anxiété ou peur	Désorientation	Sentiment d'être blessé	Colère	Isolement	Culpabilité ou honte
Élevée	Aux anges Élogieux Enthousiaste Euphorique Excité Fantastique Follement heureux Formidable Grandiose Grisé Merveilleux Ravi Super	Admiratif Adorer Aimer Attaché Chérir En adoration Fasciné Fou (de quelqu'un) Idolâtrer Impressionné Se consacrer Séduit	Affreux Aliéné Bouleversé Creux Découragé Désespéré Détresse En déclin Lugubre Morne Perdu Sinistre Sombre Vide	Bon à rien Enseveli Impuissant Incapable (de faire quelque chose) Incompétent Inefficace Inférieur Infirme Insignifiant Inutile Mauvais Ne savoir que faire Paralysé Raté Rejeté	Effrayé Horrifié Malade de peur Paralysé par la peur Pris de panique Terrifié Terrorisé	Abasourdi À la dérive Coincé Déconcerté Perplexe	À la merci Anéanti Brisé Calomnié Dégradé Déshonoré Détruit Dévasté Écrasé Humilié Largué Peiné Rejeté Ridiculisé Torturé	Avide de vengeance Bouillir de colère Brutal Déchaîné Écœuré En avoir ras le bol Enragé Exaspéré Furieux Haineux Indigné Méchant Ressentiment Violent	Abandonné Aliéné Coupé du monde Exclu Mis à part Tout seul	Couvert de honte Dégoût Déshonoré Désolé Exposé Horrible Humilié Impardonnable Médiocre Minable Plein de remords Terrible
Moyenne	Émotif Enchanté Heureux Jovial Joyeux Optimiste	Adorable Affecté Affectueux Attacher de l'importance Attentif	Cafardeux Chagriné Contrarié Démoralisé Ému Mal fichu	Battu Écrasé Impotent Inadéquat Inapte Incomplet	Craintif Effrayé Inquiet Intimidé Mal à l'aise Méfiant	Ambivalent Confus Dans le brouillard Désorganisé	Abîmé Abusé Critiqué Dénigré Déprécié Dévalué	Agité Agressif Amer Consterné Contrarié Dégoûté	Oublié Séparé Éloigné Seul	Blâmé Coupable Dégradé Honteux Moche

	Plein ou débordant d'énergie Satisfait Serein	Avoir de l'égard, du respect Chaleureux Éprouver de la tendresse Faire confiance Respec-tueux Se prendre d'affection Touché	Malheureux Maussade Mélanco-lique Peiné Perdu Pessimiste Triste Troublé Vexé	Insuffisant Manquant Peu important	Menacé Peureux Sur la défensive Tremblant Vulnérable	Embrouillé Énervé Frustré Perturbé Perdu Sans défense Surpris Tourner en rond Troublé	Discrédité Éteint Exploité Maltraité Méprisé Mis en doute Oublié Parodié Utilisé	Hostile Irrité Mesquin Offensé Rancunier Vexé Vindicatif		Perdre la face
Faible	Agréable Bien Content	Aimable Amical Doux Familier Favorable Gentil Positif	Abattu Déçu Mécontent Se sentir mal	Affaibli Approxi-matif Incertain Manquer d'assurance Manquer de confiance Ne pas être sûr de soi	Agité Contrarié Embarrassé Froussard Gêné Hésitant Manquer d'assurance Ne pas être sûr de soi Pas tranquille Peu convaincu Timide	Ennuyé Gêné Incertain Inconfor-table Indécis Mal à l'aise	Déprécié Minimisé Négligé Oublié Tenu pour acquis	Chagriné Dérangé Embêté Énervé Fâché Fermé Impatient Intolérant Perturbé Tendu	Insociable Peu de contacts Solitaire	À regret Bévue Embarrassé Erroné Fautif Gaffer Respon-sable Se repentir

Source : Adapté de Gazda et autres (1982) et de Hammond et autres (2002).

Les émotions sont complexes, et les messages du patient comportent souvent plus d'une émotion. Rappelons que le vocabulaire des émotions et des sentiments est un outil de base: grâce à lui, le médecin pourra chercher à découvrir s'il n'existe pas d'autres termes pour décrire plus précisément telle émotion vécue par tel patient. Cette recherche du mot juste peut aider le patient à préciser pour lui-même la nature de ses propres émotions. En général, les patients ressentent des difficultés à communiquer leurs émotions, souvent parce qu'ils ne savent pas les reconnaître et les nommer. Par ce travail d'étiquetage, le médecin et le patient pourraient comprendre la nature des émotions qui sont en jeu et leur rôle.

Par ailleurs, le médecin doit se rappeler que le patient utilise généralement des allusions, plutôt que des termes, pour décrire ses émotions, et qu'il le fait souvent par le biais d'une narration. Pour discerner les émotions, le médecin peut se poser des questions, telles que « Qu'est-ce que le patient ressent à propos de ses motifs de consultation ? » ou « Qu'est-ce que je ressentirais dans la même situation ? » Ainsi, l'expérience personnelle du médecin peut l'aider à percevoir les émotions de son patient.

La gestion des émotions pendant la consultation

Le contexte de la consultation

Dans une consultation médicale, chaque interlocuteur a, pour ainsi dire, une position prédéterminée par la situation elle-même. En effet, le patient cherche de l'aide, et le médecin est un professionnel qui possède les compétences pour lui offrir cette aide. Par ailleurs, le patient et le médecin sont dans des états d'âme fort différents. L'état d'âme du médecin a tendance à être plutôt neutre (enfin, pas tout à fait, puisqu'il peut être fatigué, irrité, ennuyé, etc.), et l'examen d'un nouveau patient fait partie d'un travail de routine. Le patient, lui, est dans une tout autre situation, nouvelle et incertaine, et il est susceptible d'être inquiet, ou même angoissé. Le médecin ne doit pas faire abstraction de ces différences qui le séparent du patient (Korsch et Harding, 1997). L'entretien avec le patient ne comporte pas que des questions et des réponses. Certes, l'entretien fournit au médecin des données utiles pour établir le diagnostic et le traitement, mais il lui est aussi utile pour soutenir le patient et le motiver à entreprendre une démarche de soins[3].

En cas de maladie grave et de longue durée, le médecin doit souvent faire face à des réactions émotionnelles, telles que la perte de l'estime de soi, le sentiment de dépendance, l'anxiété, la dépression ou les attitudes d'hostilité et d'agressivité. Une maladie grave et longue influence l'image que le patient a de son corps. Les changements morphologiques qu'un individu subit dans ses organes ou dans d'autres parties de son corps suscitent habituellement de fortes réactions émotives (Purtilo et Haddad, 2002).

Par ailleurs, les réactions émotionnelles d'un individu dépendent également des représentations qu'il a de sa maladie et de l'idée qu'il se fait de la santé[4]. Malheureusement, l'attitude de certains médecins n'est pas étrangère à l'apparition de réactions émotionnelles. En effet, à cause d'une approche *technique* du problème, les discussions avec le médecin créent souvent un état d'anxiété chez le patient.

Reconnaître et nommer les émotions

L'anxiété, la colère et la tristesse sont des réactions habituelles chez le patient qui doit faire face à une maladie grave ou chronique. Ces émotions peuvent revêtir un caractère exagéré ou anormal, ce qui peut rendre la communication médecin-patient plus difficile et moins efficace. S'il est vrai que le médecin a parfois affaire à une personne irascible, revendicatrice, impatiente, qui aborde habituellement la vie de cette manière, il faut dire que, pour la plupart des patients, cet état particulier est plutôt associé à la situation, et est par conséquent temporaire. L'attitude la plus appropriée – et aussi la plus fructueuse – est de considérer que les réactions du patient sont liées à son état de santé du moment plutôt qu'à un trait de sa personnalité.

Si rien ne va plus et que le médecin se retrouve face à une situation de crise émotionnelle, il vaut mieux pour lui aborder cette dimension que la balayer sous le tapis. En demeurant sensible aux indices de charge affective pour en tenir compte au fur et à mesure qu'ils se manifestent, le médecin parviendra souvent à calmer le jeu, à éviter les tensions ou à désamorcer une escalade de ces tensions, ce qui ne pourra qu'améliorer le climat de l'entrevue.

Le petit aide-mémoire qui suit peut venir à la rescousse du médecin qui se trouve aux prises avec une communication difficile.

1. Porter attention aux indices paralinguistiques et non verbaux. Exemples : l'intonation, le débit, la posture.
2. Porter attention aux indices interactifs. Exemple : non-réponse aux questions.
3. Porter attention aux indices liés au contenu. Exemple : les antécédents médicaux.
4. Ne pas attribuer d'emblée les réactions émotives à la personnalité du patient, mais plutôt à la difficulté de la situation qu'il vit.

Les émotions sont souvent véhiculées par des indices mineurs et niables, plutôt qu'exprimées explicitement.

LE NURS

Smith (1996) a défini une stratégie communicationnelle pour guider le médecin dans ses interventions à l'occasion de situations comportant une charge affective. Il a nommé sa technique NURS, un acronyme anglais qui évoque le travail de l'infirmière (*nurse*) : ***name***, ***understand***, ***respect***, ***support***, c'est-à-dire nommer l'émotion exprimée par le patient, comprendre ou normaliser son expérience vécue, respecter ou reconnaître explicitement les difficultés du patient et le soutenir.

Nommer l'émotion du patient. Le médecin cherche à préciser la nature de l'émotion du patient. Le vocabulaire des émotions (voir le tableau 9.2 et la figure 9.2) peut l'aider à y arriver. Ce genre de répertoire s'avère utile au médecin pour accoler une étiquette appropriée à l'émotion exprimée par le patient. Comme les termes y sont regroupés en fonction de l'intensité de l'émotion, le médecin peut atténuer au besoin la force de cet étiquetage, en parlant au patient, par exemple, de son *irritation* plutôt que de sa *colère*. En fait, dans les cas d'émotions difficilement acceptables comme la colère, il est proposé au médecin de toujours nommer l'émotion avec un degré d'intensité moindre que ce qu'il observe. Une telle stratégie permet au patient de reconnaître plus facilement l'émotion sans perdre la face pour autant.

Comprendre le patient. Une fois l'émotion reconnue et nommée correctement, le médecin peut exprimer la compréhension qu'il en a et ainsi la légitimer (Smith, 1996).

Respecter les difficultés du patient. Au-delà du simple respect, cette étape renvoie aux mots d'encouragement du médecin. Ainsi, pour reconnaître explicitement les forces du patient, le médecin pourrait dire : « Je sais qu'avec les ressources que vous avez, vous allez réussir à surmonter cette difficulté. » Nous verrons plus loin que le respect peut être traité de façon plus large.

Soutenir le patient. Le médecin doit offrir son soutien au patient et l'assurer de sa collaboration dans la recherche de solutions au problème, ou simplement lui offrir de l'*accompagner.*

Voyons maintenant en détail certaines stratégies proposées par Smith pour gérer l'expression des émotions en consultation.

Faire preuve de respect

Tous s'entendent sur l'importance du respect dans une relation professionnelle. Le respect signifie qu'on accorde de la valeur au patient en tant qu'individu unique et qu'on lui reconnaît le droit d'agir selon ses croyances et de choisir ses comportements. Le respect renvoie également au fait que le médecin a le souci de préserver la dignité du patient et qu'il se préoccupe de ne pas lui faire perdre la face (Purtilo et Haddad, 2002). Tous les codes de déontologie intègrent cette dimension des soins, qui va bien au-delà de la simple politesse. Comme c'est le cas de plusieurs principes généraux, il est parfois difficile de voir comment le respect peut s'actualiser dans la relation médecin-patient. Cette section a pour objectif d'aider le médecin à passer du concept abstrait à son expression concrète, à passer de la théorie à la pratique dans ses rapports quotidiens avec ses patients.

En simplifiant, on peut dire que faire preuve de respect, c'est communiquer au patient, à la fois verbalement et non verbalement, que son individualité, ses souhaits, ses pensées et ses comportements sont pris en considération. Une interaction fondée sur le respect crée un climat propice au changement d'attitude de la part du patient. En effet, si le patient constate le respect que le médecin lui porte, il collaborera plus facilement parce qu'il percevra qu'il compte aux yeux du médecin. Le respect est un geste d'accueil de l'autre. Il devient alors difficile pour le patient de répondre à ce geste du médecin par de l'hostilité !

Le respect est intimement lié à la confiance que le patient éprouve à l'égard de son médecin. Mais cette confiance est aussi déterminée par la perception que le patient a de la compétence professionnelle du médecin et par un ensemble de facteurs qui se rapportent à l'environnement physique et organisationnel de l'endroit où se déroule l'entrevue ainsi qu'à certaines stratégies communicationnelles. Voici quelques conseils, liés à ces considérations, qui aideront le médecin à traiter avec respect ses patients.

LE LIEU DE CONSULTATION

Le respect implique d'abord un environnement de consultation agréable. Une attention particulière aux détails (exemple : la propreté des espaces accessibles à tous les patients, comme la salle d'attente et les toilettes) contribue à la perception qu'on *fait attention* aux patients (Goffman, 1988). Il y a un parallèle ici à établir avec l'accueil d'étrangers dans sa maison. L'espace réservé à la consultation doit protéger la confidentialité des rencontres, il doit être propre, rangé et exempt de toute trace de la présence des patients précédents. L'organisation spatiale du bureau et de la salle d'examen doit assurer le confort du patient. Enfin, le médecin doit réduire au maximum les interruptions et les distractions. Ce genre de détail est une autre marque de considération à l'égard de l'individu qui consulte.

LE COMPORTEMENT DU MÉDECIN

Par une attitude corporelle d'ouverture et d'attention, le médecin donne un message clair qu'il est au service du patient. Au contraire, il doit éviter certains comportements, comme regarder par la fenêtre, qui transmettent au patient un manque d'intérêt et de considération. Le simple fait de bailler, bien que ce soit souvent un signe irrépressible de fatigue, constitue un autre comportement à éviter. Enfin, certaines mimiques faciales, comme les froncements de sourcils ou les grimaces, peuvent, elles aussi, paraître un manque de respect, car le patient peut y voir une critique, une désapprobation ou un choc. Un sourire qui survient à un moment délicat ou à un moment que le patient ne juge pas propice à cette réaction peut être très vexant. Dans de tels cas, le patient pourrait ne pas se sentir pris au sérieux.

Sur le plan des échanges verbaux, le respect implique d'abord la courtoisie et l'usage des formules de politesse culturellement reconnues. Un exemple intéressant dans la langue française est l'alternative du vouvoiement (niveau de langue soutenu ou normatif) et du tutoiement (niveau familier). Dans le cadre d'une relation professionnelle, qui est par définition officielle, il est généralement préférable d'utiliser le vous; le recours au tutoiement peut susciter des ambiguïtés, particulièrement embarrassantes si un conflit éclate dans la relation médecin-patient. N'oublions pas que le vouvoiement en français est une marque de respect qui aide à maintenir la distance professionnelle nécessaire à l'accomplissement des actes médicaux. Cependant, l'usage du vouvoiement ou du tutoiement en consultation varie selon les particularités culturelles et l'âge du patient. À l'exception du Québec et des autres régions francophones au Canada, le tutoiement dans un contexte professionnel peut facilement être perçu comme une attitude infantilisante.

La volonté de comprendre son patient devrait être observable. Bien sûr, il n'est pas toujours possible pour le médecin de comprendre le patient; cependant, à l'aide de messages verbaux et non verbaux, le médecin peut montrer au patient qu'il désire le comprendre et qu'il fait tous les efforts nécessaires pour y arriver. Par exemple, il peut demander au patient de donner des précisions sur des messages qui ne lui semblent pas suffisamment clairs ou qui manquent de détails.

En général, les gens apprécient les efforts qu'on fait pour mieux les comprendre. Le comportement empathique (voir la section « Manifester de l'empathie ») apparaît d'ailleurs comme l'une des voies les plus efficaces pour transmettre sa volonté de compréhension au patient. Le médecin qui communique avec beaucoup d'empathie témoigne généralement un grand respect que le patient peut percevoir, puisqu'il ne sent aucun jugement à son égard (Suchman, Markakis, Beckman et Frankel, 1997).

Le médecin doit donc constamment garder présent à l'esprit que sa tâche consiste à *comprendre* et à *aider*, non à juger le patient ou son comportement, ce qui ne signifie pas nécessairement être d'accord avec les croyances ou les actes du patient ni les approuver. En cas de divergence de vues avec le patient, lorsqu'il considère qu'il doit donner sa propre opinion, le médecin doit la présenter pour ce qu'elle est et non comme l'expression de *la* réalité ou de *la* vérité médicale. En d'autres mots, le patient a droit à des soins même si le médecin n'est pas d'accord avec lui, du point de vue de la justesse ou de la morale de ses actes. Si le patient sollicite son avis, le médecin est évidemment libre de le lui donner, mais il est souhaitable qu'il fasse la distinction entre son rôle de soignant et son opinion personnelle. Il est par ailleurs certain que, si les problèmes sont d'ordre psychosocial et moral, cette distinction n'est pas toujours facile à maintenir, mais une attitude respectueuse implique que le médecin soit vigilant lorsqu'il entre dans des *zones grises*. Ainsi, le médecin exprime son respect par une certaine réserve ou retenue dans tout ce qui touche les dimensions non médicales de sa relation avec le patient.

Offrir son soutien

La relation de confiance qui s'établit entre le médecin et le patient se fonde aussi sur le soutien offert par le médecin[5]. En effet, le soutien que le patient perçoit l'aidera à mieux accepter les mauvaises nouvelles (Cole et Bird, 2000), à traverser les moments difficiles, et même à se porter mieux (Knapp et Daly, 2002). Soulignons que le soutien du professionnel est particulièrement stratégique (Buckman, 1996) au moment où le patient doit prendre des décisions importantes relatives à sa santé.

Le soutien qu'offre le professionnel de la santé au patient s'inscrit dans plusieurs niveaux d'organisation de la réalité, du macroscopique au microscopique. Dans le feu de l'action, le médecin a souvent tendance à oublier que le contexte dans lequel il effectue son travail clinique est porteur de sens pour le patient. Faisons donc un survol de ces niveaux.

LE NIVEAU MACROSCOPIQUE

Au niveau macroscopique, l'ensemble de l'organisation de la profession médicale a pour objectifs de soigner et de soutenir le patient. En fait, qu'il s'agisse de respect ou de soutien, le patient les percevra dès son arrivée à la clinique (ou à l'hôpital) : l'attitude accueillante du personnel, ainsi que les manifestations de son professionnalisme et de sa compétence sont déjà des marques de soutien avant même que le patient ne rencontre le médecin lui-même.

LE NIVEAU INTERMÉDIAIRE

La relation de soutien émerge aussi de la continuité dans la communication médecin-patient : c'est le niveau intermédiaire du soutien. Se soucier de quelqu'un au-delà des mots implique des gestes, une présence, des soins particuliers, etc. Par exemple, par un énoncé du type « Ensemble, vous et moi, nous traverserons cette épreuve », le professionnel s'engage explicitement (Buckman, 1996). C'est aussi le cas lorsque le médecin affirme au patient qu'il est disponible, qu'il lui consacrera le temps nécessaire, que son sort le préoccupe et qu'il fera l'impossible pour l'aider : ces propos ont trait à la nature du soutien que revêt leur relation.

LE NIVEAU MICROSCOPIQUE

Le niveau microscopique renvoie aux stratégies de communication utilisées dans le cadre d'une entrevue, au cours d'échanges verbaux limités dans le temps.

En reconnaissant les propos du patient, le professionnel lui montre qu'il leur accorde de la valeur et qu'il a bien écouté. Voici différentes stratégies en ce sens :

- Soutenir les décisions du patient valorise souvent son jugement.
- Rassurer le patient, en lui exprimant la compréhension qu'on a de ses émotions, lui confirme son droit d'avoir de telles émotions (voir la section suivante, « Rassurer »).
- Demander au patient de clarifier ce qu'il dit lui montre qu'il mérite le temps qu'on lui consacre et les efforts qu'on déploie pour le comprendre.
- Approuver ses expressions de joie et d'excitation (Billings et Stoeckle, 1999), de même que son humour, aide le patient à traverser les moments difficiles.

- Complimenter le patient le valorise, il se sent alors reconnu comme une personne à part entière.

À l'opposé, d'autres comportements, surtout s'ils sont fréquents, indiquent au patient une absence de soutien :

- Ne pas tenir compte des propos du patient lui laisse entendre que ce qu'il dit n'a pas d'importance aux yeux du médecin et, par extension, que lui-même n'a pas d'importance.
- Interrompre le patient peut lui faire croire que les propos du médecin sont plus importants que les siens.
- Donner au patient une réponse qui n'est pas en lien explicite avec ses propos peut lui faire croire que le médecin ne l'écoute pas. Il en va de même pour les réponses incomplètes et les faux-fuyants.

Il faut éviter d'être indifférent, apathique ou même neutre à l'égard du patient, en particulier quand il exprime sa douleur. Le médecin doit comprendre que le patient peut se répéter plusieurs fois à ce sujet durant la consultation. Il doit faire preuve de flexibilité et suivre le patient dans sa démarche. Buckman (1996) utilise la métaphore d'une danse avec le patient pour montrer comment il est important que le médecin fasse preuve de sensibilité.

Le patient perçoit les avis, les conseils ou les traitements comme un véritable soutien s'ils sont centrés sur lui et non sur la tâche du médecin ou la maladie. Il ne faut pas oublier qu'il s'agit de la *maladie du patient*, que c'est *lui* qui en fait l'expérience et que c'est *lui* qui en souffre. Le patient doit se reconnaître dans les propos du médecin et croire que ces propos lui sont adressés personnellement et uniquement à lui ; il doit percevoir que c'est du « sur mesure » qui lui est destiné (Knapp et Daly, 2002). En personnalisant son discours, le médecin donne au patient le sentiment d'être soutenu. Par ailleurs, le patient ressent habituellement l'approbation et la normalisation de ses propos ainsi que l'expression de sympathie ou de compassion comme des marques de soutien.

Quelle que soit la stratégie utilisée, s'il vise la réussite de son intervention, le médecin doit respecter un principe fondamental : il ne doit pas trop se précipiter, car l'expression prématurée d'un soutien, avant que le patient n'ait l'impression d'avoir pu s'exprimer pleinement, sera plutôt interprétée négativement, un peu comme si le médecin désirait se débarrasser d'une situation difficile (Knapp et Daly, 2002). Dans le même ordre d'idées, le dévoilement de soi est une stratégie que le patient perçoit comme un soutien. Cependant, comme nous le constaterons (voir la section « Se dévoiler »), certaines conditions sont nécessaires pour que le dévoilement de soi dans la relation médecin-patient soit profitable.

Rassurer

Le Petit Robert (2003) définit le mot *rassurer* ainsi : « rendre la confiance, la tranquillité d'esprit à quelqu'un ». Rassurer correspond donc à faire un geste, à donner une information qui vise à changer l'état émotif d'un individu, à dissiper les craintes et l'inquiétude. En général, lorsqu'une personne consulte un médecin, c'est qu'elle s'inquiète de son état de santé. Rassurer fait partie des stratégies que le médecin emploie couramment dans ses contacts avec ses patients. Pourtant, très peu de données empiriques existent sur le sujet, comme si la rassurance[6] était tellement évidente et naturelle qu'aucune étude n'est nécessaire pour comprendre le phénomène (Fitzpatrick, 1996).

Toutes les situations cliniques sont susceptibles de créer un malaise ou un inconfort chez le patient. Buchsbaum (1986) montre que ce genre de circonstances amène souvent le patient à échafauder des hypothèses, à se perdre en conjectures sur les causes et les conséquences des maladies qu'il soupçonne. De plus, ces réflexions s'accompagnent le plus souvent de sentiments de vulnérabilité, d'inquiétude ou d'anxiété. Pour cette raison, toute intervention du médecin visant à rassurer le patient doit, pour être efficace, aborder à la fois la dimension cognitive (ce que le patient pense) et la dimension affective (ce que le patient ressent) de l'expérience.

LES CRITÈRES D'EFFICACITÉ

Pour rassurer le patient efficacement, le médecin doit respecter quatre critères : la pertinence, la prévisibilité, le choix du moment opportun (*timing*) et le dosage. De ces principes découlent certains gestes que le médecin peut faire ; le tableau 9.3 en énumère quelques-uns.

Tableau 9.3 **Rassurer le patient efficacement**

- Obtenir suffisamment d'information sur le problème du patient.
- Préciser les idées et les craintes du patient relatives à la situation.
- Faire un examen physique du patient lorsque la nature des symptômes l'exige.
- Fonder la relation sur l'écoute attentive et le respect du patient.
- Privilégier les explications personnalisées, qui tiennent compte des inquiétudes et des croyances du patient.
- Corriger les croyances erronées du patient.
- Choisir le moment opportun pour rassurer le patient.
- Énoncer l'information de façon positive plutôt que négative.
- Vérifier régulièrement si le patient est inquiet avant de poursuivre l'entrevue.

Source : Inspiré de Silverman, Kurtz et Draper (1998), Thomas (1987), Premi, Shannon et Tougas (1997), Hewson, Kindy, Van Kirk, Gennis et Day (1996), Sapira (1972) et Cooper (1996).

La pertinence. Pour juger de la pertinence de rassurer le patient, le médecin doit d'abord évaluer son niveau d'inquiétude. Pour ce faire, il peut lui poser des questions comme « Qu'est-ce qui vous inquiète ? » ou « Avez-vous des craintes particulières ? » Si le patient ne manifeste aucune inquiétude, le médecin doit être particulièrement soucieux de ne pas en susciter ; il doit donc éviter d'alimenter le discours que le patient entretient sur les différents diagnostics plus ou moins probables qu'il envisage.

La prévisibilité. Être prévisible, c'est éviter de surprendre. La prévisibilité des paroles et des actes du médecin est rassurante pour un patient. Si le médecin s'attarde trop ou pas assez pendant l'examen, s'il pose des questions qui étonnent le patient, celui-ci cherchera à interpréter tout ce qu'il juge être des anomalies dans le comportement du médecin. Si le médecin ne donne pas d'explications sur son comportement « surprenant », alors le patient tentera d'en fournir de son propre cru.

Le choix du moment. On reconnaît deux difficultés liées au choix du moment pour rassurer. D'une part, chercher à rassurer le patient trop tôt au cours de l'entrevue diminue la crédibilité du geste et peut, contre toute attente, provoquer un effet d'éteignoir. D'autre part, tarder à rassurer peut provoquer ou accroître l'anxiété du patient, ou encore jeter le doute dans son esprit au sujet de la sincérité du médecin.

Le dosage. Le dosage renvoie à l'intensité de l'action de rassurer. Le médecin doit se préoccuper de la quantité d'information qu'il transmet au patient (« En ai-je assez fait ? Ai-je donné trop d'information ? Pas assez ? »), de même que de la qualité de cette information (« Ai-je utilisé le bon niveau de langue ? Un vocabulaire approprié ? Un langage trop technique ? Pas assez ? »). Si le dosage de l'information n'est pas adéquat, le médecin risque de ne pas rassurer le patient, ou même de l'inquiéter davantage.

À l'aide d'un cas clinique, illustrons la rassurance efficace d'un patient au cours d'une consultation.

M. Ricard, âgé de 25 ans, se présente au bureau du Dr DeVito pour connaître les résultats de tests liés à un examen de santé. Cet examen avait été prescrit à cause d'un tableau de symptômes abdominaux qui évoluaient depuis six mois et qui persistent. Lors de sa visite initiale, M. Ricard se plaignait surtout de ballonnements et de flatulences, de même que d'une alternance de diarrhée et de constipation. Il était particulièrement inquiet d'une perte de poids de sept ou huit kilos et de quelques épisodes d'incontinence fécale. Cette perte de poids et le récent décès de son père à la suite d'un cancer de la prostate lui faisaient craindre le pire.

Avant de consulter le Dr DeVito, M. Ricard avait consulté un autre médecin dans une clinique sans rendez-vous. Ce médecin lui avait dit de ne pas s'inquiéter, que ce n'était pas grave et que son intestin était probablement « nerveux ». M. Ricard n'avait pas du tout été rassuré, croyant que le médecin ne l'avait pas pris au sérieux et qu'il avait voulu dire par là que le problème était plutôt « entre ses deux oreilles ». Quelques semaines plus tard, comme les symptômes persistaient, M. Ricard avait décidé de prendre rendez-vous avec le Dr DeVito.

Le Dr DeVito avait donc prescrit un bilan de santé complet, en particulier pour déterminer la présence ou non d'une maladie inflammatoire de l'intestin. Tous les résultats sont normaux : le FSC et la sédimentation ; l'épreuve sanguine hépatique ; la fonction rénale ; le grêle, de même que le lavement baryté en double contraste).

M. Ricard rencontre donc le Dr DeVito pour la deuxième fois ; il revient pour les résultats des examens paracliniques demandés.

M. RICARD — *J'ai hâte de connaître les résultats ! Vous savez, ça a été très dur le lavement… Je ne pouvais pas garder le produit en moi, je le rejetais tout le temps. Je ne sais pas si c'était bloqué ou si c'était autre chose… Enfin, il a fallu que le médecin me donne une injection avant que je puisse subir le test.*

Par l'expression de sa hâte de connaître les résultats, le patient manifeste son inquiétude.

En rapportant un incident qui s'est produit à l'occasion du lavement baryté, il souligne l'intensité et le sérieux qu'il perçoit de sa situation. Il *dramatise* la situation, ce qui met en évidence sa douleur et l'intervention *exceptionnelle* qu'elle a nécessitée.

LE MÉDECIN — *Oui, j'y arrive, M. Ricard. Les résultats de votre lavement baryté sont normaux.*

Le médecin rassure le patient de trois manières. D'abord, il lui transmet une bonne nouvelle.

C'est un examen qui incommode beaucoup de gens, et je vois que ça a été particulièrement difficile dans votre cas.

Ensuite, il reconnaît la difficulté que le patient a vécue et lui confirme que sa réaction est fréquente et normale.

…

Le médecin radiologiste a indiqué dans son rapport qu'il y avait beaucoup de spasmes ou de contractions dans votre intestin. Ça explique pourquoi vous ne pouviez pas retenir le baryum.

...

Enfin, il lui donne une explication *dédramatisée* du blocage. Ce faisant, il indique au patient que son intestin n'est pas bloqué par une masse, comme un cancer.

M. RICARD — *Ouais, c'est une bonne nouvelle. J'étais vraiment inquiet. D'un côté, c'est certain, je suis très heureux d'apprendre que le test est normal... Mais pourquoi est-ce que je continue à avoir les mêmes problèmes?*

Le patient fait part du soulagement que la bonne nouvelle lui apporte, mais exprime aussi son désarroi, causé par l'absence d'explications à ses symptômes.

LE MÉDECIN — *En fait, j'ai une bonne idée de ce qui se passe. Vous m'avez bien expliqué vos symptômes. J'ai examiné votre abdomen: il est bien souple. Nous avons reçu les résultats des tests sanguins et les résultats de l'autre radiographie de votre petit intestin: tout est normal. Maintenant, je peux vous dire qu'il s'agit fort probablement d'un côlon irritable.*

Le médecin présente les résultats de façon positive. Il rassure le patient en lui précisant comment il a circonscrit le problème, ce qui est la première étape normale pour trouver une solution. De plus, il nomme le problème en expliquant comment il en est arrivé à ce diagnostic, ce qui augmente la crédibilité de son affirmation. Il rassure également le patient en lui fournissant l'explication de ses symptômes. Donc, même si les résultats des tests sont normaux, le médecin propose une explication au patient.

M. RICARD — *Un côlon... quoi?*

LE MÉDECIN — *Un côlon irritable, ou, si vous préférez, «nerveux». Votre gros intestin se contracte plus facilement qu'il ne le faisait avant, ce qui explique les symptômes que vous présentez depuis six mois.*

Le D[r] DeVito revient avec le concept d'«intestin nerveux» amené par le premier médecin consulté. Il se trouve sur un terrain potentiellement glissant... Cependant, le contexte est très différent. En effet, le médecin a écouté et examiné le patient, et on a procédé à des examens paracliniques. Il a préparé le terrain pour que le diagnostic soit acceptable par le patient et ne soit pas perçu comme une banalisation du problème.

Le premier médecin consulté avait tenté de rassurer prématurément le patient, sans que sa connaissance du problème ne soit perçue par le patient comme approfondie. Rassurer trop tôt un patient peut diminuer la crédibilité du geste, qui est alors perçu comme un manque de considération. En effet, le patient peut alors croire que le médecin n'est pas en mesure d'évaluer son problème adéquatement parce qu'il ne l'a pas questionné ou qu'il l'a examiné de façon expéditive.

M. RICARD — *Depuis six mois... Ouais, c'est depuis que mon père a commencé à dépérir et qu'il a été hospitalisé... Toute la période qui a précédé sa mort, ç'a été*

Le patient exprime des doutes sur l'explication. Il n'est pas encore convaincu, parce que les faits ne cadrent pas tous avec l'explication.

pas mal stressant pour moi. Mais je ne comprenais pas que ça ne se replace pas après… On aurait même dit que ça empirait !

Le médecin rassure le patient.

LE MÉDECIN — *La situation devait être pas mal inquiétante. Cette période de stress que vous avez vécue a probablement agi comme un déclencheur de votre problème actuel.*

D'une part, il lui fournit une cause, une origine, interprétable selon son vécu et qui équivaut à lui dire : « Ce n'est pas tombé du ciel. »

Cependant, même si le stress a beaucoup diminué par rapport au début, le problème est toujours présent. Votre intestin est irrité et il réagit anormalement en vous donnant des gaz, des ballonnements, des selles explosives que vous ne pouvez pas retenir et qui sont suivies de périodes où vous devenez constipé.

D'autre part, il lui explique un mécanisme de la maladie qui rend compte de l'évolution de ses symptômes.

Comme on vient de le constater avec le cas précédent, rassurer un patient est intimement lié au fait de le soigner, donc à l'ensemble de la situation de soin : la crédibilité dont jouit la profession, la qualité de la relation avec le patient et, enfin, la qualité des gestes du médecin au cours de la consultation. Si l'aspect plus macroscopique échappe en partie à la conscience du médecin, la relation avec le patient et les gestes particuliers que le médecin doit faire n'y échappent pas. C'est d'ailleurs à ce niveau plus microscopique que le choix du moment et le dosage (la bonne quantité d'information à fournir) permettent au médecin d'atteindre les meilleurs résultats.

Se dévoiler

Le dévoilement de soi est habituellement reconnu comme une stratégie de soutien. Cependant, le recours à cette stratégie exige du professionnel de la santé une bonne analyse du contexte de pratique. Évidemment, le dévoilement de soi touche plus directement le médecin qui traite des patients atteints de maladie chronique. Comme le médecin est plus susceptible de voir ces patients régulièrement et sur une longue période, la familiarité a plus de chances de s'installer.

Pour paraître amical dans une conversation sociale, il est recommandé de se dévoiler au moins autant que son interlocuteur. Cependant, il est déconseillé de trop se dévoiler et, surtout, de le faire beaucoup plus que son interlocuteur ne le fait (Marsh, 1988). Celui-ci peut alors se sentir mal à l'aise et tenter de rétablir la situation à l'aide de stratégies visant à contenir le dévoilement de son vis-à-vis. Le dévoilement de soi est l'un des marqueurs de la distance sociale qu'on veut maintenir ou non. Le fait de se dévoiler moins que son interlocuteur dans une conversation est généralement perçu par ce dernier comme l'indication d'une limite qu'on ne veut pas franchir dans la relation.

Par contre, dans le contexte habituel d'une relation établie avec un professionnel, on ne s'attend pas à ce que ce dernier se dévoile. Pour le médecin, le dévoilement de soi équivaut donc à délaisser une situation connue pour s'engager dans une situation incertaine. Or, dans certaines circonstances, il peut être souhaitable de se dévoiler à son patient.

Examinons maintenant les avantages et les désavantages du dévoilement de soi (voir le tableau 9.4).

Tableau 9.4 **Les avantages et les désavantages du dévoilement de soi**

AVANTAGES	DÉSAVANTAGES
Meilleur soutien du patient.	Extension de la relation professionnelle à une relation personnelle.
Normalisation de la situation du patient.	Risque de faire face à des demandes non directement liées à la consultation.
Encouragement pour le patient à révéler des informations qu'autrement il n'aurait pas partagées (exemple : le sentiment de détresse).	Apparition d'émotions qu'il faut gérer.
Renforcement de la motivation du patient (le médecin lui servant de modèle).	Porte ouverte à des comportements indésirables (exemple : le jeu de séduction).
Création d'un lien privilégié avec le patient.	Trop grande curiosité au sujet de la vie personnelle du médecin (ce qui peut être embarrassant ou perturber la pratique).
Établissement d'une relation de confiance mutuelle.	Risque de dépendance psychologique du patient.

LES AVANTAGES

Le principal avantage qu'a le médecin à se dévoiler au patient est la création d'une plus grande proximité avec lui, d'une plus grande sympathie et d'un climat de confiance. Le dévoilement de soi ajoute souvent de l'authenticité à l'empathie que le médecin offre au patient. De cette proximité découlent des avantages :

- Le patient pourra révéler des informations qu'il n'aurait pas partagées autrement.
- Le patient pourra se sentir motivé à poursuivre son traitement.
- En normalisant en quelque sorte la situation (un professionnel est comme tout autre individu), le médecin pourra alléger la douleur ou les inquiétudes du patient.
- Le patient pourra prendre le médecin pour modèle. Par exemple, pour encourager un patient à effectuer des changements de comportement, le médecin peut lui confier qu'il a lui-même adopté ces comportements ; il augmente ainsi sa crédibilité et son efficacité (Frank, Breyan et Elon, 2000).

LES DÉSAVANTAGES ET LES RISQUES

Quels sont les désavantages de se dévoiler à son patient ? Lorsqu'un médecin se dévoile, il franchit la frontière qui sépare sa personne de son rôle professionnel (Farber, Novack et O'Brien, 1997). Il se trouve alors à redéfinir sa relation avec le patient. Généralement, cette redéfinition va dans le sens d'une plus grande intimité et d'une connaissance mutuelle plus poussée.

Comme on se rapproche alors d'une relation d'amitié, les implications ne sont pas les mêmes qu'entre un médecin et un patient. Entre amis, on peut se faire des demandes… extraprofessionnelles. Ainsi, si l'amitié médecin-patient grandit, le jugement clinique du médecin peut en être altéré. Au cours de cette transformation de la relation, les droits et les devoirs réciproques se redéfinissent. En franchissant la frontière qui sépare l'individu du professionnel, le médecin ouvre la porte à un comportement équivalent de la part du patient. Ainsi, celui-ci pourrait demander plus de temps de consultation, manifester trop de marques d'amitié, devenir curieux au sujet de la vie personnelle du médecin, voire user de séduction (Farber et autres, 1997). À ce sujet, il est intéressant de noter ce que disent Schulte et Kay (1994) : pendant leur formation en médecine, 71 % des étudiantes et 29 % des étudiants ont été au moins une fois sollicités sexuellement par un patient, et ce sans s'être aucunement dévoilés. Ce genre de comportement risque davantage de se produire quand le médecin se dévoile, car il ouvre alors la porte à l'exploration d'aspects plus personnels.

Enfin, il arrive que le médecin se dévoile pour satisfaire ses propres besoins. Ce qui peut représenter un avantage pour le médecin constitue plutôt un désavantage pour le patient. En effet, le médecin se trouve alors à exploiter le patient. Il faut éviter un pareil comportement, car ce n'est évidemment pas le rôle du patient de soutenir le médecin (Candib, 2001).

Et, en pratique, qu'arrive-t-il quand un médecin se dévoile ? Voyons un exemple à trois scénarios, illustrant chacun une réaction différente du patient au dévoilement du médecin.

Mme Tou, une jeune femme dans la trentaine, consulte son médecin de famille pour un suivi d'asthme allergique. Son état se détériore, mais elle n'arrive pas à se défaire de son animal de compagnie, un chat. Elle se plaint d'infections à répétition des voies respiratoires supérieures qui deviennent de plus en plus difficiles à traiter. Cette situation est très embarrassante et l'ennuie beaucoup. Le médecin connaît bien cette patiente.

LE MÉDECIN — *Comment allez-vous, Madame Tou ?*

LA PATIENTE — *Hum ! Ça ne s'améliore pas vraiment. J'ai encore eu un rhume qui a duré 15 jours ! Et je tousse encore, malgré l'utilisation de ma pompe.*

LE MÉDECIN — *Je vois. Avez-vous consulté à la clinique sans rendez-vous depuis notre dernière rencontre ?*

LA PATIENTE — *Oui, j'y ai été obligée.*

Le médecin pose ensuite des questions pour préciser la nature des difficultés de la patiente.

Il conseille de nouveau à sa patiente de se séparer de son chat, mais il voit bien que la patiente est à la fois découragée par son état et incapable de prendre la décision qui s'impose.

> L'opinion du médecin est claire quant au rôle des allergènes dans la détérioration de l'asthme de sa patiente.

LE MÉDECIN — *Je vous comprends très bien, j'ai moi-même des allergies qui m'empêchent de garder un animal à la maison.*

> Le médecin parle de sa propre expérience d'une situation similaire et, ce faisant, il franchit une frontière. Le fait de partager une réalité avec sa patiente rend plus crédible sa prétention de comprendre la situation. Il offre ainsi de la sympathie à sa patiente.

Scénario 1 **Les pleurs**

La patiente — *C'est terrible, Docteur. Toute ma vie est bouleversée...* (éclatant en sanglots) *Mon chat est mon compagnon de vie!*

La nouvelle intimité avec son médecin a suscité une forte émotion chez la patiente. Des sentiments de proximité et de confiance émergent. Le fait que cette expression de sympathie de la part du médecin était soudaine et inattendue a probablement amplifié son effet.

Scénario 2 **Une intrusion dans la vie privée**

La patiente — *Ah! Vous êtes allergique aux chats, vous aussi! Est-ce que ça a été long avant que vous arriviez à prendre une décision?*

Le médecin — *Ça m'a pris environ six mois.*

La patiente — *Six mois! Occupé comme vous l'êtes, ça n'a pas dû être très drôle...*

Le médecin — *Non, en effet.*

La patiente — *Avez-vous déjà eu des crises d'asthme aussi?*

La patiente réagit comme si elle discutait avec un ami qui lui livre une information intéressante. Elle pose donc des questions sur les caractéristiques des symptômes, sur leur durée, sur les moments plus difficiles, etc. Le contexte de la relation professionnelle s'estompe.

En temps normal, un véritable ami donnerait la réplique: « Moi, la pire situation que j'ai connue, c'est quand... » Cette liberté dans l'échange d'informations intimes est l'expression d'une relation proche et de complicité.

Quand le médecin *permet* une telle situation, celle-ci peut se généraliser, s'étendre à d'autres domaines de sa vie et de celle du patient. Il peut se retrouver dans une situation très embarrassante.

Le médecin — (sans répondre à la question et après un silence) *J'aimerais maintenant qu'on revienne à votre situation...*

Il s'avère parfois difficile pour le médecin de faire comprendre à un patient aussi intrusif qu'il désire revenir à une relation professionnelle.

Scénario 3 **« Voulez-vous devenir mon ami? »**

La patiente — *Non! Je ne l'aurais pas cru. Vous avez l'air tellement en santé et en forme!*

Le médecin — *Mais c'est pourtant vrai.*

La patiente — *J'aimerais avoir votre détermination. Je suis certaine que vous avez immédiatement fait ce qu'il fallait pour votre santé, vous! Vous êtes tellement organisé...*

Dans ce scénario, l'ouverture du médecin amène la patiente à exprimer son intérêt pour lui, pour sa vie extraprofessionnelle. Si un médecin accepte de s'engager dans ce processus, la situation peut très bien déboucher sur une relation d'un autre type.

Le médecin se doit de gérer les émotions que suscite le dévoilement de soi pour que le patient, en sortant de son bureau, puisse reprendre sa journée normalement. Autrement dit, le médecin doit refermer la porte qu'il a ouverte. S'il veut transformer cette expérience intense en une expérience qui aidera le patient, il doit continuer son intervention. Aussi le médecin doit-il toujours se poser les questions suivantes *avant* de prendre le risque de provoquer des émotions vives chez ses patients :

- Mon dévoilement sera-t-il utile à mon patient ? (On ne ravive pas une douleur gratuitement.)
- Mon dévoilement est-il susceptible d'aider mon patient à guérir ?
- L'information supplémentaire que mon patient me fournira m'aidera-t-elle à l'aider ?
- Suis-je prêt à terminer ce que j'ai commencé ?

La situation peut se compliquer, par exemple dans le cas de jeux de séduction entre le médecin et le patient alors que la relation thérapeutique n'est pas terminée. Si le médecin attend pour redresser une situation qui va trop loin, le patient pourra se sentir trahi, ce qui nuira considérablement à la poursuite de la relation thérapeutique. De plus, le médecin s'expose à des plaintes et à des poursuites. Même si le médecin ne commet aucun acte répréhensible, le dévoilement de soi peut avoir des conséquences indésirables, particulièrement dans le cas d'un patient vulnérable, dans la mesure où celui-ci pourrait entretenir des idées fausses et nuisibles à l'égard du professionnel. S'en tenir à une relation professionnelle réduit le risque des demandes embarrassantes (exemple : un certificat médical de complaisance) et le risque d'avoir à apporter des correctifs à la relation, correctifs qui peuvent être difficiles à vivre par un patient vulnérable.

Avant de décider de se dévoiler, le médecin doit donc bien connaître son patient. Il est également souhaitable d'avoir un seul objectif en tête lorsqu'on se dévoile : aider le patient. Par ailleurs, il est important de juger du degré de dévoilement nécessaire. Si le médecin en fait trop, le patient pourrait avoir une réaction de retrait, jugeant les comportements de dévoilement comme inappropriés.

De plus, le dévoilement de soi peut entraîner des émotions intenses chez le patient, comme les pleurs, ou des suppositions indues. Dans de tels cas, le médecin a la responsabilité de prendre le temps et les moyens pour corriger la situation. Devant l'impossibilité de revenir à une relation professionnellement acceptable, le médecin devrait adresser le patient à un collègue.

Dès qu'il est question de se dévoiler, la prudence s'impose, car, dans le cours normal de l'exercice de sa profession, le médecin doit déjà poser des questions très personnelles et avoir des contacts physiques intimes. Ces actes lui sont permis à la seule condition que ce soit pour le bien-être du patient. Il est important que le patient interprète correctement les actes du médecin comme purement professionnels. Comme le dévoilement du médecin peut atténuer la distinction entre la personne et le professionnel, l'interprétation des actes professionnels devient aussi plus difficile et délicate. Le médecin doit donc délimiter le plus clairement possible la frontière qui le sépare de son patient. S'il y a un malaise dans la relation, c'est au médecin de prendre l'initiative de définir clairement les limites (Bradley, 1994).

Manifester de l'empathie

L'empathie est un concept très courant dans le milieu médical. Mais savons-nous exactement ce que ce terme signifie ? C'est ce que nous tenterons de clarifier en montrant les différentes formes que l'empathie peut revêtir.

L'empathie a d'abord été définie dans un contexte psychothérapeutique ; elle est censée aider l'intervenant et le patient à gérer les émotions (le plus souvent nuisibles) exprimées au cours de la consultation. L'expression des émotions non nuisibles est généralement jugée favorable, et on ne tient pas à agir sur elles.

Pour décrire l'empathie, Suchman et autres (1997) proposent les quatre dimensions affective, morale, cognitive et comportementale. La dimension *affective* renvoie à la capacité de partager les sentiments de l'autre. La dimension *morale* renvoie à la motivation de la personne empathique, dans ce cas-ci le bien de son patient. La dimension *cognitive* se rapporte à la capacité de reconnaître et de comprendre les émotions des autres. Enfin, la dimension *comportementale* renvoie à la capacité de transmettre clairement au patient cette compréhension de ses émotions. Les deux dernières dimensions (cognitive et comportementale) sont particulièrement intéressantes du point de vue clinique, car elles précisent deux compétences distinctes que le médecin doit maîtriser pour pouvoir arriver à être empathique :

- La capacité d'imaginer ce que l'autre ressent tout en ne le ressentant pas soi-même. Bien qu'il soit impossible de ressentir exactement ce que l'autre ressent, il faut s'en rapprocher le plus possible.
- La capacité d'exprimer à l'autre la compréhension qu'on a de ce qu'il ressent. La capacité de communiquer du médecin est ici déterminante.

LA DISTINCTION ENTRE L'EMPATHIE ET LA SYMPATHIE

Pour mieux comprendre ce qu'est l'empathie, il est utile de l'opposer à la sympathie (DeVito, Chassé et Vezeau, 2001). Lorsqu'on éprouve de la sympathie pour quelqu'un, on ne comprend pas nécessairement ce qu'il vit, mais on éprouve des sentiments à son égard ou à l'égard de la situation rapportée. En fait, la sympathie désigne les émotions à l'égard de l'autre. Une attitude chaleureuse est souvent associée à des mouvements de sympathie envers l'autre.

Par contre, l'empathie désigne la compréhension ou la reconstruction des émotions de l'autre. Cependant, lorsqu'on a compris ce que l'autre ressent, on n'a pas encore un comportement empathique avec lui. Pour manifester une véritable empathie à l'égard d'un patient, le médecin doit réussir à lui communiquer la compréhension qu'il a de ses émotions – et le patient doit lui confirmer le bien-fondé de cette compréhension. Du point de vue cognitif, on peut dire que le médecin a un comportement empathique s'il peut se mettre à la place du patient, s'il essaie d'adopter son cadre de référence pour reconstruire ce qu'il comprend et imaginer les sentiments qu'il éprouve.

À l'aide d'une situation concrète, examinons la différence entre la sympathie et l'empathie.

Mme Vincent, une patiente âgée de 45 ans, rencontre son médecin de famille. Récemment séparée, elle est en instance de divorce. Le médecin a diagnostiqué chez elle un trouble d'adaptation avec humeur dépressive. Depuis quelques semaines, il la suit régulièrement, car il s'agit d'une période très difficile pour elle. Nous les retrouvons au moment d'une consultation de suivi, alors qu'elle vient de lui confier à quel point elle est en colère contre son ex-mari.

Scénario 1 **La sympathie**

LA PATIENTE — *Je ne sais plus quoi penser. Je ne comprends pas pourquoi il me fait vivre ça ! Ce n'est pas correct de sa part ! Il n'a pas le droit de me faire ça après tout ce que j'ai donné dans cette relation !*

Le médecin manifeste de la *sympathie* à sa patiente au sujet de la situation rapportée. Il prend position en indiquant qu'il partage l'indignation de la patiente et que sa colère est justifiée.

LE MÉDECIN — *En effet, ça n'a pas de bon sens ! Il exagère !*

Scénario 2 **L'empathie**

LA PATIENTE — *Je ne sais plus quoi penser. Je ne comprends pas pourquoi il me fait vivre ça ! Ce n'est pas correct de sa part ! Il n'a pas le droit de me faire ça après tout ce que j'ai donné dans cette relation !*

LE MÉDECIN — *Si je vous comprends bien, vous êtes très contrariée par le comportement de votre ex-mari.*

Le médecin manifeste de l'*empathie* à sa patiente. Le médecin relève l'émotion que la patiente a exprimée et la lui reflète. Dans ce type d'énoncé, le médecin ne prend pas position. Il cherche plutôt à exprimer l'émotion qu'il perçoit chez sa patiente et à valider sa compréhension auprès de cette dernière.

LA PATIENTE — *Contrariée ? Vous pouvez le dire ! Je suis tellement en colère que je n'arrive plus à me concentrer sur mon travail !*

LES FONCTIONS DE L'EMPATHIE

Dans le cadre d'une consultation médicale, nous distinguons les fonctions de l'empathie selon deux points de vue : celui du médecin et celui du patient (voir le tableau 9.5).

Tableau 9.5 **Les fonctions de l'empathie**

LE POINT DE VUE DU MÉDECIN	LE POINT DE VUE DU PATIENT
Comprendre le patient dans les limites du possible.	Être réconforté par le fait de se sentir compris.
Offrir du soutien au patient en lui montrant qu'il mérite qu'on prenne le temps d'essayer de le comprendre.	Pouvoir réfléchir à ses émotions et les mettre en perspective en s'en distanciant.
Gérer les émotions du patient.	

L'empathie est un outil utile pour gérer les sentiments puissants comme la colère et pour éviter une *escalade émotive* durant la consultation. Du point de vue du médecin, l'objectif principal de la communication empathique est de gérer les émotions et d'amener le patient à avoir une attitude réflexive à leur égard. Du point de vue du patient, il s'agit d'abord d'obtenir le réconfort de se savoir compris. Le patient se distancie alors de lui-même et le médecin prend aussi une distance émotive par rapport à son patient.

Contrairement à ce que croient la majorité des médecins, l'empathie n'est pas un processus chaleureux. L'interprétation des émotions et leur reflet permettent au médecin de maintenir une position neutre tout en reconnaissant l'émotion du patient. Le fait que le médecin ne partage pas ouvertement l'émotion du patient a pour effet de créer une distance entre eux et, techniquement, de limiter le rapprochement. Notre réaction face à un ami qui vit les mêmes émotions que Mme Vincent serait bien différente de celle du médecin dans la situation précédente. L'empathie efficace n'implique pas pour autant une attitude générale de retrait de la part du médecin. En effet, le médecin peut mettre en pratique cette technique dans un contexte chaleureux – c'est d'ailleurs ce qui atténue la froideur apparente de l'intervention.

LES ATTITUDES ET LES COMPORTEMENTS EMPATHIQUES

DeVito et autres (2001) proposent des stratégies qui favorisent la compréhension des émotions du patient (voir le tableau 9.6). Ces stratégies constituent une *attitude* qui prédispose à l'empathie. En effet, Tate (1994) considère que l'empathie, au sens d'une *véritable compréhension* de l'autre, soit la compréhension d'un phénomène psychologique dans son ensemble, est un idéal qu'on peut difficilement atteindre dans le cadre d'une consultation médicale. Dans l'action, le médecin se contente souvent de reprendre simplement les propos du patient et de les lui refléter (Coulehan et autres, 2001 ; Coulehan, 1997). Affirmer qu'on *comprend* est exagéré, voire faux, si on ne fait que *constater* la présence d'une émotion : il s'agit ici plutôt de *reconnaître* ce dont l'autre parle. La plupart du temps, le patient réagira à l'émotion qui lui est renvoyée en apportant des précisions ou des explications. Ainsi s'engage un processus actif : d'une part, la compréhension que le médecin a des émotions du patient s'améliore ; d'autre part, le patient, en effectuant un retour sur lui-même, peut agir sur son état émotif. Même dans un tel contexte, la compréhension véritable n'est parfois atteinte qu'après des années de dialogue.

Mais est-il vraiment nécessaire d'atteindre un tel niveau de compréhension ? Dans le contexte d'une intervention médicale, n'est-il pas suffisant d'aider le patient à clarifier les émotions qu'il exprime et de l'aider à les gérer ? Pour atteindre cet objectif plus restreint, le reflet des émotions suffit : refléter les propos du patient et l'aider à clarifier les liens que lui-même propose.

L'empathie constitue donc une technique très utile. Elle est devenue, à tort, synonyme de soutien dans la relation. En fait, il s'agit d'une forme indirecte et relativement faible de soutien.

LE PROCESSUS EMPATHIQUE

Suchman et autres (1997) font remarquer que, dans la plupart des consultations médicales, le patient exprime ses émotions indirectement, en donnant seulement des indices. Nous avons déjà parlé de ces indices plus haut dans le texte. Pour être empathique, il faut d'abord dégager l'émotion qu'expriment les indices. Cependant, le médecin peut décider de ne pas explorer tous les indices qu'il observe et, même dans le cas où le patient

Tableau 9.6 **Pour mieux comprendre les émotions du patient**

LES STRATÉGIES GÉNÉRALES RECOMMANDÉES	LES OBJECTIFS
Rester calme et adopter un point de vue neutre.	Garder un mode réceptif : dire au patient qu'on est prêt à recevoir ses propos.
Éviter d'évaluer les comportements du patient.	Ne pas confondre son propre point de vue avec celui du patient. L'évaluation du propos est une critique : perçue comme favorable, elle amène le patient à continuer de se dévoiler ; perçue comme défavorable, elle l'amène à se justifier et à se défendre. Dans un contexte d'autorité, l'évaluation mène à un retrait (la personne se tait). Comme le médecin ne peut être certain de l'interprétation des propos, il est préférable qu'il évite les évaluations s'il désire que l'autre continue de se dévoiler. L'évaluation est aussi une tentative, volontaire ou non, d'influencer le comportement, ce qui dans certaines circonstances peut être souhaitable.
Éviter de transformer volontairement ce que dit le patient et vérifier si on a bien compris ce qu'il dit. Garder présent à l'esprit qu'on ajoute ou enlève toujours quelque chose au message du patient.	Rester le plus près possible de la réalité du patient.
Tenter d'avoir le maximum de renseignements sur le patient : ce qu'il ressent, ses antécédents, son vécu, etc.	Reconstruire le plus fidèlement possible ce que ressent le patient.

Source : Adapté de DeVito et autres (2001).

exprime clairement une émotion, le médecin a à décider s'il désire poursuivre la piste émotive ou non. S'il le fait, alors on peut parler du *début* d'un processus (ou cycle) empathique (Barret-Lennard, 1981). En effet, l'empathie s'étend sur plusieurs rencontres, et elle varie dans son expression.

La première étape

Du point de vue communicationnel, l'expression de l'empathie en consultation se résume au *reflet empathique*. La figure 9.3 illustre le processus empathique, que l'émotion soit exprimée explicitement (A) ou indirectement (B). Dans les deux cas, le médecin peut décider d'y donner suite ou non : c'est ce qu'on appelle une *occasion d'empathie* (A) ou une *occasion potentielle d'empathie* (B). Si le médecin ne veut pas s'avancer sur ce terrain, il change de sujet, par exemple en posant une question sur les symptômes : il *bloque* le processus empathique. Toutefois, si le patient insiste pour parler de son émotion, le médecin serait avisé de l'accueillir, car cette insistance peut signaler une urgence. N'oublions pas que l'émotion peut perturber l'efficacité du transfert d'information : si le patient persiste à vouloir parler de ses émotions, il vaut souvent mieux accepter de rester dans le registre affectif pour pouvoir revenir aux aspects cognitifs par la suite.

Il faut surtout retenir que le processus empathique repose sur la reconnaissance d'une émotion (souvent négative) exprimée par le patient. Si le médecin décide de s'engager avec son patient sur le terrain émotif, la première étape consiste simplement à mieux nommer l'émotion. Nous avons souligné plus haut que le vocabulaire utilisé par le médecin pour parler des émotions est plutôt pauvre ; il faut donc prêter une grande attention à cette étape, car les mots très courants sont imprécis et désignent facilement une réalité fort différente selon les individus. Ensuite, si à la fois le médecin et le patient s'engagent dans un entretien sur les émotions, le dialogue visera à clarifier et à nuancer ces dernières.

Figure 9.3 **Le processus empathique**

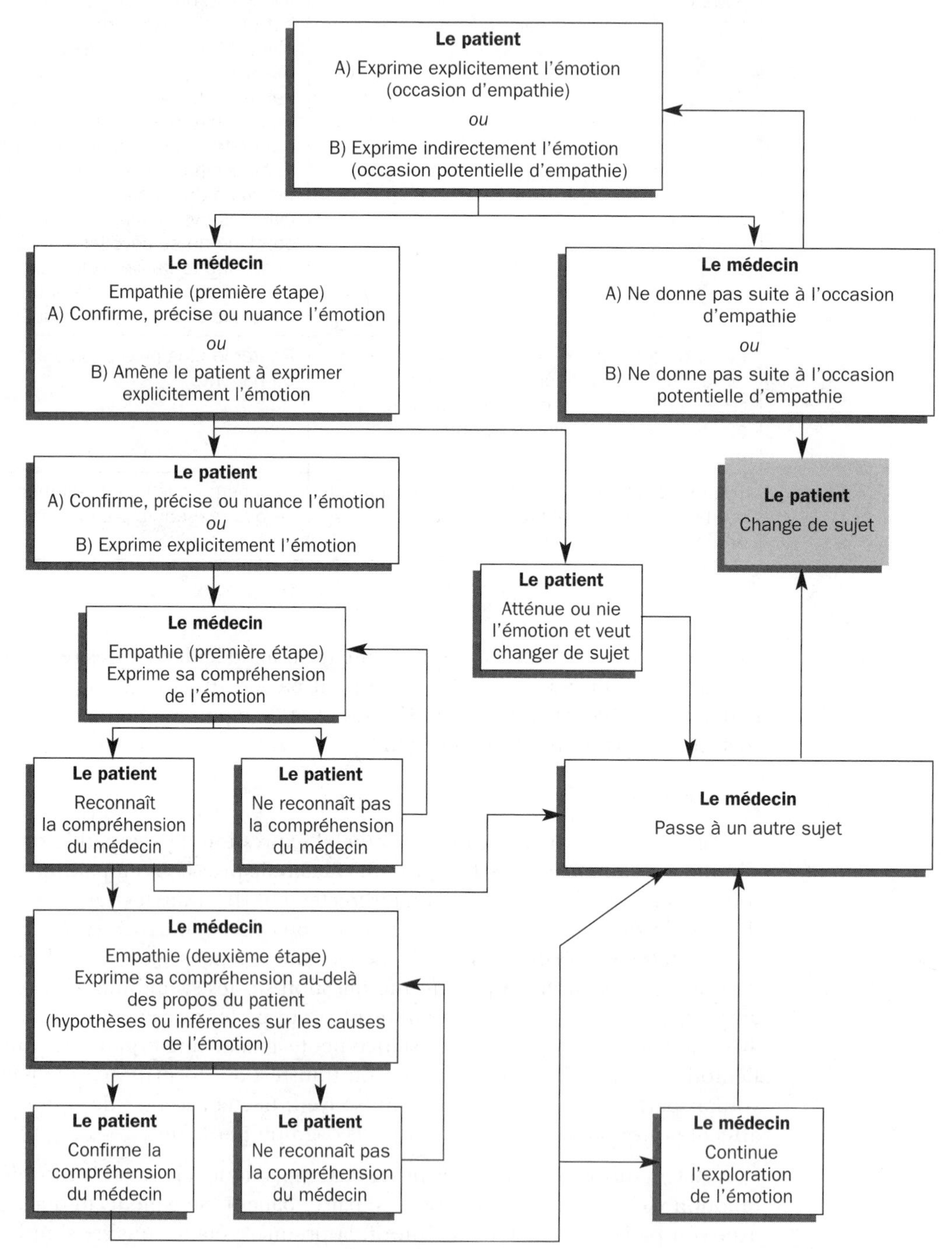

En nommant l'émotion, le médecin indique au patient qu'il l'a compris et vérifie auprès de lui s'il l'a *bien* compris. Le médecin peut alors se contenter d'utiliser une forme d'empathie que Hammond et autres (2002) nomment *empathie réciproque*: le médecin ne fait que refléter le contenu émotif des propos du patient, mais il ne va pas plus loin que la surface du discours du patient. On amorce l'empathie réciproque à l'aide de phrases assez typiques:

- « Ce que vous dites, c'est que... »
- « Si je vous comprends bien, vous... »
- « C'est comme si vous disiez que... »
- « Vous vous sentez... »
- « Vous sentez souvent que... »
- « Vous m'apparaissez comme... »

Illustrons ce processus d'empathie réciproque.

Un homme âgé de 29 ans consulte son médecin de famille pour des difficultés sexuelles. Nous les retrouvons au moment où le médecin le questionne sur ses relations conjugales.

LE MÉDECIN — *Comment est-ce que ça va dans votre couple?*

LE PATIENT — *En général, je dirais que ça va bien. Mais sexuellement, je ne suis pas très satisfait avec ma femme. C'est au point que, parfois, j'entretiens le fantasme de tenter l'expérience avec un homme. Peut-être que ce serait mieux! Pourtant, on se parle, ma femme et moi. Elle sait que je ne suis pas satisfait. Mais rien ne change.*

Cette expression indirecte d'émotion est une occasion potentielle d'empathie.

LE MÉDECIN — *Alors, il n'y a pas d'amélioration dans vos relations sexuelles, même si vous en parlez avec votre conjointe. Vous vous sentez tellement frustré que, par moment, vous avez des fantasmes de relations sexuelles avec un homme.*

Dans cet entretien, le médecin reflète les propos du patient, sans ajouter ni enlever de contenu à ce que dit le patient. Il verbalise l'émotion un peu différemment, tout en conservant le sens général: « pas satisfait » devient « frustré ». S'il le désire, le patient peut alors poursuivre sur le sujet.

La deuxième étape

Revenons maintenant à la figure 9.3. Si le médecin décide de poursuivre le dialogue après avoir nommé l'émotion et vérifié sa compréhension auprès du patient, il peut choisir de le faire à l'aide de ce que Hammond et autres (2002) nomment l'*empathie additive* (*additive empathy*). Il s'agit alors d'inférer les causes de l'émotion ou de suggérer des sentiments associés à ce qui est explicitement exprimé. Ici, l'intervention du médecin *complète* les propos du patient. Si celui-ci accepte de s'engager dans cette démarche, c'est alors au médecin de signaler, au moment opportun, le retour à l'entrevue médicale. On peut passer à l'empathie additive à l'aide de phrases comme les suivantes:

- « Ce que vous dites me donne à penser que... »

- « Je me demande si vous ne voulez pas dire que… »
- « Peut-être que… »
- « J'ai l'impression que… »
- « Avez-vous l'impression de… »

Reprenons l'exemple de notre jeune homme.

Après quelques rencontres, au cours desquelles le patient revient régulièrement sur l'irritation et l'insatisfaction relatives à la relation avec sa femme, le médecin commence à discerner plus de contenu dans le discours implicite.

LE PATIENT — *Oui, je trouve ça difficile. Ça sert à quoi de parler, si rien ne change ? Ça ne peut pas durer indéfiniment… J'ai des besoins, moi. Il va falloir que ça change bientôt. Et ce ne sera pas seulement des paroles…*

Le patient s'engage dans la voie de l'exploration des émotions. Il confirme sa frustration. Il signifie aussi au médecin qu'il est maintenant disposé à passer à l'acte.

LE MÉDECIN — *Dois-je comprendre que vous êtes prêt à aller chercher votre satisfaction avec un homme ? Il n'y aurait pas plus là-dedans que la simple frustration que vous vivez avec votre femme ?*

Le médecin va au-delà de ce que dit le patient et lui propose une raison sous-jacente à sa frustration : un désir homosexuel. Il en découle que ses difficultés sexuelles ne sont peut-être pas entièrement dues à sa femme et qu'il aurait sa part de responsabilité. Le patient doit faire face aux hypothèses du médecin, qui l'obligent à entamer une réflexion sur le sujet.

En soi, le reflet empathique est une forme douce de remise en question, dans la mesure où se faire renvoyer à soi-même correspond à se faire demander de justifier ses propos. Si on propose des hypothèses sur les causes ou les raisons sous-jacentes de l'émotion, la remise en question est plus sérieuse. Il n'est donc pas avisé d'utiliser cette forme d'empathie en début d'entrevue, le patient pouvant alors la ressentir comme un rejet et se sentir blessé.

LE CONTEXTE

Le recours à l'empathie est utile lorsque le médecin pense que l'émotion exprimée ou sous-entendue par le patient peut nuire à la démarche thérapeutique en influençant son comportement dans une direction inappropriée. Selon le contexte également, la pertinence de l'empathie peut varier. Ainsi, la consultation à l'urgence n'est habituellement pas le lieu idéal pour engager le patient dans une démarche réflexive sur ses émotions. Cependant, dans le cadre du suivi d'une personne atteinte d'une maladie chronique, l'exploration des émotions est particulièrement importante, puisque ce type de maladie suppose une redéfinition de l'image de soi et entraîne des conséquences importantes et à long terme sur les habitudes de vie du patient : c'est un irritant avec lequel le patient devra composer le reste de sa vie. En fonction de la relation déjà établie avec le patient, le médecin peut déjà être au fait des émotions vécues par ce dernier et décider de ne pas revenir sur le sujet. Il peut aussi avoir repéré les émotions en jeu, mais décider que le moment n'est pas encore venu de les aborder.

Rappelons enfin que si le simple reflet est plutôt ponctuel, l'empathie est au contraire un processus communicationnel qui s'étend sur plusieurs rencontres et varie dans son expression. Elle vise à clarifier et à gérer les émotions durant la consultation. Dans le vocabulaire courant, l'empathie est devenue synonyme de *soutien*. Comme nous l'avons vu, il existe d'autres formes de soutien plus directes, comme la sympathie et le dévoilement de soi. On notera que ces dernières sont déconseillées dans le cadre d'une relation psychothérapeutique. Cependant, le médecin n'étant généralement pas dans une relation de nature psychothérapeutique avec son patient, il peut donc y avoir recours.

Quelques émotions fréquentes en consultation

La colère

Faire face à la colère d'un patient peut être difficile pour le médecin, surtout lorsque cette colère est dirigée contre lui dans le cadre de la relation professionnelle. Cette émotion est souvent ressentie, et à juste titre, comme une attaque personnelle. Il n'est pas facile de prendre ses distances par rapport à la colère ou à un acte violent qui nous interpelle. S'il veut éviter une escalade ou un affrontement, le médecin doit donc prêter une attention particulière à la réponse qu'il donne au patient en colère.

Selon Platt et Gordon (1999), plusieurs réactions sont vouées à l'échec devant un patient en colère :

- Ne pas tenir compte de la colère et continuer l'entrevue comme si de rien n'était.
- Tenter d'apaiser prématurément le patient, ce qui risque de le rendre encore plus furieux.
- Se mettre soi-même en colère, ce qui risque de rendre les choses encore plus difficiles.
- Reconnaître et valider la colère trop rapidement, ce qui risque, aux yeux du patient, de la banaliser.

On peut plutôt faire « un pas de côté » : au lieu d'affronter la situation ou de battre en retraite, il est préférable d'utiliser l'empathie. En effet, l'empathie est la stratégie de choix pour gérer ou contenir la colère du patient. On reflète la situation, tout en assurant le patient de sa compréhension. Lorsque le médecin renvoie ainsi le patient à lui-même, en n'opposant pas de résistance et en n'exprimant pas d'irritation (qui pourrait être interprétée comme une attaque ou une critique implicite), le patient est susceptible de reprendre son calme. Le médecin peut alors s'informer, si ce n'est pas déjà évident, des raisons de sa colère. Si dans sa colère le patient a posé des gestes répréhensibles, le médecin peut exprimer sa compréhension, mais sans se montrer d'accord avec les agissements du patient. Quand le médecin n'est pas la source de la colère du patient, il n'est pas tenu de trouver une solution. Cependant, si c'est le cas et qu'en discutant le médecin se rend compte que l'émotion du patient est justifiée, il devrait s'excuser. Ensuite, il faut convenir de moyens pour que la situation ne se reproduise pas. Par contre, si la colère n'est pas justifiée, il faut tenter d'aider le patient à comprendre et à interpréter les événements sous un jour plus acceptable pour lui.

La tristesse et la peur

Pour gérer la tristesse et la peur du patient, Platt et Gordon (1999) proposent essentiellement la même approche que pour la colère. Ils notent que la tristesse et la peur ne sont pas des maladies et que le médecin peut atténuer ces émotions ; nous avons déjà abordé ce sujet dans la section « Rassurer ». Ces auteurs recommandent au médecin de procéder comme suit :

1. Reconnaître qu'il est en présence d'émotions puissantes.
2. Arrêter le déroulement normal de l'entrevue et déterminer plus clairement ce que ressent le patient et ce que cette émotion provoque en lui-même. Souvent, c'est la réponse qu'il donne spontanément au patient qui lui fournira les principaux indices de ce que lui-même ressent.
3. Essayer de reconnaître et de nommer les émotions que ressent le patient. Il est ensuite important que le patient confirme cette interprétation. C'est également le moment pour le médecin de déterminer les causes de ces émotions : le concernent-elles ou sont-elles indépendantes de lui ?
4. Exprimer au patient la compréhension qu'il a de ses émotions.
5. Offrir son soutien a patient.

Au-delà de l'empathie

Souffrir d'une maladie, c'est aussi souffrir dans la relation avec soi et avec les autres. La santé fait partie intégrante de l'image de soi d'un individu, de sa définition de qu'il est et de ce qu'il peut faire. L'image de soi renvoie souvent aux caractéristiques physiques, comme la beauté, la taille, la couleur des yeux, mais aussi aux autres caractéristiques individuelles, comme la résistance, la force, ou encore l'intelligence. L'état de santé est intimement lié à ces diverses composantes qui déterminent l'image de soi. Êtes-vous maladif ? souffreteux ? rachitique ? fragile ? délicat ? faible ? malingre ? pâlot ? chétif ? Si vous répondez oui à l'un de ces qualificatifs, vous venez de définir une partie importante de vous-même.

Ce rapport à soi est déterminant dans notre rapport à l'autre, et il fait partie de la définition de nos relations. Si vous vous considérez comme maladif ou l'êtes réellement, pouvez-vous être d'un soutien fiable pour vos proches ? Peuvent-ils compter sur vous ? Votre état de santé confirmera ou modifiera vos rapports à vous-même et aux autres. Si vous êtes le soutien familial, le fait de devenir malade compromet votre capacité de soutenir votre famille. Ce nouvel état compromettra votre autorité et le respect qu'on vous porte. Vous n'êtes plus capable de vous acquitter de vos devoirs et de vous comporter en adulte responsable ? Vous ressemblez alors à un enfant qui dépend de sa famille. Tous les rapports avec les membres de la famille seront donc modifiés, ainsi que votre image de vous-même.

Les conséquences de la maladie peuvent donc être considérables et affecter de multiples aspects de la vie d'un individu. Il est facile de comprendre qu'on résiste à cette redéfinition lorsqu'on devient malade. Le médecin doit se montrer sensible à cette réalité. Si la maladie est temporaire, les conséquences pourront être de courte durée. Mais si la maladie est chronique, le patient ne peut échapper à cette redéfinition. La maladie est alors lourde de sens. Le médecin doit absolument comprendre les bouleversements qu'entraîne la maladie dans la vie d'un patient, car celui-ci est susceptible de lutter pour maintenir sa définition de lui-même et l'état des rapports qu'il entretient avec les autres. C'est dans ce sens qu'il est important de comprendre la signification de la maladie pour chaque patient.

S'il est évident que le médecin ne peut pas éliminer les conséquences de la maladie sur la vie du patient, il est quand même possible de le soutenir dans ce processus de redéfinition, de lui proposer des stratégies qui faciliteront la transition d'un rôle à l'autre ou, simplement, de lui fournir d'autres interprétations qu'il pourra adopter. Le sens de la maladie (ou l'influence qu'elle exerce) qu'il faut donc rechercher est de trois ordres, soit symbolique, fonctionnel et relationnel[7].

Selon Platt et Gordon (1999), devant un patient qui éprouve des difficultés à s'adapter à une maladie chronique ou qui a vécu un événement ayant laissé des séquelles permanentes, le médecin devrait tenter de trouver des réponses aux questions suivantes :

- Comment la maladie et son traitement modifieront-ils le rôle du patient en tant qu'employé, en tant qu'époux, en tant que parent, etc. ?
- Comment la maladie et son traitement toucheront-ils ses relations familiales, amicales, professionnelles, etc. ?
- Quelles inquiétudes particulières le patient entretient-il au sujet de la maladie et de son traitement ?
- Que symbolise la maladie ou le traitement pour le patient, ou comment la maladie change-t-elle l'image que le patient a de lui-même (exemples : VIH, ITS, néoplasie pulmonaire) ?

Conclusion

Nous avons d'abord tenté de présenter une dimension importante de l'expérience humaine : les émotions. Nous avons abordé l'expression multiple des émotions, c'est-à-dire sous les formes non verbale, paralinguistique, explicite et implicite. Nous avons proposé un vocabulaire des émotions dans l'espoir de raffiner la façon dont les médecins et les patients nomment les émotions au cours des consultations.

Avant de traiter des diverses stratégies pour gérer les émotions, nous avons rappelé la distinction fondamentale qui existe entre la consultation médicale en soins de première ligne et la consultation psychologique ou psychiatrique, afin de souligner la latitude laissée au médecin dans ses rapports avec le patient.

La gestion des émotions dans le cadre d'une consultation médicale ne relève pas de la psychothérapie, bien que des rapprochements soient inévitables. L'expérience de la maladie modifie l'image de la personne et suscite beaucoup d'émotions. Trop souvent, le médecin rate l'occasion d'intervenir dans le domaine émotif parce qu'il croit, à tort, devoir maîtriser l'art de la psychothérapie pour réussir une telle intervention. Cette fausse croyance, partagée par plusieurs médecins, conduit à éviter les situations dans lesquelles les émotions sont exprimées. Or, comme nous l'avons vu dans ce chapitre, il est possible de tenir compte des émotions dans les consultations en utilisant de façon appropriée et judicieuse les stratégies communicationnelles suivantes : le respect, le soutien, le dévoilement de soi et l'empathie.

Notes

1. Des parties de ce chapitre ont déjà été publiées dans les articles suivants :
   - Lussier, M.-T., et C. Richard (1999). « Pas rassurant ce que vous dites, DOC ! », *Le médecin du Québec*, vol. 34, nº 7, p. 43-48.
   - Richard, C., et M.-T. Lussier (2002). « Le dialogue au rendez-vous. Le dévoilement de soi », *MedActuel FMC*, octobre, p. 29-31.
   - Richard, C., et M.-T. Lussier (2003). « Le dialogue au rendez-vous. L'empathie : Une technique de gestion des émotions », *MedActuel FMC*, mars, p. 38-41.
2. Pour une description complète de cette approche, lire le chapitre 6, intitulé « L'approche centrée sur le patient : diverses manières d'offrir des soins de qualité ».
3. À ce sujet, consulter les chapitres 7 et 26, intitulés respectivement « Les fonctions de l'entrevue médicale et les stratégies communicationnelles » et « L'enseignement thérapeutique et la motivation du patient ».
4. Pour en apprendre davantage sur la structure et la fonction de ces représentations mentales, lire le chapitre 4, intitulé « Les représentations profanes liées aux maladies ».
5. Voir le chapitre 2, intitulé « Les manifestations et les composantes d'une relation ».
6. En psychologie clinique et en médecine psychosomatique, on parle de rassurance (*reassurance*) pour renvoyer au fait de rassurer quelqu'un.
7. À ce sujet, consulter le chapitre 2, intitulé « Les manifestations et les composantes d'une relation ».

Références

Barret-Lennard, G.T. (1981). « The empathy cycle : Refinement of a nuclear concept », *Journal of Counseling Psychology*, vol. 28, n° 2.

Billings, J.A., et J.D. Stoeckle (1999). *The clinical encounter : A guide to the medical interview and case presentation*, 2e édition, Saint Louis (Missouri), Mosby.

Bradley, J.J. (1994). « Inappropriate personal involvement between doctors and their patients », *Journal of the Royal Society of Medicine*, vol. 87, suppl. 22, p. 40-41.

Buchsbaum, D.G. (1986). « Reassurance reconsidered », *Social Science and Medicine*, vol. 23, n° 4, p. 423-427.

Buckman, R. (1996). *"I don't know what to say…" : How to help and support someone who is dying*, 2e édition, Toronto (Ontario), Key Porter Books.

Candib, L.M. (2001). « What should physicians tell about themselves to patients ? », *American Family Physician*, vol. 63, n° 7, p. 1440-1442.

Cassell, E.J. (1985). *Talking with patients – Volume 1 : The theory of doctor patient communication*, Londres, MIT Press.

Cole, S.A., et J. Bird (2000). *The medical interview : The three-function approach*, 2e édition, Saint Louis (Missouri), Mosby.

Cooper, C. (1996). « The art of reassurance », *Australian Family Physician*, vol. 25, n° 5, p. 695 et 697-698.

Coulehan, J.L. (1997). « Being a physician », dans *Fundamentals of clinical practice : A textbook on the patient, doctor, and society*, sous la direction de M.B. Mengel et W.L. Holleman, New York, Plenum Medical Book.

Coulehan, J.L., F.W. Platt, B. Egener, R. Frankel, C.T. Lin, B. Lown et W.H. Salazar (2001). « Let me see if I have this right… : Words that help build empathy », *Annals of Internal Medicine*, vol. 135, n° 3, p. 221-227.

DeVito, J., G. Chassé et C. Vezeau (2001). *La communication interpersonnelle*, Montréal, ERPI.

Ekman, P. (1979). « About brows : Emotional and conversational signals », dans *Human ethology : Claims and limits of a new discipline – Contribution to the Colloquium*, sous la direction de M. von Cranach, K. Foppa, W. Lepenies et D. Ploog, New York, Cambridge University Press.

Farber, N.J., D.H. Novack et M.K. O'Brien (1997). « Love, boundaries, and the patient-physician relationship », *Archives of Internal Medicine*, vol. 157, n° 20, p. 2291-2294.

Fitzpatrick, R. (1996). « Telling patients there is nothing wrong », *British Medical Journal*, vol. 313, n° 7053, p. 311-312.

Frank, E., J. Breyan et L. Elon (2000). « Physician disclosure of healthy personal behaviors improves credibility and ability to motivate », *Archives of Family Medicine*, vol. 9, n° 3, p. 287-290.

Frankel, R.M. (1995). « Some answers about questions in clinical interviews », dans *The talk of the clinic : Explorations in the analysis of medical and therapeutic discourse*, sous la direction de G.H. Morris et R.J. Chenail, Hillsdale (New Jersey), Lawrence Erlbaum Associates, p. 233-257.

Gazda, G.M., W.C. Childers et R.P. Walters (1982). *Interpersonal communication : A handbook for health professionals*, Rockville (Maryland), Aspen.

Goffman, E. (1988). *Les moments et leurs hommes*, textes recueillis et présentés par Y. Winkin, Paris, Seuil.

Hammond, D.C., D.H. Hepworth et V.G. Smith (2002). *Improving therapeutic communication : A guide for developing effective techniques*, San Francisco (Californie), Jossey-Bass.

Hewson, M.G., P.J. Kindy, J. Van Kirk, V.A. Gennis et R.P. Day (1996). « Strategies for managing uncertainty and complexity », *Journal of General Internal Medicine*, vol. 11, n° 8, p. 481-485.

Iandolo, C. (1996). *Parler avec le malade : art, erreurs et techniques de la communication*, Paris, Éditions du Médecin Généraliste.

Knapp, M.L., et J.A. Daly (2002). *Handbook of interpersonal communication*, 3e édition, Thousand Oaks (Californie), Sage.

Korsch, B.M., et C. Harding (1997). *The intelligent patient's guide to the doctor-patient relationship : Learning how to talk so your doctor will listen*, Oxford (Royaume-Uni), Oxford University Press.

Lacroix, L. (2002). « Le thermomètre de la colère », *La Presse*, 26 octobre.

Le Petit Robert : dictionnaire de la langue française (2003). Paris, Le Robert.

Lussier, M.-T., et C. Richard (1999). « Pas rassurant ce que vous dites, DOC ! », *Le médecin du Québec*, vol. 34, nº 7, p. 43-48.

Marsh, P. (1988). *Eye to eye : How people interact*, Topsfield (Massachusetts), Salem House.

Mishler, E.G. (1984). *The discourse of medicine : Dialectics of medical interviews*, Norwood (New Jersey), Ablex.

Platt, F.W., et G.H. Gordon (1999). *Field guide to the difficult patient interview*, Baltimore (Maryland), Lippincott Williams & Wilkins.

Premi, J., S. Shannon et G. Tougas (1997). *Diagnosing the causes of dyspepsia, Part 1 : When is it safe to give reassurance*, Hamilton (Ontario), Practice-Based Small Group Learning Project, McMaster University.

Purtilo, R., et A. Haddad (2002). *Health professional and patient interaction*, 6e édition, Philadelphie (Pennsylvanie), W.B. Saunders.

Richard, C., et M.-T. Lussier (2002). « Le dialogue au rendez-vous. Le dévoilement de soi », *MedActuel FMC*, octobre, p. 29-31.

Richard, C., et M.-T. Lussier (2002). « Le dialogue au rendez-vous. L'empathie : Une technique de gestion des émotions », *MedActuel FMC*, mars, p. 38-41.

Rogers, C.R. (1957). « The necessary and sufficient conditions of therapeutic personality change », *Journal of Consulting Psychology*, vol. 21, n° 2, p. 95-103.

Sapira, J.D. (1972). « Reassurance therapy : What to say to symptomatic patients with benign diseases », *Annals of Internal Medicine*, vol. 77, n° 4, p. 603-604.

Schulte, H.M., et J. Kay (1994). « Medical students' perceptions of patient-initiated sexual behavior », *Academic Medicine*, vol. 69, n° 10, p. 842-846.

Silverman, J., S. Kurtz et J. Draper (1998). *Skills for communicating with patients*, Abingdon (Royaume-Uni), Radcliffe Medical Press ; en particulier le chapitre 4, « Building the relationship », p. 71-88.

Smith, R.C. (1996). *The patient's story : Integrated patient-doctor interviewing*, Boston (Maine), Little, Brown and Company.

Suchman, A.L., K. Markakis, H.B. Beckman et R. Frankel (1997). « A model of empathic communication in the medical interview », *The Journal of the American Medical Association*, vol. 277, n° 8, p. 678-682.

Szasz, T. (1978). *The myth of psychotherapy : Mental healing as religion, rhetoric, and repression*, New York, Anchor Press.

Tate, P. (1994). *The doctor's communication handbook*, Oxford (Royaume-Uni), Radcliffe Medical Press.

Thomas, K.B. (1987). « General practice consultations : Is there any point in being positive ? », *British Medical Journal*, vol. 294, n° 6581, p. 1200-1202.

Wachtel, P.L. (1993). *Therapeutic communication : Knowing what to say when*, New York, The Guilford Press.

L’annonce d’une mauvaise nouvelle

Richard Boulé
Gilles Girard

CHAPITRE 10

Parmi les tâches quotidiennes du médecin, celle d'annoncer une mauvaise nouvelle est souvent sous-estimée. En effet, pour le médecin, le fait d'annoncer une mauvaise nouvelle renvoie surtout à des situations graves, comme le cancer ou d'autres maladies mortelles, dans lesquelles il se sent limité ou impuissant à guérir et à soulager le patient.

Le niveau d'anxiété engendrée chez le médecin par l'annonce d'une mauvaise nouvelle à son patient semble lié à plusieurs facteurs : la gravité de la maladie et son caractère imprévisible ; sa propre impuissance à guérir ou à soulager le patient ; ses expériences antérieures avec le même genre de situation, tant sur le plan professionnel que sur le plan personnel. La figure 10.1, issue de nos observations cliniques, illustre l'influence des facteurs liés à l'état de santé du patient sur le niveau d'anxiété du médecin, mais elle ne tient pas compte des expériences personnelles du médecin en lien avec la situation particulière d'un patient (âge, sexe et contexte de vie du patient, ressemblances du patient avec des personnes significatives dans la vie du médecin, comme un proche ayant souffert de la même maladie, etc.).

Figure 10.1 **Les facteurs liés à l'état de santé du patient qui influencent le niveau d'anxiété du médecin au moment d'annoncer une mauvaise nouvelle**

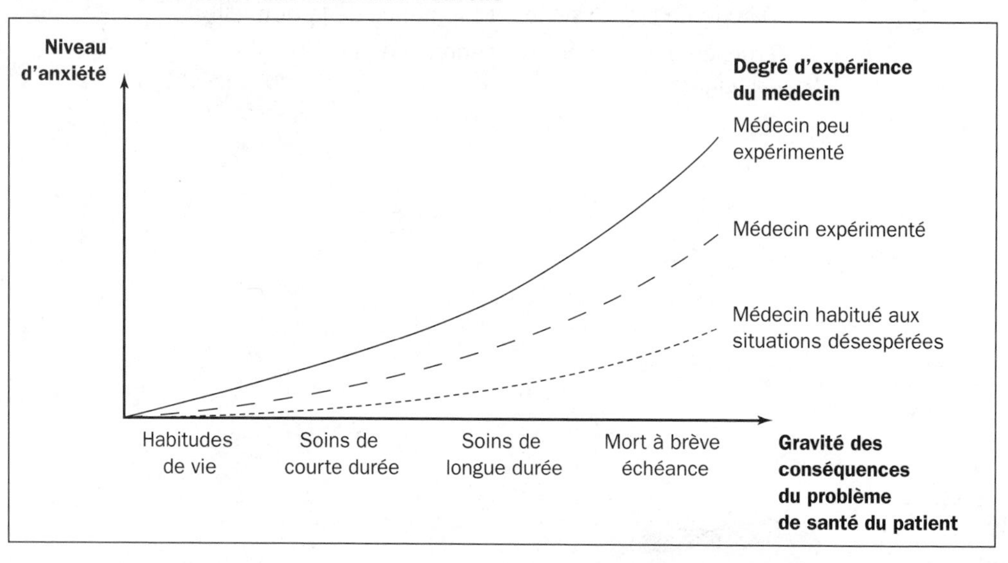

Chez le patient, une mauvaise nouvelle correspond plutôt à toute information (hypertension, dyslipidémie, etc.) qui assombrit sa perception de sa santé, qui exige un deuil relatif à sa santé ou qui modifie son image de soi. Selon Buckman, Sourkes, Lipkin et Tolle (1998), le sentiment de perte lié à une mauvaise nouvelle comporte les trois dimensions suivantes : la perte de contrôle (« mon corps ne répond plus comme avant »), l'altération de l'identité (« je ne suis plus la personne que j'étais ») et la modification des relations et des rôles (« j'ai peur de perdre ceux que j'aime et ce qui m'appartient »). Par ailleurs, la notion de ce qu'est une mauvaise nouvelle varie énormément selon la culture du patient, son expérience et son milieu de vie.

En général, le degré d'anxiété d'un patient croît avec la gravité des problèmes de santé qui altèrent, de façon soudaine et irréversible, son espérance et sa qualité de vie. Cependant, le passé d'une personne a aussi une influence sur ce niveau d'anxiété. Ainsi, une personne qui a déjà vécu, personnellement ou par l'intermédiaire d'un proche, une épreuve de la maladie, deviendra rapidement anxieuse à l'annonce d'une maladie, ou bien elle se réfugiera dans la négation ou le déni de la réalité, ce qui « gèlera » temporairement l'anxiété.

Par ailleurs, une personne qui éprouve un symptôme lui amenant une incapacité et qui doit désormais changer ses habitudes de vie maîtrisera son anxiété dans la mesure où elle acceptera la situation et pourra avoir une emprise sur elle. À l'opposé, une expérience de guérison ou de maîtrise de la maladie tend à donner espoir au patient et diminue d'autant son anxiété à l'annonce d'une nouvelle maladie. La figure 10.2, issue également de nos observations cliniques, met en évidence l'influence de l'expérience antérieure du patient sur son niveau d'anxiété engendrée par l'annonce d'une mauvaise nouvelle.

Figure 10.2 **Les facteurs liés à l'état de santé du patient qui influencent le niveau d'anxiété de ce dernier à l'annonce d'une mauvaise nouvelle**

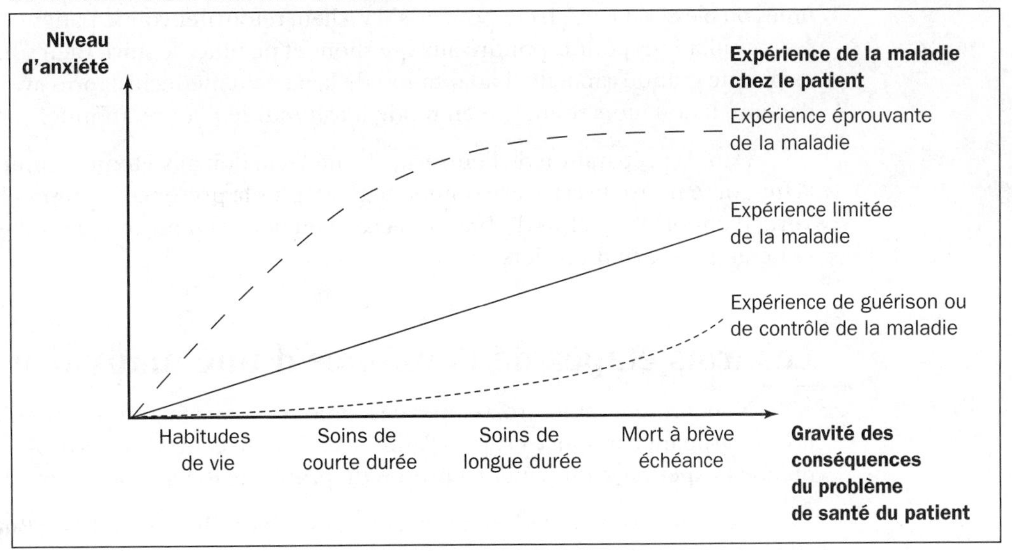

La préparation de l'entrevue

Compte tenu de leur relation étroite avec le degré d'anxiété engendrée, le genre de problème de santé et l'expérience qu'a le patient de cette maladie sont donc les paramètres de base à considérer pour préparer l'annonce d'une mauvaise nouvelle, et le médecin qui doit faire face à cette tâche se doit d'explorer ces deux dimensions (voir le tableau 10.1).

Tableau 10.1 **Deux questions que le médecin doit se poser avant d'annoncer une mauvaise nouvelle**

1. Quelle expérience mon patient a-t-il de ce problème de santé ?
2. Compte tenu de mon expérience liée à ce problème de santé et à ce patient, quels moyens concrets puis-je utiliser pour aider ce dernier à ce stade-ci de la maladie ?

Avant même de rencontrer le patient, le médecin doit d'abord faire le tour de son expertise du problème de santé et, au besoin, la consolider et consulter un collègue. Il est donc utile de prévoir les questions du patient pour en préparer les réponses possibles qui doivent, d'une part, refléter les connaissances reconnues à ce jour et, d'autre part, tenir compte de l'expérience du patient. Examiner les risques de complication et les chances de guérison fait aussi partie de cette démarche. De plus, le médecin prendra soin d'utiliser, tout au long de l'entretien, les termes simples et clairs que le patient énonce spontanément et avec lesquels il est familiarisé.

Quelles sont les autres précautions à prendre avant l'entrevue ? Le médecin doit prévoir le temps qu'il entend consacrer à l'entrevue. En général, de 15 à 30 minutes sont suffisantes. De plus, un endroit calme et discret où on peut s'asseoir est requis. Même en salle d'urgence, nous recommandons d'utiliser un endroit isolé, au moins par des rideaux, ou, encore mieux, une pièce dont on peut fermer la porte. Dans un contexte d'urgence, de consultation sans rendez-vous ou hospitalier, il est utile d'être assisté par un membre du personnel infirmier ou un travailleur social. Cette aide permet au médecin de procéder à l'annonce de mauvaises nouvelles tout en s'occupant d'autres situations urgentes, et d'assurer le soutien adéquat au patient concerné et à sa famille, en particulier dans des situations désastreuses, telles que les accidents de voiture graves impliquant plusieurs victimes ou blessés. Le médecin pourra, s'il y a lieu, retourner voir le patient et la famille entre ses consultations pour répondre aux questions et planifier le suivi. Bien sûr, cette démarche exige une grande capacité d'adaptation de la part du médecin : après avoir été alerte dans l'action, il doit alors se mettre en mode *attentif* sur le plan relationnel.

Dans la préparation de l'entrevue, le médecin doit aussi tenir compte du fait que plus la mauvaise nouvelle est grave pour le patient, plus la présence d'un proche s'avère nécessaire. Il importe toutefois d'obtenir l'accord du patient pour discuter de ses problèmes de santé en présence d'un tiers.

Les trois étapes de l'annonce d'une mauvaise nouvelle

Nous présentons les trois étapes de l'annonce d'une mauvaise nouvelle, soit avant l'annonce, pendant l'annonce et après l'annonce. C'est au cours de ce processus que le médecin précise l'expérience du patient à propos du problème et l'aide à intégrer la nouvelle.

Nous décrivons les tâches de chacune des étapes (Buckman, 1994 ; Buckman et autres, 1998 ; Garg, Buckman et Kason, 1997 ; Platt et Gordon, 1999 ; Silverman, Kurtz et Draper, 1999 ; Baile et autres, 1999) en nous attardant sur celles que nous jugeons les plus difficiles d'après notre expérience d'animation auprès de plusieurs centaines de cliniciens au cours de ces cinq dernières années.

Deux situations cliniques dans un contexte de soins de courte durée en première ligne illustrent nos propos. Il s'agit du même patient fictif, âgé de 35 ans et que nous appellerons Claude Dubé. Nous examinons deux pôles extrêmes de réaction : un pôle anxieux (scénario A) et un pôle où le patient est en négation (scénario B). Selon notre expérience, la plupart des patients se situent, à des degrés divers, à l'un ou l'autre de ces deux pôles.

Première étape : avant l'annonce de la nouvelle

Le contexte de la consultation est déterminant dans l'annonce d'une mauvaise nouvelle. S'agit-il d'une première rencontre ou d'une visite de suivi ? Si c'est une première rencontre, le médecin annonce un problème comme possible et décide de le confirmer à l'aide de tests. Si c'est une visite de suivi, à la suite de la réception des résultats de tests, le médecin doit annoncer une mauvaise nouvelle plus ou moins attendue par le patient. Pour jauger le niveau d'anticipation du patient, le médecin prête attention, d'une part, à la préparation du patient qui a été faite à l'entrevue précédente et, d'autre part, aux inquiétudes et aux croyances du patient par rapport à sa santé, en tenant compte du fait que ces facteurs peuvent limiter les capacités du patient à entendre et à considérer la nouvelle de façon réaliste. Plus le patient est connu du médecin, plus celui-ci peut prévoir la réaction du patient et le soutenir adéquatement. Toutefois, en présence d'un patient connu depuis longtemps, le médecin risque d'être plus touché sur le plan émotif par la condition de son patient et d'éprouver plus de peine à lui annoncer une mauvaise nouvelle.

Cette première étape comporte la maîtrise des quatre tâches présentées dans le tableau 10.2.

Tableau 10.2 **Les tâches à prévoir avant d'annoncer une mauvaise nouvelle**

- Présenter le contexte de la consultation ou faire un retour sur ce dernier selon le cas et obtenir l'accord du patient sur l'objectif de la rencontre.
- Demander au patient ce qu'il sait déjà de son problème de santé.
- S'informer de ses craintes, de ses préoccupations ou de ses croyances par rapport à sa situation actuelle et l'amener à faire la différence entre ses expériences pénibles similaires ou les expériences de ses proches et la situation actuelle.
- Demander au patient ce qu'il veut savoir par rapport à sa condition, en gardant à l'esprit ce qu'il doit connaître pour assumer les décisions immédiates nécessaires au suivi.

Pour la démonstration, nous avons choisi l'exemple d'un patient en visite de suivi et peu connu du médecin. Cette situation comporte plus d'imprévus auxquels le médecin doit s'ajuster au cours de l'entrevue. Il s'agit donc d'un patient vu brièvement la semaine précédente en service de consultation sans rendez-vous pour l'exérèse d'une verrue. On a planifié une visite de suivi en clinique pour enlever les points de suture au patient et lui annoncer les résultats de ses tests, qui sont prévus normaux. On est donc surpris d'apprendre que les résultats sont anormaux. Du fait que cette éventualité était peu probable, elle n'avait été évoquée que rapidement, comme c'est souvent le cas pour les examens de routine. Le patient a donc été peu préparé à cette possibilité.

Au début de l'entrevue, le médecin fait un retour sur le contexte de la consultation et rappelle l'objectif de la rencontre, convenu à la visite précédente. Il énonce un résumé des démarches effectuées jusqu'à maintenant par rapport au problème de santé du patient. Procéder ainsi, c'est déjà dire quelque chose au patient et préparer le terrain à l'annonce de la mauvaise nouvelle, tout en permettant au patient de bénéficier d'un court moment *tampon* pour voir venir la nouvelle. En effet, si le médecin avait une bonne nouvelle à annoncer, il l'énoncerait d'emblée : « Monsieur Dubé, vos résultats sont normaux, etc. », alors que ne pas commencer par l'annonce d'une bonne nouvelle, c'est prévenir le patient qu'un problème se pose.

Ensuite, le médecin s'informe des craintes, des préoccupations et des croyances du patient relativement aux analyses demandées, de façon à découvrir où le patient se situe par rapport à la nouvelle : s'y attend-il avec anxiété ou, au contraire, est-il fermé à cette éventualité ? À la lumière de ces deux pôles, le médecin aura avantage à explorer le vécu du patient ou de ses proches en ce qui concerne les expériences pénibles plus ou moins similaires à la mauvaise nouvelle et à amener le patient à faire la différence entre ces expériences et la situation actuelle.

Enfin, le médecin demande au patient ce qu'il veut savoir sur sa condition ou ce qu'il est prêt à entendre à ce sujet, tout en ayant à l'esprit ce que le patient a besoin de connaître pour prendre les décisions immédiates nécessaires au suivi de son problème de santé.

Cette approche est utile, surtout lorsque le patient ne se doute pas de la nouvelle ou, à l'inverse, est très anxieux et anticipe le pire. Par contre, si le médecin a pris soin, à la première rencontre, de préciser ce qu'il recherchait à l'aide des tests et de discuter avec le patient des conséquences possibles d'une mauvaise nouvelle sur sa vie, il arrive que celui-ci vienne à la visite de suivi dans le but explicite de connaître les résultats des tests. Il est alors préférable de passer outre à ces préliminaires et de procéder immédiatement à l'annonce de la mauvaise nouvelle, ce qui évite d'accroître inutilement l'anxiété du patient et d'ainsi diminuer son niveau de collaboration.

Cette première étape fait donc appel à deux capacités du médecin :

- mobiliser le patient activement dans la démarche ;
- écouter le patient et ajuster ses propos en fonction de ce que le patient sait et de ce qu'il veut savoir.

Claude Dubé, âgé de 35 ans, comptable à la Banque du Coin, se présente chez le médecin en visite de suivi avec prise en charge ultérieure. Il est marié à Cynthia et père de deux jeunes filles, Ariane, âgée de sept ans, et Stéphanie, âgée de cinq ans. Claude a reçu une promotion récemment. Son épouse et lui ont acheté cette année la maison de leurs rêves et se sentent « vivre réellement » depuis le début des classes de leurs deux filles et le retour au travail de Cynthia. Ils prévoient faire un voyage en famille à Disney World dans les prochains mois. La semaine précédente, on a enlevé une lésion à la main droite de Claude. L'analyse du pathologiste confirme qu'il s'agit d'un mélanome malin qui semble avoir été enlevé en entier. Par contre, une exérèse élargie est recommandée ainsi qu'une recherche de métastases.

Scénario A **Le patient est anxieux et anticipe le pire**

Après avoir fait asseoir Claude, le médecin note sa position avancée sur la chaise, son regard vers le bas et le fait qu'il se frotte constamment les mains. Claude est visiblement anxieux.

LE MÉDECIN — *Alors, Claude, que se passe-t-il ?*

CLAUDE DUBÉ — *Ah ! Docteur, j'ai pensé à ça toute la semaine… Je suis terriblement inquiet… Je pensais à l'analyse que vous avez demandée pour la verrue enlevée la semaine passée. J'aimerais mieux mourir que vous entendre me dire que j'ai un cancer…*

Voici trois exemples de réponses adéquates possibles :

1. Un silence accompagné d'un contact visuel, suivi d'une reformulation de la dernière phrase dans le but d'amener Claude à verbaliser sa peur du cancer.
2. Un reflet empathique, par exemple : « Vous semblez très inquiet par cette perspective », dans le but de centrer le patient sur lui-même et de lui permettre de réfléchir à voix haute sur la nature de sa crainte, son intensité, ses manifestations, etc.
3. En raison de la prédominance de la composante émotive, nous proposons une troisième possibilité, soit aider d'abord le patient à maîtriser sa peur en l'amenant à

…

se tourner vers la cause de ses craintes pour en expliquer leur origine, puis, de ce point de vue plus extérieur, l'aider ensuite à se donner des outils pour agir.

LE MÉDECIN — *Qu'est-ce qui vous amène à avoir une si grande crainte du cancer?*

Le médecin recherche donc la cause de la peur.

CLAUDE DUBÉ — *Vous savez, Docteur, mon père en est mort. Cette histoire a été un véritable cauchemar. Je ne voudrais pas que ma propre famille vive le même calvaire, c'est sûr…*

LE MÉDECIN — *Pouvez-vous me parler davantage du cancer de votre père?*

Le médecin explore la cause de la peur.

Claude devient triste.

CLAUDE DUBÉ — *Eh bien! Mon père était un gros fumeur. Un jour, atteint d'une mauvaise grippe, il s'est mis à cracher du sang. Il est allé à l'hôpital et, sur la radio, on a vu le cancer. Il a pris tous les traitements de radio et de chimio qu'on lui a proposés. Il maigrissait à vue d'œil. Il a perdu plus de 50 kilos! Il est devenu squelettique… Ses traitements le rendaient encore plus malade. Il disait souvent: « Avoir su, je me serais laissé mourir. » À la fin, il pleurait, tellement il souffrait… Je ne veux pas imposer cela à mes filles…*

LE MÉDECIN — *Je vois, Claude, que le décès de votre père a été bien pénible pour vous. L'état dans lequel il se trouvait justifie bien votre tristesse. Par contre, j'aimerais attirer votre attention sur le fait que ce ne sont pas tous les cancers qui évoluent ainsi. On peut même guérir de certains cancers.*

Ici, le médecin normalise et légitime l'émotion du patient, c'est-à-dire qu'il la présente comme appropriée à la situation décrite. Toute personne a besoin de sentir que son sentiment est reconnu par l'autre avant de passer à une autre étape.

Puis, il fait ressortir la différence entre l'expérience pénible du cancer du père et d'autres formes de cancer qui peuvent être guéries.

CLAUDE DUBÉ — *Voyons, Docteur! Êtes-vous sérieux? Moi, vous savez, je ne connais pas grand-chose aux maladies. J'ai même tendance à me tenir loin des docteurs. Vous me dites qu'il y aurait des cancers qu'on peut guérir?*

Claude démontre un regain d'espoir. Son débit verbal s'est accéléré. Il s'est redressé et regarde le médecin dans les yeux.

LE MÉDECIN — *Oui ! Et il y en d'autres qu'on peut contrôler pendant de nombreuses années. Par contre, certains sont fatals, c'est sûr.*

CLAUDE DUBÉ — *Ah ! Je ne savais pas.*

LE MÉDECIN — *Si nous revenions à votre lésion, qu'avez-vous compris jusqu'à maintenant ?*

CLAUDE DUBÉ — *Eh bien ! J'avais une verrue qui saignait lorsque je l'accrochais. Vous savez, quand on rénove une maison, c'est facile de se blesser... Ma femme m'a suggéré de faire enlever cette verrue. Vous m'avez dit que vous n'étiez pas sûr que c'était une verrue et que vous préfériez la faire analyser. C'est là que j'ai commencé à avoir peur...*

> Le moment est bien choisi pour vérifier ce que le patient comprend de son problème, car on sait très bien ce qui l'inquiète. Le médecin introduit aussi de nouvelles données dans son scénario antérieur du cancer : Claude sait maintenant qu'il existe des formes de cancers différentes de celle qui a emporté son père. Cependant, le médecin n'a pas nié le fait qu'il y avait un cancer ; le médecin attend le moment propice ou une demande explicite du patient pour le confirmer.

LE MÉDECIN — *Maintenant, comment vous sentez-vous ?*

CLAUDE DUBÉ — *J'ai encore peur... Avez-vous reçu les résultats ?*

LE MÉDECIN — *Écoutez, Claude. Oui, j'ai bien reçu les résultats : il s'agit d'une mauvaise nouvelle. Avant de vous la dire, je veux vérifier ce que vous êtes prêt à entendre.*

> Voilà le signal du moment propice : par sa question, le patient manifeste une ouverture à entendre le médecin lui livrer de l'information sur les résultats des tests.
>
> Claude montre qu'il a compris que le médecin avait une mauvaise nouvelle à lui annoncer ; il sait que si ce n'était pas le cas, le médecin l'aurait déjà rassuré. Par sa question, il indique qu'il est prêt à entendre la nouvelle. Mais en a-t-on la certitude ? Il est bon de le vérifier en précisant à Claude qu'il s'agit d'une mauvaise nouvelle. Il pourra ainsi mieux s'y préparer.

CLAUDE DUBÉ — *Eh bien ! Je pense que vous avez à m'annoncer quelque chose de grave... Est-ce une « grosse tumeur » ?*

> Claude indique ici quel vocabulaire utiliser pour lui annoncer la mauvaise nouvelle. Il s'exprime clairement, présente de bonnes ressources cognitives et privilégie un langage concret. Le médecin peut donc procéder à l'annonce elle-même.

Scénario B **Le patient ne se doute pas de la nouvelle**

Claude s'assoit, l'air détendu. Il ne se doute de rien. Il n'a pas porté attention à la demande d'analyse mentionnée par le médecin. Il se sent en bonne santé et se croit à l'abri de la maladie en raison de ses bonnes habitudes alimentaires et de son programme d'exercice régulier. Il prend donc la parole spontanément.

CLAUDE DUBÉ — *Bon ! Docteur, je ne veux pas abuser de votre temps. Je viens faire enlever mes points de suture, comme nous en avions convenu. Tout va bien. C'est bien guéri. Regardez !*

Claude pose la main à plat sur le bureau.

LE MÉDECIN — *Merci, Claude. Je regarderai ça tout à l'heure et j'enlèverai aussi les points de suture, mais d'abord il faudrait avoir une discussion. J'ai quelque chose d'important à vous dire concernant votre lésion.*

> Le médecin reporte à plus tard la demande du patient de regarder sa main. Il enchaîne avec une demande de discussion, en insistant sur son importance et en dévoilant le sujet : la lésion.

CLAUDE DUBÉ — *Ah ! De quoi s'agit-il, Docteur ? Quant à moi, tout me semble guéri… Où est le problème ?*

> Claude lui accorde le temps souhaité.

LE MÉDECIN — *Vous souvenez-vous de ce qui vous a amené à subir cette chirurgie ?*

> Le médecin invite Claude à faire un bref retour sur la rencontre précédente, pour lui rappeler sa demande d'analyse. Ce retour rend Claude actif, mais permet aussi de jauger sa compréhension.

CLAUDE DUBÉ — *Oui, c'est ma femme qui ne pouvait plus supporter de me voir saigner chaque fois que j'accrochais ma verrue. Ensuite, une croûte se formait, et toute l'histoire recommençait.*

LE MÉDECIN — *Vous souvenez-vous de ce que je vous ai dit au moment de la chirurgie ?*

CLAUDE DUBÉ — *Oui, nous avons parlé de mes vacances… Ah ! Oui ! Vous m'avez dit aussi que vous feriez analyser la verrue. Ah ! C'est donc ça qui vous inquiète ?*

> Pour l'instant, selon Claude, il s'agit uniquement de l'inquiétude du médecin au sujet de sa santé. Une fois informé, il pourra partager ou non cette inquiétude.

LE MÉDECIN — *Oui, c'est ça qui m'inquiète. En fait, les résultats de l'analyse ne décrivent pas une verrue…*

> Il est utile que le médecin endosse temporairement l'inquiétude du patient, jusqu'à ce que celui-ci accepte le diagnostic et assume sa part d'inquiétude.

CLAUDE DUBÉ — *Comment ça : « pas une verrue » ? Dans ce cas, de quoi s'agit-il ? Un cancer de la peau ?*

> On peut se demander si c'est le bon moment pour annoncer le diagnostic. En fait, bien que Claude …

…

évoque le cancer de la peau, son ton provocateur semble traduire davantage une position défensive qu'une demande réelle d'être informé.

LE MÉDECIN — *Si c'était le cas, quelle serait votre réaction ?*

Le médecin vérifie s'il s'agit d'un moment propice à l'annonce de la mauvaise nouvelle. La formulation à l'aide du *si* hypothétique évoque la probabilité du diagnostic, sans l'imposer d'emblée au patient. C'est aussi une incitation à se préparer à la mauvaise nouvelle. En entendant le *si*, un patient prêt à entendre la nouvelle dira : « Êtes-vous en train de me dire que j'ai un cancer ? » S'il n'est pas prêt à entendre la nouvelle, cela lui permettra d'exprimer les préoccupations et les émotions qui lui sont rattachées et, ainsi, de se préparer à l'entendre.

CLAUDE DUBÉ — *Je me tirerais une balle dans la tête… Non, non, Docteur ! C'est une blague, je ne ferais pas cela. Mais mon père est mort d'un cancer et j'ai trouvé l'expérience très pénible.*

Le médecin prend le temps d'écouter l'expérience de Claude, d'amener ce dernier à faire la différence entre le cancer de son père et les autres formes de cancer ; puis, il parle des possibilités de guérison, comme dans le scénario A.

La description de Claude est semblable à celle du scénario A.

— *Eh bien ! On en apprend tous les jours… Finalement, allez-vous enlever mes points ?*

Claude ne pose pas la question : « Est-ce que je suis porteur d'un cancer ? » Au contraire, il demande de nouveau l'exérèse des points de suture. Le médecin doit le ramener à son propos, qui est l'annonce d'une mauvaise nouvelle.

LE MÉDECIN — *On fera ça tout à l'heure. Êtes-vous intéressé à connaître les résultats de l'analyse ?*

Si Claude n'avait pas le cancer, le médecin le lui aurait déjà dit. Le contenu même de la conversation est, en soi, une annonce de mauvaise nouvelle.

CLAUDE DUBÉ — *Qu'est-ce qui vous inquiète tant, Docteur ? Est-ce que j'ai un cancer ?*

C'est la deuxième fois que Claude utilise le mot *cancer*. Même si le ton de ses propos demeure narquois et partiellement défensif, le moment semble propice à l'annonce, puisque le terrain est préparé : le patient veut savoir ce qui inquiète le médecin et lui pose directement la question ; le médecin lui a fait voir la différence entre la situation de son père et la sienne. Il peut donc aller plus loin, tout en retenant que Claude paraît relativement prêt à entendre la nouvelle, mais loin d'être prêt à l'accepter. Le ton défensif et le contenu de ses propos font supposer un doute qui le protège temporairement contre la mauvaise nouvelle : pour lui, à ce moment-là, ce qui inquiète le médecin n'est pas forcément *sa* réalité.

RENCONTRE DANS UN CONTEXTE D'URGENCE

Pour ce qui est de l'annonce d'une mauvaise nouvelle dans un contexte de salle d'urgence, deux situations types méritent un regard particulier: les réanimations (ACLS et ATLS[1]) et les morts subites.

Afin d'éviter à la famille une déception trop grande à l'occasion des réanimations qui échouent, plusieurs experts recommandent qu'un membre de l'équipe avise la famille toutes les 5 ou 10 minutes de l'évolution du patient. Advenant un décès, la famille aura ainsi été préparée par la transmission régulière d'informations sur l'évolution non favorable de l'état du patient. Toutefois, cette façon de faire est aussi en train de changer. Bon nombre d'équipes d'urgence acceptent maintenant qu'un membre de la famille assiste aux manœuvres et puisse communiquer aux autres ce qui a été fait dans le but de sauver le patient.

La mort subite qui survient à la suite d'un accident est une autre situation délicate: le médecin a la tâche de téléphoner à la famille. Il doit s'assurer d'appeler au bon endroit et de parler à la bonne personne. Il invitera prudemment la famille à se rendre à la salle d'urgence en précisant qu'il y a eu un accident… sans rien dire de plus. On lui posera rarement des questions: les membres de la famille se prépareront au pire. En effet, dans les cas d'accidents non mortels, le médecin ajoutera, rassurant d'emblée la famille par rapport au pire: « N'ayez crainte, sa vie n'est pas en danger. »

Deuxième étape: pendant l'annonce de la nouvelle

Pendant l'annonce de la mauvaise nouvelle, le médecin doit démontrer les compétences liées aux tâches décrites dans le tableau 10.3. Le plus grand défi de cette étape est de bien doser l'information en fonction du patient. La tentation est souvent grande de tout dire d'un coup pour se débarrasser de la « patate chaude ». Répondre aux réactions du patient s'avère aussi la tâche la plus négligée, selon Faulkner, Argent, Jones et O'Keefe (1995). En effet, les médecins perçoivent souvent la tristesse, la colère ou l'anxiété de leur patient, mais ils éprouvent une réticence à discuter de ces réactions avec lui, le plus souvent en raison de leur propre sentiment d'impuissance et de leur difficulté à gérer ces réactions (Silverman et autres, 1999). Pourtant, cette tâche peut se faire très bien en peu de temps. En effet, reconnaître avec empathie l'émotion, s'informer auprès du patient de ce qu'il trouve le

Tableau 10.3 **Les tâches à prévoir pendant l'annonce d'une mauvaise nouvelle**

- Confirmer les informations exactes que le patient connaît déjà.
- S'il y a lieu, informer le patient que la nouvelle à annoncer est plus sérieuse que ce à quoi il s'attend.
- Garder à l'esprit les messages clés à communiquer, de façon à bien doser l'information en fonction des réponses du patient, tout en prenant soin de lui transmettre cette information en bribes assimilables.
- Permettre des silences, observer et nommer les réactions du patient, inciter ce dernier à poser des questions et y répondre.
- Demander au patient de préciser ce qu'il ressent et valider ces émotions et ces sentiments de façon empathique.
- Vérifier régulièrement ce que le patient comprend et corriger au besoin sa compréhension.

plus difficile à ce moment, explorer ses stratégies de fonctionnement dans ce contexte et terminer par une formulation empathique, tout cela prendra environ cinq minutes : c'est la technique BATHE, selon Stuart et Lieberman (1993). Votre patient se sentira compris et collaborera d'autant plus facilement aux soins ainsi qu'au suivi. S'informer régulièrement de ce que le patient comprend, tant sur le plan des faits que sur le plan de leur signification, s'avère aussi une stratégie payante. Vous progressez ainsi au même rythme que le patient et vous pouvez corriger sa compréhension au besoin.

Retournons aux scénarios commentés de notre rencontre avec Claude Dubé.

Scénario A **Le patient est anxieux et anticipe le pire**

CLAUDE DUBÉ — *Euh... est-ce une grosse tumeur ?*

LE MÉDECIN — *Malheureusement, je dois dire qu'il s'agit en effet d'une grosse tumeur, mais j'aimerais vous expliquer précisément où nous en sommes.*

Claude a penché le regard vers le bas. Il est silencieux... Les larmes lui montent aux yeux.

LE MÉDECIN — (après quelques secondes de silence respectueux) *C'est un moment difficile, n'est-ce-pas ?*

CLAUDE DUBÉ — *Oh ! Excusez-moi, Docteur... Ce n'est pas facile de réaliser qu'on est fini... Je pense à ma femme et à mes deux filles... Je ne me vois pas leur dire que je suis mourant.*

> À ce moment, la tentation est forte pour le médecin de se lancer dans une explication détaillée de façon à s'assurer de bien informer le patient. Malheureusement, ce choix serait inutile, car le patient est en quelque sorte anesthésié sur le plan cognitif par son émotion et il n'entendrait pratiquement rien de ces explications. Il faut plutôt permettre un moment de silence, puis nommer et valider son émotion et donner une réponse empathique.
>
> Par la suite, on pourra progresser sur le plan cognitif.

LE MÉDECIN — *Claude, vous imaginez le pire scénario. Ce n'est pas le cas. Vous n'êtes pas mourant. Vous avez une tumeur que nous avons enlevée. Nous voulons nous assurer que toute la tumeur a été enlevée.*

> Le médecin corrige la compréhension erronée du patient, liée à ce qu'il imagine être les conséquences de sa maladie.

Souvenez-vous que je vous ai dit qu'il y a différentes sortes de cancer, dont un bon nombre qu'on peut guérir ou contrôler.

> Il est utile de répéter certaines informations qui peuvent aider à rassurer le patient.

CLAUDE DUBÉ — *Oui, je me souviens, mais moi je ne suis pas chanceux au jeu de loto... J'imagine le pire.*

LE MÉDECIN — *Puis-je vous expliquer clairement où nous en sommes dans votre situation ?*

> Le médecin s'assure de nouveau de l'accord de Claude pour aller plus loin.

CLAUDE DUBÉ — *Oui, je suis prêt.*

LE MÉDECIN — *Voilà : je vous ai enlevé une tumeur à la main ; l'analyse de cette tumeur démontre que c'est malheureusement un cancer qu'on appelle « mélanome malin ».*

Claude écoute et hoche la tête.

— (après une pause) *Ce type de cancer peut se guérir. J'ai des patients à qui on a fait le même diagnostic et qui sont guéris depuis 10 ans.*

Des pauses de quelques secondes dans l'exposé permettent à Claude d'intégrer l'information et d'y réagir, au besoin. Nous remarquons qu'en raison de son expérience de la maladie il tend à demeurer dans le pire scénario. Tout en ne niant pas cette possibilité, le médecin l'amène à considérer l'existence d'autres possibilités et, surtout, il s'assure de sa collaboration pour les étapes à venir.

CLAUDE DUBÉ — *Ah ! Oui, c'est une bonne nouvelle. Est-ce mon cas ?*

LE MÉDECIN — *Il est trop tôt pour le dire. Nous procéderons à des examens pour le savoir. Voulez-vous que je vous explique… ?*

CLAUDE DUBÉ — *Oui, bien sûr.*

LE MÉDECIN — *Que comprenez-vous jusqu'à maintenant ?*

CLAUDE DUBÉ — *Vous m'avez enlevé une verrue qui, en fait, était un mélanome malin, et on doit faire des tests pour savoir si je vais guérir ou mourir…*

LE MÉDECIN — *Les résultats des tests vont nous permettre de prévoir le meilleur choix de soins à vous donner. Notre but est de tout faire pour vous guérir. Êtes-vous d'accord ?*

CLAUDE DUBÉ — *Oui, mais je ne veux pas qu'on prolonge ma vie inutilement et souffrir comme mon père…*

LE MÉDECIN — *Claude, nous ne sommes pas dans une telle situation. Si c'était le cas, je comprendrais que vous ne vouliez pas de traitements qui vous feraient souffrir en prolongeant votre vie de quelques semaines. Si jamais nous en arrivions là, nous en discuterions. Je vous le promets. Êtes-vous d'accord ?*

Le médecin rappelle à Claude qu'il retourne dans le pire scénario, puis il le rassure en lui disant que, dans cette éventualité, il tiendrait compte de sa décision.

CLAUDE DUBÉ — *Oui…*

Scénario B **Le patient ne se doute pas de la nouvelle**

CLAUDE DUBÉ — *Serait-ce un cancer?*

LE MÉDECIN — *Eh bien! Malheureusement, Claude, je dois vous répondre que oui. Il s'agit d'un cancer de la peau.*

Claude s'agite. Il avance sur sa chaise et bouge les bras.

Le médecin attend la réaction de Claude avant d'ajouter autre chose. Celui-ci réagit très fortement à l'annonce du diagnostic. Pour lui, cette éventualité est impossible.

CLAUDE DUBÉ — *Quoi! Docteur, vous voulez dire que la verrue que vous m'avez enlevée, c'est un cancer? Vous n'êtes pas sérieux... Vous voulez me faire peur?*

LE MÉDECIN — *C'est sûr que je suis sérieux, Claude. Je ne vise pas à vous faire peur, mais on doit tenir compte des résultats obtenus.*

Claude se met à sourire, il s'assoit confortablement en croisant les bras et les jambes.

CLAUDE DUBÉ — *Vous savez, Docteur, je suis sûr qu'il y a une erreur. Si j'avais un cancer, je le saurais. J'ai assez vu mon père malade. C'est probablement les résultats du test de quelqu'un d'autre que vous avez reçus. Regardez ma main, elle est guérie. Ah! Allez-vous enlever mes points de suture?*

Claude montre sa main.

Claude refuse même de s'inquiéter, exigeant qu'on lui retire ses points et qu'on vérifie s'il s'agit bien de son dossier. On peut céder à la tentation d'imposer son expertise et forcer ainsi le patient à comprendre l'enjeu. Cette approche pourrait pousser le patient à « décrocher », il pourrait même se mettre carrément en colère. Une telle réaction pourrait avoir comme conséquence soit un retard important sur le plan de la collaboration pendant les prochaines étapes, soit une absence totale de collaboration. Or, l'objectif ultime est de conserver cette participation essentielle du patient à la poursuite des soins. Nous suggérons de considérer la démarche de vérification de Claude comme une demande de délai raisonnable pour accepter le diagnostic et non pas strictement comme un ordre adressé au médecin sur sa façon de faire.

LE MÉDECIN — *Oui, je suis d'accord avec vous, la plaie est bien guérie, mais nous devons discuter un peu plus.*

Au lieu de réagir au ton revendicatif de la demande du patient, le médecin utilise sa demande de vérification comme un moyen pour le faire progresser dans l'acceptation du diagnostic.

CLAUDE DUBÉ — *Écoutez-moi bien, Docteur. Avant d'aller plus loin, c'est vous qui allez faire quelque chose. Moi, je suis en parfaite forme, je mange de façon équilibrée, je fais de l'exercice régulièrement. Ça va bien dans ma vie. On commence à vivre plus à l'aise. N'essayez pas de me briser ça... Je suis sûr qu'ils ont mélangé les dossiers au laboratoire... J'aimerais que vous vérifiiez : je suis certain qu'il ne s'agit pas de mes résultats. De plus, même si c'était les miens, je pense que le docteur qui a étudié ça a fait une erreur. Des erreurs, ça arrive tous les jours... J'aimerais donc qu'un autre docteur regarde le prélèvement. À mon avis, si vous faites ces vérifications, vous verrez que mes résultats sont normaux. En fin de compte, allez-vous enlever mes points ?*

Claude tend la main.

LE MÉDECIN — *Claude, avant d'enlever les points de suture, je veux vous proposer une entente. Si je fais ces vérifications et que les résultats que nous avons en main s'avèrent exacts, serez-vous convaincu du diagnostic ?*

CLAUDE DUBÉ — *Écoutez, Docteur, je suis sûr qu'il y a eu erreur. Vérifiez, et on en reparlera.*

LE MÉDECIN — *Je m'engage à faire ce que vous me demandez. En contrepartie, j'aimerais savoir si vous acceptez l'idée qu'il y a une possibilité que ce soit un cancer. J'aimerais savoir si vous acceptez le fait qu'il est possible que ce ne soit pas une erreur et que le diagnostic soit exact. Qu'en pensez-vous, Claude ?*

CLAUDE DUBÉ — *Ne soyez pas inquiet, Docteur, vous verrez bien qu'il ne s'agissait que d'une verrue... Sinon, je n'aurai pas le choix...*

LE MÉDECIN — *Que voulez-vous dire ?*

CLAUDE DUBÉ — *Je n'aurai pas le choix... Je serai alors un homme fini...*

Claude rapporte ici l'expérience de son père comme dans le scénario A.

Le médecin — *Claude, ce n'est pas votre situation. Votre cancer a de bonnes chances d'être enlevé. Par contre, certains tests sont nécessaires pour préciser le diagnostic et nous éclairer sur le meilleur traitement possible.*

Le médecin corrige la compréhension erronée qu'a le patient de la situation présente, en lien avec son expérience antérieure et sa peur du pire scénario.

Claude Dubé — *Écoutez, Docteur, c'est trop loin pour moi, tout ça. Vous m'avez bouleversé avec vos scénarios de cancer. Je préfère qu'on attende les vérifications et qu'on en reparle, s'il y a lieu.*

Claude vient de franchir un grand pas. Il mentionne qu'il sera prêt à en parler s'il y a lieu. Il est plus apte à envisager la possibilité d'une mauvaise nouvelle. D'une part, il n'est pas prêt sur le plan émotif à admettre la réalité d'un cancer; d'autre part, il accepte maintenant que cette possibilité existe. Il a besoin d'un délai raisonnable pour intégrer cette mauvaise nouvelle.

RENCONTRE DANS UN CONTEXTE D'URGENCE

Dans le contexte de salle d'urgence ou de consultation sans rendez-vous, la découverte fortuite de pathologies sévères se fait alors qu'une relation médecin-patient est à peine amorcée. Ce genre de situation amène parfois le patient à ne pas vouloir connaître le diagnostic, mais il sera souvent d'accord pour mobiliser ses énergies en vue de participer à *ce qu'il faut faire* – et c'est ce qui est essentiel.

Citons l'exemple d'une patiente âgée de 70 ans, qui refusait d'entendre qu'elle avait un cancer, mais qui était prête à se faire enlever la « grosse masse » qu'elle sentait dans son ventre. Après l'intervention, elle était prête à discuter du diagnostic. En parler de façon explicite avant l'intervention l'aurait possiblement empêchée de mobiliser ses énergies pour collaborer à l'intervention. Dans ce genre de situation, il importe alors d'inscrire le plan d'action au dossier et d'en informer ses collègues qui interviendront auprès du patient; ceux-ci pourront ainsi lui offrir des occasions de discuter de sa condition au moment où il sera prêt à le faire. C'est le cas de certains patients dont la pensée concrète est très forte et qui risquent de se désorganiser en présence de réalités qu'ils perçoivent comme complexes et menaçantes.

Troisième étape : après l'annonce de la nouvelle

Au cours de cette troisième étape, le médecin doit démontrer les compétences liées aux tâches décrites dans le tableau 10.4. Après que le médecin a annoncé la nouvelle et répondu aux réactions immédiates, les deux façons reconnues comme les plus efficaces pour soutenir moralement le patient sont de l'assurer de sa disponibilité dans le suivi et de négocier un engagement mutuel selon un plan d'investigation et d'intervention par étapes (Baile et autres, 1999, 2000).

Tableau 10.4 **Tâches à prévoir après l'annonce de la nouvelle**

- Reconnaître le mode d'adaptation du patient aux situations difficiles et s'y ajuster en renforçant les éléments pertinents et en prêtant attention au soutien dont il peut bénéficier dans son entourage.
- Proposer au patient un plan d'investigation et d'intervention par étapes en lui offrant des choix et en cherchant son accord sur le suivi.
- L'assurer de notre disponibilité dans le suivi.
- Vérifier la compréhension du patient en lui demandant de faire un résumé de sa situation et de préciser les étapes du plan d'action proposé et le rôle de chacun ; avant de terminer l'entretien, vérifier si le patient a encore des questions à poser.

Scénario A **Le patient est nerveux et anticipe le pire**

LE MÉDECIN — *Claude, aimeriez-vous savoir quelles sont les prochaines étapes à franchir ?*

CLAUDE DUBÉ — *Oui, en gros…*

LE MÉDECIN — *D'abord, je procéderai à un examen médical complet. Il y aura quelques prises de sang et deux tests plus spéciaux : d'abord l'exérèse élargie pour nous assurer d'avoir tout enlevé ; puis, un deuxième test en médecine nucléaire pour nous assurer que ces mêmes cellules ne se trouvent pas ailleurs dans votre organisme.*

Il faut expliquer en détail les tests à venir.

CLAUDE DUBÉ — *Ah ! Elles peuvent voyager, ces cellules-là ? Est-ce qu'elles peuvent se rendre dans les poumons ?*

Claude reste maître de lui-même, mais il demeure anxieux. Il pense de nouveau au cancer du poumon qui a emporté son père.

Même en procédant avec doigté dans l'annonce du diagnostic et de ce qu'il faut faire, le médecin doit s'attendre à ce que le patient demeure plus ou moins anxieux ou troublé sur le plan émotif. L'objectif est d'aider le patient à dominer suffisamment ses émotions.

LE MÉDECIN — *Je constate que cette perspective vous inquiète en raison de l'histoire de votre père.*

CLAUDE DUBÉ — *Bien sûr ! Ce fut tellement éprouvant pour lui et pour moi…*

LE MÉDECIN — *En ce qui vous concerne, nous devrons attendre les résultats de toutes ces démarches pour être fixés. Le meilleur scénario est le suivant : le mélanome est tout enlevé, vous continuez votre vie normalement et nous nous voyons une fois*

Une fois les émotions validées, il est bon de ramener le patient sur le registre cognitif.

l'an pour vérifier votre peau et procéder à des examens préventifs. Selon les résultats, nous pourrons envisager d'autres scénarios de traitement.

CLAUDE DUBÉ — *Ça, ça serait une bonne nouvelle! Quand procède-t-on? Je suis d'accord pour passer les tests!*

Claude accepte de considérer la possibilité d'un scénario optimiste.

LE MÉDECIN — *Je réalise aussi que le décès de votre père a été éprouvant. Si vous le souhaitez, nous pourrons en parler davantage au cours d'une autre rencontre.*

CLAUDE DUBÉ — *Vous savez, Docteur, je n'aime pas en parler. Ça me rend trop triste.*

LE MÉDECIN — *Bon! Considérez ma proposition comme permanente, si jamais vous éprouvez le besoin d'en parler. Rappelez-vous que les possibilités de guérir ou de contrôler votre cancer sont très bonnes. Par mesure de précaution, je vous offre un suivi personnalisé sur plusieurs années.*

CLAUDE DUBÉ — *Merci, Docteur. Soyez certain que je vais collaborer au suivi.*

Claude a été capable d'entendre la mauvaise nouvelle. Il réalise qu'il y a d'autres scénarios que le pire et il est prêt à collaborer au suivi. Les objectifs du médecin sont atteints. Sur le plan émotif, bien que Claude demeure anxieux, il n'est plus dépassé par l'émotion: il se sent soutenu par les interventions à prédominance cognitive, il se sent rassuré par la chaleur du soutien indéfectible de son médecin.

LE MÉDECIN — *Claude, je vous ai annoncé votre diagnostic ainsi que les démarches à faire. Pourriez-vous me résumer ce que vous retenez de tout ça, avec les mots que vous utiliseriez pour l'expliquer à un proche?*

La vision qu'a le patient de l'avenir est-elle porteuse d'un espoir réaliste? Sans nier la maladie, il importe d'offrir chaleur et soutien, de ne pas hésiter à s'engager dans le suivi, à encourager le patient et à lui donner de l'espoir. Pour le patient, le fait d'être convaincu de faire ce qu'il faut et de savoir qu'il n'est pas seul, qu'il y a quelqu'un qui se préoccupe vraiment de lui, tout cela l'aide à guérir.

CLAUDE DUBÉ — *Justement, Docteur, je me demandais ce que j'allais dire à ma femme. Elle cherche toujours à tout savoir dans le détail. Je ne pourrai pas répondre à toutes ses questions. Ça m'embête…*

Comment le patient expliquera-t-il les choses à ses proches? Souhaite-t-il revenir voir le médecin

…

LE MÉDECIN — *Claude, je suis disposé à vous revoir en fin de journée demain, avec votre épouse. Je pourrai répondre à vos questions et aux siennes. Que retenez-vous de notre discussion d'aujourd'hui ?*

CLAUDE DUBÉ — *Bon, j'avais un cancer de la peau. On ne sait pas s'il est tout enlevé ou s'il y en a ailleurs. Je dois me faire couper le dessus de la main, passer des tests en médecine nucléaire, subir des prises de sang et un examen avec vous. Une fois tout cela fait, j'en saurai plus sur ce qu'il faut faire…*

LE MÉDECIN — *Claude, vous résumez bien l'essentiel. Je vois que cela vous inquiète avec raison. Je suis content de voir que vous n'êtes plus dans le pire scénario…*

CLAUDE DUBÉ — *Oh ! Mon inquiétude est toujours là, Docteur, mais je serai peut-être chanceux cette fois-ci !*

Claude déglutit sa salive moins péniblement… Il recommence à bouger…

LE MÉDECIN — *Je l'espère aussi. J'aimerais apporter une précision : vous dites qu'on vous coupera le dessus de la main, mais il serait plus exact de dire qu'on enlèvera un centimètre de peau autour de votre cicatrice.*

CLAUDE DUBÉ — *Ah ! Je pensais que ce serait beaucoup plus grand…*

LE MÉDECIN — *Maintenant, voici les rendez-vous pour vos tests… Claude, dans quel état retournez-vous à la maison ?*

CLAUDE DUBÉ — *Oh ! Je me sens anxieux. Ma femme sera inquiète… Je suis content de revenir vous voir demain ! Soyez sûr que je vais aller à tous mes rendez-vous.*

LE MÉDECIN — *À ce stade-ci, avez-vous des questions qui demeurent sans réponse ?*

CLAUDE DUBÉ — *Pensez-vous que je devrais continuer à travailler ?*

LE MÉDECIN — *Qu'en pensez-vous ?*

CLAUDE DUBÉ — *Eh bien, je préférerais, car j'aime mon travail.*

…

avec un ou des membres de sa famille ? Ce peut être l'occasion d'évaluer le soutien dont le patient pourra bénéficier et d'encourager ses proches à collaborer (Curtis et autres, 2001). Enfin, demander au patient de faire le résumé de sa situation et du plan d'action fournira une nouvelle occasion de souligner l'essentiel, d'en faciliter la rétention et de rectifier, au besoin, ce qui a été mal compris.

Le médecin corrige la perception erronée de Claude.

Puis, il fixe tous les rendez-vous avec Claude, lui donnant les explications nécessaires et les coordonnées des personnes ou des établissements avec lesquels il doit prendre contact.

Claude termine l'entrevue, toujours imprégné d'une certaine anxiété, mais un nouveau cadre cognitif lui permet désormais d'entrevoir des possibilités différentes de son scénario catastrophique original. Il connaît les étapes à venir et ne se sent pas abandonné, ni laissé à lui-même.

Rester à la maison risquerait de me rendre encore plus anxieux. Je préfère m'occuper…

LE MÉDECIN — *Je suis d'accord avec vous. Il n'y a pas de problème à ce que vous travailliez. La vie continue ! À demain !*

Le médecin renforce le projet de Claude de demeurer actif et de poursuivre sa vie normale.

Scénario B **Le patient ne se doute pas de la nouvelle**

CLAUDE DUBÉ — *On en reparle, s'il y a lieu…*

LE MÉDECIN — *Voilà, j'ai retiré vos points de suture. Je ferai les vérifications demandées et je pourrai vous donner la réponse dans 48 heures. Êtes-vous prêt à revenir ? Ce sera en fin de journée, après-demain.*

CLAUDE DUBÉ — *Oui, ça me convient. Vous verrez bien que c'était une verrue !*

LE MÉDECIN — *Je vous le souhaite, Claude. Par contre, selon mon expérience, je me dois de vous dire que c'est peu probable. Que comprenez-vous de votre situation jusqu'à maintenant ?*

Ici, il importe de ne pas retomber dans un dialogue de sourds. À cette fin, demander au patient ce qu'il comprend permet de l'aider à prendre une distance par rapport à sa peur.

CLAUDE DUBÉ — *Vous m'avez enlevé ma verrue, mais vous vous inquiétez de vos résultats. Vous allez vérifier et, dans deux jours, vous allez me dire qu'il y a eu erreur…*

LE MÉDECIN — *Je constate en effet qu'en ce moment c'est moi qui suis inquiet, et c'est bien comme ça. Par contre, je suis heureux de vous entendre mentionner notre rendez-vous d'après-demain. Je souhaite que vous gardiez une chose à l'esprit : si mes craintes se confirment, cela ne signifiera pas automatiquement le pire, et il y a des choses que nous pourrons faire.*

CLAUDE DUBÉ — *Je comprends. Vous savez, je ne suis pas fou, mais je commence à avoir peur. Soyez sûr que je serai là dans deux jours.*

Lorsque la pression (engendrée par l'idée d'avoir à affronter la mauvaise nouvelle immédiatement) diminue, Claude, un peu moins sur la défensive, finit par avouer sa peur.

LE MÉDECIN — *Aimeriez-vous revenir avec votre épouse ?*

CLAUDE DUBÉ — *Oui, j'apprécie votre offre. Ma femme risque de vous poser un tas de questions.*

LE MÉDECIN	*— J'y répondrai, soyez-en sûr. C'est important que nous soyons tous sur la même longueur d'onde.*
CLAUDE DUBÉ	*— Bon ! Nous nous revoyons dans deux jours.*

Dans le scénario B, Claude termine l'entrevue, partiellement irrité et inquiet. Il aura deux jours pour réfléchir et changer d'attitude. Le médecin l'a préparé à envisager la perspective d'une mauvaise nouvelle. Ce qui importe, c'est qu'une relation de coopération est amorcée (St-Arnaud, 2001). Il est probable que Claude sera anxieux à la prochaine rencontre ; dans ce cas, le travail en entrevue ressemblera au scénario A.

Conclusion

Dans ce chapitre, nous avons illustré et démontré l'importance de partir du point de vue du patient et de tenir compte de ce qu'il est prêt à entendre et à faire lorsque nous lui annonçons une mauvaise nouvelle. De plus, nous avons proposé quelques façons de répondre aux inquiétudes et aux réactions du patient dans le but de créer et maintenir une relation de coopération. Nous avons surtout distingué trois moments dans l'annonce d'une mauvaise nouvelle : avant l'annonce, pendant cette dernière et après cette dernière. Le tableau 10.5 résume les stratégies communicationnelles proposées à chacune de ces étapes.

Tableau 10.5 **Principales stratégies communicationnelles à utiliser dans l'annonce d'une mauvaise nouvelle**

AVANT L'ANNONCE DE LA NOUVELLE
• Préparer le terrain à l'annonce de la mauvaise nouvelle en vérifiant auprès du patient ce qu'il sait déjà et en lui fournissant l'information nécessaire pour anticiper cette nouvelle. • S'informer des craintes du patient, de ses préoccupations et de ses croyances par rapport à ses problèmes de santé et l'amener à faire la différence entre la situation liée à la mauvaise nouvelle et les expériences antérieures pénibles que lui-même ou l'un de ses proches a pu vivre. • Demander au patient ce qu'il veut savoir ou ce qu'il est prêt à entendre au sujet de sa condition.
PENDANT L'ANNONCE DE LA NOUVELLE
• Doser l'information en fonction des réponses du patient. • Permettre des silences, demander au patient de nommer ses sentiments et les valider auprès de lui. • Vérifier régulièrement la compréhension du patient et la corriger, au besoin.
APRÈS L'ANNONCE DE LA NOUVELLE
• Soutenir le patient de façon active et chaleureuse, et l'aider à garder espoir de façon réaliste. • L'assurer de notre disponibilité dans le suivi. • Lui proposer un plan d'intervention par étapes, partager la prise de décision avec lui et le garder informé de l'évolution du dossier, des différents traitements possibles et des risques encourus.

Dans la première étape (avant l'annonce de la nouvelle), nous avons souligné l'importance de préparer le terrain. Idéalement, cette préparation est amorcée dans des rencontres antérieures avec le patient, au moment de prescrire les tests ou les analyses de laboratoire visant à confirmer un diagnostic. Certes, les contextes de consultation en salle d'urgence et de consultation sans rendez-vous, où le médecin rencontre souvent un patient pour la première fois, rendent plus difficile et hasardeuse l'annonce d'une mauvaise nouvelle, du fait que la relation médecin-patient est à peine établie. Il est alors souhaitable de se limiter, dans la mesure du possible, au strict nécessaire dans l'immédiat (exemple : annoncer le risque de résultats anormaux) et de préparer ainsi le terrain à la poursuite de l'annonce dans des visites de suivi. Plus le patient est anxieux dès le départ, plus il importe de comprendre les sources de cette anxiété, d'explorer, au moins brièvement, ses expériences antérieures pénibles en lien avec sa condition et de faire les distinctions qui s'imposent pour centrer le patient sur sa situation actuelle. Son anxiété diminue alors de façon significative et il devient mieux préparé à entendre la mauvaise nouvelle.

Dans la deuxième étape (pendant l'annonce de la nouvelle), le médecin transmettra l'information au patient par portions assimilables par ce dernier, tout en prêtant attention à ses émotions et à sa compréhension. Selon ses ressources, son contexte de vie et les circonstances prévues ou imprévues de la nouvelle, le patient aura tendance à se protéger, soit en anticipant le pire scénario, soit en niant une partie de la réalité. Plus le médecin sera ouvert aux réactions du patient, plus il légitimera les émotions de ce dernier en fonction de ce qui les provoque, et plus il corrigera graduellement la compréhension du patient, plus celui-ci pourra faire face à la mauvaise nouvelle tout en gardant le contrôle de ses émotions.

Dans la troisième étape (après l'annonce de la nouvelle), le médecin veillera à soutenir le patient activement et chaleureusement, et à entretenir son espoir de façon réaliste malgré la mauvaise nouvelle. Assurer le patient de notre disponibilité dans le suivi, négocier avec lui un plan d'intervention par étapes et prêter attention à partager les décisions avec lui, voilà autant de stratégies qui aideront le patient à endosser la mauvaise nouvelle et à prendre en charge son avenir.

Idéalement, l'entrevue décrite dans ce chapitre est comprise dans un processus relationnel et la préparation à l'éventualité de la mauvaise nouvelle est faite pendant des entretiens antérieurs ; de plus, toujours idéalement, le médecin assure un suivi pour soutenir son patient et l'aider à s'adapter à la nouvelle.

Note

1. ACLS est l'abréviation de *advanced cardiac life support*: « technique spécialisée de réanimation cardio-respiratoire ». ATLS est l'abréviation de *advanced trauma life support*: « technique spécialisée de maintien des fonctions vitales des grands blessés ».

Références

Baile, W.F., R. Buckman, R. Lenzi, G. Glober, E.A. Beale et A.P. Kudelka (2000). « SPIKES – A six-step protocol for delivering bad news : Application to the patient with cancer », *The Oncologist*, vol. 5, n° 4, p. 302-311.

Baile, W.F., A.P. Kudelka, E.A. Beale, G.A. Glober, E.G. Myers, A.J. Greisinger, R.C. Bast Jr., M.G. Goldstein, D. Novack et R. Lenzi (1999). « Communication skills training in oncology : Description and preliminary outcomes of workshops on breaking bad news and managing patient reactions to illness », *Cancer*, vol. 86, n° 5, p. 887-897.

Bigonnesse, J.M., et G. Martel (1993). « L'annonce d'une mauvaise nouvelle », *Le médecin du Québec*, vol. 28, n° 5, p. 55-59.

Brewin, T.B. (1991). « Three ways of giving bad news », *The Lancet*, vol. 337, p. 1207-1209.

Buckman, R. (1984). « Breaking bad news : Why is it still so difficult ? », *British Medical Journal*, vol. 288, p. 1597-1599.

Buckman, R. (1994). *S'asseoir pour parler : l'art de communiquer de mauvaises nouvelles aux malades*, Saint-Laurent, Éditions du Renouveau Pédagogique.

Buckman, R., B.M. Sourkes, M. Lipkin et S.W. Tolle (1998). « Strategies and skills for breaking bad news », *Patient Care Canada*, vol. 9, n° 2, p. 33-40.

Curtis, J.R., D.L. Patrick, S.E. Shannon, P.D. Treece, R.A. Engelberg et G.D. Rubenfeld (2001). « The family conference as a focus to improve a communication about end-of-life care in the intensive care unit: Opportunities for improvement », *Critical Care Medicine*, vol. 29, n° 2, p. 26-33.

Faulkner, A. (1998). « ABC of palliative care : Communication with patients, families and other professionals », *British Medical Journal*, vol. 316, p. 130-132.

Faulkner, A., J. Argent, A. Jones et C. O'Keefe (1995). « Improving the skills of doctors in giving a distressing information », *Medical Education*, vol. 29, p. 303-307.

Garg, A., R. Buckman et Y. Kason (1997). « Teaching medical students how to break bad news », *Journal de l'Association médicale canadienne*, vol. 156, n° 8, p. 1159-1164.

Hulsman, R.L., W.J.G. Ros, J.A.M. Winnubst et J.M. Bensing (1999). « Teaching clinically experienced physicians communication skills : A review of evaluation studies », *Medical Education*, vol. 33, p. 655-668.

Maguire, P., et A. Faulkner (1998). « Communicate with cancer patients : Handling bad news and difficult questions », *British Medical Journal*, vol. 297, p. 907-909.

Michaels, E. (1992). « Doctors can improve on way they deliver bad news », *Journal de l'Association médicale canadienne*, vol. 146, n° 4, p. 564-566.

Miranda, J., et R.V. Brody (1992). « Communicating bad news », *Western Journal of Medicine*, vol. 156, p. 83-85.

Mularski, R.A., P. Bascom et M.L. Osborne (2001). « Educational agendas for interdisciplinary end-of-life curricula », *Critical Care Medicine*, vol. 29, n° 2, p. 16-23.

Platt, W.P., et G.H. Gordon (1999). *Field guide to the difficult patient interview*, Philadelphie, Lippincott, Williams & Wilkins.

Quill, T.E., et P. Townsend (1991). « Bad news : Delivery, dialogue and dilemmas », *Archives of Internal Medicine*, vol. 151, p. 463-468.

St-Arnaud, Y. (2001). *Relation d'aide et psychothérapie : le changement personnel assisté*, Boucherville, Gaëtan Morin.

Silverman, J., S. Kurtz, et J. Draper (1999). *Skills for communicating with patients*, Oxon (Royaume-Uni), Radcliffe Medical Press.

Stuart, M.R., et J.A. Lieberman. (1993). *The fifteen minute hour : Applied psychotherapy for the primary care physician*, 2e édition, New York, Praeger.

CHAPITRE
11

Une présentation de l'approche Calgary-Cambridge

Claude Richard
Marie-Thérèse Lussier
Suzanne Kurtz

Le présent chapitre a pour but de présenter l'approche Calgary-Cambridge (CC) pour l'enseignement de l'entrevue médicale. Après avoir examiné attentivement divers programmes de formation en communication professionnelle dans le domaine de la santé, nous avons porté notre attention sur cette approche pour plusieurs raisons. D'abord, elle s'appuie sur des données probantes, à la fois théoriques et empiriques, tant dans le domaine de la santé que dans celui de l'éducation. L'originalité et la force de l'approche CC tiennent à ce qu'elle traduit les principes généraux en un programme de formation exhaustif, systématique et précis, mais aussi qu'elle propose une vision contemporaine de la communication en santé, qui tient compte à la fois des trois fonctions génériques de toute entrevue médicale[1] et de l'approche centrée sur le patient ou sur la relation. D'abord conçue pour la formation universitaire initiale, l'approche CC est facilement adaptable à d'autres niveaux, tels que la résidence ou la formation continue. La description du programme est détaillée, et tout professionnel de la santé peut y trouver les éléments pratiques nécessaires à l'amélioration de ses compétences communicationnelles.

Nous présentons d'abord le cadre conceptuel sur lequel s'appuient les auteurs de l'approche CC. Vient ensuite la traduction de la plus récente version (2004) du guide CC de l'entrevue médicale, qui tient compte du cadre élargi de travail (*expanded framework*) que Kurtz, Silverman, Benson et Draper (2003b) ont publié dans la revue *Academic Medicine* et dans la deuxième édition (actuellement sous presse) de l'ouvrage intitulé *Teaching and Learning Communication Skills in Medicine* (1re édition: Kurtz, Silverman et Draper, 1998). Nous respectons l'organisation hiérarchique du guide en ce qui concerne les tâches (*tasks*), les objectifs (*objectives*) et les habiletés communicationnelles (*skills*) qui s'y rapportent. À chacun des éléments de la grille nous ajoutons une explication ou un commentaire. Ce chapitre n'est donc pas une simple traduction, et nous assumons la responsabilité de tout écart de sens qui pourrait exister par rapport à la version anglaise originale.

Le cadre conceptuel de l'approche Calgary-Cambridge

Les principes sous-jacents[2]

LA COMMUNICATION PROFESSIONNELLE EN SANTÉ EST UNE COMPÉTENCE CLINIQUE ESSENTIELLE

La communication influe de façon importante et vérifiable sur de nombreux résultats significatifs de soins reçus par le patient. Des recherches rigoureuses ont révélé de nombreuses lacunes dans le domaine de la communication médecin-patient. Cette situation dénote un besoin de programmes officiels de formation en communication aux niveaux universitaire et postuniversitaire ainsi que dans le cadre de la formation médicale continue.

Des stratégies d'enseignement peuvent modifier en profondeur les connaissances, les compétences et les attitudes des étudiants en matière de communication. Ainsi, un programme de formation avec des assises conceptuelles solides et une stratégie d'application étoffée entraînera un changement mesurable.

LA COMMUNICATION EN SANTÉ REPOSE SUR UNE SÉRIE DE COMPÉTENCES ACQUISES

La communication ne relève pas d'un trait de personnalité, et tous les médecins peuvent acquérir les compétences qu'elle requiert. Bien sûr, la communication constitue une habileté sociale que certains ont plus de facilité à maîtriser que d'autres. On ne parle pas ici de communication sociale seulement, mais de communication professionnelle. Cette dernière s'apprend et s'articule autour du champ disciplinaire qui lui sert de toile de fond. Il y a donc une série de techniques particulières à maîtriser, et tous les professionnels de la santé, quel que soit leur niveau de formation, peuvent y arriver. Pour obtenir plus de détails, on peut consulter l'article d'Aspergren (1999) sur la révision systématique de l'efficacité de l'enseignement de la communication.

L'EXPÉRIENCE (LA RÉPÉTITION) PEUT ÊTRE UN PIÈTRE ENSEIGNANT

Il s'agit d'un principe général en pédagogie : l'expérience seule sans rétroaction entraîne rarement des changements de comportement. Même dans le cas où l'expérience de communication est insatisfaisante, souvent le praticien ne sait pas comment remplacer le comportement inadéquat. Par ailleurs, l'apprentissage par essais et erreurs pour isoler une meilleure façon de fonctionner est long et exigeant. On peut comprendre que, lorsqu'un praticien a trouvé un comportement satisfaisant, il ne veuille plus le changer (Maguire, Fairbairn et Fletcher, 1986).

Sur le terrain, il est postulé que le médecin apprend par l'observation et l'imitation d'un clinicien expérimenté. Pourtant, il est rare que l'étudiant ait ainsi accès à l'ensemble du processus communicationnel. En effet, il voit surtout la partie *résolution de problème* de la rencontre avec le patient. Enfin, en général, nous sommes de pauvres juges de notre propre communication.

LA MAÎTRISE DES HABILETÉS COMMUNICATIONNELLES VA AU-DELÀ DES CONNAISSANCES

La maîtrise des habiletés communicationnelles est un apprentissage complexe, et les connaissances en communication ne suffisent pas. L'acquisition des compétences communicationnelles exige également l'apprentissage de comportements précis. Il ne nous viendrait jamais à l'esprit qu'il suffise à un apprenti chirurgien de lire sur une technique chirurgicale pour en maîtriser l'application. Or, il est tout aussi inconcevable qu'un professionnel de la santé puisse simplement lire sur les techniques et les stratégies communicationnelles pour en maîtriser la pratique. Il doit appliquer peu à peu ces connaissances pour qu'elles deviennent des comportements.

Kurtz et autres (1998) signalent cinq composantes essentielles pour que l'apprentissage des habiletés communicationnelles mène à un niveau professionnel de compétence :

- la connaissance du répertoire des habiletés à maîtriser ;
- l'observation des apprenants en interaction avec des patients ;
- la rétroaction constructive, descriptive et détaillée à propos du comportement observé ;
- la mise en pratique des habiletés ;
- l'approfondissement des habiletés.

Suivant l'approche CC, l'apprentissage constitue un processus itératif (de répétition) où l'étudiant maîtrise d'abord des habiletés de base, qu'il a ensuite l'occasion d'appliquer à plusieurs reprises dans des situations plus complexes, exigeant un raffinement progressif. Cette manière d'envisager l'apprentissage des habiletés communicationnelles démontre qu'on n'atteint pas un niveau professionnel après une seule leçon. En effet, la rétroaction constructive, descriptive et détaillée ainsi que la répétition sont le gage de la maîtrise de ces habiletés. L'apprenant a l'occasion de réviser, de raffiner et de construire à partir des habiletés de base, tout en en apprenant de nouvelles, plus complexes : il consolide ses acquis tout en avançant dans ses connaissances. On parle alors d'un modèle hélicoïdal.

Ainsi, les tâches communicationnelles de base (commencer l'entrevue, recueillir l'information, structurer l'entrevue, construire la relation, expliquer et planifier, terminer l'entrevue) sont d'abord apprises au moyen de situations cliniques simples dans une relation dyadique, puis auprès de clientèles spéciales ou au moyen de situations particulières. Des habiletés plus complexes peuvent ensuite être exercées dans certaines situations (gérer les émotions vives telles que la colère, annoncer une mauvaise nouvelle, aider le patient non observant, rassurer efficacement, gérer l'incertitude, mener une entrevue à trois, interroger un patient sur sa famille, etc.) ou auprès de clientèles particulières (suivre le patient présentant un trouble somatoforme ou souffrant de toxicomanie, dépister un problème de consommation d'alcool ou de violence conjugale, approcher l'adolescent, la personne âgée, le patient d'une autre origine culturelle, etc.).

Les catégories d'habiletés communicationnelles

Les habiletés communicationnelles à acquérir appartiennent aux trois catégories suivantes.

- **Les habiletés de contenu** correspondent au *quoi* des entretiens, c'est-à-dire à la précision et à l'exhaustivité de l'information échangée au moment de la collecte des données, d'une part, et au moment de l'explication et de la planification, d'autre part. Le contenu renvoie au savoir médical.
- **Les habiletés de processus** correspondent au *comment* des entretiens. Il s'agit de l'ensemble des habiletés communicationnelles nécessaires pour structurer une entrevue et établir une relation. Elles incluent également les stratégies communicationnelles nécessaires pour amorcer une rencontre, donner de l'information, expliquer et élaborer un plan de traitement.
- **Les habiletés perceptuelles** incluent les attitudes et la gestion des émotions chez le médecin. Le médecin doit être conscient de ce qu'il pense et ressent pendant l'entrevue.

Alors que les habiletés de contenu et de processus sont plutôt interpersonnelles, les habiletés perceptuelles sont plus intrapersonnelles. Ces trois catégories jouent un rôle dans l'acquisition d'un niveau professionnel de compétence en matière de communication.

Les objectifs de l'enseignement de la communication professionnelle

Voici les objectifs de l'enseignement de la communication professionnelle :

- promouvoir la collaboration et le partenariat ;
- améliorer la précision du diagnostic, l'efficacité de l'intervention et la qualité du soutien ;
- améliorer la satisfaction du patient et du médecin ;
- améliorer les résultats de soins.

Ces objectifs découlent directement des résultats de recherches effectuées au cours de ces 40 dernières années auprès de populations de patients de tous genres, qui consultaient pour différents types de problèmes de santé. Ces recherches montrent, l'une après l'autre, les effets positifs de deux manières de faire des médecins en consultation : plus ceux-ci semblent soucieux de répondre aux besoins d'information des patients et cherchent à établir une relation de collaboration plutôt que d'autorité, meilleurs sont les résultats en ce qui concerne la compréhension des patients, leur observation des recommandations et leur satisfaction.

Stewart (1995) a présenté une révision systématique des études sur la communication patient-médecin qui portaient directement sur des indicateurs de santé des patients et non pas sur les variables intermédiaires. Les 21 études de communication médecin-patient recensées étaient de qualité méthodologique supérieure (des essais cliniques randomisés d'interventions visant à améliorer la communication ou des études analytiques observationnelles sans intervention), et avaient comme variable dépendante la santé du patient. La chercheuse conclut que la qualité de la communication à la fois pendant la collecte des informations et pendant la discussion du plan de traitement influence la santé des patients. Les divers résultats qui ont été mesurés dans ces études et qui ont montré un effet favorable de la communication sont (par ordre décroissant de fréquence) : la santé émotionnelle ; la disparition des symptômes ; l'état fonctionnel ; les mesures physiologiques, telles que la tension artérielle, la glycémie ; le contrôle de la douleur.

Les cinq principes qui caractérisent une communication et un enseignement efficaces

Pour être efficace, une communication doit remplir les cinq conditions suivantes.

1. **Assurer l'interaction plutôt que la transmission simple du contenu.** Une communication efficace assure un échange d'informations dans le cadre d'une interaction qui s'inscrit dans une relation ; elle est plus qu'une transmission directe d'informations. Dans ce cadre, le professionnel ne peut se contenter de dire ce qu'il a à dire : il lui faut s'assurer que le patient a compris. Il peut considérer qu'il a été compris uniquement quand il reçoit une rétroaction qui confirme que son message a été interprété correctement. Le but principal de la communication professionnelle est que le patient et le médecin arrivent à partager une compréhension du problème et de la solution. Dans le cadre de la relation patient-médecin, les autres fonctions de la communication sont importantes, mais subordonnées à ce premier objectif : comprendre et être bien compris[3].

2. **Réduire l'incertitude.** L'incertitude est un aspect important de la communication dans la mesure où elle peut générer de l'anxiété et nuire à la concentration des interlocuteurs. Ainsi, le médecin qui annonce clairement les étapes de l'entrevue ou qui informe le patient des gestes qu'il doit faire dans l'exécution d'une technique contribue à garder le patient *dans le coup* et diminue l'incertitude. En voici deux exemples.
   - Avant de commencer une entrevue :
     « Je vais d'abord vous poser quelques questions au sujet de votre diabète, puis nous aborderons les difficultés que vous expérimentez au travail. Est-ce que ça vous va ? »
   - Lors d'une biopsie de l'endomètre en cabinet :
     « Toussez s'il vous plaît, je vais stabiliser votre col, vous allez ressentir une contraction... Ça va ?... Tout se passe bien, je vais maintenant mesurer la profondeur de votre utérus et faire le prélèvement. »

3. **Être fondée sur les résultats visés.** Le meilleur moyen d'être efficace en communication est de planifier les interventions en fonction des résultats désirés.

4. **Montrer du dynamisme et de la flexibilité.** Ce qui est approprié pour une personne est souvent inapproprié pour une autre. Ce qu'un patient comprenait lors d'un rendez-vous précédent, il peut ne plus le comprendre lors d'un rendez-vous subséquent. Il faut donc être attentif et s'adapter à la situation du patient.

5. **Emprunter une forme hélicoïdale plutôt que linéaire.** Au fur et à mesure des interactions, les interlocuteurs se modifient mutuellement, et les répétitions et recommencements ne sont jamais exactement les mêmes[4].

La structure de l'entrevue médicale selon l'approche Calgary-Cambridge

Kurtz et autres (2003b) présentent un cadre général élargi de l'entrevue médicale, dans lequel ils ont réintroduit les éléments *classiques* de contenu de l'observation médicale[5], qu'ils ont accordés avec les éléments de processus[6]. Jusqu'à récemment, ces derniers ont dominé dans les cours sur les habiletés communicationnelles. Cette insistance sur le *comment* et l'absence, jusqu'à un certain point, d'intégration des éléments de contenu relevant du savoir médical ont contribué au fait que plusieurs facultés de médecine ne reconnaissent pas et n'implantent pas cet enseignement. En fait, si dans les pays occidentaux de nombreuses facultés ont, ces 10 à 20 dernières années, introduit un cours formel d'habiletés en communication, il reste que celui-ci est très souvent offert au tout début de la formation de médecine et non intégré au reste. Cette situation va à l'encontre des principes pédagogiques reconnus en éducation.

L'enseignement des habiletés de communication et l'enseignement clinique devraient se faire de façon concomitante, soutenue et complémentaire, dans un souci d'intégration. Lorsque le superviseur clinique renforce les messages-clés des habiletés de communication, il démontre à l'étudiant la pertinence de cet enseignement et use de la répétition nécessaire à l'acquisition des connaissances. En contrepartie, les responsables de l'enseignement des habiletés en communication doivent puiser leur matériel pédagogique à même la pratique clinique usuelle des étudiants afin d'augmenter la perception de la pertinence de cet enseignement.

La structure de l'enseignement et la hiérarchisation des apprentissages devraient être compatibles avec les différents stades de la formation médicale et le niveau recherché de maîtrise des habiletés. La communication humaine, d'une part, et le programme d'enseignement de la communication professionnelle, d'autre part, peuvent être illustrés par le modèle hélicoïdal. Comme nous l'avons décrit précédemment, ce modèle renvoie à un apprentissage basé sur la répétition (la réitération) des habiletés fondamentales dans des situations ou des contextes divers qui, tout en consolidant les acquis, en permettent le raffinement progressif.

Kurtz et autres (2003b) proposent une structure générale de l'entrevue par le biais d'un schéma (figure 11.1) intégrateur de l'observation médicale traditionnelle (et de son contenu) et des habiletés communicationnelles qui permettent d'accéder à ce contenu. Le schéma illustre à la fois le déroulement séquentiel de certaines tâches et la nature transversale d'autres tâches. Les auteurs retiennent sept tâches inhérentes à toute entrevue médicale : six tâches communicationnelles et l'examen physique. Le schéma est organisé selon un axe séquentiel (au centre), dans lequel les auteurs ont placé dans l'ordre habituel les tâches suivantes : commencer l'entrevue ; recueillir l'information ; procéder à l'examen physique ; expliquer et planifier ; terminer l'entrevue. Viennent s'ajouter deux tâches transversales (de part et d'autres des éléments séquentiels) : structurer l'entrevue et construire la relation.

L'objectif visé est de fournir des balises au clinicien et non pas de l'enfermer dans un carcan. En effet, chaque entrevue a des particularités qui définissent l'importance relative de chacune des tâches. Par exemple, un premier rendez-vous pour la prise en charge de nombreuses maladies chroniques et une consultation sans rendez-vous pour une cystite non compliquée chez une jeune fille exigent une approche adaptée et différente.

Kurtz et ses collaborateurs placent ensuite dans le cadre élargi les objectifs à atteindre pour chacune des tâches. Les tâches (en-têtes des sections) et les objectifs (éléments d'énumération) de ce cadre élargi se retrouvent dans le guide CC de l'entrevue médicale ;

Figure 11.1 **Le cadre élargi de l'entrevue médicale**

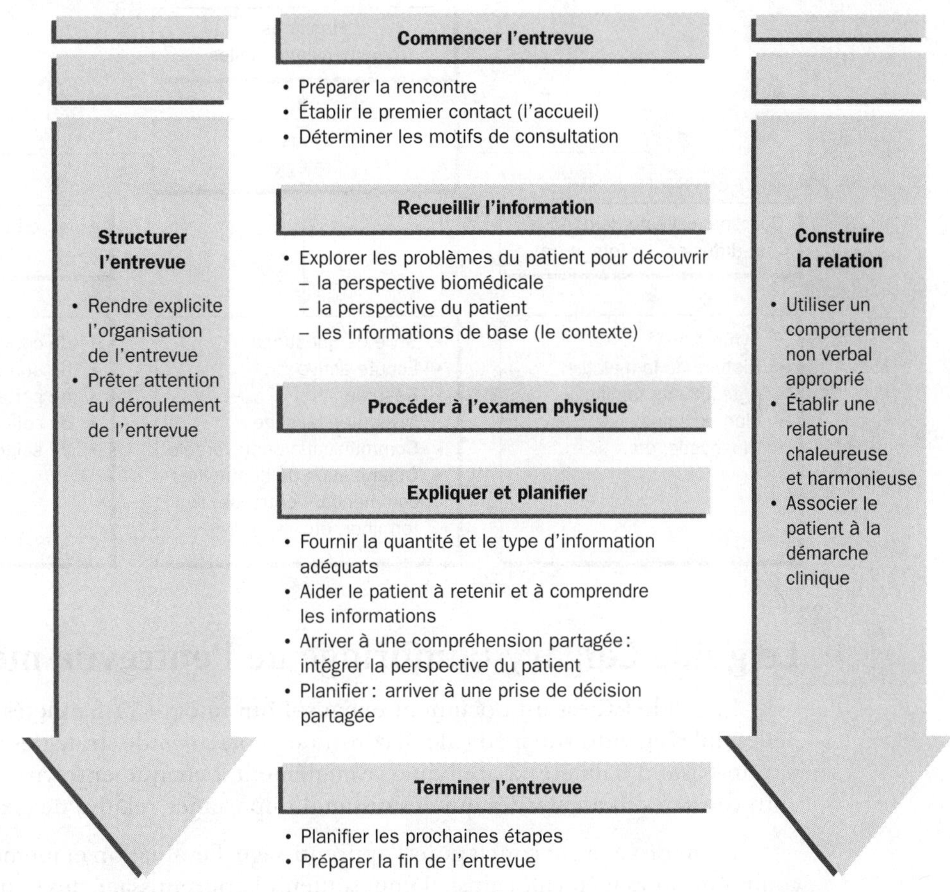

Commencer l'entrevue
• Préparer la rencontre
• Établir le premier contact (l'accueil)
• Déterminer les motifs de consultation
Recueillir l'information
• Explorer les problèmes du patient pour découvrir
– la perspective biomédicale
– la perspective du patient
– les informations de base (le contexte)
Procéder à l'examen physique
Expliquer et planifier
• Fournir la quantité et le type d'information adéquats
• Aider le patient à retenir et à comprendre les informations
• Arriver à une compréhension partagée : intégrer la perspective du patient
• Planifier : arriver à une prise de décision partagée
Terminer l'entrevue
• Planifier les prochaines étapes
• Préparer la fin de l'entrevue
Structurer l'entrevue
• Rendre explicite l'organisation de l'entrevue
• Prêter attention au déroulement de l'entrevue
Construire la relation
• Utiliser un comportement non verbal approprié
• Établir une relation chaleureuse et harmonieuse
• Associer le patient à la démarche clinique

Source : Traduite et adaptée de Kurtz et autres (2003b), avec la permission des auteurs, par Bernard Millette, Claude Richard et Marie-Thérèse Lussier. Déja publiée dans Millette, Lussier et Goudreau (2004).

s'y ajoutent les habiletés communicationnelles efficaces pour l'atteinte des objectifs. Le guide est présenté en détail dans la prochaine section.

La figure 11.2 offre une autre façon d'envisager les interrelations entre le contenu et le processus. Elle montre comment les habiletés communicationnelles constituent les moyens et les stratégies permettant l'élaboration du contenu des entretiens, d'une part, et la définition de la relation qui s'établit entre les interlocuteurs, d'autre part. Ainsi, le contenu, les stratégies communicationnelles et la relation sont inséparables. En effet, on ne peut recueillir l'information nécessaire sur le plan clinique sans proposer en même temps une relation à notre interlocuteur. On reconnaît dans cette figure trois types de compétences :

- celles qui sont reliées aux savoirs propres des interlocuteurs, soit la compétence clinique du médecin et l'expérience du patient relativement à la maladie et à son traitement ;
- celles qui sont reliées au processus, soit l'enchaînement des contenus, leur séquentialisation et la structure de l'entrevue ;
- celles qui sont reliées à la capacité d'entretenir différentes relations avec le patient.

La combinaison de ces trois aspects influera sur la nature des contenus échangés, le choix des stratégies communicationnelles et le type de relation qui sera mis en place. Ainsi, la discussion de suivi avec un patient diabétique connu sera différente de l'explication du traitement à un nouveau patient affligé d'une grippe.

Figure 11.2 **Les interrelations entre le contenu et le processus**

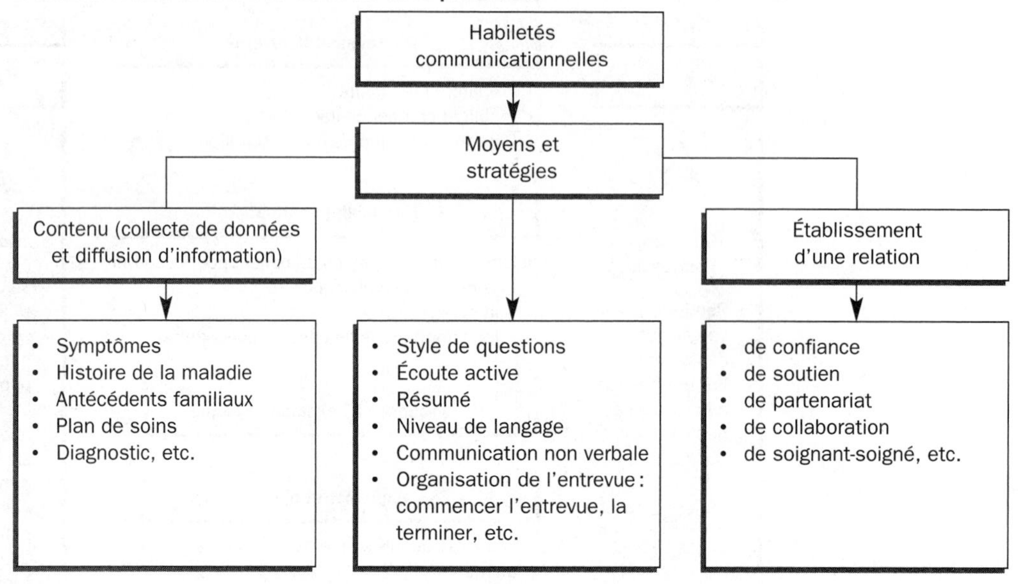

Le guide Calgary-Cambridge de l'entrevue médicale

Le guide CC est un document exhaustif qui intègre 71 habiletés communicationnelles utiles en entrevue médicale. Il constitue un *répertoire* de stratégies reconnues et non pas une liste d'habiletés à appliquer aveuglément à chaque entrevue. En effet, chaque entrevue a des particularités qui définissent l'importance relative de chacune des tâches.

Le guide CC a été conçu pour l'apprentissage, l'évaluation et même la recherche en communication médicale ; ainsi, il peut soutenir l'apprentissage des habiletés de communication (évaluation formative). Sauf dans les situations de sanction de fin de formation, il est rare que le guide soit utilisé dans son entièreté (même s'il s'agit de la version de base) pour évaluer des entrevues du début à la fin. Les apprenants et les enseignants pourront plutôt convenir d'une tâche sur laquelle ils désirent se concentrer et observer spécialement les habiletés communicationnelles qui s'y rapportent.

Le guide est organisé autour des six tâches communicationnelles (excluant l'examen physique) inhérentes à toute entrevue médicale :

I. Commencer l'entrevue
II. Recueillir l'information
III. Structurer l'entrevue
IV. Construire la relation
V. Expliquer et planifier
VI. Terminer l'entrevue

Chacune des six tâches comprend une série d'objectifs qui explicitent les mesures que le médecin doit prendre. Chacun des objectifs comporte à son tour un ensemble d'habiletés communicationnelles qui s'y rapportent. Les habiletés communicationnelles qui sont incluses dans le guide sont issues de recherches en communication et en éducation (Kurtz et autres, 2003b).

Vous trouverez à l'annexe 11.1 une version française (traduite et adaptée par nous) du guide CC de l'entrevue médicale, dont la facture varie légèrement par rapport à la version originale anglaise. (Cette dernière est accessible sur Internet aux sites www.skillscascade.com et www.med.ucalgary.ca/education/learningresources.) D'abord, nous avons modifié la numérotation des éléments (sans en changer l'ordre). Nous avons également ajouté dans la colonne de droite, initialement réservée aux commentaires des observateurs, trois niveaux de maîtrise (à cocher) de l'habileté considérée, soit non maîtrisée, en voie d'être maîtrisée, et maîtrisée. La section « Commentaires », qui contient les observations qualitatives du superviseur ou des observateurs, a été déplacée sous le libellé de chaque habileté.

Pour la présentation dans le texte, nous avons adopté la même division que dans l'annexe 11.1 : d'abord, les tâches sont numérotées en chiffres romains, de I à VI ; suivent les objectifs généraux associés à la tâche, puis les objectifs particuliers, précédés d'une lettre majuscule ; viennent enfin les habiletés communicationnelles, numérotées en chiffres arabes. Chaque habileté communicationnelle fait l'objet d'une courte explication complémentaire.

I. Commencer l'entrevue

Les objectifs généraux de cette tâche (inspirés de Silverman, Kurtz et Draper, 1998, p. 18) sont les suivants :

- Créer un environnement favorable et amorcer la relation.
- Connaître l'état émotif du patient.
- Cerner tous les problèmes dont le patient est venu discuter.
- Déterminer avec le patient les priorités de la rencontre.
- Établir un partenariat avec le patient, lui donner la capacité de participer à un processus de collaboration[7].

A. PRÉPARER LA RENCONTRE

- S'assurer que la rencontre précédente est terminée et se préparer à la nouvelle entrevue.
- S'assurer d'être disponible pour le nouveau patient.

Le médecin doit diriger toute son attention vers le nouveau patient et maintenir une bonne concentration tout au long de l'entrevue. Il devrait être à l'aise, n'avoir ni faim, ni chaud, ni froid, ni éprouver une trop grande fatigue. Dans le cas d'un patient connu, le médecin se prépare avant la rencontre et se remémore l'histoire de sa maladie en lisant ses notes, en vérifiant que les résultats des tests demandés sont au dossier. Il est souhaitable de faire ces activités *avant* d'accueillir le patient afin d'être disponible pour l'écouter.

B. ÉTABLIR LE PREMIER CONTACT (L'ACCUEIL)

1. **Saluer le patient et obtenir son nom.**

   Le médecin salue le patient et lui souhaite la bienvenue. Il s'assure qu'il connaît le nom du patient mais aussi, le cas échéant, le nom des personnes qui l'accompagnent, leur relation avec le patient et la raison de leur présence.

2. **Se présenter et préciser son rôle, la nature de l'entrevue ; obtenir le consentement du patient, si nécessaire.**

   Il faut que le patient connaisse l'identité et le rôle de celui à qui il parle. Ce qui est évident pour le médecin peut ne pas l'être du tout pour un patient qui n'a pas fréquenté les services de santé depuis un certain temps. Pour se sentir à l'aise, un patient (quiconque, en fait) doit savoir à qui il s'adresse et à quoi serviront les informations confidentielles qu'il fournira. Le médecin dira, par exemple : « Je suis le Dr Martin, c'est moi qui suis le médecin de garde à la clinique cet après-midi. »

3. **Montrer du respect et de l'intérêt; voir au confort physique du patient.**

   La relation avec le patient se construit dès les premiers moments de la rencontre et elle se construit de manière concrète, par les gestes qui sont faits de part et d'autre. Le médecin montre de l'intérêt et du respect à l'égard du patient tout en s'assurant de son confort physique du début à la fin de l'entrevue. S'il connaît le patient, il peut parler de sujets qui l'intéressent, par exemple prendre des nouvelles de sa famille, de son travail. En se souciant du confort du patient, le médecin favorise l'apparition chez lui d'un sentiment de confiance et de sécurité. Il est certain, par ailleurs, que le patient arrive avec une préconception de ce que doit être sa relation avec un médecin. S'il manifeste de l'impatience ou de l'insatisfaction pendant l'entrevue, ce peut être qu'il y a une différence entre ce qu'il attend et ce que le médecin offre comme relation.

C. DÉTERMINER LES MOTIFS DE CONSULTATION

1. **Déterminer par une question d'ouverture les problèmes ou les préoccupations que le patient souhaite voir aborder durant l'entrevue.**

   La détermination des motifs de consultation se fait habituellement par une question d'ouverture. Il peut s'agir d'un problème ou d'une préoccupation associé à la santé, ou encore d'un suivi ou de la nécessité de faire remplir des formulaires, etc. Voici des exemples de questions d'ouverture:

   - « De quoi voulez-vous discuter aujourd'hui ? »
   - « Qu'est-ce que je peux faire pour vous aujourd'hui ? »
   - « Qu'est-ce qui vous amène ? »

   Même si le médecin a déterminé un premier motif de consultation, il doit s'assurer qu'il n'y en a pas d'autres. Faute de connaître l'ensemble des raisons pour lesquelles un patient consulte, le médecin devra s'adapter au fur et à mesure qu'elles se révéleront, ce qui peut perturber considérablement la gestion du temps d'entrevue.

2. **Écouter attentivement les énoncés d'ouverture du patient, sans l'interrompre ni orienter sa réponse.**

   Le début de l'entrevue doit permettre au patient de présenter ses préoccupations. Le médecin écoute donc la réponse du patient jusqu'à ce qu'il ait terminé, sans l'interrompre et sans enchaîner immédiatement sur un des problèmes qu'il mentionne. C'est généralement assez court[8].

3. **Confirmer la liste initiale des motifs de consultation et vérifier s'il y a d'autres problèmes.**

   Après avoir posé une première question qui permet au patient d'énoncer les motifs de sa visite, le médecin s'assure qu'il a bien compris. Puis il voit s'il n'y a pas d'autres raisons non encore énoncées (*screening*). Il est souhaitable de répéter une question telle que « Y a-t-il autre chose ? » jusqu'à ce que le patient énonce explicitement qu'il a terminé. L'objectif est de recenser tous les problèmes en début d'entrevue. Le médecin dira, par exemple: « Donc, il y a les maux de tête et la fatigue. Y a-t-il autre chose dont vous aimeriez parler aujourd'hui ? »

4. **Fixer le programme de la rencontre avec l'accord du patient, en tenant compte à la fois de ses besoins et des priorités cliniques.**

   Après avoir obtenu l'ensemble des motifs de consultation, le médecin établit les priorités avec l'accord du patient. Si le programme est trop chargé, il peut convenir de reporter un certain nombre d'éléments à une rencontre ultérieure. Si, d'un point de vue clinique, il croit ne pas devoir respecter les priorités du patient, il lui en explique les raisons, tout en précisant à quel moment ces priorités seront abordées.

Après avoir énoncé une raison de consultation, le patient peut s'attendre à ce que la discussion porte immédiatement sur ce premier sujet. Cependant, il est préférable de briser cet enchaînement naturel et d'amener plutôt le patient à énoncer l'ensemble de ses motifs de consultation avant d'aborder le premier sujet. Il est donc utile que le médecin annonce au patient qu'il n'entend pas suivre ce processus habituel et qu'il préfère dresser d'abord la liste complète de ses raisons de consultation, puis discuter des priorités à traiter. À la fin de cette première partie, le patient doit avoir le sentiment de savoir comment se déroulera son entrevue. Le patient comprenant cette démarche sera rassuré et y collaborera plus volontiers.

II. Recueillir l'information

Les objectifs généraux de cette tâche (Silverman et autres, 1998, p. 42) sont les suivants:

- Explorer ce que le patient ressent comme symptômes et les effets de ces symptômes sur ses activités quotidiennes; explorer également la signification que prête le patient aux symptômes.
- Connaître l'histoire médicale associée à ces symptômes.
- S'assurer que les informations recueillies sont justes et complètes et en vérifier la compréhension qu'on en a auprès du patient.
- S'assurer que le patient se sent compris et a l'impression que les informations qu'il a fournies sont bienvenues, importantes et prises en compte.
- Continuer de créer un environnement favorable et une relation de collaboration.
- Structurer l'entrevue avec le patient pour s'assurer de recueillir efficacement l'information et donner au patient le sentiment qu'il comprend de quoi on parle ainsi que le déroulement de l'entrevue et qu'il participe à son évolution.

A. EXPLORER LES PROBLÈMES DU PATIENT

1. Encourager le patient à raconter l'histoire de son ou de ses problèmes, du début jusqu'au moment présent, dans ses propres mots (en clarifiant le motif de consultation actuel).

Le médecin demande au patient de raconter l'histoire de ses difficultés. Cette façon de procéder par une narration offre au patient un cadre de parole connu: le patient fournit ses informations en racontant les événements plutôt que de répondre de manière abstraite à des questions sur ses symptômes. Son guide est alors le fil des événements. Le clinicien dira, par exemple: « Racontez-moi comment ce problème est apparu, puis ce qui est arrivé. » Pour arriver à des résultats optimaux, on doit se *hâter lentement*. Ainsi, en laissant le patient parler en début d'entrevue, le médecin gagnera un temps précieux pour la suite.

2. Utiliser la technique des questions ouvertes et des questions fermées.

Tant qu'il est à la recherche d'informations nouvelles et peut-être inattendues, le médecin a intérêt à utiliser des questions ouvertes. Elles lui permettent:

- d'encourager le patient à raconter son histoire de manière plus complète;
- de prévenir l'usage de questions inutiles;
- d'écouter son patient attentivement au lieu de réfléchir à la prochaine question qu'il devrait poser;

- de mieux fonder le diagnostic ;
- d'explorer plus efficacement la maladie et la perception qu'en a le patient ;
- de rendre le patient plus actif dans la description de son problème ; cette plus grande implication servira plus tard au moment de la discussion du traitement et de son acceptation par le patient.

Lorsque les questions ouvertes générales et les questions de type « Qui ? », « Quoi ? », « Quand ? », « Comment ? » et « Où ? » n'ont pas réussi à procurer une information suffisamment précise, les questions fermées sont utiles, d'une part, pour encourager un patient réservé à fournir l'information désirée et, d'autre part, pour contenir un patient trop loquace. Les questions fermées permettent également au clinicien de préciser une situation, en obtenant des informations sur les caractéristiques, le site, l'intensité, la chronologie, le contexte, les facteurs modificateurs et les facteurs associés[9]. Elles permettent également de confirmer ou d'infirmer une hypothèse. Le médecin doit cependant se rappeler que s'il se limite à des questions fermées il risque de créer un climat qui ressemble davantage à un interrogatoire qu'à un entretien. Pour les utiliser, il doit avoir une idée précise de ce qu'il cherche. Aussi, la réponse à une question fermée se limite à ce sur quoi porte la question : si la difficulté du patient n'a pas été couverte avec cette question, elle ne sera pas communiquée.

3. **Écouter attentivement, en permettant au patient de terminer ses phrases sans l'interrompre et en lui laissant du temps pour réfléchir avant de répondre ou pour continuer s'il a fait une pause.**

Le médecin écoute attentivement, sans interrompre le patient, et laisse des silences qui lui permettront de terminer ses phrases. Il laisse au patient le temps de réfléchir avant de répondre aux questions, puis lui permet de continuer et de terminer ses propos. Il est important d'écouter mais aussi d'avoir l'air d'écouter en utilisant des énoncés de soutien et en montrant des signes de compréhension.

4. **Faciliter, verbalement et non verbalement, les réponses du patient.**

Le médecin envoie constamment au patient des signaux qui lui indiquent qu'il est écouté attentivement. Il favorise l'obtention de réponses grâce à des encouragements verbaux et non verbaux, et à des énoncés de soutien, à des silences, à des répétitions, à des reflets, à des paraphrases, à des interprétations, etc. (exemples : « hum », « je comprends », « je vois »). Le médecin montre ainsi son intérêt pour les réponses fournies.

5. **Relever les indices verbaux et non verbaux ; offrir son interprétation au patient et vérifier s'il est d'accord.**

Le médecin relève les indices non verbaux et verbaux susceptibles d'indiquer que le patient a des informations additionnelles à fournir (langage corporel, expression faciale, juron, regard absent, etc.). La communication non verbale peut révéler qu'il y a plus dans ses propos que ce qu'il dit explicitement. Le médecin offre son interprétation des indices au patient et vérifie auprès de lui si elle est fondée. Il reconnaît l'émotion exprimée lorsque cela est approprié[10].

6. **Clarifier les énoncés du patient qui sont ambigus ou qui nécessitent plus de précisions.**

Le médecin clarifie les énoncés du patient, c'est-à-dire :

- fait expliciter les énoncés vagues ;
- fait préciser les généralisations en obtenant les cas particuliers qui ont servi à ces généralisations ;

- fait préciser les événements, en retrouvant le processus sous-jacent;
- décèle les omissions, par exemple en tirant au clair les sous-entendus ou les présupposés;
- lève les ambiguïtés.

7. **Faire périodiquement des résumés des propos du patient.**

   À intervalles réguliers, le médecin résume les propos du patient et vérifie ainsi la compréhension qu'il en a. Il invite alors le patient à réagir pour corriger, compléter ou mettre en lumière un élément qu'il considère essentiel.

8. **Utiliser des questions et des commentaires concis et faciles à comprendre; éviter le jargon médical ou, du moins, l'expliquer.**

   Le médecin utilise un langage concis, facile à comprendre, adapté au niveau de langage du patient. Il évite le jargon technique, sauf avec les personnes qui le connaissent bien, par exemple les patients qui sont eux-mêmes médecins. Si le jargon est inévitable, il vérifie la compréhension du patient et fournit des explications au besoin. Il évite aussi le langage trop simple ou infantilisant.

9. **Établir la séquence temporelle des événements depuis le début.**

   Le médecin reconstitue le cadre temporel en établissant l'ordre de déroulement des faits dans le temps. Il peut au besoin utiliser la capacité narrative du patient qui raconte son histoire pour l'aider à préciser la séquence des événements.

B. HABILETÉS ADDITIONNELLES POUR COMPRENDRE LA PERSPECTIVE DU PATIENT

1. **Déterminer activement et explorer adéquatement: les idées du patient (ses croyances sur les causes); ses préoccupations (ses craintes) au sujet de chaque problème; ses attentes (ses buts, l'aide qu'il désire pour chaque problème); les effets de ses problèmes de santé (comment chaque problème influe sur sa vie).**

   Le médecin détermine et explore:

   - les représentations et les croyances du patient; il l'encourage à mettre de l'avant ses idées, notamment sur les causes de sa maladie;
   - ses préoccupations à propos de sa maladie, de son évolution et des séquelles possibles;
   - ses attentes, à savoir les améliorations qu'il espère et dans combien de temps, ainsi que l'aide qu'il désire pour chacun de ses problèmes;
   - les effets qu'il subit, c'est-à-dire comment chacun des problèmes de santé agit sur sa vie, sur sa famille et sur son travail.

   Il est important de connaître les convictions du patient, car une conviction non exprimée peut être la source de son insatisfaction et de son refus de suivre le traitement proposé. Le médecin doit donc rechercher les opinions du patient à propos de son problème ainsi que les raisons qui sous-tendent ces opinions. Il peut ensuite expliquer son point de vue et dire en quoi et pourquoi il diffère de celui du patient. En cas de divergence, le médecin doit donner les raisons qui font qu'il ne peut adhérer à l'argumentation du patient.

2. **Encourager le patient à exprimer ses émotions.**

   Le médecin encourage l'expression des émotions et des réflexions du patient à l'égard de ses difficultés.

III. Structurer l'entrevue

Les objectifs généraux de cette tâche (Silverman et autres, 1998, p. 69) sont les suivants :

- Promouvoir la collaboration du patient à l'entrevue.
- Rendre explicite l'organisation de l'entrevue.
- Permettre au médecin et au patient de savoir où ils vont et pourquoi.
- Établir une compréhension mutuelle.
- Réduire l'incertitude du patient.

A. RENDRE EXPLICITE L'ORGANISATION DE L'ENTREVUE

1. **Faire un résumé à la fin de chaque sujet d'exploration.**

   À la fin de la discussion de chaque problème ou sujet où il y a eu collecte d'informations, le médecin propose au patient un résumé de ce qui a été dit, pour vérifier la compréhension qu'il en a et s'assurer qu'aucune information importante n'a été oubliée avant de passer à la prochaine étape. Il démontre ainsi son attention et son intérêt pour le patient. De plus, il peut solliciter une confirmation explicite de sa part. Cette stratégie permet au patient d'ajouter ou de corriger des informations s'il le juge nécessaire.

2. **Progresser d'une section à l'autre de l'entrevue en annonçant verbalement les transitions et en les justifiant.**

   En passant d'une étape à l'autre de l'entrevue, le médecin utilise des marques de transition claires et justifie la transition. Il ne doit pas hésiter à commenter à haute voix la progression de l'entrevue et à annoncer ce qui suit. Le résumé aide aussi à structurer l'entrevue, car il se présente généralement à la fin d'une section et annonce le début d'une nouvelle section ; c'est une indication de progression dans le déroulement de l'entrevue. Ainsi, le patient sait toujours où il en est, et le processus de l'entrevue devient plus transparent pour lui.

B. PRÊTER ATTENTION AU DÉROULEMENT DE L'ENTREVUE

1. **Structurer l'entrevue selon une séquence logique.**

   Le médecin établit pour l'entrevue un ordre de déroulement logique qui aura du sens pour le patient.

2. **Être attentif au temps disponible et maintenir l'entrevue centrée sur les tâches à accomplir.**

   En cours d'entrevue, le médecin a la responsabilité d'évaluer constamment la matière qui reste à couvrir et le temps disponible. Il doit éviter le télescopage des sujets à la fin de l'entrevue. Cependant, une entrevue est coconstruite par le patient et le médecin : aucun des deux n'en dirige à lui seul le déroulement, mais chacun peut l'influencer. Il n'est pas indifférent d'adopter une stratégie verbale plutôt qu'une autre, surtout dans un contexte où le médecin a une influence prépondérante dans la relation. S'il est important pour le médecin de savoir où il en est et d'avoir le sentiment qu'il progresse dans l'entrevue, il est également important pour le patient de sentir qu'il a été compris et de pouvoir anticiper la prochaine étape de l'entrevue. Lorsqu'une personne est dans une situation de dépendance, c'est le seul moyen qui lui reste pour sentir qu'elle a une prise sur le déroulement de l'entrevue.

IV. Construire la relation

Toutes les étapes de l'entrevue contribuent à construire la relation avec le patient; cette construction n'est pas, à proprement parler, une étape de l'entrevue. La relation du médecin avec son patient est d'abord une relation professionnelle de service. Des qualités bien particulières sont associées à cette relation, qui se distingue d'une relation d'affaires, d'amitié, etc. Les objectifs généraux de cette tâche (Silverman et autres, 1998, p. 73) sont les suivants:

- Faire en sorte que le patient se sente compris, estimé, appuyé et en confiance.
- Encourager la mise en place d'un environnement accueillant et harmonieux, qui maximise l'efficacité et la précision de la collecte d'informations, ainsi que de l'explication et de la planification du traitement.
- Permettre un counselling efficace.
- Créer et maintenir une certaine permanence de la relation dans le temps.
- Engager le patient dans le processus de la consultation afin qu'il le comprenne et s'y sente à l'aise.
- Réduire les conflits potentiels avec le patient ou son opposition aux traitements suggérés et augmenter son adhésion aux décisions prises.
- Augmenter la satisfaction chez les participants à l'entrevue.

A. UTILISER UN COMPORTEMENT NON VERBAL APPROPRIÉ

1. **Adopter un comportement non verbal approprié: contact visuel, expression faciale; posture, position et mouvement; indices vocaux tels que débit, volume, tonalité.**

   Le médecin fait montre de comportements non verbaux appropriés: maintenir un bon contact visuel; adopter une posture et une position qui indiquent l'attention; varier l'expression faciale selon les circonstances; moduler sa voix, c'est-à-dire en modifier le ton, le débit et le volume (exemple: parler doucement, avec un débit lent dans les moments émotivement chargés).

2. **Lire ou prendre des notes, ou utiliser un ordinateur d'une façon qui n'interfère ni avec le dialogue ni avec la relation.**

   L'usage de notes ne doit pas interférer avec le déroulement de l'entrevue. Si le médecin a besoin de consulter des notes ou d'en écrire, il doit s'en excuser, prendre le temps nécessaire, puis, lorsqu'il a terminé, indiquer qu'il est de nouveau attentif.

3. **Montrer une confiance appropriée.**

   Le médecin montre une confiance raisonnable et évite la suffisance; il manifeste de l'intérêt pour les propos du patient et apparaît détendu.

B. ÉTABLIR UNE RELATION CHALEUREUSE ET HARMONIEUSE

1. **Accueillir les points de vue et les émotions du patient; ne pas s'ériger en juge.**

   Le médecin reconnaît et accepte le point de vue du patient, le considérant comme légitime; il ne le condamne pas. Il ne faut pas oublier que, de son côté, le patient croit avoir raison. S'il doit corriger les croyances du patient, le médecin doit le faire avec respect, sans insinuer qu'elles sont ridicules, qu'elles sont une preuve de mauvaise foi, d'incrédulité, etc. Il peut se contenter de simplement affirmer que son point de vue médical est différent et qu'il peut en discuter plus longuement si le patient le désire.

Cette attitude favorise l'ouverture du patient, sa plus grande participation et l'accès à des informations de nature intime. Cependant, une mise en garde s'impose : accepter les propos du patient ne veut pas dire exprimer son accord avec ceux-ci (exemple : accepter qu'un patient croie avoir besoin de narcotiques ne veut pas dire accepter de lui en prescrire). Il s'agit plutôt d'un processus en deux étapes : d'abord il faut reconnaître le propos du patient qui croit, par exemple, qu'il a besoin d'une intervention chirurgicale ; puis, offrir son opinion professionnelle à ce sujet en disant, par exemple : « Il n'est pas indiqué pour vous d'avoir une intervention chirurgicale parce que... ». Il faut éviter de faire des commentaires sur la personne elle-même et limiter son propos à un avis conforme à son rôle de médecin. Il vaut mieux éviter des énoncés du type : « Vous êtes ridicule de croire que vous avez besoin d'une opération » ou « Où avez-vous pris que vous aviez besoin d'une opération ? »

2. **Utiliser l'empathie : reconnaître ouvertement le point de vue et les émotions du patient, et utiliser le reflet.**

   Le médecin communique sa compréhension et sa sensibilité à l'égard des émotions du patient ou de sa situation difficile. L'empathie comporte deux volets essentiels, soit la compréhension de la situation vécue par le patient, puis l'expression de cette compréhension d'une manière qui aide le patient, de façon verbale et non verbale. L'énoncé empathique du médecin nomme le problème du patient et exprime l'appréciation de l'émotion ou de la situation du patient. Le reflet est une technique couramment utilisée à cette fin[11].

   S'il y a conflit entre le sens explicite d'une communication verbale et le sens qu'il prête à une communication non verbale, le patient aura tendance à considérer le message non verbal comme le *vrai* message. Les patients ont raison de choisir cette version de deux messages contradictoires, car le non-verbal échappe en partie au contrôle volontaire. C'est le canal privilégié pour l'expression des émotions, des attitudes, de l'image de soi et du rapport qu'on offre à l'autre. Il est beaucoup plus difficile de mentir lorsqu'on s'exprime à l'aide du non-verbal. De plus, comme le non-verbal relève d'un niveau moins conscient, le médecin laisse échapper par ce canal des aspects de lui-même sans s'en rendre compte[12].

3. **Fournir du soutien : exprimer son intérêt, sa compréhension, sa volonté d'aider ; reconnaître les efforts d'adaptation et les démarches appropriées d'autosoins de son patient ; lui offrir de travailler en partenariat.**

   Le médecin exprime son souci du patient, la compréhension de sa situation, la volonté de l'aider. Il souligne le partenariat et invite le patient à y souscrire. Il reconnaît les efforts du patient en vue d'améliorer son état de santé et, au besoin, lui exprime de la sympathie pour sa situation et le réconforte.

4. **Agir avec délicatesse dans la discussion de sujets embarrassants et troublants, en présence de douleurs physiques et durant l'examen physique.**

   Le médecin aborde avec délicatesse les sujets pouvant être embarrassants ou troublants pour le patient, qui peuvent susciter chez lui un sentiment de honte ou lui faire perdre la face. Il traite avec délicatesse la douleur du patient, lorsqu'il effectue des manipulations et lorsque le patient en parle.

C. ASSOCIER LE PATIENT À LA DÉMARCHE CLINIQUE

1. **Partager ses réflexions cliniques avec le patient.**

   Une fois qu'il a une hypothèse sérieuse, le médecin communique ses réflexions cliniques au patient (exemple : « Ce que je pense maintenant, c'est... ») et l'invite à exposer ses propres opinions. Cet échange de vues encourage la participation active du patient et augmente sa compréhension du processus d'entrevue. Il est important ici d'éviter le jargon technique et les informations incomplètes ou qui suggèrent des hésitations, car ils peuvent susciter de l'anxiété chez le patient.

2. **Justifier des questions ou des parties de l'examen physique qui pourraient paraître non pertinentes.**

   Pour rassurer le patient, le médecin explique la démarche clinique : au fur et à mesure que se déroule l'entrevue, il donne les raisons qui guident ses actes.

3. **Durant l'examen physique, expliquer le déroulement, demander la permission.**

   Au cours de l'examen physique, le médecin décrit le processus, il prévient le patient avant de faire un geste et demande la permission pour certaines opérations plus délicates. Le patient doit avoir le sentiment de comprendre ce qui se passe.

V. Expliquer et planifier

Les objectifs généraux de cette tâche (Silverman et autres, 1998, p. 92) sont les suivants :

- Évaluer la quantité et le type d'information à donner à chaque patient.
- Donner une explication que le patient peut comprendre et dont il peut se souvenir[13].
- Donner une explication qui cadre avec l'expérience de la maladie du patient[14].
- Utiliser une approche sollicitant la participation du patient pour s'assurer que l'explication corresponde bien au besoin de compréhension du patient ; dans ce sens, l'explication est coconstruite.
- Impliquer le patient dans la définition et la planification de son traitement ; cette collaboration augmente les chances que le patient observe son traitement, car il aura lui-même contribué à l'établir.
- Continuer de construire la relation et fournir un environnement que le patient percevra comme favorable.

A. FOURNIR LA QUANTITÉ ET LE TYPE D'INFORMATION ADÉQUATS

L'information doit être complète et appropriée et répondre aux besoins du patient. Elle doit être suffisante pour le patient, c'est-à-dire ni trop abondante ni trop brève.

1. **Fournir l'information par portions faciles à gérer et vérifier la compréhension du patient ; utiliser les réponses du patient comme guide pour adapter ses explications.**

   Le médecin donne d'abord l'information en petites quantités et il vérifie la compréhension qu'en a le patient. Selon sa réaction, il modifie la quantité de renseignements donnés, puis vérifie de nouveau. Il se sert donc de la réaction du patient comme guide pour calibrer les explications. Peu importe l'intention qui motive la communication, c'est ce qui est retenu qui compte.

2. **Évaluer les connaissances du patient : avant de donner de l'information, s'enquérir des connaissances préalables du patient ; s'informer de l'étendue de ce que le patient souhaite savoir.**

   Avant de commencer à expliquer, le médecin demande au patient ce qu'il connaît déjà sur le sujet, puis il greffe ses explications sur ces connaissances. Il évalue également le désir du patient d'en savoir plus ; certains ne le souhaitent pas.

3. **Demander au patient quelles autres informations lui seraient utiles.**

   Le médecin demande au patient s'il désire obtenir des informations complémentaires (exemple : l'étiologie, le pronostic).

4. **Donner l'information à des moments appropriés : éviter de donner des conseils et de l'information ou de rassurer prématurément.**

   Le médecin donne les explications au bon moment, c'est-à-dire lorsque le patient est prêt à les recevoir. Il faut éviter de fournir prématurément des explications, des conseils, des solutions, de l'information et, particulièrement, des propos visant à rassurer. En effet, le patient doit d'abord admettre qu'il a un problème avant d'accepter de recevoir des conseils ou d'être rassuré.

B. AIDER LE PATIENT À RETENIR ET À COMPRENDRE LES INFORMATIONS

Le médecin doit rendre les informations plus facilement mémorisables et compréhensibles pour le patient.

1. **Organiser les explications : diviser l'information en parties logiquement organisées.**

   Le médecin segmente les explications en parties organisées logiquement, en tenant compte des préoccupations du patient (exemple : discuter du traitement en présentant d'abord les options non pharmacologiques, puis les options pharmacologiques).

2. **Utiliser des catégories explicites ; annoncer les changements de thème.**

   Si les explications sont organisées en fonction de catégories, le médecin les explicite (exemple : « Je vais d'abord parler de vos lipides, puis nous parlerons de... »). Il a également recours à des balises (exemple : « Premièrement..., deuxièmement... »). Il faut fournir un fil conducteur au patient pour faciliter sa compréhension en disant, par exemple :

   - « Il y a trois sujets importants dont j'aimerais discuter avec vous, soit premièrement... » ;
   - « Maintenant, abordons... ».

3. **Utiliser la répétition et les résumés pour renforcer l'information.**

   Le médecin répète l'information de différentes manières et propose régulièrement des résumés, de façon à augmenter le taux de rétention de l'information par le patient, qui est généralement bas.

4. **Utiliser un langage concis et facile à comprendre ; éviter le jargon médical, ou du moins l'expliquer.**

   Le médecin adapte son niveau de langage à celui de son interlocuteur, tout en respectant la règle générale suivante : utiliser des phrases courtes, sans jargon. Le jargon sert souvent à établir une distance sociale avec le patient et à faire valoir l'expertise du professionnel, ce qui n'est pas nécessaire habituellement. Par ailleurs, il faut éviter de tomber dans l'infantilisation (*baby talk*), ce qui serait une insulte à l'intelligence du patient et un manque de respect. Le patient veut que le professionnel lui parle comme un professionnel ; il veut pouvoir apprécier sa compétence à travers ses propos, mais sans que les propos deviennent incompréhensibles.

5. **Utiliser du matériel visuel pour transmettre l'information : diagrammes, modèles, informations ou instructions écrites.**

   Le médecin utilise aussi souvent que possible des supports visuels pour ses explications : diagrammes, modèles, planches anatomiques, informations et instructions écrites. Il doit prêter attention au niveau de lecture exigé pour l'information écrite, qui doit être adapté à son patient[15].

6. Vérifier la compréhension qu'a le patient de l'information donnée (ou des plans élaborés).

Pour vérifier la compréhension qu'a le patient des instructions et des informations transmises, le médecin demande au patient de les répéter dans ses propres mots (exemple : « Pouvez-vous m'expliquer ce que vous avez à faire ? »), puis il ajoute des clarifications au besoin.

C. ARRIVER À UNE COMPRÉHENSION PARTAGÉE : INTÉGRER LA PERSPECTIVE DU PATIENT

Le médecin doit :

- donner des explications qui sont en rapport avec la perspective que le patient a de son problème ;
- tenir compte des réflexions et des émotions du patient à propos des informations fournies ;
- inciter le patient à participer à l'explication plutôt que de simplement lui transmettre de l'information.

1. Relier ses explications aux opinions du patient sur ses malaises : faire le lien avec les idées, les préoccupations et les attentes qu'a préalablement exprimées le patient.

Le médecin rattache ses explications aux explications spontanées du patient, aux idées qu'il a déjà émises sur sa maladie, à ses préoccupations et à ses attentes. Les croyances et les représentations du patient constituent les meilleurs points de départ pour l'enseignement thérapeutique du patient. On comprend à partir de ce qui est connu, car la compréhension est un processus de construction de sens. Il est donc plus productif d'ancrer les explications dans le point de vue du patient plutôt que de partir du point de vue médical et d'informer le patient. Ce dernier peut alors capitaliser sur des connaissances déjà acquises pour en acquérir de nouvelles.

2. Fournir au patient des occasions de participer et l'encourager à le faire : l'inciter à poser des questions, à demander des clarifications, à exprimer ses doutes ; y répondre adéquatement.

Le médecin encourage le patient à participer et à s'exprimer. Une fois le traitement prescrit, c'est le patient qui devra le prendre en charge. Sa participation est donc essentielle, et il est intéressant qu'elle s'amorce pendant l'entrevue. Le médecin peut alors évaluer l'engagement du patient et tenter de l'obtenir explicitement s'il a des doutes.

3. Relever les indices verbaux et les indices non verbaux.

Le médecin est attentif aux indices verbaux et non verbaux venant du patient, surtout à ceux qui indiquent qu'il veut prendre la parole pour fournir de l'information, poser une question, demander une clarification ou exprimer un doute. Il est également attentif aux indices d'inconfort, de malaise ou de douleur, de surcharge d'informations.

4. Faire exprimer au patient ses croyances, ses réactions et ses émotions en lien avec les informations données et les termes utilisés ; les reconnaître et y répondre au besoin.

Le médecin fait exprimer au patient ses croyances, ses réactions et ses sentiments à l'égard de son problème. Il prête attention au type d'information fournie, aux termes utilisés, car il peut ensuite utiliser ces informations pour donner des explications mieux adaptées à son patient. Il peut aussi mieux tenir compte de l'état émotionnel du patient et trouver les mots justes pour le réconforter. Enfin, il doit montrer qu'il a compris, en commentant si nécessaire.

D. PLANIFIER : ARRIVER À UNE PRISE DE DÉCISION PARTAGÉE

Le médecin désire amener le patient à comprendre le processus de prise de décision, à s'impliquer dans ce processus et à augmenter son engagement à l'égard des plans de traitement.

1. **Partager ses réflexions cliniques (idées, processus de pensée, dilemmes) lorsque cela est approprié.**

   Il ne s'agit pas pour le médecin de penser à haute voix, mais plutôt de nommer les différentes hypothèses avec lesquelles il travaille et d'indiquer la stratégie qu'il utilise pour isoler la bonne. Il peut arriver que le médecin adopte une approche empirique de traitement pour déterminer le problème du patient. Par exemple, il peut proposer une approche non pharmacologique associée à un traitement antibiotique à une patiente qui présente un tableau de mastite aiguë, tout en considérant cependant l'hypothèse plus sérieuse qu'il s'agit d'un cancer inflammatoire du sein. Si le traitement fonctionne, la difficulté soupçonnée (la mastite) sera confirmée ; sinon, il s'agit peut-être du cancer. Le médecin doit alors s'assurer que la patiente reviendra : il doit donc lui faire comprendre que la mastite n'est qu'une possibilité, de sorte que si le premier traitement échoue, elle ne perçoive pas cet échec comme une erreur du médecin.

2. **Faire participer le patient : présenter des suggestions et des choix plutôt que des directives ; encourager le patient à partager ses pensées (idées, suggestions et préférences).**

   Le médecin doit suggérer plutôt qu'imposer. Il définit un plan de traitement qui tient compte de l'ensemble des contraintes, des convictions, des opinions, des résistances ou des préférences du patient. Il est important d'obtenir l'engagement du patient à l'égard de la définition de ce plan, qui doit idéalement être coproduit par le médecin et le patient, puisque c'est ce dernier qui l'appliquera. Le processus du diagnostic et de la mise en place du traitement approprié peut se prolonger sur plusieurs entrevues. Comme ce processus comporte parfois des essais et des erreurs, il est bon que le patient soit prévenu et s'y implique ; autrement, il pourrait perdre confiance après quelques échecs.

3. **Explorer les différentes options d'action.**

   Le médecin encourage le patient à livrer ses croyances et ses pensées à propos des différents traitements possibles : il vaut mieux connaître les réflexions du patient sur son problème et vérifier ses préférences quant aux stratégies possibles de traitement. On peut ainsi gagner beaucoup de temps.

4. **S'assurer du rôle que le patient souhaite jouer dans les décisions à prendre.**

   Peut-être le patient préfère-t-il que le médecin prenne lui-même les décisions. Le médecin doit adopter une approche personnalisée, car les individus diffèrent quant au rôle qu'ils désirent jouer dans les choix à faire. En outre, la volonté de participer d'une même personne peut différer en fonction du type de problème qu'elle connaît et des circonstances.

5. **Discuter d'un plan mutuellement acceptable : signaler sa position ou ses préférences au sujet des options possibles ; déterminer les préférences du patient.**

   Le médecin et le patient doivent s'entendre sur un plan de traitement mutuellement acceptable. Selon nous, un traitement doit être défini par le médecin en fonction des connaissances médicales disponibles. Parmi plusieurs suggestions de traitement, le médecin indique clairement ses préférences et les raisons qui les motivent. Cependant, le meilleur traitement demeure celui qui sera suivi par le patient. Si, parmi les options discutées, le premier choix du patient diffère de celui du médecin, celui-ci lui demande d'expliciter ses motifs. Pour circonscrire le meilleur traitement, le médecin doit considérer l'ensemble des contraintes du patient, ses résistances, ses objections ou ses craintes. Sans abandonner son rôle de spécialiste de la santé, le médecin a parfois avantage à emprunter un chemin plus long avec un patient qui collabore qu'un chemin plus court avec un patient qui résiste. Il y a collaboration lorsque le patient fournit l'information nécessaire et que le médecin cherche dans son répertoire le traitement adapté pour ce patient. Le fait d'engager le patient dans le processus de décision contribue aussi à le responsabiliser. La démarche de collaboration entreprise au moment de la définition du traitement doit se poursuivre par l'observance du patient.

Ici, Kurtz et autres (2003b) parlent de *négociation* du plan de traitement. Ce terme nous paraît sous-tendre un certain rapport de force et des concessions. Or, on ne peut arriver à la solution de un comprimé par jour quand il en faut deux, sous prétexte que c'est ce que le patient trouve acceptable. La solution appropriée serait de choisir un autre traitement qui soit acceptable pour lui. C'est pourquoi nous préférons parler de *coproduction* d'un plan de traitement. En effet, il y a collaboration pour parvenir à la guérison ou au règlement du problème du patient. C'est seulement lorsque le traitement est suivi et le problème du patient réglé ou contrôlé que le médecin peut considérer avoir terminé sa tâche. Nous préférons mettre l'accent sur l'aspect coopératif de la démarche de traitement.

6. Vérifier auprès du patient s'il est d'accord avec le plan et si on a répondu à ses préoccupations.

Le médecin s'assure que le patient est d'accord avec le plan de traitement et que ses préoccupations ont été prises en compte. En l'absence d'une telle vérification et dans une dynamique où il dirige l'entrevue, le médecin pourrait croire qu'il a terminé son travail et entamer le processus qui mène à la conclusion. Le patient peut alors suivre docilement le médecin même s'il est préoccupé, ce qui augmente le risque d'inobservance du traitement. Si, après vérification, il y a accord entre le médecin et son patient sur le traitement mais inobservance de la part du patient, le médecin devra alors analyser la difficulté du patient et lui proposer des solutions, lui offrir de l'aide, l'appuyer et l'encourager à suivre le traitement.

VI. Terminer l'entrevue

Les objectifs généraux de cette tâche (Silverman et autres, 1998, p. 130) sont les suivants:

- Confirmer la stratégie d'intervention.
- Clarifier les différentes étapes qui restent à franchir.
- Élaborer des stratégies de rechange en cas de difficulté.
- Augmenter l'adhésion du patient au traitement et les améliorations à sa santé.
- Utiliser le temps de l'entrevue efficacement.
- Faire sentir au patient qu'il fait partie d'un processus de collaboration et le préparer à une relation patient-médecin qui se prolongera dans le temps.

A. PLANIFIER LES PROCHAINES ÉTAPES

1. Conclure une entente avec le patient au sujet des prochaines étapes.

Le médecin s'entend avec le patient sur les mesures à prendre et sur les étapes à venir. Il précise les rôles de chacun et les tâches du patient relativement au traitement.

2. **Prévoir un filet de sécurité en mentionnant les résultats inattendus possibles, les mesures à prendre si le plan de traitement ne fonctionne pas, le moment et la façon de demander de l'aide.**

   Par mesure de sécurité, le médecin prévoit les difficultés et en prévient le patient. Il l'informe de ce qu'il doit faire si ces problèmes apparaissent en lui expliquant quand et comment obtenir de l'aide.

B. PRÉPARER LA FIN DE L'ENTREVUE

1. **Résumer la séance brièvement et clarifier le plan de soins.**

   Le médecin fait un résumé final de l'entrevue et répète le plan de soins. Il s'agit de la dernière occasion de clarifier ce plan, si nécessaire.

2. **Vérifier une dernière fois que le patient est d'accord et à l'aise avec le plan de soins proposé, et demander s'il a des corrections à apporter, des questions à poser ou d'autres points à discuter.**

   Le médecin vérifie une dernière fois l'engagement du patient vis-à-vis du plan de soins. Il voit s'il reste des doutes, des préoccupations ou des ambiguïtés à clarifier.

VII. Expliquer et planifier : cas particuliers de discussion avec le patient

Dans cette section, les auteurs traitent de situations particulières entre un médecin et son patient, qui peuvent nécessiter le recours à des habiletés communicationnelles spéciales.

A. DISCUSSION À PROPOS D'OPINIONS SUR UN PROBLÈME OU SUR SA SIGNIFICATION

1. **Offrir une opinion sur ce qui se passe et, si possible, nommer précisément le ou les problèmes.**

   Le médecin tente de mettre en lumière le ou les problèmes en partageant et en nommant les différentes hypothèses qu'il désire vérifier.

2. **Révéler les raisons à l'origine des opinions discutées.**

   Le médecin révèle la logique qui sous-tend ses différentes hypothèses et explique en quoi les symptômes observés appuient ces hypothèses.

3. **Expliquer les causes, la gravité, les résultats attendus ainsi que les conséquences à court et à long terme.**

   Le médecin explique les origines du problème, son sérieux, la façon dont il va évoluer, ainsi que ses répercussions à court et à long terme.

4. **Encourager le patient à exprimer ses croyances, ses réactions et ses préoccupations au sujet des opinions émises.**

   Le médecin sollicite les réactions, les préoccupations et les opinions du patient à l'égard des hypothèses. Il discute des inquiétudes qu'elles soulèvent en essayant de rapprocher son point de vue de celui du patient.

B. ÉLABORATION CONJOINTE D'UN PLAN D'ACTION

1. **Discuter des possibilités d'intervention.**

   Le médecin énumère les différentes solutions possibles et en discute avec le patient (exemples : aucune action, investigation, médication ou intervention chirurgicale, traitements non pharmacologiques tels que physiothérapie, marchette, solutés, psychothérapie, mesures préventives).

2. **Fournir de l'information sur les interventions et les traitements offerts : leur nom ; les étapes des traitements et la façon dont ils fonctionnent ; leurs avantages ; les effets indésirables possibles.**

   Le médecin donne des informations sur chacune des différentes options de traitement : la durée, les risques, les mécanismes, les effets secondaires, les délais avant de voir les résultats, les avantages et les inconvénients, etc.

3. **Solliciter la perspective du patient sur la nécessité d'agir, les bienfaits perçus, les obstacles, sa motivation.**

   Le médecin obtient le point de vue du patient sur les différentes options ainsi que sur la nécessité de prendre des mesures, les bienfaits qu'il attend de ces mesures, les barrières qu'il perçoit et sa motivation à adopter l'un ou l'autre des traitements.

4. **Reconnaître le point de vue du patient ; au besoin, plaider en faveur d'autres points de vue.**

   Si le point de vue du patient n'est pas acceptable sur le plan clinique, le médecin fait valoir d'autres approches qui le sont davantage.

5. **Solliciter les réactions et les préoccupations du patient au sujet du plan de traitement ; vérifier notamment s'il le trouve acceptable.**

   Le médecin demande au patient d'exprimer les doutes, les réactions et les préoccupations que soulève chez lui le plan de traitement et il vérifie s'il est acceptable à ses yeux.

6. **Tenir compte du style de vie, des croyances, du bagage culturel et des capacités du patient.**

   Le médecin discute des options de traitement et s'assure qu'elles sont compatibles avec le style de vie du patient, ses croyances, sa culture. En outre, il s'assure que le patient a les capacités nécessaires pour respecter les exigences des différents traitements possibles.

7. **Encourager le patient à mettre en pratique les plans d'action, à prendre ses responsabilités et à être autonome.**

   Le médecin discute la manière dont le patient peut appliquer les options retenues. Il lui demande d'expliquer comment il mettra en pratique le plan d'action et favorise sa responsabilisation.

8. **Vérifier le soutien personnel dont bénéficie le patient et discuter des autres possibilités de soutien social qui s'offrent à lui.**

   Le médecin évalue la motivation du patient et le soutien que lui apportent ses proches et sa communauté. Il lui suggère des organismes qui pourraient lui offrir de l'aide. Il vérifie aussi s'il se heurte à des obstacles sociaux (exemple : le refus de membres de la famille de changer leur régime alimentaire pour accommoder la diète d'un diabétique).

C. DISCUSSION À PROPOS DES INVESTIGATIONS ET DES INTERVENTIONS

1. **Fournir des informations claires sur les interventions, c'est-à-dire sur ce que le patient pourrait vivre et subir, et sur la façon dont il sera informé des résultats.**

   Le médecin fournit au patient des informations sur la nature des tests et des examens. Il lui explique ce qu'il subira, ce qu'il devra faire et ce qu'il pourrait ressentir pendant les examens. Enfin, il le renseigne sur la façon dont les résultats lui seront communiqués.

2. **Faire le lien entre les interventions et le plan de traitement.**

   Le médecin rappelle l'importance et les raisons des interventions que le patient doit subir et fait le lien avec le plan de traitement. Le patient doit savoir précisément où il en est rendu dans le plan de traitement et il doit être informé de la façon dont les interventions particulières s'y insèrent.

3. **Encourager les questions et la discussion sur les craintes ou les résultats défavorables possibles.**

   Le médecin discute des craintes et des résistances que soulèvent les interventions chez le patient. Il le prépare à recevoir et à interpréter des résultats pouvant être défavorables et à en envisager les éventuelles conséquences.

Conclusion

L'approche Calgary-Cambridge exposée dans ce chapitre a fait l'objet de plusieurs rééditions, chacune ayant permis d'y intégrer les nouvelles données de recherche dans le domaine et les commentaires des enseignants et des étudiants de partout dans le monde qui l'ont utilisée. Ce fait atteste de son dynamisme et de la préoccupation constante de ses concepteurs d'assurer la solidité de ses assises empiriques et théoriques.

Nous avons présenté les principes sous-jacents à son élaboration et le cadre conceptuel élargi (*expanded framework*) de l'entrevue médicale que Kurtz et autres (2003b) ont récemment proposé. Ce cadre élargi traite en particulier de la problématique du clivage entre l'apprentissage traditionnel du contenu propre à l'*observation médicale* et celui plus contemporain des *habiletés communicationnelles* propres au processus. Tout comme nous avons tenté de faire dans les chapitres 7 et 8 du présent volume, les concepteurs de l'approche CC proposent un *modèle intégré de l'enseignement de l'entrevue médicale.*

Le libellé des éléments de la version française de la plus récente édition (sous presse) du guide CC, dont il est question dans ce chapitre, est le fruit du travail d'un groupe de collaborateurs du Département de médecine familiale de l'Université de Montréal. Nous avons procédé à quelques changements surtout dans la forme, qui visent tous, à notre avis, à en faciliter l'usage. Nous espérons ainsi rendre accessible à la communauté médicale francophone une approche contemporaine d'apprentissage de l'entrevue médicale, qui tient compte à la fois des données probantes et de l'expérience clinique.

Notes

1. Nous présentons ces fonctions dans le chapitre 7, intitulé « Les fonctions de l'entrevue médicale et les stratégies communicationnelles ».
2. Cette section est inspirée de Kurtz (2002).
3. À ce sujet, voir les chapitres 15 et 25, intitulés respectivement « Les patients aux prises avec des problèmes d'alphabétisme fonctionnel » et « Les médicaments ».
4. Voir aussi le chapitre 1, intitulé « Une approche dialogique de la consultation ».
5. Pour plus de détails, voir le chapitre 8, intitulé « La structure et le contenu de l'entrevue médicale ».
6. Le lecteur aura avantage à consulter le chapitre 7, « Les fonctions de l'entrevue médicale et les stratégies communicationnelles ».
7. À ce sujet, voir le chapitre 2, intitulé « Les manifestations et les composantes d'une relation », particulièrement la section « La relation est immanente à l'interaction ».
8. Voir le chapitre 8, intitulé « La structure et le contenu de l'entrevue médicale ».
9. Pour un examen de ce sujet, voir le chapitre 8, « La structure et le contenu de l'entrevue médicale ».
10. Voir la sous-section « Manifester de l'empathie », dans le chapitre 9, intitulé « La gestion des émotions ».
11. Voir le chapitre 9, intitulé « La gestion des émotions ».
12. Voir le chapitre 9, intitulé « La gestion des émotions ».
13. Pour des précisions à ce sujet, voir les chapitres 15 et 17, intitulés respectivement « Les patients aux prises avec des problèmes d'alphabétisme fonctionnel » et « Les patients défavorisés ».
14. Voir le chapitre 6, « L'approche centrée sur le patient : diverses manières d'offrir des soins de qualité ».
15. Voir le chapitre 15, « Les patients aux prises avec des problèmes d'alphabétisme fonctionnel ».

Références

Aspergren, K. (1999). « BEME Guide No. 2 : Teaching and learning communication skills in medicine – A review with quality grading of articles », *Medical Teacher*, vol. 21, n° 6, p. 563-570.

Kurtz, S.M. (2002). « Doctor-patient communication : Principles and practices », *The Canadian Journal of Neurological Sciences*, vol. 29 (suppl. 2), p. S23-S29.

Kurtz, S.M., J.D. Silverman, J. Benson et J. Draper (2003a). *Calgary-Cambridge guide to communication : Process skills*, Calgary (www.skillscascade.com et www.med.ucalgary.ca/education/learningresources).

Kurtz, S.M., J.D. Silverman, J. Benson et J. Draper (2003b). « Marrying content and process in clinical method teaching : Enhancing the Calgary-Cambridge guides », *Academic Medicine*, vol. 78, n° 8, p. 802-809.

Kurtz, S.M., J.D. Silverman et J. Draper (1998). *Teaching and learning communication skills in medicine*, Abingdon, Radcliffe Medical Press.

Lazare, A., S.M. Putnam et M. Lipkin Jr. (1995). « Three functions of the medical interview », dans *The medical interview : Clinical care, education, and research*, sous la direction de M. Lipkin Jr., S.M. Putnam et A. Lazare, New York, Springer-Verlag, chap. 1, p. 3-19.

Maguire, P., S. Fairbairn et C. Fletcher (1986). « Consultation skills of young doctors II : Most young doctors are bad at giving information », *British Medical Journal*, n° 292, p. 1576-1578.

Millette, B., M.-T. Lussier et J. Goudreau (2004). « L'apprentissage de la communication par les médecins : Aspects conceptuels et méthodologiques d'une mission académique prioritaire », *Revue de pédagogie médicale*, vol. 5, p. 110-126.

Silverman, J.D., S.M. Kurtz et J. Draper (1998). *Skills for communicating with patients*, Abingdon, Radcliffe Medical Press.

Stewart, M.A. (1995). « Effective physician-patient communication and health outcomes : A review », *Journal de l'Association médicale canadienne*, vol. 152, n° 9, p. 1423-1433.

White, J., W. Levinson et D. Roter (1994). « "Oh, by the way" – The closing moments of the medical interview », *Journal of General Internal Medicine*, n° 9, p. 24-28.

Annexe 11.1

Le guide Calgary-Cambridge de l'entrevue médicale : les processus de communication

☺ Maîtrisée.
😐 En voie d'être maîtrisée.
☹ Non maîtrisée.

I COMMENCER L'ENTREVUE			
A. Préparer la rencontre	☺	😐	☹
Commentaires			
B. Établir le premier contact (l'accueil)			
1. Salue le patient et obtient son nom.	☺	😐	☹
Commentaires			
2. Se présente et précise son rôle, la nature de l'entrevue ; obtient le consentement du patient, si nécessaire.	☺	😐	☹
Commentaires			
3. Montre du respect et de l'intérêt ; voit au confort physique du patient.	☺	😐	☹
Commentaires			
C. Déterminer les motifs de consultation			
1. Détermine par une question d'ouverture les problèmes ou les préoccupations que le patient souhaite voir aborder durant l'entrevue.	☺	😐	☹
Commentaires			
2. Écoute attentivement les énoncés d'ouverture du patient, sans l'interrompre ni orienter sa réponse.	☺	😐	☹
Commentaires			
3. Confirme la liste initiale des motifs de consultation et vérifie s'il y a d'autres problèmes.	☺	😐	☹
Commentaires			
4. Fixe le programme de la rencontre avec l'accord du patient, en tenant compte à la fois de ses besoins et des priorités cliniques.	☺	😐	☹
Commentaires			

II RECUEILLIR L'INFORMATION			
A. Explorer les problèmes du patient			
1. Encourage le patient à raconter l'histoire de son ou de ses problèmes, du début jusqu'au moment présent, dans ses propres mots (en clarifiant le motif de consultation actuel).	☺	😐	☹
Commentaires			
2. Utilise la technique des questions ouvertes et des questions fermées.	☺	😐	☹
Commentaires			
3. Écoute attentivement, en permettant au patient de terminer ses phrases sans l'interrompre et en lui laissant du temps pour réfléchir avant de répondre ou pour continuer après une pause.	☺	😐	☹
Commentaires			
4. Facilite, verbalement et non verbalement, les réponses du patient.	☺	😐	☹
Commentaires			
5. Relève les indices verbaux et non verbaux ; offre son interprétation au patient et vérifie si le patient est d'accord.	☺	😐	☹
Commentaires			
6. Clarifie les énoncés du patient qui sont ambigus ou qui nécessitent plus de précisions.	☺	😐	☹
Commentaires			
7. Fait périodiquement des résumés des propos du patient.	☺	😐	☹
Commentaires			
8. Utilise des questions et des commentaires concis et faciles à comprendre ; évite le jargon médical ou, du moins, l'explique.	☺	😐	☹
Commentaires			
9. Établit la séquence temporelle des événements depuis le début.	☺	😐	☹
Commentaires			

B. Habiletés additionnelles pour comprendre la perspective du patient			
1. Détermine activement et explore adéquatement : • les idées du patient (ses croyances sur les causes) ; • ses préoccupations (ses craintes) au sujet de chaque problème ; • ses attentes (ses buts, l'aide qu'il désire obtenir pour chaque problème) ; • les effets de ses problèmes de santé : comment chaque problème touche sa vie.	☺	😐	☹
Commentaires			
2. Encourage le patient à exprimer ses émotions.	☺	😐	☹
Commentaires			

III STRUCTURER L'ENTREVUE

A. Rendre explicite l'organisation de l'entrevue			
1. Fait un résumé à la fin de chaque sujet d'exploration.	☺	😐	☹
Commentaires			
2. Progresse d'une section à l'autre de l'entrevue en annonçant verbalement les transitions et en les justifiant.	☺	😐	☹
Commentaires			

B. Prêter attention au déroulement de l'entrevue			
1. Structure l'entrevue selon une séquence logique.	☺	😐	☹
Commentaires			
2. Est attentif au temps disponible et maintient l'entrevue centrée sur les tâches à accomplir.	☺	😐	☹
Commentaires			

IV CONSTRUIRE LA RELATION

A. Utiliser un comportement non verbal approprié			
1. Adopte un comportement non verbal approprié : • contact visuel, expression faciale ; • posture, position et mouvement ; • indices vocaux tels que débit, volume, tonalité.	☺	😐	☹
Commentaires			
2. Lit ou prend des notes, ou utilise un ordinateur d'une façon qui n'interfère ni avec le dialogue ni avec la relation.	☺	😐	☹
Commentaires			

3. Montre une confiance appropriée.	☺	😐	☹
Commentaires			
B. Établir une relation chaleureuse et harmonieuse			
1. Accueille les points de vue et les émotions du patient ; ne s'érige pas en juge.	☺	😐	☹
Commentaires			
2. Utilise l'empathie : reconnaît ouvertement les points de vue et les émotions du patient et utilise le reflet.	☺	😐	☹
Commentaires			
3. Fournit du soutien : exprime son intérêt, sa compréhension, sa volonté d'aider ; reconnaît les efforts d'adaptation et les démarches appropriées d'autosoins de son patient ; lui offre de travailler en partenariat.	☺	😐	☹
Commentaires			
4. Agit avec délicatesse dans la discussion de sujets embarrassants et troublants, en présence de douleurs physiques et durant l'examen physique.	☺	😐	☹
Commentaires			
C. Associer le patient à la démarche clinique			
1. Partage ses réflexions cliniques avec le patient.	☺	😐	☹
Commentaires			
2. Justifie des questions ou des parties de l'examen physique qui pourraient paraître non pertinentes.	☺	😐	☹
Commentaires			
3. Durant l'examen physique, explique le déroulement, demande la permission.	☺	😐	☹
Commentaires			

V EXPLIQUER ET PLANIFIER

A. Fournir la quantité et le type d'information adéquats

1. Fournit l'information par portions faciles à gérer et vérifie la compréhension du patient ; utilise les réponses du patient comme guide pour adapter ses explications.	☺	😐	☹
Commentaires			
2. Évalue les connaissances du patient : s'enquiert des connaissances préalables du patient ; s'informe de l'étendue de ce que le patient souhaite savoir.	☺	😐	☹
Commentaires			
3. Demande au patient quelles autres informations lui seraient utiles.	☺	😐	☹
Commentaires			
4. Donne l'information à des moments appropriés : évite de donner des conseils et de l'information ou de rassurer prématurément.	☺	😐	☹
Commentaires			

B. Aider le patient à retenir et à comprendre les informations

1. Organise les explications : il divise l'information en parties logiquement organisées.	☺	😐	☹
Commentaires			
2. Utilise des catégories explicites ; annonce les changements de thème.	☺	😐	☹
Commentaires			
3. Utilise la répétition et les résumés pour renforcer l'information.	☺	😐	☹
Commentaires			
4. Utilise un langage concis et facile à comprendre ; évite le jargon médical, ou du moins l'explique.	☺	😐	☹
Commentaires			
5. Utilise du matériel visuel pour transmettre l'information : diagrammes, modèles, informations ou instructions écrites.	☺	😐	☹
Commentaires			

6. Vérifie la compréhension qu'a le patient de l'information donnée (ou des plans élaborés).	☺	😐	☹
Commentaires			
C. Arriver à une compréhension partagée : intégrer la perspective du patient			
1. Relie ses explications aux opinions du patient sur ses malaises : fait le lien avec les idées, les préoccupations et les attentes qu'a préalablement exprimées le patient.	☺	😐	☹
Commentaires			
2. Fournit au patient des occasions de participer et l'encourage à le faire : l'incite à poser des questions, à demander des clarifications, à exprimer ses doutes ; y répond adéquatement.	☺	😐	☹
Commentaires			
3. Relève les indices verbaux et les indices non verbaux.	☺	😐	☹
Commentaires			
4. Fait exprimer au patient ses croyances, ses réactions et ses émotions en lien avec les informations données et les termes utilisés ; les reconnaît et y répond au besoin.	☺	😐	☹
Commentaires			
D. Planifier : arriver à une prise de décision partagée			
1. Partage ses réflexions cliniques (idées, processus de pensée, dilemmes) lorsque cela est approprié.	☺	😐	☹
Commentaires			
2. Fait participer le patient : présente des suggestions et des choix plutôt que des directives ; encourage le patient à partager ses pensées (idées, suggestions et préférences).	☺	😐	☹
Commentaires			
3. Explore les différentes options d'action.	☺	😐	☹
Commentaires			
4. S'assure du rôle que le patient souhaite jouer dans les décisions à prendre.	☺	😐	☹
Commentaires			

5. Discute d'un plan mutuellement acceptable : signale sa position ou ses préférences au sujet des options possibles ; détermine les préférences du patient.	☺	😐	☹
Commentaires			
6. Vérifie auprès du patient s'il est d'accord avec le plan et si on a répondu à ses préoccupations.	☺	😐	☹
Commentaires			

VI TERMINER L'ENTREVUE

A. Planifier les prochaines étapes

1. Conclut une entente avec le patient au sujet des prochaines étapes.	☺	😐	☹
Commentaires			
2. Prévoit un filet de sécurité, en mentionnant les résultats inattendus possibles, les mesures à prendre si le plan de traitement ne fonctionne pas, le moment et la façon de demander de l'aide.	☺	😐	☹
Commentaires			

B. Préparer la fin de l'entrevue

1. Résume la séance brièvement et clarifie le plan de soins.	☺	😐	☹
Commentaires			
2. Vérifie une dernière fois que le patient est d'accord et à l'aise avec le plan de soins proposé, et demande s'il a des corrections à apporter, des questions à poser ou d'autres points à discuter.	☺	😐	☹
Commentaires			

VII EXPLIQUER ET PLANIFIER : CAS PARTICULIERS DE DISCUSSION AVEC LE PATIENT

A. Discussion à propos d'opinions sur un problème ou sur sa signification

1. Offre une opinion sur ce qui se passe et, si possible, nomme précisément le ou les problèmes.	☺	😐	☹
Commentaires			
2. Révèle les raisons à l'origine des opinions discutées.	☺	😐	☹
Commentaires			
3. Explique les causes, la gravité, les résultats attendus ainsi que les conséquences à court et à long terme.	☺	😐	☹
Commentaires			

4. Encourage le patient à exprimer ses croyances, ses réactions et ses préoccupations au sujet des opinions émises.	☺	😐	☹
Commentaires			
B. Élaboration conjointe d'un plan d'action			
1. Discute des possibilités d'intervention.	☺	😐	☹
Commentaires			
2. Fournit de l'information sur les interventions et les traitements offerts : • leur nom ; • les étapes des traitements et la façon dont ils fonctionnent ; • leurs avantages ; • les effets secondaires possibles.	☺	😐	☹
Commentaires			
3. Sollicite la perspective du patient sur la nécessité d'agir, les bienfaits perçus, les obstacles, sa motivation.	☺	😐	☹
Commentaires			
4. Reconnaît le point de vue du patient ; au besoin, plaide en faveur d'autres points de vue.	☺	😐	☹
Commentaires			
5. Sollicite les réactions et les préoccupations du patient au sujet du plan de traitement ; vérifie notamment s'il le trouve acceptable.	☺	😐	☹
Commentaires			
6. Tient compte du style de vie, des croyances, du bagage culturel et des capacités du patient.	☺	😐	☹
Commentaires			
7. Encourage le patient à mettre en pratique les plans d'action, à prendre ses responsabilités et à être autonome.	☺	😐	☹
Commentaires			
8. Vérifie le soutien personnel dont bénéficie le patient et discute des autres possibilités de soutien social qui s'offrent à lui.	☺	😐	☹
Commentaires			

C. Discussion à propos des investigations et des interventions			
1. Fournit des informations claires sur les interventions, c'est-à-dire sur ce que le patient pourrait vivre et subir, et sur la façon dont il sera informé des résultats.	☺	😐	☹
Commentaires			
2. Fait le lien entre les interventions et le plan de traitement.	☺	😐	☹
Commentaires			
3. Encourage les questions et la discussion sur les craintes ou les résultats défavorables possibles.	☺	😐	☹
Commentaires			

Source : Kurtz et autres (1998, 2003b) et Silverman et autres (1998). Traduit et adapté avec la permission des auteurs par Christian Bourdy, Bernard Millette, Claude Richard et Marie-Thérèse Lussier (2004 : ici, la version diffère légèrement). La version originale anglaise est accessible sur Internet aux sites www.skillscascade.com ou www.med.ucalgary.ca/education/learningresources.

Les clientèles

Les enfants

Ellen Rosenberg
Robert Thivierge

CHAPITRE 12

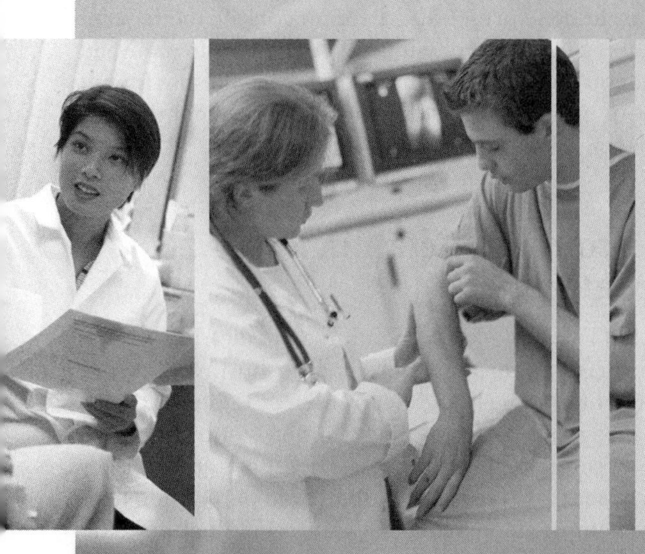

Toute communication comporte des aspects à la fois cognitifs et émotionnels, mais la communication avec l'enfant présente des difficultés particulières. Dans le présent chapitre, nous traiterons des consultations avec les enfants dans un contexte de soins ambulatoires. Tout comme les adultes, les enfants voient le médecin pour des maladies, bénignes ou graves, en raison d'un état chronique, par mesure de santé ou par souci de prévention de la maladie. La consultation se déroule généralement à trois, l'enfant étant accompagné d'au moins un adulte[1]. Par ailleurs, l'enfant appartient parfois à une culture différente de celle du médecin[2]. Le présent chapitre aborde l'aménagement du cabinet en fonction des enfants, l'amorce de la consultation, la façon de parler à l'enfant suivant son stade cognitif, les besoins des adultes présents et les diverses interactions entre les participants.

L'aménagement du cabinet en fonction des enfants

Le cabinet du médecin doit à la fois être sécuritaire pour l'enfant et favoriser la communication avec lui. Par précaution, on veille à protéger toutes les prises électriques et à ranger toute substance toxique quelle qu'elle soit (y compris tout échantillon de médicament) dans une armoire close, hors de portée de l'enfant. Pour approcher l'enfant plus facilement, le médecin pourrait troquer sa blouse de médecin contre des vêtements de tous les jours.

Comme il faut parfois du temps pour apprivoiser l'enfant, des jouets, des meubles adaptés à sa taille et même un coin de jouets sont des atouts dans le cabinet. Pour mieux connaître l'enfant, son développement et sa relation avec ses parents, le médecin a alors la possibilité d'observer l'enfant en train de jouer ; il pourra aussi noter la façon dont le parent interagit avec son enfant pendant le jeu et pour y mettre fin. Il peut même évaluer les habiletés motrices de l'enfant en l'observant manipuler les jouets. Pour jauger son tempérament, il peut noter le temps dont l'enfant a besoin pour se familiariser avec l'environnement. Aux rencontres suivantes, il verra si l'enfant se souvient de l'emplacement des jouets et s'il s'y dirige de lui-même. L'observation renseigne aussi sur les règles de discipline qu'impose le parent.

Le médecin peut demander au parent de le présenter à l'enfant comme médecin et de l'initier brièvement aux actes nécessaires à l'examen physique. Il peut s'asseoir au niveau de l'enfant et jouer avec lui avec un jouet qu'il aura choisi ou apporté de la maison. Il peut aussi lui demander de faire un dessin pour ensuite en parler avec lui. Enfin, il peut inviter l'enfant à examiner et à toucher les instruments qui servent à l'examen.

Amorcer la consultation : comment établir le programme de la rencontre

Même si c'est sa propre santé qui fait l'objet de la consultation en pédiatrie, l'enfant parle moins que le médecin ou le parent, et ce dernier l'interrompt souvent (Tates et Meeuwesen, 2001 ; Meeuwesen, Bensing et Kaptein, 1998 ; Meeuwesen et Kaptein, 1996). Pour cette raison, dès que l'enfant est en âge de parler, le médecin doit s'efforcer de lui faire dire lui-même la raison de sa visite. À cette fin, il lui posera des questions appropriées à son stade cognitif. Peut-être le médecin sent-il le besoin d'expliquer au parent que telle est sa manière habituelle de faire, par exemple de la façon suivante : « J'ai l'habitude de commencer par poser quelques questions à l'enfant pour connaître son opinion sur la raison de sa visite. Je vous reviendrai ensuite pour avoir votre point de vue. Cela vous convient-il ? »

Il importe de faire ressortir les motifs de consultation du parent dès le début de l'entrevue, afin d'établir à trois le programme de la rencontre.

Le stade cognitif de l'enfant

Le développement cognitif normal

On a montré que les conceptions enfantines de la maladie évoluent selon les stades de Piaget (Bibace et Walsh, 1980).

Entre 2 et 6 ans, les enfants, alors au stade *prélogique*, expliquent la maladie selon deux schémas : le phénoménisme et la contagion. Dans le *phénoménisme*, la cause est un phénomène concret extérieur, se produisant ou non en même temps que la maladie. À ce stade, les enfants sont incapables d'expliquer comment le phénomène cause la maladie. À ce stade encore, les enfants plus âgés attribuent la cause de la maladie à la *contagion*, croyant que ce sont les gens ou les objets près d'eux qui, sans la nécessité d'un contact, causent la maladie. Ils invoquent la proximité ou la magie, disant, par exemple : « Le rhume arrive quand quelqu'un s'approche de toi. » Nous verrons d'autres exemples dans les extraits de dialogue de ce chapitre.

Au stade *concret-logique* (de 7 à 10 ans), les enfants attribuent la maladie à la *contamination*. Ce concept comporte une distinction entre la cause de la maladie et la façon dont elle agit sur la personne (ce qui n'est pas le cas du concept de contagion chez les plus jeunes). Ainsi, certains enfants déclarent qu'il faut toucher la chose qui cause la maladie pour en être atteint. Les enfants les plus âgés de ce stade expliquent la maladie par l'*intériorisation :* la maladie est *dans* le corps. Cependant, leurs concepts de structures et de fonctions internes restent vagues, et ils considèrent les causes comme externes. À ce stade, les enfants croient que la maladie entre dans le corps par ingestion ou inhalation.

Vers l'âge de 11 ans, la plupart des enfants accèdent au stade *formel-logique*. Ils donnent alors des explications *physiologiques* ou *psychophysiologiques* (tout comme les adultes). Ces conceptions correspondent respectivement aux modèles biomédical et biopsychosocial de la maladie.

En regard des stades du développement cognitif selon Piaget, le tableau 12.1 présente les types d'explications de la maladie que les enfants retiennent, la façon dont les enfants comprennent leur maladie et la façon dont il faut aborder l'examen physique avec eux. Soulignons que les enfants, même en bonne santé, n'ont pas tous atteint le stade cognitif considéré comme normal à leur âge ; il importe donc d'amener chacun à énoncer sa propre compréhension de sa maladie et d'adapter l'examen en conséquence.

La connaissance des stades cognitifs permet de mieux cerner la compréhension de la maladie et les peurs d'un enfant en particulier, puis de lui donner des informations d'une manière appropriée à son stade cognitif. L'enfant peut comprendre des explications correspondant soit à son niveau de développement, soit au niveau suivant. Ainsi, un enfant au stade du concept de contagion croira que sa maladie est causée par l'air froid et il craindra de sortir à l'extérieur. Le médecin peut alors lui dire que sa maladie provient d'un air spécial contenant des « choses mauvaises » que l'air froid ne contient généralement pas. Cette explication sera conforme au stade du concept de contagion où l'enfant

Tableau 12.1 **Les stades cognitifs, la compréhension de l'enfant et la manière d'examiner**

ENFANT				MÉDECIN
Âge	**Stade cognitif**	**Genre d'explication**	**Manière de comprendre**	**Manière d'examiner**
Moins de 6 mois	Purement réceptif	Aucune.	Au moyen de sensations directes et d'activités motrices.	Il est d'ordinaire facile d'examiner l'enfant sur une table d'examen. Commencer par une partie du corps moins intime, par exemple l'abdomen.
De 6 mois à 2 ans				Examiner l'enfant en le faisant tenir par le parent. S'approcher doucement de l'enfant. Se servir de jouets, particulièrement ceux qui attirent l'attention, du type boîte à surprise, ou de la lumière de l'otoscope.
De 2 ans à 6 ans	Prélogique	Phénoménisme pour les plus jeunes. Contagion pour les plus âgés.	Au moyen de représentations et de liens faits entre les événements. Aucune séparation entre la réalité intérieure et la réalité extérieure.	Utiliser des mots simples. Expliquer chaque acte médical. Proposer à l'enfant de participer à l'examen. Tirer parti des préférences ou des passions de l'enfant, par exemple les superhéros.
De 7 ans à 10 ans	Concret-logique	Contamination pour les plus jeunes. Intériorisation pour les plus âgés.	Au moyen d'actions réelles et mentales sur des objets réels. Par inversion mentale des changements dans le monde. Au moyen d'un système de règles stables.	Reconnaître la capacité de l'enfant à comprendre les actes médicaux, ce qui améliorera sa collaboration.
Plus de 10 ans	Formel-logique	Explication physiologique. Explication psychophysio-logique.	Par la pensée abstraite.	Respecter la confidentialité et l'intimité de l'enfant, en particulier à l'adolescence.

Source : Adapté de Bibace et Walsh (1980) et de Dixon et Stein (1987).

se situe. Le médecin peut aussi lui donner une explication correspondant au stade du concept de l'intériorisation, par exemple en lui disant que son corps a fabriqué des « trucs spéciaux » pour enlever les mauvaises choses dans l'air et que, à l'avenir, ces trucs spéciaux empêcheront les mauvaises choses d'entrer dans son corps.

L'enfant affligé d'une maladie chronique

En théorie, une maladie chronique peut modifier le développement cognitif de l'enfant. Généralement, l'enfant affligé d'une telle maladie rencontrera les médecins plus souvent que l'enfant bien portant. Au cours de ces rencontres, on l'instruira sur sa propre maladie. Il est donc raisonnable de supposer que cet enfant aura des concepts plus élaborés relativement à sa maladie que les enfants en santé de son âge. L'enfant malade pourrait également avoir une compréhension plus subtile de sa propre maladie que de la maladie en général. Par ailleurs, en raison même de l'aspect limitatif du handicap, cet enfant se voit privé de nombreuses expériences, ce qui peut nuire à son développement cognitif. Encore très insuffisante, la recherche sur ces questions a donné jusqu'ici des résultats apparemment contradictoires.

Selon les chercheurs, les enfants souffrant du spina-bifida fournissent, pour leur maladie, des explications plus détaillées que pour la maladie en général (Feldman et Varni, 1985). D'autres chercheurs ont comparé les niveaux cognitifs d'enfants bien portants, d'enfants épileptiques et d'enfants souffrant de troubles musculosquelettiques chroniques (Perrin, Sayer et Willett, 1991 ; Sanger, Perrin et Sandler, 1993). Les habiletés de raisonnement des enfants épileptiques étaient semblables à celles des enfants bien portants de leur âge. Leur conception de la maladie était toutefois moins avancée que celle des autres enfants de leur âge. De plus, les enfants épileptiques donnaient des explications moins détaillées sur les causes de leur épilepsie que sur celles de la maladie en général. Enfin, les enfants souffrant de troubles musculosquelettiques faisaient preuve de moins d'aptitude pour le raisonnement général et pour les concepts liés à la maladie que les autres enfants de leur âge.

Ces auteurs émettent l'hypothèse que les enfants épileptiques sont incapables d'atteindre le même degré de compréhension de leur épilepsie que de la maladie en général parce que les médecins ne leur avaient pas donné les informations appropriées. Ils croient également que le retard dans le développement du raisonnement général observé chez les enfants souffrant de troubles musculosquelettiques pourrait être attribué à leur incapacité de faire l'expérience du monde sous plusieurs de ses aspects.

À la lumière de ce qui précède, on ne peut tenir pour acquis qu'un enfant affligé d'une maladie chronique aura atteint le même stade cognitif que les enfants bien portants de son âge. On peut évaluer les habiletés de raisonnement de l'enfant en lui demandant de dire comment et pourquoi il présente ses symptômes. Ses réponses permettront de constater les lacunes dans ses connaissances et d'y remédier en lui donnant des informations d'un niveau correspondant au sien ou un peu plus élevé.

Les enfants plus âgés

Plus les enfants grandissent, plus ils deviennent indépendants par rapport à leurs parents. Dans le présent chapitre, nous ne traitons pas de la communication avec les adolescents[3]. Disons seulement que, dans certaines circonstances, il convient de rencontrer le préadolescent seul pendant au moins une partie de la visite ; dans un entretien mené sans la présence d'un parent, il est sans doute plus facile d'éclairer judicieusement le préadolescent sur des sujets délicats, comme les drogues et la sexualité. Il arrive aussi qu'un préadolescent exprime de lui-même le désir de voir le médecin en tête à tête. Dans de tels cas, le médecin peut informer les deux intéressés de son habitude de rencontrer l'enfant seul pendant une partie de la consultation et leur demander s'ils trouvent cela acceptable ; la situation apparaît ainsi comme normale et on évite de mettre mal à l'aise le parent ou l'enfant. Pour les enfants qu'il traite régulièrement depuis plusieurs années, le médecin peut préparer le terrain en disant, par exemple : « L'an prochain, je m'attends à ce que François puisse me parler seul à seul pendant une partie de la visite. »

Les attentes et les besoins des adultes présents

Les attitudes du médecin appréciées par les parents

Quelques recherches portent sur la qualité de la communication médecin-parent : Nobile et Drotar (2003) ont recensé 23 études corrélationnelles et 8 études portant sur les interventions. Il en ressort que l'attitude positive et accueillante du médecin rend les parents plus susceptibles d'être satisfaits et de suivre ses conseils. Aussi, les parents sont plus enclins à exprimer leurs préoccupations psychosociales au médecin qui pose des questions directes sur le sujet et au médecin qui leur manifeste de l'attention, du soutien et de l'empathie. Ces mêmes attitudes sont associées à une plus grande satisfaction du parent, tout comme, d'ailleurs, à la satisfaction de l'adulte qui consulte pour lui-même[4].

La discussion de questions psychosociales

Dans la pratique pédiatrique, il importe d'être sensible et de réagir aux inquiétudes manifestées par les parents au sujet du développement et du comportement de leur enfant ou au sujet de facteurs de stress familial. De nombreux parents ont, pour eux-mêmes ou pour leurs enfants, des préoccupations psychosociales dont ils ne parleront pas si on ne les invite pas à le faire. Par conséquent, le médecin devrait aborder systématiquement ces questions dans les consultations, en sachant toutefois qu'elles peuvent inspirer des craintes aux parents. En effet, certains pourraient faussement comprendre que le médecin pense qu'ils ne sont pas de bons parents. Le médecin dispose de plusieurs techniques pour rassurer les parents et leur faire comprendre que ses intentions sont de nature thérapeutique et ne visent pas à porter un jugement. Avant de poser ses questions, le médecin peut dire : « Je demande à tous les parents comment les choses se passent à la maison. » Quand un parent révèle des facteurs de stress ou des inquiétudes, le médecin peut l'aider en lui manifestant de l'empathie. Il importe de soutenir et de féliciter les parents qui s'efforcent de régler des problèmes de comportement ou des situations difficiles. Les parents seront encouragés à fournir davantage de renseignements si le médecin leur démontre son écoute en résumant leurs propos pour vérifier qu'il les a bien compris (Wissow et Roter, 1994).

Les parents sont généralement très peu enclins à discuter de préoccupations psychosociales devant leurs enfants, sauf devant les très jeunes ; parfois, ils ne désirent pas révéler certaines choses à l'enfant, sur eux-mêmes ou sur le couple ; il arrive aussi qu'ils craignent de perdre la face devant leurs enfants ou de voir remettre en question leur autorité. Afin de pouvoir s'entretenir seul avec les parents, le médecin peut inviter un enfant assez âgé à retourner dans la salle d'attente pendant un moment ou demander à un membre du personnel de s'occuper d'un enfant en bas âge. Si ce n'est pas possible et qu'un problème semble exister, le médecin peut planifier un rendez-vous sans l'enfant.

Les stratégies pour aider les parents à se souvenir des avis et des conseils

Trois études font état de l'effet positif de stratégies qui peuvent aider les parents à se souvenir d'information transmise ou d'une discussion sur les questions de développement. Les parents seront plus susceptibles de se souvenir des avis du médecin si celui-ci leur demande de les reformuler dans leurs propres mots ou s'il les leur répète au cours de la même visite (Kupst, Dresser, Schulman et Paul, 1975). Si le médecin prend l'habitude de leur donner des informations standardisées sur la maladie grave de leur enfant, les parents seront davantage satisfaits et moins susceptibles de revenir au cabinet durant la même phase de la maladie (Isaacman, Purvis, Gyuro, Anderson et Smith, 1992). Il est tout aussi efficace de transmettre des informations et des avis par écrit ou verbalement. Afin de mieux détecter et gérer les problèmes de développement, le médecin peut demander aux parents de remplir, dans la salle d'attente, une liste à cocher de questions courantes sur le développement de l'enfant et de la lui remettre au commencement de la consultation (Triggs et Perrin, 1989).

L'interaction parent-enfant et l'interaction médecin-enfant-parent

L'observation

La présence simultanée du parent et de l'enfant dans le cabinet est une occasion d'observer leurs interactions et de se renseigner sur le comportement de l'enfant. Le médecin peut voir comment le parent protège l'enfant contre les dangers et comment il réagit aux comportements qu'il juge indésirables. Si le parent exprime des préoccupations quant au comportement de son enfant, il conviendra peut-être de rencontrer les deux parents avec l'enfant au cours d'une consultation ultérieure plus longue qui permettra d'observer le comportement réel de l'enfant.

L'observation du comportement de l'enfant dans le cabinet de consultation (un lieu étranger) et avec le médecin (un étranger) renseigne le clinicien sur le degré d'autonomie ou de dépendance de cet enfant. Le comportement de l'enfant dans le cabinet constitue un moyen utile pour prédire la capacité de l'enfant à se détacher de ses parents. Le médecin peut mieux évaluer l'autonomie de l'enfant en abordant ses habitudes de sommeil: La nuit, l'enfant dort-il seul? Dort-il avec l'un des parents ou les deux? Rejoint-il ses parents dans leur lit tôt le matin?

Quelques situations difficiles

LES ACTIONS NUISIBLES À L'ENFANT

Si le parent ou l'enfant fait un geste qu'il juge nuisible à l'enfant, le médecin doit saisir l'occasion d'exprimer son inquiétude tant au parent qu'à l'enfant (si celui-ci est assez âgé pour comprendre). Comme pour toute autre question, le médecin devrait demander au parent et à l'enfant d'exprimer leur perception du geste en question. Ensuite, il pourra chercher une façon d'aborder le problème qui conviendra à tous les trois.

L'ENFANT TURBULENT

Quand un enfant est turbulent pendant la consultation, il est raisonnable de s'attendre à ce que le parent le rappelle à l'ordre. Si le parent ne le fait pas, le médecin doit le lui demander, par exemple ainsi : « Pourriez-vous faire en sorte que Pierre ne nous interrompe pas tout le temps ? Je l'apprécierais beaucoup. Cela m'aiderait à me concentrer sur ce que vous me dites. » Dans certaines circonstances, il peut être utile de donner un exemple de comportement correct. Ainsi, supposons qu'un enfant de 9 mois fasse beaucoup de bruit en frappant deux jouets l'un contre l'autre pendant que le médecin parle à sa mère. La mère se tourne vers le bébé et lui ordonne de rester tranquille, mais le bébé continue son tintamarre. Le médecin pourrait échanger les jouets bruyants contre des jouets mous, choisis à même le coffre à jouets du bureau de consultation. Il pourrait ensuite expliquer à la mère que le bébé est trop jeune pour comprendre un tel ordre.

LE REFUS DE SUBIR L'EXAMEN PHYSIQUE

Lorsque vient le moment de l'examen physique, le médecin a déjà pu observer l'enfant en compagnie de l'un ou des deux parents. Souvent, il est plus facile d'examiner ce patient dans les bras d'un parent que sur la table d'examen. Le médecin devrait commencer l'examen physique par les aspects qui ne requièrent pas d'équipement (exemple : la palpation du cou). Il peut se servir d'un jouet pour lequel l'enfant montre un intérêt particulier et lui en proposer ensuite un autre, tout nouveau : le stéthoscope ou l'otoscope. En fixant un petit jouet au stéthoscope, on le rend moins menaçant pour l'enfant. Enfin, le médecin peut utiliser l'équipement d'abord sur le parent ou demander à ce dernier d'appliquer lui-même le stéthoscope sur la poitrine de l'enfant.

Au cours d'une rencontre de routine où l'enfant paraît très effrayé, il peut être pertinent de reporter l'examen physique à un autre rendez-vous et de plutôt laisser l'enfant regarder et toucher l'équipement tout en lui expliquant ce qui se passe pendant un examen. Si l'enfant est malade, le médecin lui explique clairement qu'il doit faire l'examen et, au besoin, il demande aux parents de l'aider à y arriver. Le médecin doit connaître les techniques qui permettent de maîtriser un enfant et dire au parent ce qu'il attend exactement d'eux.

LA CONSULTATION EN PRÉSENCE DE FRÈRES ET SŒURS

Le médecin doit s'occuper d'un seul enfant à la fois, en demandant au parent de déterminer l'ordre. Les enfants les plus âgés peuvent demeurer dans la salle d'attente pendant que le médecin examine les plus jeunes. Les enfants plus jeunes se montrent souvent moins turbulents lorsqu'ils peuvent jouer ou être ensemble.

LA CONSULTATION DOUBLE (PARENT ET ENFANT)

Certains parents consultent pour leur enfant et eux-mêmes en même temps. Dans la mesure du possible, le médecin doit alors charger un membre du personnel de s'occuper de l'enfant pendant l'examen de l'adulte ; le parent peut ainsi s'exprimer sans craindre d'être entendu de son enfant et le médecin peut procéder à son examen physique en privé. Si c'est impossible, le médecin devrait proposer au parent un autre rendez-vous ou lui demander jusqu'à quel point il a besoin d'intimité pour l'examen ; il devrait aussi donner ses préférences quant à l'endroit où l'enfant devrait se trouver durant l'examen. Il peut mettre des jouets ou des livres à la disposition de l'enfant pendant qu'il examine le parent derrière un rideau.

L'interaction médecin-enfant-parent

Très peu d'études portent sur les interactions entre toutes les personnes présentes durant une consultation qui regroupe enfants et parents. Dans une récente revue critique de la littérature, Tates et Meeuwesen (2001) ont inventorié 12 études. Comme dans toutes les interactions entre les médecins et les adultes, c'est le médecin qui fait la plus grande partie des interventions verbales (60 %), tandis que le parent en fait de 26 % à 39 %, sous forme d'énoncés ou de questions. C'est donc l'enfant qui intervient verbalement le moins dans la conversation (de 2 % à 14 %), sa participation augmentant avec l'âge.

Les médecins se comportent différemment avec l'enfant et avec l'adulte. Les interactions entre le médecin et le parent ressemblent à celles qu'on observe dans les rencontres entre les médecins et les patients adultes. Ainsi, la plus grande partie des interactions sont d'ordre cognitif plutôt qu'affectif; les médecins posent des questions et donnent des informations; les parents posent peu de questions et répondent à plusieurs. Par ailleurs, les médecins obtiennent des réponses directement de l'enfant (Pantell, Stewart, Dias, Wells et Ross, 1982), mais ils ne lui donnent pas beaucoup d'informations.

Trois études ont porté sur la structure de la communication médecin-enfant-parent. Ces études montrent que dans 52 % des cas le parent répond lui-même aux questions que pose le médecin à l'enfant. On constate que la participation de l'enfant à la conversation a augmenté dans les années quatre-vingt, comparativement à ce qui se passait dans les années soixante-dix. Ce changement est lié à deux faits: durant les années quatre-vingt, les enfants prenaient davantage la parole spontanément; les médecins s'adressaient plus fréquemment à eux (Feldman et Varni, 1985; Meeuwesen et autres, 1998; Meeuwesen et Kaptein, 1996). Sachant tout cela, le médecin devrait s'efforcer de faire participer l'enfant à l'entretien, de façon à ce qu'il reçoive et donne des informations. Si le parent répond à la place de l'enfant, le médecin devrait expliquer au parent son désir d'entendre également le point de vue de l'enfant.

Les deux dialogues ci-dessous visent à illustrer les techniques décrites précédemment. Le premier met en scène Jacob, un garçon au stade cognitif concret-logique qui a une maladie chronique; le second présente Suzanne, une fille au stade prélogique souffrant d'une maladie aiguë.

Jacob et la maladie chronique

Jacob Jones, âgé de 10 ans, et sa mère se présentent au cabinet du Dr Genest. Le Dr Genest est le médecin de la mère et de l'enfant depuis huit ans. Le rendez-vous a été pris pour Jacob. Le Dr Genest pratique dans le même cabinet depuis le début de sa carrière (il y a neuf ans).

Jacob est né dans la ville où il habite présentement. Il vit avec ses parents et son frère de sept ans. Il réussit bien à l'école et a plusieurs amis. Jusqu'à sa première crise d'asthme, à cinq ans, il était en très bonne santé.

Mme Jones vit dans la même ville depuis sa naissance. Elle est en bonne santé. Elle travaille comme secrétaire à temps plein. Son mari travaille sur une chaîne de montage dans une usine. Elle s'occupe de presque toutes les tâches relatives aux enfants et les tâches domestiques.

Le rendez-vous d'aujourd'hui s'inscrit dans le cadre du suivi médical de routine pour le traitement de l'asthme de Jacob. À cause de son asthme, Jacob a été hospitalisé deux fois, soit à cinq ans et à huit ans. Sauf l'année dernière, il est allé au service d'urgence deux ou trois fois chaque hiver. L'hiver dernier, il inhalait régulièrement des stéroïdes et il n'est pas allé du tout au service d'urgence.

Dès l'entrée des Jones dans le cabinet, Jacob s'assoit dans la chaise la plus près du Dr Genest.

LE MÉDECIN	— *Bonjour, Jacob, comment te sens-tu aujourd'hui ?*	Le médecin adresse sa première question à son patient.
JACOB	— *Bien.*	Jacob répond à cette question comme à une simple formule de politesse ou encore selon sa notion du temps, puisque, en fait, *aujourd'hui* il se sent bien.
Mme JONES	— *Dernièrement, il ne va pas très bien. Il s'essouffle facilement.*	Mme Jacob, inquiète à cause de l'asthme de son fils, donne sur le passé récent des informations qui complètent celles de son fils.
LE MÉDECIN	— *Je vois que vous êtes inquiète. Nous allons parler de toutes vos inquiétudes, mais d'abord, je veux donner à Jacob la chance de me dire comment il va.* (à Jacob) *De quoi voudrais-tu parler aujourd'hui ?*	Comme il y a deux personnes avec lui, le médecin sait que chacune peut avoir ses propres motifs de consultation. Il établit les règles du déroulement de la consultation. Le médecin essaie de faire ressortir les attentes de Jacob. Il s'intéresse d'abord à Jacob parce qu'il sait que la patience de celui-ci est moindre que celle de sa mère, une adulte, et qu'un enfant est plus susceptible d'être interrompu et peut ne jamais se faire entendre.
JACOB	— *Tout va parfaitement. Je peux jouer au hockey avec mes amis parce que je me sers de ma pompe aux toilettes avant l'entraînement, comme vous m'avez dit de faire.*	Jacob raconte qu'il utilise une ruse que le médecin lui avait suggérée parce qu'il est mal à l'aise de se servir de son aérosol-doseur devant les autres enfants.
LE MÉDECIN	— *C'est très bien ! Je suis content de voir que ça marche. Est-ce qu'il t'arrive parfois d'avoir de la difficulté à respirer ?*	Le médecin évalue la gestion de l'asthme de Jacob.
JACOB	— *Non, tout va bien.*	Jacob exprime son point de vue ou ce qu'il veut bien révéler au médecin.
Mme JONES	— *Lorsqu'il court pour prendre l'autobus, j'entends sa respiration siffler.*	La mère exprime son point de vue.
LE MÉDECIN	— *Je vois. Vous craignez donc que son asthme ne soit pas maîtrisé.*	Le médecin reformule les propos de Mme Jones et vérifie s'il a bien compris.

Mme Jones	— *Oui. Je ne voudrais pas qu'il soit encore obligé d'aller à l'urgence.*	La mère exprime son inquiétude.
Le médecin	— (à Jacob) *Comment sens-tu ta respiration lorsque tu cours pour prendre l'autobus ?*	En utilisant des mots adaptés au stade cognitif concret-logique atteint par l'enfant, le médecin demande à ce dernier d'exprimer sa façon de voir.
Jacob	— *Je sens qu'elle est un peu courte.*	
Le médecin	— *Peux-tu me dire quel médicament tu prends contre l'asthme chaque jour ?*	Le médecin récapitule la thérapie avec l'enfant.
Jacob	— *Je respire dans ma pompe avant de jouer au hockey.*	
Le médecin	— *Alors, tu ne prends que ta pompe A. La dernière fois que tu es venu me voir, tu prenais aussi ton aérosol-doseur B le matin. Est-ce que tu le prends encore ?*	Le médecin récapitule la thérapie avec l'enfant.
Jacob	— *Non.*	
Mme Jones	— *Nous sommes toujours en retard le matin. Je fais tout mon possible pour le lever, l'habiller et le préparer à temps pour l'autobus.*	La mère donne les raisons qui expliquent la non-observance. On voit ici l'importance de la famille[5].
Le médecin	— *Je sais qu'il n'est pas facile de devoir faire une chose supplémentaire le matin. Vous en avez plein les bras à ce moment.*	Le médecin exprime son soutien moral.
	Pensez-vous que la respiration de Jacob était meilleure lorsqu'il prenait son aérosol-doseur B ?	Le médecin demande à Mme Jones son point de vue sur l'efficacité du médicament prescrit afin de l'amener à appuyer la reprise du traitement.
Mme Jones	— *Oui, je pense.*	
Le médecin	— (à Jacob) *Qu'en penses-tu, Jacob ? Pense au début des classes cette année. Est-ce que tu te souviens comment tu te sentais quand tu courais pour prendre l'autobus ?*	Le médecin amène Jacob à exprimer son point de vue en utilisant un repère de temps approprié à son stade cognitif.
Jacob	— *Je ne sais pas.*	
Le médecin	— *Tu trouves difficile de t'en souvenir maintenant.*	Le médecin accepte les limites de l'enfant et lui exprime son encouragement.

(à Jacob et à Mme Jones) *Je suis très content que Jacob soit capable de jouer au hockey depuis qu'il se sert de son aérosol-doseur A avant de jouer. Mais vous me dites tous les deux que sa respiration n'est pas bonne lorsqu'il court. Je vous rappelle comment le médicament contre l'asthme fonctionne.*

Le médecin résume les informations obtenues.

Le médecin sort un modèle 3D des bronches normales et celui des bronches d'une personne asthmatique, puis il donne des explications sur les médicaments anti-inflammatoires et bronchodilatateurs.

Le médecin donne des informations.

— (à Jacob) *Prends les tubes et regarde à l'intérieur. Ils sont fabriqués beaucoup plus gros que les tubes dans tes poumons pour que tu puisses les regarder à l'intérieur. Quand tu sens que ta respiration est courte, c'est parce que tu essaies de pomper l'air à travers un tube étroit comme celui-ci.*

Le médecin donne des informations concrètes à Jacob pour l'aider à comprendre une explication physiologique, ce qui correspond au niveau cognitif suivant immédiatement celui qui est normal à son âge.

Si toi et ta mère étiez capables de trouver un moyen pour que tu prennes ton aérosol-doseur B tous les jours, alors tu te sentirais mieux parce que ça serait comme si tu pompais l'air à travers ce tube-ci.

Le médecin explore le côté pratique de la prise de la médication.

JACOB — *Oui, ça serait bien.*

Jacob est convaincu du bien-fondé de l'objectif thérapeutique ou il donne son accord simplement pour que le médecin laisse tomber le sujet.

MME JONES — (à Jacob) *Alors tu ferais mieux de te lever quand je te le dis.*

La mère propose une stratégie pour atteindre l'objectif et renforce son autorité en s'appuyant sur celle du médecin.

LE MÉDECIN — (à Mme Jones) *Est-ce qu'il y a une façon dont vous pourriez aider Jacob à prendre son aérosol-doseur ?*

Le médecin résiste à la tentative de la mère de responsabiliser davantage Jacob puisque celui-ci est trop jeune pour assumer toute la responsabilité.

MME JONES — *Je pourrais mettre sa pompe sur la table à côté de son petit déjeuner.*

LE MÉDECIN — (à Jacob et à Mme Jones) *Je vais juste répéter ce que nous avons décidé à propos du traitement de l'asthme de Jacob.*

Le médecin reprend l'information, c'est-à-dire le schéma posologique ainsi que les tâches de la mère et du fils.

Suzanne et la maladie aiguë

Suzanne Benoit et son père se présentent à la clinique sans rendez-vous. Le médecin habituel de Suzanne (le Dr Tremblay) pratique à la clinique, mais c'est sa collègue, la D^re Simon, qui est de garde. Cette dernière n'a jamais vu ni Suzanne ni son père.

Suzanne a cinq ans et elle vit avec ses parents. Sa mère travaille à temps plein dans un bureau. Son père travaille à temps plein dans un restaurant, de 14 h à 23 h. Suzanne a toujours été en bonne santé.

Trois jours avant la visite à la clinique, Suzanne est devenue fiévreuse et s'est mise à présenter de la dysurie. Comme c'était samedi soir, la mère de Suzanne l'a amenée au service d'urgence de l'hôpital. Suzanne a passé une analyse d'urine et le médecin lui a prescrit des médicaments. Suzanne et son père se présentent maintenant à la clinique parce que Suzanne ne va pas mieux.

La D^re Simon entre dans le cabinet. Suzanne et son père s'assoient (voir la figure 12.1). La D^re Simon approche sa chaise de celle de Suzanne (voir la figure 12.2) et s'assoit.

Figure 12.1

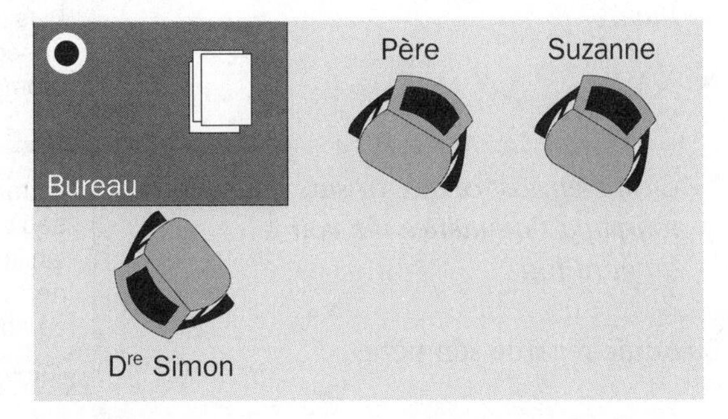

Figure 12.2

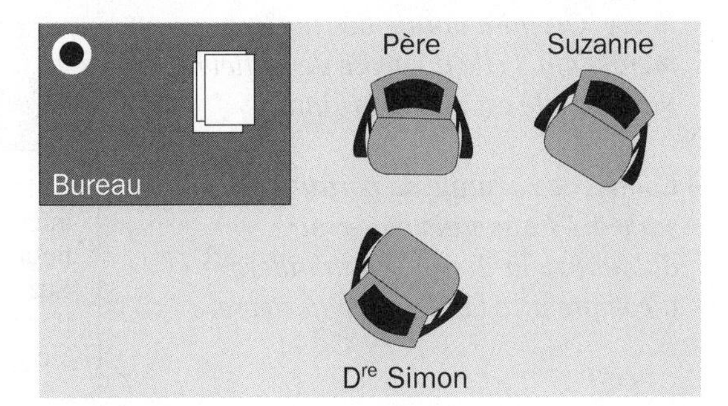

LA MÉDECIN — (à Suzanne) *Bonjour, je suis la Dre Simon. Je suis une amie du Dr Tremblay. Est-ce que tu t'appelles Suzanne ?*

Suzanne hoche la tête.

> La médecin s'adresse d'abord à Suzanne, car c'est la seule personne présente dont elle connaît l'identité. Elle prononce le nom du médecin habituel de Suzanne pour lui faire comprendre que le présent rendez-vous sera semblable à une consultation avec le Dr Tremblay. Elle suppose que l'enfant est à l'aise avec son médecin habituel. Elle utilise le mot *amie*, que Suzanne est plus susceptible de connaître que *collègue*.

— (à M. Benoit) *Bonjour ! Comme je l'ai dit à Suzanne, je suis la Dre Simon. Pourriez-vous me dire votre nom et votre lien avec Suzanne ?*

> La médecin vérifie si l'homme a le droit de prendre des décisions médicales pour Suzanne.

M. BENOIT — *Je m'appelle Jean Benoit, je suis son père.*

LA MÉDECIN — *Et est-ce que vous vivez avec elle ?*

M. BENOIT — *Oui. Sa mère devait se rendre à son travail, alors c'est moi qui l'ai amenée.*

> La médecin pose cette question pour savoir dans quelle mesure M. Benoit est au courant de la maladie de Suzanne.

LA MÉDECIN — *Si ça vous va, je commencerai par poser quelques questions à Suzanne.*

(à Suzanne) *Comment te sens-tu ?*

> Comme Suzanne est très jeune, la question vise surtout à lui faire comprendre que la médecin s'intéresse à elle et à lui donner la possibilité de donner elle-même des informations.

SUZANNE — *Bien.*

> Plus jeune que Jacob, Suzanne est encore plus susceptible de ne penser qu'en fonction du moment présent.

LA MÉDECIN — *C'est bien. Est-ce que tu sais pourquoi ton papa t'a amenée me voir aujourd'hui ?*

Suzanne regarde son père.

> La médecin permet à Suzanne de lui parler de ses symptômes, tout en lui ménageant la possibilité de ne rien dire, au cas où elle ne saurait rien ou ne pourrait pas se rappeler quoi que ce soit.

M. BENOIT — *Sa mère l'a amenée au service d'urgence samedi. Elle avait une forte fièvre. On lui a donné des médicaments, mais elle a encore de la fièvre. Parfois, elle est même brûlante.*

> Le père énonce le motif de la visite. Il décrit le symptôme qui les inquiète, lui et sa femme.

LA MÉDECIN — *Comment Suzanne se portait-elle samedi ? J'aimerais en savoir davantage là-dessus, ça m'aidera à comprendre la cause de la fièvre.*

> La médecin cherche maintenant à obtenir les informations du père. Elle pose des questions pour déterminer la cause de la maladie de Suzanne. Elle explique la raison de ses questions. Elle parle nommément de la fièvre, car c'est le symptôme énoncé par M. Benoit.

M. BENOIT — *Je ne sais pas. Sa mère a dit qu'elle avait le front brûlant. J'étais au travail.*

(à Suzanne) *Comment te sentais-tu lorsque maman t'a amenée à l'hôpital ?*

M. Benoit exprime les limites de sa connaissance de la maladie. Il s'adresse alors à Suzanne pour tenter d'en savoir davantage.

SUZANNE — *J'étais malade.*

Il est très improbable que Suzanne, à cinq ans, se souvienne de symptômes qui remontent à trois jours.

LA MÉDECIN — *Je vais vous poser quelques questions sur son état de santé depuis sa visite à l'urgence. Est-ce que son nez a coulé ?*

La médecin pose des questions fermées pour inciter M. Benoit à se rappeler des détails du temps passé avec sa fille.

M. BENOIT — *Non.*

LA MÉDECIN — *A-t-elle toussé ?*

M. BENOIT — *Non.*

LA MÉDECIN — *S'est-elle plainte d'un mal de gorge ?*

M. BENOIT — *Non, elle ne semblait nullement avoir pris froid.*

LA MÉDECIN — *Est-ce qu'elle se plaint d'avoir mal en urinant ?*

M. BENOIT — *Oui, tout à fait. J'avais oublié ça. Elle va souvent aux toilettes. Mon épouse dit qu'elle n'urine que quelques gouttes et qu'elle ne veut pas vraiment faire pipi parce que ça lui fait mal.*

La médecin a atteint son but grâce à ses questions fermées. Elle se fie aux informations de l'adulte, dont les habiletés cognitives sont plus grandes que celles de son enfant de cinq ans.

LA MÉDECIN — (à Suzanne) *Je suis vraiment désolée que ça te fasse mal quand tu fais pipi.*

La médecin dit un mot d'encouragement à Suzanne et la ramène dans l'entretien à l'aide de mots simples.

La médecin termine le bilan fonctionnel et procède à l'examen physique.

— *Ça semble être une infection de la vessie.*

La médecin révèle le diagnostic probable au père.

(à Suzanne) *Il y a des germes qui sont entrés là où tu fais pipi. C'est pour ça que ça te fait mal. Je vais donner un petit papier à ton père pour qu'il achète des médicaments qui vont faire*

À l'aide de mots simples, la médecin explique à Suzanne sa maladie en se servant du concept de la contamination. Cette description correspond à un stade cognitif juste au-dessus de celui auquel on peut s'attendre d'une enfant ...

s'en aller les germes. Après, ça ne te fera plus mal.

(à M. Benoit) *Le médecin de l'urgence vous a probablement donné un antibiotique. En connaissez-vous le nom ?*

> …
> de son âge. La plupart des enfants peuvent comprendre des explications correspondant à un stade cognitif juste au-dessus du leur. La médecin utilise le concept de germe, dont la plupart des enfants ont entendu parler dans les conversations sur les maladies courantes de l'enfance, comme le rhume.

M. BENOIT — *Voici le flacon. C'est « amoxicilline » qui est inscrit sur l'étiquette.*

LA MÉDECIN — *Je vais téléphoner à l'hôpital pour connaître les résultats de son analyse d'urine.*

La médecin obtient les résultats d'analyses de laboratoire.

— *Les résultats montrent qu'elle a une infection de la vessie à la bactérie* E. Coli. *Et l'amoxicilline n'est pas le bon médicament contre la sorte de bestioles qu'elle a.*

> La médecin donne une explication physiologique à M. Benoit.

SUZANNE — *Je n'ai pas de bestioles.*

> Suzanne a entendu le mot « bestioles » et a sans doute pensé qu'il s'agissait d'insectes. Heureusement, contrairement à beaucoup d'enfants, elle a dit aux adultes ce qu'elle avait compris.

LA MÉDECIN — (à Suzanne) *Tu as raison. Je suis un peu idiote. Parfois, j'appelle les germes des bestioles. Mais les germes ne sont pas comme de petites bêtes. Les germes sont tellement petits que tu ne peux pas les voir. Tu as des germes à l'intérieur de toi, mais quand tu vas prendre le nouveau médicament, ils vont s'en aller.*

> La médecin reprend son explication.

Conclusion

Généralement, une consultation pour enfant comporte une interaction entre trois personnes. Par conséquent, le médecin doit faire ressortir les motifs de consultation du parent et, dans la mesure du possible, ceux de l'enfant. Les participants doivent se concerter pour dresser le programme de la rencontre, puis, au terme de la visite, mettre au point le diagnostic et le plan thérapeutique.

Les stratégies de communication efficaces pour des consultations avec des adultes sont également efficaces pour la communication avec les parents. Dans le cas des enfants, il faut en déterminer le stade du développement cognitif et adapter les explications en conséquence. Le médecin peut tirer profit de ses observations sur les comportements de l'enfant et du parent pour évaluer le développement émotionnel de l'enfant et la relation parent-enfant. Il doit aménager son cabinet de façon à procurer un environnement sûr et accueillant pour les enfants. Enfin, il doit s'efforcer de faire participer l'enfant à la consultation et intervenir en ce sens au besoin.

Notes

1. À ce sujet, voir les chapitres 19 et 20, intitulés respectivement « La famille : lorsque des proches participent à la consultation médicale » et « Les patients accompagnés ».
2. Pour en savoir davantage sur la communication interculturelle, voir le chapitre 18, intitulé « Les patients de culture différente ».
3. Pour en savoir davantage sur la communication avec cette clientèle, consulter le chapitre 13, intitulé « Les adolescents ».
4. Le lecteur intéressé par ce sujet pourra consulter les chapitres 7 et 8, intitulés respectivement « Les fonctions de l'entrevue médicale et les stratégies communicationnelles » et « La structure et le contenu de l'entrevue médicale.
5. À ce sujet, voir le chapitre 19, intitulé « La famille : lorsque des proches participent à la consultation médicale ».

Références

Bibace, R., et M.E. Walsh (1980). « Development of children's concepts of illness », *Pediatrics*, vol. 66, n° 6, p. 912-917.

Dixon, S.D., et M.T. Stein (1987). *Encounters with children : Pediatric behavior and development*, Chicago, Yearbook Medical Publishers.

Feldman, W.S., et J.W. Varni (1985). « Conceptualizations of health and illness by children with spina bifida », *Children's Health Care*, vol. 13, p. 102-108.

Isaacman, D.J., K. Purvis, J. Gyuro, Y. Anderson et D. Smith (1992). « Standardized instructions : Do they improve communication of discharge information from the emergency department ? » *Pediatrics*, vol. 89, n° 6, p. 1204-1208.

Kupst, M.J., K. Dresser, J.L. Schulman et M.H. Paul (1975). « Evaluation of methods to improve communication in physician-patient relationships », *American Journal of Orthopsychiatry*, vol. 45, p. 420-429.

Meeuwesen, L., J.M. Bensing et M. Kaptein (1998). « Doctor-parent-child communication over the years : An interactional analysis », dans *Doctor-patient communication and the quality of care in general practice*, sous la direction de J.M. Bensing, U. Sätterlund-Larsson et J. Szecsenyi, Utrecht, NIVEL, p. 5-18.

Meeuwesen, L., et M. Kaptein (1996). « Changing interactions in doctor-parent-child communication », *Psychology and Health*, vol. 11, p. 787-795.

Nobile, C., et D. Drotar (2003). « Research on the quality of parent-provider communication in pediatric care : Implications and recommendations », *Journal of Development and Behavioral Pediatrics*, vol. 24, n° 4, p. 279-290.

Pantell, R.H., T.J. Stewart, J.K. Dias, P. Wells et A.W. Ross (1982). « Physician communication with children and parents », *Pediatrics*, vol. 70, n° 3, p. 396-402.

Perrin, E.C., A.G. Sayer et J.B. Willett (1991). « Sticks and stones may break my bones… Reasoning about illness causality and body functioning in children who have a chronic illness », *Pediatrics*, vol. 88, n° 3, p. 608-619.

Sanger, M.S., E.C. Perrin et H.M. Sandler (1993). « Development in children's causal theories of their seizure disorders », *Journal of Development and Behavioral Pediatrics*, vol. 14, p. 88-93.

Tates, K., et L. Meeuwesen (2001). « Doctor-parent-child communication. A (re)view of the literature », *Social Science and Medicine*, vol. 52, p. 839-851.

Triggs, E.G., et E.C. Perrin (1989). « Listening carefully. Improving communication about behavior and development : Recognizing parental concerns », *Clinical Pediatrics*, vol. 28, n° 4, p. 185-192.

Wissow, L.S., et D. Roter (1994). « Toward effective discussion of discipline and corporal punishment during primary care visits : Findings from studies of doctor-patient interaction », *Pediatrics*, vol. 94, n° 4, p. 587-593.

Les adolescents

Marc Girard
Louise Charbonneau
Yves Lambert
Claude Richard
Marie-Thérèse Lussier

CHAPITRE 13

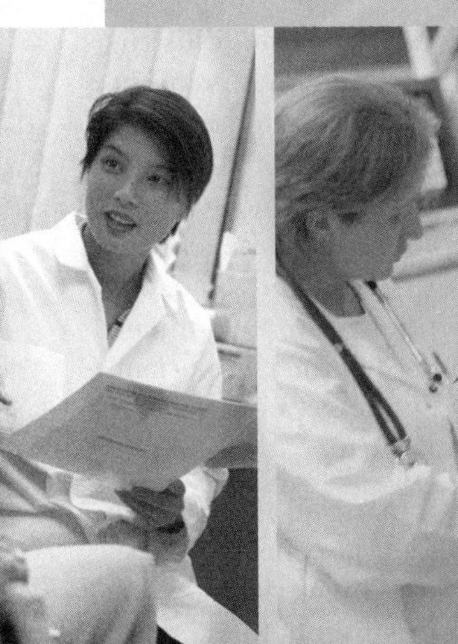

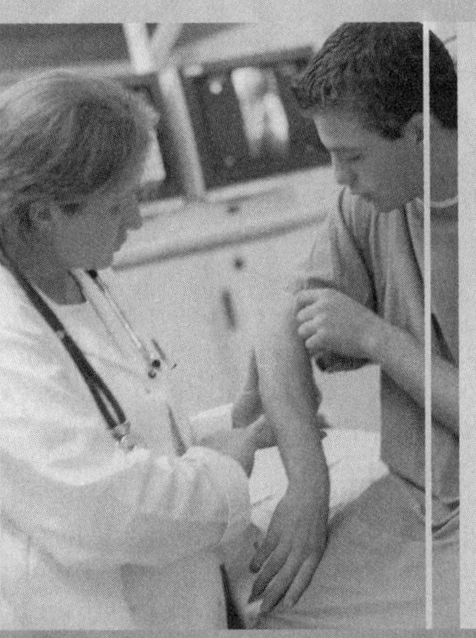

Aujourd'hui les parents ont moins d'enfants, mais les enfants ont plus de parents.

Louise Lapierre

Pour séduire, il faut des mots : pour convaincre, il faut des faits.

W. Gertsgrasser

Le chemin menant de l'enfance à la maturité est semé d'embûches. Voilà une affirmation qu'on peut qualifier de lieu commun, mais qui vaut autant pour les adolescents qui aspirent à la maturité que pour les adultes qui souhaitent les aider à y parvenir. L'adolescence est un moment de transition entre l'enfance et l'âge adulte au cours duquel se succèdent des changements importants. Dans ce chapitre, nous tenterons de montrer l'effet que ces transformations ont sur la communication avec l'adolescent. Mentionnons d'entrée de jeu certains des facteurs de changement à l'œuvre chez l'adolescent: l'évolution des aspects biologiques, cognitifs et psychiques du développement, et leurs interactions; l'influence du contexte familial; la mise en place de relations sociales. Ces changements entraînent chez l'adolescent un sentiment d'étrangeté et parfois d'insécurité.

Tout médecin appelé à rencontrer un adolescent et à gagner sa confiance doit donc faire preuve d'une capacité d'adaptation constante et être prêt à mener des consultations, parfois longues, ne donnant en apparence que peu de résultats immédiats. D'une phase à l'autre de l'adolescence, la communication est différente, et le médecin doit être capable de déterminer à quel stade est rendu l'adolescent. De plus, le médecin doit savoir différencier chez l'adolescent ce qui est normal et passager de ce qui peut être grave et délétère. L'évaluation que le médecin fera de ces différents aspects déterminera la communication qu'il nouera avec l'adolescent. L'âge biologique a beau être un bon indicateur de l'évolution de l'adolescent, cette évolution peut grandement varier d'un individu à l'autre, et certains adolescents n'achèvent leur développement cognitif que tardivement.

À ces transformations, vécues à un rythme différent par chaque individu, s'ajoutent l'évolution sociale et l'émancipation graduelle de l'adolescent de son milieu familial. Cette évolution ne se fait pas sans heurt ni d'un seul coup, mais selon une alternance d'avancées et de retraits successifs. Si l'adolescent aspire à l'autonomie, il la redoute également et ne désire pas nécessairement en assumer les conséquences. Sa communication est donc souvent stratégique, et, tout en consultant le médecin, il vise aussi à agir sur ses relations avec ses parents, ses amis et les autres adultes. Le médecin se trouve ainsi au centre d'enjeux dépassant la consultation.

Définitions et principes

Il n'y a pas une définition simple de l'adolescence, pas plus qu'il n'existe d'instruments de mesure idoines ni de classification universelle et reconnue pour l'évaluer dans sa globalité. L'adolescence est une période de développement et de croissance intenses dont le point de départ est déterminé par les premiers signes pubertaires (apparition des seins chez la fille et début de la pilosité pubienne chez le garçon), mais dont le terme – l'autonomie sociale – est beaucoup moins facile à saisir avec précision. On regroupe sous le vocable d'adolescents les individus dont l'âge se situe entre 10 et 19 ans, 12 et 18 ans ou 12 et 24 ans, selon qu'on s'en tient à l'aspect juridique, à la réalité économique, au moment où les individus terminent leurs études ou entrent dans la vie active et productive. L'important est de comprendre qu'une nouvelle *naissance* a lieu au sortir de l'enfance, et que cette période longue de 10 à 12 ans permet à l'individu d'atteindre la maturité.

La séquence des étapes du développement pubertaire et de la maturation sexuelle, telle que la définissait Tanner en 1962, s'applique à la majorité des adolescents, même si elle peut varier de l'un à l'autre. Cette évolution biologique constitue une véritable révolution pour le jeune adolescent: il doit apprendre à connaître, à apprivoiser et finalement à accepter son nouveau corps. Rares sont les adolescents qui franchissent ces étapes sans éprouver de déceptions, sans se poser de questions et sans ressentir d'angoisses à propos de leur image corporelle.

Simultanément, le développement cognitif s'effectue. La pensée concrète de l'enfance fait place à la capacité d'élaborer des concepts abstraits permettant au jeune adulte d'assumer la responsabilité de ses actes et de prendre sa vie en charge, étape qui marquera la fin de l'adolescence. De plus, au cours de son évolution, l'adolescent doit faire face à un processus de maturation psychique qui l'oblige à accomplir un certain nombre de *tâches*: détachement du modèle parental, acceptation par les pairs, quête de l'identité sexuelle, capacité d'intimité et, enfin, atteinte de l'autonomie (tableau 13.1).

Ce qui rend tous ces processus compliqués et souvent imprévisibles, c'est que l'adolescent ne les vit ni de façon parfaitement synchronisée, ni en vase clos. Alors que son enfance se caractérisait par une relative simplicité, l'individu qui entre dans l'adolescence semble soudain envahi par de nombreuses influences qui modifient inévitablement son parcours personnel. Le vocabulaire utilisé par les adultes pour décrire l'adolescence regorge de termes tels que *turbulence, crise, chaos, rébellion, risques, accidents* ou *dangers*, qui font oublier que l'adolescence peut aussi être belle, relativement facile et harmonieuse.

Les valeurs et les comportements proposés aux jeunes dans les sociétés occidentales sont d'une extrême ambiguïté. Avant même d'entrer dans l'adolescence, les enfants qu'on appelle les *tweens* ou *adonaissants* (les 9-12 ans) sont exposés, comme le sont les adultes, aux

Tableau 13.1 **Le développement psychosocial des adolescents**

TÂCHES	JEUNE ADOLESCENCE	MILIEU DE L'ADOLESCENCE	FIN DE L'ADOLESCENCE
Indépendance Autonomie	Intérêt pour les activités avec les parents Variation de l'humeur	Conflit avec les parents	Acceptation des valeurs et des opinions parentales
Pairs	Relation intense avec les amis du même sexe	Rôle considérable des amis Conformité avec les valeurs des amis	Relation plus intime Diminution du rôle du groupe de pairs
Identité Intimité	Début d'une vie fantasmée et de la projection dans le futur Importance du monde privé Idéalisation professionnelle Augmentation de la mémoire Augmentation des connaissances	Augmentation de la capacité intellectuelle Sentiment d'omnipotence Comportement à risque Expérimentation sexuelle	Identité professionnelle plus précise et plus réaliste Valeurs morales et personnelles plus claires
Image corporelle	Inquiétudes liées aux changements de la puberté Incertitude envers sa propre apparence	Investissement du corps	Acceptation des changements de la puberté

exigences de la minceur et d'une mode hypersexuée, selon lesquelles les corps même à peine pubères doivent être séduisants et mis en valeur. Les adolescentes doivent être maquillées, tatouées, avoir des perçages corporels, être prêtes à avoir des relations sexuelles, mais elles ne peuvent paradoxalement pas se permettre de prendre des rondeurs et de voir leurs hanches s'élargir. Elles doivent être rasées comme des petites filles, répondant en cela aux exigences des garçons, dont l'éducation sexuelle et relationnelle semble de plus en plus précoce et influencée par la pornographie offerte à tous. Les garçons n'ont pas pour autant la partie facile. Ils sont, eux aussi, soumis à des exigences extrêmes : avoir un corps musclé, être viril et accomplir des performances physiques et sexuelles hors du commun.

En outre, la cohorte des adolescents s'est enrichie ces dernières années, surtout dans les grandes villes, d'une diversité culturelle importante : immigrants récents, enfants nés au Canada de parents immigrants, étudiants étrangers, etc. Tous ces jeunes s'adaptent vite à la liberté et aux critères de beauté qui leur apparaissent si faciles à atteindre. Mais ils sont constamment tiraillés entre la culture libérale de notre société et la culture souvent plus stricte de leur famille, ce qui ajoute des obstacles à un parcours déjà complexe pour beaucoup d'entre eux.

Les trois âges de l'adolescence

Dans la plupart des études, on s'entend pour définir trois phases dans l'adolescence : la jeune adolescence, de 12 à 14 ans ; le milieu de l'adolescence, de 15 à 17 ans ; et la fin de l'adolescence, 18 ans et plus. Sans être tranchée, cette classification offre à l'intervenant des balises lui permettant de mieux cibler son approche.

La jeune adolescence

L'élément primordial de cette phase est le développement biologique : la puberté, la croissance, la découverte d'un corps nouveau, les premières explorations de sensations inconnues, souvent agréables pour le garçon (érections) et mitigées pour la fille (douleurs menstruelles, pertes vaginales). Si cette étape se déroule bien, l'adolescent sera fasciné par ces changements et les accueillera de façon positive, malgré un certain nombre d'interrogations, d'inquiétudes et de malaises inévitables. Le médecin qui parvient à déceler ces incertitudes chez l'adolescent est facilement en mesure de le rassurer sur ce qui est normal dans les changements observés ou exprimés. Pour ce faire, il lui suffira par exemple de dire quelques mots au cours de l'examen physique : « voilà un cœur qui bat bien », lorsqu'il s'adresse à un jeune sportif ; « c'est tout à fait normal d'avoir des pertes vaginales, c'est comme la salive dans la bouche ; voici ce qu'il faut surveiller... », lorsqu'il parle à une adolescente qui craint d'être atteinte d'une infection sexuellement transmissible (ITS).

Au niveau psychique, la pensée de l'adolescent est encore liée aux valeurs transmises par sa famille. L'adolescent n'a pas encore acquis les notions d'anticipation et de responsabilité de ses actes. En revanche, le goût d'entreprendre des activités hors de son cadre familial, d'appréhender de nouvelles valeurs et de s'essayer à des comportements différents commence à se manifester. Cela explique, par exemple, qu'un jeune adolescent atteint d'une maladie chronique, et qui suivait scrupuleusement ses traitements jusqu'alors, puisse soudain décider de tout abandonner dans le but de s'identifier aux autres. Une adolescente qui commence à avoir des relations sexuelles à un âge aussi précoce court des risques importants de subir des violences sexuelles et de devenir enceinte ou d'être atteinte d'ITS en l'absence de protection contraceptive.

Pour certains adolescents, c'est aussi la période d'expérimentation du tabac, de l'alcool et, éventuellement, de la drogue. Plutôt que de privilégier la prévention, qui suppose une certaine capacité d'anticipation et une conscience des conséquences de ses actes que le jeune adolescent n'a pas encore acquises, l'intervenant en santé aura tout intérêt à rester concret et à discuter des conséquences immédiates que peuvent entraîner de tels comportements: capacité d'effort diminuée ou risque d'accident accru par la consommation d'alcool. En abordant de plain-pied la situation dans laquelle se trouve l'adolescent, il pourra plus facilement lui proposer de diminuer graduellement sa consommation d'alcool sans en exiger l'arrêt immédiat.

L'adolescent commence à élaborer son jugement critique et moral, tout en devenant la cible des campagnes publicitaires et des modes. À cette période, l'adolescent est perméable aux courants *in* en musique, en cinéma, en matière de programmes télévisés et d'Internet, et les parents craignent beaucoup le rôle que peut jouer l'entourage de leur enfant, ainsi que l'influence de certains de ses amis.

La qualité de la présence parentale est primordiale à cette étape de la vie de l'adolescent, même si ce dernier paraît vouloir la rejeter. À ses yeux, le médecin est souvent associé aux parents, et le lien de confiance est difficile à établir. Le médecin aura l'impression de marcher sur des œufs et devra éviter des phrases et des attitudes malheureuses (tableau 13.2). Une attitude empathique et respectueuse est de mise. Il est également essentiel pour le médecin d'établir un contact visuel direct avec l'adolescent et de l'inclure dans son discours au cours des premiers échanges de paroles. L'humour peut servir d'entrée en matière et permet de détendre l'atmosphère. Il peut aussi être avisé de répondre à certains adolescents en leur posant une question qui les aide à mieux comprendre les inquiétudes de leurs parents à leur sujet. Voici quelques exemples:

- « Salut, Guillaume, qu'est-ce que je peux faire pour toi aujourd'hui ? »
- « C'est certain que ta mère va monter au plafond si tu lui parles de cela; mais, tu sais, elle ne peut pas rester là-haut, elle va redescendre et elle pourra t'aider. Je peux aussi t'aider à lui parler... »
- « Qu'est-ce que tu en penses, toi ? Si ta meilleure amie était là, devant toi, toute pâle, et te disait qu'elle s'est fait vomir trois fois aujourd'hui, est-ce que tu serais inquiète ? »

Tableau 13.2 **Les attitudes et les phrases à éviter avec les adolescents**

Attitudes à éviter • Comparer l'adolescent avec les autres adolescents. • Avoir des préjugés ou juger sur les apparences. • Minimiser le problème. • Interpréter avant d'écouter. • Critiquer l'adolescent, et non son comportement. • Sous-estimer les efforts de l'adolescent. • Condamner l'approche des parents. • Conclure avant de rencontrer le parent accompagnateur.
Phrases à éviter • « Le problème avec toi, c'est que... » • « Les adolescents ont tous ce comportement. » • « C'est tout ce qui te dérange ! » • « Je comprends, et la solution est... » • « Si tu continues, tu vas te détruire. » • « Tes parents auraient dû... » • « Pourtant, je te l'avais dit. » • « Prends tes responsabilités. »

Le milieu de l'adolescence

À ce stade de l'adolescence, les principales transformations d'ordre biologique ont déjà eu lieu. L'adolescent s'adapte à ce nouveau corps qui lui plaît et veut le montrer sous son meilleur jour. La jeune fille est ultra-féminine ; elle accorde une attention démesurée à sa coiffure, à son hygiène corporelle et à ses vêtements ; elle meurt de honte au moindre poil apparent. « Je ne peux pas subir d'examen aujourd'hui, je ne suis pas rasée. » Le garçon veut, pour sa part, avoir un corps musclé, grand, très masculin ; il commence à choisir les vêtements qu'il porte, alors qu'il s'en remettait jusqu'alors aux choix de ses parents.

Cependant, certains facteurs peuvent provoquer des réactions disproportionnées chez l'adolescent qui éprouve des difficultés dans son processus de maturation : il peut s'agir d'un retard de croissance, d'un développement corporel jugé imparfait, de défauts apparents tels que l'acné, l'embonpoint, des seins trop volumineux ou un pénis trop petit. Le médecin doit alors mettre l'accent sur les aspects physiques positifs de son patient, et le situer par rapport aux grandes variations qu'il observe dans sa pratique quotidienne. Sans minimiser les insatisfactions de l'adolescent, le médecin peut lui donner des explications rassurantes sur la nature de l'acné ou sur la dimension génétique de certaines transformations liées à la puberté, telles que les premières menstruations, la taille définitive ou les aspects morphologiques du corps. Le médecin aidera ainsi l'adolescent à connaître ses forces et ses limites, et à apprendre à en tirer profit. À ce titre, il est étonnant de constater comment certains adolescents souffrant de handicaps physiques souvent lourds réussissent à composer avec des limites importantes et à mener à bien leur processus de maturation. La capacité de résilience est un enjeu crucial lors de l'adolescence.

Du point de vue psychosocial, l'adolescent traverse une période de conflits avec ses parents, de recherche de liberté et de besoin d'affirmer des valeurs différentes. Ce désir d'affranchissement va de pair avec la volonté d'affirmer son individualité, mais il est aussi associé à un très grand besoin de s'identifier à ses pairs et de se conformer à des modes, à des courants de pensée et à des styles parfois exigeants. L'adolescent sain trouvera son compte dans cette contradiction apparente : il saura créer des liens d'amitié intenses, élargir ses capacités et ses goûts, et préparer son avenir. L'adolescent plus fragile quittera prématurément la dépendance matérielle et affective vis-à-vis de ses parents pour entrer dans la dépendance dictée par le groupe de ses pairs, et il ne parviendra pas à s'imposer des limites. Il sera donc plus exposé aux risques de comportements destructeurs persistants : délinquance, consommation abusive d'alcool ou de drogues, arrêt des études.

Il est parfois difficile de distinguer une conduite à risque passagère, liée à cette période de maturation, et une prise de risques d'un ordre similaire mais susceptible de compromettre le développement. L'exemple le plus fréquent est la consommation d'alcool. Selon une étude menée au Québec (Institut de la statistique du Québec, 1998), 80 % des adolescents ont consommé de l'alcool avant l'âge de 15 ans. Presque tous les adolescents sont aux prises avec la question de la consommation d'alcool et seront donc appelés à choisir ce qu'ils feront de ce comportement. Un adolescent de 15 ans, qu'on a ramené chez lui complètement intoxiqué parce qu'il n'avait pas mesuré sa capacité d'absorption, pourra par exemple choisir, après un certain temps, de mieux gérer son comportement. Un autre adolescent pourra, au contraire, utiliser l'alcool pour masquer les insécurités et les conflits qu'il vit, sans parvenir à connaître ses limites. En interrogeant un adolescent concerné par cette question, le médecin doit s'intéresser de près aux motifs de la consommation, bien plus qu'à la quantité d'alcool consommée.

Au niveau cognitif, la pensée évolue, sans que l'adolescent ait encore acquis complètement la capacité d'élaborer des concepts abstraits ou les notions de probabilités et de prévention. On constate actuellement que nombre d'adolescents semblent éprouver des difficultés croissantes à acquérir une telle capacité. Le paradoxe est que les capacités de l'adolescent qui aspire à l'autonomie et la revendique ne sont pas à la mesure de ses ambitions. Cette étape est probablement la plus difficile à saisir pour les adultes. Si on est en mesure de reconnaître la quête d'autonomie de l'adolescent, sa volonté d'acquérir les moyens de contrôler sa vie, de prendre ses propres décisions et de préparer son avenir, on est beaucoup moins conscient du fait qu'il n'a pas encore l'expérience nécessaire pour étayer ses choix et qu'il lui faudra parfois répéter des comportements à risque avant de comprendre comment les éviter. Beaucoup de parents s'y laissent prendre et offrent à l'adolescent une liberté trop grande, qu'il n'est pas prêt à assumer. Le médecin se trouve alors pris entre deux feux : il peut soit aller dans le sens de l'autonomie réclamée par l'adolescent, comme le font ses parents, soit inciter ces derniers à fixer des limites et à mieux encadrer le jeune. Le médecin doit encourager la prise de responsabilités et la poursuite des activités dans lesquelles l'adolescent s'investit (autonomie graduée), mais dans le cadre de limites réalistes imposées par les parents (gestion du risque).

Voyons maintenant trois exemples d'adolescents en difficulté.

Paul, 15 ans, arrive à la consultation sans rendez-vous. Il a une fièvre importante, son état général est inquiétant et il a des difficultés à respirer. Le médecin constate la présence d'un abcès amygdalien. Paul dit être dans la rue et ne pas savoir où aller. Il a donné un faux nom et affirmé avoir près de 18 ans. Il est cependant assez facile de déjouer sa tromperie, et le médecin finit par obtenir le numéro de téléphone de sa mère. Celle-ci semble moins inquiète qu'agacée. Elle vient de rentrer du travail, habite loin et ne veut pas ressortir maintenant. À ses dires, son fils lui cause tellement de problèmes qu'elle n'en peut plus et qu'elle l'a laissé partir de la maison. Selon elle, son fils s'enfuit constamment des centres jeunesse où il finit inévitablement par se retrouver, et il peut bien se débrouiller tout seul.

Il s'agit d'une famille en détresse, et l'adolescent est en sérieuse difficulté. Il y a là plus qu'une crise passagère. Le médecin n'a pas d'autre choix que de faire appel à la responsabilité de la mère envers son enfant et d'exiger d'elle sa présence immédiate tout en faisant appel aux autorités sociales.

Éva, 14 ans, a été envoyée à la clinique de gynécologie pour une grossesse qui semble assez avancée. Ses parents l'accompagnent. L'échographie révèle qu'elle est enceinte de 20 semaines. C'est la surprise totale pour toute la famille. Éva s'entraîne beaucoup afin de participer à des compétitions sportives de haut niveau. Elle passe la semaine en pension loin de chez elle, ce qui lui permet de s'entraîner tout en poursuivant ses études. Elle est bonne élève et s'entend bien avec ses parents. Depuis un an, elle a un petit ami âgé de 16 ans. Elle ne voulait pas prendre la pilule parce qu'on lui a dit que cela fait grossir. Elle a eu quelques relations sexuelles, peu fréquentes, et elle n'a pas mesuré le risque de devenir enceinte qui, à ses yeux, ne peut arriver qu'aux autres, celles qui veulent un bébé. Ses menstruations sont irrégulières depuis plusieurs mois. Sa mère l'a interrogée une fois sur sa vie sexuelle, et Éva lui a répondu qu'elle ne couchait pas

avec son petit ami. Éva refuse catégoriquement cette grossesse, mais ses parents ne peuvent pas envisager un avortement à un stade de grossesse qu'ils jugent aussi avancé.

L'adolescente a sous-évalué le risque auquel elle s'exposait en raison de son incapacité à anticiper les conséquences de ses actes. L'accident qui est survenu modifie un parcours jusque-là sans faute. Éva provoque une crise familiale grave et, quelle qu'en soit l'issue, la cohésion de la famille pourrait être gravement compromise, l'adolescente risquant alors d'en porter le fardeau. À l'inverse, ce problème pourrait permettre à la famille de se remettre en question et de trouver une solution positive à la crise. Lorsque le médecin est témoin de telles crises, ce qui arrive souvent, il lui appartient d'offrir de l'aide aux parents et de soutenir l'adolescente victime de son erreur et de son inexpérience.

Laurence, 15 ans, fait le désespoir de son père. Ce dernier mise beaucoup sur l'intelligence et la réussite scolaire de sa fille. Depuis quelques mois, Laurence est de mauvaise humeur et s'oppose constamment à ses parents. Elle veut sortir le soir comme ses amies et n'accepte plus les contraintes imposées par ses études et ses parents. Ceux-ci apprennent que Laurence risque d'être expulsée de l'école en raison d'absences répétées. Une scène violente éclate lorsque Laurence rentre à la maison à deux heures du matin. Laurence affirme à ses parents en hurlant qu'elle a été agressée sexuellement par un oncle et qu'elle risque moins en sortant avec ses amis qu'en fréquentant sa propre famille. Laurence est une adolescente impétueuse, à la fois obstinée et changeante, qui pourrait commettre un acte impulsif d'autodestruction.

Les parents de l'adolescente n'ont heureusement pas tardé à consulter un spécialiste. Laurence est en crise et elle a été capable d'exprimer ses ambivalences et d'accepter de recevoir de l'aide. Cette période permet aussi à l'adolescente de faire le point sur les années antérieures (questionnement sur ses origines, reprise ou arrêt des relations avec un parent absent, dévoilement d'actes, etc.) et de mesurer les limites que lui imposent ses parents.

Aucun des adolescents évoqués ci-dessus n'était en mesure d'assumer totalement la responsabilité de ses actes, et ces exemples illustrent le fait que les parents ont encore un rôle important à jouer. Le médecin est en général consulté lorsque survient une situation de crise qui doit être résolue d'urgence, ce qui lui laisse peu de latitude pour évaluer la dynamique familiale et proposer des solutions durables. Cependant, le médecin n'a pas à se substituer aux parents. Le fait qu'il prenne le temps d'expliquer la situation, de soutenir et de rassurer à la fois l'adolescent et les parents peut permettre à la famille de se mobiliser et d'aller chercher de l'aide.

Dans le cas d'un adolescent souffrant d'une maladie chronique, la famille est habituellement connue des intervenants, et il peut être plus facile de la guider lorsqu'une crise survient. Mais cette période de crise peut aussi mettre en lumière les craintes qu'éprouve la famille face à la maladie de son enfant. Le rôle du médecin est d'être à l'écoute des appréhensions des parents, qui ont perdu le contrôle d'une situation qu'ils avaient jusque-là toujours maîtrisée, tout en encourageant l'adolescent à se détacher de sa famille et à apprendre à gérer lui-même sa maladie.

Dans tous les cas, le défi pour le médecin est de conserver la confiance de l'adolescent en lui manifestant de l'intérêt, en lui offrant son aide et en lui gardant sa porte toujours ouverte.

La fin de l'adolescence

Du point de vue biologique, la maturité est atteinte. L'adolescent accepte plus facilement son corps et n'a plus besoin d'être en *représentation* constante. À ses yeux, le maquillage, l'habillement, etc., n'ont plus besoin d'être parfaits : son identité n'en serait pas détruite. L'orientation sexuelle est définie et en général acceptée, même si elle n'est pas exempte de conflits intérieurs persistants ou d'ambivalences.

Du point de vue psychosocial, l'adolescent a acquis des valeurs personnelles, ainsi qu'une capacité de partage et d'intimité avec un ou une partenaire. La séparation d'avec la famille lui permet d'entretenir des liens adultes avec ses parents.

Sur le plan cognitif, l'adolescent a désormais la capacité d'élaborer une pensée abstraite. Il est capable de faire preuve d'anticipation, de remettre en question ses comportements, de faire des choix réalistes quant à son avenir et d'assumer la responsabilité de ses actes. Cependant, on estime que 30 % de la population adulte n'a pas acquis cette capacité de pensée abstraite (Marcelli et Braconnier, 2004), ce qui explique partiellement que certaines personnes ne parviennent pas à se sortir des conflits de leur adolescence de façon positive.

Voici maintenant un exemple d'adolescente en difficulté.

Patricia, 20 ans, a déjà subi trois interruptions volontaires de grossesse (IVG). À 15 ans, encore sous l'emprise de la pensée magique, elle s'est retrouvée enceinte. Elle n'avait jamais eu d'examen gynécologique auparavant, par peur, par timidité et parce qu'elle niait la réalité. Au début, Patricia voulait garder le bébé, croyant que sa mère serait ravie et le prendrait en charge. Celle-ci s'est empressée de la détromper. Le médecin se devait de respecter le choix de Patricia mais, conscient que Patricia nageait en pleine fantaisie, il a pris le temps de la rencontrer seule, puis avec sa mère, et de donner à l'adolescente des devoirs très concrets à faire pour qu'elle comprenne bien les enjeux de la maternité. Le choix de l'IVG s'est fait rapidement. Pourtant, malgré toutes les explications données par le médecin sur la contraception et malgré le suivi effectué par les infirmières au Centre local de services communautaires (CLSC) et à l'école, Patricia a cessé de prendre la pilule lorsque son petit ami l'a quittée.

Elle a renoué avec lui deux semaines plus tard, se croyant protégée contre la grossesse avec d'autant plus de conviction qu'on lui avait dit qu'elle pouvait devenir stérile après avoir subi un avortement et pris longtemps la pilule. Une deuxième grossesse est survenue. Cette fois, Patricia n'a pas voulu en parler à ses parents, consciente qu'elle n'avait pas vraiment réfléchi à la portée de ses actes. Elle est retournée à la même clinique, où elle a apprécié de n'être pas jugée. L'infirmière lui a démontré, un test de grossesse positif à l'appui, qu'elle n'était pas stérile et l'a assurée qu'elle ne le serait pas davantage après un deuxième avortement. Elles ont toutes deux discuté de la grande fertilité des couples de son âge, du droit à l'erreur et de l'importance de se protéger à chaque relation sexuelle.

Patricia est repartie avec une nouvelle prescription de pilules, affirmant avoir bien tout compris. Elle a pourtant arrêté de prendre la pilule lorsqu'elle a rompu, définitivement cette fois, avec son petit ami. Patricia a eu ensuite quelques rapports sexuels protégés par des condoms, sans se douter qu'elle allait bientôt rencontrer l'homme de sa vie. Aucune précaution ne tenait plus. Il était le plus beau, le plus fin. Ils avaient tous les deux perdu et la tête… et le condom, de sorte que Patricia est redevenue enceinte à 18 ans.

Comprenant qu'elle n'était pas prête à avoir un enfant, que cette responsabilité lui incomberait totalement et qu'ils avaient, son partenaire et elle, un avenir à préparer, Patricia a choisi à nouveau de recourir à une IVG. Mais, depuis cette expérience, elle a opté pour une méthode de contraception par injection, et rien ne pourra la lui faire interrompre. Elle est fidèle à ses visites médicales et à ses contrôles annuels.

Les enjeux de la consultation

L'adolescent n'est pas seul lorsqu'il consulte un médecin : il y a toujours plusieurs acteurs qui entrent en jeu dans sa relation avec le médecin. Les conditions idéales pour créer des liens avec l'adolescent et gagner sa confiance consistent à parvenir à le connaître personnellement et à déterminer la place que tiennent dans sa vie ses parents et ceux qui l'accompagnent. Le médecin, selon ce qu'il est et ce qu'il inspire à l'adolescent, constitue lui aussi un élément-clé de la relation. Enfin, les conditions matérielles dans lesquelles se déroule la rencontre ont également leur importance.

Les acteurs

LES PARENTS

Le premier devoir du soignant va à la personne qui le consulte. C'est un principe de base. Cependant, le médecin ne doit pas, même involontairement, nuire à la relation existant entre l'adolescent et ses parents en voulant à tout prix s'occuper exclusivement de l'adolescent. Il est inévitable que toute intervention concernant un adolescent ait des répercussions sur sa famille, et le médecin doit en tenir compte. Cette constatation vaut aussi pour ceux qu'on appelle les *jeunes de la rue.* Ils ont tous une famille quelque part, et elle a compté pour beaucoup dans la situation souvent grave que ces adolescents vivent au moment de la consultation.

Dans la majorité des cas, la principale ressource à laquelle l'adolescent peut faire appel est sa famille. Dès lors, comment remettre en perspective l'affirmation d'un adolescent qui prend le médecin à témoin du fait que ses parents vont « le tuer » s'il leur avoue un comportement peu acceptable ? Le médecin ne veut certes pas devenir un agent de désintégration de la famille. Il doit donc éviter au moins deux pièges communicationnels.

Le premier piège consiste, pour le médecin, à se réserver le beau rôle, et à cantonner le parent dans le rôle du *méchant.* Par cette stratégie, le médecin tente de bâtir une relation solide avec l'adolescent, en prenant partie pour lui contre le parent. La méthode peut porter ses fruits à court terme : le médecin et l'adolescent se trouvent dans le même camp et s'opposent tous deux au parent ; ils peuvent ainsi créer une complicité, une familiarité et une collaboration active. Si le médecin trouve son compte dans cette situation, c'est le parent qui risque d'en payer le prix. Celui-ci voit sa crédibilité et son autorité diminuées, et cet affaiblissement risque de toucher tous les aspects de la relation de l'adolescent avec ses parents.

Le second piège consiste à verser dans l'omission ou la compromission. Le médecin ne prend position ni pour ni contre le parent : il l'ignore complètement. Il garde le silence sur les efforts déployés par les parents pour aider l'adolescent et ne tient pas compte du fait qu'ils se préoccupent et se soucient de lui. Si cette stratégie revient à mettre en cause le rôle du parent moins directement, elle a néanmoins des effets identiques à la première stratégie.

Le médecin peut nouer une relation de confiance avec un adolescent tout en prenant en compte et en préservant la relation que celui-ci a avec ses parents. Il peut même jouer un rôle notable dans les réaménagements et l'amélioration éventuelle qui peuvent être apportés à ces rapports. Tout en offrant son écoute à l'adolescent et en l'assurant de sa volonté de l'aider, le médecin peut remettre en perspective les réactions des parents, même lorsqu'elles sont excessives, leurs efforts, leurs craintes concernant la santé de leur enfant, ainsi que leur désir de le voir s'épanouir plutôt que de se faire du mal. Lorsque le parent se trompe ou lorsqu'il semble pertinent de corriger une information provenant de lui, le médecin peut insister sur l'intention louable du parent et sur le fait que c'est parce qu'il prend soin de son enfant qu'il a demandé une consultation.

Donc, même lorsque les parents sont absents, le médecin doit éviter de leur faire perdre la face, de les discréditer, de les critiquer ou de porter des jugements à leur égard, ce qui nuirait à la confiance que l'adolescent a en eux. Grâce à son statut et à sa crédibilité, le médecin peut facilement discréditer un parent : il doit donc utiliser ce pouvoir avec discernement. Le parent, comme le médecin, a une capacité d'influence dans la mesure où on lui accorde du respect et de la confiance.

En revanche, le médecin n'est pas tenu d'approuver des comportements ou des attitudes inappropriés de la part des parents. Dans certaines situations, par exemple lorsqu'il décèle des comportements violents, des exigences exagérées ou des signes manifestes d'abandon, le médecin a le devoir non seulement de soutenir l'adolescent mais aussi de veiller à ce qu'il reçoive de l'aide. Afin de débrouiller une situation incertaine ou potentiellement dangereuse, le médecin a divers recours : il peut alerter les services de protection de la jeunesse pour les cas urgents, envoyer l'adolescent consulter une travailleuse sociale, un psychologue ou une infirmière de son CLSC ou de son école.

L'ADOLESCENT

Plusieurs enquêtes (Offer, 1969) ont montré que les adolescents s'adressent d'abord à leurs parents lorsqu'ils veulent exprimer leurs peines et leurs difficultés, puis font appel aux intervenants de la santé pour être écoutés et conseillés lorsqu'ils cherchent des solutions en cas de coups durs : peine d'amour, échec scolaire, problèmes de santé physique ou mentale. On peut présumer que les adolescents, garçons et filles, ne se livrent pas facilement, qu'ils ont besoin d'un environnement propice et d'un interlocuteur ouvert et accessible pour oser exprimer ce qui les angoisse. On constate cependant des différences dans les motifs de consultation, ainsi que dans les modalités d'utilisation des services, selon qu'on a affaire à des garçons ou à des filles.

Les garçons reconnaissent moins qu'ils ont besoin d'aide et ont une perception plus positive de leur santé. Ils fréquentent davantage les urgences pour des traumatismes et des symptômes aigus. Pour des problèmes de santé tels que les infections transmissibles sexuellement (ITS) ou des problèmes de santé mentale, ils se font davantage confiance et retardent la consultation. Peut-être n'ont-ils tout simplement pas conscience du problème, faute de figures masculines leur ayant appris à détecter un trouble. Il arrive que l'adolescent ait tendance à fuir un problème en niant son existence, en se livrant à des actes délictuels, en consommant à l'excès de l'alcool ou de la drogue, etc. Une telle situation doit encourager le médecin à établir une alliance active avec l'adolescent dès la première rencontre ; le médecin doit écouter l'adolescent, souvent le déculpabiliser et lui donner des raisons de ne pas fuir ainsi la réalité. Certains garçons ont peur de consulter un médecin, et il arrive que ce soit leur petite amie qui les accompagne et les y *force*. Il suffit pourtant que le médecin consacre quelques minutes à l'adolescent pour constater que ce dernier a de nombreuses questions à poser.

Les filles sont plus avisées. Elles consultent souvent le même médecin ou vont à la même clinique. Lorsque la première rencontre concerne des problèmes liés à la vie sexuelle et à la contraception, elle a presque toujours lieu en l'absence des parents. De telles occasions permettent au médecin de leur offrir un suivi. Les soins dermatologiques, le désir de contrôler son poids et les malaises physiques sont aussi de fréquents motifs de consultation.

Les visites médicales décidées par les parents s'arrêtent souvent vers la fin de l'enfance et elles ne font plus partie des activités prioritaires des jeunes adolescentes, sauf quand survient le début de la vie sexuelle active. Les filles prennent alors conscience du fait que certaines choses ne sont pas faciles à révéler, pas plus à l'adulte qui les reçoit en consultation qu'à leurs parents, qui ont jusqu'alors été au courant de tout ce qui les concernait. Les adolescentes qui consultent un médecin inconnu, un médecin proche de leurs parents ou le médecin de famille qui n'a jamais abordé le sujet avec elles sont souvent réticentes et ne savent pas comment parler de ces questions. Celles qui consultent un médecin dans une clinique jeunesse spécialisée ou dans leur CLSC sont un peu plus enclines à exprimer clairement l'objet de leur visite.

Les médecins ont, à tort, l'impression qu'aucun adolescent n'est mal à l'aise lorsqu'il est question de sexualité, en raison de la grande liberté sexuelle qui a cours de nos jours, et qu'il n'est par conséquent pas nécessaire d'*aller à la pêche* aux informations pour découvrir la *vraie* raison de la consultation. Lorsque des filles évoquent des maux de ventre imprécis, des maux de tête, de la fatigue, des nausées ou des douleurs menstruelles, ou lorsque des garçons demandent à « passer tous les tests », il y a toutes les raisons d'approfondir le sujet.

En revanche, il n'est pas toujours nécessaire de mener un interrogatoire complet sur la vie sexuelle d'un adolescent ou d'une adolescente qui vient consulter pour un mal de gorge, une fièvre ou un état grippal. C'est cependant l'occasion d'ouvrir une porte au jeune et de lui offrir son soutien en cas de besoin, en lui disant par exemple : « S'il y a quoi que ce soit qui t'inquiète, tu peux venir me voir pour en discuter. »

Les préoccupations des adolescents en matière de santé, selon les groupes d'âge, sont résumées dans le tableau 13.3.

LE MÉDECIN

La plupart des adolescents évoluent sainement, et l'approche respectueuse et empathique que le médecin utilise envers sa clientèle est tout à fait appropriée. Il arrive que les médecins aient peur des adolescents, qu'ils étiquettent comme des *bêtes curieuses*, imperméables à toute communication avec le monde des adultes.

La réaction initiale de l'adolescent au cours des premiers échanges de paroles est révélatrice de sa réaction habituelle face aux adultes. L'adolescent qui entretient une bonne relation avec ses parents et qui a vécu de nombreuses expériences heureuses avec les adultes fait plus facilement part de ses besoins que l'adolescent en rupture avec l'autorité. Face à l'opposition manifestée par ce type de patient, il peut être utile pour le médecin de préciser d'emblée son rôle de professionnel de la santé et de limiter initialement son intervention aux besoins qu'évoque l'adolescent.

« Je suis médecin, c'est moi qui te verrai. Qu'est-ce que je peux faire pour toi aujourd'hui ? » Le médecin se présente simplement, mais sans tomber dans la familiarité. L'usage des formules de politesse est moins prononcé qu'avec les adultes, et il est habituellement approprié de tutoyer l'adolescent afin de le mettre à l'aise.

Le sexe de l'adulte peut également avoir une importance. Le fait que l'adolescent demande à voir un médecin du même sexe ou de l'autre sexe renvoie à son vécu antérieur, que ce soit une expérience sexuelle malheureuse ou une gêne et des craintes liées au motif de la consultation, par exemple un examen des seins ou des organes génitaux.

Tableau 13.3 **Les préoccupations des adolescents**

	JEUNE ADOLESCENCE	MILIEU DE L'ADOLESCENCE	FIN DE L'ADOLESCENCE
Habitudes	Tabac Alcool	Drogues Alcool	Conduite automobile
Sexualité	Menstruations Contraception Premières expériences	Jalousie Dépendance affective Relation de couple Pression des pairs	Satisfaction sexuelle Vie de couple Orientation sexuelle
Santé mentale	Anxiété Stress	Dépression Anorexie Décrochage scolaire	Dépression Anxiété
Santé physique	Croissance Poids	Obésité ITS Acné	Traumatisme Maladie chronique
Vie sociale	Internet, pornographie Sexualité précoce Influence des parents	Isolement Désinvestissement	Soutien économique Marginalisation

Situation 1 **La différence de sexe entre le médecin et le patient**

Mélanie, 16 ans, n'a jamais eu d'examen gynécologique.

LE MÉDECIN — *Bonjour Mélanie, je suis le Dr Jean Martin et je travaille ici, à la clinique jeunesse. Qu'est-ce que je peux faire pour toi aujourd'hui ?*

> Le médecin se présente en donnant son nom et sa fonction. Il se positionne en situation de service.

La patiente est manifestement mal à l'aise ; on sent une hésitation dans sa voix. Elle ne tient pas en place sur sa chaise et ne regarde pas le médecin en face.

MÉLANIE — *Je viens parce que ça me brûle au niveau de la vulve. Est-ce qu'il va falloir me faire un examen gynécologique ?*

> La patiente présente d'emblée la raison de la consultation et exprime la crainte qu'elle ressent.

LE MÉDECIN	— *J'ai l'impression que cette question d'examen gynécologique t'inquiète, n'est-ce pas ?*	Le médecin passe à un registre plus émotif. Il reprend la crainte de la patiente, tout en lui proposant une interprétation.
MÉLANIE	— *Oui, c'est plutôt gênant !*	La patiente exprime son accord avec l'interprétation proposée.
LE MÉDECIN	— *Si j'ai bien compris, ce sera ton premier examen gynécologique ?*	Le médecin valide l'hypothèse, tout en en la précisant.
MÉLANIE	— *Oui, je n'en ai jamais eu... Je suis vierge.*	La patiente, un peu gênée, confirme l'hypothèse et donne une information supplémentaire, sa virginité, qui pourrait remettre en question la nécessité d'effectuer un examen à l'aide d'un spéculum.
LE MÉDECIN	— *On verra si un examen est vraiment indispensable... J'imagine aussi que ça te gêne peut-être de discuter de ces choses-là avec un médecin homme.*	Le médecin tient compte de l'information donnée par la patiente sur sa sexualité. Puis, il propose une autre hypothèse.
MÉLANIE	— *Oui, j'avais demandé un médecin femme.*	La patiente confirme l'hypothèse du médecin.
LE MÉDECIN	— *C'est moi qui suis de garde à la clinique jeunesse cet après-midi, et il n'y a pas de médecin femme actuellement. Si tu veux, on peut voir ensemble ce qui t'amène ici. Si un examen est nécessaire, tu pourras décider ce que tu choisis. Tu peux par exemple consulter un médecin femme ce soir, sans prendre de rendez-vous, mais tu as vu qu'il y a plusieurs heures d'attente. Ou bien tu peux revenir la semaine prochaine voir la Dre Cardinal. C'est elle qui sera de garde.*	Le médecin a vu si la gêne de la patiente était liée au fait qu'il s'agit d'un premier examen ou si d'autres hypothèses pourraient l'expliquer : gêne habituelle de la patiente, antécédent d'agression ou mauvaise expérience avec un médecin homme. Ici, il offre une alternative à la patiente, en essayant d'évaluer au mieux les risques que présente chaque option. Il expose les enjeux et les conséquences de ces choix.
MÉLANIE	— *Bon... On peut voir ça ensemble, et je déciderai après.*	La patiente exprime son accord avec la proposition du médecin et accepte ainsi de poursuivre la consultation. Pour ce qui est de l'examen, elle précise qu'elle prendra sa décision lorsqu'elle aura d'autres renseignements.
LE MÉDECIN	— *D'après les informations que tu m'as données, je crois qu'un examen externe de la vulve est nécessaire.*	Le médecin donne son opinion professionnelle. Il s'adresse à la patiente comme à une adulte, sans l'infantiliser. ...

	Que veux-tu qu'on fasse ? Veux-tu attendre l'arrivée de la médecin ? Ou acceptes-tu que je fasse l'examen ?	Le médecin n'a pas oublié que la patiente voulait prendre sa décision après le questionnaire. En lui offrant deux options, il lui montre sa considération.
MÉLANIE	— *Bien, s'il le faut vraiment…*	La patiente manifeste encore son hésitation, mais indique au médecin qu'elle accepte de poursuivre la consultation. Le médecin a réussi, en partie du moins, à surmonter les hésitations de la patiente.
LE MÉDECIN	— *Écoute, je sais que ce n'est pas facile pour toi, mais l'infirmière sera présente pendant l'examen. Si tu te sens trop mal à l'aise, dis-le, et on interrompra aussitôt l'examen. Qu'est-ce que tu en dis ?*	Le médecin tient explicitement compte des réserves exprimées plus tôt par la patiente. Il lui offre une autre possibilité, lui demande son avis et l'assure de son respect.
MÉLANIE	— *Pouvez-vous m'expliquer ce qu'est un examen gynécologique ?*	Les besoins de la patiente redeviennent l'objet même de la consultation.

Grâce à son accessibilité et à sa compétence, le médecin devient un soignant apprécié par l'adolescent. Il est un hôte à la fois accueillant et professionnel. C'est aussi un adulte capable de se rappeler son adolescence et de se souvenir de la gêne et des hésitations qu'on peut ressentir à cet âge lorsqu'on dévoile son intimité. Malgré l'urgence d'agir et les nombreuses inquiétudes que peuvent engendrer les comportements de l'adolescent, le médecin doit conserver une approche structurée et rigoureuse. Ainsi, il tente d'abord de clarifier la demande de l'adolescent et de la situer dans le contexte du développement de ce dernier, avant de *normaliser* l'inquiétude exprimée et d'aborder des sujets plus intimes.

Lors d'une consultation, l'adolescent ne recherche pas un parent moralisateur ou un ami collaborateur, mais un adulte compétent et respectueux de ses valeurs, qui ne le juge pas et, au contraire, l'accompagne.

LES AUTRES PERSONNES

L'adolescent qui consulte dans un contexte juridique. Lorsque des adultes autres que les parents accompagnent l'adolescent, il est important de préciser avec celui-ci le rôle et les motifs de leur présence. Ils ont parfois un rôle de suppléance des parents. À ce titre, avec la permission de l'adolescent, ils peuvent fournir des informations qui valident celles que donne l'adolescent.

Le médecin doit être prudent lorsqu'il divulgue à un tiers des informations que l'adolescent lui a confiées. L'autorité parentale est la seule autorité légale, et l'intervenant est lié par les règles de la confidentialité, sauf si le tuteur légal est la Direction de la protection de la jeunesse (DPJ) (dans les cas de déchéance parentale et d'abandon, par exemple). Bien que cette situation ne soit pas fréquente, elle peut avoir des conséquences juridiques assez importantes pour qu'on recommande au médecin de bien la clarifier.

La place d'un ami ou d'une amie. Si l'adolescent est accompagné d'un ami ou d'une amie, la présence de cette personne est rarement utile pendant la rencontre. Cet accompagnateur constitue plutôt un soutien pour l'adolescent au cours de la démarche qui précède ou qui suit la consultation. Certaines jeunes adolescentes considèrent que leur meilleure amie est la personne centrale dans leur vie. La présence de cette amie au cours de la consultation peut être justifiée en raison du réconfort qu'elle apporte à la patiente.

LE MÉDECIN — *Bonjour. Je vois que c'est une première consultation. Qui est Sylvie ? et qui est sa sœur ?*

Sylvie et son amie sourient. L'entrée en matière du médecin les a apaisées.

SYLVIE — *Ce n'est pas ma sœur, mais ma meilleure amie. Peut-elle rester ?*

L'adolescente répond souvent sur le même ton, ici un peu badin, que le médecin a utilisé, ce qui montre que le premier contact est déjà établi et qu'elle fera confiance au médecin.

LE MÉDECIN — (sur un ton léger) *Tu sais, Sylvie, je vais te poser beaucoup de questions, et nous allons aborder des choses intimes. Est-ce que ta copine sait tout de toi ?*

Le médecin négocie la présence de l'amie. Assistera-t-elle au questionnaire, puis à l'examen ? Le médecin doit prendre en considération le fait qu'il est important de préserver l'intimité de l'adolescente et d'obtenir d'elle le maximum d'informations. Il doit tenir compte du fait que les relations entre adolescents peuvent évoluer rapidement : l'amie d'aujourd'hui peut être l'ennemie de demain. Sylvie regrettera alors de s'être trop dévoilée, et pourrait même en vouloir au médecin d'avoir laissé se produire une telle situation.

Ce à quoi Sylvie peut répondre : « Oui. C'est même elle qui m'a forcée à venir ici » ou « Hum ! Je pense qu'il vaut mieux qu'elle m'attende dehors. »

La place du partenaire. Lorsqu'une jeune adolescente vient subir un examen gynécologique accompagnée de son petit ami, le médecin doit être très vigilant avant d'accepter la présence de ce dernier. Le petit ami peut constituer un soutien pour l'adolescente, mais sa présence peut aussi se révéler tout à fait inadéquate et être une source de malaise plutôt que de réconfort, parce qu'il est lui-même très intimidé et n'a aucune expérience de consultation médicale de cet ordre. Sa présence peut aussi être gênante pour l'adolescente, qui bien souvent n'accepte de faire l'amour que dans l'obscurité et se trouve soudain dénudée en pleine lumière, dans une position très embarrassante pour elle. En outre, certains garçons peuvent faire des commentaires déplacés ou manifester un intérêt clinique lors de l'examen, qui les amène à vouloir voir ce que le médecin voit.

Lorsque l'adolescente veut que son petit ami entre dans le bureau, le médecin doit lui proposer de la voir seule dans un premier temps, puis de faire venir son petit ami, reconnaissant en cela que ce dernier est impliqué dans la démarche et que sa présence est appréciée. Le médecin pourra ainsi permettre à l'adolescente de décider ce qui doit être partagé et ce qui doit rester secret. C'est aussi une occasion privilégiée de parler au couple, de donner des conseils de prévention et de responsabiliser davantage le garçon.

Le cadre de la consultation

L'idéal est d'offrir à l'adolescent un lieu de consultation et des conditions qui lui permettent de se sentir en confiance. Ce n'est pas toujours possible, mais on peut prendre certaines mesures pour créer un environnement favorable.

LE LIEU DE LA CONSULTATION

Le milieu doit être adapté au type de clientèle et doit offrir toute la sécurité possible. Respecter les consignes et les aménagements est la règle. Le matériel didactique et ludique proposé au patient doit correspondre au type de service offert, et les lieux doivent refléter les valeurs du service.

L'environnement dans lequel l'adolescent est reçu doit être aussi convivial que possible. Lorsqu'il attend, l'adolescent est d'autant plus à l'aise s'il peut lire des affiches ou consulter des documents d'information et des revues. Le lieu doit être confortable et accueillant, tout en offrant à l'adolescent des outils d'information, mais il doit surtout offrir confidentialité, intimité et sécurité à l'adolescent et aux personnes qui éventuellement l'accompagnent.

Il est utile de disposer de cahiers dans la salle d'attente pour permettre aux jeunes d'écrire leurs histoires, de consigner leurs émotions et de se rendre compte que d'autres vivent les mêmes problèmes qu'eux. Les adolescents peuvent même se répondre par cahier interposé, et certains font part au médecin de ce qu'ils ont lu et de ce qui les a particulièrement touchés. D'autres peuvent profiter de ces cahiers pour exprimer leur frustration : « Je suis tanné d'attendre ! »

Dès la prise du rendez-vous, les informations doivent être recueillies en toute confidentialité. De même, on doit faire la pesée de l'adolescent et relever ses paramètres biologiques dans un espace séparé. La confidentialité doit être assurée dans les corridors et dans la salle d'attente utilisés par l'adolescent. La remise d'un questionnaire que l'adolescent doit remplir avant la consultation, ainsi que, parfois, d'un échantillon de contraceptif ou d'un dépliant explicatif peut revêtir un caractère intime aux yeux de certains. Quant aux actes cliniques, ils ne doivent avoir lieu que dans la salle d'examen ou son équivalent.

L'idéal est d'offrir à la clientèle adolescente une salle d'attente séparée, ce qui peut être difficile dans certains milieux. Certains adolescents hésitent à consulter un médecin par peur d'être reconnus. C'est pourquoi il faut tout particulièrement veiller au respect de la confidentialité et faire preuve d'une grande discrétion lorsqu'il n'y a pas de salle d'attente séparée. Si Julie est assise à côté de Mme Juneau, sa voisine, la réceptionniste, la secrétaire, l'infirmière ou le médecin doivent s'abstenir de claironner : « C'est toi qui viens pour un test de grossesse ? » ou « Tiens, prends ce récipient et va uriner ; on va faire le test tout de suite, ça nous fera gagner du temps. »

En règle générale, l'adolescent n'est pas docile. S'il est en révolte contre le monde des adultes ou s'il traverse une phase narcissique, il y a de fortes chances pour que sa présence soit visible sinon audible dans une salle d'attente. Certains adolescents extériorisent leur impatience en affirmant qu'ils ont beaucoup à faire, mais une fois dans le bureau du médecin, ils profitent de tout le temps qui leur est alloué, voire davantage, tant ils ont besoin qu'on s'occupe d'eux.

En raison de la pudeur qui caractérise l'adolescent, tous les gestes intimes doivent être accomplis dans un espace clairement délimité. On peut créer cette zone d'intimité, par exemple, en installant un paravent entre le bureau et la table d'examen ou en isolant des regards un espace contigu au bureau du médecin. Le rôle de chacun doit également être pris en considération dans l'espace de rencontre. La pudeur varie selon les individus, mais elle est généralement grande chez les adolescents, et l'intervenant doit y être très sensible. On doit préserver une saine distance entre le soigné et le soignant: cette règle professionnelle doit toujours être respectée, même si l'adolescent fait apparemment preuve de sans-gêne, de désinvolture ou d'une grande familiarité. Le contact physique doit se limiter à l'examen physique ou à des échanges de politesses tels qu'une poignée de mains. De la même façon, le patient doit pouvoir se dévêtir dans un espace privé et, dans la mesure du possible, on doit limiter l'exposition du corps à la région examinée.

Le téléphone est un moyen de communication peu propice à la confidentialité. Avant de joindre un adolescent par téléphone, il est nécessaire de vérifier auprès de lui qu'il accepte ce type de communication, ainsi que la nature des communications en question, et s'il autorise la divulgation de certaines informations à un tiers (remise d'un rendez-vous, résultat d'une exploration, par exemple). On doit consigner dans le dossier du patient les informations qui le concernent en préservant le secret professionnel et, de ce fait même, la relation de confiance. Cette exigence vaut pour le médecin comme pour le personnel de bureau.

Beaucoup de drames sont évités grâce au téléphone cellulaire. L'adolescent qui attend d'être reçu peut profiter de cette période pour parler à ses amis, et le téléphone cellulaire peut être un outil utile pour le joindre en toute confidentialité.

L'HEURE DE LA CONSULTATION

Dans certaines cliniques, on a constaté qu'il est presque inutile de donner des rendez-vous tôt le matin aux adolescents. Un adolescent a besoin de sommeil et dort beaucoup, parfois même à l'école ! Il vaut mieux privilégier l'après-midi et le début de soirée. L'idéal est de donner un rendez-vous dans les jours qui suivent la première prise de contact et de proposer à l'adolescent inquiet de venir le jour même, en le prévenant qu'il sera reçu mais qu'il devra probablement attendre. La plupart des adolescents apprécient ce genre de service et se présentent à l'heure. Certains demandent à être reçus immédiatement, puis changent d'idée en chemin et se présentent finalement quelques jours plus tard. Quand on offre des services à une clientèle adolescente, il est essentiel de faire preuve de beaucoup de souplesse et d'offrir un accueil souriant. Une remarque affectueuse, intéressée ou humoristique sur un vêtement, un maquillage, une coiffure ou un livre que l'adolescent tient à la main sera bien reçue et aidera l'adolescent à se sentir important.

Un adolescent difficile qui vient à son rendez-vous et qui accepte d'attendre mérite qu'on fasse tout son possible pour le garder. « Elle n'est pas venue à ses cinq derniers rendez-vous, mais elle est ici aujourd'hui. Donnons-lui tout ce qu'on peut – un petit échantillon de crème hydratante, du jus, des biscuits, un vaccin, etc. – pour gagner sa confiance, peut-être éviter une grossesse ou une ITS ou encore l'aider à se sortir d'une relation violente. » Il faut tenir compte du fait que les adolescents traversent un processus de développement et qu'il incombe aux adultes d'adapter leurs services à cette clientèle. Pour les adolescents, les barrières à la consultation ne sont en général pas de nature physique, mais psychosociale et organisationnelle. Cela ne signifie nullement que les intervenants doivent tout laisser passer. Certains comportements sont inacceptables et ne doivent pas être tolérés. Un adolescent qui s'exprime avec grossièreté dans la salle d'attente, qui dérange tout le monde ou qui est visiblement intoxiqué sera prié de revenir quand il sera prêt à se comporter correctement.

La rencontre : aspects cliniques

Avant la première rencontre, le médecin et l'adolescent peuvent, l'un comme l'autre, avoir une idée préconçue sur leur interlocuteur : le médecin peut a priori considérer que l'adolescent est compliqué, difficile, oppositionnel et contradictoire, et l'adolescent peut croire que le médecin adulte va le juger, lui faire la morale ou commettre des indiscrétions.

Lors de la consultation, l'adolescent montre ce qu'il est, mais il montre aussi ce qu'il voudrait être. Son apparence révèle souvent le mélange de ses propres valeurs, de celles de sa famille ou de son milieu et la recherche d'un certain style. L'adolescent est maladroit et intimidé par l'adulte. Il ne se révèle pas spontanément; il met en avant une image. Sa demande initiale est souvent peu claire et hésitante, et son apparence tend à cacher cette vulnérabilité. La *féminité* exagérée dont se pare une adolescente, le ton familier qu'elle emploie, son impolitesse apparente ou son style vestimentaire peuvent être autant de leurres et des fausses pistes qui distraient des besoins réels de cette patiente. Pour sa part, le médecin souhaite réussir sa consultation et sera souvent porté à donner promptement ses directives pour améliorer la condition de son patient. La rencontre entre le patient et le médecin est donc lourde de valeurs et d'enjeux.

La prise de rendez-vous

Selon l'âge de l'adolescent, sa capacité d'autonomie, la nature du problème qui l'amène à la consultation, les parents sont présents ou non dans la démarche de prise de rendez-vous.

LE RENDEZ-VOUS PRIS PAR LES PARENTS

Ce sont quelquefois les parents qui sollicitent le rendez-vous, à l'insu de l'adolescent et pour un motif inconnu de celui-ci. Si le médecin a la possibilité de le faire avant la rencontre, par l'intermédiaire d'un centre de rendez-vous ou d'un membre de l'équipe, il devrait indiquer aux parents qu'il est préférable d'informer l'adolescent de leur démarche. Le parent n'est pas obligé de préciser dans les détails le motif de la consultation, mais il peut indiquer à l'adolescent les inquiétudes qu'il ressent au sujet de sa santé ou de son comportement. À titre d'exemple, le parent qui s'inquiète de l'état dépressif de son adolescent peut évoquer le manque d'énergie et la variabilité de l'humeur qu'il constate chez lui pour le convaincre de prendre un rendez-vous.

Trois raisons peuvent expliquer cette attitude de secret de la part des parents.

- Certains problèmes, tels que l'anorexie nerveuse, l'abus de substances toxiques, les problèmes scolaires, les troubles de la conduite ou les troubles de santé mentale, sont souvent banalisés ou niés par l'adolescent. Il suffit habituellement d'insister sur la composante physique de ces situations (perte de poids, troubles du sommeil ou de concentration, fatigue, etc.) pour convaincre l'adolescent de consulter un médecin.
- Les parents peuvent souhaiter que certaines situations méconnues de l'adolescent soient discutées avec le médecin : la séparation des parents, l'orientation sexuelle de l'adolescent ou une maladie familiale d'ordre génétique, par exemple. Annoncer à l'adolescent le motif de la consultation avant la rencontre présente plusieurs avantages, par exemple celui de lui permettre d'amorcer une réflexion et un dialogue avec ses parents.

- Il est possible que les parents aient simplement l'habitude de prendre les rendez-vous pour l'adolescent et jugent qu'il n'est pas pertinent de l'informer du motif de leur démarche. Lors de la consultation, le médecin pourra alors dire qu'il déplore cette situation, ce qui donnera à l'adolescent l'occasion de s'exprimer d'abord sur le plan émotif. Avec la permission de l'adolescent et en sa présence, le médecin demandera au parent de donner sa version des faits, tout en l'incitant à donner davantage de latitude à l'adolescent.

LE RENDEZ-VOUS PRIS PAR L'ADOLESCENT

En règle générale, la consultation portant sur un problème lié à la sexualité se déroule dans le plus grand secret. Les jeunes adolescents savent bien que leurs parents n'approuvent pas qu'ils aient une activité sexuelle. Pour leur part, les adolescents âgés de plus de 14 ans, selon la nature des liens familiaux et selon leur culture, peuvent se sentir à l'aise de consulter avec l'approbation de leurs parents, mais en effectuant leur démarche eux-mêmes, ou peuvent au contraire réclamer eux aussi la plus grande confidentialité. En général, le problème se pose moins pour les adolescents âgés de plus de 17 ans, sauf dans les cas de grossesse non désirée.

Un garçon de 16 ans qui vit ses premières expériences homosexuelles ou qui désire passer des tests de dépistage pour les ITS préférera un lieu de consultation où il sera certain de ne rencontrer aucune personne de son entourage.

Un portrait de l'adolescent qui consulte

La consultation médicale participe de la démarche d'autonomie de l'adolescent vers un monde adulte distinct de celui de ses parents et vers une prise en charge de sa santé. Pour certains, cette rencontre peut comporter des enjeux considérables, tels que la reconnaissance d'une sexualité active, une demande d'aide en matière de santé mentale ou la crainte d'être atteint d'une maladie grave. Le rendez-vous est attendu à la fois avec impatience et appréhension. L'adolescent souhaite obtenir une solution à son problème, mais il craint le diagnostic, et même le jugement du tiers consulté.

LA TIMIDITÉ ET LA PUDEUR

La plupart des adolescentes, même celles qui portent des mini-vêtements, des pantalons moulants, des anneaux aux oreilles, au nez, aux sourcils, au nombril ou dans la langue, et qui peuvent sembler délurées, ne se sont peut-être jamais dénudées devant leur petit ami et encore moins devant des adultes. On doit garder à l'esprit que les adolescentes, les plus jeunes surtout, sont rarement satisfaites de leur corps et qu'elles éprouvent une timidité extrême lorsqu'elles doivent enlever leurs sous-vêtements et, à plus forte raison, s'installer en position gynécologique.

Par crainte de devoir se soumettre à un examen gynécologique, certaines adolescentes vont jusqu'à retarder la consultation pour une méthode contraceptive. Cette pudeur liée à un corps qu'elles n'ont pas encore apprivoisé joue aussi un rôle dans leur incapacité à refuser les avances d'un partenaire ou à négocier avec lui le port du condom. Les filles sont initiées tôt à la notion de *maladies* et de visites médicales. Pour beaucoup de femmes, les menstruations continuent d'être associées à un malaise, voire à une maladie, et elles savent toutes qu'elles devront tôt ou tard consulter pour des questions liées à la sphère génitale.

Les garçons éprouvent aussi une grande timidité, parfois plus importante que celle des jeunes filles, parce qu'il y a peu de modèles masculins dont ils peuvent s'inspirer pour démystifier le processus de la consultation. Ils peuvent certes avoir peur des prélèvements urétraux, effectués dans le cadre du dépistage des ITS, mais leur pudeur est réelle. Certains garçons craignent d'avoir une érection lors de l'examen génital et que le médecin soit un homme (« il va penser que je suis un homosexuel ») ou une femme (« elle va juger que mon pénis n'est pas normal ») ; il est rare qu'ils acceptent spontanément de baisser leur pantalon.

LA NORMALITÉ ET LA VULNÉRABILITÉ

On conçoit aisément que l'adolescent ait des réticences à livrer des secrets liés à sa vie sexuelle. Cependant, il n'est pas rare de constater la même gêne, le même malaise, pour toutes sortes d'autres problèmes : l'adolescent craint que le médecin découvre qu'il est anormal ou qu'il souffre d'une maladie grave.

Situation 2 **L'inquiétude liée à la santé**

Julien, 14 ans, suivi depuis le plus jeune âge par son médecin, est amené en consultation par son père.

LE MÉDECIN	— *Bonjour Julien, bonjour Monsieur Denis, qu'est-ce qui vous amène aujourd'hui ?*	Énoncé d'ouverture.
LE PÈRE	— *Vous avez peut-être remarqué que Julien grandit très vite. On dirait que son thorax se déforme.*	
LE MÉDECIN	— *Vous trouvez que son thorax se déforme ? Et toi Julien, trouves-tu que ton thorax se déforme ?*	Le médecin place le patient au centre de la discussion et s'enquiert de ses préoccupations.
JULIEN	— *Ben… Je ne l'avais pas remarqué jusqu'à ce que mes parents m'en parlent… Mais là, ça m'énerve.*	Le patient confirme la perception des parents et révèle son inquiétude.
LE MÉDECIN	— *Ça t'énerve ?*	Énoncé de vérification.
JULIEN	— *Ouais. Le thorax, le cœur, tout ça c'est relié…*	
LE MÉDECIN	— *Oui, si on veut. Mais toi, comment vois-tu cela ?*	Le médecin cherche à avoir plus d'informations sur les relations que le patient fait entre la déformation du thorax et d'éventuelles maladies cardiaques.
JULIEN	— *Ben… Le cœur, c'est en arrière du sternum… Si le sternum s'enfonce, ça peut écraser le cœur.*	Le patient exprime, sur un ton affirmatif mais inquiet, sa compréhension du problème.

LE MÉDECIN	— *Je vais te faire un examen du thorax pour vérifier, mais je peux déjà te dire que je ne pense pas que ça soit un problème sérieux. Mais je sens que cela t'inquiète beaucoup…*	Le médecin annonce l'intervention qu'il va faire, commence à rassurer le patient et lui renvoie son inquiétude.
JULIEN	— *Je me demande si je pourrais faire une crise cardiaque.*	Le patient exprime son inquiétude.
LE MÉDECIN	— *C'est plus que rare à 14 ans ! Est-ce que quelque chose te laisse penser que cela puisse t'arriver ?*	Le médecin donne une information destinée à réduire l'inquiétude du patient et s'assure qu'il n'y a pas d'autres sources d'inquiétudes encore inexprimées.
JULIEN	— *Bien, il y a mon oncle, du côté de mon père, qui est mort à 37 ans d'une crise cardiaque.*	Le patient donne une information au médecin.
LE MÉDECIN	— *C'est vrai que cela peut paraître inquiétant, mais tout m'incite à douter que ce soit un cas comparable au tien.*	Le médecin est empathique et donne son opinion professionnelle.
LE PÈRE	— *C'est vrai qu'on a dit qu'il avait une malformation de naissance au cœur.*	Le père complète l'information et appuie l'affirmation du médecin.
LE MÉDECIN	— *Je peux comprendre que tu aies fait une association entre le problème cardiaque de ton oncle et la déformation du sternum ! Si tu veux, on va laisser ton père sortir du bureau, puis je vais t'examiner. On va essayer de voir en quoi le problème de ton oncle peut se comparer au tien. Puis, on va voir si ce que j'aurai trouvé pour toi a des implications. Est-ce que cela te convient ?*	Le médecin reconnaît la compréhension qu'a le patient de la déformation et les liens qu'il fait avec un problème cardiaque. Il explique comment va se dérouler la suite de la consultation et annonce au patient qu'il discutera avec lui des suites à donner au questionnaire et à l'examen, une fois qu'il se sera fait une opinion professionnelle. Enfin, le médecin s'assure de la collaboration du patient en lui demandant son accord.
JULIEN	— *C'est bon.*	Le patient donne son accord.

LA FAMILIARITÉ

Les intervenants ont appris à écouter les adolescents et à s'adresser à eux comme à des personnes à part entière. La majorité des adolescents apprécient cette marque de considération, et le fait que presque plus personne n'utilise le vouvoiement n'est pas perçu comme un manque de respect. Il est cependant préférable que le médecin vouvoie les parents, ce qui constitue le signe d'une certaine rigueur professionnelle et évite une trop grande familiarité qui pourrait faire croire à l'adolescent que les adultes se *liguent* contre lui.

Sandra est assise dans le bureau du médecin, qui la connaît bien. Elle a exprimé son impatience après avoir attendu 30 minutes en salle d'attente, et le médecin s'est excusé en lui faisant valoir qu'il lui consacrait maintenant toute son attention. Le téléphone cellulaire de Sandra sonne alors que le médecin est en train de lui expliquer le traitement qu'elle devra prendre. Elle répond et entame une conversation. Il n'y a aucune malice dans son geste, qui traduit seulement la nécessité de répondre à un besoin immédiat.

Souvent les intervenants n'osent pas *remettre à leur place* les adolescents, parce qu'ils estiment que cela relève des parents ou parce qu'ils n'ont pas envie d'apparaître vieux jeu ou de ne pas être *cool*. Le médecin doit cependant rappeler à l'adolescent que la consultation implique un contrat entre deux parties, et que les deux parties sont tenues de le respecter. Ce type de rappel à l'ordre peut prendre les formes suivantes.

- « Je suis ici pour t'aider et pour répondre à tes questions. Mais je ne peux pas le faire si tu es trop contrarié parce que tu as attendu longtemps, si tu es distrait par ton téléphone, si tu es énervé parce que c'est ta mère qui a pris le rendez-vous, etc. Si tu ne souhaites pas poursuivre cette consultation, je peux t'inviter à revenir ou te recommander une autre clinique. »
- « Je peux parler à ta mère afin qu'on démêle la situation et qu'on évalue si tu as réellement besoin de mon aide. »
- « Comme tu as attendu longtemps, tu vois combien le temps peut filer vite. J'apprécierais que tu éteignes ton téléphone afin qu'on puisse discuter. »

LE LANGAGE

Les adolescents d'aujourd'hui ne disposent pas toujours d'un vocabulaire très étendu pour exprimer ce qu'ils ressentent. Ils semblent n'avoir que peu de repères, que ce soit dans le temps ou dans l'espace. Les rapports amoureux ou amicaux de ces jeunes, du moins ceux qu'on peut observer dans le bureau lorsqu'ils sont accompagnés, s'expriment avec des mots tronqués, souvent à travers des onomatopées. Entre adolescents, on s'apostrophe et on se traite à l'occasion avec grossièreté. La tendresse et la douceur sont peu apparentes, elles ne sont pas toujours exprimées par des mots, mais parfois par des gestes ; c'est par exemple le cas quand la meilleure amie d'une adolescente lui tient la main et la rassure au moment de l'examen gynécologique, de la prise de sang ou du vaccin.

Il est donc essentiel de tenir compte non seulement du niveau de langage et de compréhension des adolescents, mais également de leur capacité à absorber plusieurs messages à la fois. C'est particulièrement vrai lorsqu'il s'agit de jeunes adolescents qui viennent pour la première fois consulter le médecin seuls. Malgré tout, le médecin ne doit jamais hésiter à proposer aux adolescents les mots justes et à répéter ses explications. Certains adolescents utilisent un langage familier, ce qui peut désarçonner le médecin. Il est alors utile de rétablir les règles de la communication.

Situation 3 **Le langage familier**

Manon, une jeune de la rue, se présente à la clinique jeunesse sans rendez-vous.

LE MÉDECIN	— *Bonjour Manon, comment puis-je t'aider ?*	Énoncé d'ouverture.

Manon	— *Hey ! Doc ! J'veux tout' les tests.*	La patiente présente sa demande de consultation très affirmativement et place d'emblée le médecin dans la position d'un simple fournisseur de service.
Le médecin	— *Pour nous, les médecins, tous les tests, c'est beaucoup… Peux-tu me dire ce qui t'inquiète ?*	Le médecin affirme son rôle : connaître, puis approfondir et recadrer (un peu) la demande du patient.
Manon	— *Ben, moi, j'paranoye pas mal sur les maladies.*	La patiente exprime son inquiétude et énonce la motivation principale de sa consultation.
Le médecin	— *Qu'est-ce qui te fait penser que tu pourrais avoir une maladie ?*	Le médecin essaie de faire préciser par la patiente la raison de son inquiétude.
Manon	— *Ben, c'est que ça pique, pis ça sent pas bon là…*	La patiente donne le symptôme qui l'amène à consulter.
Le médecin	— *Où as-tu des démangeaisons ? Où ça pique, et depuis quand ?*	Le médecin utilise un terme plus juste et essaie de faire préciser par la patiente l'emplacement et la durée du symptôme.
Manon	— *Ben là, là… dans la nounne, et depuis quand ? Je sais-tu, moi ?*	La patiente exprime son malaise à parler de ses organes génitaux et donne l'information.
Le médecin	— *Ah… C'est au niveau de la vulve ou à l'intérieur, dans le vagin, que tu ressens tes démangeaisons, tes piquements ? Tu as ce problème depuis quelques jours ou quelques semaines ?*	Le médecin demande à la patiente de préciser son symptôme. Il utilise le terme précis, ainsi que le terme populaire, et propose des durées.
	Le cellulaire de Manon sonne et elle répond.	
Manon	— *Écœure-moi pas. Je suis chez le doc. Bye.*	
	(au médecin) *C'est mon chum. C'est de sa faute si ça me chauffe.*	La patiente donne au médecin des informations sur son partenaire sexuel.
Le médecin	— *Manon, c'est très pertinent, l'information que tu me donnes sur ton chum. Mais pour savoir si c'est la faute à quelqu'un, c'est une autre histoire : il va falloir remplir le questionnaire et faire l'examen. Fréquemment, dans ce type de situation, on ne trouve pas de coupable, mais on en discutera plus tard.*	Le médecin affirme que la patiente lui donne une information utile pour poser le diagnostic. Il expose la difficulté de trouver un responsable et poursuit sa démarche diagnostique. Il tient donc compte des inquiétudes de la patiente à l'égard de son partenaire.

MANON	— *Qu'est-ce que tu veux dire ? Que j'ai pas de maladie ?*	La patiente demande au médecin d'apporter des précisions.
LE MÉDECIN	— *Il y a plusieurs maladies à envisager, et certaines d'entre elles, comme les vaginites, ne s'attrapent pas par les relations. Dans ce cas, ce n'est la faute de personne, ni ta faute, ni celle de ton chum.*	Le médecin apporte des précisions sur sa démarche diagnostique et insiste sur l'importance de bien situer le problème.
MANON	— *C't'un peu compliqué.*	La patiente exprime qu'elle ne comprend pas tout des propos du médecin.
LE MÉDECIN	— *Oui, c'est pour ça que j'ai besoin que tu m'aides à compléter l'histoire et que j'aurai besoin de t'examiner.*	Le médecin confirme que le processus est complexe et que la collaboration de la patiente est nécessaire.
MANON	— *OK ! Qu'est-ce que tu veux savoir ?*	La patiente montre son adhésion au processus.

Situation 4 **L'adolescent monosyllabique**

Marc-André, 17 ans, est amené en consultation par sa mère, qui insiste pour entrer dans le bureau avec lui. Elle raconte que son fils se plaint de douleurs abdominales. En raison de l'âge de Marc-André, le médecin le rencontre seul. L'adolescent, intimidé, répond évasivement.

LE MÉDECIN	— *Bonjour Marc-André. La dernière fois que je t'ai vu, il me semble que tu n'étais pas aussi grand.*	Le médecin se présente. Il tente de faire un lien avec une consultation précédente.
MARC-ANDRÉ	— *Ça s'peut…*	Le patient donne une réponse qui ne l'engage pas, sans être ouvertement hostile.
LE MÉDECIN	— *Qu'est-ce que je peux faire pour toi aujourd'hui ?*	Le médecin aborde directement la raison de consultation, ce qui devrait amener le patient à s'impliquer plus.
MARC-ANDRÉ	— *J'sais pas…*	Le patient donne une réponse qui ne l'engage pas, sans être ouvertement hostile. C'est un indice qu'il n'est pas là de sa propre volonté et qu'il y a peut-être été forcé.
LE MÉDECIN	— *Qu'est-ce qui fait que tu es ici aujourd'hui ?* (ou : *Est-ce toi qui a demandé ce rendez-vous ?*)	Le médecin veut forcer le patient à s'engager et entend valider l'impression que le patient est opposé à la consultation.

MARC-ANDRÉ	— *J'avais pas le choix, c'est ma mère qui est inquiète.*	Le patient révèle qu'il n'a pas choisi d'être là, ce qui explique son faible engagement.
LE MÉDECIN	— *Toi, qu'est-ce que tu en penses ?*	Le médecin adopte une approche directe afin de clarifier et de mesurer la motivation du patient à être là.
MARC-ANDRÉ	— *Ma mère me l'a proposé…*	Le patient refuse de s'engager.
LE MÉDECIN	— *Toi, es-tu aussi inquiet ?*	Le médecin exprime un énoncé facilitateur, qui doit favoriser l'énoncé de la suite et susciter une prise de position du patient.
MARC-ANDRÉ	— *Pas tant que ça ! Elle s'inquiète toujours plus que moi.*	Le patient commence à prendre la situation à son compte et à se situer par rapport à des perceptions.
LE MÉDECIN	— *Est-ce que tu penses que je peux t'aider à diminuer tes craintes ? Qu'est-ce qui t'inquiète au juste ?*	Le médecin revient sur les motifs de la consultation et demande au patient de s'engager directement et ouvertement.
MARC-ANDRÉ	— *J'sais pas.*	Le patient refuse de s'engager.
LE MÉDECIN	— *Tu dois te plaindre à ta mère de symptômes pour susciter chez elle des inquiétudes ?*	Le médecin change de stratégie : il revient au symptôme présenté par la mère et procède indirectement en parlant des inquiétudes du tiers.
MARC-ANDRÉ	— *Ça a l'air de ça…*	Le patient semble accepter la stratégie.
LE MÉDECIN	— *Peux-tu me décrire ce que tu ressens et qui inquiète ta mère ?*	Le médecin suit la stratégie consistant à faire parler le fils à travers les inquiétudes de sa mère. Le médecin aborde le symptôme de manière descriptive.
MARC-ANDRÉ	— *Ben… J'me rappelle pas trop.*	Le patient hésite, ce qui peut annoncer une explication.
	Silence.	Le médecin se tait quelques instants (facilitateur) pour permettre au patient de rassembler ses idées.
LE MÉDECIN	— *Peux-tu me dire où se situe le malaise, et depuis combien de temps tu as mal ?*	Le médecin encourage le patient à exprimer le déroulement des événements. Les questions du médecin portent sur plus d'une des sept caractéristiques de tout symptôme (durée et localisation), ce qui permet à l'adolescent d'entamer ses explications.

MARC-ANDRÉ	*— J'sais pas… Un bout !*	Le patient manifeste un début d'ouverture. La notion de durée est souvent imprécise chez le jeune.
LE MÉDECIN	*— Peux-tu me donner une idée ? Des jours, des semaines, des mois, des années ?* Sourire.	Le médecin insiste en obligeant le patient à préciser la durée du symptôme. Il emploie la technique du choix multiple, ce qui aide le patient peu volubile à répondre.
MARC-ANDRÉ	*— Ça doit faire quelques mois.*	Le patient s'implique directement pour la première fois.
LE MÉDECIN	*— Avec ton doigt, peux-tu me dire où se situe ton malaise, et à quoi il ressemble ?*	Le médecin insiste et guide le patient dans la démarche descriptive des sept caractéristiques de tout symptôme (ici, localisation et nature).
MARC-ANDRÉ	*— Juste ici, et je sais que ça fait mal.*	Le patient commence à donner des informations.
LE MÉDECIN	*— Est-ce que tu pourrais être un peu plus précis ? Est-ce que ça brûle ? Ça serre ? C'est comme des crampes ?*	Le médecin insiste en obligeant le patient à être plus précis. Il emploie à nouveau la technique du choix multiple.
MARC-ANDRÉ	*— Oui, oui… C'est comme ça.*	Le patient répond de façon un peu plus animée ; il s'implique directement pour la deuxième fois.
LE MÉDECIN	*— C'est comme quoi ?*	Le médecin insiste et oblige le patient à confirmer sa réponse. Lorsqu'on offre une liste de choix au patient, on doit s'assurer d'avoir bien compris la réponse choisie.
MARC-ANDRÉ	*— C'est comme des crampes quand j'ai une gastro.*	Le patient s'implique plus activement.
LE MÉDECIN	*— Ça m'aide, ce que tu me dis. Peux-tu me dire à quel moment ces crampes se produisent ?*	Le médecin souligne l'intérêt de la précision apportée par le patient. Puis, il insiste et oblige le patient à préciser sa réponse.
MARC-ANDRÉ	*— Ben, j'sais pas.*	Le patient manifeste un retrait. Le médecin doit continuer à le guider.

LES BESOINS ET LES CRAINTES

Les situations précédentes illustrent le fait que les adolescents arrivent souvent à la consultation non seulement inquiets de leur inexpérience, mais aussi chargés d'un lourd bagage d'ouï-dire, de demi-vérités, de faussetés et d'histoires à faire frémir (tableau 13.4). Autant de facteurs qui se heurtent à la tranquille assurance que veut dégager le médecin. Il est étonnant de constater que bon nombre de ces fausses croyances parviennent aux adolescents par le biais des adultes, avant de se répandre de fil en aiguille, entre amis, des amis aux cousines, des cousines aux tantes, etc. Ces fausses croyances méritent d'être évoquées, car elles font obstacle à la communication et peuvent nuire à beaucoup d'interventions que le médecin croyait claires et bien assumées.

Tableau 13.4 **Les besoins, les craintes et les mythes des adolescents**

La sexualité (craintes) • « Je n'ai pas encore de poils, de seins. » • « C'est quand les menstruations ? » • « Je ne suis pas encore régulière. » • « J'utilise un tampon. Est-ce que je serai toujours vierge si je continue à l'utiliser ? » • « J'aimerais avoir des seins plus gros (ou de forme différente). » • « J'ai mal aux testicules. » • « Mon pénis est-il assez gros ? Il n'est pas droit. » • « Est-ce que je vais pouvoir satisfaire une fille ? » • « J'éjacule trop vite. » • « Si je me retire à temps ou si on fait l'amour pendant les menstruations, y a-t-il un danger ? » • « Les condoms sont trop petits (ou trop grands) pour le pénis de mon copain ! »
La sexualité (exagérations et faussetés) • La pilule fait grossir. • La pilule cause le cancer. • La pilule rend stérile : « Mon amie a dû attendre trois mois avant de tomber enceinte. » • La pilule ne protège pas complètement : « La voisine de ma tante est tombée enceinte. » • La pilule provoque des changements de caractère, des maux de tête, des nausées, des maux de ventre, des sautes d'humeur, des dépressions, de l'insomnie, de la fatigue, des boutons. • Les condoms atténuent le plaisir et sont irritants (on note une augmentation fulgurante de l'allergie au latex depuis qu'on recommande la double protection). • Plus on est jeune, moins le risque de grossesse est important : « Je ne peux pas tomber enceinte car je suis trop jeune. » • L'absence de grossesse est un signe de stérilité : « Mon chum est stérile car il a eu des relations sexuelles non protégées et sa partenaire n'est pas tombée enceinte. »
Le corps et la peau (craintes) • « Je ne suis pas capable de faire de l'exercice. » • « Je manque de sommeil. » • « Est-ce que je peux faire trop d'exercice ? » • « Je n'ai pas de muscle. » • « J'aime pas mon corps (trop gros, trop petit, jambes trop longues, bras trop courts, etc.), est-ce que je peux prendre des stéroïdes ou des vitamines ? » • « Est-ce que je peux me faire bronzer ? » • « Le chocolat donne de l'acné. » • « Est-ce bon de s'épiler ? » • « J'ai de la cellulite. » • « J'ai des vergetures. »
La santé mentale (besoins) • « Je suis stressé. » • « Je saute une coche, je pète les plombs. » • « Mon ami parle de se suicider. » • « Je suis gêné, je rougis. »

- « Ça va mal à l'école. »
- « J'ai une grosse peine d'amour. »
- « Je ne suis pas capable de me concentrer. »
- « Mon ami m'a frappée. »
- « J'ai peur d'être violée (ou j'ai été violée). »
- « Mes parents vont me tuer. »
- « Comment parler à mes parents ? »
- « J'ai envie de partir de chez moi. »

Les habitudes de vie (besoins)

- « J'ai un problème alimentaire. »
- « Qu'est-ce que je dois manger ? »
- « Je veux maigrir. »
- « Je suis trop gros (ou trop maigre). »
- « Je veux devenir végétarien. »
- « J'ai un problème de drogue ou d'alcool. »
- « C'est vrai que je consomme, mais je peux arrêter quand je veux. »

Il arrive que les adultes se servent de ces histoires parce qu'ils cherchent des moyens de freiner des comportements qui les effraient chez leurs adolescents. Par exemple, un parent dira à sa fille de 14 ans que la pilule la fera grossir, en espérant la dissuader d'avoir des relations sexuelles. Le médecin doit toujours se rappeler que le patient qui sort de son bureau retourne aussitôt à sa vraie vie et retrouve facilement ses habitudes. Ainsi, un adolescent aura tôt fait d'oublier les conseils de prévention qu'on lui a donnés lors du dépistage des ITS, surtout si son père lui a signalé l'inconfort lié au port du condom ou son manque d'efficacité, et il ne sera pas très enthousiaste pour aller chercher le condom qu'il a laissé dans sa chambre alors que sa nouvelle conquête est allongée sur le canapé du salon.

LA CONFIDENTIALITÉ

Les lois fixant les règles d'éthique et de secret professionnel destinées à protéger les mineurs varient d'un pays à l'autre. Au Québec, tout adolescent peut, à partir de l'âge de 14 ans, recevoir les soins qu'exige son état de santé sans le consentement de la personne titulaire de l'autorité parentale (LRQ, article 16-19).

Il incombe au professionnel de la santé de défendre les droits de l'adolescent tout en assurant sa protection. Dans cette optique, certaines informations ne peuvent rester confidentielles et doivent être divulguées aux parents. Il est évident que plus l'adolescent est jeune, plus le médecin devra faire preuve de discernement dans l'application de cette règle. Le médecin devra assurer l'adolescent de son engagement, tout en lui précisant que cet engagement a cependant des limites. De la sorte, le médecin pourra prendre position en tant qu'adulte responsable et aviser l'adolescent que les règles de la confidentialité ne tiennent plus dès lors que la situation présente des dangers pour ce dernier.

Dans tous les cas où le médecin doit prendre contact avec les parents, il doit en discuter au préalable avec l'adolescent et ne jamais le faire à son insu. Dans une clinique jeunesse, le médecin peut compter sur le personnel infirmier ou psychosocial pour l'aider dans cette démarche pouvant impliquer des négociations longues et ardues ; dans un bureau privé, le médecin doit prévoir une période de temps pour arriver à ses fins.

Dans beaucoup de cas, la confidentialité est facile à respecter, et le médecin peut s'entendre avec l'adolescent sur ce qui peut être divulgué aux parents et sur ce qui doit rester secret. Après avoir appelé Patrick, 17 ans, à quatre reprises pour l'aviser qu'il a une gonorrhée, et après quatre rendez-vous manqués, il est probable que le médecin prendra contact avec les parents de l'adolescent et leur dévoilera, dans un premier temps, que leur enfant souffre d'une infection, sans nécessairement préciser laquelle. Si Patrick a une petite amie âgée de 14 ans, le médecin n'attendra sans doute pas quatre rendez-vous manqués pour téléphoner chez elle. Il peut être plus facile de joindre les adolescents qui sont à l'école et de demander l'aide de l'infirmière scolaire.

Situation 5 **La confidentialité**

Sophie, 15 ans, consulte pour une question délicate.

LE MÉDECIN	— *Bonjour Sophie, je suis le Dr Tremblay. Qu'est-ce que je peux faire pour toi ?*	Le médecin se présente, puis pose une question d'ouverture.
SOPHIE	— *Docteur, est-ce que c'est vrai que ce que je vous dis est confidentiel si j'ai plus de 14 ans ?*	La patiente donne une réponse inattendue à la question d'ouverture, ce qui peut indiquer que le sujet de la consultation la préoccupe. Cette réponse peut aussi laisser croire qu'il s'agit d'une question qu'elle veut cacher à ses parents. Avant de dévoiler la raison de consultation, la patiente vérifie si la consultation et son contenu sont confidentiels.
LE MÉDECIN	— *Oui, Sophie, il est vrai qu'au Québec, quand on a plus de 14 ans, on a le droit à des entrevues confidentielles. C'est vrai pour les situations qui, selon l'avis du docteur, ne te mettraient pas en danger.*	Le médecin expose la règle générale de la confidentialité et répond directement à la patiente, puis apporte une nuance importante à la règle générale.
SOPHIE	— *Ça veut dire que ma mère ne peut pas consulter mon dossier ?*	La patiente fait préciser jusqu'où et à l'égard de qui s'exerce la confidentialité.
LE MÉDECIN	— *C'est ça, à moins que tu ne m'autorises à le lui montrer.*	Le médecin répond à la question. Sauf cas particulier, il est rarement utile de donner la liste complète des exceptions.
	Cette question de confidentialité a l'air de vraiment te préoccuper.	Le médecin vérifie dans quel contexte s'inscrit la préoccupation, afin d'amener la patiente à en dire plus. Les raisons pour lesquelles elle désire la confidentialité peuvent avoir des conséquences importantes sur la suite de l'entrevue et sur le choix des traitements. Indirectement, le médecin cherche à savoir pourquoi la patiente veut se préserver de sa mère.

SOPHIE	*— Ben… c'est que j'ai un chum. Ma mère ne veut pas que j'en aie un, et je me demande si je pourrais être enceinte…*	Une fois que la patiente a évoqué ce qui la rend mal à l'aise, il est fréquent qu'elle donne la raison de la consultation.

L'alliance thérapeutique

Tout se joue au niveau de l'alliance thérapeutique. Il faut au médecin du doigté, de la subtilité et un bon sens de l'à-propos pour réussir à concilier tout ce qui définit l'adolescent et tout ce qui l'inquiète dans la démarche qu'il souhaite mener avec lui.

L'ADOLESCENT QUI CONSULTE SEUL

Lorsque l'adolescent prend l'initiative de demander la consultation, on peut supposer qu'il en perçoit clairement le motif, ce qui ne veut pas dire qu'il réussira toujours à l'exprimer clairement au médecin. La démarche peut avoir été longuement planifiée, ou au contraire être impulsive. Dans ce dernier cas, l'urgence peut être relative, mais l'approche doit être structurée, et la communication centrée sur la gestion de la crise.

Cependant, le caractère urgent de la consultation peut être réel, et c'est souvent là que le médecin doit jouer au détective et chercher le vrai motif de l'inquiétude qui a amené le jeune à le consulter ici et maintenant.

Situation 6 **Le dévoilement d'un sujet sensible**

Yves, 16 ans, s'est présenté sans rendez-vous. En apportant le dossier du patient au médecin, la secrétaire indique qu'en arrivant l'adolescent a vérifié que le médecin de service était une femme ; elle précise : « Il n'a pas l'air très bien, il semble à la fois triste et nerveux. »

LA MÉDECIN	*— Bonjour Yves. Qu'est-ce que je peux faire pour toi aujourd'hui ?*	Énoncé d'ouverture.
	Le patient est assis sur le bord de sa chaise et semble inquiet.	
YVES	*— Ben, je ne sais pas au juste…*	
LA MÉDECIN	*— Tu as l'air inquiet.*	La médecin renvoie au patient l'émotion qu'elle perçoit.
YVES	*— Oui… un peu… pas mal. Je veux être sûr que ce que je vais vous dire restera confidentiel.*	Le patient reconnaît son émotion. Il veut s'assurer de la confidentialité de la consultation et, par la même occasion, indique que la question dont il veut parler est importante pour lui.
LA MÉDECIN	*— Bien sûr, ce que tu me dis reste confidentiel, en dehors de ce qui mettrait ta vie en danger de façon immédiate. La règle générale est que je ne peux pas*	La médecin informe le patient de la règle de la confidentialité et en précise les limites, puis elle revient sur le motif de consultation, par le biais de l'émotion qu'elle a perçue chez le patient.

parler de ce qui se dit ici, à moins que tu ne m'y autorises. Ce que tu as à me dire a l'air difficile...

YVES — *Pas mal... En fait, je suis bien content que vous soyez une femme.*

Le patient confirme son inquiétude et donne une information qui laisse penser que le sexe de la médecin n'est pas indifférent à ses yeux, et qu'il s'agit donc probablement d'une question liée à la sexualité.

LA MÉDECIN — *Je comprends que tu veux discuter de quelque chose qui te serait plus difficile à dire à un homme.*

La médecin offre une réinterprétation du propos du patient.

YVES — *Oui.*

Le patient valide la réinterprétation.

LA MÉDECIN — *Veux-tu m'en parler?*

La médecin invite le patient à commencer à s'expliquer.

YVES — *Ben... J'ai eu une relation sexuelle hier soir... Ben, pas vraiment une relation, mais comme une relation... T'sé c'que j'veux dire?*

Le patient essaie de dire de quoi il est question sans vraiment le dire. Par son imprécision, il manifeste son malaise.

LA MÉDECIN — *Yves, j'ai un peu de difficulté à comprendre. Peux-tu être un peu plus explicite et m'expliquer un peu?*

La médecin exprime son incompréhension pour demander au patient d'apporter des précisions. En ne faisant aucun commentaire immédiat sur la nature de la question, elle indique au patient qu'il peut parler sans gêne.

YVES — *Ben... C'était dans la bouche.*

LA MÉDECIN — *Dans ta bouche?*

La médecin essaie d'obtenir des précisions.

YVES — (d'un air penaud) *Oui.*

LA MÉDECIN — *C'était avec un gars? une fille? ou les deux?*

La médecin utilise une formule, maintenant considérée comme standard dans les questions liées aux relations sexuelles, qui permet de ne pas indiquer de préférence.

YVES — (d'une voix à peine audible) *Ben, c'était avec un gars.*

Ici, le médecin a deux choix: soit aborder plus avant ce qui entoure la relation en se plaçant sur un plan sexologique et médical, soit privilégier le registre émotionnel en tenant compte du malaise du patient.

LA MÉDECIN — *Ça a l'air de te mettre plutôt mal à l'aise de me dire cela.*

La médecin reflète l'émotion du patient.

Yves	*— Ben, c'est tout mêlé dans ma tête… Y a le sida… Mais si mon père y savait ça, y me tuerait.*	Le patient énonce sa difficulté de structurer sa pensée. Il donne deux raisons de son malaise : une crainte d'ordre médical et une crainte vis-à-vis de son père.
La médecin	*— La réaction de ton père t'inquiète ?*	La médecin choisit une des voies offertes par le patient.
Yves	*— Ben, pour mon père, si t'es pas macho, c'est que t'es une tapette. Et lui, les tapettes, y pense que ça devrait même pas exister.*	Le patient expose le raisonnement de son père, qui est à la source de son inquiétude.
La médecin	*— Dans ce cas, je comprends que c'est peut-être plus facile d'en parler à une femme.*	La médecin revient sur le choix du patient de demander un médecin femme et l'encourage dans sa démarche de consultation.
Yves	*— Oui, j'savais pas comment un homme médecin aurait pris ça.*	Le patient fait probablement une association entre les médecins masculins et son père.
La médecin	*— Je peux comprendre. Mais, tu sais, tu n'es pas le seul à vivre ce type de questionnement, et beaucoup de médecins, hommes ou femmes, peuvent t'aider…*	La médecin normalise la situation du patient : ce qu'il vit n'est pas unique. Elle affirme qu'il y a des intervenants, hommes ou femmes, disposés à aider le patient.
	Silence.	Le patient intègre probablement l'information.
	— Est-ce que tu as pu parler à quelqu'un d'autre ?	La médecin s'enquiert du réseau de soutien du patient.
Yves	*— J'aurais aimé ça en parler à ma mère. Il me semble qu'elle aurait compris, elle… Mais j'aurais peur que ça la mette dans le trouble avec mon père.*	Le patient nomme la personne avec qui il aurait aimé parler, tout en indiquant que cela aurait causé des conflits.
La médecin	*— Oui, il est certain qu'avoir l'impression qu'on ne peut parler de quelque chose qui nous préoccupe n'est pas une situation facile… J'aimerais revenir sur l'autre inquiétude dont tu m'as parlé : tu m'as dit que le sida t'inquiétait.*	La médecin reflète la situation d'isolement ressentie par le patient (ceci devra être rediscuté lors de la conclusion de l'entrevue). Elle reprend la deuxième inquiétude exprimée par le patient.
Yves	*— Ben, t'sais, on entend tellement de choses sur les relations orales que je ne sais pas trop quoi penser…*	Le patient explique en quoi cette deuxième raison de consulter le préoccupe.

L'ADOLESCENT QUI CONSULTE AVEC SES PARENTS : LE TRIANGLE ADOLESCENT-PARENTS-MÉDECIN

Le parent joue un rôle de lien entre ce que l'enfant a été et ce qu'il est maintenant. Il est utile d'obtenir son opinion et sa perception au sujet de la difficulté actuelle de l'adolescent. La présence des parents ne peut être ignorée si elle a été acceptée implicitement par l'adolescent. Le parent n'est pas un simple accompagnateur, il devient un allié potentiel, dans le respect de l'intimité et du développement de son adolescent.

Lorsqu'on a affaire à un jeune adolescent (12-14 ans), dans son intérêt, la rencontre débute de préférence en présence des parents. L'adolescent écoute ses parents exposer le motif de la consultation, puis est invité à compléter ce qu'ils ont dit, à réagir et à exprimer sa perception du problème. Dans un premier temps, il peut réagir émotivement et mettre l'accent sur le fait qu'on ne l'a pas associé à la démarche. Ensuite, il accepte habituellement de commenter la situation. D'emblée, le médecin doit adopter la position suivante : soutenir l'adolescent et clarifier la situation en se référant à des événements précis. Il est préférable d'écouter la version initiale de l'adolescent sans trancher. On reprendra ensuite certains faits et gestes, dont on évaluera la fréquence et les conséquences avec l'adolescent et ses parents. Si l'adolescent s'oppose à ce que ses parents interviennent, on pourra lui signifier qu'il a eu le temps de faire valoir son point de vue et que ses parents ont maintenant le droit de donner leur version des faits.

Pour construire cette relation triangulaire, le médecin doit absolument montrer qu'il se fie aux propos de l'adolescent et leur accorde de l'importance. Il doit être sensible aux hésitations de l'adolescent, s'ajuster à son niveau de langage, sans utiliser un jargon médical ou des expressions propres aux adolescents, et accepter le rythme et les limites qui vont de pair avec la jeune expérience de son patient. Il est important que le médecin précise qu'il prend un engagement envers l'adolescent qui exprime ses difficultés et qu'il indique à celui-ci son droit à la confidentialité. L'adolescent connaît mal la démarche clinique et souhaite qu'elle soit un succès. À travers son attitude corporelle et son discours, le médecin doit montrer qu'il est à l'aise et disponible, et qu'il offre son soutien à l'adolescent. Il doit valoriser les efforts de l'adolescent et l'appuyer.

Le médecin doit éviter d'employer des phrases toutes faites, telles que :

- « Je ne comprends pas ce que tu me décris. »
- « Tente d'être plus clair. »
- « Si tu n'es pas capable, on pourra le demander à tes parents. »

Il dira plutôt :

- « Je comprends bien, mais j'ai besoin de plus de détails. »
- « Tu m'as donné beaucoup d'informations, mais en quelques mots, qu'est-ce que tu dirais ? »
- « Dis-moi ce que tu sais et, si nécessaire, tes parents pourront compléter tes propos. »

Si le jeune réussit à nommer ses symptômes, le médecin l'aide à les clarifier, à choisir des mots plus précis et à situer ses symptômes par des gestes. Il donne ainsi à l'adolescent le sentiment d'être compétent. L'alliance se construit lorsque le médecin accompagne l'adolescent et évite de le rabaisser en employant un langage réducteur ou faussement familier. Dans leur grande majorité, les adolescents sont capables de décrire une symptomatologie, mais il leur est plus difficile d'établir des liens entre la cause des symptômes et les malaises ressentis. Pour certains, une céphalée, des douleurs lombaires et une lésion cutanée peuvent être une même maladie. Il est avantageux de guider l'adolescent pour lui éviter de se disperser et de l'aider à établir une hiérarchie dans ses plaintes. Il est important de respecter le symptôme, même s'il semble anodin, car il est à l'origine de la demande et constitue donc l'élément-clé de la communication.

Il n'est pas possible de réussir une relation thérapeutique centrée sur l'adolescent si on ne lui réserve pas un moment privilégié. Le moment où on rencontre l'adolescent seul à seul est déterminant dans l'instauration d'une relation de confiance ; ce moment peut aussi permettre de la consolider si elle a déjà été amorcée. Cette expérience d'autonomie s'inscrit dans la continuité des expériences antérieures. Auparavant, la consultation était gérée par les parents, et l'enfant avait une liberté de parole limitée. Le jeune a peut-être déjà vécu des situations embarrassantes ou gênantes, ou été en désaccord avec la position de ses parents ou du médecin. Ou bien sa participation était passive, ou bien il ne garde qu'un vague souvenir de ces visites. Le médecin doit montrer clairement à l'adolescent que celui-ci devient son interlocuteur principal, et qu'ainsi une nouvelle alliance se définit.

Lorsque l'adolescent est plus âgé (14-17 ans), il est préférable de commencer la rencontre seul avec lui. Cela permet de valoriser les compétences de l'adolescent et de le rassurer sur l'importance qu'on accorde à son intimité. Il est ensuite plus facile de le responsabiliser au regard des difficultés qu'il éprouve. Malgré l'assurance qu'affichent les jeunes, cette démarche est angoissante pour certains d'entre eux. La situation met également mal à l'aise les parents qui vivent cette expérience pour la première fois. Lorsqu'il appelle le patient, le médecin indique aux parents qu'il va d'abord voir l'adolescent, mais il les rassure en leur précisant qu'une rencontre à trois suivra. Si les parents ou l'adolescent s'opposent à cette proposition, le médecin les invite dans la salle d'examen, amorce les échanges d'informations et négocie une rencontre individuelle avant l'examen physique, en précisant ses motifs. Après l'examen physique, il convoque les parents.

Situation 7 **Le congédiement du parent**

Le parent qui accompagne l'adolescent se lève au moment de l'appel.

LE MÉDECIN — *Simon, s'il vous plaît ?*

> Le médecin indique qu'il adopte une position favorable à l'adolescent.

Simon et sa mère se lèvent.

— *Bonjour Madame. Habituellement, nous rencontrons d'abord l'adolescent seul. Mais nous vous demanderons de vous joindre à nous dans quelques instants.*

> Le médecin établit la dynamique et définit le mode de fonctionnement de l'entrevue.

Après l'entrevue et l'examen, le médecin s'adresse à Simon avant d'appeler le parent.

— *Simon, as-tu des choses que tu aimerais ajouter ou des sujets que tu préfères ne pas aborder en présence de ta mère ? Sinon, je vais l'inviter à se joindre à nous.*

> Le médecin valide les informations données par le patient et établit le contrat thérapeutique.

S'il s'agit d'une première visite chez le médecin, il est plus simple d'établir ce positionnement à l'égard de l'adolescent et de ses parents. S'il existe une relation de suivi avec l'adolescent, le changement dans les interactions peut s'installer progressivement, et il est souvent utile de le préciser. Vers la fin du premier segment de l'entrevue, le médecin demande à la personne qui accompagne l'adolescent de quitter le bureau afin qu'il puisse interroger l'adolescent. Il peut expliquer la situation à l'adolescent en lui disant, par exemple :

- « Tu as maintenant un âge où tu pourrais m'expliquer tes symptômes. »
- « Je vais demander à tes parents d'attendre dans la salle d'attente, puis j'effectuerai ton examen. »

Le moment où le médecin est seul avec l'adolescent permet d'aborder les sujets plus intimes, mais aussi d'obtenir directement du jeune sa perception des problèmes, d'écouter certaines de ses inquiétudes et de clarifier certaines demandes. Cette stratégie pourra aussi déboucher sur l'expression de nouveaux problèmes. Malgré son inexpérience, l'adolescent possède des compétences, et lui seul peut exprimer ce qu'il ressent sur un plan affectif. Au moment de l'examen physique, le médecin propose à l'adolescent d'inviter son parent s'il le désire. Souvent, l'adolescent ne souhaite pas que ses parents reviennent avant que l'examen soit achevé ; s'il exprime cette demande, il faut toujours y accéder.

Situation 8 **La rencontre avec l'adolescent seul**

L'adolescent a été initialement rencontré en présence de son parent. Le médecin demande au parent de se retirer afin de pouvoir rencontrer seul l'adolescent.

LE MÉDECIN — *Nous avons passé en revue l'ensemble des problèmes de votre fils. Avant l'examen, j'aimerais prendre quelques minutes seul avec lui. Pourriez-vous nous excuser ?*

> Le lien engagé avec le patient et l'attention que le médecin a portée à celui-ci au début de l'entrevue sont des facteurs déterminants dans la conduite de la rencontre seul à seul.

Le parent se retire.

— *Tu nous as beaucoup aidés à préciser ton problème. Es-tu d'accord avec ce qui s'est dit ?*

> Il est important que le médecin obtienne du patient sa perception du problème.

MARTIN — *Ma mère, elle exagère, je n'abuse pas des pilules quand j'ai mal à la tête.*

> Certaines opinions ne seront pas obtenues en présence du parent.

LE MÉDECIN — *Quand utilises-tu les médicaments ?*

> La recherche des éléments objectifs doit demeurer la priorité. La confiance et la crédibilité s'établissent sur des faits.

MARTIN — *Lorsque mon mal de tête m'empêche de dormir.*

> La rencontre seul à seul permet un dialogue portant sur des sujets plus intimes. Le sommeil, les relations avec ses pairs ou ses parents font partie de l'intimité du jeune.

LE MÉDECIN — *As-tu souvent de la difficulté à dormir ?*

MARTIN — *Tous les soirs de la semaine, après mes devoirs, et c'est pire les veilles d'examen.*

La prise de contrôle de l'entrevue par le médecin risque d'entraver la communication. Un schéma d'entrevue trop rigide indispose l'adolescent. La collecte des antécédents familiaux ou des habitudes de vie, au début de l'entrevue, est déroutante pour l'adolescent, qui ne pourra pas répondre adéquatement par manque de connaissances ou par gêne. Il est préférable de laisser l'adolescent exposer lui-même le motif de la consultation et expliciter sa démarche, avant de réagir en lui posant les premières questions de clarification. L'intervenant aura ensuite tout le temps nécessaire pour donner une structure aux informations qu'il a obtenues ou pour prodiguer ses conseils.

Même si cela n'apparaît pas toujours évident de prime abord, le travail effectué par le médecin et l'adolescent (anamnèse et examen physique) permet d'établir une complicité et une relation thérapeutique. Ce travail donne au médecin l'occasion de mieux cerner les motifs de consultation, les inquiétudes, les forces et les faiblesses de l'adolescent. Le médecin présente ses premières conclusions, valide la compréhension de l'adolescent et répond à ses questions. Après quoi, il importe de préciser avec l'adolescent les points qu'il ne souhaite pas voir aborder avec ses parents. Il arrive par ailleurs que le médecin estime essentiel de leur révéler certains faits. Il ne doit pas le faire à l'insu de l'adolescent, et c'est avec sa permission qu'il invite les parents à se joindre à eux. Il est étonnant de constater que les secrets ne sont pas toujours ceux qu'on croyait.

Parfois l'adolescent était hostile à l'idée de consulter un médecin, et le contenu de l'entretien est limité. L'accompagnant est alors invité à les rejoindre plus rapidement.

Situation 9 **L'adolescent non volontaire**

Karine, 15 ans, est amenée en consultation par sa mère, inquiète de la maigreur de sa fille. Après une courte rencontre, l'adolescente a donné peu d'informations. La mère rejoint sa fille et le médecin.

LE MÉDECIN — *Karine ne m'a pas donné beaucoup d'informations. Elle ne comprend pas sa présence ici, n'est-ce pas, Karine ?*

Le médecin expose la situation objectivement.

Pas de réponse.

La patiente exprime de l'hostilité.

LA MÈRE — *Depuis 6 mois, elle a perdu 20 kilos et elle est hyperactive. Je me demande si elle ne serait pas anorexique.*

La mère prend le contrôle de la situation et explique la raison de la consultation. Elle se place en position d'autorité vis-à-vis de sa fille.

KARINE — *C'est pas vrai. Avant, tu me trouvais trop grosse, et puis maintenant tu te plains. En plus de ça, tu me fais manquer l'école.*

La patiente exprime ouvertement son opposition à sa mère et la décrit comme une personne toujours insatisfaite et irresponsable.

LE MÉDECIN	— *Je crois comprendre que Karine n'était pas d'accord pour venir en consultation, mais je comprends aussi que vous êtes inquiète pour elle.*	Le médecin valide la compréhension de la situation. Il recadre la situation en termes moins conflictuels, en reconnaissant à la fois l'opposition de Karine et l'inquiétude de la mère.
	(à Karine) *Karine, je propose que ta mère nous explique brièvement ce qui se passe et nous fasse part de son inquiétude. Tu pourras réagir.*	Le médecin fixe les règles : il permet à la mère d'exprimer ses inquiétudes, tout en rassurant Karine sur sa possibilité de s'exprimer.
	Karine ne répond pas. Elle jette à sa mère et au médecin un regard par en-dessous.	La patiente ne s'engage pas, ce qui lui laisse la possibilité d'affirmer son désaccord. Son silence permet de poursuivre la rencontre.
LA MÈRE	— *Moi, ça me va. Voici donc...*	La mère s'engage en acceptant la proposition, puis explique la situation de son point de vue.
	La mère donne ses explications.	
LE MÉDECIN	— (se tournant vers Karine) *Karine, est-ce que tu voudrais me donner ton point de vue ?*	Le médecin fait une tentative d'ouverture en adoptant une position neutre qui ne favorise ni la mère ni la patiente.
KARINE	— *Il n'y a rien à expliquer, c'est ma mère qui capote. Elle s'énerve, et tout ce qu'elle raconte est exagéré.*	La patiente ne reconnaît pas l'inquiétude de sa mère et la réinterprète en fonction de sa thèse. Elle sauve aussi la face en évitant d'entrer en contradiction avec son discours précédent.
LE MÉDECIN	— *Je comprends que tu sois fâchée contre ta mère, particulièrement si elle ne t'a pas avertie. Mais j'aimerais bien comprendre ce qui l'inquiète.*	En donnant en partie raison à la patiente, le médecin lui permet de sauver la face. Le médecin propose une ouverture sur le contenu.
KARINE	— (en colère) *Il n'y a rien à comprendre. Pis d'abord, vous ne me croyez pas. Je suis en bonne santé, j'ai de bons résultats scolaires et je participe à toutes sortes d'activités.*	La patiente s'en tient à sa première version des faits et attribue au médecin les raisons de sa colère. Elle donne un indice : qu'elle a quelque chose à dire ; qu'elle se sent incomprise ; qu'elle écoutera si on parvient à la convaincre ; que la santé est importante à ses yeux.
LE MÉDECIN	— *Tu as raison Karine, mais moi aussi je m'inquiète de ta santé. Il n'est pas normal de perdre autant de poids en si peu de temps. Il nous faut trouver une explication.*	Le médecin valide la situation en affirmant qu'il est inquiet. Il recadre la distorsion cognitive en affirmant que la patiente a perdu du poids. Il fait appel à l'intégrité de la patiente et insiste sur la nécessité de trouver un motif, une explication.
	Maintenant que tu es ici, que tu as fait l'effort de consulter, tu pourrais m'expliquer ce qui se passe et comment tu as perdu tout ce poids.	Le médecin avance un argument pragmatique : la patiente est là, autant en profiter. Il reconnaît l'effort de la patiente. Il prône une compréhension commune.

Karine	— *M'ouais...Je me trouvais bien grosse et je voulais suivre un régime. Mais... Ma mère pourrait-elle s'en aller?*	Cette première implication directe de la patiente montre qu'elle accepte de sortir du mode oppositionnel pour collaborer.
Le médecin	— *O.K., je te propose de poursuivre cette discussion en l'absence de ta mère. Mais je devrai la conclure en sa présence afin que nous soyons tous sur la même longueur d'ondes.*	Le médecin propose des règles de jeu. Il insiste sur le fait que l'adolescente est la patiente, mais que le rôle des parents est essentiel. Ainsi, il prépare déjà le terrain pour le suivi.
Karine	— *J'pense que ça peut aller.*	La patiente confirme son engagement dans le processus.
	La mère quitte.	
Le médecin	— *En utilisant tes propres mots, essaie de m'expliquer ce qui inquiète ta mère à propos de ta santé et ce qui la dérange?*	La patiente niant le problème, le médecin aborde la difficulté indirectement: il fait s'exprimer la patiente sur la façon dont elle perçoit l'inquiétude de sa mère, ce qui évite de placer la patiente en contradiction avec elle-même.
Karine	— *Ben, ma mère croit que ma perte de poids est volontaire.*	

La triangulation adolescent-parents-médecin se met ainsi en place. Les parents souhaitent faire part au médecin de leur impression et craignent que l'adolescent n'ait pas donné toutes les informations, surtout quand il est encore très jeune. Un temps d'écoute leur est consacré, et quelques questions d'éclaircissement sont souvent utiles. Le médecin peut ainsi améliorer sa connaissance de la situation et confirmer l'importance qu'il accorde à l'opinion des parents dans la prise en charge de l'adolescent. Le médecin présente alors ses premières conclusions et propose des pistes ouvertes: une tentative d'explication, une investigation plus approfondie d'un problème de santé, une médication, une consultation chez un spécialiste ou une stratégie pour faire face à un problème.

Le but de cette démarche est d'amorcer des actions positives: l'adolescent se responsabilise; ses parents lui apportent leur soutien et font des compromis; le médecin prend position et assure la continuité et la cohérence du processus. Pour s'assurer de la compréhension de tous, le médecin peut utilement s'informer des solutions que proposent les parents et l'adolescent, mais aussi leur fournir des pistes de solutions. Il lui sera plus facile d'en proposer d'autres dans un deuxième temps. Le médecin évite d'accorder gain de cause à l'adolescent sur des questions telles que l'absentéisme scolaire ou l'arrêt de certaines activités, mais il évite aussi d'accéder aux demandes injustifiées des parents.

La présentation par le médecin des solutions médicales peut susciter des réactions de part et d'autre. Le médecin se doit donc d'exposer les sentiments ou les motivations qui les sous-tendent. Il est utile de faire sortir les craintes et les inquiétudes des parents, ainsi que leur besoin de protéger leur enfant et les valeurs familiales qu'ils lui transmettent. De la même façon, il est important de souligner le besoin d'expérimentation et d'autonomie, le goût du risque et les valeurs qui sont propres à l'adolescence.

Enfin, le médecin profite de ce moment pour définir certaines règles essentielles, telles que le respect, la non-violence, la poursuite d'un développement physique, psychologique et social, pour atteindre l'objectif défini. Tout en reconnaissant les ambivalences, il tente d'éviter les compromis inacceptables.

La place de la prévention dans la vie de l'adolescent

Il est essentiel d'encourager les parents à comprendre que leur position sera déterminante dans l'adoption par leur adolescent de comportements sains. Bien que les valeurs véhiculées par la société soient envahissantes, c'est avant tout la famille qui propose et impose des valeurs à l'enfant. Si le parent n'a pas su montrer à l'enfant ce qui était prohibé et inacceptable dès le plus jeune âge, il lui sera difficile d'imposer des limites au moment de l'adolescence.

Beaucoup d'adolescents adoptent sans trop de heurts les valeurs de leur famille et s'investissent dans des activités qui nécessitent le soutien des parents (des compétitions sportives, par exemple). La réussite viendra alors de la concordance entre les valeurs de l'adolescent et celles des parents. Chez d'autres adolescents, l'expérimentation révèle le besoin de s'affranchir des valeurs familiales, de se reconnaître dans celles qui sont véhiculées par les pairs et de rechercher le plaisir, le risque et les sensations fortes. Par exemple, aux yeux de l'adolescent, le tabac est:

- une drogue permise;
- un moyen d'émancipation;
- associé à un comportement *cool*;
- une recette pour ne pas grossir;
- un signe d'appartenance à un groupe.

David, 15 ans, est diabétique depuis 5 ans. Il a été informé des complications liées à un mauvais contrôle de sa maladie. Son médecin et ses parents lui ont rappelé les méfaits de l'usage du tabac et de la consommation d'alcool. Lors d'une consultation, David révèle qu'il fume en cachette depuis un an et qu'il boit, à l'insu de ses parents, quelques bières tous les vendredis soirs avec ses amis.

Il y a une certaine urgence à aborder avec David les risques de dépendance vis-à-vis du tabac et à lui proposer un programme d'arrêt, tout en lui offrant un bon soutien pour compléter le plan de traitement. Quant à la consommation d'alcool, qui elle aussi s'inscrit dans le processus de socialisation de l'adolescent, on sait qu'il ne serait pas réaliste actuellement d'exiger de David qu'il y mette un terme. Il faut plutôt lui proposer de contrôler la quantité d'alcool consommée et la fréquence à laquelle il boit. Bien entendu, ces sujets devront être repris lors des visites médicales suivantes.

Julie fréquente un copain depuis six mois. Elle ne prend pas la pilule parce qu'elle fume et qu'elle a entendu parler des risques d'associer la pilule et le tabac. Elle fume cinq cigarettes par jour. Lors de leurs premières relations sexuelles, elle et son partenaire ont utilisé un condom. Au cours de la semaine de relâche, ils se sont rendus en excursion de ski et ont eu des relations non protégées. Manque de prévoyance d'une part, mais attitude responsable d'autre part: Julie a consulté pour la contraception postcoïtale dès son retour.

La contraception est un sujet difficile à aborder. Pour les adultes, parents ou intervenants, accepter de le faire signifie reconnaître la vie sexuelle des adolescents. Pour les adolescents, il y a une contradiction entre ce geste préventif et leur capacité de prévoir une activité chargée de spontanéité, d'émotivité et d'intimité.

Selon l'âge et l'évolution de l'adolescent, il est tout de même important d'aborder certains thèmes liés à la prévention. On doit notamment privilégier les pistes suivantes : informer l'adolescent des risques liés à certaines habitudes, chercher avec lui des solutions pour qu'il mette un terme à un comportement malsain ou réduise sa fréquence, lui proposer des choix, replacer ses gestes dans leur contexte, ne pas le condamner et favoriser la poursuite de la discussion avec les parents.

La résistance des jeunes en matière de prévention s'explique par certains constats : difficulté d'intégrer les connaissances, manque d'anticipation (« ça ne m'arrivera pas »), pensée magique (« ça concerne seulement les autres »), association d'un comportement aux peurs véhiculées par des adultes (les contraceptifs ne sont pas bons pour la santé, les vaccins sont dangereux), plaisir obtenu (l'ivresse de l'alcool, de la vitesse), etc.

Voilà autant d'obstacles à franchir si on veut convaincre les adolescents d'adopter des comportements sains et d'éviter des risques pour leur santé. La partie n'est pas facile à gagner.

Conclusion

Pour le médecin d'adolescents, le défi quotidien est d'entrer en relation avec l'adolescent, d'oser l'accepter tel qu'il est, de prendre le risque de créer un contact, de lui proposer de chercher avec lui des solutions à ses problèmes, de le soigner et de lui offrir une image pas trop rébarbative du monde des adultes.

La récompense du médecin est d'avoir accompagné l'adolescent dans son élan vers la maturité, de l'avoir aidé à franchir des obstacles et de le voir atteindre l'âge adulte avec un regard confiant sur sa vie. La déception du médecin est de devoir anticiper des échecs, des limites au développement et à l'épanouissement de certains adolescents. Il faut alors soutenir les parents, tenter de les rassurer et de les consoler, eux et leur enfant.

Le médecin d'adolescents occupe une place privilégiée : il fait le pont entre le monde des adultes et celui de l'enfance et, à l'occasion, il se fait l'avocat des adolescents auprès d'une société qui semble les combler, mais leur impose en réalité des exigences extrêmes.

Aucun médecin d'adolescents ne trouverait sa pratique satisfaisante s'il n'y avait pas au bout de chaque journée de travail le mot *espoir*.

Références

Institut de la statistique du Québec (1998). *Enquête sociale et de la santé*, Québec, FRSQ-Santé Québec.

Marcelli, D., et A. Braconnier (2004). *Adolescence et psychopathologie*, 6e édition, Paris, Masson.

Michaud, P.-A., P. Alvin, J.-P. Deschamps et autres (1997). *La santé des adolescents : Approches, soins, prévention*, Montréal, Presses de l'Université de Montréal.

Oandasan, I., et R. Malik (1998). « What do adolescent girls experience when they visit family practitioners ? », *Canadian Family Physician*, vol. 44, no 11, p. 2413-2420.

Offer, D. (1969). *The psychological world of the teenager: A study of normal adolescent boys*, New York, Basic Books.

Prothrow-Stith, D.B. (1987). « The adolescent patient », *Textbook of general medicine and primary care*, sous la direction de John Noble, Boston, Little, Brown and Co., chap. 179.

Tanner, J.M. (1962). *Growth at adolescence*, 2e édition, Springfield (Illinois), Charles C. Thomas.

Les personnes âgées et leurs proches

Nathalie Champoux
Paule Lebel
Luce Gosselin

CHAPITRE 14

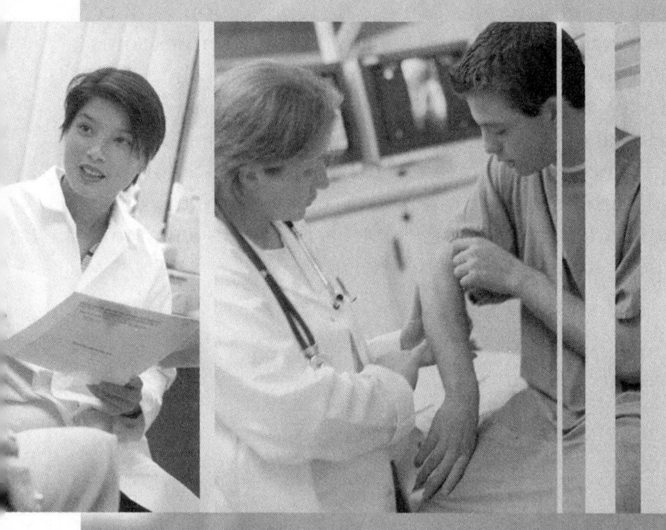

Ce chapitre présente les particularités de la relation médecin-patient âgé, ainsi que les stratégies permettant d'améliorer la communication dans ce contexte. On divise généralement la cohorte de personnes âgées en trois segments : 65-74 ans ; 75-84 ans ; 85 ans et plus. Ces groupes diffèrent suivant leur perspective historique, leur réseau social, leurs besoins psychologiques et leurs problèmes médicaux (Adelman, Greene et Ory, 2000). Le segment des 85 ans et plus regroupe de 15 % à 20 % de l'ensemble des personnes âgées. Ces personnes, dites *vulnérables*, présentent plus de problèmes cognitifs, un réseau social restreint, une plus mauvaise santé et des ressources financières plus maigres, et elles n'adoptent pas une attitude de consommateur de soins de santé comme le fait la cohorte des plus jeunes (Adelman, Greene et Charon, 1991). De plus, leurs connaissances en matière de santé sont plus pauvres que celles de la cohorte des plus jeunes (Haug et Ory, 1987).

Certaines attitudes des médecins envers les personnes âgées et le vieillissement peuvent influencer la communication. On a pu démontrer que les questions posées, l'information transmise et le soutien offert par le médecin sont de meilleure qualité auprès des patients plus jeunes (Adelman et autres, 2000 ; Greene, Adelman et Charon, 1986). Il semble en effet que les médecins soient plus susceptibles d'établir une relation de confiance avec leurs patients jeunes qu'avec leurs patients âgés (Stewart, 1983).

L'âgisme ou la discrimination envers les personnes âgées

L'âgisme, discret mais tenace, infiltre le système de santé et exerce une influence néfaste sur la relation médecin-patient dans diverses sphères. C'est ainsi que les médecins peuvent minimiser les problèmes de santé des patients âgés en attribuant ces problèmes, à tort, au processus naturel du vieillissement, comme c'est parfois le cas avec l'incontinence urinaire et les pertes de mémoire (Greene, Hoffman et Charon, 1987). Les médecins soulèvent davantage de questions médicales que de questions psychosociales avec leurs patients âgés, ce qui ne serait pas le cas avec leur clientèle plus jeune (Greene et autres, 1987). Par ailleurs, ils auraient tendance à moins s'attarder aux sujets médicaux qui préoccupent leurs patients âgés s'ils n'avaient pas eux-mêmes planifié de les questionner à ce propos préalablement. De plus, les médecins seraient moins enclins à suggérer des soins préventifs ou à traiter intensivement des problèmes médicaux ou psychiatriques chez leurs patients âgés (Adelman, Greene et Charon, 1987 ; Adelman et autres, 2000 ; Greenfield, Blanco et Elashoff, 1987). Certains auteurs affirment que l'entrevue médicale avec une personne âgée dure moins longtemps qu'avec le jeune adulte (Radecki, Kane, Solomon, Mendenhall et Beck, 1988), alors que d'autres études n'ont pas mis en évidence une telle différence dans la durée des entrevues (Adelman et autres, 1991). Enfin, les soignants utilisent parfois des termes péjoratifs pour désigner les patients âgés.

LA SECRÉTAIRE MÉDICALE — *Nous avons enfin fini notre journée ! Ce n'est pas trop tôt…*

LE MÉDECIN — *Ouais ! Aujourd'hui, le bureau a été envahi par la bande de p'tits vieux du foyer. Ils sont tous venus avec leurs problèmes de santé comme avec une liste d'épicerie. Ça n'en finissait plus !*

Certains médecins sont moins attentifs à leurs clients âgés et passent moins de temps auprès d'eux. D'autres estiment que les patients âgés sont plus « difficiles » que les plus jeunes (Adelman et autres, 1991). On trouve une moins bonne concordance entre les objectifs de traitement du médecin et ceux de ses patients âgés par rapport aux patients plus jeunes (Rakowski, Hickey et Denzig, 1987; Rost et Frankel, 1993) et moins de prises de décision partagée quand il s'agit d'établir le plan de traitement (Greene, Adelman et Charon, 1989; McCormick, Inui et Roter, 1996; Kaplan, Gandek et Greenfield, 1995). Par ailleurs, on pourrait craindre qu'en raison de leur surcharge de travail les médecins n'évaluent pas systématiquement leurs patients âgés de façon globale, qu'ils n'approfondissent pas les sujets médicaux qui préoccupent ces patients et qu'ils escamotent les problèmes de nature psychosociale.

D'autre part, les patients âgés eux-mêmes sont susceptibles d'avoir, contre le vieillissement normal, des préjugés qui nuisent aux soins de santé qu'ils se procurent. Ainsi, convaincus que l'incontinence urinaire ou les troubles mnésiques deviennent incontournables avec l'âge, les patients ne consultent pas leur médecin à ces sujets, se privant donc des soins appropriés. Jusqu'à 50 % des patients âgés n'entameront pas de discussion sur un problème médical qui les préoccupe, à moins que leur médecin n'ait déjà abordé lui-même le sujet; en outre, 60 % des patients âgés se trouvant aux prises avec des difficultés psychosociales ne les mentionnent pas à leur médecin (Rost et Frankel, 1993).

LE MÉDECIN — *Est-ce que certains problèmes de santé vous incommodent dans la vie de tous les jours?*

LE PATIENT — *Non, je ne vois vraiment pas…*

LE MÉDECIN — *Des pertes de mémoire, des chutes…*

LE PATIENT — *Non.*

LE MÉDECIN — *Perdez-vous vos urines?*

LE PATIENT — *Oui, mais ce n'est pas une maladie! À mon âge, tout le monde a ça…*

Plusieurs auteurs se sont penchés sur le contenu du discours propre à la première entrevue du médecin avec un patient âgé. Les sujets concernant les habitudes de vie le plus souvent discutés sont l'alimentation, le tabagisme et la consommation d'alcool, tandis que l'activité physique et les problèmes sexuels sont les sujets le moins souvent abordés. Sur le plan psychosocial, le système de santé, la famille et les proches, le travail et les loisirs constituent les thèmes les plus fréquents, alors que la violence et la religion sont les moins évoqués (Greene et Adelman, 1996). Les médecins informent moins leurs patients âgés des effets indésirables des médicaments qu'ils ne le font avec leur clientèle plus jeune; de toute façon, en général, ils les renseignent moins (German, 1988). Pourtant, il a été démontré que les personnes âgées, au même titre que les jeunes adultes, peuvent bénéficier d'instructions regroupées selon un schéma précis: nom et but du médicament, effets secondaires, etc. (Morrow, Leirer, Andrassy, Tanke et Stine-Morrow, 1996).

L'observance du traitement prescrit

L'observance du traitement prescrit a également fait l'objet de diverses études. Jusqu'à 50 % des patients âgés ne suivent pas le plan de traitement prescrit et environ 70 % d'entre eux ne comprennent pas ce plan. La plupart du temps, les difficultés d'observance sont liées à des problèmes de mémoire à court terme, à l'absence de consignes écrites et à l'incapacité de lire les étiquettes des médicaments (Rosenbloom, 1988). Une communication inadéquate, accompagnée d'une mauvaise compréhension des précautions d'emploi des médicaments, semble être la cause la plus fréquente de non-observance (German, 1988; McLane, Zyzanski et Flocke, 1995). De plus, il ressort que les proches des patients âgés ont souvent une compréhension erronée du traitement prescrit, même si le médecin tend à s'adresser à l'accompagnant plutôt qu'au patient lui-même. Cependant, la posologie prescrite tient généralement compte des limites du patient sur le plan cognitif (Coe et Prendergast, 1984).

Le plus souvent, la rétention de l'information transmise par le médecin à son patient âgé au cours d'une entrevue médicale est faible (McCormick et autres, 1996). L'impact de ces problèmes de rétention peut être considérable : au cours d'une étude, les patients âgés ont oublié, en moyenne, 46 % des médicaments inscrits à leur dossier; par ailleurs, 52 % des patients ont oublié, immédiatement après l'entrevue, les informations concernant les habitudes de vie (Rost et Roter, 1987).

Dans le contexte ambulatoire, ou simplement à l'occasion d'un congé hospitalier, diverses stratégies favorisant l'observance ont fait leurs preuves : prendre le temps d'informer le patient sur sa médication, partager les responsabilités avec lui, tenir compte des aspects de son contexte de vie qui influencent la prise de médicaments (Anderson, Reed et Kirk, 1982; Garrity et Lawson, 1989; Stewart, Meredith, Brown et Galajda, 2000).

La satisfaction du patient âgé

Les études relatives à la communication médecin-patient âgé rapportent que la satisfaction de ce patient est liée à la présence des facteurs suivants : l'engagement solide et le soutien perceptible du médecin ; davantage de rires partagés ; des visites plus longues ; peu de questions posées par le patient ; les questions du médecin orientées vers les préoccupations abordées par le patient ; les questions formulées par la négative (exemples : « Pas de douleur ? », « Pas de perte d'appétit ? ») ; les indications fournies sur le déroulement de la prochaine visite médicale (Greene, Majerovitz et Adelman, 1994). Contrairement à ce qui est observé chez les patients plus jeunes, il existe un lien direct entre la satisfaction du patient âgé quant à la prise en charge de ses problèmes de santé et l'observance du traitement (Linn, Linn et Stein, 1982; Beisecker, 1996).

L'analyse longitudinale d'une série d'entrevues médicales a révélé que les caractéristiques de la communication médecin-patient âgé qui s'établissent à la première rencontre demeurent à peu près les mêmes d'une visite à l'autre. Ainsi, la manière qu'a le médecin de questionner ou d'informer le patient et de lui offrir de l'aide demeure sensiblement la même d'une entrevue à l'autre, alors que le lien de confiance qui s'établit entre le patient et son médecin se renforce avec le temps.

La visite à domicile permet aussi de consolider la relation médecin-patient âgé et elle revêt un caractère spécial pour la personne recluse en perte d'autonomie. Le rôle d'hôte que joue le patient qui reçoit son médecin à domicile modifie la dynamique de leur relation ; il permet au patient d'exercer une plus grande emprise sur l'entrevue et favorise les prises de décision partagée (LoFaso, 2000).

Les problèmes de communication liés à la santé

Chez les patients âgés, certaines déficiences sensorielles et cognitives nuisent considérablement à la communication. C'est le cas des *problèmes auditifs*. Quelque 50 % des personnes âgées de 65 ans et plus présentent un certain degré de presbyacousie (Adelman et autres, 1991), et ce problème croît avec l'âge : si bien que de 70 % à 80 % des patients septuagénaires et octogénaires en sont atteints. Rappelons qu'une déficience auditive, même légère, peut miner la confiance du locuteur en ses capacités de communication et le conduire, par exemple, à entamer moins fréquemment la conversation ou à réduire ses demandes de clarification en cas d'incompréhension (Hupet et Schelstraete, 2000). N'oublions pas que la *vision* joue également un rôle important dans la communication, et qu'après 65 ans on observe une baisse générale de ce sens : baisse de l'acuité visuelle, de la sensibilité au contraste, des champs visuels et de la tolérance à l'éblouissement.

Par ailleurs, les *restrictions de l'autonomie fonctionnelle* réduisent la mobilité de certains patients, qui espacent généralement leurs visites chez le médecin, ce qui peut surcharger le contenu de chaque rencontre.

Au cours de la soixantaine, la prévalence de la démence est d'environ 2 %. Ce pourcentage augmente toutefois avec l'âge, pour atteindre environ 22 % chez les octogénaires. Au cours des phases précoces de la maladie, le diagnostic peut être difficile à poser. Le patient qui présente des *troubles cognitifs*, même légers, peut éprouver des difficultés à communiquer ses problèmes de santé à son médecin, à comprendre le plan de soins qui lui est proposé et à se rappeler les consignes indiquées.

Il faut demeurer attentif à ne pas confondre les troubles de communication des personnes aphasiques avec les troubles de communication des personnes atteintes de démence de type Alzheimer. En effet, dans les deux cas, le discours est caractérisé par un manque du mot (anomie), se traduisant par des périphrases, des phrases incomplètes, des pauses et des hésitations qui peuvent entraîner de graves difficultés de communication (Duong, Ska, Poissant et Joannette, 2000).

Le langage et le vieillissement normal

Qu'il s'agisse du langage ou d'autres fonctions cognitives, on observe davantage de variabilité entre individus chez les personnes âgées (Hupet et Schelstraete, 2000). Les études récentes révèlent que les différentes composantes fonctionnelles du langage ne vieillissent pas de la même façon, surtout chez la personne très âgée, car la période de 75 à 85 ans serait plus critique pour ce qui est de l'érosion des habiletés linguistiques (Hupet et Schelstraete, 2000).

Avec l'âge, sur le plan de l'expression, on observe une augmentation de l'usage de termes vagues et de paraphasies, de même que la prolongation des pauses vides, ce qui indiquerait des difficultés croissantes d'accès lexical. Par ailleurs, plus les sujets sont âgés, moins les structures syntaxiques sont diversifiées et complexes (Hupet et Schelstraete, 2000).

Sur le plan de la compréhension, le vieillissement s'accompagne d'une baisse de l'acuité auditive, baisse exacerbée par une diminution de la capacité de mémoire de travail et de la vitesse de traitement de l'information entendue – autant de facteurs dont il faut tenir compte dans les échanges avec les personnes âgées (Wingfield, 1999).

Compte tenu de cette variabilité, il faut se méfier des fréquents stéréotypes qu'on peut entretenir sur la façon de communiquer des personnes âgées, qui passent facilement pour des personnes qui veulent éviter les échanges (de manière à échapper aux obligations de la conversation) ou pour des personnes qui veulent dominer la conversation (et parler longuement de sujets qui n'intéressent qu'elles-mêmes). Qu'il s'agisse de cette verbosité de la personne âgée ou encore du caractère décousu de son langage, ces phénomènes ne sont pas aussi répandus qu'on pourrait le croire. Ainsi, dans une étude de Gold et autres (1988), menée auprès de 346 sujets dont l'âge moyen était de 73 ans, 20 % seulement des locuteurs âgés ont été catégorisés comme digressifs (s'écartant fréquemment du thème), alors que 45 % d'entre eux ont été catégorisés comme laconiques (centrés sur le thème, mais peu bavards) (Hupet et Schelstraete, 2000).

La triade « médecin, personne âgée vulnérable et proche »

Les faits sont éloquents en eux-mêmes : selon diverses sources, entre 20 % et 57 % des consultations médicales de patients âgés sont réalisées en présence d'une tierce personne (Prohaska et Glasser, 1996 ; Greene et autres, 1986 ; Brown, Brett et Stewart, 1998). C'est cette relation triangulaire qu'on appelle *triade* (Silliman, 1989). Par ailleurs, la tierce personne est habituellement le conjoint, un membre de la famille ou un aidant rétribué et sa présence modifie sensiblement la dynamique de la relation médecin-patient, tout en correspondant habituellement à une perte d'autonomie chez le patient (Greene et autres, 1994).

Le tiers peut faciliter la relation médecin-patient âgé tout comme il peut y nuire. Dans ce genre de relation, l'interlocuteur principal n'est plus nécessairement le patient. La présence d'une tierce personne peut compliquer la communication, bien qu'on ne note aucun changement significatif dans la durée de la visite médicale (Beisecker, 1989 ; Greene et autres, 1994 ; Haug, 1994). Donc, l'aidant naturel qui accompagne le patient peut s'approprier du temps d'échange avec le médecin pour faire valoir son point de vue sur les problèmes de santé du patient. Il n'a toutefois pas été démontré que la présence d'un tiers empêche la réalisation d'un lien de confiance favorable à l'intimité et à la confidence entre un patient âgé et son médecin. Dans 93 % des cas, l'aidant naturel est de sexe féminin ; ce rôle d'aidant peut entrer en conflit avec une position de conjointe ou de mère de famille, ou encore avec la carrière, et être une source importante de stress[1] (Haug, 1994).

Les rôles et les motivations de la tierce personne

D'une part, on reconnaît à la tierce personne trois rôles possibles : défenseur du patient, participant passif ou antagoniste (Adelman et autres, 1987). D'autre part, les raisons de l'accompagnement sont variées. Dans le tiers des cas, un trouble de la mobilité est en cause. Dans les autres cas, soit l'aidant a pu fournir le moyen de transport, soit le patient présente des troubles cognitifs ou des difficultés de communication (incluant la barrière linguistique) ou encore il a besoin d'aide pour les soins quotidiens (Greene et autres, 1994).

Il convient d'établir, dès le début de l'entrevue, le motif de l'accompagnement, le rôle de l'aidant, sa relation avec le patient et son degré d'engagement dans les soins de la personne. Cette clarification des rôles permet de déterminer si la présence de l'aidant est essentielle à l'étape du questionnaire de l'entrevue. Les informations fournies par l'aidant peuvent faciliter le processus diagnostique et, dans certains cas, la participation de l'aidant est essentielle au bon déroulement de l'évaluation médicale et du plan de traitement[2]. Il est donc important de l'inclure dans le processus décisionnel au cours de l'élaboration du plan de traitement.

Les pièges à éviter

Lorsque l'aidant monopolise la discussion, le médecin a tendance à parler du patient à la troisième personne. Ainsi exclu de la conversation, le patient devient plus passif et peut facilement être confiné à un rôle d'observateur. En retour, la passivité du patient influence la perception du médecin, qui peut alors attribuer à tort des troubles cognitifs ou certaines incapacités à son patient.

En revanche, les interventions de la tierce personne peuvent masquer les troubles cognitifs du patient et empêcher le médecin d'en faire le diagnostic. Le patient peut aussi avoir des informations à lui transmettre, qu'il préfère cacher à l'aidant naturel. Il importera donc que le médecin passe une partie de l'entrevue seul à seul avec le patient. Il est certain que demander à une tierce personne de quitter le bureau en pleine entrevue peut paraître embarrassant. Retenons que l'aidant accepte généralement mieux de s'éclipser s'il en est avisé dès le début de l'entrevue. Par ailleurs, l'examen physique peut servir de prétexte pour éloigner l'aidant. Le besoin d'intimité requis pour cette partie de l'entrevue médicale est facilement accepté.

Depuis près de 20 ans, on accorde à l'aidant naturel le rôle de « patient caché » (Fengler, 1979). Pourtant, le médecin traitant est rarement perçu par l'aidant naturel comme source de soutien (Noelker et Wallace, 1981). Dans bien des cas, l'aidant naturel de la personne âgée en perte d'autonomie vit un très grand stress (Given, Collins et Given, 1988 ; Revenson et Majerovitz, 1991). Il se trouve le plus souvent, bien malgré lui, captif de ce rôle qui s'alourdit progressivement avec l'évolution de la maladie (Aneshensel, Rearlin et Schuler, 1993). Le médecin traitant peut contribuer à alléger son fardeau en fournissant des explications sur la maladie du patient âgé et son évolution, en le rassurant sur la qualité des soins qu'il prodigue au patient, en l'intégrant dans le plan de traitement, en l'adressant à des services d'aide au maintien à domicile et à des services de répit, et en l'épaulant dans la décision concernant l'hébergement (Haug, 1994). Il faut bien garder à l'esprit qu'un aidant naturel qui quitte le bureau du médecin sans avoir obtenu de réponses à ses interrogations et à ses inquiétudes peut influencer négativement le comportement du patient et son observance du plan de traitement (prise de décision, surveillance, soins) (Hasselkus, 1988).

Les aidants naturels se montrent généralement sensibles à une approche respectueuse et empathique du médecin, reconnaissant l'importance de préserver la dignité de la personne âgée. Éviter d'interrompre le patient, l'inclure dans la discussion, lui expliquer les choix de traitement malgré ses troubles cognitifs, faire preuve de patience en dépit de sa lenteur : voilà des exemples de comportements du médecin qui sont susceptibles de toucher l'aidant. Il n'y a pas de solution à la lenteur de certains patients, et il est inutile de les brusquer ! S'il le faut, l'examen peut se terminer au cours d'une entrevue subséquente.

Pour bien inclure le patient dans la conversation, le médecin doit lui adresser la parole régulièrement au cours de l'entrevue, vérifier ce qu'il a compris et s'assurer que le plan de traitement le satisfait. Une fois les choix de traitement établis, il est essentiel de confirmer auprès de l'aidant que leur application est réaliste. Par exemple, la prescription d'une diète sans sucre concentré ou de médicaments à prendre plusieurs fois par jour à des patients qui présentent des troubles cognitifs peut constituer un défi insurmontable dans l'organisation quotidienne des soins à domicile. Il faut donc bien comprendre le quotidien du patient, tout comme celui de l'aidant naturel.

Les stratégies de communication

Le tableau 14.1 illustre des stratégies de communication susceptibles de favoriser la relation médecin-patient âgé et certains pièges à éviter dans différents contextes.

Tableau 14.1 **Les stratégies à privilégier et les pièges à éviter dans la communication avec la personne âgée**

CONTEXTES	STRATÉGIES À PRIVILÉGIER	PIÈGES À ÉVITER
Attitudes âgistes	Prendre conscience de ses propres attitudes âgistes et des stéréotypes qu'on entretient sur les personnes âgées. Tenir compte de l'hétérogénéité de la population gériatrique.	Adopter une attitude ou un langage infantilisant. Minimiser les problèmes du patient en les attribuant au processus naturel de vieillissement.
Style de communication, sexe, âge, culture	Évaluer les besoins propres au patient. Faire preuve de réalisme et de souplesse. Adopter la perspective du patient. Tenir compte de son histoire de vie et de son niveau de scolarité. Intégrer les besoins psychosociaux du patient dans le plan de soins.	Ne pas tenir compte des réalisations antérieures du patient ni de ses objectifs futurs.
Déficiences de la perception visuelle	Assurer un éclairage adéquat. Vérifier si les lunettes du patient sont bien ajustées à sa vue. Se placer au même niveau que le patient (Adelman et autres, 2000).	S'asseoir loin du patient.
Déficiences de la perception auditive	Vérifier si les appareils auditifs du patient sont fonctionnels ; en l'absence de prothèse, utiliser un système portatif d'amplification sonore. Diminuer le bruit ambiant. Privilégier les messages écrits, l'éclairage adéquat, la position face à face (à proximité). Parler d'une voix normale ou légèrement plus haute que d'habitude ; articuler clairement. Reformuler les énoncés incompris plutôt que simplement les répéter. Vérifier si le message a été compris.	Utiliser des phrases longues, sans marquer de pause ni signaler les changements de sujet. Placer ses mains sur son visage ou sa bouche, ce qui gêne la lecture labiale et la transmission de la parole.
Troubles de la parole et du langage : • Aphasie	Individualiser les stratégies. Respecter l'identité et l'autonomie. Faire preuve de patience. Parler lentement. Utiliser des termes concrets, bien adaptés au contexte. Poser des questions fermées plutôt que des questions ouvertes. Exemple : « Avez-vous mal à l'épaule ? » plutôt que « Où avez-vous mal ? » Vérifier la compréhension du patient.	Laisser les autres parler à la place du patient, sans lui donner la chance de s'exprimer. S'adresser au patient dans le bruit et l'agitation. Parler à voix haute. Tenter de deviner ce que le patient dit en posant plusieurs questions successives qui prêtent à confusion.

• Aphasie (*suite*)	Si le patient ne comprend pas, passer à un autre sujet pour revenir plus tard au sujet qui cause des difficultés. Donner au patient le temps nécessaire pour s'exprimer. Encourager le patient à communiquer à l'aide de gestes ou de l'écriture, au besoin.	Changer de sujet sans le mentionner au patient. Donner plusieurs renseignements dans une même phrase (Boisclair-Papillon et autres, 1997).
• Dysarthrie	Être attentif à la bouche et au reste du visage du patient. Énoncer ce qu'on a compris. Demander au patient de répéter, de reformuler ou d'écrire une phrase ou un mot incompris.	Ne pas chercher le contact visuel avec le patient. Faire semblant d'avoir compris. Interrompre le patient.
Troubles cognitifs	Choisir un lieu calme, un environnement familier. Maintenir l'attention du patient. Vérifier l'intégrité de ses organes de communication. Vérifier sa compréhension de ce qui est dit. Utiliser un outil de dépistage ; exemple : le mini-examen de l'état mental de Folstein (Folstein, Folstein et McHugh, 1975). Être attentif aux attitudes, aux intonations, aux gestes et aux mimiques du patient. Assurer la cohérence entre la communication non verbale et ce qu'on dit. Adopter un ton et un langage corporel sécurisants ; rester détendu, souriant. Être attentif à toute attitude hostile et en tenir compte. Fournir des explications simples, courtes et concrètes ; faire des pauses plus longues aux changements d'interlocuteur (Hupet et Schelstraete, 2000). Fournir des consignes écrites, en étapes simples. Informer le patient sur la maladie et son évolution (Floriot, 2002). Expliquer les choix de traitement. Choisir le bon moment pour faire les annonces douloureuses et prendre le temps nécessaire. Au besoin, terminer l'examen pendant une visite subséquente.	Ne pas se présenter au patient. Parler au patient sans avoir d'abord capté son attention. Employer un langage figuré. Utiliser des termes techniques. Brusquer le patient, se montrer impatient devant sa lenteur. Confronter les propos du patient qui fabule avec la vérité. Donner des consignes ou des renseignements au patient par téléphone. Exclure systématiquement le patient des décisions, même à un stade précoce de la maladie (Adelman et autres, 1991).
Environnement	Diminuer les sources de bruit, organiser le mobilier de façon à respecter l'intimité des rencontres.	Ne pas regarder le patient pendant qu'il parle et fixer plutôt une affiche ou l'écran de son ordinateur.
Difficulté à dévoiler ses problèmes	Aborder certains thèmes de discussion (dépression, solitude, abus, négligence, choix de fin de vie, perte de mémoire, incontinence, alcoolisme) systématiquement avec chaque patient. (Adelman et autres, 2000).	Escamoter l'exploration de certains sujets en pensant gagner du temps.
Difficulté à retenir l'information transmise	Formuler des questions claires, parler selon une prosodie normale et présenter la posologie d'un médicament d'une façon simplifiée (Salzman, 1995). Au besoin, fournir des consignes écrites.	Parler selon une prosodie exagérée. Discuter de sujets qui réveillent inutilement l'émotivité du patient.

La communication dans un réseau de services intégrés

Les divers membres de l'équipe multidisciplinaire appelés à travailler auprès des patients âgés doivent pouvoir communiquer adéquatement, tant pour recevoir que pour transmettre l'information, d'abord entre eux, ensuite avec le patient et son aidant naturel. Une communication efficace permet de transmettre des informations adéquates au patient et à son entourage (Adelman et autres, 2000).

La complexité des besoins des personnes âgées vulnérables vivant dans la communauté nécessite le plus souvent les interventions du médecin de famille et la collaboration des équipes multidisciplinaires de première ligne. Ces professionnels sont soutenus par des équipes gériatriques en milieu hospitalier pour donner les soins plus spécialisés.

Au Québec, afin de faciliter la continuité des services sociaux et de santé dans les milieux communautaires, hospitaliers et d'hébergement, et d'en accroître la coordination, on a mis en place des réseaux de services intégrés pour les personnes âgées vulnérables. Depuis quelques années, un nouveau professionnel de la santé a fait son entrée dans les services de première ligne : le gestionnaire de cas. Ce nouvel intervenant a pour mandat d'évaluer l'ensemble des besoins de la personne âgée et de son aidant, de les orienter vers les ressources les plus appropriées du réseau, en étroite collaboration avec le médecin de famille, les autres intervenants de première ligne et les consultants spécialisés.

La communication efficace du gestionnaire de cas avec la personne âgée, son aidant et tous les autres intervenants de la santé, où qu'ils soient, constitue un défi majeur. Les moments critiques où la communication doit s'exercer plus intensément sont les suivants : la visite à la salle d'urgence, l'hospitalisation, les périodes de traitement nécessitant des soins plus intensifs à domicile, l'hébergement ou l'épuisement d'un aidant. Des projets d'expérimentation menés au Québec ont démontré les effets favorables de la présence de ce gestionnaire de cas, qui est bien accepté, à la fois par la personne âgée et par les intervenants. Par ailleurs, certaines difficultés persistent dans la communication entre les gestionnaires de cas et les médecins de famille, ceux-ci étant souvent peu accessibles, moins ouverts ou moins disponibles pour discuter de la problématique psychosociale des personnes âgées ou pour participer à l'élaboration de plans d'intervention, individualisés et interdisciplinaires, destinés à leurs patients.

Voici les principaux éléments qui méritent d'être réunis pour qu'on puisse optimiser la communication entre l'ensemble des acteurs engagés :

1. La compréhension claire et négociée du rôle du gestionnaire de cas et de celui des autres intervenants.
2. Des rencontres périodiques entre le gestionnaire de cas et les autres intervenants de façon à ce qu'ils se connaissent mieux.
3. La facilité et la rapidité de communication :
   - la possibilité de joindre le gestionnaire de cas à l'aide de divers moyens de communication (téléphone, téléavertisseur, courriel, etc.) ;
   - un cahier de notes professionnelles au domicile de la personne âgée ;
   - un dossier clinique unique, ultimement informatisé ;
   - des échanges d'informations cliniques entre les établissements à l'aide de formulaires électroniques normalisés ;
   - des discussions de cas, en personne ou en visioconférence ;
   - un système de garde téléphonique consacrée à cette clientèle.

4. La transmission d'informations pertinentes, cohérentes, fiables, succinctes et dénuées de jargon disciplinaire entre les intervenants et une communication tout aussi de qualité avec la personne âgée.
5. Le respect par les intervenants de la confidentialité des informations concernant la personne âgée et son aidant.
6. Le respect de l'autonomie, des valeurs et du pouvoir de décision et d'action de la personne âgée.

Conclusion

Ce résumé des connaissances englobant la communication médecin-patient âgé ne saurait être un portrait définitif ni représentatif de toute la situation actuelle – en raison de l'hétérogénéité reconnue de cette population, en raison de l'utilisation de diverses méthodes de codification rendant impossibles les comparaisons entre les études et, enfin, en raison de l'échantillonnage très limité de patients. Les résultats de l'étude américaine ADEPT (*Assessment of doctor-elderly patient transaction*), subventionnée par le National Institute on Aging et effectuée sur 500 interactions entre médecin et patient âgé, devraient sous peu apporter un éclairage plus précis sur plusieurs aspects de la relation médecin-patient âgé.

Les pensées secrètes d'un médecin perspicace

M. Lafleur, âgé de 86 ans, veuf depuis peu, se présente au bureau de son médecin pour le suivi de son hypertension. À la dernière visite, un mois plus tôt, son médecin a procédé à un ajustement de la médication, car la tension artérielle était légèrement élevée. M. Lafleur souffre d'une rétinopathie diabétique. Le médecin prend la tension artérielle de son patient et se rend compte qu'elle demeure élevée.

LE MÉDECIN — *Je remarque que votre tension artérielle ne s'est pas beaucoup améliorée depuis la dernière fois. Avez-vous bien pris vos médicaments ?*

M. LAFLEUR — *Pardon ?*

LE MÉDECIN — (en haussant la voix) *Avez-vous bien pris vos médicaments ?*

(en lui-même) *Tiens ! Aurait-il un problème de surdité ? Lorsque son épouse l'accompagnait à mon bureau, il la laissait souvent répondre à mes questions... Sa surdité m'a probablement échappé.*

M. LAFLEUR — *J'ai pris un comprimé de chaque sorte tous les jours, Docteur.*

LE MÉDECIN — *Je vous avais demandé d'augmenter le Vasotec à deux comprimés par jour.*

(en lui-même) *Pas étonnant que la pression ne se soit pas améliorée !*

(à M. Lafleur) *Montrez-moi votre bouteille... Voyez, c'est écrit : « un comprimé le matin, un comprimé le soir ».*

M. LAFLEUR — *C'est écrit trop petit, Docteur ! Je ne suis pas capable de lire des caractères aussi petits.*

LE MÉDECIN — (en lui-même) *Sa rétinopathie se serait-elle aggravée depuis son dernier examen ophtalmologique ? Il avait un rendez-vous en ophtalmo, il y a deux mois... Je me demande si la mort de sa femme ne l'a pas rendu négligent envers sa santé. Rien pour l'aider : problèmes auditifs, problèmes visuels et solitude !*

Êtes-vous retourné chez votre ophtalmologiste, comme prévu ?

M. LAFLEUR — *J'étais trop fatigué pour y aller. J'ai annulé mon rendez-vous.*

LE MÉDECIN — *Ça serait peut-être bien de faire examiner votre vue de nouveau et de faire évaluer votre audition, car j'ai l'impression que ça rend difficile la prise de vos médicaments.*

(en lui-même) *En attendant que tout ça soit évalué, je vais lui demander de se faire accompagner par son fils la prochaine fois. Je vais appeler le pharmacien pour m'assurer qu'il explique bien la posologie à M. Lafleur et qu'il imprime l'étiquette en gros caractères.*

Notes

1. À ce sujet, lire le chapitre 30, intitulé « La communication en soins à domicile », particulièrement la section « L'épuisement de l'aidant ».
2. À ce sujet, lire le chapitre 30, intitulé « La communication en soins à domicile », particulièrement la section « Les informations secrètes de l'aidant ».

Références

Adelman, R.D., M.G. Greene et R. Charon (1987). « The physician-elderly patient-companion triad in the medical encounter : The development of a conceptual framework and research agenda », *The Gerontologist*, vol. 27, p. 729-734.

Adelman, R.D., M.G. Greene et R. Charon (1991). « Issues in physician-elderly patient interaction », *Ageing and Society*, vol. 11, p. 127-148.

Adelman, R.D., M.G. Greene et M.G. Ory (2000). « Communication between older patients and their physicians », *Clinics in Geriatric Medicine*, vol. 16, p. 1-24.

Anderson, R.J., G. Reed et L.M. Kirk (1982). « Compliance in elderly hypertensives », *Clinical Therapeutics*, vol. 5, p. 13-24.

Aneshensel, C., L. Rearlin et R. Schuler (1993). « Stress, role captivity, and the cessation of caregiving », *Journal of Health and Social Behavior*, vol. 34, p. 54-70.

Beisecker, A.E. (1989). « The influence of a companion on the doctor-elderly patient interaction », *Health Communication*, vol. 1, p. 55-70.

Beisecker, A.E. (1996). « Older person's medical encounters and their outcomes », *Research on Aging*, vol. 18, p. 9-31.

Boisclair-Papillon, R., et autres (1997). *Vous connaissez un aphasique ?*, Québec, Ministère de la Santé et des Services sociaux du Québec.

Brown, J.B., P. Brett et M. Stewart (1998). « Roles and influence of people who accompany patients on visits to the doctor », *Canadian Family Physician*, vol. 44, p. 1644-1650.

Coe, R:, et C. Prendergast (1984). « Strategies for obtaining compliance with medication regimens », *Journal of American Geriatric Society*, vol. 21, p. 589-594.

Duong, A., B. Ska, A. Poissant et Y. Joannette (2000). *Effet du vieillissement normal et de la scolarité sur la production de narrations*, Bruxelles, De Boeck Université.

Fengler, A. (1979). « Wives of elderly disabled men : The hidden patients », *The Gerontologist*, vol. 19, p. 175-183.

Floriot, A. (2002). « Maladie d'Alzheimer : comment communiquer avec les patients », *Geriatrics*, vol. 28, p. 6-7.

Folstein, M.F., S.E. Folstein et P.R. McHugh (1975). « "Mini-mental state" : A practical method for grading the cognitive state of patients for the clicician », *Journal of Psychiatric Research*, vol. 12, nº 3, p. 189-198.

Garrity, T.F., et E.J. Lawson (1989). « Patient-physician communication as a determinant of medication misuse in older, minority women », *The Journal of Drug Issues*, vol. 19, p. 245-259.

German, P. (1988). « Compliance and chronic disease », *Hypertension*, vol. II, p. 1156-1160.

Given, C.W., C.E. Collins et B.A. Given (1988). « Sources of stress among families caring for relatives with Alzheimer's disease », *Nursing Clinician of North America*, vol. 23, p. 69-82.

Gold, D.P., D. Andres, T.Y. Arbuckle et A. Schwartzman (1988). « Measurment and correlates of verbosity in elderly people », *Journal of Gerontology : Psychological Sciences*, vol. 43, p. 27-33.

Greene, M.G., et R.D. Adelman (1996). « Psychosocial factors in older patients' medical encounters », *Research on Aging*, vol. 18, p. 84-102.

Greene, M.G., R.D. Adelman et R. Charon (1986). « Ageism in the medical encounter : An exploratory study of the doctor-elderly patient relationship », *Language and Communication*, vol. 6, p. 113-124.

Greene, M.G., R.D. Adelman et R. Charon (1989). « Concordance between physicians and their older and younger patients in the primary care medical encounter », *The Gerontologist*, vol. 29, p. 808-813.

Greene, M.G., S. Hoffman et R. Charon (1987). « Psychosocial concerns in the medical encounter : A comparison in the interactions of doctors with their old and young patients », *The Gerontologist*, vol. 27, p. 164-168.

Greene, M.G., S.D. Majerovitz et R.D. Adelman (1994). « The effects of the presence of a third person on the physician-older patient medical interview », *Journal of American Geriatric Society*, 42, p. 413-419.

Greenfield, S., D.M. Blanco et R.M. Elashoff (1987). « Patterns of care related to age of breast cancer patients », *The Journal of American Medical Association*, vol. 257, p. 2766-2770.

Hasselkus, B.R. (1988). « Meaning in family caregiving : Perspectives on caregiver/professional relationship », *The Gerontologist*, vol. 28, p. 686-691.

Haug, M. (1994). « Elderly patients, caregivers and physicians : Theory and research on health care triads », *Journal of Health and Social Behavior*, vol. 3, p. 1-12.

Haug, M., et M.G. Ory (1987). « Issues in elderly patient-provider interactions. *Research on Aging*, vol. 19, p. 3-44.

Hupet, M., et M.A. Schelstraete (2000). « Le vieillissement langagier : modifications spontanées du langage chez l'adulte âgé normal et dément », dans *Troubles du langage : bases théoriques, diagnostic et rééducation*, sous la direction de J.A. Rondal et X. Seron, Sprimont (Belgique), Mardaga.

Kaplan, S.H., B. Gandek et S. Greenfield (1995). « Patient and visit characteristics related to physician's participatory decision-making style », *Medical Care*, vol. 33, p. 1176-1187.

Linn, M., B. Linn et S. Stein (1982). « Satisfaction with ambulatory care and compliance in older patients », *Medical Care*, vol. 20, p. 606-614.

LoFaso, V. (2000). « The doctor-patient relationship in the home », *Clinics in Geriatric Medicine*, vol. 16, p. 83-94.

McCormick, W.C., T.S. Inui et D.L. Roter (1996). « Interventions in physician-elderly patient interactions », *Research on Aging*, vol. 18, p. 103-136.

McLane, C.G., S.J. Zyzanski et S.A. Flocke (1995). « Factors associated with medication noncompliance in rural elderly hypertensive patients », *American Journal of Hyper*tension, vol. 8, p. 206-209.

Morrow, D.G., V.O. Leirer, J.M. Andrassy, E.D. Tanke et E.A.L. Stine-Morrow (1996). « Medication instruction design : Younger and older adult schemas for taking medication », *Human Factors*, vol. 38, p. 556-573.

Noelker, L.S., et R.W. Wallace (1981). « The organization of family care for impaired elderly », *Journal of Family Issues*, vol. 6, p. 23-44.

Prohaska, T.R., et M. Glasser (1996). « Patients view of family involvement in medical care decisions and encounters », *Research on Aging*, vol. 18, p. 52-69.

Radecki, S., R. Kane, D. Solomon, R. Mendenhall et J. Beck (1988). « Do physicians spend less time with older patients ? », *Journal of the American Geriatrics Society*, vol. 36, p. 713-718.

Rakowski, W., T. Hickey et A. Denzig (1987). « Congruence of health and treatment perceptions among older patients and providers of primary care », *International Journal of Aging and Human Development*, vol. 25, p. 67-81.

Revenson, T.A., et S.D. Majerovitz (1991). « The effects of chronic illness on the spouse », *Arthritis Care and Research*, vol. 4, p. 63-72.

Rosenbloom, A. (1988). « Essential factors in the care of elderly patients », *Journal of the American Optometric Association*, vol. 59, p. 774-779.

Rost, K., et R. Frankel (1993). « The introduction of the older patient's problem in the medical visit », *Journal of Aging and Health*, vol. 5, p. 387-401.

Rost, K., et D. Roter (1987). « Predictors of recall of medication regimens and recommendations for lifestyle change in elderly patients », *The Gerontologist*, vol. 27, p. 510-515.

Salzman, C. (1995). « Medication compliance in the elderly », *The Journal of Clinical Psychiatry*, vol. 56, p. 18-22.

Silliman, R.A. (1989). « Caring for the frail older patient : The doctor-patient-family caregiver relationship », *Journal of General Internal Medicine*, vol. 4, p. 237-241.

Stewart, M. (1983). « Patient characteristics which are related to the doctor-patient interaction », *The Journal of Family Practice*, vol. 1, p. 30-36.

Stewart, M., L. Meredith, J.B. Brown et J. Galajda (2000). « The influence of older patient-physician communication on health and health-related outcomes », *Clinics in Geriatric Medicine*, vol. 16, p. 25-36.

Wingfield, A. (1999). « Comprehending spoken questions : Effects of cognitive and sensory change in adult aging in cognition, aging and self-reports », dans *Cognition, aging, and self-reports*, sous la direction de N. Schwarz, D. Park, B. Knäuper et S. Sudman, Philadelphie, Psychology Press, p. 201-228.

Les patients aux prises avec des problèmes d'alphabétisme fonctionnel

Jean Gauthier

CHAPITRE 15

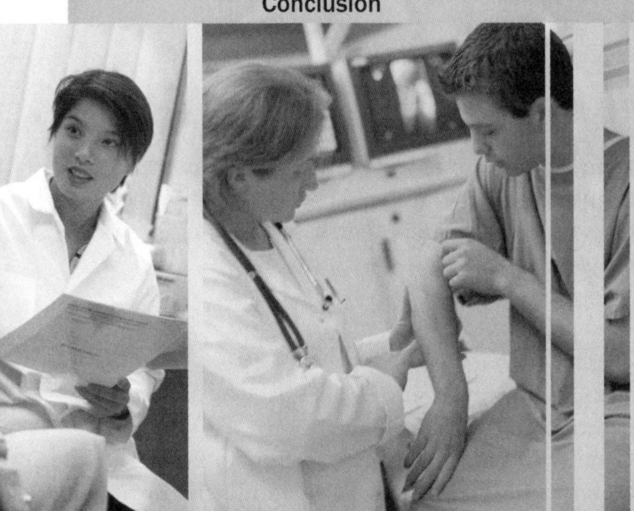

Pourquoi parler d'*alphabétisme fonctionnel*, alors qu'on a plutôt l'habitude de parler d'analphabétisme et d'illettrisme ? L'alphabétisme et l'illettrisme réfèrent à des incapacités à lire, ou même à décoder l'écrit. L'alphabétisme fonctionnel renvoie plutôt à l'utilisation de l'écrit dans la vie réelle. L'alphabétisme fonctionnel est un concept utile non seulement pour décrire l'utilisation de l'écrit dans la vie quotidienne, mais aussi pour souligner les limites fonctionnelles qui peuvent y être liées.

D'une part, les données issues des recherches sur l'alphabétisme fonctionnel sont pour le moins troublantes ; d'autre part, il est difficile, voire impossible sur le plan pratique, de dépister les personnes qui éprouvent des problèmes liés à l'alphabétisme. Malgré tout, il existe des principes et des techniques simples d'intervention. On pourra constater que ces principes et ces techniques – faciles à mettre en pratique – sont fort utiles pour améliorer la communication médecin-patient en général.

Qu'est-ce que l'alphabétisme ?

Selon l'OCDE et le Développement des ressources humaines Canada (1997, p. 14), la littératie (ou alphabétisme fonctionnel[1]) est « une aptitude précise, à savoir *comprendre et utiliser l'information écrite* dans la vie de tous les jours, à la maison, au travail et dans la collectivité en vue d'atteindre des buts personnels et d'étendre ses connaissances et capacités ».

L'alphabétisme est donc une notion plus vaste que le simple fait de savoir lire et écrire. Il désigne plutôt un ensemble de compétences fonctionnelles, allant de la saisie de l'information (la lecture et la compréhension) à la réussite des actions qui en découlent. Et c'est bien ce qui intéresse le clinicien : le patient utilisera-t-il l'information pertinente qu'on lui donne pour faire ce qui est approprié dans sa condition ? Or, pour évaluer la capacité de lecture des répondants dans le cadre de l'*Enquête internationale sur l'alphabétisation des adultes* (OCDE et Développement des ressources humaines Canada, 1997), on a mesuré leurs performances dans la réalisation des tâches de la vie quotidienne, et il s'est avéré que les tâches relatives à la santé étaient perçues comme faisant partie des plus difficiles !

Les compétences en lecture

Examinons d'abord comment les spécialistes évaluent l'alphabétisme fonctionnel. Dans le cadre de l'*Enquête internationale sur l'alphabétisation des adultes* (OCDE et Développement des ressources humaines Canada, 1997), on a établi cinq niveaux de compétence en lecture pour faciliter la description et l'étude du phénomène. Voyons ces cinq niveaux, accompagnés d'exemples et de données statistiques tirées du document de base de l'enquête citée plus haut (Secrétariat national à l'alphabétisation, 1997).

LE NIVEAU 1

C'est le niveau le plus bas. Il correspond à des capacités de lecture très faibles. Les personnes qui s'y situent sont incapables d'interpréter la posologie inscrite sur l'étiquette d'un contenant de médicament pour connaître la dose recommandée à un enfant. Il leur est impossible de déchiffrer la plupart des imprimés courants de la vie moderne. Environ 22 % des Canadiens adultes se classent dans ce niveau.

LE NIVEAU 2

Les personnes de niveau 2 peuvent comprendre et utiliser le contenu des textes simples, présentés clairement et dans lesquels les tâches à accomplir sont relativement familières ou peu complexes, mais elles ont des difficultés à comprendre de l'information plus complexe ou présentée dans un contexte différent. Ce niveau permet de déterminer les personnes qui, bien qu'elles se débrouillent dans la vie quotidienne malgré leurs capacités de lecture limitées, ont des difficultés à s'adapter à un nouvel emploi qui nécessite un niveau supérieur. On trouve 26 % des Canadiens adultes dans ce niveau.

LE NIVEAU 3

Dans la plupart des pays industrialisés, ce niveau est considéré comme le seuil minimal pour une intégration socioprofessionnelle, bien que certaines professions requièrent des capacités supérieures. Les personnes de ce niveau pourront utiliser des textes simples dans la vie courante ou au travail. On classe 33 % des Canadiens dans ce niveau.

LES NIVEAUX 4 ET 5

Les personnes de ces niveaux utilisent souvent plusieurs sources d'information sur un même sujet et elles peuvent résoudre des problèmes complexes. Elles peuvent saisir des informations et procéder à partir de concepts abstraits. Ces capacités de lecture constituent de plus en plus une exigence pour le travail. Les professionnels de la santé se situent à ce niveau, ainsi que 20 % des Canadiens en général.

L'alphabétisme et la communication médecin-patient

Le médecin doit tenir compte du niveau d'alphabétisme fonctionnel de ses patients au cours des entrevues médicales, mais comment ? Voyons d'abord les faits qui ressortent de la littérature spécialisée.

- De nombreuses personnes ont des difficultés à gérer l'information, qu'elle soit verbale, écrite ou graphique. Après une rencontre avec un médecin, qu'il s'agisse d'un rendez-vous ou d'une admission à l'urgence, ces individus ne sont donc pas réellement en mesure d'accomplir les tâches nécessaires à leur traitement ou au maintien de leur santé pour des raisons associées à leur niveau d'alphabétisme fonctionnel (Williams et autres, 1995; Gazmararian et autres, 1999). Les tests d'alphabétisme fonctionnel montrent qu'une proportion importante des patients sont incapables de réaliser ces tâches : jusqu'à 40 % selon les tâches présentées (Gazmararian et autres, 1999; Williams et autres, 1995) ! Les tâches inhérentes aux soins de santé sont parmi les plus exigeantes de la vie courante.
- La communication médecin-patient peut être perturbée par le niveau d'alphabétisme du patient dans plusieurs autres situations : à l'occasion d'un consentement éclairé (Gordon, 1996), pendant l'évaluation d'un problème de santé (Mayeaux et autres, 1995) ou quand le processus d'éducation lié à la santé est en jeu (Williams, Baker, Parker et Nurss, 1998).
- Dans bien des cas, la communication écrite n'est pas une solution, soit parce que les patients ne liront pas l'information, soit parce que le niveau de langage de l'information dans la plupart des écrits qui touchent la santé est beaucoup trop complexe pour la plupart d'entre eux (Davis, Crouch, Wills, Miller et Abdehou, 1990; Davis et autres,

1994) et, a fortiori, pour les personnes ayant des limites importantes sur le plan de l'alphabétisme fonctionnel.

- Étant donné qu'il existe une corrélation entre les problèmes liés à l'alphabétisme fonctionnel et une plus grande morbidité, les médecins ont à intervenir très fréquemment auprès de personnes qui peuvent difficilement gérer l'information qu'on leur transmet (Comité consultatif fédéral-provincial-territorial sur la santé de la population, 1999).

Le médecin se doit donc d'intervenir régulièrement auprès de patients qui ont une faible capacité à utiliser l'information qu'on leur transmet verbalement. De plus, dans ces cas-là, il ne peut pas compter sur l'aide de la communication écrite pour faciliter la transmission de ses recommandations ou l'observance d'un traitement. De nombreux traitements échouent simplement parce que le patient ou son entourage ne peuvent pas les comprendre ou les prendre en charge.

Bien sûr, le patient peut compter sur d'autres professionnels de la santé pour l'aider dans tout ce qui touche les soins de santé, mais le médecin demeure souvent la seule et incontournable source d'information : la maîtrise qu'a le médecin de la communication verbale aidera donc le patient à mieux comprendre les tâches associées à sa santé et à les assumer.

La situation suivante nous permettra d'illustrer cette problématique.

M. Tremblay est un travailleur manuel âgé de 57 ans. C'est la deuxième fois en trois mois qu'il consulte le même médecin, et nous assistons à la fin de l'entrevue.

LE MÉDECIN — *Monsieur Tremblay, ma conclusion est que vous faites de l'hypertension artérielle. Je vous ai déjà expliqué en quoi cela consiste... Vous en souvenez-vous ?*

M. TREMBLAY — *Euh... Oui.*

LE MÉDECIN — *Pour commencer le traitement, je vous propose un médicament. Dans trois mois, nous verrons si les mesures de votre tension sont plus normales.*

Le patient ne dit rien.

— *Je vous propose également de penser à modifier certaines de vos habitudes qui contribuent au problème. Par exemple, vous pourriez faire un peu d'exercice, avoir une meilleure alimentation et diminuer la quantité d'alcool que vous buvez, mais la chose la plus importante pour vous serait de cesser de fumer. Qu'est-ce que vous pensez de tout ça ? Je vous propose d'y réfléchir. Bon, je vous remets ce dépliant et on pourra en reparler la prochaine fois.*

M. TREMBLAY — (après un moment de silence) *D'accord.*

Le médecin remet l'ordonnance et le dépliant à M. Tremblay. Puis, il se lève et raccompagne son patient jusqu'à la porte de son bureau.

LE MÉDECIN — *Au revoir, Monsieur Tremblay !*

Trois mois plus tard, le patient ne se présente pas au rendez-vous fixé. Le médecin lui téléphone quelques jours plus tard pour prendre de ses nouvelles.

— *Bonjour, Monsieur Tremblay. Comme vous n'êtes pas venu à votre rendez-vous, je voulais savoir ce qui se passait. Je suis un peu inquiet... Avez-vous commencé votre traitement ?*

M. TREMBLAY — *Moi, ça va bien, Docteur. Je suis en pleine forme ! Je travaille beaucoup ces temps-ci. Ne vous inquiétez pas : je vais prendre un autre rendez-vous bientôt. Je m'occupe de tout ça. Au revoir !*

Dans cette situation, peut-on dire que le médecin a tenu compte du niveau d'alphabétisme de son patient, peut-on dire que la communication a été efficace ? Cet exemple montre bien, par la négative, que la réussite d'une intervention (ou l'observance, selon le point de vue) dépend de plusieurs facteurs, y compris le niveau d'alphabétisme du patient.

Ainsi, une approche centrée sur le patient aurait certainement aidé à une meilleure transmission des informations portant sur le problème de santé et sur le traitement proposé. Or, le médecin n'a pas intégré cette approche : il n'a pas cherché à connaître le point de vue du patient et il n'a pas cherché à susciter chez lui des questions sur son problème de santé ou sur le traitement proposé[2].

Par ailleurs, une approche éducative structurée aurait aidé le médecin à mieux cerner les motivations du patient et à établir un plan de traitement plus approprié à la situation. Le médecin n'a fait que présenter sa vision du problème : il n'a pas cherché à connaître la dynamique de son patient ; il n'a pas cherché à savoir si le traitement était acceptable aux yeux du patient ni même réalisable par lui ; il n'a pas, non plus, nommé concrètement les gestes à accomplir. En d'autres mots, le médecin a présumé que son patient se débrouillerait avec l'information médicale transmise (verbalement et par écrit) et que ce même patient pourrait, de lui-même, lui poser des questions sur ce qu'il ne comprenait pas. Ce médecin aurait gagné beaucoup à mieux structurer ses interventions, de façon à susciter des changements dans le comportement de son patient. Nous verrons comment plus loin.

Enfin, le médecin aurait pu prêter une plus grande attention au choix des mots, au niveau de langage à utiliser et à la manière de vérifier la compréhension du patient. En effet, un médecin ne doit pas tenir pour acquis qu'un patient est en mesure de lire un dépliant et d'utiliser efficacement l'information qui s'y trouve : les professionnels de la santé doivent toujours se demander si la documentation est bien adaptée aux capacités de lecture du patient. Comment le médecin de l'exemple précédent aurait-il pu ajuster son entrevue en fonction du niveau d'alphabétisme fonctionnel de son patient ? Il aurait pu le faire en s'assurant que le patient était en mesure de réaliser les tâches suivantes :

- comprendre la notion d'hypertension artérielle et l'exprimer dans ses propres mots ;
- bien saisir le degré de risque relatif à l'hypertension artérielle ;
- trouver des motivations, avec l'aide du médecin et selon sa culture familiale et sociale, pour se protéger contre ce risque ;
- comprendre les raisons d'utiliser le médicament prescrit ;
- discuter des effets principaux et secondaires du médicament ;
- pouvoir réagir aux effets secondaires potentiels, les présenter à son entourage et trouver des solutions au problème ;
- trouver des motivations pour financer, à long terme, le coût des médicaments.

Chaque personne est unique : les problèmes de compréhension et les compétences cognitives ou langagières qui leur sont liées varient donc d'un patient à l'autre, selon la situation familiale et sociale, et selon la complexité des concepts médicaux en cause. Le clinicien doit donc tenter de cerner les difficultés de chaque patient. Tenir compte du niveau d'alphabétisme des patients, c'est accepter d'adapter son propre mode de communication. Or, dans le domaine médical, la gestion de l'information devient de plus en plus une tâche essentielle, en particulier à cause de la multiplication des problèmes chroniques et des traitements possibles, et de la croissance de l'information accessible (au patient comme au médecin). Le patient doit donc continuellement élargir ses compétences pour demeurer « fonctionnel ». Le médecin, quant à lui, doit établir une approche individualisée qui tient compte des compétences et des difficultés de chaque patient.

Lorsque le médecin prend la décision de mieux informer ses patients et de tenir compte de leurs capacités, il se heurte aux particularités et aux limites fonctionnelles de chacun, auxquelles il doit s'adapter : tel patient aura de la difficulté à saisir la notion de risque associé à l'hypertension ; tel autre patient hésitera plus ou moins longtemps à prendre rendez-vous, de crainte que ses difficultés de compréhension ne soient trop apparentes ; un autre, enfin, sera dépassé par l'observance de la prise d'un nombre plus ou moins grand de médicaments, faute, simplement, de savoir ou de pouvoir s'organiser pour y arriver.

Les problèmes liés à l'alphabétisme fonctionnel

Les problèmes liés à l'alphabétisme fonctionnel sont diversifiés, qu'il s'agisse des sentiments éprouvés par les personnes dont le niveau d'alphabétisme est faible, de la façon d'étudier le phénomène, des rapports qui existent entre la santé et la pauvreté en général, ou encore de la documentation à donner aux patients. Passons ces problèmes en revue.

La honte et le sentiment d'échec

LE MÉDECIN — *Je ne rencontre pas beaucoup d'analphabètes dans ma pratique. Si je travaillais dans un milieu défavorisé, je comprendrais que je doive changer mon approche.*

Les remarques de ce genre formulées par des médecins illustrent bien la méconnaissance de la problématique. Selon Kefalides (1999), les problèmes liés à l'alphabétisme sont cachés en raison de la honte que vivent les patients. La honte et le sentiment d'échec occupent une place centrale dans la vie des personnes défavorisées, et le médecin doit en tenir compte dans sa communication avec elles (De Gaulejac, 1989) mais, plus encore, ces sentiments sont déterminants pour les personnes peu alphabétisées (Parikh, Parker, Nurss, Baker et Williams, 1996 ; Baker et autres, 1996).

Les personnes souffrant d'un problème lié à l'alphabétisme fonctionnel ont tendance à le camoufler ; elles essaient souvent de garder leur entourage ou leur conjoint – et leur médecin ! – dans l'ignorance de leurs difficultés. Mettons-nous à leur place : que faire d'autre ? Nous vivons en effet dans une société de communication, et la difficulté à gérer l'information (lire, écrire, compter, discuter de notions abstraites dont la compréhension exige souvent des études, etc.) est vécue comme un handicap ou une incapacité. Il est d'autant plus important pour les cliniciens de tenir compte de cette tendance à cacher ce genre de problème qu'ils font justement eux-mêmes partie des personnes les plus scolarisées de la société, ce qui rend encore plus aigu le sentiment de marginalité des patients peu alphabétisés.

La perception de ce fossé culturel par les patients qui éprouvent des problèmes liés à l'alphabétisme fonctionnel renforce leur tendance à cacher leurs difficultés. En effet, lorsque la maîtrise même de la communication est un problème, le *silence* devient une solution efficace. Comme piste de solution, mentionnons la patience dont il faut faire preuve pour « apprivoiser » ces patients. Ainsi, le ralentissement du rythme de l'entrevue et les temps d'arrêt provoqués par le médecin, nécessaires au patient pour courir le risque de formuler sa pensée, sont des réponses incontournables à ce puissant silence que le patient peu alphabétisé utilise pour se protéger de la honte qu'il ressent. Sans ces moments de silence de la part du médecin, point d'efficacité : dans ces circonstances, le premier acte de communication consiste à se taire.

Un phénomène difficile à cerner

L'alphabétisme fonctionnel est un phénomène difficile à cerner à cause de sa nature même. Son étude exige des méthodologies coûteuses. Les questionnaires autoadministrés, les sondages téléphoniques et les sondages lancés dans les médias imprimés ou au moyen d'une campagne d'affichage sont inappropriés. Ils le sont pour plusieurs raisons : parce que les personnes qui éprouvent des problèmes liés à l'alphabétisme répondent très peu aux invitations à participer ; parce que souvent ces personnes ne possèdent pas le téléphone ; parce que leurs réponses incomplètes sont, de toutes façons, exclues des analyses ; parce que le sentiment de honte dont nous avons parlé plus haut empêche ces individus d'exposer leur situation. Les problèmes liés à l'alphabétisme fonctionnel et leurs conséquences sur la santé ou sur l'intervention médicale demeurent donc, vraisemblablement, mal perçus et sous-estimés.

Cet état de choses a largement contribué à garder dans l'ombre l'ampleur du problème. Mais l'occultation des difficultés liées à l'alphabétisme fonctionnel ne devrait-elle pas, en particulier dans le domaine de la santé, pousser les professionnels à ajuster leurs interventions ? En fait, les données sur l'alphabétisme semblent indiquer qu'on ne perçoit que la pointe de l'iceberg. Dans ces conditions, on peut se demander comment il est possible de s'adapter à une situation relativement inconnue.

L'alphabétisme, la santé et la pauvreté

On sait que l'alphabétisme est associé à une meilleure santé et à de meilleures habitudes de vie, à l'exception de la consommation d'alcool, qui augmente avec le niveau d'alphabétisme (Comité consultatif fédéral-provincial-territorial sur la santé de la population, 1999). Jusqu'à il y a une dizaine d'années, les problèmes liés à l'alphabétisme étaient perçus comme des épiphénomènes de la pauvreté. Les spécialistes pensent maintenant qu'il faut distinguer la problématique de l'alphabétisme de celle de la pauvreté, d'autant plus que les démarcations sociales liées à la capacité de gérer l'information deviennent de plus en plus déterminantes dans notre société. On a longtemps pensé que le niveau socioéconomique, qui augmente proportionnellement au niveau d'alphabétisme, était la variable explicative du meilleur état de santé des personnes alphabétisées. On arrive maintenant à la conclusion que l'alphabétisme est par nature une variable déterminante de la santé, des maladies, des accidents et de la capacité à se débrouiller dans le système de santé (Ad Hoc Committee on Health Literacy of The American Medical Association, 1999, p. 553).

On n'a qu'à penser aux conséquences des problèmes liés à l'alphabétisme sur l'intégration au travail et à la société, sur la capacité de s'informer sur les liens entre la santé et les habitudes de vie et sur la capacité de s'informer sur les risques d'accident dans les situations de la vie quotidienne. Le fossé s'élargit de plus en plus entre les personnes dont l'utilisation efficace d'Internet a décuplé les sources d'information et les personnes dont les seules sources d'information sont la télévision et la radio. La complexification des tâches, en particulier dans le monde du travail (qu'on pense à l'informatisation, au développement continu des compétences, à la mondialisation, etc.), exige des individus qu'ils s'informent davantage et plus facilement. On peut donc supposer que les problèmes liés à l'alphabétisme sont associés à un isolement social grandissant.

Revenons au domaine de la santé. Il est évident que les mêmes changements qui obligent le milieu médical à s'adapter au monde de l'information peuvent aussi perturber les patients: la diversification et la multiplication des outils thérapeutiques, des outils diagnostiques et des interventions médicales; l'accès de plus en plus facile à la somme des connaissances de n'importe quel domaine, n'importe où dans le monde, etc. Certes, les personnes limitées sur le plan de l'alphabétisme fonctionnel ont généralement un état de santé moins reluisant que le reste de la population parce qu'elles ont des conditions de vie plus difficiles dans l'ensemble et moins de moyens pour agir sur ces conditions, mais il ne faut pas oublier que c'est aussi parce qu'elles sont moins susceptibles de se renseigner adéquatement sur les habitudes de vie et les traitements qui pourraient les aider.

Compte tenu de la place prédominante des relations familiales dans la valorisation, la compréhension et l'utilisation de l'écrit et des symboles, l'alphabétisation devrait être une préoccupation à chaque étape du cycle de la vie familiale (Gaudet, 1994). Le développement précoce des bébés et la gestion familiale des tâches associées au vieillissement constituent probablement les deux moments clés où le médecin peut jouer un rôle plus déterminant; d'une part, en valorisant l'exposition du bébé aux situations associées à la lecture; d'autre part, en organisant sa pratique de manière à répondre aux limites fonctionnelles des personnes vieillissantes, en collaborant avec la famille et les autres professionnels de la santé, en adaptant ses plans d'intervention, etc.

La documentation destinée aux patients

La documentation ne doit pas remplacer le dialogue médecin-patient, elle doit plutôt le renforcer, l'étayer. Avant de remettre un dépliant à un patient, le médecin doit donc lui en présenter l'information, en discuter avec lui et vérifier sa compréhension. Le problème majeur auquel on se heurte est le niveau de lisibilité de ce genre de documentation: très peu de dépliants sont conçus pour être vraiment compris par le commun des mortels.

Aux États-Unis, l'organisme national qui accrédite les établissements de santé (Joint Commission on Accreditation of Healthcare Organizations) intègre des normes de communication simple (*plain language*). Ces normes ont favorisé la création de services hospitaliers visant justement à créer des instruments de communication plus appropriés. Ainsi, dans plusieurs hôpitaux américains, des spécialistes de la communication ont pour tâche de former les professionnels de la santé et de mettre aux points des instruments de communication adaptés à la population. Dans le Maine, le Health Literacy Center a créé un programme de formation destiné aux professionnels de la communication et aux concepteurs de programmes de formation dans le domaine de la santé[3].

Plus près de nous, le Centre d'alphabétisation du Québec (Centre for Literacy of Québec), en collaboration avec l'Hôpital général de Montréal, a mis sur pied un projet dont les objectifs sont semblables à ceux des services hospitaliers américains, mais seulement en anglais. Il y a peu de projets équivalents en français et ils sont peu connus.

Ce travail d'écriture exige de tenir compte d'un ensemble de détails : le nombre de mots par phrase ; le nombre moyen de syllabes par mot ; la simplification des termes à utiliser ; la présentation graphique des paragraphes et des sections ; le choix des caractères, de la mise en pages, des graphiques et des illustrations, etc. La traduction des notions complexes en langage clair exige, évidemment, du temps, de l'expertise et… des efforts.

Deux illustrations cliniques

Illustrons maintenant les conséquences des problèmes liés à l'alphabétisme sur le traitement médical. Les exemples sont légion et, bien sûr, n'importe quel médecin pourrait citer de nombreux cas. Nous ne retenons que deux situations : la première pourra paraître peu courante, mais elle est pathétique, à cause de son réalisme ; la deuxième est beaucoup plus fréquente.

Une femme dans la soixantaine, suivie en médecine familiale, refuse toute consultation en oncologie et tout traitement pour un cancer du sein : elle nie avoir un cancer et affirme que les médecins la rendent plus malade qu'elle ne l'est. Avant de clore la discussion, le médecin garde volontairement le silence pendant un moment assez long (de cinq à huit secondes).

LA PATIENTE — *Si j'avais un cancer, je le sentirais me gruger de l'intérieur !*

LE MÉDECIN — *Que voulez-vous dire exactement ?*

LA PATIENTE — *Tout le monde sait que le cancer est un crabe !*

Le médecin reste bouche bée.

— *Mais voyons, vous ne lisez jamais votre horoscope ? Le signe du cancer, c'est un crabe ! Avec les pinces que ces bêtes-là ont, je la sentirais si j'en avais une dans la poitrine, non ?*

Cette première situation montre qu'il existe des liens entre l'alphabétisme et la culture au sens large. Il est possible que des personnes peu alphabétisées aient des notions exactes relatives au cancer, et il peut aussi arriver que des personnes alphabétisées entretiennent de fausses conceptions. Cependant, il est probable que les personnes limitées dans leurs capacités de lecture se feront une conception erronée du cancer et ne voudront pas en démordre. Dans notre exemple, le médecin a effectivement eu beaucoup de mal à convaincre la patiente de remettre en question sa conception du cancer[4].

Un homme âgé vivant seul doit prendre rendez-vous en gastroentérologie pour une évaluation demandée par son médecin de famille. Le patient n'a pas retenu le nom du test, trop abstrait pour lui. Comme il se sent embarrassé de cette incapacité, il ne téléphone pas à la clinique pour prendre rendez-vous.

Un tel comportement provoqué par la honte associée à l'alphabétisme fonctionnel est courant. L'incapacité du patient à se rappeler le nom du test a retardé le déroulement du plan de soins. Dans le but d'aider ce patient, le médecin aurait pu écrire le nom du test sur un bout de papier et suggérer l'aide d'un proche pour prendre rendez-vous.

Le dépistage

Comment le clinicien peut-il dépister les problèmes liés à l'alphabétisme fonctionnel chez un patient et ajuster son mode de communication ? Y a-t-il lieu de procéder à ce dépistage dans le cadre du travail clinique ? La lecture de ce qui précède montre que le processus même du dépistage n'est pas simple. Il faut en effet considérer plusieurs aspects : la nature complexe de ces problèmes ; les réactions des patients ; la faiblesse de la corrélation entre l'alphabétisme et le niveau de scolarité, etc. Voyons ces aspects dans le détail.

D'abord, il peut être exigeant, voire impossible, de mettre le doigt sur les problèmes liés à l'alphabétisme fonctionnel d'un patient à l'aide d'un test simple : ce genre de test ne porte pas nécessairement sur la lecture ou n'est pas explicitement reconnu comme tel. Il existe bien un test d'alphabétisme fonctionnel en santé (Williams et autres, 1995), mais il est rédigé en anglais. On s'en sert en recherche, mais son utilisation clinique serait longue et coûteuse, et elle risquerait de susciter chez les patients des réactions de fuite en les faisant se sentir « étiquetés » (Brez et Taylor, 1997) : ils cherchent alors des lieux de consultation plus anonymes, comme les cliniques sans rendez-vous et les urgences.

De plus, la scolarité n'est pas un indice fiable et pertinent dans le cadre du travail clinique. Malgré son niveau de scolarité, un patient peut être dépassé par l'intervention du médecin, soit parce qu'il n'a jamais développé les compétences adéquates, soit parce qu'il a perdu, au fil des années, les habiletés associées à la gestion de ce genre d'information. Généralement, on utilise le niveau de scolarité pour avoir une *approximation* du niveau d'alphabétisme dans une population, mais c'est un indice peu fiable quand un clinicien veut l'appliquer à des individus.

Par ailleurs, la majorité des patients préfèrent qu'on utilise avec eux un langage simple. Ils se sentent alors plus en mesure de comprendre ce qu'on leur dit, que ce soit lié à l'anxiété provoquée par la consultation ou la maladie, à une culture médicale limitée ou aux barrières linguistiques.

Comme nous l'avons vu précédemment, on peut évaluer l'alphabétisme fonctionnel selon cinq niveaux plus ou moins complexes. Il est donc totalement irréaliste de penser que le médecin puisse évaluer le niveau d'alphabétisme de chacun de ses patients, adapter parfaitement chaque entrevue en conséquence et avoir en sa possession de la documentation appropriée à chaque cas. Bref, le dépistage, en dehors du contexte de la recherche, s'avère impraticable.

Compte tenu des aspects que nous venons d'examiner, le médecin doit privilégier une approche adaptée de l'entrevue et un mode de communication simple. En plus de l'approche centrée sur le patient, le médecin devra s'appliquer à éviter les écueils provoqués par la honte du patient et utiliser une terminologie très claire. Voyons d'abord en quoi consiste cette approche adaptée.

L'approche adaptée de l'entrevue et les principes d'intervention[5]

Comme nous l'avons dit, l'alphabétisme est intimement lié à la capacité d'utiliser l'information. Il touche donc la communication médecin-patient, particulièrement quand il s'agit de transmettre de l'information médicale et d'établir un plan d'intervention. Dans l'approche adaptée, le médecin doit se préoccuper particulièrement des aspects affectifs liés aux changements que vit le patient. Les émotions sont généralement le moteur de l'action, et c'est la raison qui peut donner une direction à cette action. Trop souvent, le dialogue médecin-patient porte uniquement sur les actions à accomplir et leurs fondements médicaux : de cette façon, il ne peut pas avoir l'efficacité souhaitée.

Dans cette partie, nous présentons les principes d'intervention auprès des personnes qui éprouvent des problèmes liés à l'alphabétisme. Ces principes ont été mis de l'avant en enseignement et s'avèrent des outils de travail à la fois efficaces et nécessaires[6]. En quoi consistent ces principes ? En fait, voyons d'abord ce que le médecin doit faire : il doit déterminer le degré de motivation du patient ; il doit mobiliser chez le patient les affects susceptibles de le pousser à agir ; il doit présenter au patient les avantages du plan de soins et la façon de le réaliser, de façon à ce qu'il ne se sente pas dépassé par les événements et qu'il puisse intégrer l'aide de ses proches ou d'autres aidants.

De ces actions découlent les quatre principes suivants :

1. Le médecin doit reconnaître et soutenir la motivation du patient à changer.
2. Le patient doit se sentir capable d'agir.
3. Le médecin doit faire connaître au patient les actions à accomplir avant de le responsabiliser.
4. Le patient doit comprendre rapidement l'intérêt pratique des recommandations du médecin et montrer jusqu'à quel point il est en mesure de résoudre les problèmes.

Voyons ces principes, leur mise en application et les comportements qu'ils impliquent de la part du médecin.

Le premier principe

LE MÉDECIN DOIT RECONNAÎTRE ET SOUTENIR LA MOTIVATION DU PATIENT À CHANGER.

Le médecin doit d'abord reconnaître la situation du patient et souligner les inquiétudes de ce dernier et celles de son entourage au sujet de son état de santé. Comme nous l'avons dit plus haut, les émotions sont le moteur du changement, et les solliciter améliore grandement l'efficacité d'une intervention. Dans cette perspective, l'entrevue avec M. Tremblay, dont nous avons parlé précédemment, pourrait prendre la tournure suivante.

LE MÉDECIN	— *Monsieur Tremblay, est-ce la première fois que vous devez prendre un médicament régulièrement ?*	Pour le patient, la prise régulière de ce médicament peut correspondre à l'entrée dans la vieillesse.
	Si vous deviez changer vos habitudes alimentaires, comment pensez-vous que ça se passerait à la maison ?	Comme le changement des habitudes de vie touche souvent directement son entourage, le patient peut se sentir mal à l'aise d'imposer ces changements à ses proches.

Le médecin doit ensuite évaluer et respecter le degré de préparation du patient à accepter la situation[7]. Effectuer des changements dans ses habitudes demande de passer par certaines étapes, surtout quand on apprécie ces habitudes. Selon Prochaska et

DiClemente (Doak, Doak et Root, 1995, p. 18), le patient peut passer par les étapes suivantes:

1. Ne pas se rendre compte du problème et considérer la situation ou l'habitude comme favorable.
2. Penser qu'il y a peut-être un problème, mais ne pas être prêt à agir.
3. Se préparer à agir.
4. Agir et effectuer le changement.
5. Maintenir le changement.

Voyons ce qui aurait pu se passer dans l'entrevue avec M. Tremblay.

LE MÉDECIN — *Commencez-vous à penser que vous devriez prendre un médicament pour soigner votre hypertension?*

M. Tremblay pourrait répondre qu'il ne perçoit pas le problème. Soulignons que l'hypertension est un problème de santé difficile à expliquer clairement et qu'il est, par conséquent, difficile aussi de motiver le patient à prendre des médicaments pendant une longue période.

Enfin, le médecin doit reconnaître les décisions prises par le patient – même celles qui lui apparaissent comme mauvaises. Selon le premier principe, chaque décision mérite d'être soulignée. Ce faisant, le médecin maintient le sentiment de compétence chez le patient, sentiment qui est essentiel à l'action.

Le deuxième principe

LE PATIENT DOIT SE SENTIR CAPABLE D'AGIR.

Quand le médecin aide le patient à reconnaître ses émotions et à les exprimer durant l'entrevue, il lui permet de mieux se concentrer sur les informations données. Les émotions non exprimées mobilisent l'attention de l'individu, alors que leur expression le libère de la charge émotive et amène une meilleure écoute.

Par ailleurs, le médecin peut aussi mettre en valeur les expériences de changements semblables que le patient a déjà effectués dans sa vie. Cette approche est particulièrement indiquée quand le patient se sent incapable d'agir parce que le nouveau comportement lui paraît inconnu ou parce qu'il craint l'échec. Le médecin peut alors faire le tour des expériences semblables que le patient a pu vivre. Par exemple, pour aider le patient à commencer une diète, on peut lui rappeler le succès qu'il a eu dans la cessation du tabagisme; pour le soutenir dans un changement de médicament devenu nécessaire à cause des effets secondaires, on peut lui rappeler la persévérance dont il a fait preuve quand il était question de résoudre un problème personnel donné.

Le médecin doit présenter au patient l'information et les tâches à accomplir en petites tranches, de façon à lui en faciliter l'assimilation. Il en découle un sentiment de confiance en soi, le patient pouvant découper un plan de soins en étapes et réussir ces étapes une à une. C'est un peu comme gravir une haute montagne en une seule étape ou en sept ou huit étapes. Le sentiment de succès pousse à la persévérance.

Le médecin ne doit pas hésiter à *expliquer* concrètement la signification des concepts et à *répéter* ses explications au besoin. Il a avantage à utiliser la méthode classique en trois temps pour vérifier la compréhension de quelque concept que ce soit et pour en faciliter la mémorisation :

1. Annoncer le sujet abordé.
2. Transmettre le message.
3. Demander à l'interlocuteur de résumer, dans ses mots, ce qu'il retient.

Le médecin doit toujours garder à l'esprit que la plupart des concepts médicaux sont peu ou mal compris d'un très grand nombre de patients. Par exemple, la notion de risque et les concepts sous-jacents (le pourcentage, la probabilité, les facteurs, etc.), tellement simples aux yeux d'un médecin, sont difficiles, voire impossibles à appréhender pour une bonne partie des patients, s'il n'y a pas une démonstration pratique et des exemples concrets.

Enfin, le respect de ce deuxième principe exige que le médecin reconnaisse les changements effectués par le patient durant l'intervention et renforce ce dernier dans ses comportements.

Le troisième principe

LE MÉDECIN DOIT FAIRE CONNAÎTRE AU PATIENT LES ACTIONS À ACCOMPLIR AVANT DE LE RESPONSABILISER.

D'abord, le médecin ne doit pas écarter la notion de responsabilité. Les différentes façons de dire la même chose au patient n'ont pas la même résonance. Comparons les exemples suivants :

- « Il y a des changements qui pourraient être faits. »
- « Vous pourriez faire des changements. »
- « Vous devriez faire des changements. »
- « Vous devez faire des changements si vous voulez que… »

Des phrases comme la dernière semblent préparer le terrain à la discussion sur les choix et sur les limites du patient par rapport au plan d'intervention proposé par le médecin. Cependant, il est contre-indiqué d'insister *prématurément* sur la responsabilité auprès d'un patient qui se perçoit sans ressources devant la situation. C'est pourquoi la présentation préalable des actions à accomplir permet au patient de fixer ses objectifs *avant* de déterminer les moyens nécessaires à leur atteinte. La notion de responsabilité correspond surtout, dans le cas qui nous occupe, à la capacité de réagir à une situation en posant des actes concrets. Le médecin cherche donc d'abord à présenter les résultats souhaités (les objectifs) et à examiner ensuite avec le patient les moyens pour y arriver. À cet égard, le premier énoncé nous semble préférable.

On sait que la plupart des patients peuvent compter sur des personnes de leur entourage pour accomplir les actions planifiées (exemples : les appels téléphoniques pour prendre un rendez-vous, la prise de médicaments, le changement d'habitudes de vie). Dans le cas des patients qui éprouvent des problèmes liés à l'alphabétisme, le médecin doit souvent intégrer davantage les proches dans le plan de soins. Le partage des responsabilités qui en découle peut exiger plus de temps, de la diplomatie et des négociations. Si cette approche peut sembler futile dans le cas de patients dont les ressources intellectuelles permettent rapidement d'envisager les actions nécessaires à leur santé, il faut se rappeler que la honte et la peur de l'échec sont les éléments clés du comportement des personnes peu alphabétisées.

Le quatrième principe

LE PATIENT DOIT COMPRENDRE RAPIDEMENT L'INTÉRÊT PRATIQUE DES RECOMMANDATIONS DU MÉDECIN ET MONTRER JUSQU'À QUEL POINT IL EST EN MESURE DE RÉSOUDRE LES PROBLÈMES.

Le quatrième principe se fonde sur l'idée généralement acceptée que les adultes ont besoin d'intégrer les informations dans leur réalité pour les apprécier à leur juste valeur. Ce principe exige que le patient, au-delà de l'écoute passive, participe activement. À cette fin, le médecin doit favoriser le rappel et la reformulation de l'information. Le traditionnel « Avez-vous compris ? » est, dans les faits, peu efficace.

Alors, comment peut-on vérifier si le patient a bien compris ce qu'on lui a dit et expliqué ? La formulation suivante est assez efficace : « Je veux être certain que nous nous sommes bien compris. Expliquez-moi ce que vous savez déjà, ce que vous voudriez apprendre, ce que vous avez compris de mes explications ; ce que vous voulez faire ; comment vous allez le faire. » Il est évidemment plus judicieux de donner une seule consigne à la fois.

Cette pratique ressemble à celle dont nous avons parlé plus haut, soit de demander au patient de répéter ce qu'on vient tout juste de lui expliquer, mais elle ajoute des dimensions précieuses :

- Le médecin peut évaluer systématiquement la perception du patient.
- Le médecin peut réviser le plan d'intervention et aider le patient à corriger les problèmes que ce dernier entrevoit, ce qui est très utile au renforcement de la collaboration médecin-patient.
- Le médecin peut déterminer précisément les limites fonctionnelles du patient, tout en lui marquant le respect approprié.
- Le médecin obtient l'assentiment explicite du patient au sujet du plan d'intervention, et le patient a davantage le sentiment de s'approprier ce plan, puisqu'il s'est prononcé sur le sujet. Le rappel ne peut qu'en être plus efficace.

Un petit guide de la communication simple

Les médecins sont fréquemment l'objet de commentaires désobligeants sur la clarté de leurs explications et sur… leur calligraphie ! D'ailleurs, ne dit-on pas couramment une « écriture de médecin » ? Au-delà de ces apparences, le problème est de taille : comment des professionnels très informés, rompus au traitement de grandes quantités d'informations et habiles à jongler avec des concepts complexes peuvent-ils arriver à transmettre leurs connaissances pour qu'elles soient utilisables par leurs patients ?

Quand on interroge des médecins, on constate que plusieurs sont conscients du problème et qu'ils ont mis au point des formulations simples de notions médicales complexes de façon à pouvoir les transmettre efficacement dans le cadre de leur travail clinique. Plusieurs chercheurs se sont aussi penchés sur la question et ont proposé divers moyens de communiquer efficacement.

C'est à partir de l'observation des cliniciens et de la littérature spécialisée que nous proposons un petit guide de communication simple. Nous suggérons au clinicien d'intégrer progressivement les éléments de ce guide, au fil des entrevues et selon ses habiletés. À cet effet, la liste de vérification du tableau 15.1 lui permettra de suivre facilement l'évolution de ses apprentissages ; elle contient les principes d'intervention, les comportements à éviter et les comportements recommandés.

Tableau 15.1 **Un aide-mémoire pour l'intégration de la communication simple**

<table>
<tr><th>ÉLÉMENTS DE COMMUNICATION SIMPLE À ACQUÉRIR</th><th>✔</th></tr>
<tr><th colspan="2">LES PRINCIPES</th></tr>
<tr><td>Le premier principe
Le médecin doit reconnaître et soutenir la motivation du patient à changer.
Pistes d'intervention :
Garder à l'esprit que les émotions sont le moteur du changement.
Souligner les décisions du patient.</td><td></td></tr>
<tr><td>Le deuxième principe
Le patient doit se sentir capable d'agir.
Pistes d'intervention :
Aider le patient à reconnaître ses émotions et ses capacités.
Fractionner l'information à communiquer en tranches.
Démontrer et répéter.
Reconnaître et renforcer les réussites.</td><td></td></tr>
<tr><td>Le troisième principe
Le médecin doit faire connaître au patient les actions à accomplir avant de le responsabiliser.
Pistes d'intervention :
Présenter d'abord les objectifs, puis les moyens à prendre pour les atteindre.
Vérifier si le patient se perçoit dans une situation sans recours.</td><td></td></tr>
<tr><td>Le quatrième principe
Le patient doit comprendre rapidement l'intérêt pratique des recommandations du médecin et montrer jusqu'à quel point il est en mesure de résoudre les problèmes.
Pistes d'intervention :
« Que savez-vous ? »
« Que voudriez-vous apprendre ? »
« Qu'avez-vous compris de mes explications ? »
« Que voulez-vous faire ? »
« Comment allez-vous le faire ? »</td><td></td></tr>
<tr><th colspan="2">LES COMPORTEMENTS À ÉVITER</th></tr>
<tr><td>Utiliser la double négation.</td><td></td></tr>
<tr><td>Utiliser le jargon médical.</td><td></td></tr>
<tr><td>Utiliser des acronymes.</td><td></td></tr>
<tr><td>Utiliser des mots longs.</td><td></td></tr>
<tr><td>Surcharger d'informations ou de recommandations.</td><td></td></tr>
<tr><th colspan="2">LES COMPORTEMENTS RECOMMANDÉS</th></tr>
<tr><td>Utiliser des phrases courtes.</td><td></td></tr>
<tr><td>Utiliser des mots simples et d'usage courant.</td><td></td></tr>
</table>

Tableau 15.1 **Un aide-mémoire pour l'intégration de la communication simple (*suite*)**

ÉLÉMENTS DE COMMUNICATION SIMPLE À ACQUÉRIR	✔
LES COMPORTEMENTS RECOMMANDÉS (*suite*)	
Utiliser un verbe de préférence à un nom.	
Vérifier la documentation.	
Être ponctuel.	
Donner un plan d'intervention écrit.	
Utiliser des dessins simples.	
Articuler clairement.	
Mettre à profit les moments de silence.	
Travailler en équipe.	
Aborder les aspects pratiques.	

Les comportements à éviter

Quand on vise une communication claire, plusieurs comportements linguistiques sont à éviter. Il s'agit de comportements qui nuisent à la transmission de l'information, surtout quand on a affaire à des patients qui éprouvent des difficultés liées à l'alphabétisme.

UTILISER LA DOUBLE NÉGATION

Il faut éviter d'employer deux négations dans une même phrase. Ce type de construction syntaxique exige une plus grande capacité d'abstraction.

Exemple : « Je ne vous demande pas de ne pas le faire. »

UTILISER LE JARGON MÉDICAL

Le vocabulaire spécialisé est utile aux… spécialistes ! Hors contexte, il peut être perçu comme un charabia, et il devient facilement incompréhensible au commun des mortels.

Exemple : « Votre scan est négatif, mais votre résonance est positive. »

UTILISER DES ACRONYMES

Bien sûr, on peut utiliser les acronymes et les sigles[8] très connus. La plupart des gens savent ce qu'est un CLSC et où se trouve celui de leur quartier, même s'ils ne peuvent pas reconstituer ce sigle : Centre local de services communautaires. Nous faisons surtout référence aux abréviations, très courantes en médecine, mais qui nuisent à la communication avec des non-spécialistes.

Exemples : MPOC, HTA.

UTILISER DES MOTS LONGS

Là encore, il faut vraiment éviter l'emploi de mots longs, sauf s'il s'agit de mots dont l'usage est très répandu. Les mots très longs sont généralement très abstraits.

Exemples : habiletés communicationnelles, « thérapeutiquement » parlant.

SURCHARGER D'INFORMATIONS OU DE RECOMMANDATIONS

Trop souvent, le médecin tente de donner au patient *toute* l'information qu'il juge utile, soit pour accélérer la prise en charge ou la responsabilisation du patient, soit à cause de sa propre responsabilité légale. Agir ainsi, c'est se cantonner dans la position du « Voilà tout ce qu'il vous faut ». Il faut être conscient du fait que, dans cette avalanche d'informations, le patient ne retiendra que quelques éléments et qu'il ne sera pas en mesure d'effectuer de nombreux changements dans un court délai. Il faut aussi être pleinement conscient qu'une réponse affirmative au célèbre « Avez-vous bien compris ? » n'est pas la garantie d'une transmission efficace d'informations. De plus, sur le plan affectif, cette position met implicitement en valeur le pouvoir et l'efficacité du professionnel – au détriment du pouvoir et des capacités du patient.

Les comportements recommandés

UTILISER DES PHRASES COURTES

Il est préférable de s'en tenir le plus souvent possible aux phrases courtes, construites sur le modèle sujet-verbe-complément.

UTILISER DES MOTS SIMPLES ET D'USAGE COURANT

L'expérience montre que vouloir rester simple pour décrire des phénomènes complexes peut devenir… compliqué ! Un tel exercice de « traduction » demande beaucoup d'efforts. C'est à chaque médecin de trouver les termes qui conviennent – à lui-même et à ses patients – compte tenu des problèmes qu'il traite.

Ainsi, le médecin doit apprendre à distinguer les deux registres ou niveaux de langage : le niveau de langage qui lui sert à communiquer avec ses patients (exemple : le mot *pression*) et celui qui lui sert dans ses discussions avec ses collègues (exemple : le mot *hypertension*). Au risque de ne pas être compris, pourquoi parler d'AVC, alors qu'on peut simplement dire au patient qu'un vaisseau sanguin a éclaté ou s'est bloqué dans son cerveau ? Le mot *abdomen* est-il plus précis que le mot *ventre*? Et *thorax*, plus clair que *poitrine*? Il est préférable de s'adapter au niveau de langage de chaque patient en partant du principe qu'il vaut mieux être simple que risquer d'être trop compliqué.

L'expérience des collègues peut s'avérer particulièrement enrichissante à cet égard. Il peut être profitable de leur demander leur avis, comme on le fait pour établir un diagnostic.

UTILISER UN VERBE DE PRÉFÉRENCE À UN NOM

Il faut privilégier les verbes à la forme active aux cascades de noms. Comparons les deux phrases suivantes :

- Cascades de noms : « Le *remboursement* des *frais* médicaux pour une *chirurgie* cosmétique sera une *décision* prise par l'*assureur* du *client.* »
- Verbes à la forme active : « Votre assureur *décidera* s'il *rembourse* les frais médicaux d'une chirurgie cosmétique. »

VÉRIFIER LA DOCUMENTATION

Pour mieux informer les patients, il est préférable de se préoccuper du niveau d'alphabétisme nécessaire pour comprendre le contenu de la documentation qui est à leur disposition, que ce soit dans la salle d'attente ou ailleurs. On peut aussi vérifier la qualité des dépliants distribués par les organismes publics et les sociétés pharmaceutiques auprès de leurs représentants. Pour ce faire, il existe des tests, mais l'avis et l'expertise des organismes d'alphabétisation peuvent s'avérer nécessaires.

ÊTRE PONCTUEL

Dans la mesure du possible, il est préférable d'être à l'heure à un rendez-vous ! Ce n'est pas toujours chose facile en pratique médicale. Expliquer brièvement les raisons d'un retard est une marque de respect et réduit le sentiment d'impuissance ou de dépendance du patient envers le système de santé. N'oublions pas que la ponctualité (ou le retard) est le premier message que le médecin transmet à son patient.

DONNER UN PLAN D'INTERVENTION ÉCRIT

Nous recommandons de donner au patient une copie du plan d'intervention, écrit simplement et lisiblement ; certains dépliants sont d'ailleurs conçus pour remplir cette fonction. Le médecin peut ainsi suggérer au patient de garder ce document bien en vue chez lui, en le fixant à la porte du réfrigérateur à l'aide d'un aimant, par exemple.

Rappelons que le patient qui a des limites fonctionnelles liées à l'alphabétisme n'est pas automatiquement incapable de lire, mais il éprouve des difficultés à utiliser l'écrit. C'est une nuance importante. Il est donc possible d'utiliser des mots clés que le patient pourra mettre en évidence chez lui, dans un endroit stratégique. Cette approche favorise le rappel de l'information et peut permettre aux proches d'aider le patient dans ses démarches.

UTILISER DES DESSINS SIMPLES

Certains patients sont plus visuels que d'autres. Dans certains cas, il peut s'avérer efficace d'expliquer certaines notions à l'aide de dessins simples et de remettre ces dessins au patient.

ARTICULER CLAIREMENT

Il faut se soucier de sa propre élocution. La prononciation et le débit sont importants dans la transmission du message. Le patient qui éprouve des problèmes liés à l'alphabétisme a des difficultés à comprendre des mots, des concepts, et il a aussi des difficultés à imaginer qu'il peut agir. Un léger ralentissement du débit et une diction plus claire peuvent rendre la communication plus efficace.

METTRE À PROFIT LES MOMENTS DE SILENCE

Il faut savoir mettre à profit les moments de silence, en laissant au patient le temps approprié au moment approprié. Par exemple, le médecin accorde habituellement au patient de une à trois secondes pour répondre à une question ouverte, et il reprend la parole. Pourtant, en pratique, nous constatons qu'un délai de cinq à huit secondes est souvent nécessaire à un *patient qui n'éprouve pas de problèmes liés à l'alphabétisme* pour préparer sa réponse. Ce délai nous semble donc correspondre au *délai minimal* dans le cas des patients qui éprouvent ce genre de problèmes.

De la même manière que le médecin s'attend à ce que le patient lui permette de se faire une idée sur le problème présenté et de faire son examen de manière appropriée, le patient s'attend à ce que le médecin lui laisse le temps d'assimiler l'information transmise. C'est pourquoi le médecin doit laisser au patient le temps nécessaire pour évaluer les contraintes liées à l'action (au changement), pour choisir d'exprimer les problèmes perçus et pour formuler sa pensée.

Ne rien dire, garder le silence veut souvent dire quelque chose ; ce peut être un comportement aussi actif que parler. Lorsque le médecin se tait, il permet au patient de formuler sa pensée. C'est alors que le processus de collecte d'informations peut devenir un dialogue. Plus le patient aura des limites fonctionnelles sur le plan de la communication, plus on doit lui laisser de temps.

TRAVAILLER EN ÉQUIPE

Il est souvent essentiel de communiquer avec les autres intervenants et l'entourage du patient. Le travail multidisciplinaire prend de l'importance lorsque le patient a plusieurs problèmes et que ses capacités de gérer l'information sont limitées. Comment s'assurer que le patient ira subir un examen de résonance magnétique, si personne ne lui explique comment se retrouver dans la bureaucratie hospitalière ? Comment être certain que le patient suit bien son traitement, sans compter sur l'infirmière qui se rend chez lui régulièrement ?

ABORDER LES ASPECTS PRATIQUES

Il ne faut surtout pas oublier d'aborder les aspects pratiques des recommandations médicales : les coûts, la manière d'obtenir les médicaments, les consultations, les tests, etc. Dans ce domaine, il ne faut pas avoir peur d'être trop terre-à-terre.

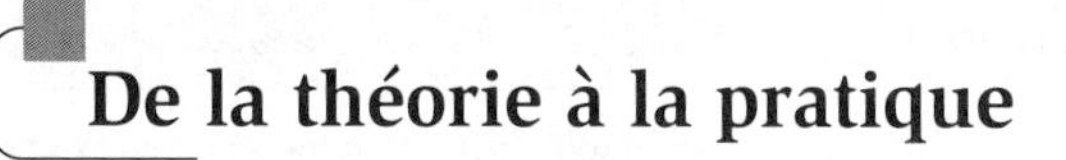

De la théorie à la pratique

Revisitons la consultation de M. Tremblay en la commentant.

LE MÉDECIN — *Nous en avons parlé à notre dernière rencontre : vous faites de l'hypertension. Voulez-vous que je vous explique de quoi il s'agit ?*

Le médecin ne présume pas que son patient a assimilé les informations qu'il lui a données rapidement à la fin de la dernière entrevue.

Le patient hoche la tête en signe d'assentiment.

— *C'est comme si vous mettiez trop de pression sur un boyau d'arrosage : il s'use plus vite. De l'extérieur, le problème du boyau n'est pas visible, tant qu'il n'y a pas de dégâts. Dans votre cas, votre cœur travaille trop fort. À la longue, il va se fatiguer. Monsieur Tremblay, comment comprenez-vous ce que je viens de vous dire ?*

Le patient ne répond pas et le médecin laisse le temps s'écouler sans rien ajouter.

> Le médecin laisse ainsi au patient le temps de décider s'il courra le risque de poser des questions et d'exposer ses difficultés à comprendre ; il lui laisse également le temps de formuler sa pensée et de choisir ses mots. M. Tremblay a aussi le temps de vérifier l'ouverture du médecin dans son attitude non verbale.

M. TREMBLAY — *Eh bien ! Euh… Je ne sais pas…. En tout cas, je ne sens rien et j'ai toujours été quelqu'un de calme… Mais d'après ce que vous dites, ça a l'air sérieux.*

> Le patient montre son ouverture à l'existence d'un problème et il donne au médecin quelques précisions sur sa façon de voir ce problème.

LE MÉDECIN — *C'est difficile d'imaginer qu'on a un problème quand on ne ressent rien. Si on se brûle à la main, notre cerveau reçoit un message de douleur. Mais nos veines et nos artères ne peuvent pas envoyer de signal de douleur à notre cerveau parce qu'ils n'y sont pas reliés. Voyez-vous, Monsieur Tremblay, l'hypertension est un peu comme un tueur caché. En plus du cœur, le cerveau et les reins peuvent aussi s'endommager à force d'être sous pression comme ça. Mais ça n'a rien à voir avec la nervosité.*

> Le médecin répond à la question du patient et expose les dangers du problème.

Le médecin fait une pause.

> Après avoir terminé son intervention, le médecin attend une autre question ou un commentaire de la part de son patient. Il lui laisse le temps de mettre de l'ordre dans ses idées.

M. TREMBLAY — *Vous me parlez du cerveau… Qu'est-ce que le cerveau a à voir là-dedans ?*

> Le patient est à l'aise pour poser une autre question.

LE MÉDECIN — *Les petites artères du cerveau sont souvent les premières à se briser. Ça cause habituellement de petites ou de grandes paralysies. D'un autre côté, la plupart des gens confondent l'hypertension, ou la pression comme on dit, avec la tension nerveuse. C'est une ressemblance de mots : ce sont deux choses complètement différentes. On peut être très calme, comme vous, et faire de l'hypertension pour des raisons familiales, c'est-à-dire que ça vous a été transmis par votre mère ou votre père.*

> Le médecin répond à la nouvelle question du patient.

Le médecin et le patient gardent le silence.

M. TREMBLAY — *Qu'est-ce qu'il faut faire dans ce cas-là ?*

Le patient montre qu'il a suffisamment d'informations sur le problème et qu'il s'intéresse aux actions à accomplir.

LE MÉDECIN — *Il faut prendre des médicaments pendant un bon bout de temps.*

M. TREMBLAY — *Docteur, vous savez que je n'aime pas les médicaments ! S'il faut que je fasse tout ça pour rien ou pour être encore plus malade… Mon père est mort dans son lit à 83 ans sans avoir touché à un seul médicament. Et puis, qu'est-ce que ça fait, ces médicaments-là ?*

LE MÉDECIN — *Si vous les prenez tous les jours, ils vont faire baisser votre pression. Assez pour que vous couriez moins de risque d'avoir des dégâts. Ça prend un certain temps pour trouver la bonne dose. Souvent, il faut ajouter un autre médicament pour faire baisser suffisamment la pression. Bon, maintenant, expliquez-moi comment vous voyez tout ça.*

Le médecin utilise des termes simples, des phrases courtes pour décrire la thérapeutique. Il tente de vérifier l'adhésion du patient au traitement et d'entrevoir les problèmes potentiels.

M. TREMBLAY — *C'est bien quelque chose dont je me serais passé !*

Le patient garde le silence un moment.

— *Et combien ça coûte ?*

LE MÉDECIN — *Le prix de ces médicaments est assez bas. Comme vous êtes couvert par l'assurance médicaments du Québec, vous n'en payerez qu'une petite partie.*

M. TREMBLAY — *« Une petite partie », ça veut dire combien ?*

LE MÉDECIN — (en train de consulter ses notes) *Laissez-moi vérifier… Environ 18 $ par mois.*

M. TREMBLAY — (après un moment de silence) *C'est quand même 18 $. Je ne suis pas riche, et ma fille va encore à l'école…*

LE MÉDECIN — *Préférez-vous y penser avant de prendre une décision ?*

Laisser ce choix à un patient peu alphabétisé est encore plus important que pour tout autre patient.

M. TREMBLAY — *Non... Non! La dernière chose que je voudrais, c'est me retrouver dans un fauteuil roulant. Mon oncle Émilien a passé sa retraite dans un fauteuil roulant. Je n'aurai pas travaillé toute ma vie pour me retrouver assis dans un foyer pour petits vieux ou pour que ma femme s'épuise à s'occuper de moi.*

LE MÉDECIN — *Je pense que vous faites le bon choix, Monsieur Tremblay. On va devoir travailler ensemble un certain temps. Nous n'en avons pas parlé aujourd'hui, mais il y d'autres choses que les médicaments qui pourraient vous aider.*

> Le médecin a prévenu l'apparition du sentiment d'impuissance. Il laisse entendre au patient qu'il n'a présenté qu'une partie de son plan d'intervention.

M. TREMBLAY — *Eh! Je vous vois venir, vous! Vous allez me dire que je devrais me faire moine... que je devrais tout arrêter, quoi! N'est-ce pas?*

> Le patient exprime sa peur de l'envahissement de sa vie privée.

LE MÉDECIN — *Vous avez peur que je vous dise de chambarder toute votre vie?*

> Le médecin montre au patient qu'il reconnaît le sentiment qu'il éprouve.

Le médecin garde le silence pendant un moment.

> Il lui laisse le temps de réfléchir et de comprendre que sa vie privée ne sera pas envahie.

M. TREMBLAY — *Oui... Un peu.*

LE MÉDECIN — *On va y aller par étapes. Comme on l'a fait aujourd'hui. Chaque fois que nous aurons une décision à prendre, je vous donnerai l'information nécessaire. Ensuite, vous déciderez. Je vous donne ce dépliant. Lisez-le avec votre femme. Elle pourrait avoir des questions. Si vous le voulez, rapportez le dépliant à la prochaine rencontre. Nous pourrons en parler. On se revoit dans trois semaines. On verra comment vous vous débrouillez avec votre médicament. Vous le prendrez deux fois par jour, au lever et au coucher.*

> Le médecin clarifie le rôle du patient et le pouvoir que celui-ci a sur la situation. Il fait des phrases très courtes et intègre Mme Tremblay dans le plan d'intervention, tout en remettant un dépliant au patient, non sans avoir discuté avec ce dernier et validé son degré de compréhension. Enfin, il donne ses consignes en utilisant des verbes à la voix active.

Bon, je veux être certain que je vous ai tout expliqué clairement. Pouvez-vous me résumer notre « plan de match » ?

> Le médecin veut valider à nouveau la compréhension du patient. De plus, il amène ce dernier à nommer lui-même les actions qu'il accomplira – et à se les approprier.

M. Tremblay garde le silence pendant un moment.

M. TREMBLAY — *Je prends votre médicament en me levant et en me couchant, et je prends rendez-vous dans trois semaines. C'est bien ça ?*

LE MÉDECIN — *Exact !*

Le médecin remet l'ordonnance et le dépliant au patient. Il se lève et raccompagne M. Tremblay en le saluant.

Nous sommes loin de la première version de l'entrevue avec M. Tremblay ! Que s'est-il passé exactement ? Résumons les actions que le médecin a accomplies.

- Il a évité de faire appel à la mémoire du patient et il n'a pas présumé que le patient avait retenu les informations transmises à la dernière entrevue.
- Avant de donner de l'information au patient, il lui en a fait l'annonce.
- Il a donné l'information au patient simplement.
- Il a régulièrement validé la compréhension et les questions du patient.
- Il a corrigé les conceptions erronées du patient, en précisant que ces conceptions étaient très répandues.
- Il a d'abord déterminé un seul objectif thérapeutique et vérifié les motivations du patient à cet égard.
- Il a répondu clairement à la question du patient sur le coût du médicament.
- Il a donné au patient le pouvoir de choisir, prévenant ainsi l'apparition d'un sentiment d'impuissance.
- Il a reconnu les émotions du patient par rapport au traitement.
- Il n'a pas remplacé le dialogue par de la documentation.
- Il a bien utilisé les moments de silence.
- Il s'est exprimé à l'aide de phrases courtes.
- Il a intégré la conjointe du patient dans le suivi.
- Il a facilité au patient l'adhésion au plan d'intervention et la rétention de l'information en lui demandant de résumer ce qu'il avait compris.

La « version améliorée » est plus longue que le dialogue initial. De plus, c'est le fruit d'un apprentissage auquel le médecin aura dû consacrer du temps. Par contre, à quoi bon faire une entrevue inefficace !

Conclusion

La question de l'alphabétisme fonctionnel et les problèmes qui y sont liés prennent une ampleur grandissante dans une société de l'information comme la nôtre. Pour contrer le silence provoqué par la honte et l'anxiété, nous avons suggéré une approche adaptée de l'intervention médicale qui tient compte des limites des personnes qui éprouvent des problèmes liés à l'alphabétisme. Nous avons aussi suggéré plusieurs moyens pour simplifier la communication en entrevue. Compte tenu des difficultés à évaluer le niveau d'alphabétisme fonctionnel d'un patient, nous croyons que cette approche devrait s'appliquer à l'ensemble des patients.

À l'impossible nul n'est tenu, mais tout médecin peut apprendre et intégrer progressivement les habiletés présentées dans ce chapitre. Il est plus réaliste de penser que chaque médecin utilisera les éléments qui lui semblent efficaces, selon sa pratique et en tenant compte de ses patients. Comme nous l'avons souligné, il est souhaitable, dans cette perspective, que le médecin travaille en collaboration avec d'autres professionnels afin que le patient bénéficie pleinement d'un processus éducatif adapté à ses besoins.

Le projet vous intéresse ? Dans ce cas, la liste de vérification du tableau 15.1 sera d'un précieux secours dans le suivi de vos apprentissages. Elle permettra de faire le point sur votre pratique et d'établir des objectifs réalistes en matière de communication simple et efficace. Mais ne nous le cachons pas : il n'est pas nécessairement aisé d'atteindre à la simplicité.

Notes

1. Quand une personne n'a pas du tout cette capacité, on parle d'*analphabétisme*; si quelqu'un est incapable de lire et d'écrire, on parle plutôt d'*illettrisme*.
2. Pour approfondir le sujet, consulter les chapitres 5 et 6, intitulés respectivement « Les modèles de relation médecin-patient » et « L'approche centrée sur le patient : diverses manières d'offrir des soins de qualité ».
3. Pour plus de détails, voir la section intitulée « Sites Internet » à la fin du présent chapitre.
4. Pour en apprendre davantage sur les fausses conceptions et l'imagerie populaire de la santé, voir le chapitre 4, intitulé « Les représentations profanes liées aux maladies ».
5. Pour rédiger cette section, nous nous sommes inspiré des deux documents suivants : Doak, Doak et Root (1995) et Association canadienne de santé publique (1998).
6. Le lecteur trouvera profitable de faire le rapprochement entre ces notions et celles qui sont présentées aux chapitres 17 et 26, intitulés respectivement « Les patients défavorisés » et « L'enseignement thérapeutique et la motivation du patient ».
7. Pour plus de détails sur cet aspect, lire le chapitre 26, intitulé « L'enseignement thérapeutique et la motivation du patient ».
8. Rappelons que les acronymes et les sigles sont des abréviations constituées des premières lettres de plusieurs mots : alors que les acronymes se prononcent comme un mot (exemple : ACFAS), les sigles se prononcent en les épelant lettre par lettre (exemple : CLSC).

Références

Ad Hoc Committee on Health Literacy of The American Medical Association (1999). « Health literacy: Report of the Council on Scientific Affairs », *The Journal of the American Medical Association*, vol. 281, n° 6, p. 552-557.

Association canadienne de santé publique (1998). *Alphabétisation et santé pour la vie : qu'est-ce que communiquer clairement ?*, trousse réalisée dans le cadre du Programme national sur l'alphabétisation et la santé, Ottawa, Association canadienne de santé publique, version électronique en format PDF (www.pls.cpha.ca/french.pdf).

Baker, D.W., R.M. Parker, M.V. Williams, K. Pitkin, N.S. Parikh, W. Coates et M. Imara (1996). « The health care experience of patients with low literacy », *Archives of Family Medicine*, vol. 5, n° 6, p. 329-334.

Brez, S.M., et M. Taylor (1997). « Assessing literacy for patient teaching: Perspectives of adults with low literacy skills », *Journal of Advanced Nursing*, vol. 25, n° 5, p. 1040-1047.

Comité consultatif fédéral-provincial-territorial sur la santé de la population (1999). « Pour un avenir en santé : deuxième rapport sur la santé de la population canadienne », rapport préparé pour la Conférence des ministres de la Santé, tenue à Charlottetown (Île-du-Prince-Édouard) en 1999, Ottawa, Santé Canada, document en format PDF (www.hc-sc.gc.ca/hppb/ddsp/rapport/toward/rapport.html).

Davis, T.C., M.A. Crouch, G. Wills, S. Miller et D.M. Abdehou (1990). « The gap between patient reading comprehension and the readability of patient education materials », *The Journal of Family Practice*, vol. 31, n° 5, p. 533-538.

Davis, T.C., E.J. Mayeaux, D. Fredrickson, J.A. Bocchini, R.H. Jackson et P.W. Murphy (1994). « Reading ability of parents compared with reading level of pediatric patient education materials », *Pediatrics*, vol. 93, n° 3, p. 460-468.

De Gaulejac, V. (1989). « Honte et pauvreté », *Santé mentale au Québec*, vol. XIV, n° 2, p. 128-137.

Doak, C.C., L.G. Doak et J.H. Root (1995). *Teaching patients with low literacy skills*, 2e éd., Philadelphie, J.B. Lippincott.

Gaudet, C. (1994). *La famille et l'alphabétisation*, Montréal, Fondation québécoise pour l'alphabétisation.

Gazmararian, J.A., D.W. Baker, M.V. Williams, R.M. Parker, T.L. Scott, D.C. Green, S.N. Fehrenbach, J. Ren et J.P. Koplan (1999). « Health literacy among medicare enrollees in a managed care organization », *The Journal of the American Medical Association*, vol. 281, n° 6, p. 545-557.

Gordon, D. (1996). « MD's failure to use plain language can lead to the courtroom », *Canadian Medical Association Journal*, vol. 155, n° 8, p. 1152.

Grossman, S.A., S. Piantadosi et C. Covahey (1994). « Are informed consent forms that describe clinical oncology research protocols readable by most patients and their families ? », *Journal of Clinical Oncology*, vol. 12, n° 10, p. 2211-2215.

Kefalides, P.T. (1999). « Illiteracy : The silent barrier to health care », *Annals of Internal Medicine*, vol. 130, n° 4, p. 333-336.

Mayeaux, E.J., T.C. Davis, R.H. Jackson, D. Henry, P. Patton, L. Slay et T. Sentell (1995). « Literacy and self-reported educational levels in relation to Mini-mental State Examination scores », *Family Medicine*, vol. 27, n° 10, p. 659-662.

OCDE et Développement des ressources humaines Canada (1997). « Littératie et société du savoir », deuxième rapport de l'*Enquête internationale sur l'alphabétisation des adultes (EIAA)*, Ottawa, version électronique en format PDF (www.nald.ca/nlsf/ialsf/introduf.htm).

Parikh, N.S., R.M. Parker, J.R. Nurss, D.W. Baker et M.V. Williams (1996). « Shame and health literacy : The unspoken connection », *Patient Education and Counseling*, vol. 27, n° 1, p. 33-39.

Secrétariat national à l'alphabétisation (1997). « Lire l'avenir : un portrait de l'alphabétisme au Canada », Ottawa, Direction des ressources humaines Canada, document de base de l'*Enquête internationale sur l'alphabétisation des adultes (EIAA)*, version électronique en format PDF (www.nald.ca/nlsf/ialsf/introduf.htm).

Williams, M.V., D.W. Baker, R.M. Parker et J.R. Nurss (1998). « Relationship of functional health literacy to patients' knowledge of their chronic disease : A study of patients with hypertension and diabetes », *Archives of Internal Medicine*, vol. 158, p. 166-172.

Williams, M.V., R.M. Parker, D.W. Baker, N.S. Parikh, K. Pitkin, W.C. Coates et J.R. Nurss (1995). « Inadequate functional literacy among patients at two public hospitals », *The Journal of the American Medical Association*, vol. 274, n° 21, p. 1677-1682.

Sites Internet

Health Literacy Institute (www.une.edu/hlit)

Bien que ce ne soit pas évident sur le site Internet, cet institut est rattaché à la New England University (Office of Continuing Medical Education). Une école d'été initie à la communication claire et simple, particulièrement dans le domaine de la santé.

National Institute for Literacy (www.worlded.org/us/health/lincs)

Le National Institute for Literacy est un organisme américain chargé d'intervenir en alphabétisme.

Ce site propose de nombreux documents (en anglais) sur la communication simple. Le site comporte une section consacrée à l'alphabétisme en santé.

Secrétariat national à l'alphabétisation (www.nald.ca/nlsf.htm)

Le Secrétariat national à l'alphabétisation fait partie de la Direction de l'apprentissage et de l'alphabétisation (Développement des ressources humaines Canada). Cet organisme a produit, entre autres, le *Manuel de formation en langage clair et communication verbale claire : Vive les mots clairs !* On trouvera sur le site une imposante base de données en alphabétisation des adultes.

Les toxicomanes

Pierre Lauzon
Jeanne Bouïsset

CHAPITRE 16

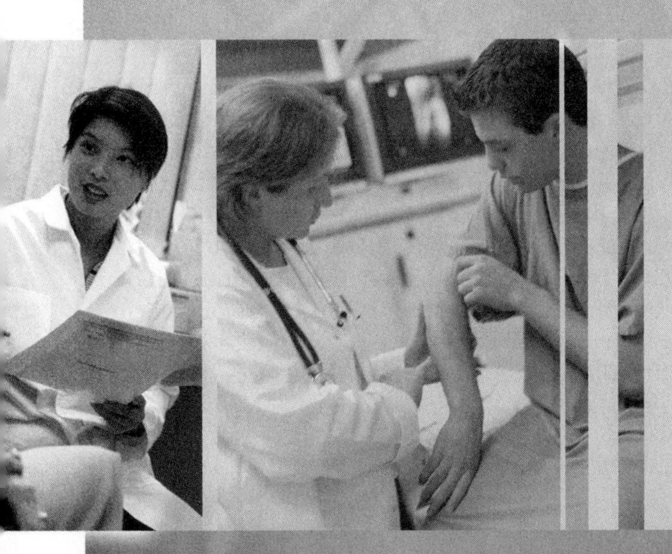

Avant d'aborder la communication médecin-patient toxicomane, il faut d'abord définir ce qu'est un toxicomane. Existe-t-il une définition scientifique et univoque de cet individu ? S'agit-il d'un malade à soigner, d'un criminel à punir, d'une âme déchue à sauver ? S'agit-il d'un individu à part entière ou entièrement à part ? (Lamoureux et autres, 2000) Le toxicomane a-t-il existé de tout temps ou est-il apparu récemment ? A-t-il une façon de communiquer qui lui est propre et doit-on communiquer avec lui d'une manière particulière ?

L'abus et la dépendance

Le *DSM-IV* [1], comme son titre complet l'indique (*Manuel diagnostique et statistique des troubles mentaux*), se présente comme un outil non théorique ; il propose ainsi une description de la condition clinique d'abus de certaines substances ou de dépendance à leur égard. Cette description est constituée d'un ensemble de signes cliniques et de comportements observables, et une personne doit présenter au moins trois de ces caractéristiques depuis un an pour qu'on puisse poser ce diagnostic. Le modèle présenté dans ce manuel ne tient pas compte du caractère licite (alcool, opioïdes, barbituriques, benzodiazépines, etc.) ou illicite (cannabis, hallucinogènes, cocaïne, héroïne, etc.) des substances en cause. Le *DSM-IV* permet d'étiqueter des individus qui ont en commun le fait de présenter une forme de perte de contrôle liée à une ou à plusieurs des substances psychoactives visées, mais qui, par ailleurs, sont très hétérogènes. Ce manuel n'éclaire que partiellement sur ce qu'est un toxicomane – qui n'est pas un terme défini scientifiquement.

Selon le modèle « drogue, individu, environnement » (*drug, set, setting*), l'abus ou la dépendance résulte de la rencontre d'un individu avec une substance psychoactive dans un contexte donné. Ainsi, chez certaines personnes, le développement d'une dépendance pourrait être lié à une vulnérabilité d'ordre génétique. Le génotype (patrimoine génétique) devient un phénotype (ensemble des caractères individuels) quand l'individu est exposé à une substance dans un environnement qui en favorise l'usage abusif (Barbeau, Brabant et Lauzon, 2000). Cette exposition entraîne ensuite toute une cascade de changements dans divers systèmes de neurotransmission. Ce concept de la toxicomanie, définie comme une maladie du cerveau (*set*), s'est fortement imposé dans la littérature médicale de cette dernière décennie, reléguant au second plan le rôle des facteurs familiaux ou sociaux (*setting*), comme la pauvreté, l'exclusion, le racisme ou la discrimination.

Par ailleurs, il est important de souligner que la presque totalité de nos connaissances scientifiques sur l'usage de drogues provient d'études faites auprès de personnes traitées pour des dépendances graves. En fait, on connaît peu de choses des personnes qui ont retiré des bénéfices de leur usage de drogues ou bien qui ont su en gérer l'usage sans attirer l'attention du système médical ou du système judiciaire. La majorité des utilisateurs (plus de 80 %) appartiennent d'ailleurs à ce *groupe silencieux* (Robins et Murphy, 1967 ; Robins, Davis et Nurco, 1974 ; Robins, 1993 ; Zinberg, 1984). Il en résulte un biais important dans toute la littérature scientifique, particulièrement en ce qui concerne les drogues illicites. En effet, dans un contexte de guerre à la drogue, il devient pour ainsi dire impossible d'étudier l'usage modéré, responsable ou même profitable à l'individu. Ces consommateurs qui appartiennent à la *majorité discrète* sont-ils aussi des toxicomanes ?

Un peu d'histoire

Au Canada, c'est en 1908 que débute la réglementation des médicaments, du tabac et de l'alcool, ainsi que l'interdiction de l'opium. En 1911, la cocaïne est interdite, puis le cannabis en 1923. Aux États-Unis, on instaure la prohibition de l'alcool tout juste après la Première Guerre mondiale, à cause de la pression exercée par les groupes de lutte contre l'alcool, et elle ne sera révoquée qu'en 1933 (Riley, 1998). Cette approche prohibitionniste, qui a persisté jusqu'à maintenant, a renforcé la division arbitraire entre substances licites et substances illicites, elle a alimenté les craintes du public par rapport à ces dernières et engendré des raisonnements circulaires : elles sont dangereuses parce qu'elles sont illicites et elles sont illicites parce qu'elles sont dangereuses. De plus, cette approche a favorisé l'émergence de ce personnage qu'on appelle péjorativement *toxicomane, toxico, drogué, junkie, camé,* etc. (en anglais, les termes *dope fiend* et *drug fiend* sont assez éloquents aussi).

L'approche prohibitionniste a surtout contaminé notre inconscient collectif, étouffant ainsi tout débat éthique sur la question, à l'exception du bref épisode de la Commission d'enquête sur l'usage des drogues à des fins non médicales, qu'on a appelée familièrement la Commission Le Dain et qui s'est tenue au Canada de 1969 à 1973. Or, la question éthique fondamentale demeure l'utilisation du Code criminel pour réprimer un comportement qui ne cause de tort (si tort il y a) qu'à l'utilisateur lui-même, le rôle du Code criminel étant justement de réprimer les comportements causant un tort significatif et démontrable à autrui (Lauzon, 2000).

L'hétéro-identification

Pour Kaminski (2000), le statut de toxicomane découle du processus d'hétéro-identification (attribution d'une caractéristique identitaire), c'est-à-dire qu'une personne est déclarée et catégorisée « toxicomane » par quelqu'un d'autre qu'elle-même. Les toxicomanes ont un trait commun (la consommation de drogues) et il en résulte, aux yeux des gens en général, un effacement des différences qui peuvent exister entre ceux qui partagent ce trait. Par exemple, on considère facilement tous les toxicomanes comme des voleurs et des menteurs. L'appartenance au groupe des toxicomanes découle du discours des autres (les non-toxicomanes), qui exercent un fort pouvoir de différenciation entre *eux* et *nous.* L'hétéro-identification fonctionne quand le toxicomane participe au processus en adoptant l'identité en question et intègre toutes les caractéristiques négatives qui y sont associées : menteur, manipulateur, voleur, irresponsable, etc. (Lamoureux et autres, 2000).

L'hétéro-identification n'est pas exclusive au champ de la toxicomanie et elle comporte un fort potentiel génocidaire. L'histoire du XXe siècle nous en fournit d'ailleurs plusieurs exemples : l'ex-Yougoslavie, le Rwanda, etc. Le processus suit habituellement la séquence suivante : la délimitation d'un groupe sur la base de caractéristiques (race, religion, ethnie, etc.) ; l'attribution de l'identité et l'homogénéisation de l'identité (« ils sont tous pareils »), le discrédit (« sales », « paresseux », « peuple sans histoire, sans culture », etc.). Il s'ensuit, à tout le moins, du mépris, de l'exclusion et de la discrimination. Dans les cas les plus graves, et surtout quand les sentiments populaires sont manipulés par des groupes d'intérêt, les pratiques peuvent aller jusqu'à l'emprisonnement arbitraire, aux mauvais traitements, à la torture, au viol, à l'appropriation des biens, au meurtre, et même aux massacres sur une grande échelle de type nettoyage ethnique.

En ce qui concerne les toxicomanes, même si on ne parle pas de crime contre l'humanité, la guerre à la drogue fait aussi ses victimes. Ainsi, dans la seule ville de Vancouver, un décès par jour est lié à l'intoxication causée par l'abus de diverses substances (Temporary Advisory Sub-committee on Narcotics Harm Reduction, 1997). Des personnes appartenant à une minorité raciale sont victimes d'exclusion sociale et d'incarcération de façon disproportionnée : aux États-Unis, les hommes afro-américains courent 13,4 fois plus le risque d'être incarcérés pour une infraction liée à la drogue que les hommes de race blanche (Fellner, 2000). Plus largement, sur le plan social, les drogues (en particulier les drogues illicites) deviennent cause de toxicomanie, de délinquance, d'insécurité et même de mort. Ces simples constatations, aux yeux de plusieurs, lorsqu'elles sont exploitées politiquement, justifient la guerre à la drogue dans les pays dits producteurs, sans qu'on s'embarrasse outre mesure des conséquences en matière de renforcement des appareils répressifs, de militarisation, de recul des droits démocratiques ou de désastres environnementaux (causés par l'arrosage de phytocides dans de larges régions). L'intervention américaine en Colombie, toujours en cours, en fournit une des plus sinistres illustrations (Droits et démocratie, 2000).

On voit bien comment le terme *toxicomane* peut piéger ceux qui l'emploient et *empoisonner* les relations entre ceux qui attribuent ce titre et ceux qui en sont qualifiés. L'abus et la dépendance sont des termes définis scientifiquement ; le personnage du toxicomane ou du « drogué » est plutôt une construction sociale, chargée d'un potentiel de discrimination, d'exclusion et d'incompréhension. Ceux à qui on attribue sans distinction cette étiquette ont-ils quelque chose en commun qui permette d'inférer que la communication avec eux pose des problèmes particuliers ? Comme nous l'avons vu, c'est un cercle vicieux : on revient à la case départ, avec la terminologie du *eux* et du *nous*.

Pour une véritable définition du toxicomane

Kaminski (2000) propose la définition suivante du toxicomane :

> Sans nier ici les enjeux physiologiques ou les effets médicaux des drogues, il y a lieu de soutenir que le toxique est moins important que l'usage discursif (psychique, social, politique) que l'on en fait. Pour être plus clair, une nouvelle définition s'impose, simple elle aussi : est toxicomane celui qui met la drogue en position de cause (de son comportement, de son malheur, de son bien-être, de son état de santé, des aléas de sa vie, des problèmes de la société et des sentiments divers autour desquels se construisent les politiques publiques) [...].

Dans cette perspective, on ne se surprendra donc pas que la *rencontre* avec la ou les substances tienne une place importante dans les récits que ces personnes font de leur vie. C'est ainsi que plusieurs thèmes peuvent être explorés : le contexte d'initiation aux substances, l'entourage, les liens tissés entre les substances et l'initiation à la sexualité, le bien-être procuré par l'usage, les tentatives de maîtriser l'usage, l'expérience de la dépendance, la détresse du manque, les pertes associées à la dépendance (exemples : l'argent, la santé, les liens significatifs avec les autres), le rejet, les démêlés avec la justice, les difficultés d'assumer le rôle de parent, etc. Les variations sont infinies et on en trouve plusieurs exemples dans des ouvrages tant scientifiques que littéraires : Lamoureux et autres (2000) ; Bibeau et Perreault (1995) ; Gagnon (1997) ; Cocteau (1995).

Expliquer ses comportements et leur donner un sens en fonction d'un élément qu'on érige en cause, ce n'est certes pas l'apanage des toxicomanes, et nous pouvons même dire qu'il s'agit d'un comportement humain universel. Ainsi, pour plusieurs personnes, la rencontre avec l'art, la spiritualité, le sport ou la maladie, pour ne nommer que ces situations, influencera leurs choix pour le reste de leur vie.

La définition suggérée par Kaminski, au contraire de celle du *DSM-IV*, a l'avantage de nous ramener dans le champ du discours, de la construction mentale et sociale, de la recherche de sens et de la communication. Il va de soi que plusieurs personnes, dites toxicomanes d'après cette définition, ne répondent pas aux critères du *DSM-IV* en ce qui a trait à l'abus ou à la dépendance ; inversement, certaines personnes dépendantes ne se considèrent pas comme toxicomanes car ce n'est pas le sens qu'elles donnent à leur comportement. Le propos essentiel de ce chapitre concerne les relations des professionnels de la santé avec ces personnes auxquelles on a attribué l'étiquette de toxicomane et qui l'ont adoptée.

Les éléments d'une bonne communication

Même si leur formation scientifique leur donne des outils pour appréhender objectivement les situations cliniques liées à l'usage de substances, les professionnels de la santé n'échappent pas à ce phénomène d'hétéro-identification. Les patients étiquetés comme toxicomanes se heurtent à cette barrière dans leurs relations avec les professionnels de la santé et ils ont l'impression d'être victimes de diverses mesures discriminatoires : la diminution de l'empathie et de l'engagement du professionnel, le pessimisme par rapport à ce qui peut être fait pour leur santé, les jugements sur leurs comportements, leurs choix de vie, etc. (Lamoureux et autres, 2000). Pour aborder cette vaste question qui englobe la relation et la communication, il faut bien garder à l'esprit que l'étiquette de toxicomane (et tout ce qui y est associé) constitue un obstacle qui peut nous empêcher de voir la personne dans sa totalité, sa complexité et son originalité.

Discourir des relations entre les professionnels de la santé et les personnes dites toxicomanes revient-il à accepter et à légitimer la discrimination dont elles sont l'objet ? Cela revient-il à souscrire à l'idée que ces personnes constituent effectivement une classe de personnes à part ayant en commun un mode relationnel unique et particulier ? Ce n'est certes pas ce que nous croyons. Au-delà de cette expérience commune d'usage de substances et au-delà de l'importance de ces substances dans le discours que ces personnes tiennent ou dans les récits qu'elles font de leur vie, ce qui est frappant chez ces gens étiquetés comme toxicomanes, c'est la diversité du groupe – et c'est une diversité qui se vérifie dans le champ de la communication.

En fait, les modes relationnels sont aussi variés et individualisés que dans tout autre groupe humain. Il n'y a pas *un* mode relationnel, unique et propre aux personnes dites toxicomanes. Par contre, ce qui retient l'attention, c'est la difficulté, pour ces personnes victimes d'exclusion, d'entrer en relation avec des professionnels travaillant au sein d'organisations mises sur pied par une société qui a une attitude perçue comme ambiguë. En effet, d'un côté, on poursuit ces personnes en justice pour des délits liés à l'usage de drogues et elles sont victimes de comportements policiers qui s'apparentent, de leur point de vue, à la persécution ; de l'autre côté, on leur offre des services pour améliorer leur état de santé ou pour prévenir la transmission du VIH. Dans ce dernier cas en particulier, Bibeau (Bibeau et Perreault, 1995, p. 105) souligne que la bienveillance de la société à leur égard est perçue plutôt lucidement : « On sait bien, vous vous intéressez à nous (les *junkies*) parce que vous avez peur pour vous (les *straights*) qu'on vous transmette le sida en baisant avec votre femme ou votre mari ! » et « Avant le sida, quand est-ce qu'on se préoccupait des drogués, si ce n'est que pour les arrêter et les enfermer… »

Quelques cas cliniques

Les situations cliniques qui suivent sont tirées d'expériences vécues avec des patients toxicomanes ; dans le but de préserver l'anonymat, nous avons combiné plusieurs situations réelles, de façon plausible. Rappelons que les thèmes abordés ne sont pas particuliers à ce groupe de personnes, qu'il s'agisse de la divulgation volontaire d'informations sensibles, de l'expression de la méfiance ou de l'hostilité, de la motivation à changer, du contrôle de la médication ou de la fidélité au traitement. À la lecture de ces cas, on se rendra compte qu'il n'y a pas une stratégie communicationnelle particulière, mais qu'il s'agit bien d'appliquer les règles habituelles de l'art de la communication.

Du discours sur la drogue à l'écriture

Didier, âgé de 42 ans, a commencé à consommer de l'héroïne à 22 ans lors d'un voyage en Inde. Avant son départ, il était un précoce étudiant inscrit à la maîtrise en littérature et il était remarqué de ses professeurs. Sa famille compte d'ailleurs plusieurs gens de plume : romancier, journaliste, scénariste. Peu après une rupture amoureuse, il abandonne ses études, il s'enferme chez lui pendant plusieurs mois et refuse de voir qui que ce soit. Sa famille s'inquiète et veut l'amener consulter un professionnel de la santé. Il décide brusquement de partir en voyage pour une durée indéterminée. Deux mois après son arrivée en Inde, il rencontre une jeune Italienne qui l'initie à l'usage de l'héroïne. Ils demeureront ensemble cinq ans. En tout, il a passé plus d'une dizaine d'années en Asie, dont deux dans une prison thaïlandaise. Il en est à sa troisième visite chez son médecin. Les deux premières rencontres ont été consacrées à l'évaluation de son problème de dépendance, à son bilan de santé et à la mise en place d'un traitement de substitution à la méthadone.

DIDIER — *Docteur, vous ne semblez pas comprendre ce que je vis, car vous n'avez jamais consommé d'héroïne. Et vous ne savez pas non plus ce que c'est d'être en manque ! Je me sens mal une bonne partie de la journée, je me réveille en sueur plusieurs fois par nuit, et chaque fois j'ai de la difficulté à me rendormir. Je suis incapable de fonctionner dans cet état et je suis forcé de consommer de l'héroïne pour me sentir mieux. Vous ne me prescrivez pas suffisamment de méthadone.*

LE MÉDECIN — *Didier, je prête une grande attention à ce que vous me dites. Mon objectif est de vous prescrire suffisamment de méthadone pour que vous vous sentiez bien pendant 24 heures, avec le moins d'effets secondaires possible. N'oubliez pas que je suis responsable d'établir votre dose de façon à ce qu'elle soit sans danger pour vous. La méthadone est un médicament dangereux et une intoxication mortelle peut survenir dans les premières semaines de traitement si on en augmente la dose trop rapidement. Pourquoi êtes-vous si inquiet ?*

DIDIER — *J'ai vécu plusieurs sevrages en prison, sans aide médicale, et j'ai d'horribles souvenirs de ces expériences… Il y a trois mois, je suis allé à l'urgence pour une pneumonie. J'étais en manque et on ne m'a rien prescrit pour me soulager. Après 48 heures, c'est devenu insupportable et j'ai signé un refus de traitement. Chaque fois que j'ai demandé de l'aide médicale, je me suis toujours heurté à ce genre d'attitude.*

Didier commence une relation avec un nouveau médecin. Il sait que son bien-être somatique et psychologique dépendra de la dose de méthadone qui lui sera prescrite. On peut donc prévoir une certaine appréhension de sa part. C'est pourquoi il insiste beaucoup sur les symptômes du sevrage et qu'il peut même être porté à les exagérer. Le médecin le rassure en lui disant se préoccuper de son bien-être, mais il ajoute qu'on doit éviter de mettre sa santé en danger. Il n'y a donc pas désaccord sur les objectifs ; ce n'est qu'une question de temps pour que les deux individus soient sur la même longueur d'onde.

Quelques mois plus tard, l'état de Didier semble s'être stabilisé. Le patient se dit à l'aise avec le traitement et il a cessé toute consommation d'héroïne. Il semble cependant incapable de concevoir des projets personnels, alors qu'il s'agit d'un homme intelligent et en bonne santé. Au cours de ses visites, il tient souvent un discours comme le suivant.

DIDIER — *L'héroïne a été la grande aventure de ma vie. Grâce à elle, j'ai vécu des choses importantes et j'ai rencontré des gens hors du commun. J'ai eu accès à un monde dont la plupart des personnes ne soupçonnent même pas l'existence. J'ai l'impression que rien d'autre ne pourra me donner des sensations équivalentes. J'ai beaucoup de difficulté à fonctionner dans la société telle qu'elle est. Les gens* straights[2] *sont ennuyeux à mourir et uniquement préoccupés de leur routine et de leur sécurité.*

LE MÉDECIN — *Vous n'êtes pas le seul à avoir des difficultés de la sorte. Il peut y avoir une période d'adaptation avant d'être prêt à vous consacrer à de nouveaux projets. C'est normal.*

Il est peu utile d'essayer de convaincre le patient qu'il a tort et on peut facilement imaginer le conflit de valeurs qui pourrait en résulter. Ce discours illustre bien la définition de toxicomane suggérée par Kaminski (2000), dans laquelle la drogue est en position de cause du bonheur ou du malheur de l'individu. Une expérience de consommation étalée sur une vingtaine d'années façonne l'individu et laisse des traces : de façon réaliste, on ne peut pas espérer que le patient passe à autre chose aussitôt que le symptôme de consommation d'héroïne est disparu. Par ailleurs, les toxicomanes procèdent aussi à l'hétéro-identification, rendant bien la monnaie de leur pièce aux non-toxicomanes, qui deviennent tous pareils à leurs yeux !

DIDIER — *En plus, je suis habitué à voyager et à me déplacer à ma guise. Je tolère très mal de devoir aller tous les jours à la pharmacie pour obtenir la méthadone.*

LE MÉDECIN — *En ce qui concerne vos déplacements, nous pourrons vous les faciliter quand vous aurez été stable pendant un certain temps. J'ai certaines règles à suivre concernant la gestion de la méthadone. C'est un médicament réglementé.*

Les grands voyageurs ont souvent de la difficulté avec les règles entourant la méthadone et avec le fait d'être immobilisés. Il ne faut pas oublier que Didier a abandonné ses études et quitté le pays à 22 ans, alors qu'il subissait une forte pression familiale en raison de son talent précoce et qu'il aurait pu s'engager dans une profession. Il est évident que, 20 ans plus tard, les choix sont encore à faire.

Le suivi de Didier se poursuit pendant deux ans. Dans l'intervalle, son père décède et il doit s'occuper de sa mère âgée en collaboration avec sa sœur. Peu après le décès de son père, qui était un journaliste réputé, il se remet à l'écriture et termine un recueil de nouvelles tirées de ses expériences de voyage en Asie. Au cours de ses visites chez son médecin, qui se sont espacées, il n'est plus jamais question d'héroïne, mais plutôt de ses inquiétudes au sujet de la santé de sa mère et des symptômes dépressifs par lesquels il se sent assailli chaque automne.

Avec le temps et au fil des visites chez son médecin, le discours de toxicomane que Didier tenait a laissé la place à ses préoccupations de fils et d'écrivain. Il continue cependant de parler publiquement de son passé de toxicomane, car cela fait partie de son personnage et son éditeur l'encourage à le faire puisque c'est très vendeur.

Dans cette situation, le médecin est surtout dans une position d'écoute, et les interventions de réadaptation demeurent limitées. Le patient a fini par trouver lui-même ses solutions, à son propre rythme et selon son système de valeurs personnelles. Il demeure une personne marginale et il tient à le rester. Il a trouvé un sens à son expérience de toxicomane et il ne la renie pas.

La divulgation volontaire ou la poursuite incessante de la vérité

Stéphano, âgé de 45 ans, est d'origine italienne et il vit avec sa mère, âgée de 72 ans. Il est suivi par le même médecin depuis trois ans. Il a une longue histoire de dépendance à la cocaïne, qu'il utilisait de façon intraveineuse. Au début du suivi, il a été soigné pour une endocardite et une arthrite septique. Il est aussi atteint d'une hépatite C chronique. Au cours de ces trois années, il a connu des périodes d'abstinence de cocaïne et quelques rechutes. En général, il parle assez librement de ces événements au cours de ses visites médicales. Son médecin a discuté plusieurs fois avec lui des dangers de faire un deuxième épisode d'endocardite. Comme sa mère souffre de la maladie d'Alzheimer, Stéphano doit gérer ses revenus de retraite ainsi que les propriétés que lui a léguées son mari (le père de Stéphano). Luigi, son frère aîné, habite Toronto. Au début de la vingtaine, Stéphano était musicien dans un groupe rock, mais il n'a occupé aucun emploi depuis cette époque. Il se présente pour une visite de routine.

STÉPHANO — *Il ne s'est rien passé de particulier depuis la dernière visite. J'aimerais avoir les résultats de mes dernières analyses concernant l'hépatite C.*

LE MÉDECIN — *D'après les analyses, l'infection pourrait être active, et il serait plus prudent de consulter un spécialiste qui pourrait procéder à une biopsie hépatique, comme je vous l'ai déjà expliqué. Il est fort probable qu'on vous recommandera un traitement qui pourrait durer un an et qui vous demanderait d'être fidèle à au moins deux rendez-vous par mois. Vous sentez-vous prêt à respecter un tel engagement ?*

STÉPHANO — *J'y pense depuis longtemps, je suis très inquiet pour mon foie. Il y a quelques mois, un de mes amis est décédé d'une cirrhose. J'ai peur des effets secondaires du traitement, mais je ne veux pas finir comme mon ami.*

LE MÉDECIN — *Avez-vous consommé de la cocaïne depuis notre dernière rencontre ? Vous savez comment vos rechutes peuvent vous désorganiser. Cela pourrait vous empêcher d'être fidèle à votre traitement.*

STÉPHANO — *Non, il ne s'est rien passé de particulier depuis trois mois.*

LE MÉDECIN — *C'est le moment de procéder à votre examen annuel. Par la suite, j'écrirai votre demande de consultation en hépatologie.*

Au cours de l'examen, le médecin découvre de récentes traces d'injection sur les deux avant-bras. Le patient est embarrassé.

STÉPHANO — *J'ai oublié de vous en parler, Docteur. En fait, la rechute n'a duré qu'une soirée : je n'ai pris en tout qu'un quart de gramme. Je n'ai pas dérapé, j'ai réussi à m'arrêter avant qu'il ne soit trop tard. Le lendemain, je me suis repris. Je n'ai pas pensé à consommer depuis. Pour moi, l'incident est clos. Je n'avais pas envie d'en parler cette fois-ci.*

LE MÉDECIN — *Vous n'êtes pas obligé de tout me dire. Vous savez que la consultation et votre dossier sont confidentiels et que je vais continuer à vous suivre même si vous avez des rechutes. Je sais aussi combien vous êtes inquiet au sujet de votre mère et que vous avez tendance à vouloir vous échapper quand le stress devient trop difficile à supporter. Est-ce que je peux faire quelque chose pour vous aider?*

STÉPHANO — *Non, merci. Pour le moment, j'ai vraiment repris la situation en main.*

On fixe un rendez-vous un mois plus tard.

La consommation de drogues est réprouvée socialement et il s'agit d'une information sensible, que plusieurs patients trouvent difficile à divulguer. Dans le cas qui nous occupe, la relation semble tout à fait propice à la divulgation volontaire et le patient en parlait assez librement dans le passé. Dans son intervention, le médecin rassure le patient et lui réitère son offre de l'aider tout à fait adéquatement. Cependant, cette ouverture n'amène pas de confidences supplémentaires.

Une semaine plus tard, le médecin reçoit un appel de Luigi, le frère aîné de Stéphano.

LUIGI — *Docteur, mon frère ne sait pas que je vous appelle. Stéphano a causé beaucoup de problèmes à la famille dans le passé, mais je dois admettre qu'il semble aller mieux. Cependant, depuis que ma mère n'a plus toute sa tête, j'ai peur que Stéphano ne rechute et ne gaspille l'argent de notre mère. Pouvez-vous me confirmer qu'il va bien et qu'il ne consomme plus? Si ce n'est pas le cas, je pense convoquer un conseil de famille et lui retirer l'administration des biens de notre mère.*

LE MÉDECIN — *Je regrette, je ne peux pas divulguer ce genre d'informations sur votre frère sans son consentement. D'ailleurs, je ne peux pas me porter garant du comportement de mes patients ou de leur intégrité. Ce n'est pas mon rôle. Si vous êtes inquiet, faites les vérifications que vous jugez appropriées. Vous savez qu'il existe des services pour venir en aide aux proches des toxicomanes. Si vous en sentez le besoin, vous pourriez faire appel à leurs services pour mieux comprendre ce qu'est la dépendance aux drogues et ce que vous-même vivez.*

Cet appel de son frère nous aide à comprendre le peu d'empressement de Stéphano à discuter de sa dernière rechute, ce qui contrastait avec ses attitudes antérieures d'ouverture. La dépendance a toujours des conséquences sur les relations de la personne avec ses proches. Dans le cas présent, le médecin sait que Stéphano a eu beaucoup de difficulté à regagner la confiance de ses proches et combien celle-ci est précaire. À la moindre rechute, tout peut s'écrouler. Il est impossible de jouer à la fois le rôle de médecin du patient, avec l'engagement professionnel que cela comporte, et le rôle de thérapeute familial. Il est donc tout à fait approprié de diriger le frère de Stéphano vers les services destinés aux proches de toxicomanes. Par ailleurs, le médecin ne peut pas être l'avocat de son patient dans ses rapports avec ses proches, pas plus qu'il ne peut se porter garant de l'abstinence ou de l'intégrité de son patient. L'alliance thérapeutique a ses limites.

Le dépistage urinaire et la divulgation volontaire

Costa, âgé de 32 ans, est né dans une région rurale de la Grèce. Il est arrivé au Canada à l'âge de deux ans. Il consomme de l'héroïne depuis 10 ans. Il n'a été abstinent qu'en milieu contrôlé : six mois en communauté thérapeutique et deux ans en prison. Il rechute dès qu'il reprend sa liberté. Il est en liberté conditionnelle pour les deux prochaines années. On commence un traitement à la méthadone et des dépistages urinaires sont effectués deux fois par mois, selon les recommandations (Collège des médecins du Québec et Ordre des pharmaciens du Québec, 1999). Le patient se prête à ces tests sans protester.

COSTA — *Je vous comprends, Docteur, de demander des tests urinaires, car tous les héroïnomanes que je connais sont des menteurs. Ne vous inquiétez pas : tous mes tests seront négatifs. Je n'ai vraiment pas le choix ! Si jamais mes tests se révélaient positifs, mon agent de libération conditionnelle me renverrait en détention.*

LE MÉDECIN — *Je vous demande de passer des tests de dépistage afin de pouvoir vous traiter de façon sûre. Je vous prescris de la méthadone : c'est un médicament qui peut être dangereux dans les premières semaines de traitement, surtout en combinaison avec d'autres substances, comme les tranquillisants et l'alcool. Quand nous aurons établi un climat de confiance, ces tests ne seront plus nécessaires. Je n'ai pas le mandat de vous surveiller, comme votre agent de libération. D'ailleurs, aucune information ne lui sera divulguée sans votre consentement, y compris les résultats du dépistage urinaire.*

Ici, le patient veut se distinguer des autres toxicomanes, mais, en les traitant tous de menteurs, il pratique l'hétéro-identification. Il a bien intégré la leçon ! Pour les patients, test urinaire égale mesure de contrôle – quelle surprise ! Les patients toxicomanes ne font pas toujours la distinction entre un examen requis dans le cadre d'un traitement médical et un examen exigé par un mandat judiciaire.

À la limite, du point de vue du patient, il est insultant d'avoir à faire confirmer ses dires par un examen objectif : à quoi bon parler au médecin si seul le résultat du test compte ? Si on change de discours, si on pense davantage à la sécurité du traitement et au bien-être du patient, le dépistage peut-il faciliter la communication ? La consommation devenant un fait avéré, le patient n'a plus à nier la situation, il y a moins de perte de temps et on peut discuter des difficultés franchement. Si le contexte de traitement est confidentiel et non punitif, et qu'il y a un bénéfice pour le patient à discuter de son usage de drogues, l'habitude de faire des divulgations volontaires se prend et on peut espacer les tests de dépistage, puis cesser d'en demander. L'usage d'un moyen invasif de la vie privée, comme le dépistage urinaire, doit être limité à la seule période où il est indispensable pour la sécurité du patient et ne doit en aucun cas être utilisé comme un moyen de contrôler ses comportements. L'abstinence de drogues n'est jamais le seul objectif du suivi médical d'une personne toxicomane. Par exemple, la réduction des risques associés à l'utilisation des drogues est un objectif tout aussi valable en matière de santé individuelle ou de santé publique.

COSTA — *Vous savez, Docteur, après ce que j'ai connu, deux tests de dépistage urinaire par mois, ce n'est rien ! Mon père était très sévère et il ne tolérait aucune discussion dans la maison. Il est mort quand j'avais 16 ans et après, ça a été le bordel le plus total ! En communauté thérapeutique, la discipline était très dure et il y avait des séances de confrontation, vous savez, ces rencontres où tout le groupe vous reproche vos comportements. Je ne pouvais pas m'en aller, car j'étais sous le coup d'un mandat judiciaire. Après ça, il y a eu la prison, les fouilles, les contrôles, les arrestations à répétition... Les policiers, une fois qu'ils vous connaissent, ils ne vous lâchent pas... À côté de tout ça, deux tests par mois, c'est moins que rien !*

LE MÉDECIN — *Vraiment !*

Comme nous en avons parlé plus haut, l'aliénation sociale du toxicomane demeure le principal obstacle à la communication et c'est une source de malentendus. On confond souvent les soins avec le contrôle social, et pour cause ! Jusqu'à tout récemment, on recommandait et on imposait même par réglementation l'intégration au traitement à la méthadone de toutes sortes de mesures de contrôle des comportements des patients, comme le dépistage urinaire, la participation obligatoire à des séances de thérapie, la rigidité dans le contrôle de la médication ou la menace de cesser le traitement. On applique encore plusieurs de ces mesures dans certains pays ; en particulier aux États-Unis, un courant conservateur existe toujours à cet égard et garde beaucoup d'influence sur les politiques de traitement (Caulkins et Satel, 1999). Plus on intègre au traitement des exigences et des mesures de contrôle, plus il y a d'occasions de manquement, de mensonge, de tromperie liée aux règles, de mauvaise foi et de conflits. La communication est abondante, certes, mais elle est très conflictuelle et il devient très difficile d'installer un climat propice à la divulgation volontaire. Un suivi médical, axé principalement sur la santé et la qualité de vie, et non sur l'abstinence à tout prix et le contrôle des comportements, crée un climat de travail plus propice à l'établissement d'une relation de confiance et à la divulgation volontaire d'informations sensibles.

L'hostilité

Robert est un homme de 35 ans à qui son médecin prescrit de la méthadone depuis quelques semaines pour un problème de dépendance à l'héroïne. Un délai d'attente de six mois a précédé la première visite médicale, car ce médecin travaille en collaboration avec l'équipe d'un centre de réadaptation qui reçoit de nombreuses demandes pour ce genre de traitement et il est impossible de répondre immédiatement aux demandes. Pendant la période d'attente, la situation du patient s'est détériorée sur le plan financier et sur le plan judiciaire, et Julie, sa conjointe, qui était aussi sur la liste d'attente, est décédée à la suite d'une surdose d'héroïne et de tranquillisants. Dès les premières entrevues, le patient se montre hostile et il dévalorise les personnes engagées dans son traitement, dont il se déclare insatisfait. Il est laconique sur son usage de drogues, sur l'organisation de sa vie et sur ses sources de revenu. Il revient sans arrêt sur le droit que sa conjointe et lui avaient d'être traités au moment de leur demande et sur le fait que sa conjointe serait probablement encore vivante si on avait répondu à sa demande plus rapidement.

En plus de passer son temps à tout critiquer, Robert arrive systématiquement en retard à ses rendez-vous et se montre souvent impoli avec la préposée à l'accueil. Il a les mêmes comportements à la pharmacie où il se procure la méthadone et c'est un mauvais payeur (franchise et coassurance). Il ne sourit jamais, refuse de serrer la main aux membres de l'équipe et critique toutes les décisions prises dans le cadre de son traitement. Il est en colère pour toutes les pertes qu'il a subies, et son deuil se vit aussi dans ce mode. Le médecin essaie encore, sans trop y croire, d'aborder cette question.

LE MÉDECIN — *Je comprends votre peine et votre colère. Puis-je faire quelque chose pour vous aider ou vous soulager ?*

ROBERT — *Non. C'est trop tard, maintenant. Rien ne peut ramener Julie à la vie. C'était il y a six mois qu'il fallait faire quelque chose... Votre intervenante à l'admission ne nous a pas crus quand on lui a dit que c'était urgent.*

LE MÉDECIN — *L'intervenante ne vous avait-elle pas dirigés vers un autre centre pour faire une désintoxication ?*

ROBERT — *J'ai déjà fait quatre désintoxications dans le passé, sans succès. C'est un traitement qui ne me convient pas. C'est trop court. Je n'avais pas besoin d'un échec de plus. Ma famille et celle de Julie me seraient encore tombées dessus et m'auraient encore traité de moins que rien. D'ailleurs, la famille de Julie, c'est une bande de beaux salauds ! Son père est avocat, son frère est policier, sa mère est toujours sous l'effet des médicaments et de l'alcool pour être sûre de ne rien voir. Julie a été élevée dans un quartier de riches, mais ça n'a pas empêché son père d'abuser d'elle quand elle avait 12 ans. Après ça, c'est eux qui m'accusent de l'avoir rendue toxicomane ! Quand je l'ai rencontrée, elle consommait sous leur nez depuis déjà deux ans. Ils ne s'en étaient jamais aperçus. Elle m'a demandé de la protéger contre eux.*

Le médecin ne dit rien, il écoute attentivement.

— *Bon. Maintenant, je dois partir. Mon ami m'attend. Je voudrais mon ordonnance. Faites-la pour la plus longue période possible. Je déteste venir dans cette clinique...*

LE MÉDECIN — *Est-ce que six semaines vous conviendraient ?*

Sous l'effet de la colère, Robert en a probablement dit plus qu'il ne le souhaitait, et il met fin abruptement à la consultation. Cependant, ces nouveaux éléments aident le médecin à appréhender la situation dans sa complexité et à mieux la comprendre.

Quatre semaines plus tard, le pharmacien de Robert appelle le médecin pour lui dire qu'il refuse de servir ce patient plus longtemps. Celui-ci devra se trouver un autre pharmacien. En effet, chaque visite à la pharmacie donne lieu à des disputes sur la qualité de la méthadone. De plus, Robert se plaint que le pharmacien fait passer les autres clients devant lui et le fait attendre intentionnellement plus longtemps que les autres. Le médecin aborde la question à la rencontre suivante.

LE MÉDECIN — *Savez-vous que votre pharmacien a communiqué avec moi ?*

ROBERT — *Oui, il m'en a avisé.*

LE MÉDECIN — *D'après vous, que s'est-il passé ?*

ROBERT — *Je suis sûr qu'il ne me donne pas ma dose quotidienne de méthadone au complet.*

LE MÉDECIN — *Qu'est-ce qui vous fait penser une chose pareille ?*

ROBERT — *Certaines journées, je me sens bien, alors que d'autres, je me réveille le matin, à cinq heures, en sueur, et je suis incapable de me rendormir. De toute façon, je n'ai jamais eu confiance en lui. Il a une façon de me regarder, comme si j'étais un moins que rien. En plus, il s'exprime mal en français et je ne sais jamais s'il a vraiment compris ce que je lui dis.*

LE MÉDECIN — *Si vous n'étiez pas satisfait des services de votre pharmacien, pourquoi ne m'en avez-vous pas parlé ? Il se peut aussi que votre dose de méthadone soit insuffisante, ce qui expliquerait que vous ne vous sentiez pas bien parfois. En général, les pharmaciens apportent beaucoup de soin à mesurer très précisément chaque dose.*

Au Canada, la solution de méthadone est préparée de façon magistrale par le pharmacien qui obtient le médicament en vrac.

ROBERT — *De toute manière, à quoi ça sert de se plaindre ou même de changer de pharmacien ? Les autres ne valent pas mieux que lui…*

LE MÉDECIN — *Avez-vous confiance en moi et en l'équipe qui travaille avec moi ?*

ROBERT — *Est-ce que je suis obligé de répondre à ça ? Confiance ou pas, je n'ai pas vraiment le choix ! Vous êtes les seuls à pouvoir m'offrir le traitement. Le seul autre choix qui me reste, c'est d'acheter la méthadone dans la rue à d'autres de vos patients ! La société se fout complètement de nous. On peut passer six mois à crever sur une liste d'attente, et ça n'empêchera personne de dormir !*

Le dialogue pourrait continuer ainsi, toutes les six semaines. Robert est persuadé que le monde entier lui est très hostile – et toute son expérience de vie n'a fait que lui confirmer qu'il avait raison. Julie était sa seule amie. Il est incapable de faire confiance à personne d'autre, et il n'a aucun ami intime. Il vit son deuil dans la colère. Il ne parle jamais de ses problèmes de santé et refuse les examens périodiques. Le traitement se poursuit de façon minimale, la communication aussi. Par ailleurs, l'état du patient s'est amélioré : il a retrouvé son poids normal, il n'a plus été arrêté, il a un endroit stable où habiter et il ne s'adonne plus à l'héroïne. Même si les rencontres avec ce patient ne sont jamais très agréables, le traitement est un succès à plusieurs égards.

« Je suis incapable de me contrôler »

Stéphanie, âgée de 22 ans, fait usage de cocaïne par voie intraveineuse. Un jour, elle se présente à l'urgence de l'hôpital avec une forte fièvre, une atteinte de son état général et un œdème marqué à l'avant-bras gauche. On l'a installée sur une civière dans un corridor, et son premier bilan de santé est terminé. L'échographie démontre la présence d'une large collection purulente entre les plans musculaires. Celle-ci est ponctionnée. L'échographie cardiaque et la radiographie pulmonaire sont normales. L'hémoculture est positive pour le staphylocoque doré (*staphylococcus aureus*). L'antibiothérapie intraveineuse est entreprise et la demande d'hospitalisation est faite au service de médecine générale. Après 12 heures de traitement, la fièvre est tombée et la patiente commence à circuler dans l'unité des urgences. Elle est souvent absente de sa civière quand vient le temps de lui administrer ses antibiotiques ; selon elle, c'est pour aller fumer une cigarette. Son humeur est très fluctuante. Elle peut se montrer charmante, puis, quelques instants plus tard, hurler contre son infirmière pour obtenir une dose des analgésiques qui lui ont été prescrits au besoin. Elle fait plusieurs appels téléphoniques et elle reçoit la visite d'un jeune homme dont on peut dire qu'il a l'air d'un « drogué ». Peu après, on surprend Stéphanie aux toilettes de l'urgence à essayer de se faire une injection dans la voie veineuse ouverte pour l'administration de ses antibiotiques. On appréhende les plus grandes difficultés pendant son hospitalisation et, comme elle ne semble pas préoccupée de sa santé, on lui propose même de signer un refus de traitement. Le médecin traitant est dépêché sur les lieux afin que la patiente quitte l'urgence dans les plus brefs délais.

LE MÉDECIN — *Bonjour, Stéphanie.*

STÉPHANIE — *Bonjour.*

LE MÉDECIN — (après s'être présenté) *Vous sentez-vous mieux ?*

STÉPHANIE — *Oui. Mon bras est maintenant désenflé et je peux bouger les doigts. Cependant, j'ai encore très mal et on ne me donne pas assez de médicaments. L'infirmière ne vient pas quand je l'appelle. Et quand elle vient, elle refuse souvent de me donner le médicament qu'on m'a prescrit au besoin. Pourtant, je lui dis que ça me fait très mal : 9 sur 10, selon leur échelle de douleur. À chaque refus, je ne pense qu'à signer un refus de traitement.*

Le médecin questionne Stéphanie sur ses habitudes de consommation et il conclut au diagnostic de dépendance à la cocaïne ainsi qu'au diagnostic d'abus d'alcool et de benzodiazépines. Stéphanie n'a pas de domicile fixe, elle se prostitue et passe souvent la nuit chez ses clients. Dans son dossier de l'hôpital, on note plusieurs visites à l'urgence pour des intoxications, dont quelques-unes se sont terminées par un refus de traitement.

LE MÉDECIN — *À votre arrivée, vous aviez un abcès volumineux et une septicémie, c'est-à-dire une infection du sang. On a même pensé que les valves de votre cœur étaient infectées, mais les examens n'ont rien confirmé de tel. Vous allez devoir prendre des antibiotiques par voie intraveineuse pendant cinq jours. Pensez-vous être capable de rester à l'hôpital tout ce temps ?*

STÉPHANIE — *Oui, je veux m'occuper de ma santé. Ça fait longtemps que j'en ai assez de mon style de vie. Je voudrais changer. Mais c'est plus fort que moi : chaque fois que j'entreprends une démarche, je me sens tellement mal après quelques jours d'abstinence que je m'en vais ou bien je m'arrange pour me disputer avec un autre résident ou un intervenant de façon à me faire expulser. Quand je suis en manque, c'est comme si une autre personne m'habitait. Je deviens agressive, agitée, incapable de dormir. Un rien me met en colère ou me fait pleurer. Je ne veux plus voir personne, et pourtant je ne tolère pas d'être seule dans ces moments-là. Je ne suis pas comme ça dans la réalité. Quand j'étais au secondaire, j'avais beaucoup d'amis et je m'entendais avec tout le monde. Je ne suis pas seulement une pute qui se drogue, même si j'en ai l'air ! Je suis allée à l'école privée, vous savez, j'avais de bons résultats scolaires et j'ai même appris à jouer de la harpe classique…*

LE MÉDECIN — *Ça ne sera probablement pas facile pour vous de rester ici cinq jours. Qu'est-ce que je peux faire pour vous y aider ?*

STÉPHANIE — *J'aimerais avoir des médicaments antidouleur régulièrement plutôt qu'au besoin. Je déteste avoir à demander ça, avoir à convaincre mon infirmière que j'ai mal.*

J'aurais aussi besoin de médicaments pour m'aider à dormir. Quand je dors, au moins quelques heures, je suis plus patiente pendant la journée.

LE MÉDECIN — *Ça fait partie des mesures que je voulais vous proposer pour faciliter votre sevrage de la cocaïne. Avez-vous avisé vos proches de votre présence ici ? Est-ce que vous souhaiteriez que je communique avec une personne de votre entourage pour lui expliquer ce qui vous arrive ?*

STÉPHANIE — *J'ai déjà appelé ma mère et elle viendra me visiter aujourd'hui. Après deux mois sans nouvelles de moi, elle était soulagée de savoir que j'étais encore en vie.*

LE MÉDECIN — *J'aimerais la rencontrer quand elle viendra vous voir. Ce qui vous est arrivé est très grave et aurait pu l'être plus encore si votre cœur avait été atteint. À votre sortie de l'hôpital, vous allez devoir prendre des antibiotiques par voie orale pendant au moins 10 jours. Vous serez aussi très fatiguée et vous ne serez pas capable de reprendre le rythme de vie que vous aviez avant votre arrivée à l'hôpital. Il va falloir parvenir à un arrangement pour que vous puissiez terminer votre traitement et vous reposer.*

Le séjour à l'hôpital d'une personne qui a besoin de soins aigus et qui est en sevrage lié à une dépendance à la cocaïne peut devenir facilement très chaotique. Il importe donc de proposer un traitement symptomatique. Le sevrage est une condition psychiatrique organique, et il y a une perte de contrôle sur certains comportements, comme la recherche de drogue. La médication peut être d'une aide certaine dans ces circonstances. Il est avantageux de discuter du traitement de sevrage avec cette patiente et d'en arriver à une entente satisfaisante. On évite ainsi des conflits, qui peuvent survenir à tout moment de la journée ou de la nuit, avec le personnel infirmier chargé de mettre le traitement en application.

Dans l'ordre de priorité, il faut d'abord s'assurer que la patiente termine son antibiothérapie intraveineuse de cinq jours. Il ne faut pas hésiter à recourir à l'analgésie et aux tranquillisants, si cela s'avère nécessaire au sevrage. Dans un deuxième temps, quand la période critique du traitement de la condition médicale et du sevrage sera passée, il faudra s'assurer de poursuivre le traitement en soins ambulatoires et offrir de l'aide à la patiente pour qu'elle réorganise sa vie et, à tout le moins, qu'on l'informe des techniques d'injection à risques réduits.

Dans l'approche proposée ici, il y a une tentative de faire une alliance avec une ou des personnes significatives de l'entourage de la patiente. Il arrive très rarement qu'on ne puisse pas faire appel à quelqu'un. L'entourage est invariablement très affecté par la toxicomanie d'un proche et a souvent déjà fait beaucoup pour tenter d'aider la personne à se sortir de la situation. La rencontre avec un proche permet de juger de l'état de fatigue ou d'épuisement de l'entourage et de la capacité de ces personnes de se mobiliser encore une fois dans une situation d'urgence.

La patiente donne aussi des indications importantes sur elle-même en disant qu'elle peut être une personne différente de celle qu'elle paraît au premier abord. On pourra donc s'adresser à la harpiste ou à l'élève modèle, qui constituent d'autres aspects de sa personnalité.

Les soins de santé exigés par un état pathologique aigu constituent une excellente occasion pour tenter d'aller au-delà du besoin immédiat. Une maladie grave peut effectivement déclencher chez un patient un désir de changement, dont il faut toujours être à l'affût.

« Je ne suis pas toxicomane »

Albert, âgé de 62 ans, médecin généraliste à la retraite, est amené à l'urgence dans le coma. Sur sa table de chevet, les ambulanciers ont trouvé un coffret métallique rempli d'une centaine de fioles de divers médicaments, dont des analgésiques narcotiques, des benzodiazépines et des antihistaminiques. Une intoxication médicamenteuse est diagnostiquée et traitée.

Au début de la trentaine, on a diagnostiqué chez Albert un trouble affectif bipolaire et il est sous médication. Le Collège des médecins l'a forcé à prendre sa retraite il y a une dizaine d'années, après qu'il eut manqué gravement de jugement avec plusieurs patients et devant son peu de fidélité au traitement du trouble affectif bipolaire. Par ailleurs, il a eu des problèmes liés à l'abus d'alcool à divers moments de sa vie.

Albert présente des céphalées, qu'il dit être graves, depuis trois ou quatre ans, ce qui serait à l'origine de son abus de médicaments opiacés et de benzodiazépines. Il a des lésions de discarthrose cervicale, démontrées à l'aide d'examens radiologiques. Il est convaincu que seule la chirurgie pourrait le soulager. Son neurochirurgien ne voit aucune indication chirurgicale et pense qu'il présente des céphalées de rebond, secondaires de son abus d'analgésiques.

Albert est hospitalisé pendant quelques jours, mais il ne semble pas réaliser la gravité de ce qui lui est arrivé.

LE MÉDECIN — *Vous souvenez-vous des circonstances qui ont entraîné votre arrivée à l'urgence ?*

ALBERT — *C'est un peu vague. Je me souviens d'avoir eu terriblement mal à la tête. J'ai pris une première dose de dilaudid, qui ne m'a pas soulagé. J'en ai donc pris une seconde dose, cette fois avec deux comprimés de 30 mg de Serax. Peu avant, j'avais bu un peu d'alcool avec mon repas. Par la suite, je ne me souviens plus de rien.*

LE MÉDECIN — *Devez-vous souvent prendre de fortes doses de médicaments pour vous soulager de vos céphalées ?*

ALBERT — *Assez souvent, oui. Depuis quelques années, mes céphalées sont de plus en plus graves, et les médicaments de moins en moins efficaces. Par ailleurs, j'ai de plus en plus de difficulté à dormir. Je ne peux simplement plus tolérer la douleur !*

LE MÉDECIN — *Je vois, dans votre dossier, plusieurs visites à l'urgence pour intoxication. Avez-vous l'impression de toujours bien gérer votre usage de médicaments ? N'êtes-vous pas inquiet de vous blesser sous l'effet des médicaments ou même de mourir d'intoxication si personne de votre entourage ne vous découvre à temps ?*

ALBERT — *Je ne suis pas toxicomane, si c'est ce que voulez savoir. C'est simplement que je souffre beaucoup.*

LE MÉDECIN — *Vous êtes ici depuis cinq jours, sans analgésiques, et vous ne semblez pas trop souffrir. Le personnel infirmier me dit que vous êtes très occupé à faire des appels, à recevoir des visiteurs et à circuler un peu partout dans l'hôpital.*

ALBERT — *Je me sens effectivement mieux. Cependant, je sais que la douleur reviendra.*

LE MÉDECIN — *Qu'est-ce que votre médecin, le docteur Julien, pense de votre usage de médicaments ? N'est-il pas inquiet de vos multiples intoxications ?*

ALBERT — *Ah! Vous parlez de Michel? C'est mon meilleur ami. Nous allions à l'université ensemble. Nous jouons encore au golf deux fois par semaine. Je ne l'informe pas chaque fois que je viens à l'urgence. Je ne veux pas l'inquiéter inutilement.*

Albert présente des symptômes d'abus d'opioïdes et de benzodiazépines. Il a eu des problèmes d'abus d'alcool dans le passé. Il a choisi un ami proche comme médecin traitant, dont il peut par conséquent influencer aisément les décisions. Il ne se considère pas comme toxicomane. Il est inutile d'essayer de le convaincre qu'il en est un. On peut plutôt centrer l'approche à la fois sur le soulagement de la douleur (en évitant l'usage des opiacés) et sur sa sécurité.

LE MÉDECIN — *Je suis inquiet pour vous. Vous semblez en perte de contrôle quand vous êtes souffrant et que vous avez de grandes quantités de médicaments à votre disposition. J'aimerais pouvoir discuter de la situation avec votre médecin et votre conjointe. Il faudra probablement revoir l'approche pour le traitement de la douleur et les quantités de médicaments que vous pouvez avoir à votre disposition.*

Dans une situation de perte de contrôle relative à des médicaments prescrits, il est indispensable de collaborer avec le médecin traitant, le pharmacien et les proches si on veut prévenir les intoxications à répétition. Certains professionnels de la santé ont de la difficulté à s'en remettre à quelqu'un d'autre pour leurs soins de santé, comme c'est le cas ici. De plus, l'existence d'une maladie psychiatrique, associée à un problème d'abus de substances, rend le traitement plus ardu, et les résultats peuvent prendre plus de temps à se manifester.

Conclusion

On le voit bien: il n'y a pas de solution miracle ni de recette secrète pour communiquer efficacement avec les personnes aux prises avec un problème d'abus ou de dépendance. Les principes de base de la communication professionnelle s'appliquent ici, que ce soit sur le plan de l'empathie et de l'établissement de la relation, sur le plan du maintien du caractère professionnel des rencontres, sur le plan de l'intérêt qu'on doit porter à la personne et à son expérience de vie unique, sur le plan de la clarté de la communication ou sur celui de la rigueur dans la prise de décision. L'intérêt et le bien-être du patient et de ses proches demeurent le centre de notre intervention et, au bout du compte, le patient adulte est celui qui prend toutes les décisions qui le concernent.

Les cas qui précèdent sont des exemples concrets d'interventions dans des situations courantes avec des patients toxicomanes. Il est évidemment impossible de prévoir toutes les situations qui peuvent se présenter, car elles sont d'une diversité infinie. En cas de doute, le médecin peut toujours s'en ouvrir au patient, lui dire qu'il ne sait pas quelle est la meilleure décision à prendre et qu'il a besoin de consulter un collègue, le tout dans son meilleur intérêt. Il est rare qu'une décision doive être prise sur-le-champ. Un temps de réflexion et de consultation ne peut qu'améliorer la relation du médecin avec le patient et témoignera de son désir de proposer les solutions les plus efficaces et justes possible. Les difficultés de certaines situations cliniques en font tout l'intérêt, et la créativité du médecin est mise à profit dans la recherche de solutions originales, appropriées à chaque situation et conformes à son style personnel d'intervention et de communication.

Notes

1. Le *DSM-IV* est la quatrième édition du *Manuel diagnostique et statistique des troubles mentaux*, publié la première fois en 1952 par l'American Psychiatric Association sous le titre *Diagnostic and statistical manual of mental disorders*. Le *DSM-IV* a été traduit par J.-D. Guelfi et autres, et a été publié chez Masson en 1996.

2. Dans l'argot des toxicomanes, ce terme désigne de façon péjorative les non-toxicomanes.

Références

American Psychiatric Association (1994). *DSM-IV: Diagnostic and statistical manual of mental disorders*, Washington, American Psychiatric Association. La traduction française a été faite par J.-D. Guelfi et autres, publiée en 1996 chez Masson sous le titre *DSM-IV: Manuel diagnostique et statistique des troubles mentaux*.

Barbeau, D., M. Brabant et P. Lauzon (2000). « Les mécanismes biopharmacologiques impliqués dans les dépendances et leurs traitements pharmacologiques », dans *L'usage des drogues et la toxicomanie*, vol. III, sous la direction de Pierre Brisson, Boucherville, Gaëtan Morin, p. 175-200.

Bibeau, G., et M. Perreault (1995). *Dérives montréalaises: à travers des itinéraires de toxicomanies dans le quartier Hochelaga-Maisonneuve*, Montréal, Boréal.

Caulkins, J.P., et S.L. Satel (1999). « Methadone patients should not be allowed to persist in cocaine use », *Drug Policy Analysis Bulletin*, n° 6, p. 1-4, version électronique en format PDF (www.fas.org/drugs/issue6.htm#1).

Cocteau, J. (1995). *Opium*, Paris, Livre de poche, n° 13795.

Collège des médecins du Québec et Ordre des pharmaciens du Québec (1999). *Utilisation de la méthadone dans le traitement de la toxicomanie aux opiacés*, Montréal, version électronique en format PDF (www.opq.org/fr/normes_guides/pdf/methadone.pdf).

Droits et démocratie (2000). *Building peace in Columbia*, Montréal.

DSM-IV. Voir *American Psychiatric Association* (1994).

Fellner, J. (2000). « Punishment and prejudice: Racial disparities in the war on drugs », Human Rights Watch, vol. 12, n° 2 (G), version électronique en format PDF (www.hrw.org/reports/2000/usa/index.htm#TopOfPage).

Gagnon, M. (1997). *Bienvenue dans mon cauchemar*, Montréal, VLB.

Kaminski, D. (2000). « L'injection de la cause », *Psychotropes: revue internationale des toxicomanies*, vol. 6, n° 4, p. 55-64.

Lamoureux, J., P. Lauzon, M. Perreault, D. Palmer, G.P. Lévesque et C. Perron (2000). « Citoyenneté et toxicomanie: points de vue des personnes touchées », *Psychotropes: revue internationale des toxicomanies*, vol. 6, n° 4, p. 27-42.

Lauzon, P. (2000). « Entrevue avec le sénateur Pierre Claude Nolin sur les politiques canadiennes en matière de drogues », *Psychotropes: revue internationale des toxicomanies*, vol. 6, n° 4, p. 45-54.

Riley, D. (1998). *La politique canadienne de contrôle des drogues*, document préparé pour le Sénat canadien.

Robins, L.N. (1993). « Vietnam veterans' rapid recovery from heroin addiction: A fluke or normal expectation? », *Addiction*, n° 88, p. 1041-1054.

Robins, L.N., H. Davis et W. Goodwin (1974). « Drug use by U.S. army enlisted men in Vietnam: A follow-up on their return home », *American Journal of Epidemiology*, vol. 99, n° 4, p. 235-249.

Robins L.N., D.H. Davis et D.N. Nurco (1974). « How permanent was Vietnam drug addiction? », *American Journal of Public Health*, vol. 64 (suppl.), p. 38-43.

Robins, L.N., et G.E. Murphy (1967). « Drug use in a normal population of young Negro men », *American Journal of Public Health*, vol. 57, n° 9, p. 1581-1596.

Temporary Advisory Sub-committee on Narcotics Harm Reduction (1997). *No further harm*, sous la direction du Dr Ray Baker, rapport soumis au Professional Advisory Committee of the British Columbia Medical Association et au ministère de la Santé de la Colombie-Britannique.

Zinberg, N.E. (1984). *Drug, set, setting: The basis for controlled intoxicant use*, New Haven (Connecticut), Yale University Press.

Les patients défavorisés

Diane Roger-Achim
David Barbeau

CHAPITRE 17

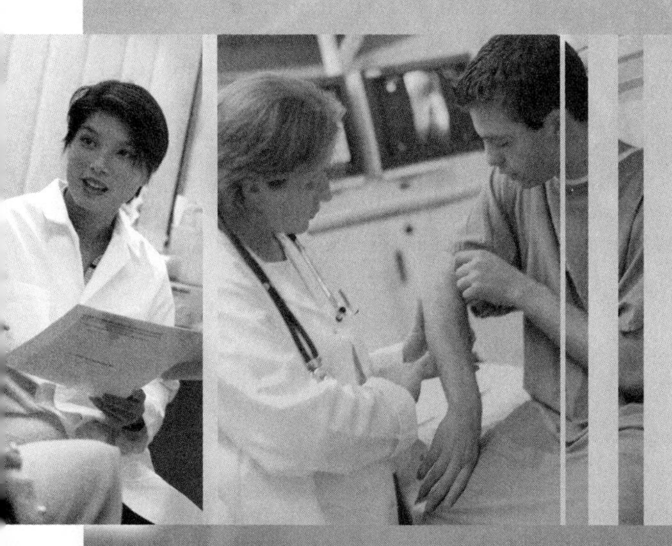

La pauvreté chronique dans laquelle vit un individu façonne sa perception de lui-même et sa perception du reste de la société. Elle influe donc sur la personne défavorisée dans sa façon d'entrer en relation et de communiquer avec les autres.

En général, on considère qu'une personne est pauvre si elle manque d'argent pour se procurer les biens et les services de base ou pour y avoir accès, mais c'est oublier que la pauvreté est un phénomène multidimensionnel. En plus de la pauvreté matérielle (*avoir*), la personne très défavorisée expérimente aussi la pauvreté sociale (*pouvoir*), qui l'empêche de jouer un rôle valorisant dans la société. Cette pauvreté sociale rend difficile, voire impossible, l'exercice des droits sociaux et elle isole l'individu. De plus, elle est souvent accompagnée de la pauvreté culturelle (*savoir*), qui garde les personnes à l'écart du monde de la connaissance et de la culture, et limite l'acquisition de connaissances utiles dans la vie de tous les jours, en particulier dans les interactions avec les professionnels de la santé (Centraide Montréal, 1998).

En premier lieu, nous aborderons les liens qui unissent la pauvreté et l'état de santé. Nous décrirons ensuite les entraves à la communication auxquelles le médecin doit faire face dans ses relations avec les personnes vivant dans la pauvreté. Nous tenterons de mieux connaître la réalité vécue par ces personnes et nous passerons en revue des moyens qui facilitent la communication des médecins avec les patients défavorisés.

La pauvreté et l'état de santé

La pauvreté est associée à une réduction de la qualité et de l'espérance de vie. Cette observation ne s'explique pas uniquement par des habitudes de vie moins favorables. La plupart des maladies voient leur pronostic s'assombrir chez les patients pauvres (Marmot, Ryff, Bumpass, Shipley et Marks, 1997; Wilkinson, 1992; Kaplan, Lynch, Cohen, Balfour et Pamuk, 1996; Adler et autres, 1994; Kahn, Wise, Kennedy et Kawachi, 2000; Benzeval et Judge, 2001). Des études ont aussi mis en évidence les conséquences négatives considérables de la pauvreté sur la santé mentale (Benzeval et Judge, 2001; Kaplan, Roberts Camacho et Coyne, 1987; Murphy et autres, 1991; Byrne et autres, 1998; Ostler et autres, 2001). Une des manifestations majeures de la pauvreté est la perte de contrôle de l'individu sur son environnement et sur ses conditions d'existence, la sensation de n'avoir aucun pouvoir sur sa destinée (McLeod et Kessler, 1990). Ce manque de contrôle serait la plus grande cause des effets néfastes de la pauvreté sur la santé de la personne défavorisée (Lynch, Kaplan et Shema, 1997).

En fait, pour l'ensemble du Québec, l'espérance de vie à la naissance chez les hommes est aujourd'hui de 76 ans. Elle tombe cependant à 71 ans chez les hommes qui appartiennent au cinquième de la population le plus défavorisé sur les plans matériel et social, tandis qu'elle grimpe à près de 80 ans chez les hommes les plus favorisés (Pampalon et Raymond, 2000). À Montréal, l'espérance de vie des habitants de quartiers défavorisés accuse un écart de 5 à 10 ans par rapport à celle des résidants des quartiers favorisés (Choinière, 1993). En 1997 et 1998, toujours pour l'ensemble du Québec, le taux d'hospitalisation pour 100 habitants était de 16,2 dans le cas des personnes les plus pauvres et de 10,4 dans le cas des plus riches. Entre 1995 et 1997, le taux de fécondité des adolescentes du quintile le plus défavorisé se situait à 4,7, alors qu'il était de 0,26 seulement chez les adolescentes les plus favorisées (Pampalon et Raymond, 2000).

Par ailleurs, la pauvreté s'accompagne fréquemment d'une kyrielle de problématiques qui s'additionnent: la faible scolarité, voire l'analphabétisme, l'immigration récente, les troubles de santé mentale, l'alcoolisme et la toxicomanie, le jeu compulsif, les maladies physiques débilitantes, le chômage et le désœuvrement, l'isolement social, et même la violence et la criminalité. Évidemment, ces facteurs, à la fois causes et conséquences de la pauvreté, contribuent à la mauvaise santé des personnes pauvres.

La pauvreté d'un patient influence aussi la façon dont le système de santé le traite. En effet, plusieurs études récentes indiquent que les patients appartenant à des groupes sociaux défavorisés ne reçoivent pas des soins médicaux équivalents à ceux que reçoivent les patients favorisés ; ces études montrent aussi que ces patients demeurent plus longtemps sur les listes d'attente, et ce, même dans les pays où l'accès aux soins médicaux est universel (Ancona et autres, 2000 ; Pell et autres, 2000 ; Marshall, Hardy et Kuh, 2000 ; Rathore et autres, 2000 ; Alter, Naylor, Austin et Tu, 1999). De multiples facteurs, liés à la fois au contexte, aux dispensateurs de soins et aux patients, contribuent à cette situation.

Le patient défavorisé, parce qu'il présente fréquemment des facteurs de risque associés à de nombreuses maladies, est souvent celui pour qui une intervention préventive serait potentiellement des plus bénéfiques. Or, les interventions préventives requièrent nécessairement une communication efficace.

La pauvreté et la relation médecin-patient

La communication, outil essentiel du médecin, facilite le diagnostic, le soutien et le réconfort, et permet de transmettre les explications et les conseils. C'est un facteur qui joue un rôle primordial dans l'observance du traitement prescrit (Bellet, 1994 ; Hall, Roter et Katz, 1988).

Traiter un patient défavorisé pose au professionnel de la santé des problèmes médicaux et relationnels : en fait, ces problèmes ne sont pas tellement différents des problèmes qu'il éprouve avec un patient plus favorisé, mais ils ont une plus grande ampleur et, comme nous l'avons souligné plus haut, ils s'additionnent souvent. De plus, les patients qui vivent dans la pauvreté forment une population très hétérogène : ce sont des individus dont les caractéristiques particulières peuvent compliquer davantage leur interaction avec les professionnels de la santé (exemples : les barrières linguistiques et culturelles d'un nouvel arrivant ou les difficultés relationnelles liées à la maladie mentale).

Une méta-analyse portant sur 41 études publiées a permis de constater que les comportements des médecins dans leurs interactions avec leurs patients varient en fonction du statut socioéconomique de ces derniers (Hall et autres, 1988). Cet article précise que les médecins donnent davantage d'informations et consacrent davantage de temps aux patients dont le statut socioéconomique est élevé. On y apprend également que les patients défavorisés reçoivent moins de renforcements positifs. Ces constatations ne sont pas surprenantes, les personnes pauvres vivant dans une culture qui diffère par bien des aspects de celle des médecins. Or, la communication est plus facile entre deux personnes qui partagent des valeurs et une même culture. De plus, comme les patients plus favorisés sont plus scolarisés et plus informés, ils posent naturellement plus de questions, ce qui incite les médecins à mieux élaborer leurs explications (Hall et autres, 1988 ; Pendleton et Bochner, 1980).

Une étude portant sur les perceptions des médecins indique que ceux-ci manifestent plus d'intérêt et vivent moins de frustration au contact de patients appartenant à une classe sociale élevée (Dungal, 1978).

Les entraves à la communication

Toute interaction entre un professionnel de la santé et un patient comporte des entraves à la communication (*communication barriers*). Ces entraves sont souvent plus importantes lorsqu'on soigne une clientèle défavorisée. Voici une classification de ces entraves, inspirée de Ventres et Gordon (1990).

LA MÉCONNAISSANCE DE LA SITUATION ET DE LA RÉALITÉ DU PATIENT

La personne pauvre a peu ou pas d'argent à sa disposition pour investir dans sa santé. Elle est donc limitée dans ses choix thérapeutiques, et le médecin doit en tenir compte. Ainsi, certains défavorisés ne pourront pas avoir accès à des médicaments. Au Québec, seuls les patients recevant de l'aide sociale et considérés comme atteints d'une maladie chronique bénéficient de la gratuité des médicaments ; les autres patients doivent verser une franchise que plusieurs ne peuvent débourser, même si elle est peu élevée. De plus, la liste des médicaments gratuits, bien qu'elle inclue tous les médicaments essentiels, est limitée. En prescrivant un médicament, le médecin devrait s'assurer qu'il est inclus dans cette liste, sinon le patient pauvre pourra décider de ne pas l'acheter, faute d'argent. Dans une telle situation, il se peut fort bien que le patient, découragé et honteux, ne retourne même pas consulter le médecin pour lui demander une ordonnance de médicament couvert par le régime.

Dans le même ordre d'idées, les personnes défavorisées sont généralement incapables de s'offrir des services non assurés. De plus, elles doivent aussi attendre plus longtemps pour obtenir des services que les gens plus favorisés peuvent se payer. Ainsi, même si le Québec garantit l'accès universel et gratuit aux soins de santé, un patient qui en a les moyens peut passer une échographie ou une tomodensitométrie (TDM ; en anglais, *CAT scanning*) en clinique privée dans les jours suivant la prescription par le médecin, alors que le patient sans le sou doit parfois attendre plusieurs mois dans le réseau de santé publique.

Voyons un autre exemple : le patient défavorisé a rarement les moyens de payer l'inscription à une activité sportive ou de s'offrir l'équipement nécessaire à la pratique d'une telle activité, et il n'osera peut-être pas le dire spontanément au médecin. Le praticien qui traite des patients pauvres doit continuellement tenir compte de ces contraintes, en discuter avec eux et adapter sa pratique, ses conseils et ses recommandations à leur situation et à leur réalité.

Le médecin doit se rappeler que le manque d'argent se répercute dans tous les domaines de la vie quotidienne. Comment suivre une diète équilibrée, sans sel et sans sucre ajoutés, lorsqu'on fréquente quotidiennement les soupes populaires ? Avec quel argent acheter le glucomètre conseillé ? Comment se rendre à son rendez-vous dans un centre hospitalier pour passer un examen spécialisé quand on n'a pas l'argent pour payer le transport ?

LES LIMITES DANS LES CONNAISSANCES ET LE LANGAGE DU PATIENT

En général, la personne défavorisée n'a qu'une connaissance vague et fragmentaire du fonctionnement du corps humain. Comment, alors, exprimer ses symptômes et ce qu'on ressent ou comment comprendre les explications du médecin ?

Par ailleurs, la personne défavorisée est souvent peu scolarisée et son vocabulaire est limité, particulièrement dans un domaine aussi spécialisé que la santé. D'un autre coté, le médecin et les autres professionnels de la santé ont appris et utilisent facilement un vocabulaire technique précis, éloigné du langage courant. Le médecin doit donc faire constamment des efforts considérables s'il veut combler ce fossé et être compris par le patient défavorisé[1].

LE MANQUE DE TEMPS

Le temps que le médecin peut consacrer à un patient est compté, et ce problème devient plus aigu avec le patient pauvre. En effet, il n'est pas rare qu'un patient défavorisé consulte tardivement pour plusieurs problèmes de santé, par ailleurs souvent chroniques. De plus, le patient pauvre n'a généralement pas des habitudes de vie saines, et ses demandes et besoins sont souvent multiples. Dans une entrevue, dont la durée est nécessairement limitée, l'accumulation de demandes exprimées par le patient et de besoins perçus par le médecin surcharge rapidement l'ordre du jour. Le médecin qui se sent obligé de tout régler dans une seule rencontre peut alors se décourager et manifester des attitudes négatives envers cette clientèle.

LES PERCEPTIONS NÉGATIVES ET LES ATTENTES DU MÉDECIN

Une enquête réalisée auprès de médecins résidents pratiquant dans différents programmes de médecine familiale de l'Ohio, aux États-Unis, a montré que la plupart d'entre eux avaient une perception négative des personnes défavorisées (Price, Desmond, Snyder et Kimmel, 1988). Les résultats de l'enquête sont éloquents. Le quart de ces médecins croyaient que les personnes pauvres étaient dans leur situation à cause de leur paresse. La moitié d'entre eux étaient d'accord avec l'affirmation que les patients pauvres sont plus susceptibles d'abuser (*take advantage*) du système de santé. La majorité des répondants croyaient peu probable que les personnes défavorisées adoptent des comportements préventifs ou observent le traitement prescrit. Un peu moins de la moitié des médecins interrogés croyaient que les pauvres étaient des patients plus difficiles et qu'ils se préoccupaient moins de leur santé que le reste de la population.

Dans une étude américaine plus récente (Van Ryn et Burke, 2000), on a analysé 618 rencontres médicales faites par 193 médecins en pratique. Cette étude a montré que ces médecins percevaient leurs patients de race noire ou économiquement défavorisés plus négativement que leurs patients de race blanche ou favorisés, et ce sur plusieurs plans. Par exemple, les médecins les percevaient négativement quant à leur personnalité (irrationalité et manque de maîtrise de soi) et quant à leur intelligence. De plus, les médecins croyaient que ces patients étaient moins susceptibles de suivre leur programme de réadaptation, moins enclins à désirer un style de vie actif et moins susceptibles de prendre à leur charge des membres de leur famille. Enfin, les médecins jugeaient que les patients défavorisés couraient davantage le risque d'avoir un soutien social inadéquat.

Certaines de ces constatations relèvent de préjugés non fondés ; d'autres, de jugements stéréotypés, fondés sur la réalité, mais ne s'appliquant pas à l'ensemble des personnes pauvres. Bien sûr, il est difficile de se débarrasser de tous les stéréotypes, mais le médecin doit s'efforcer d'individualiser sa perception des patients défavorisés et d'adapter son mode de communication et sa façon de transmettre l'information.

Le médecin doit garder présent à l'esprit que le patient pauvre et démuni peut lui faire vivre toute une gamme d'émotions négatives. En voici quelques exemples.

- L'impuissance : quand le médecin constate qu'une bonne partie des problèmes de santé du patient découlent de sa situation sociale, difficile à modifier.

- La colère : quand le patient présente de multiples problèmes et que le médecin sait qu'il devra consacrer beaucoup de temps et d'énergie pour obtenir, peut-être, peu de résultats tangibles.
- La frustration : quand le médecin constate qu'il ne peut pas répondre adéquatement aux besoins du patient, bien qu'on vive dans une société riche.

Ces émotions négatives peuvent entraîner une attitude de rejet chez tout professionnel de la santé. En être conscient peut aider ce dernier à mieux s'adapter aux patients défavorisés.

LE COMPORTEMENT DU PATIENT DÉFAVORISÉ

La personne pauvre a souvent honte de ses conditions d'existence, de sa situation marginale, de son sentiment d'appartenance au groupe des *exclus*. Elle se sent inférieure et a l'impression que ce qu'elle a à dire n'a pas d'importance. Plusieurs s'isolent du monde qui les entoure pour éviter toute situation humiliante ; on constate cette attitude, par exemple, dans la faible participation des femmes enceintes défavorisées aux cours prénataux. Ces sentiments de honte et d'exclusion s'amplifient lorsque le défavorisé tente de communiquer avec son médecin – qui représente la réussite sociale. Le patient pauvre est souvent peu loquace : il tait ses préoccupations et pose peu de questions. S'il ne comprend pas les explications du médecin, il ose rarement lui demander de répéter. Le médecin peut alors succomber à la tentation d'adopter une attitude paternaliste, ce qui ne fera qu'aggraver le problème (Roter et autres, 1997). Pourtant, une étude a montré que les personnes pauvres, même si elles ne posent pas souvent de questions au médecin, veulent autant d'informations que les personnes plus favorisées (Waitzkin, 1985).

Apprendre à connaître pour mieux comprendre et mieux communiquer

LA RÉALITÉ DE LA PERSONNE TRÈS DÉFAVORISÉE

À première vue, les personnes qui ne travaillent pas et qui, par conséquent, n'ont pas à faire face aux responsabilités et aux exigences d'un emploi peuvent sembler mener une vie facile, mais elles doivent quand même affronter un stress constant dans la vie de tous les jours et déployer beaucoup d'énergie, uniquement pour survivre. Candib et Gelberg (2001) ont démontré que ces personnes vivent davantage d'événements stressants et, surtout, d'événements qui échappent à leur contrôle. On comprend facilement qu'une panne de réfrigérateur pendant la canicule puisse être une cause de stress pour n'importe qui, mais il faut aussi savoir que ce stress est décuplé quand un individu doit décider de consacrer une certaine somme à la réparation de l'appareil ou à son remplacement, tout en sachant qu'ainsi il n'aura probablement pas assez d'argent pour payer la facture d'électricité ou pour se procurer la nourriture jusqu'à la fin du mois. La personne démunie se trouve alors devant un dilemme impossible à résoudre – parce qu'il est inacceptable. Ce stress vient s'ajouter aux nombreux autres, inhérents à une situation de survie continuelle. Une fois de plus, la personne pauvre se sent complètement impuissante.

De plus, le défavorisé vit sans espoir d'échapper à sa condition. Contrairement à ce qu'on pense souvent, il est ardu de se sortir de la pauvreté. Ainsi, il est difficile de se trouver un emploi décent lorsqu'on a très peu d'instruction, qu'on n'a pas de vêtements convenables pour bien se présenter, qu'on n'a même pas l'argent nécessaire pour se payer les transports en commun.

Pour ne pas se sentir tout le temps démoralisé, pour survivre, la personne pauvre fait appel à toutes sortes de moyens, comme la réduction des dépenses liées au nécessaire, de façon à pouvoir conserver quelques miettes de plaisir. Comme les défavorisés ne peuvent évidemment pas arriver à boucler leur budget et que le besoin de rêver et de se faire plaisir est très humain, certains font des dépenses difficiles à comprendre et jugées illogiques par les intervenants en santé : aller manger dans un restaurant-minute (*fast food*) dès la réception du chèque mensuel d'aide sociale, s'abonner au câble ou acheter des billets de loterie (Roger-Achim et Gauthier, 1988).

Isolée et privée de valorisation extérieure, la personne pauvre perçoit souvent les enfants comme un moyen de combler ses manques. Les parents très défavorisés aiment infiniment leurs enfants – qui sont souvent leur seule source de valorisation. C'est ainsi qu'on voit régulièrement des mères se priver de nourriture pour que leurs enfants mangent bien. De plus, les mères défavorisées doivent souvent élever leurs enfants et en assumer toutes les responsabilités dans un contexte de monoparentalité. Comme les parents défavorisés ont très peu à offrir à leurs enfants sur le plan matériel, ils compensent souvent en les « gâtant » d'une autre façon, en évitant de leur imposer des limites par exemple. Cette difficulté à bien encadrer leurs enfants est aggravée par le contexte difficile dans lequel ces gens vivent : un logement trop petit, froid pendant l'hiver, le manque d'argent pour se procurer l'essentiel, etc. Sans compter qu'il est certainement plus difficile de supporter les cris des enfants dans un logement surpeuplé et déjà trop bruyant, quand on sait que les voisins entendront à travers les murs mal insonorisés et qu'ils penseront peut-être qu'on maltraite ses enfants.

En prenant vraiment conscience de toutes ces difficultés, le médecin pourra être plus compréhensif envers les défavorisés et mieux les aider.

LA CONCEPTION DE LA SANTÉ DU DÉFAVORISÉ

Le personne pauvre s'inquiète de sa santé immédiate. Elle ne veut pas être malade ni éprouver de symptômes physiques désagréables. Par contre, elle n'a pas d'aspirations liées à sa santé à long terme, puisque sa survie immédiate absorbe toutes ses préoccupations et son temps. L'état de santé dans lequel elle sera dans 10 ou 20 ans est donc moins prioritaire que sa survie immédiate.

Malgré cette vision à court terme, le patient défavorisé est souvent prêt à modifier ses habitudes de vie. S'il consulte, c'est qu'il est préoccupé par sa santé ; même s'il n'est pas toujours prêt à adopter un comportement préventif pour éviter un état maladif à long terme, il est souvent prêt à tenter certains changements, dans la mesure où il juge ces changements réalistes. Contrairement au préjugé largement répandu, le patient pauvre est réceptif aux conseils préventifs du médecin. Dans une étude menée aux États-Unis (Taira, Safran, Seto, Rogers et Tarlov, 1997), on a analysé des entrevues de patients appartenant à différentes classes socioéconomiques. Les résultats ont montré que les patients pauvres rapportent, plus souvent que les autres patients, avoir tenté de modifier leurs habitudes de vie à la suite de conseils préventifs reçus.

Pour une communication médecin-patient défavorisé efficace

Que peut faire le médecin pour améliorer la communication avec le patient défavorisé ? C'est ce que nous tenterons de préciser dans cette section.

S'intéresser au patient et à sa réalité

S'intéresser au patient et à sa réalité nous apparaît être la base d'une communication satisfaisante et efficace. Le médecin qui commence à pratiquer avec une population très défavorisée est souvent surpris de constater à quel point les patients qu'il rencontre apprécient qu'on s'intéresse à eux. Cet intérêt qu'on leur porte est, par sa nature, déjà thérapeutique.

Son estime de soi étant en général très faible, le patient pauvre se sent valorisé par le fait qu'une personne très instruite et exerçant une profession reconnue par la société puisse s'intéresser à lui. Il est aussi très reconnaissant envers le médecin qui lui porte de l'intérêt, même quand le médecin a l'impression de n'avoir rien fait pour lui. De plus, le médecin qui s'intéresse au patient défavorisé a beaucoup plus de chances de ne pas tomber dans les stéréotypes liés à la pauvreté, d'améliorer sa perception du patient et d'adapter sa démarche à ce dernier.

Prêter attention aux préoccupations du patient

Le médecin a plusieurs moyens à sa disposition pour prêter une oreille attentive aux préoccupations du patient défavorisé.

- Montrer au patient qu'on est sensible au stress et aux difficultés qu'il éprouve dans la vie de tous les jours, même si on ne peut pas y changer grand-chose : quand le patient défavorisé sent que le médecin comprend ses expériences et ses sentiments, il lui fait davantage confiance et est plus ouvert à l'aide proposée.
- Essayer de comprendre les préoccupations du patient devant ses problèmes de santé, de bien cerner ses fausses conceptions liées à la santé et ses hésitations à suivre une médication ou un traitement : le médecin ne doit pas présumer que le patient défavorisé ne veut entendre parler de rien et ne veut faire aucun effort.
- Vérifier avec le patient s'il a les moyens ou la capacité de suivre les recommandations : s'informer auprès de lui s'il a les moyens d'acheter les médicaments prescrits ; au lieu de lui reprocher de ne pas avoir été passer un examen, vérifier plutôt s'il est capable de prendre un rendez-vous, de payer les frais de transport pour s'y rendre, etc.

Voyons, à l'aide d'un exemple tiré de la pratique, comment le médecin peut prêter attention aux préoccupations du patient défavorisé.

Mme Côté, âgée de 39 ans, consulte le médecin pour son bébé de 2 mois. C'est son premier enfant. Elle vit de l'aide sociale et habite présentement avec sa sœur et son frère schizophrène. Dans quelques jours, elle et son bébé iront habiter avec le père de l'enfant. Mme Côté est asthmatique et elle est traitée à l'aide de corticoïdes en inhalateur. Le médecin note qu'elle paraît dyspnéique. La patiente est fumeuse, mais elle a fait des efforts pendant sa grossesse pour diminuer sa consommation de cigarettes. C'est une personne très peu scolarisée.

LE MÉDECIN — *Vous me semblez plus essoufflée que d'habitude, Madame Côté. Est-ce que votre asthme est moins bien contrôlé ? Avez-vous un rhume ?*

MME CÔTÉ — *Non.*

LE MÉDECIN — *Est-il possible que le stress causé par la naissance de votre bébé et par votre déménagement vous ait porté à fumer davantage ?*

Mme CÔTÉ — *Non, Docteur. J'essaie de ne pas fumer en présence de mon bébé et je sors toujours de la maison pour fumer. Alors, je ne fume pas beaucoup…*

Le médecin, qui connaît bien la patiente et sa situation financière, s'interroge alors sur la véritable cause du stress: le manque d'argent. Il ne veut surtout pas culpabiliser la patiente, mais plutôt lui montrer qu'il comprend la situation.

LE MÉDECIN — *Je sais que vous déménagez dans les prochains jours. Vous devez avoir plein de dépenses. Avez-vous pu acheter votre pompe de cortisone ce mois-ci?*

Mme CÔTÉ — *Non, Docteur. J'ai eu à faire un choix. Mon asthme était assez bien contrôlé, et j'ai dû acheter un réfrigérateur. Il est usagé, je donnerai au marchand une petite somme à chaque mois, mais il a exigé un plus gros versement le premier mois. Mon prochain chèque arrive cette semaine, je pourrai acheter ma pompe.*

LE MÉDECIN — *Je comprends, Madame Côté. C'est très stressant de ne pas avoir assez d'argent pour payer les imprévus. Je vais voir si je n'aurais pas un échantillon à vous donner.*

La patiente n'osait pas avouer à son médecin qu'elle n'avait pas acheté l'inhalateur de corticoïdes ce mois-ci. Quand elle se rend compte que le médecin comprend la situation et lui propose de l'aider, elle est soulagée. En déterminant la véritable cause de l'aggravation de l'asthme de Mme Côté, le médecin n'a pas à faire d'examen complémentaire ni à ajuster la médication.

Passons à un autre exemple, bref, mais éloquent.

Le médecin connaît bien son patient, M. Bertrand. Il sait que celui-ci ne vit pas dans un logement, mais qu'il loue une chambre au mois. Il sait aussi que son patient n'a pas le téléphone.

LE MÉDECIN — *Je voudrais vous envoyer passer un examen chez un spécialiste. Vous n'avez pas de téléphone. Est-ce que ça vous sera difficile de prendre un rendez-vous? Voudriez-vous que ma secrétaire appelle pour vous?*

M. BERTRAND — *Non, Docteur. Ce n'est pas nécessaire, je peux téléphoner chez le concierge. Je vous remercie.*

Une petite attention, qui montre au patient qu'il est compris et reconnu, peut faire toute la différence.

Utiliser un mode de communication simple et efficace

Quand on vise l'efficacité de la communication avec le patient défavorisé, certains comportements sont déconseillés et d'autres sont recommandés. Ainsi, le médecin doit éviter l'emploi des doubles négations, du jargon médical et des mots très longs, de même que la surcharge d'informations. Par ailleurs, il doit privilégier les phrases courtes, les mots simples et d'usage courant, une articulation claire, etc. En observant bien le patient, le médecin peut noter ses hésitations et vérifier son niveau de compréhension[2].

RESPONSABILISER LE PATIENT ET L'INCLURE DANS LA PRISE DE DÉCISION

Chaque adulte est responsable de sa propre santé. Le patient défavorisé est capable de prendre des décisions concernant sa santé, dans la mesure où on lui fournit l'information nécessaire. Le médecin ne doit pas présumer que le patient défavorisé ne veut pas changer certaines habitudes de vie ni que, par conséquent, cela ne vaut pas la peine d'en parler. Une stratégie utile consiste à fixer des objectifs réalistes avec le patient et à valoriser ses succès, aussi minimes soient-ils.

Mme Bertrand, hypertendue et obèse, vit seule dans un petit appartement ; elle doit consacrer une part importante de ses revenus à son loyer. Son alimentation est constituée en grande partie d'aliments qu'elle se procure dans une banque alimentaire. Au cours de cette dernière année, elle a pris beaucoup de poids, et un léger diabète s'est déclaré. Le médecin explique à sa patiente qu'une perte de poids, même peu importante, l'aiderait à mieux contrôler son diabète. Pour le moment, Mme Bertrand n'est pas à l'aise avec l'idée de consulter une diététicienne. Le médecin revoit brièvement avec sa patiente les éléments de son alimentation.

LE MÉDECIN — *Madame Bertrand, je sais que ce n'est pas facile de changer votre alimentation avec toutes les contraintes que vous vivez, mais voyez-vous une façon d'y arriver ?*

En demandant à la patiente son avis, le médecin la responsabilise ; les changements proposés seront plus réalistes et la patiente pourra s'approprier la décision de faire des efforts pour perdre du poids.

MME BERTRAND — *Docteur, je ne mange pas d'aliments sucrés, mais je mange beaucoup de pain. Vous savez, le pain, ça ne coûte pas cher... Je pourrais peut-être en manger moins de tranches par jour.*

LE MÉDECIN — *C'est une très bonne suggestion ! Ça devrait vous aider à perdre du poids.*

Après avoir abondé dans le sens de la patiente, le médecin fait une proposition, tout en s'assurant que cette proposition est acceptable pour la patiente.

— *J'aurais une autre suggestion à vous faire, Madame Bertrand. Vous m'avez dit que vous buviez trois cafés par jour en mettant trois sucres dans chacun. Pensez-vous pouvoir diminuer soit le nombre de sucres par café, soit le nombre de cafés ?*

MME BERTRAND — *Hum ! Je pourrais prendre uniquement deux cafés par jour... Et je vais essayer de diminuer un peu le sucre, mais j'ai bien peur que ça ne soit pas buvable...*

À la visite suivante, le médecin constate que le poids de la patiente est resté stable.

LE MÉDECIN — *Votre poids est resté stable. Vous n'avez pas maigri, mais au moins vous avez cessé de prendre du poids. C'est très bien ! Avez-vous trouvé difficile de modifier votre alimentation ?*

Le médecin a valorisé sa patiente en reconnaissant ses efforts et ses succès, même minimes. Tout patient défavorisé invente et met en œuvre des mécanismes de survie. Reconnaître les ressources d'un tel patient, plutôt que ses faiblesses et ses manques, est une stratégie efficace pour le responsabiliser.

Prendre son temps sans… le perdre

Comment le médecin peut-il maximiser l'emploi du temps dont il dispose dans le cadre d'une entrevue médicale ?

LE DÉBUT DE L'ENTREVUE

Quel que soit le genre d'entrevue, il est important d'éviter les questions fermées et les interruptions dans les premières minutes (Beckman et Frankel, 1984). Laisser au patient le temps d'exprimer les motifs de sa consultation et ses inquiétudes porte ses fruits, et cette attitude devient vraiment nécessaire quand le patient se présente avec plusieurs motifs de consultation – ce qui est très fréquent dans le cas des personnes pauvres. Cette attitude d'ouverture permet au médecin d'intervenir plus efficacement par la suite, particulièrement si une relation de confiance s'établit et que le patient le consulte à nouveau sur rendez-vous.

L'ÉVALUATION DE LA COMPOSANTE PSYCHOSOCIALE

Après les premières minutes de l'entrevue, s'il veut bien évaluer les problèmes de santé d'un patient, le médecin doit souvent encadrer le discours de ce dernier et être directif. Cette attitude est tout à fait justifiée, mais il est important de prendre conscience qu'en éliminant, par souci d'efficacité, tous les renseignements d'ordre psychosocial, pour ne retenir que l'expression des plaintes biologiques, le médecin risque de se priver d'une information précieuse.

Mme Diaz est âgée de 35 ans et mère de 4 enfants. D'origine chilienne, elle a immigré au pays il y a 10 ans. Elle vit de l'aide sociale depuis que son conjoint, qui était entré illégalement au pays, a été expulsé du pays six mois auparavant. Elle consulte pour sa petite fille, Lisa, âgée de 15 mois, et elle est accompagnée de tous ses enfants. Le médecin n'a pas vu Lisa depuis son vaccin de six mois. L'enfant est très maigre et présente un retard de croissance évident par rapport à la courbe qu'elle suivait pendant ses six premiers mois.

LE MÉDECIN — *Ça fait presque un an que je n'ai pas vu Lisa.*

MME DIAZ — *Je voulais venir, Docteur, mais j'étais occupée… J'oubliais tout le temps de prendre un rendez-vous.*

Mme Diaz donne un indice au médecin sur le fait qu'elle est peut-être débordée, mais celui-ci ne le relève pas.

LE MÉDECIN — *Lisa est très petite pour son âge, et je la trouve très pâle.*

MME DIAZ — *Ne vous inquiétez pas, Docteur. Son frère aussi était petit à cet âge-là.*

LE MÉDECIN — *Est-ce qu'elle mange bien ?*

MME DIAZ — *Elle n'a pas toujours un gros appétit.*

LE MÉDECIN — *Par exemple, qu'est-ce qu'elle a mangé ce midi ?*

MME DIAZ — *Un peu de riz.*

LE MÉDECIN — *A-t-elle mangé autre chose ?*

Mme Diaz — *Non, elle n'a pas voulu.*

Le médecin — *Est-ce qu'elle boit beaucoup?*

Mme Diaz — *Oh! Oui, Docteur. Elle aime beaucoup boire. Elle demande toujours son biberon.*

Le médecin — *Qu'est-ce que vous mettez dans son biberon?*

Mme Diaz — *Du lait ou du jus.*

Le médecin — *Lui donnez-vous un biberon avant les repas?*

Mme Diaz — *Assez souvent.*

Le médecin — *Vous savez, Madame Diaz, les enfants qui boivent beaucoup ont souvent moins faim aux repas...*

Le médecin perçoit alors la présence probable d'un problème d'ordre psychosocial et il décide, même s'il est pressé par le temps, de mettre de côté le questionnaire purement médical afin de recueillir d'autres informations.

— *Madame Diaz, vous avez quatre enfants en bas âge. N'est-ce pas une tâche énorme? Vous sentez-vous fatiguée parfois? Avez-vous de l'aide?*

Mme Diaz — *Non, je n'ai pas d'aide. Je m'occupe des enfants toute seule. Vous savez, mon mari est retourné au Chili depuis plus de six mois. Il était entré illégalement au pays, l'Immigration l'a découvert et il a été expulsé.*

Le médecin — *Ça doit être très difficile pour vous.*

Mme Diaz — *Oh! Oui, je m'ennuie beaucoup, et son aide me manque...*

Le médecin — *Et comment vous débrouillez-vous sur le plan financier?*

Mme Diaz — *J'ai beaucoup de difficulté, Docteur. Mon mari travaillait et, même si ce n'était pas un gros salaire, c'était beaucoup plus que ce que je reçois maintenant de l'aide sociale. Une fois le loyer payé, il me reste très peu, y compris pour la nourriture...*

Le médecin — *Je réalise que vous vivez un stress énorme. Ça doit être très difficile pour vous de vous occuper de vos enfants.*

Mme Diaz — *Je dois vous avouer, Docteur, il y a bien des journées, je me sens si stressée et si épuisée... Alors, pour ne pas entendre ma petite Lisa, je lui donne des biberons, un après l'autre...*

Dans cet exemple, le problème semble, à première vue, purement médical: un retard de croissance. Cependant, grâce à son exploration de la composante psychosociale, le médecin cherche et trouve des éléments essentiels à la compréhension du problème de santé de l'enfant.

Établir l'ordre de priorité des demandes

Hiérarchiser les demandes du patient défavorisé (comme pour tout autre patient) est une stratégie utile pour s'attaquer à des problèmes multiples et complexes. Cet établissement des priorités doit s'effectuer en collaboration avec le patient. Si le temps de l'entrevue est limité, le patient comprendra mieux que le médecin ne s'attarde qu'au problème prioritaire déterminé avec lui. L'évaluation complète de l'état de santé d'un patient peut souvent s'échelonner sur quelques rencontres ; la personne défavorisée ne sera pas moins fidèle à ses rendez-vous qu'un autre patient, dans la mesure où elle fait confiance à son médecin. Reprenons le bref exemple de M. Bertrand.

Ce patient est âgé de 67 ans. Il habite une petite chambre, louée au mois, dans le centre-ville de Montréal. Il y a 20 ans, sa femme est décédée subitement. Ensuite, il a sombré dans l'alcool, s'est isolé du monde et a perdu de vue les membres de sa famille. Il vit dans la solitude et il est très pauvre. Il va régulièrement manger à la soupe populaire. L'été, quand il fait trop chaud dans sa petite chambre, il dort dans les centres d'hébergement pour sans-abri. Il consulte un médecin à la clinique sans rendez-vous parce que rien ne va plus. Le médecin a pris le temps d'écouter son histoire. M. Bertrand se plaint surtout de fatigue et d'insomnie. Le médecin apprend qu'il s'est retrouvé à la rue, il y a une semaine. Il n'avait pas pu payer le loyer de sa chambre parce qu'il avait dépensé son chèque d'aide sociale en jouant au vidéopoker. Il dort actuellement dans un centre d'hébergement pour sans-abri. Il se sent triste, mais pas suicidaire. Il fume cigarette sur cigarette, boit plusieurs bières par jour, se plaint de douleurs épigastriques intermittentes et a de la difficulté à retenir son urine. À l'examen, le médecin note que le patient est obèse et modérément hypertendu. Le toucher rectal permet de mettre en évidence une hypertrophie de la prostate.

M. BERTRAND — *Qu'est-ce que vous pensez de tout ça, Docteur ?*

LE MÉDECIN — *Je pense que la situation est complexe, Monsieur Bertrand. Il y a plusieurs problèmes, et c'est certain que nous ne pourrons pas tous les régler aujourd'hui. Mais vous, qu'est-ce qui vous dérange le plus actuellement ?*

Le médecin, conscient du fait qu'il n'aura pas le temps de s'occuper de tous les problèmes, demande au patient de suggérer lui-même un ordre de priorité.

M. BERTRAND — *C'est de ne pas pouvoir dormir ! De me retrouver devant rien ! De toujours penser que tout va mal…*

LE MÉDECIN — *Je comprends. Votre situation n'est pas facile. En vous examinant, j'ai constaté que votre pression était un peu haute ; il faudra la reprendre. Vous avez une grosse prostate, ce qui peut expliquer vos difficultés avec votre urine. De plus, vous buvez et fumez trop, ça nuit à votre santé. Mais, surtout, je pense que vous vivez présentement dans des conditions qui sont très mauvaises pour votre santé physique et mentale. À mon avis, vos conditions d'existence actuelles contribuent beaucoup à vos difficultés. C'est difficile de dormir dans un dortoir, en compagnie de plein de gens qu'on ne connaît pas. C'est épuisant de ne pas avoir d'endroit à soi pour être tranquille et se reposer dans la journée. Je suis bien conscient qu'il sera très difficile d'envisager de diminuer l'alcool et la cigarette dans de telles conditions et sans aide. Qu'en pensez-vous ?*

M. BERTRAND — *Vous avez raison, Docteur… Je me suis encore fourré dans le pétrin… Mais qu'est-ce que je peux faire pour m'en sortir ?*

LE MÉDECIN — *Je sais que ce n'est pas facile.*

M. BERTRAND — *Vous savez, Docteur, je ne sais pas par quel bout m'y prendre. J'aurais besoin d'aide…*

LE MÉDECIN — *Écoutez, Monsieur Bertrand, je peux vous adresser à une travailleuse sociale que je connais. Elle va comprendre votre situation et pouvoir vous aider à trouver un endroit plus convenable pour habiter. En attendant le prochain rendez-vous, je vous propose de demander à l'infirmière de prendre votre pression de nouveau, de vous faire une prise de sang et une analyse d'urine. Comme ça, on pourra avoir une meilleure idée de votre état de santé. Je vous reverrai dans quelque temps pour vous donner les résultats. À ce moment, je serai plus en mesure de vous conseiller. Est-ce que ça vous convient?*

M. BERTRAND — *Oui, Docteur. Vous avez raison: on va faire les choses une à la fois. Et c'est sûr que les centres d'hébergement, ce n'est pas pour moi…*

Dans cet exemple, les problèmes exprimés par le patient ou reconnus par le médecin sont multiples et interreliés. Cependant, devant le caractère non urgent des problèmes physiques, le médecin accorde la priorité aux conditions d'existence du patient: lui faciliter l'accès à une vie plus stable et décente. Cette décision permettra peut-être de répondre, du moins en partie, à la préoccupation première de M. Bertrand: mieux dormir.

Être conscient de ses propres limites et privilégier le travail en équipe

Connaître le contexte social du patient amène le médecin à mieux comprendre les problèmes de santé de ce dernier et à intervenir de façon appropriée. Cependant, il est évident que le médecin n'a pas à se sentir responsable de toute l'aide à donner au patient pour régler tous ses problèmes liés à la composante psychosociale. Dans cette perspective, il est essentiel que le médecin connaisse bien les ressources de son milieu ou, à tout le moins, un autre professionnel qui pourra le diriger vers ces ressources. Il est préférable que le médecin connaisse personnellement les personnes-ressources, qu'il puisse, comme l'a fait le médecin dans l'exemple précédent, assurer son patient d'un accueil chaleureux et du soutien dont il a besoin. En effet, les patients pauvres ont souvent eu de mauvaises expériences avec les travailleurs sociaux et hésitent beaucoup à les consulter. Il ne faut pas oublier qu'une des conséquences néfastes de la grande pauvreté est l'isolement social des personnes touchées; la fréquentation des organismes communautaires ou des groupes d'entraide peut aider à briser cet isolement. Le médecin est bien placé pour encourager le patient à s'adresser à ces ressources.

Conclusion

Les patients vivant dans la pauvreté ne constituent pas un groupe homogène et ils ne sont pas, en fait, si différents des personnes plus favorisées. Cependant, ils ont en commun certaines caractéristiques qui peuvent devenir des obstacles à la communication médecin-patient. Une meilleure connaissance des conditions de vie et des valeurs des défavorisés permet au médecin de mieux communiquer avec ces patients. Avec un peu d'expérience, lorsqu'il commence à se sentir à l'aise dans son rôle avec cette clientèle, lorsque la communication devient plus facile, le médecin s'aperçoit qu'il devient une personne très importante aux yeux des défavorisés et que, justement comme médecin, il a alors la possibilité de devenir un agent de changement dans leur vie.

Les personnes défavorisées vivent une réalité et une culture totalement différentes de celles du médecin. Certes, cette différence constitue un défi pour le médecin, mais elle lui donne accès à une connaissance intime d'une réalité trop présente dans notre société. Par le fait même, le médecin qui intervient auprès de cette clientèle est bien placé pour prendre position sur cette réalité et défendre les intérêts des défavorisés auprès des décideurs.

Notes

1. À ce sujet, lire le chapitre 15, intitulé « Les patients aux prises avec des problèmes d'alphabétisme fonctionnel ».
2. Cet aspect de l'efficacité de la communication est traité au chapitre 15, intitulé « Les patients aux prises avec des problèmes d'alphabétisme fonctionnel ».

Références

Adler, N.A., T. Boyce, M.A. Chesney, S. Cohen, S. Folkman, R.L. Kahn et S.L. Syme (1994). « Socioeconomic status and health : The challenge of the gradient », *American Psychologist*, vol. 49, n° 1, p. 15-24.

Alter, D.A., C.D. Naylor, P. Austin et J.V. Tu (1999). « Effects of socioeconomic status on access to invasive cardiac procedures and on mortality after acute myocardial infarction », *The New England Journal of Medicine*, vol. 341, n° 18, p. 1359-1367.

Ancona, C., N. Agabiti, F. Forastiere, M. Arcà, D. Fusco, S. Ferro et C.A. Perucci (2000). « Coronary artery bypass graft surgery : Socioeconomic inequalities in access and in 30 day mortality – A population-based study in Rome, Italy », *Journal of Epidemiology and Community Health*, vol. 54, n° 12, p. 930-935.

Beckman, H.B., et R.M. Frankel (1984). « The effect of physician behavior on the collection of data », *Annals of Internal Medicine*, vol. 101, n° 6, p. 692-726.

Bellet, P.S. (1994). « How should physicians approach the problems of their patients ? », *Pediatrics*, vol. 94, n° 6, p. 928-931.

Benzeval, M., et K. Judge (2001). « Income and health : The time dimension », *Social Science and Medicine*, vol. 52, n° 9, p. 1371-1390.

Byrne, C., G. Browne, J. Roberts, B. Ewart, M. Schuster, J. Underwood, S. Flynn-Kingston, K. Rennick, B. Bell, A. Gafni, S. Watt, Y. Ashford et E. Jamieson (1998). « Surviving social assistance : 12-month prevalence of depression in sole-support parents receiving social assistance », *Journal de l'Association médicale canadienne*, vol. 158, n° 7, p. 881-888.

Candib, L.M., et L. Gelberg (2001). « How will family physicians care for the patient in the context of family and community ? », *Family Medicine*, vol. 33, n° 4, p. 298-310.

Centraide Montréal (1998). *Rapport du Comité des priorités*, Montréal, Centraide.

Choinière, R. (1993). « Les inégalités socioéconomiques et culturelles de la mortalité à Montréal à la fin des années 1980 », *Cahiers québécois de démographie*, vol. 22, n° 2, p. 339-361.

Dungal, L. (1978). « Physicians' responses to patients : A study of factors involved in the office interview », *The Journal of Family Practice*, vol. 6, p. 1065.

Hall, J.A., D.L. Roter et N.R. Katz (1988). « Meta-analysis of correlates of provider behavior in medical encounters », *Medical Care*, vol. 26, p. 657-675.

Kahn, R.S., P.H. Wise, B.P. Kennedy et I. Kawachi (2000). « State income inequality, household income, and maternal mental and physical health : Cross sectional national survey », *British Medical Journal*, vol. 321, n° 7272, p. 1311-1315.

Kaplan, G.A., J.W. Lynch, R.D. Cohen, J.L. Balfour et E.R. Pamuk (1996). « Income and mortality in the United States », *British Medical Journal*, vol. 313, p. 1207.

Kaplan, G.A., R.E. Roberts, T.C. Camacho et J.C. Coyne (1987). « Psychosocial predictors of depression : Prospective evidence from the human population laboratory studies », *American Journal of Epidemiology*, vol. 125, n° 2, p. 206-220.

Lynch, J.W., G.A. Kaplan et S.J. Shema (1997). « Cumulative impact of sustained economic hardship on physical, cognitive, psychological, and social functioning », *The New England Journal of Medicine*, vol. 337, n° 26, p. 1889-1895.

Marmot, M., C.D. Ryff, L.L. Bumpass, M. Shipley et N.F. Marks (1997). « Social inequalities in health : Next questions and converging evidence », *Social Science and Medicine*, vol. 44, p. 901-910.

Marshall, S.F., R.J. Hardy et D. Kuh (2000). « Socioeconomic variation in hysterectomy up to age 52 : National, population based, prospective cohort study », *British Medical Journal*, vol. 320, n° 7249, p. 1579.

McLeod, J.D., et R.C. Kessler (1990). « Socioeconomic status differences in vulnerability to undesirable life events », *Journal of Health and Social Behavior*, vol. 31, p. 162-172.

Murphy, J.M., D.C. Olivier, R.R. Monson, A.M. Sobol, E.B. Federman et A.H. Leighton (1991). « Depression and anxiety in relation to social status : A prospective epidemiology study », *Archives of General Psychiatry*, vol. 48, n° 3, p. 223-229.

Ostler, K., C. Thompson, K. Kinmonth, C. Peveler, L. Stevens et A. Stevens (2001). « Influence of socioeconomic deprivation on the prevalence and outcome of depression in primary care : The Hampshire depression project », *The British Journal of Psychiatry*, vol. 178, p. 12-17.

Pampalon, R., et G. Raymond (2000). « Un indice de défavorisation pour la planification de la santé et du bien-être au Québec », *Maladies chroniques au Canada*, vol. 21, n° 3, p. 113-122.

Pell, J.P., C.H.A. Pell, J. Norrie, I. Ford, S.M. Cobbe et J.T. Hart (2000). « Effect of socioeconomic deprivation on waiting time for cardiac surgery : Retrospective cohort study – Commentary : Three decades of the inverse care law », *British Medical Journal*, vol. 320, n° 7226, p. 15-19.

Pendleton, D.A., et S. Bochner (1980). « The communication of medical information in general practice consultation as a function of patients' social class », *Social Science and Medicine*, vol. 14a, p. 669-673.

Price, J.H., S.M. Desmond, F.F. Snyder et S.R. Kimmel (1988). « Perceptions of family practice residents regarding health care and poor patients », *The Journal of Family Practice*, vol. 27, n° 6, p. 615-621.

Rathore, S.S., A.K. Berger, K.P. Weinfurt, M. Feinleib, W.J. Oetgen, B.J. Gersh et K.A. Schulman (2000). « Race, sex, poverty, and the medical treatment of acute myocardial infarction in the elderly », *Circulation*, vol. 102, n° 6, p. 642-648.

Roger-Achim, D., et J. Gauthier (1988). « Le diagnostic social », *Le médecin du Québec*, vol. 33, nº 12, p. 29-35.

Roter, D.L., M. Stewart, S.M. Putnam, M. Lipkin Jr., P. Stiles et T.S. Inui (1997). « Communication patterns of primary care physicians », *The Journal of the American Medical Association*, vol. 277, nº 4, p. 350-356.

Taira, D.A., D.G. Safran, T.B. Seto, W.H. Rogers et A.R. Tarlov (1997). « The relationship between patient income and physician discussion of health risk behaviors », *The Journal of the American Medical Association*, vol. 278, p. 1412-1417.

Van Ryn, M., et J. Burke (2000). « The effect of patient race and socio-economic status on physicians' perceptions of patients », *Social Science and Medicine*, vol. 50, p. 813-828.

Ventres, W., et P. Gordon (1990). « Communication strategies in caring for the underserved », *Journal of Health Care for the Poor Underserved*, vol. 1, p. 305-314.

Waitzkin, H. (1985). « Information giving in medical care », *Journal of Health and Social Behavior*, vol. 26, nº 2, p. 81-101.

Wilkinson, R.G. (1992). « Income distribution and life expectancy », *British Medical Journal*, vol. 304, p. 165-168.

Les patients de culture différente

Pierrik Fostier

CHAPITRE
18

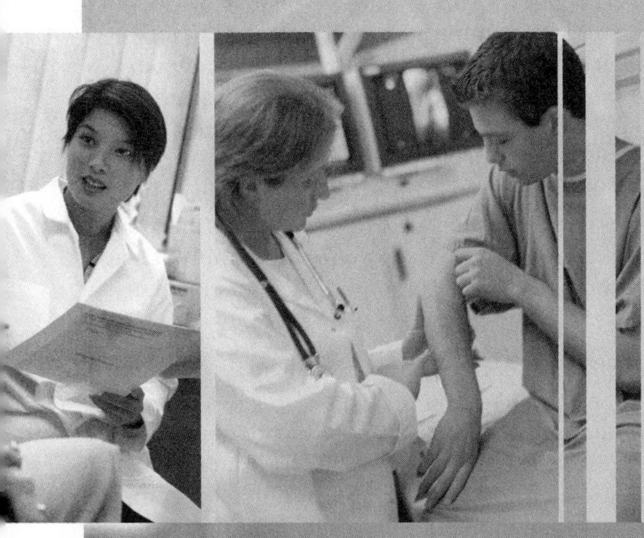

Qui n'a jamais quitté son pays est plein de préjugés.

Carlo Goldoni (*Pamela nubile,* 1757)

Qu'avons-nous donc à communiquer à ces Barbares ? Les dieux dans leur sagesse ont mis la mer entre nous, pour nous éloigner d'eux. Il est impie de réunir ce que les dieux dans leur sagesse ont séparé.

Pearl Buck (*Vent d'Est, vent d'Ouest,* 1923)

Quelque 80 ans après que Pearl Buck eut écrit ces lignes, les mers ne séparent plus vraiment les populations de culture ou de religion différentes. Les peuples ont appris à se mélanger. Ces 50 dernières années, plusieurs pays occidentaux ont fait appel à la main-d'œuvre étrangère. Plus récemment, de nombreux réfugiés ont fui la situation politique ou la misère sociale de leur pays d'origine. Enfin, les déplacements aériens sont plus nombreux et de plus en plus de gens les utilisent.

Les médecins occidentaux ont vu leur pratique changer dès lors qu'ils ont commencé à accueillir dans leur salle d'attente des patients venus des quatre coins du monde. Ainsi, dans certains quartiers de grandes villes européennes et nord-américaines, on a recensé plus de 60 nationalités dans les patients en consultation médicale (Hoffman, 1999). Il ne s'agit plus d'un simple mélange de langues ou de cultures, mais d'une profusion de coutumes, de croyances et de religions.

Le patient vit et exprime sa maladie différemment selon sa provenance et sa culture. À partir des années quatre-vingt, il a fallu introduire l'approche transculturelle afin d'améliorer la gestion des soins de santé offerts à ces patients venus d'ailleurs et d'en assurer l'universalité. Comment s'y retrouver ? Comment mener à bien la consultation avec un patient d'origine étrangère ? Y a-t-il des techniques de base pour y parvenir ? Comment communiquer mieux pour aider et soigner mieux ?

S'adapter au contexte transculturel

La communication est soumise à des codes qui varient selon le contexte socio-économique, professionnel ou générationnel, et même selon le sexe des individus. A fortiori, l'écoute et la compréhension de personnes issues d'autres cultures demandent des ajustements et des techniques appropriées.

Le problème est d'autant plus aigu dans la communication médecin-patient lorsqu'il s'agit de traiter et de résoudre des problèmes touchant à la santé physique et mentale. Les représentations liées à la maladie et à la santé, de même que le degré de dissociation du corps et de l'esprit, varient en effet selon les cultures et les croyances. Un individu de telle origine n'aura pas nécessairement la même vision de son corps, la même conception de sa maladie et la même analyse du remède à y apporter qu'un individu appartenant à une autre culture. S'adapter aux différences culturelles nécessite non seulement une ouverture d'esprit – ce qui est toujours bénéfique en soi ! –, mais également un apprentissage des caractéristiques de ces cultures et des techniques de base pour les intégrer dans la communication.

Qureshi (1995) a noté que le médecin peut réagir couramment de quatre manières au cours de consultations de ce genre : par l'expression d'un patriotisme (« Chez nous, c'est mieux »), par l'expression d'une sorte de néocolonialisme (« Nos valeurs seront les vôtres »), par l'expression de racisme (« Restez chez vous ») ou par un repli sur ses valeurs fondamentales (« Ces valeurs ne sont pas les miennes »). Les soins, l'écoute et la communication doivent pourtant être adaptés à chaque patient, à chaque situation, à chaque pathologie. Le médecin doit respecter, connaître et prendre en compte la culture, la religion, les coutumes ethniques, la dignité et la vie privée de chaque patient.

Le patient est soit contraint de faire appel à une médecine qui ne correspond pas nécessairement à ses croyances, soit attiré par cette médecine occidentale qu'il respecte et dont il attend des résultats favorables. Chacun des deux partenaires, le médecin et le patient, conscient des difficultés potentielles à comprendre l'autre, va tenter de se conformer et de s'adapter à cet autre.

Dans ce chapitre, notre but est d'abord de décrire les principaux obstacles à la communication et les difficultés propres aux consultations médicales faites dans un contexte transculturel, et ensuite de proposer des solutions pour les surmonter.

Les problèmes posés par l'approche d'un patient d'une autre culture

La barrière linguistique

Fatima : « Je ne parle pas français. »

Fatima, une Marocaine âgée de 55 ans, se présente pour la première fois sur rendez-vous au cabinet du médecin de famille. Elle vit en Belgique depuis plus de 20 ans, mais maîtrise difficilement la langue française. Le dialogue est malaisé, et Fatima tend à son médecin un rapport d'hospitalisation. Outre une hypertension artérielle, le rapport révèle un diabète non équilibré, qui nécessite de remplacer la prise d'antidiabétiques oraux par des injections d'insuline. Apparemment, Fatima a compris le principe des injections quotidiennes, mais elle ne semble pas saisir la gravité exacte de son problème ni les mesures hygiéno-diététiques auxquelles elle va devoir s'astreindre.

La première difficulté à laquelle le médecin qui parle français et anglais se heurte avec un patient étranger est le cas où celui-ci ne parle aucune de ces langues. Et cette situation est de moins en moins rare. Les récents conflits à l'Est ont provoqué l'arrivée, en Europe occidentale, de patients roumains, kosovars, polonais, albanais, ouzbeks, etc. Les troubles sociaux et politiques survenus en Afrique ont amené à se réfugier dans les pays occidentaux des Rwandais, des Burundais, des Maliens, des Nigériens, etc. À moins que le médecin ne soit polyglotte, la barrière linguistique entrave l'approche du patient et la communication avec ce dernier. Cette situation est d'autant plus difficile si le patient présente des difficultés d'ordre psychologique ou émotionnel ne pouvant être exprimées qu'oralement (Jones et Gill, 1998).

Ces patients ont d'emblée besoin d'aide pour traduire leurs problèmes de santé et mieux comprendre le système de soins de leur pays d'accueil. En général, des membres de la famille ou des compatriotes déjà installés au pays se sont chargés d'expliquer la pratique médicale locale et son organisation, telles qu'ils les perçoivent (le rôle du médecin sera parfois d'ajuster cette perception ou de corriger certains préjugés). Pour contourner la barrière linguistique, le médecin peut faire appel à un interprète : soit un proche, soit un interprète professionnel.

FAIRE APPEL À UN PROCHE

Quand on fait appel à un proche[1] (membre de la famille ou ami), la fameuse dyade médecin-patient devient une triade, avec toutes les conséquences possibles : relation de confiance biaisée, déplacement des rôles de chacun, etc.

Selon certains auteurs (Muench, Verdieck, Lopez-Vasquez et Newell, 2001), le recours à des amis ou à des membres de la famille du patient comme interprètes est malvenu et peut briser le rapport de confidentialité ou rendre le patient réticent à recevoir une information critique. Les problèmes d'ordre psychologique ou émotionnel inhérents à la maladie sont alors difficilement ou peu abordés. Le tiers ne veut pas ou ne peut pas transmettre les messages qui pourraient le toucher sur le plan affectif dans la maladie de son proche. La qualité de la relation médecin-patient est ainsi potentiellement affaiblie.

Dans le cas de Fatima, que nous avons vu précédemment, le médecin s'est très vite aperçu, à la première entrevue, que la patiente ne possédait que quelques rudiments de la langue française. Il lui propose donc, dans un premier temps, de se faire accompagner par sa fille pour les consultations ultérieures.

LE MÉDECIN — *Fatima, afin d'être certains de bien nous comprendre, je vous propose d'amener votre fille avec vous à notre prochaine entrevue.*

Ainsi, au rendez-vous suivant, le médecin a pu expliquer et détailler à Fatima et à sa fille le principe du suivi, du traitement et des mesures hygiéno-diététiques. Très vite, pourtant, le médecin a dû faire face à l'inquiétude de la fille à propos de la santé de sa mère. La fille n'a plus joué uniquement son rôle d'interprète, mais a progressivement pris la place de sa mère dans la communication. C'est elle qui posait spontanément les questions, mais elle ne traduisait pas systématiquement les réponses du médecin à sa mère. Celle-ci se bornait à hocher la tête afin de donner l'illusion qu'elle comprenait ce qui était dit, et peut-être d'essayer de prendre part à la communication.

On peut réduire ce problème de communication, fréquent en consultation, en envisageant d'autres solutions, comme l'intervention d'un interprète ou d'un médiateur culturel.

FAIRE APPEL À UN INTERPRÈTE PROFESSIONNEL

L'engagement d'un interprète professionnel[2] ne peut se faire que dans des établissements de soins bien organisés, où l'approche multidisciplinaire du patient est de rigueur (Weiss et Stuker, 1999). Bien qu'un interprète puisse améliorer la compréhension mutuelle entre le patient et son médecin, la communication peut devenir plus complexe en sa présence. En effet, comment vérifier que les messages ont été transmis intégralement au patient et que les nuances qu'ils contenaient ont été conservées ?

Les soignants craignent souvent l'intervention d'un interprète, qui risque de s'engager de façon inopportune dans la communication en coupant la parole, en ajoutant des éléments, ou de s'autoriser de son rôle pour donner des conseils (peut-être inappropriés) au patient. En outre, l'intervention d'un interprète risque d'allonger la consultation. Cette possibilité de perte de contrôle est l'argument principalement invoqué par les soignants pour éviter d'inclure un tiers dans l'entrevue.

La barrière culturelle

> *Posséder une culture ou être doué de psychisme est strictement équivalent, et la différence culturelle est une donnée de fait, aussi incontournable que l'existence du cerveau, du foie ou des reins. [...] Il n'est évidemment aucun homme sans culture.*
>
> Tobie Nathan (*Fier de n'avoir ni pays ni ami, quelle sottise c'était*, 1993)

Musulmans, hindouistes, bouddhistes, etc. Amérindiens du désert Mohave de l'Arizona, Inuits du Nunavik, réfugiés kosovars, etc. Ces deux petites énumérations font tout de suite comprendre la multiplicité des religions et des cultures – et la difficulté pour le praticien de tenir compte de toutes les différences sous-jacentes. Le médecin de famille ne peut évidemment pas développer des compétences d'ethnopsychiatre, et il n'a pas à le faire. Il reste qu'on ne peut mener à bien son travail de soignant que si on possède une connaissance suffisante de la culture de ses patients non occidentaux.

Par exemple, dans la culture arabo-musulmane, l'alimentation présente plusieurs caractéristiques particulières, tant dans la qualité des préparations que dans les pratiques liées à la façon de manger. L'ensemble des aspects de la culture arabo-musulmane se retrouve dans l'alimentation quotidienne des populations en cause. Les aliments sont intimement liés à la vie des êtres humains, à leur plaisir, à leur tristesse, à leur sociabilité, à leur hospitalité, à leurs mythes. C'est ainsi que le couscous, que chaque famille prépare au moins une fois par mois, comporte une connotation de fête (Demoulin, 1995). Il existe une variante de ce plat, qu'on assaisonne de sucre et de cannelle au moment de servir. Les fêtes familiales ou religieuses réunissent la famille entière autour de menus et de plats copieux. L'acte de manger fait partie des besoins de base qu'il est inconvenant de ne pas satisfaire : même en situation financière difficile, le budget consacré à l'alimentation sera rarement diminué. Et, bien sûr, une fois par année lunaire, les musulmans se soumettent au jeûne du mois de ramadan.

En outre, ces habitudes liées à l'alimentation peuvent subir plusieurs modifications au contact de la culture occidentale ou sous l'influence des enfants. Il apparaît notamment qu'en Belgique la nourriture de la population d'origine maghrébine est plus abondante que dans les pays d'origine (Sirjacobs, 1990), grâce, en particulier, à l'accès plus facile à certaines denrées. Ainsi, de nombreux aliments riches en glucides ou en matières grasses, tels que le coca-cola, les frites, les pâtes ou la mayonnaise, sont intégrés dans l'alimentation du pays d'origine.

Pour gérer tous ces concepts, le médecin doit apprendre à les connaître et les intégrer dans la prise en charge du patient ; il peut aussi faire appel à des médiateurs culturels ou à des diététiciens issus de la même culture que le patient.

La barrière religieuse

Une récente étude française (MedHermes, 2002[3]) a montré que seulement 16 % des médecins libéraux (ou médecins de ville, c'est-à-dire ceux qui exercent en dehors du milieu hospitalier) et 17 % des médecins hospitaliers s'estiment assez informés sur les préceptes religieux appliqués au corps, à la maladie et à la douleur. L'étude fait ressortir que 75 % des médecins de ville ne posent jamais de questions à leurs patients sur leur confession religieuse et qu'ils ne sont que 7 % à avoir déjà pris contact avec une autorité religieuse afin d'avoir un éclairage sur les pratiques pouvant faire obstacle aux prescriptions médicales.

L'attitude de ces médecins est ambiguë : d'une part, ils admettent que médecine et religion entrent souvent en interaction ; d'autre part, seulement la moitié d'entre eux adaptent leurs comportements à leurs patients lorsqu'ils connaissent leur confession ou leur appartenance culturelle différente.

Ainsi, les prescriptions coraniques concernant les malades sont clairement répertoriées. L'état du patient malade est considéré comme une situation temporaire (exemple: la grippe, chapitre II du Coran, La vache, verset 181) (Demoulin, 1995). Cependant, étant donné que le diabète se manifeste par un état permanent, il arrive que certains diabétiques musulmans ne se considèrent pas comme malades. Il arrive aussi que le patient allochtone[4] apprenne à se servir des différences culturelles pour obtenir des faveurs ou des avantages discutables: par exemple, un père pourrait solliciter des certificats médicaux pour que, « conformément à l'islam », ses filles soient dispensées des cours de natation à l'école.

L'emprise religieuse se manifeste aussi dans les domaines touchant au sexe et aux classes sociales (Qureshi, 1995). Ainsi, au moins quatre des six religions les plus répandues (l'islam, l'hindouisme, le sikhisme et le bouddhisme) prêchent la ségrégation sexuelle, présentée non comme une discrimination, mais comme la reconnaissance d'un rôle familial. Il est dès lors judicieux de respecter le droit de l'individu à choisir un médecin du même sexe que lui; c'est sans nul doute la base d'une communication efficace.

Le recours à la médecine traditionnelle

Le recours à la médecine traditionnelle est un autre écueil qui guette le médecin de famille dans ses rencontres avec des patients d'origine culturelle variée. Certains patients ont déjà fait appel à des guérisseurs, d'autres ont déjà utilisé des plantes médicinales traditionnelles.

Ainsi, au Maroc, le discours populaire recommande aux malades des visites et des séjours dans des sanctuaires ayant la réputation d'enrayer le mal. C'est le recours au traditionnel *maraboutage thérapeutique*[5]. Les saints consultés pendant ces séances sont des figures légendaires, détentrices de la grâce divine et capables de répondre à toutes les demandes des gens qui les visitent (devenir enceinte, guérir, régler ses problèmes financiers, etc.). On accomplit plusieurs séances rituelles et de purification, et le patient sera considéré comme complètement guéri après l'apparition du saint en rêve et ses offrandes finales (Aouattah, 1999).

LES GUÉRISSEURS

Caussam: médecine et maraboutage

Caussam, un Rwandais âgé de 65 ans, réfugié politique depuis peu, avait contracté dans son pays une hépatite C qui s'aggrave. Il consulte régulièrement son médecin de famille pour le suivi de cette pathologie, mais il ne semble pas motivé par l'idée de se rendre chez un spécialiste et de subir une biopsie hépatique. Ainsi, il annule systématiquement ses rendez-vous chez le gastroentérologue. Son médecin s'en inquiète et cherche à connaître les raisons de ce comportement.

LE MÉDECIN — *Expliquez-moi pourquoi vous hésitez tant à subir une mise au point de votre hépatite? Craignez-vous les examens complémentaires? Désirez-vous que je vous explique davantage en quoi ils consistent?*

CAUSSAM — *Je crois que j'ai compris ce que vous m'avez déjà expliqué, mais tous ces examens me semblent inutiles.*

LE MÉDECIN — *Au contraire, ils nous permettront de vous donner par la suite un traitement adéquat pour éviter que votre maladie ne s'aggrave.*

CAUSSAM — *Depuis que j'ai ce virus dans mon corps, je n'ai pas senti d'aggravation ; au Rwanda, j'allais voir un sorcier qui m'aidait aussi bien.*

LE MÉDECIN — *En quoi consistait l'aide qu'il vous apportait ?*

CAUSSAM — *Il faisait sortir le mal de mon corps. Un ami m'a dit qu'il existe un Africain qui fait la même chose ici, en ville. Il va m'y amener.*

Caussam a l'habitude de consulter de tels *guérisseurs* et il est intimement persuadé de devoir persévérer dans ce sens.

Nous verrons plus loin que la réponse se trouve dans l'ouverture d'esprit et dans l'apprentissage de la culture du patient. Le respect de cette dernière et le recours à une équipe de médiateurs culturels pourraient aider le médecin à garder le contact avec ce patient et à favoriser une communication basée sur la confiance mutuelle.

LES PLANTES MÉDICINALES TRADITIONNELLES

Le recours aux plantes médicinales traditionnelles est présent dans certaines cultures. Les amandes amères, le thé à base de plantes diverses et les décoctions d'aubergines et de curry sont réputés antidiabétiques dans la culture marocaine. On a élaboré divers outils afin d'aider le médecin occidental à distinguer les préparations absorbées par les patients. Ainsi, en 1991, un répertoire des plantes utilisées dans la pharmacopée traditionnelle marocaine a été publié. Il s'agit d'une liste de plantes et d'herbes dont la dénomination marocaine est accompagnée du nom latin et du domaine d'application (Riffi, Pas, Butaye et Ferrant, 2001 ; Bellakhdar, Claisse, Fleurentin et Younos, 1991).

Comment un médecin peut-il convaincre le patient qui recourt à ce genre de pharmacopée du bien-fondé de la médecine et des soins occidentaux sans lui faire renier ses croyances culturelles ? Comment saisir l'importance que revêtent ces rites pour ce patient ? Y a-t-il une contradiction entre la pratique de la médecine occidentale et le recours aux médecines traditionnelles ?

Des médecins généralistes belges ont publié les résultats d'une étude comparative menée auprès de patients diabétiques belges et marocains (Riffi et autres, 2001). Ils ont donné une série de conseils pratiques au généraliste afin d'améliorer sa communication avec le patient de culture musulmane dans la prise en charge de cette maladie (voir l'encadré 18.1). De tels outils, combinés à une approche multidisciplinaire, ne peuvent qu'améliorer la communication avec le patient et, donc, l'efficacité des soins qu'on lui donne. On ne peut qu'inciter les équipes de soins à mettre au point des recommandations de ce genre, appropriées aux cultures et aux pathologies qu'elles rencontrent dans leur pratique.

La conceptualisation des plaintes et de la maladie

Pour le médecin de famille, acquérir un savoir-faire en matière de prise en charge multiculturelle n'est pas chose aisée. D'une part, parce qu'il doit tenir compte de plusieurs autres aspects de la maladie ; d'autre part, parce qu'il doit faire face à de nombreuses cultures simultanément. De plus, celles-ci évoluent, et le phénomène de la migration les transforme rapidement, par exemple à travers l'interpénétration des cultures, la mythification et la démythification de l'origine, les mariages mixtes.

Encadré 18.1

Quelques conseils pour une meilleure communication avec le patient migrant musulman diabétique

- Procurer au patient du matériel didactique (des brochures, des bandes vidéo, etc.) conçu dans sa propre langue.
- Faire appel à des médiateurs culturels.
- Se renseigner sur les plantes médicinales les plus fréquemment utilisées en médecine traditionnelle.
- Mettre sur pied un régime antidiabétique basé sur des recettes propres à la culture d'origine du patient.
- Utiliser les services d'un diététicien appartenant à la même culture que le patient.
- Au début du ramadan, suggérer au patient des moyens pour l'aider à concilier le jeûne diurne avec le régime prescrit (ne pas intervertir la dose matinale d'insuline et celle du soir, préciser que le Coran n'oblige pas les diabétiques à faire le ramadan, etc.).
- Rappeler au patient, au moment de son départ en vacances, les consignes médicamenteuses à respecter.
- Évoquer les risques inhérents aux remèdes traditionnels et à la non-observance du schéma thérapeutique instauré.

Source : Adapté de Riffi et autres (2001).

Enfin, en période de crise, et la maladie en est une, la tendance habituelle de l'être humain est de se replier sur ses normes culturelles d'origine. Si ces normes ne sont pas familières au médecin, il aura tendance à se référer à son savoir scientifique, ce qui lui fera courir le risque de ne pas comprendre le patient. La clé, en la matière, n'est-elle pas d'utiliser la plainte du patient pour entrer dans son univers ? Encore le médecin doit-il comprendre la conception que se fait le patient de son univers et en tenir compte dans la pratique et dans l'approche du malade.

Afin de centrer l'approche sur le patient, le médecin doit chercher à comprendre les significations et les symboles élaborés par l'individu qui le consulte, resituer la plainte de ce dernier dans son contexte psychosocial et culturel, ce qui implique d'analyser, d'intégrer et de comprendre les différences, tout en reconnaissant que les conceptions et les normes occidentales relatives au bien-être et à la santé sont, elles aussi, culturellement déterminées. Gailly (1991, p. 102) est clair à ce sujet :

> Tant que nous n'admettrons pas le caractère culturel de nos propres conceptions, [...] notre vision des relations entre allochtones et Occidentaux en matière de maladie et de santé continuera de reposer sur une logique ethnocentrique et paternaliste elle-même fondée sur l'ignorance du fait que la détermination culturelle n'est pas l'apanage d'une seule des parties en présence.

Laplantine (1986) a décrit quatre catégories de modèles de représentation de la maladie, basés sur des oppositions et susceptibles de se combiner : les modèles étiologiques (ontologiques ou relationnels), les modèles exogènes ou endogènes, les modèles additifs ou soustractifs, les modèles maléfiques ou bénéfiques (voir le tableau 18.1). De ces modèles découlent quatre autres modèles de représentation thérapeutique, eux aussi formés de paires d'éléments opposés : le modèle allopathique ou homéopathique, le modèle exorcistif ou adorcistique, le modèle additif ou soustractif, le modèle sédatif ou excitatif (voir le tableau 18.2).

Tableau 18.1 **Les modèles de représentation de la maladie selon Laplantine**

MODÈLES	SIGNIFICATION
Étiologiques ontologiques	La maladie correspond à une entité autonome.
Étiologiques relationnels	La maladie entraîne une détérioration des relations avec les autres.
Exogènes	La maladie est due à un élément étranger.
Endogènes	La maladie provient de l'intérieur du sujet (exemples : l'hérédité, le signe du zodiaque).
Additifs	La maladie est une présence ennemie à juguler.
Soustractifs	La maladie correspond à la perte d'un élément corporel.
Maléfiques	La maladie est due à la présence du mal.
Bénéfiques	La maladie confère des compensations et des bénéfices secondaires.

Source : Tiré de Laplantine (1986).

Tableau 18.2 **Les modèles de représentation thérapeutique selon Laplantine**

MODÈLES	SIGNIFICATION
Allopathique	La maladie est jugulée par son contraire (exemple : les médicaments).
Homéopathique	La maladie est jugulée par son semblable (exemples : l'homéopathie, la brûlure).
Exorcistif	La maladie est un mal qui doit être chassé.
Adorcistique	La maladie est porteuse d'un sens (exemple : la maladie sacrée).
Additif	Le traitement vise à apporter un plus (exemples : le pèlerinage, la greffe, le régime alimentaire).
Soustractif	Le traitement porte sur les symptômes.
Sédatif	Le traitement vise à atténuer un fonctionnement interne ou relationnel excessif (exemples : les calmants, le yoga).
Excitatif	Le traitement vise à accentuer un fonctionnement interne ou relationnel déficient (exemples : les fortifiants, la psychanalyse).

Source : Tiré de Laplantine (1986).

Pour Laplantine, l'explication de la maladie induit la manière de la soigner. Dans notre médecine occidentale, on relève principalement la combinaison *modèle ontologique + modèle exogène + modèle maléfique* et sa réponse, *modèle allopathique + modèle soustractif + modèle exorcistif*. On y trouve le modèle du *vrai* malade et de la *vraie* thérapeutique. Quand le malade est son propre thérapeute, on a la combinaison *modèle relationnel + modèle endogène + modèle bénéfique* et sa réponse, *modèle homéopathique + modèle adorcistique + modèle additif*.

Si on se réfère à ces modèles, on peut sans doute déterminer certaines significations de la maladie propres à certaines cultures et adapter son écoute et sa prise en charge. Ainsi trouve-t-on un exemple de modèle maléfique (les djinns, dans la culture arabe) et un exemple de modèle bénéfique (dans certaines cultures méditerranéennes, la maladie autorise l'individu qu'elle frappe à réduire très fortement ses activités journalières). Encore faut-il connaître ces cultures afin d'éviter de passer à côté d'une pathologie somatique bien réelle.

Ainsi, il est malaisé de décrire en quelques lignes les différentes conceptions de la maladie en fonction de la culture du patient. Le premier risque qu'on court est de simplifier à outrance, de caricaturer les différentes cultures, d'aboutir à des préjugés et de mettre au point des recettes toutes faites pour comprendre les différences culturelles en question. Le second risque est de se perdre dans des considérations anthropologiques et ethnopsychiatriques.

Sachant d'une part qu'une série de déterminants culturels amènent le patient et son entourage à définir une plainte et à choisir quel genre d'assistance ils vont solliciter, et sachant d'autre part que la maladie, considérée dans son contexte anthropologique, apparaît généralement avec une double origine – un élément extérieur et un élément qui se rapporte à l'âme du malade – (Valabrega, 1962), le médecin doit essayer d'intégrer tous ces aspects dans la gestion de la plainte. En effet, la façon dont le patient conçoit la source de ses maux importe beaucoup. Elle est en relation avec sa propre vision du monde et intervient dans les différents aspects de la relation thérapeutique. Généralement, le patient détermine deux origines possibles à sa maladie : soit elle est causée par un élément étranger introduit dans son corps, soit elle est liée à son âme, à son esprit, qui dès lors ne lui appartient plus. On peut aussi observer le sentiment de culpabilité lié à la maladie ou la perception de la maladie-punition dans de nombreuses cultures (y compris, d'ailleurs, dans la culture occidentale).

C'est donc à partir de sa perception et de son évaluation de ses plaintes qu'un malade accordera sa préférence à une hospitalisation, à un traitement occidental ou à un traitement traditionnel. Le patient migrant a une forte tendance à d'abord se soigner tout seul, en demandant conseil à sa famille et à ses amis, pour ensuite faire appel au système officiel de soins. Certains patients consultent même simultanément un guérisseur et un médecin de culture occidentale, attendant de chacun d'eux une aide différente, mais complémentaire. Consulter un médecin de leur pays d'accueil sera aussi pour certains d'entre eux une manière de s'intégrer aux us et coutumes locales. De son côté, le médecin, lui aussi, a sa propre perception des plaintes du patient, déterminée par les fondements culturels de sa pensée et par l'évaluation du problème qui lui est soumis.

Dans de nombreux cas, le médecin qui doit faire face aux plaintes d'un patient d'une autre culture se trouve dans une situation où il ne comprend pas réellement le problème posé. Ainsi, en dehors des plaintes physiques classiques, apparaissent chez cette catégorie de patients des plaintes somatiques extrêmement atypiques et rebelles à toute thérapeutique (Vercruysse, 1999). Ces plaintes sont souvent accompagnées d'une revendication importante d'examens complémentaires et de prescription de médicaments. Ce comportement renvoie à l'image que les patients migrants se font de la médecine occidentale, c'est-à-dire une médecine toute-puissante. Au terme de l'entrevue, ces patients assimilent facilement l'absence de prescription à un désintérêt ou même à un abandon de la part du médecin. Cependant, ces patients nient régulièrement le rapport de leur maladie avec un problème sociofamilial, les examens complémentaires se révèlent négatifs et on obtient difficilement la guérison.

Une fois que le soignant a conceptualisé et intégré plus ou moins la plainte du patient, l'idéal est d'obtenir une collaboration effective de ce dernier dans la prise en charge de son traitement. Selon Louis Ferrant (2001, p. 41), généraliste belge qui soigne surtout des immigrés, chercheur et enseignant à l'Université d'Anvers, il est nécessaire de ne pas évacuer la maladie en affirmant, en tant que médecins : « Nous nous chargeons de la maladie. Bien sûr, vous coopérerez, mais nous dirigeons le processus de guérison ! » Il est essentiel, tant en ce qui concerne la maladie qu'en ce qui concerne l'état de santé, de parler de telle sorte que le patient puisse prendre en main son bien-être. À cet égard, le cas suivant, tiré de notre pratique, est exemplaire.

Muhammad : la maladie inconnue

Muhammad, un Turc âgé de 50 ans, consulte pour la première fois un médecin de famille de son quartier. Il s'assied face au médecin et lui explique d'emblée, avant même d'y avoir été invité, les raisons de sa venue.

MUHAMMAD — *J'ai une barre dans le bas du dos, il y a une boule de feu dans mon ventre, ma langue est sèche, j'ai mal derrière les yeux. Ça m'empêche de dormir, je tremble et j'entends mon cœur battre.*

LE MÉDECIN — *Quand tout ça est-il apparu ?*

MUHAMMAD — *Depuis longtemps. J'ai déjà vu plusieurs médecins qui m'ont donné plein de médicaments (il en sort un sac entier). Aucun d'entre eux ne m'a fait du bien, au contraire.*

LE MÉDECIN — *Très bien, on regardera ça plus tard. Les médecins qui vous ont examiné vous ont-ils prescrit des examens complémentaires ?*

MUHAMMAD — *Oui, plein, et on n'a jamais rien trouvé.*

En discutant avec le patient, le médecin se rend compte que Muhammad a consulté plusieurs médecins et subi plusieurs examens, mais n'a jamais bénéficié d'une écoute adéquate qui aurait permis de cerner et comprendre ses plaintes. Ce manque d'écoute a entraîné une aggravation de ses plaintes, due principalement à l'iatrogénie[6] induite par la méconnaissance ou l'incompréhension de sa culture dont ont fait preuve les médecins auxquels il s'est adressé.

Le médecin a donc décidé de recourir à des médiateurs culturels et de pratiquer l'écoute neutre (sans jugement de valeur ni banalisation) et empathique des plaintes[7]. Cette approche a amené le patient à avoir de plus en plus confiance en son médecin. Petit à petit, il est apparu évident que le problème réel de ce patient était d'ordre sexuel. Son licenciement et les mariages successifs de ses trois enfants lui avaient fait perdre son véritable rôle de chef de famille et, d'une certaine manière, sa virilité. Un accompagnement par un psychologue turc a permis l'atténuation progressive des plaintes de ce patient.

La conception et l'expression des plaintes sont donc diversifiées et complexes, selon la culture d'origine, mais aussi selon le temps écoulé depuis l'arrivée en terre d'accueil, l'âge, le sexe et, bien sûr, la pathologie. Le médecin occidental les interprète souvent comme étant de nature psychiatrique. Pourtant, lorsqu'un patient se déclare possédé par un esprit, il n'est pas nécessairement psychotique ; lorsqu'un autre connaît des moments de transe, il n'est pas forcément hystérique. Ces deux manifestations constituent en fait l'expression d'un problème en fonction de la signification culturelle que le patient lui donne. Ainsi, dans certaines cultures, les patients expriment et perçoivent leur maladie au moyen de rêves, d'hallucinations ou de transes. Cette capacité d'entrer en transe est même considérée comme une qualité précieuse dans certaines cultures de l'Asie du Sud-Est.

LA CONCEPTION TRADITIONNELLE DE LA MALADIE : L'EXEMPLE DU MAROC

Les Djinns funèbres,
Fils du trépas,
Dans les ténèbres
Pressent leur pas ;
Leur essaim gronde :
Ainsi, profonde,
Murmure une onde
Qu'on ne voit pas.

Victor Hugo (*Les Djinns,* 28 août 1828)

La majorité des Marocains ont une conception très traditionnelle et même fataliste des causes de la maladie. Pour la plupart, le concept de la santé est d'ailleurs d'une importance secondaire par rapport à d'autres valeurs, comme l'honneur, la famille, les enfants, le mariage, la religion (De Muynck, 1997). Bien que la médecine occidentale soit présente dans les grandes villes du Maroc, les *fqihs*[8] et les guérisseurs chassent les esprits du mal, responsables de la maladie dont souffre le patient. Les Marocains estiment que notre médecine occidentale soigne leur corps à l'aide de médicaments, tandis que le guérisseur soigne leur esprit. Ces deux sortes d'aide peuvent donc être complémentaires. Lorsqu'il consulte un médecin occidental, le patient marocain avoue rarement recourir simultanément aux guérisseurs et aux plantes médicinales traditionnelles. Soit qu'il ait peur d'être mal compris, soit qu'il juge que ces deux catégories de médecine sont complémentaires et qu'elles n'interfèrent pas l'une avec l'autre.

Sur le plan anthropologique et culturel, certains comportements que les médecins occidentaux considèrent comme pathologiques s'expliquent par la possession. Il ne s'agit ni de démence, ni de folie, mais de possession par les djinns, créatures divines citées dans le Coran et ayant de nombreuses interactions avec le monde des humains. Par ailleurs, les patients nord-africains ont l'habitude d'extérioriser leurs douleurs avec une grande emphase, convaincus qu'une trop grande discrétion à cet égard pourrait leur nuire et même aggraver leur maladie. Il ne s'agit donc pas de comédie ni d'hystérie, comme on le pense souvent – à tort.

Une meilleure écoute du patient et une meilleure connaissance des coutumes permettent néanmoins au médecin d'améliorer la communication, l'échange d'informations, la confiance réciproque et, par conséquent, l'état de santé du patient.

En pratique...

Si le médecin veut cerner les modèles explicatifs du patient au sujet de la maladie, l'attitude la plus efficace est de solliciter l'opinion du patient quant à *son* interprétation et de s'abstenir de toute considération pouvant être perçue comme un jugement de valeur. Voici deux exemples d'intervention : « Que pensez-vous de votre maladie ? », « Je connais un patient qui interprète sa maladie de la manière suivante : (description). Partagez-vous son opinion ? » Tous les patients n'acceptent pas de parler de leur opinion à propos de l'origine de leur plainte, et cet interrogatoire dirigé par le médecin provoque bien souvent des réflexions comme la suivante : « Mais, je ne sais pas ! C'est vous le docteur ! » Une façon de sortir de l'impasse est alors de rassurer le patient : « J'ai évidemment ma propre idée sur votre problème, mais il me paraît important de connaître la vôtre afin d'en discuter avec vous. »

Cet échange de points de vue sur l'interprétation de la plainte permettra ensuite au médecin d'adapter ses recommandations, et au patient de s'y conformer plus aisément et adéquatement. Like et Steiner (1986) ont proposé quelques questions utiles pour cerner la plainte du patient (voir l'encadré 18.2).

Encadré 18.2 **Quelques questions pour mieux cerner la conception que le patient a de sa maladie**

- En quoi consiste votre problème ? Quel nom lui donnez-vous ?
- Selon vous, qu'est-ce qui est à l'origine de votre mal ?
- Selon vous, pourquoi votre mal est-il survenu à ce moment-ci et pas à un autre moment ?
- Que ressentez-vous dans votre corps ? Comment cela se produit-il ?
- À quel point est-ce grave ? La durée de votre maladie sera-t-elle courte ou longue ?
- À quel point ce mal vous touche-t-il dans votre vie quotidienne ? Quelles conséquences provoque-t-il ?
- Selon vous, quel genre de traitement devriez-vous recevoir ? Quels résultats espérez-vous avant tout de votre traitement ?
- Que redoutez-vous le plus à propos de votre maladie et de son traitement ?

Source : Adapté de Like et Steiner (1986).

L'attitude du patient à l'égard de l'assistance

Lorsqu'il consulte un thérapeute occidental, le patient d'une autre culture peut être sujet à diverses attitudes, qui vont de l'aversion à la dépendance, en passant par l'ambivalence. De cette attitude naîtra l'efficacité (ou l'inefficacité) de la relation thérapeutique. Certains patients viennent chercher l'aide du médecin occidental pour la valeur scientifique que la médecine peut leur apporter ou, bien souvent, dans un souci d'adopter leur *nouvelle* culture.

S'il consulte un médecin qui reconnaît la valeur des médecines traditionnelles, ou du moins ne les repousse pas, le migrant attaché à ses valeurs culturelles se sentira d'emblée sécurisé, et ce sentiment engendrera la confiance envers son thérapeute. Par contre, si le médecin a une attitude négative ou méprisante à l'égard du recours aux guérisseurs, la défiance ou l'ambivalence pourra prévaloir chez le patient.

Néanmoins, dans la majorité des cas, le migrant qui consulte perçoit son médecin comme un détenteur du savoir et, parfois, d'une certaine autorité. Il sait que, d'une manière ou d'une autre, le médecin basera ses interventions sur ses propres valeurs culturelles et personnelles et non sur les siennes. Dès lors, comment le médecin peut-il appréhender les situations marquées culturellement tout en se détachant au maximum de ses propres valeurs philosophiques? Comment peut-il aborder des situations telles que le refus d'un mariage arrangé, le désir d'une adolescente musulmane de quitter le foyer familial, le comportement oppressif d'un homme envers son épouse, etc.? Dans ces conditions, comment l'assistance que le médecin propose sera-t-elle entendue et acceptée par son patient?

Ici non plus, il n'y a pas de recette magique, mais la solution pourrait être de laisser le patient libre de choisir le modèle d'assistance vers lequel il préfère se tourner: soit le modèle traditionnel, qui le sécurise dans sa propre culture; soit le modèle occidental, qui lui offre une autre façon de tenter de résoudre ses problèmes et qui peut être mieux adapté à ses besoins actuels. Toutefois, dans la majorité des cas, le patient ne tranche pas entre deux modèles différents d'assistance; il choisit plutôt un mélange d'éléments provenant de deux cultures. Cette interaction entre le système culturel du soignant et celui du soigné ne peut qu'améliorer la confiance réciproque et l'échange d'informations, et permettre une meilleure collaboration du patient dans le processus thérapeutique qui lui est proposé (Gailly, 1991).

L'attitude du patient à l'égard de l'assistance dépend donc de divers facteurs inhérents au mode de communication, mais aussi de l'a priori du patient envers son soignant. Certains patients migrants attendront du soignant qu'il soit actif, directif ou autoritaire, tandis que d'autres chercheront plutôt une relation égalitaire. Ces différences de valeurs conditionnent de manière bien déterminée non seulement le mode de communication qui s'établira entre les deux protagonistes, mais aussi l'attitude du patient à l'égard de l'aide proposée.

De la compréhension et de l'intégration des notions théoriques développées ci-dessus dépend la qualité de la communication entre le patient migrant et son médecin, et ce, de l'entretien jusqu'à l'observance du traitement, en passant par l'examen clinique.

La communication selon l'approche transculturelle

L'entretien

Davantage avec des patients de culture différente, le style d'entretien revêt une grande importance et il déterminera le genre de relation et le degré de confiance qui s'instaureront entre le soignant et le soigné. Chaque culture, chaque communauté comporte en effet ses règles, qui déterminent les interactions entre les individus. Ainsi, dans les cultures méditerranéennes prédomineront des valeurs telles que le respect et l'honneur.

Selon Gailly (1991), les attitudes sont elles aussi déterminées par la culture: les manières de se présenter et de saluer, l'argumentation, l'humour, les techniques de désamorçage de conflit, etc. Cet auteur a isolé trois aspects de l'entretien:

1. Le contenu: quelle est la demande?

2. L'aspect formel: comment la demande est-elle présentée?

3. La technique de conduite de l'entretien.

Bien sûr, le contenu est déterminé par ce qui amène le patient migrant à consulter. La principale difficulté ici est de comprendre réellement la plainte du patient.

L'aspect formel dépend beaucoup des caractéristiques culturelles et de la langue utilisée par le patient pour évoquer son problème. La conceptualisation culturelle de sa plainte et les valeurs qui prédominent dans sa communauté déterminent, nous l'avons vu, la présentation de son problème. Certains patients intégreront des propos religieux, des références à des dieux ou à des possessions ; d'autres insisteront sur des valeurs telles que la famille, le bonheur ou la justice. L'aspect formel conditionnera la technique de l'entretien : selon la culture et la vie du patient, tel entretien doit-il être ouvert ou fermé, directif ou fondé sur l'échange de vues, dominant ou égalitaire ?

La technique de l'entretien soulève plusieurs problèmes. Comment éviter d'être manipulé par le patient ? Quelle attitude doit-on privilégier : la compréhension, la compassion, le sérieux, l'empathie ? Une chose est sûre, et plus encore avec le patient migrant, c'est qu'il est difficile pour le soignant de ne pas se heurter à sa propre capacité d'adaptation, à sa capacité de compréhension ou d'appréhension d'une réalité et d'une culture qui, parfois, lui échappent.

Les questions de l'encadré 18.2 sont des outils qui peuvent aider le médecin à préciser le style de son entretien au moment de l'approche d'un patient migrant. Le médecin peut aussi poser au patient des questions comme les suivantes : « Connaissez-vous le problème que vous avez ? », « Avez-vous déjà eu ce problème ? », « Certains de vos amis ou de vos connaissances ont-ils déjà eu le même problème que vous ? » Au terme de l'entretien, le médecin peut demander au patient s'il y a quelque chose qu'il n'a pas compris ou qu'il croit que le thérapeute n'a pas compris : « Y a-t-il quelque chose que vous n'avez pas compris ? », « Voulez-vous ajouter quelque chose pour m'aider à mieux comprendre ? »

L'examen clinique

Au moment de l'examen clinique, il va de soi que le médecin doit tenir compte, dans l'approche du patient, de la culture et du sexe de ce dernier. Pour des raisons religieuses, on évitera tantôt de confier tel patient à un médecin de l'autre sexe, tantôt de faire un examen gynécologique à une patiente réticente. En cas d'impossibilité de faire autrement, on veillera à en expliquer les raisons, ce qui ne pourra qu'aider le patient à accepter les solutions proposées. L'examen clinique doit donc s'effectuer dans le plus profond respect du patient.

Fatima (voir la section « La barrière linguistique ») accepte d'être examinée par un médecin de sexe masculin. Néanmoins, l'auscultation ne semble pouvoir s'effectuer que par le glissement du stéthoscope, à partir de la nuque, sous les nombreuses couches de robes et de djellabas qu'elle porte. Peut-on accepter ce genre d'examen ? Le médecin devrait-il pousser Fatima à se dévêtir davantage afin de faciliter l'examen ? En réalité, vu l'accord préalable de la patiente et tout en respectant sa culture, le médecin a pu procéder à l'examen dans les conditions habituelles.

Pour Caussam (voir la section « Les guérisseurs »), le problème est tout autre. À ses yeux, l'examen physique revêt une certaine sacralisation. À chaque consultation, il demande au médecin de palper très consciencieusement son abdomen. La moindre douleur ou sensation de gêne abdominale semble d'ailleurs être soulagée rapidement au passage des mains du médecin, comme si celui-ci disposait de certains pouvoirs divins, à l'instar du marabout.

Comme pour l'examen et la palpation de tout patient, le médecin doit utiliser une forme de toucher qui correspond à la situation particulière et éviter tout geste qui nécessite plus d'intimité que ce que le patient ne souhaite. Dans tous les cas où le patient est susceptible de mal interpréter l'intervention du médecin (exemples : un toucher rectal, la palpation des seins, l'examen des ganglions inguinaux), il faut tout de suite accompagner le contact physique d'une explication verbale. Une autre solution est de proposer au patient la présence d'un tiers (exemple : une infirmière) pendant l'examen physique.

Toutefois, ce n'est généralement pas l'examen clinique qui posera des problèmes de communication et de compréhension. Tout patient sait que cela fait partie du travail du médecin et se soumet, volontiers et sans trop de craintes, à cette opération… pour autant qu'elle respecte ses valeurs culturelles et religieuses.

La communication du diagnostic

Au moment de la communication du diagnostic ou des hypothèses diagnostiques, il faut éviter aussi bien de « surculturaliser » le problème que de le « surpathologiser » (Gailly, 1991, p. 110). On doit communiquer le diagnostic en évitant d'y ajouter une connotation trop *occidentale* ou trop *non occidentale*. Par exemple, se penser possédé des esprits est considéré comme pathologique dans notre culture, mais non dans certaines cultures africaines. Il est étonnant de constater que, dans de nombreux cas, les plaintes psychiques des migrants sont décrites dans notre médecine occidentale comme paranoïdes. Faut-il voir dans l'envoûtement supposé une pathologie psychiatrique ou une façon pour le patient migrant d'exprimer sa plainte en fonction de ses propres données culturelles ?

Il sera bon de tenir compte de toutes ces considérations au moment de la communication du diagnostic, un malade acceptant difficilement que sa plainte soit niée par le médecin et transformée en mal-être psychologique. En reprenant la situation de Muhammad (voir la section « La conceptualisation des plaintes et de la maladie »), on imagine très vite que ce patient a été étiqueté plusieurs fois comme un grand hypochondriaque. Une prise en charge multidisciplinaire et transculturelle a néanmoins permis de circonscrire le mal-être du patient exprimé par une impuissance sexuelle, qui est un problème difficile à avouer et qui s'était transformée en plaintes liées à plusieurs organes différents, « comme si le mal voyageait dans mon corps », précisait le patient.

De la prise en compte du contexte culturel du patient dans l'annonce d'un diagnostic découlent les sortes d'aide proposées et, surtout, dépend l'observance du traitement. Une remarque s'impose : il ne s'agit pas pour le médecin de renier sa propre culture, mais bien d'analyser, de comprendre et d'intégrer les divers aspects des autres cultures afin de mieux soigner, grâce à une communication réelle et à une compréhension réciproque.

Dans certaines circonstances dramatiques, le médecin devra, pour des raisons morales ou philosophiques ou bien par obligation légale, passer outre les contraintes liées à la culture ou à la religion du patient (exemples : le respect du jeûne, l'infibulation de jeunes filles, le refus de transfusion sanguine), notamment lorsqu'il s'agit de mineurs ou de personnes inaptes (qui ne peuvent pas prendre soin d'elles-mêmes ni de leurs biens, sur le plan juridique).

Les sortes d'aide et l'observance du traitement

Les principales difficultés qui peuvent survenir dans l'observance thérapeutique proviennent d'un déséquilibre : 1) entre la façon dont le patient perçoit la plainte et la façon dont le médecin la perçoit ; 2) entre le traitement attendu par le malade et celui proposé par son soignant (Gailly, 1991, p. 111). C'est clairement le cas de Muhammad. Ce patient exprime sans équivoque ce déséquilibre en apportant au médecin l'ensemble des médicaments que les médecins consultés antérieurement lui ont prescrits.

Cela nous amène à la représentation que chacun d'entre nous peut se faire des médicaments. Dans notre médecine occidentale, la prescription de substances pharmaceutiques est un geste courant et banalisé, qui conserve cependant une justification hautement scientifique. Tous les médicaments qu'apporte Muhammad sont reconnus pour leur efficacité et, pourtant, aucun n'a eu le moindre effet. À chaque consultation, ce patient s'attendait à recevoir un traitement et à se faire proposer une prise en charge *de type occidental.* Malheureusement, sa conception de sa maladie, basée sur la combinaison *modèle relationnel + modèle endogène + modèle additif,* ne pouvait être satisfaite par une réponse *modèle allopathique + modèle soustractif + modèle exorcistif.* Car nos médicaments miraculeux peuvent-ils avoir un effet bénéfique sur des individus frappés par le mauvais œil, possédés par un djinn ou ensorcelés par des démons ? Ce genre de traitement et d'aide est-il vraiment efficace avec ces patients ?

Certes, en proposant un soutien psychothérapeutique, la connotation occidentale persiste et le traitement a de fortes probabilités d'échouer. Il est donc essentiel de saisir la façon dont les patients migrants perçoivent les thérapeutiques occidentales. Tout comme il est essentiel de comprendre le sens des thérapeutiques non occidentales. En proposant une psychothérapie au patient migrant, on présume de sa capacité individuelle à effectuer un changement constructif (philosophie propre à l'Occident). Dans d'autres cultures, comme celle du bouddhisme zen, le traitement n'est pas nécessairement basé sur le soulagement des souffrances, mais plutôt sur l'acceptation de ces dernières. Par ailleurs, les contraintes thérapeutiques et les traditions culturelles ou les préceptes religieux ne sont pas toujours conciliables (exemples : la contraception, le diabète et le jeûne du ramadan).

On le voit bien, le genre d'assistance que le médecin propose au patient migrant doit tenir compte de cette dimension culturelle, des rites qui l'accompagnent, de la philosophie qui s'en dégage. Ici aussi, l'apport de médiateurs culturels dans une équipe de professionnels de la santé peut améliorer grandement cette compréhension. Gailly (1991, p. 115) précise :

> Il s'agit donc de recourir chaque fois que possible à des techniques qui soient fonctionnellement équivalentes dans l'une ou l'autre des cultures en présence, sans pour autant être nécessairement analogues.

Par exemple, des thérapies traditionnelles, comme les bains, les fumigations, l'usage de plantes médicinales, peuvent facilement être remplacées par de la kinésithérapie, de la physiothérapie, des inhalations ou des médicaments en préparation magistrale. Cela ne peut qu'améliorer l'observance du traitement.

La communication verbale

Le principal écueil à la communication avec le patient migrant reste la barrière linguistique. Elle est, parmi d'autres entraves, la base du repli sur soi des immigrantes de première génération, qui se répercute inévitablement sur leur demande de soins et sur l'assistance qu'on peut leur donner ; l'exemple de Fatima en est une parfaite illustration.

Même si le patient parle la même langue que le médecin, les mots utilisés revêtent une importance et un symbolisme parfois mal compris ou tout simplement niés par le médecin. Le patient migrant est susceptible d'utiliser plusieurs métaphores, différentes de celles utilisées dans la culture occidentale : « Mon cœur est froid », « Mes poumons sont durs », « Ma langue brûle », etc. Si le médecin a du mal à comprendre ou s'il désire s'assurer d'avoir bien compris le symptôme, il peut demander au patient de traduire cette image métaphorique : « Quand vous dites que votre cœur est froid, quelle image voyez-vous dans votre esprit ? »

Sans l'aide d'un interprète, le médecin doit tout faire pour faciliter au patient la compréhension de ce qu'il lui dit. Privilégier la communication simple[9] est de mise : le médecin a avantage à éviter les phrases négatives ou longues, le jargon médical et les acronymes, la surcharge d'informations et de recommandations, etc. ; il doit s'appliquer à employer des phrases courtes et des mots simples et courants, à articuler clairement, à répéter les éléments essentiels, etc.

Le médecin doit prendre au sérieux les déclarations de ses patients, sans les juger ni les banaliser, même si à première vue elles peuvent lui sembler décousues ou ne pas former un ensemble cohérent. Par ailleurs, il est bon de garder présent à l'esprit que certains patients craignent que le mal puisse se matérialiser simplement en le nommant. La *parole* (tant celle du patient que celle du médecin) est dangereuse, car elle peut donner corps et vie au *Mal* (Claes, 1999).

Enfin, l'insuffisance de connaissances et la peur du ridicule devant la toute-puissante médecine occidentale empêchent parfois le patient de parler d'un symptôme. Les pensées du patient vont de « Je ne connais pas les mots pour dire ce que j'ai » à « Ai-je le droit d'en parler sans être ridicule ? ».

La communication non verbale

Les processus de la communication non verbale sont également à la base de la communication au sens large. En anthroposociologie, on a étudié la communication non verbale, et plusieurs recherches ont été menées tant en kinésique qu'en proxémique[10]. Sans entrer dans le détail, précisons qu'il est généralement accepté que les modes de communication autres que la parole, tels que le toucher, l'odorat, l'utilisation de l'espace et du temps, permettent d'en assurer des fonctions tout aussi déterminantes (Gérard et Nève de Mévergnies, 2000).

Ainsi, le toucher semble jouer un rôle de communication essentiel dans les cultures nord-africaines. Toucher quelqu'un semblera vouloir dire tantôt « Je vais essayer de te convaincre », tantôt « Je me confie à tes soins, je te fais confiance ». Au cours d'une consultation, le patient migrant peut attribuer à certains signaux autres que verbaux une signification précise. Par exemple, le geste du médecin qui enlève sa veste à l'occasion d'une visite à domicile, au lieu d'être interprété dans le sens de « J'ai trop chaud », pourra l'être plutôt dans le sens de « Je vais prendre mon temps avec vous ». Dans notre culture, le pouce levé vers le haut signifie « Tout va bien », alors qu'il a une connotation hautement péjorative dans d'autres cultures...

Le symbolisme des gestes (exemple : l'élévation du pouce) et des attitudes (exemple : la manière de dire bonjour) participe d'une manière ou d'une autre à la qualité de la communication. La manière dont le médecin est vêtu et son respect de certaines règles (exemples : enlever ses chaussures à l'occasion d'une visite à domicile, accepter la tasse de thé proposée) contribuent également à la façon dont le patient sent qu'il est respecté dans ses valeurs culturelles.

Les modèles de communication avec le patient migrant

Les modèles de communication avec le patient migrant ont fait l'objet de plusieurs recherches (entre autres travaux, ceux de Devereux, Nathan et Laplantine) et analyses (entre autres : Leman et Gailly, 1991 ; Vossen, 1999). Selon Snacken (1991), trois modèles essentiels peuvent servir de base pour établir une communication efficace avec le patient migrant et déterminer l'aide à lui apporter.

LE MODÈLE CLINIQUE OCCIDENTAL ADAPTÉ AUX MIGRANTS

Le modèle clinique occidental adapté aux migrants est un modèle interdisciplinaire qui intègre des psychologues anthropologues et des travailleurs sociaux de la même origine que les patients ou qui connaissant la langue et la culture de ces derniers. Les théories et les concepts utilisés par l'équipe soignante restent occidentaux, même si l'expression du discours *traditionnel* est toujours possible. Ce modèle offre l'avantage d'obtenir un taux d'échec inférieur à celui obtenu avec des prises en charge où la barrière linguistique intervient.

LE MODÈLE DE COLLOMB

Le modèle de Collomb, expérimenté à Dakar, inclut un guérisseur traditionnel dans l'équipe soignante. Ce modèle reste occidental, dans la mesure où le patient consulte séparément le médecin occidental et le guérisseur. Les membres de l'équipe se concertent et travaillent en collaboration. La principale critique qu'on peut faire de ce modèle est le risque pour le patient de se trouver dans un contexte biculturel et non transculturel, et donc de se sentir soigné « entre deux chaises ».

LE MODÈLE DE NATHAN

Le modèle de Nathan intègre une équipe de plusieurs thérapeutes d'origines ethniques ou raciales très diversifiées. Les patients sont vus (parfois accompagnés de leur famille) par l'ensemble de ces soignants. Ce modèle rappelle le principe de fonctionnement des guérisseurs traditionnels, qui travaillent souvent à plusieurs afin d'éviter toute relation duelle pouvant être teintée ou suspectée de sorcellerie. Le patient migrant semble reconnaître dans ce contexte un schéma dans lequel ses plaintes seront mieux entendues et qui ressemble, en effet, à l'assemblée du village ou au groupe des anciens, schéma fréquent dans les sociétés traditionnelles. Dans ce modèle, le patient peut être accompagné par son médecin généraliste, qui ne fait pas partie de l'équipe, mais qu'on aidera dans la prise en charge de son malade.

Ce modèle a malgré tout quelques inconvénients : il est assez onéreux (il faut plusieurs thérapeutes pour un patient), il nécessite une bonne proportion de patients migrants dans la clientèle et il ne faut pas que les cultures représentées soient trop hétérogènes.

Conclusion

Communiquer avec le patient migrant tout en intégrant la différence culturelle nécessite l'adaptation continuelle du médecin. Nous l'avons vu dans ce chapitre : de trois cas particuliers amenant chacun ses problèmes sont nés trois types de communication qui ont permis de trouver trois solutions adaptées chacune à un cas.

Pour Fatima, le médecin a dû gérer la barrière linguistique et la différence culturelle et religieuse. La maladie de Caussam, la conception qu'il en a et son attachement à sa médecine traditionnelle ont demandé au médecin d'intégrer ces notions dans le genre de soins qu'il pouvait proposer. Enfin, Muhammad a été entendu sur la manière dont il exprimait sa plainte, ce qui a permis au médecin de mettre le doigt sur son véritable problème et de lui proposer une aide adaptée à sa situation. La contribution d'un interprète ou d'un médiateur culturel a été bénéfique dans au moins deux de ces situations.

De la rencontre entre le médecin et son patient, et de l'alchimie relationnelle qui va naître, dépend donc la réussite de la prise en charge et du traitement. Autant le soignant est le résultat de son *histoire*, autant le soigné a aussi *son* histoire. Même avec des patients qui appartiennent à la même culture que le médecin, la consultation peut comporter un certain degré d'incompréhension. Ce qui fait la qualité de l'écoute de la plainte du patient migrant, c'est la capacité du médecin à gérer les difficultés de communication. Dans la relation médecin-patient migrant, au-delà de l'obstacle de la langue et des techniques de communication, la barrière culturelle demeure importante.

Le problème culturel est le choc de deux vécus, de deux conceptions philosophiques et religieuses distinctes, de deux individus différents qui tentent de se comprendre. La difficulté touche à la représentation du corps, à la conception de la maladie, à l'imaginaire de chacun. La capacité d'action du soignant dépend de sa capacité de comprendre et d'appréhender une réalité qui, parfois, lui échappe.

Plusieurs modèles et outils sont susceptibles d'aider le médecin dans sa pratique avec le patient migrant, mais le travail en équipe avec des médiateurs culturels et d'autres soignants de cultures différentes reste l'approche qui a donné jusqu'ici les meilleurs résultats. Cette approche ne peut se faire sans l'ouverture personnelle du médecin et un écart par rapport à la pratique médicale occidentale. La qualité de perception des migrants va d'ailleurs bien au-delà de la performance technique, même si celle-ci ne doit évidemment pas être négligée.

Dès lors, que penser de la place de la *communication transculturelle* dans la formation des futurs médecins généralistes ? Ne serait-il pas devenu essentiel que nos futurs praticiens reçoivent quelques notions de base dans ce domaine ?

Lectures complémentaires

Traiter de la communication en médecine transculturelle est à la frontière de l'anthropologie et de l'ethnopsychiatrie. Les ouvrages suivants sont susceptibles d'aider le médecin intéressé à en savoir davantage et à approfondir ses connaissances dans ces domaines.

- Leman, J., et A. Gailly (sous la direction de) (1991). *Thérapies interculturelles : l'interaction soignant-soigné dans un contexte multiculturel et interdisciplinaire*, Bruxelles, De Boeck.

  Cet ouvrage, dont il est fait plusieurs fois mention dans le présent chapitre, a été rédigé par un collectif comprenant des médecins généralistes, des psychiatres et des psychologues anthropologues belges. Il commence par la présentation de plusieurs cas concrets qui sont ensuite analysés de manière plus générale dans la deuxième partie. Une recherche bibliographique très fouillée a permis la réalisation de ce livre passionnant.

- Qureshi, B. (1989). *Transcultural Medicine*, Londres, Kluwer Academic Publishers.

  Qureshi est un médecin, un écrivain, un conférencier. Il a collaboré à des émissions de radio en Grande-Bretagne et a écrit plusieurs articles portant sur la médecine transculturelle. Ce livre contient la quintessence de son travail dans le domaine et mérite de figurer dans la bibliothèque de tout médecin exerçant avec des patients de cultures différentes.

- Nathan, T., et C. Lewertowski (1998). *Soigner… le virus et le fétiche*, Paris, Odile Jacob.

  Tobie Nathan, ethnopsychiatre et psychanalyste reconnu, est l'auteur de plusieurs ouvrages traitant d'ethnopsychiatrie. Ce livre ainsi que plusieurs de ses productions méritent d'être lus tant ils fourmillent d'outils et de pistes susceptibles d'aider le médecin généraliste à comprendre ses patients migrants.

  À l'aide de six cas cliniques exposés de manière très détaillée, cet ouvrage raconte l'histoire de la collaboration entre une équipe de médecins du Groupe hospitalier Necker – Enfants malades et un groupe d'ethnopsychanalystes du Centre Georges Devereux de l'Université Paris 8. Ces deux équipes ont réuni leur savoir, leurs efforts et leurs compétences techniques pour prendre en charge des personnes atteintes du sida originaires de l'Afrique centrale, du Maghreb et d'Haïti. Ce livre illustre la collaboration exemplaire entre la médecine et les sciences humaines, entre les techniques thérapeutiques médicales sophistiquées et les techniques thérapeutiques traditionnelles.

Notes

1. À ce sujet, lire le chapitre 19, intitulé « La famille : lorsque des proches participent à la consultation médicale ».
2. Pour en apprendre davantage sur l'utilisation des services d'un interprète pendant les consultations, lire le chapitre 20, intitulé « Les patients accompagnés ».
3. Il s'agit d'une enquête réalisée au moyen d'un questionnaire qu'on a fait parvenir par courriel, entre le 1er et le 4 février 2002, à 770 médecins (545 en médecine libérale et 225 en milieu hospitalier), répartis dans tous les départements français. Les résultats de l'enquête ont été publiés sur le site de MedHermes.
4. Qui n'est pas originaire du pays où il habite.
5. En Afrique, le marabout est traditionnellement un envoûteur, un sorcier détenteur de la *baraka* (grâce divine). On qualifie aussi le marabout de saint.
6. L'iatrogénie est une pathogénie d'origine médicale (intervention, traitement, hospitalisation, etc.) ; on parle aussi d'iatrogénèse.
7. À ce sujet, le lecteur trouvera profitable la lecture du chapitre 21, intitulé « Les patients aux plaintes physiques inexpliquées ».
8. Le *fqih* est un expert religieux, connaisseur en science ésotérique d'inspiration coranique. Il intervient dans les cérémonies publiques ou privées (exemples : les mariages, les funérailles, les circoncisions), mais aussi en tant qu'exorciste pour expulser l'agent pathogène, grâce à la lecture du Coran, à l'utilisation des amulettes, aux interventions sur le corps, etc.
9. Le médecin intéressé par l'intégration d'un langage clair et simple dans ses interventions trouvera profitable la lecture du chapitre 15, intitulé « Les patients aux prises avec des problèmes d'alphabétisme fonctionnel ».
10. La kinésique (ou kinésie ; en anglais, *kinesics* ou *body semantics*) porte sur l'étude des moyens de communication humains non fondés sur le langage articulé, comme les mimiques du visage et les gestes des membres du corps. Quant à la proxémique (en anglais, *proxemics*; néologisme créé par E.T. Hall), elle désigne l'ensemble des observations et des théories qui concernent l'usage que l'être humain fait de l'espace.

Références

Aouattah, A. (1999). « Approche ethnopsychiatrique des systèmes étiologiques et thérapeutiques traditionnels marocains », *Santé conjuguée*, n° 7, p. 43-46.

Bellakhdar, J., R. Claisse, J. Fleurentin et C. Younos (1991). « Repertory of standard herbal drugs in Moroccan pharmacopoeia », *Journal of Ethnopharmacology*, vol. 35, n° 2, p. 123-143.

Claes, A. (1999). « La parole aux patients à travers l'expérience d'une animatrice-santé », *Santé conjuguée*, n° 7, p. 63-65.

De Muynck, A. (1997). « Comment faire face à la demande de soins émanant de la communauté immigrée ? », *Patient Care* (édition belge), vol. 20, n° 4, p. 71-84.

Demoulin, A.-M. (1995). « La gestion du diabète chez les patients arabo-musulmans », travail de fin d'études d'infirmière, Institut d'Enseignement Supérieur Parnasse-Deux Alice, Bruxelles.

Ferrant, L. (2001). « Représentations du corps et de la maladie », *Santé conjuguée*, Bruxelles, n° 16, p. 39-44.

Gailly, A. (1991). « Problèmes liés au contexte multiculturel de la relation soignant-soigné », dans *Thérapies interculturelles : l'interaction soignant-soigné dans un contexte multiculturel et interdisciplinaire*, sous la direction de J. Leman et A. Gailly, Bruxelles, De Boeck, p. 95-115.

Gérard, F., et L. Nève de Mévergnies (2000). « La communication médecin-patient en médecine générale : aspects théoriques et démarche pratique », mémoire de fin d'études de licence en information et communication, Université catholique de Louvain, Belgique.

Hoffman, A. (1999). « Quatre continents dans la salle d'attente », *Santé conjuguée*, Bruxelles, n° 7, p. 31-33.

Jones, D., et P.S. Gill (1998). « Refugees and primary care : Tackling the inequalities », *British Medical Journal*, vol. 317, p. 1444-1446.

Laplantine, F. (1986). *Anthropologie de la maladie*, Petite bibliothèque Payot, Paris, Payot.

Leman, J., et A. Gailly (sous la direction de) (1991). *Thérapies interculturelles : l'interaction soignant-soigné dans un contexte multiculturel et interdisciplinaire*, Bruxelles, De Boeck.

Like, R.C., et R.P. Steiner (1986). « Medical anthropology and the family physician », *Family Medicine Journal*, vol. 18, n° 2, p. 87-92. Traduction française parue dans *Une réflexion théorique sur la pratique des soins dans une société pluriethnique*, sous la direction de F. Gany, E.-J. Hardt, R.-W. Putsch et L. Ferrant (1995), *Patient Care* (édition belge), vol. 18, n° 3, p. 87-100.

MedHermes (2002). « 770 médecins face à Dieu », enquête présentée sur le site Internet MedHermes (www.medhermes.fr).

Muench, J., A. Verdieck, A. Lopez-Vasquez et M. Newell (2001). « Crossing diagnostic borders : Herpes encephalitis complicated by cultural and language barriers », *The Journal of the American Board of Family Practice*, vol. 14, n° 1, p. 46-50.

Nathan, T., et C. Lewertowski (1998). *Soigner… le virus et le fétiche*, Paris, Odile Jacob.

Qureshi, B. (1989). *Transcultural medicine*, Londres, Kluwer Academic Publishers.

Qureshi, B. (1995). « La "médecine transculturelle", une vision indispensable à l'ère des sociétés pluriethniques », *Patient Care* (édition belge), vol. 18, n° 3, p. 80-83.

Riffi, A., L. Pas, J. Butaye et L. Ferrant (2001). « Diabète de type 2 : une comparaison entre patients marocains et belges », *Patient Care* (édition belge), vol. 24, n° 3, p. 42-47.

Sirjacobs, F. (1990). « L'alimentation de la population maghrébine en Belgique », *Acta Medica Catholica, Immigration et santé*, vol. 59, 4e trimestre.

Snacken, J. (1991). « Guide pour la pratique dans un contexte multiculturel et interdisciplinaire », dans *Thérapies interculturelles : l'interaction soignant-soigné dans un contexte multiculturel et interdisciplinaire*, sous la direction de J. Leman et A. Gailly, Bruxelles, De Boeck, p. 133-140.

Valabrega, J.-P. (1962). *La relation thérapeutique*, Paris, Flammarion.

Vercruysse, B. (1999). « Des plaintes extrêmement atypiques », *Santé conjuguée*, n° 7, p. 35-38.

Vossen, D. (1999). « L'ethnopsychiatrie : une manière de dénouer les liens entre culture et maladie mentale », *Santé conjuguée*, n° 7, p. 52-55.

Weiss, R., et R. Stuker (1999). « When patients and doctors don't speak the same language : Concepts of interpretation practice », *Médecine sociale et préventive*, vol. 44, n° 6, p. 257-263.

La famille : lorsque des proches participent à la consultation médicale

Johanne Goudreau
Fabie Duhamel

CHAPITRE 19

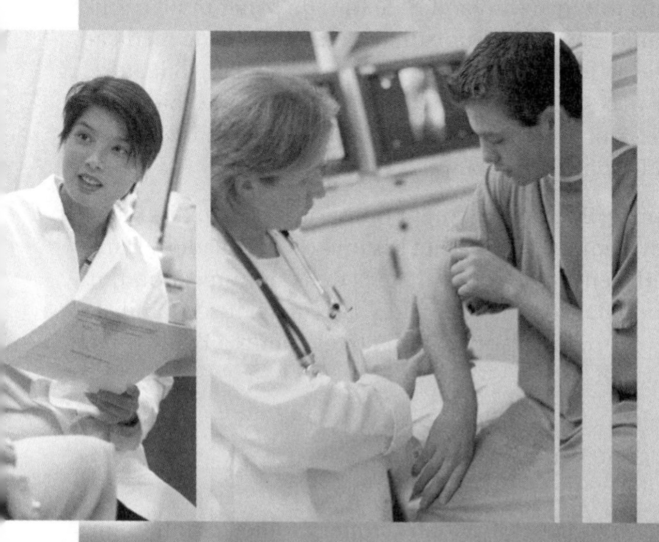

M. Forest, âgé de 58 ans, est hypertendu depuis 6 ans. Son médecin lui a prescrit un médicament antihypertenseur en lui donnant des explications très détaillées sur sa condition et sur l'importance de bien contrôler la tension artérielle. Malgré ces informations, M. Forest ne prend pas son médicament adéquatement. Accompagné de sa conjointe, il rencontre son médecin.

MME FOREST — *Mon mari ne prend pas ses médicaments comme il le devrait. Souvent, je dois l'obliger un peu à le faire… Sinon, il ne les prendrait pas !*

M. FOREST — (enchaînant) *Mais oui, je les prendrais ! Elle me harcèle tout le temps avec mes pilules… Elle s'en fait trop pour moi !*

Dans le domaine médical, il est reconnu que la santé et la maladie évoluent en fonction de l'interaction entre les composantes biologique, psychologique, sociale et spirituelle de la personne (Baird, 2002). Dans cette perspective interactionnelle, la famille constitue un élément important du processus de santé des individus et joue un rôle prépondérant dans l'évolution d'un problème de santé et sa gestion. Par ailleurs, compte tenu du système de santé actuel, les membres de la famille sont de plus en plus appelés à jouer le rôle de partenaires dans les soins donnés au patient, ce qui devrait inciter les médecins à leur accorder une attention particulière.

Ce chapitre vise essentiellement à proposer au médecin des stratégies de communication propices à améliorer les interactions avec le patient et sa famille. Le médecin a affaire à la famille du patient dans deux sortes de situations. Dans le premier cas, il rencontre les membres de la famille qui accompagnent le patient au cours des consultations. Le médecin obtient alors l'accord du patient pour discuter de son problème de santé en présence de tiers et il s'intéresse aux motifs qui poussent ces derniers à accompagner le patient. Dans le deuxième cas, c'est le médecin qui demande à rencontrer des membres de la famille selon des objectifs précis de soins. Ces rencontres s'inscrivent, notamment, dans des contextes cliniques, tels que le suivi de grossesse, l'annonce d'une mauvaise nouvelle (exemple : le diagnostic d'une maladie qui menace la vie), la planification du traitement d'une maladie chronique (exemple : l'insuffisance cardiaque), le suivi de patients qui manifestent des difficultés d'observance d'un traitement, d'une diète ou de la prise de médicaments, l'enseignement thérapeutique lié au traitement d'une maladie et, en fait, tout autre contexte pour lequel le médecin juge nécessaire cette rencontre. Quelles que soient les circonstances, le médecin ne peut écarter ni l'interaction entre la dynamique familiale et l'évolution d'un problème de santé ni le soutien à la famille.

Dans la première section du chapitre, il sera brièvement question des connaissances actuelles concernant les liens entre la dynamique familiale et la santé (et la maladie). Dans la deuxième, nous présenterons les différents types de stratégies de communication qui peuvent être utiles au médecin à l'occasion de consultations faites dans un contexte familial. Enfin, dans la troisième section, nous mettrons en application ces éléments à l'aide d'un exemple de consultation.

La santé et la famille

La famille constitue le contexte le plus important dans lequel évolue la santé d'un individu. Wright, Watson et Bell (1990) définissent la famille comme un groupe d'individus liés par un attachement émotif profond et par un sentiment d'appartenance au groupe, et qui se considèrent comme des membres de la famille ; cette définition inclut ainsi les diverses structures familiales présentes dans notre société. La relation entre la dynamique familiale et la santé individuelle est complexe, et il est très difficile d'isoler clairement les effets directs de l'une sur l'autre. Cependant, on reconnaît de plus en plus :

1. Que la famille est un milieu d'apprentissage en matière de santé ;
2. Que la maladie, selon sa nature et sa gravité, altère la dynamique familiale ;
3. Que la famille influence l'évolution de la maladie, en devenant une source importante de soutien et de stress pour le patient (Doherty et Campbell, 1989 ; Baird, 2002).

En tant que milieu d'apprentissage, la famille joue un rôle important dans l'élaboration des habitudes de santé, telles que l'alimentation, le tabagisme, la consommation d'alcool, la pratique de l'exercice et la gestion du stress (Sallis et Nader, 1988). La famille exerce une grande influence sur les croyances de ses membres, leurs attitudes et leurs comportements liés à la santé et à la maladie (Wright, Watson et Bell, 1996).

Par ailleurs, il est indéniable que lorsque la maladie s'installe dans la famille, la dynamique familiale est significativement touchée. Dès le moindre soupçon d'un diagnostic de maladie grave, par exemple, tous les membres de la famille vivent, chacun à sa façon, la souffrance et le stress suscités par cette maladie. La famille est bouleversée, tant sur le plan fonctionnel que sur le plan émotif. Dès lors, la stabilité de la vie quotidienne est menacée. Les membres de la famille doivent envisager des changements importants dans l'organisation de la vie familiale, tout en composant avec l'incertitude relative à la situation, sans savoir s'ils possèdent les ressources nécessaires pour s'y adapter. De fait, une maladie peut jeter la consternation dans une famille et provoquer une succession de crises qui mettent à l'épreuve les capacités d'adaptation de ses membres.

Ainsi, devant plusieurs problèmes de santé, les membres de la famille doivent effectuer différentes tâches liées à la prévention, à la prise en charge des symptômes (exemple : la douleur), à l'observance thérapeutique, à l'adaptation aux pertes causées par la maladie (exemples : la perte d'un emploi, la perte de l'autonomie), à l'adaptation à l'isolement social, au maintien de l'espoir devant une évolution imprévisible de la maladie ou à l'issue fatale de cette maladie. Malgré les ressources disponibles à l'intérieur même de la famille, ces tâches peuvent devenir des sources de stress pour plusieurs patients et leur famille, et requérir un soutien professionnel. Ainsi, des études ayant comme objet les conséquences des soins au patient sur la santé des soignants naturels rapportent que ceux-ci manifestent divers symptômes, comme une fatigue intense, des troubles du sommeil ou des signes de dépression et de somatisation (Jensen et Given, 1991 ; Jepson, McCorkle, Adler, Nuamah et Lusk, 1999). Une autre étude indique que les problèmes de santé des soignants naturels, notamment les troubles du sommeil, sont parmi les facteurs qui permettent de prévoir le plus efficacement le placement des patients en établissement (Bergman-Evans, 1994). Il devient évident que prendre soin du soignant naturel, bien souvent un membre de la famille, devient un élément clé du système de soins de santé.

La maladie s'impose donc comme un *intrus* qui s'intègre dans la dynamique familiale. Cependant, cette intégration ne se fait pas sans influencer, en retour, l'évolution de la maladie (Campbell, 1987 ; Burman et Margolin, 1992 ; Sales, Schultz et Biegel, 1992). Ce qui contribue à la souffrance et à la santé du patient est non seulement la maladie, mais aussi les conséquences de cette maladie sur la dynamique familiale. Pour le patient, la réaction de sa famille par rapport à la maladie peut souvent être plus traumatisante que les conséquences de la maladie sur sa propre vie. Par exemple, une mère atteinte du cancer du poumon peut être plus affectée par la détresse de ses enfants qui doivent affronter les conséquences de la maladie que par la maladie elle-même. La détresse psychologique du patient et de sa famille modifie nécessairement l'expérience de santé de tous les membres.

De plus, les transformations qui touchent à divers degrés les systèmes de santé dans le monde occidental font en sorte que c'est à la famille qu'incombe désormais une partie des soins autrefois assurés par les professionnels de la santé. Cependant, les gens n'ont pas toujours les ressources nécessaires pour affronter la situation ou ne sont pas toujours suffisamment préparés à donner des soins, qui sont de plus en plus complexes, au membre de leur famille qui est malade et à lui offrir un soutien psychologique.

Le médecin ne peut donc plus se permettre d'écarter ou de sous-estimer l'apport de la famille dans l'évolution d'une maladie. L'ensemble des études souligne aux cliniciens l'importance de comprendre les problèmes de santé d'un individu dans un contexte familial et d'intervenir auprès des membres de la famille d'un patient pour diminuer leur stress ou leur souffrance et promouvoir leur soutien mutuel.

Les études mentionnées précédemment ainsi que l'expérience clinique permettent de déterminer les cinq dimensions suivantes de la dynamique familiale, particulièrement importantes pour mieux comprendre et favoriser le processus d'adaptation de la famille à un problème de santé d'un de ses membres (Duhamel, 1995) :

1. Les croyances relatives au problème de santé ;
2. Les relations avec les professionnels de la santé ;
3. Les règles et les rôles dans la famille ;
4. Les patterns de communication circulaire ;
5. Les ressources d'adaptation.

Ces dimensions de la dynamique familiale servent de guide aux professionnels de la santé pour évaluer la situation clinique du patient dans son contexte familial. Examinons ces dimensions dans le détail.

Les croyances relatives au problème de santé

Dans ce contexte de l'approche familiale, les croyances renvoient aux convictions de l'individu, de même qu'aux valeurs et aux principes auxquels il adhère (Wright et Leahey, 2000). Chaque membre d'une famille possède un système de croyances qui *coévolue* avec celui des autres membres de la famille, ce qui crée un système de croyances familiales. Plusieurs facteurs influent sur les croyances de l'individu et de sa famille, parmi lesquels on trouve les croyances véhiculées par l'environnement (les amis, le milieu culturel ou le milieu de travail, la religion, etc.) et les expériences antérieures de chaque membre de la famille. Les croyances déterminent la perception d'un problème de santé et guident les actions d'un individu dans cette situation (Ajzen, 1996 ; Wright et autres, 1996). Voici deux exemples : un homme croit que l'hypertension est une maladie psychosomatique, liée au stress causé par le travail, et il n'accorde donc pas beaucoup d'importance aux médicaments prescrits par son médecin ; un homme croit que l'évolution du diabète de sa femme est inéluctable à cause de ses antécédents familiaux et il ne l'encourage donc pas dans ses efforts pour suivre la diète prescrite par le médecin. On voit bien que les croyances du patient et de sa famille relatives à la cause ou aux conséquences de la maladie et du traitement jouent un rôle dans les réactions des individus et sont des facteurs très importants de l'adaptation à la maladie (Patterson et autres, 1989).

Selon Wright et autres (1996), certaines croyances dites *contraignantes* limitent la capacité des membres de la famille de résoudre leurs problèmes d'adaptation à la maladie ; à l'opposé, d'autres croyances, considérées comme *facilitantes*, aident la famille à trouver des solutions à leurs difficultés. Par exemple, une famille peut entretenir la croyance contraignante que l'accouchement est nécessairement une expérience traumatisante, ce qui provoquera des périodes d'anxiété au troisième trimestre de la grossesse de la future mère ; ou bien les membres d'une famille peuvent entretenir la croyance facilitante que leur médecin est très compétent, ce qui aura pour effet de favoriser la relation de confiance avec ce dernier au cours des périodes de traitement. Il devient ainsi important de déterminer non seulement la nature des croyances, mais aussi leur type, soit contraignantes soit facilitantes, selon qu'elles créent ou accentuent la souffrance des personnes ou bien qu'elles la soulagent. Dans la dernière section du présent chapitre, un cas de consultation médicale fournit des exemples de ces deux catégories de croyances.

Les relations avec les professionnels de la santé

L'interaction entre les croyances des individus, celles de leur famille et celles des professionnels de la santé détermine aussi l'adaptation de la famille au problème de santé d'un de ses membres. Les travaux de Mauksch et Roesler (1990) indiquent que la convergence des croyances du patient et de celles des professionnels de la santé facilite la planification et l'observance thérapeutique. Dans le même ordre d'idées, Harkaway et Madsen (1989) ont montré que des difficultés d'observance peuvent survenir quand les croyances d'un patient, celles de sa famille et celles des professionnels de la santé engagés dans les soins au patient ne sont pas reconnues ou divergent entre elles. Plus précisément, ces auteurs soutiennent que ce n'est pas la nature des croyances qui conduit au manque d'observance, mais la façon dont interagissent les croyances des différents individus du système formé par les membres de la famille et les professionnels de la santé. Une difficulté de traitement émergerait lorsqu'une divergence de croyances (à l'intérieur de la famille ou entre la famille et les professionnels de la santé) est écartée ou sous-estimée.

Prenons l'exemple d'un patient hypertendu. Ce patient consulte son médecin qui, fort de ses croyances médicales, lui recommande de s'inscrire à un programme d'entraînement. Or, lorsqu'il rentre à la maison, sa conjointe, convaincue que l'hypertension exige du calme et du repos « pour diminuer la tension », exprime son désaccord : le patient doit alors faire face à la divergence entre les croyances de son médecin et celles de sa conjointe, ce qui peut évidemment entraver son adaptation à la maladie. Dans ce genre de situation, il est souhaitable que le médecin rencontre le patient et sa conjointe : le praticien peut ainsi cerner les croyances de la conjointe et lui donner des informations susceptibles de les ébranler, surtout celles qui entravent l'adaptation du patient à la maladie.

Les règles et les rôles dans la famille

Les règles familiales sont les normes ou les lignes directrices qui déterminent les comportements des membres d'une famille. Le plus souvent tacites, elles s'établissent avec le temps et devraient s'harmoniser aux besoins des membres de la famille, selon l'étape dans le cycle de leur vie familiale ou selon les événements extérieurs. Les règles sont dites *rigides* lorsqu'elles ne s'harmonisent pas aux besoins d'un ou de plusieurs membres de la famille et créent des conflits. Par exemple, une règle familiale qui interdit l'expression de la tristesse ou de la peur devant la douleur et la mort peut nuire au processus d'adaptation à la maladie d'un patient.

Quant aux rôles que les membres d'une famille jouent, leur degré de flexibilité est tout aussi important. Par exemple, si la maladie empêche une mère de continuer à jouer son rôle informel de médiatrice et que la rigidité des rôles empêche un autre membre d'assurer la relève, la famille risque d'éprouver de la difficulté à résoudre ses conflits (souvent exacerbés, d'ailleurs, par les exigences d'un problème de santé).

Ainsi, la flexibilité des règles et des rôles rend le système familial plus apte à composer avec la désorganisation et le stress causés par un problème de santé.

Les patterns de communication circulaire

Les patterns de communication circulaire constituent une autre dimension importante du processus d'adaptation à un problème de santé. Ces patterns sont les interactions répétitives, stables et autorégulatrices qui se produisent entre deux individus. Des comportements de ces deux individus, qui s'influencent mutuellement, dérivent des pensées, des croyances, des sentiments et des émotions propres à chacun.

Par exemple, le comportement de l'individu A agit sur les pensées, les croyances et les sentiments de l'individu B, conduisant ce dernier à avoir un certain comportement. À son tour, le comportement de B agit sur les pensées, les croyances et les sentiments de A, conduisant ce dernier à avoir, lui aussi, un certain comportement. La figure 19.1 rend compte de l'exemple de communication circulaire présenté au début de ce chapitre, avec M. Forest qui ne prend pas ses médicaments de manière optimale. Son comportement amène sa conjointe à croire qu'il est incapable de prendre soin de lui-même, qu'il a besoin d'elle, ce qui l'inquiète, la frustre (et la valorise peut-être en même temps) dans son rôle de conjointe soignante. Conséquemment, elle le blâme et le surprotège. En retour, le mari croit que sa conjointe ne lui fait pas confiance et il se sent frustré et en colère, ce qui l'amène à ne pas toujours prendre ses médicaments adéquatement et à se comporter de manière dépendante.

Figure 19.1 **Un exemple de pattern de communication circulaire**

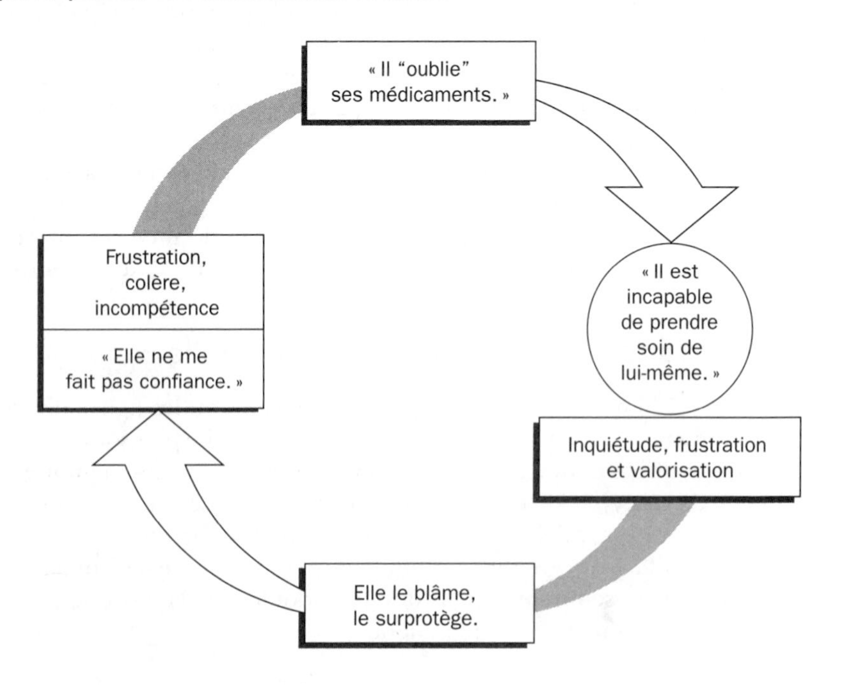

L'exploration des patterns de communication circulaire à l'aide de questions basées sur l'approche systémique a pour but d'inviter les membres de la famille à réfléchir à l'influence de leurs propres comportements sur ceux des autres membres ; elle aide le médecin à conserver son impartialité en lui évitant de s'allier avec un membre plus qu'avec un autre. Nous présentons des exemples de questions basées sur cette approche dans la section « Poser des questions systémiques ».

Les ressources d'adaptation

Selon les théories portant sur le stress dans la famille (Hill, 1958 ; McCubbin et Patterson, 1983), l'utilisation des ressources psychologiques, sociales et financières constitue une stratégie d'adaptation au stress. La famille peut faire appel à ces ressources pour composer avec le problème de santé d'un de ses membres. Le degré de stress causé par un événement, tel qu'une maladie, dépend non seulement de la perception de l'événement par la famille et des croyances que celle-ci entretient par rapport à cet événement, mais aussi de sa perception de l'efficacité des ressources qu'elle possède ou qui lui sont accessibles.

Pour s'adapter aux différentes sources de stress de la vie, un individu peut disposer de diverses ressources, notamment les croyances spirituelles, la confiance dans sa propre habileté à résoudre des problèmes et une bonne situation financière (ressources internes), ainsi que l'amour d'un conjoint ou de parents, l'appui d'amis et les services d'un médecin (ressources externes). Il est primordial que le médecin explore les ressources disponibles avec les membres de la famille pour les aider à composer avec le problème de santé. Après une évaluation des ressources, il sera important soit de sensibiliser la famille à ses ressources, soit de mobiliser les ressources, soit de mettre sur pied, en collaboration avec la famille, de nouvelles ressources qui lui permettront de faire face aux exigences de la maladie.

En résumé, il est essentiel de considérer les aspects suivants dans la gestion d'un problème de santé : les croyances familiales relatives à ce problème et aux relations avec les professionnels de la santé, la flexibilité des règles familiales et des rôles des individus dans la famille, les patterns de communication circulaire et l'efficacité des ressources d'adaptation. Afin de reconnaître ces éléments et de pouvoir en discuter avec un patient et sa famille, le médecin peut utiliser des stratégies de communication basées sur l'approche systémique.

Les stratégies de communication basées sur l'approche systémique

Dans une consultation avec la famille d'un patient, les stratégies de communication du médecin visent à réduire la souffrance (ou l'inconfort) de la famille en diminuant les sources de stress et en promouvant les sources de soutien devant la maladie. En particulier, le médecin cherchera à ébranler les croyances contraignantes, à mettre en évidence les croyances facilitantes et à construire, en collaboration avec les membres de la famille, de nouvelles croyances en vue de favoriser l'adaptation à la maladie (Wright et autres, 1996). Ce travail sur les croyances concourra à la flexibilité des règles familiales et des rôles des membres de la famille ; il rendra possible la transformation des patterns de communication nuisibles en patterns de communication utiles ; il facilitera la mise en évidence et la mobilisation des ressources disponibles pour faire face à la maladie ou permettra d'en élaborer de nouvelles.

Les stratégies de communication proposées ici sont basées sur l'approche familiale systémique que Wright et Leahey (2000) ont élaborée à partir de la théorie générale des systèmes (Von Bertalanffy, 1968), de la cybernétique (Weiner, 1948), de la communication (Watzlawick, Beavin et Jackson, 1967) et de la métathéorie de la cognition de Maturana (1988). Cette approche a aussi subi une grande influence du travail réalisé par une équipe de psychiatres italiens, spécialisés en thérapie familiale. Ces spécialistes ont contribué significativement à l'avancement de la thérapie familiale en proposant trois principes destinés à guider les « conversations thérapeutiques » (Wright et autres, 1996) d'un professionnel de la santé avec les membres d'une famille dans une perspective systémique : *la formulation d'hypothèses, la circularité et la neutralité* (Selvini-Palazzoli, Boscolo, Cecchin et Prata, 1980). Voici en quoi consistent ces principes.

La *formulation d'hypothèses* fait référence aux efforts constants de l'intervenant pour élaborer différentes explications de l'expérience vécue par la famille et éviter ainsi d'adopter *une seule* « réalité » ou « vérité ». L'hypothèse serait ainsi une supposition que l'intervenant fait, de manière à guider son investigation auprès de la famille, et qui est appelée à être acceptée ou réfutée. Les hypothèses sont fondées sur les connaissances, sur les informations recueillies auprès de la famille et d'autres professionnels, ainsi que sur les expériences de l'intervenant avec des familles ayant présenté des problèmes similaires.

Le principe de la *circularité* s'appuie sur la notion de rétroaction entre les membres de la famille et l'intervenant. Pour respecter ce principe, l'intervenant adresse aux membres de la famille des questions circulaires (ou questions systémiques), qui permettent de faire des liens entre différents éléments du système familial (exemples : les événements, les idées, les croyances). Les questions circulaires de l'intervenant découlent de l'information recueillie auprès de la famille en réponse aux questions de l'intervenant, ce qui entraîne un cycle continu entre les membres de la famille et l'intervenant.

Quant au principe de *neutralité*, on le définit comme l'attitude qu'adopte l'intervenant à l'égard de la famille et qui implique le respect et l'acceptation du système familial, de même que de la curiosité à son sujet (Tomm, 1984). L'intervenant doit démontrer son impartialité envers les personnes, leurs idées, leurs sentiments et leurs comportements, de même qu'à l'égard des changements et des résultats thérapeutiques (Tomm, 1984). Il est entendu que l'intervenant possède des valeurs, des croyances et des préjugés relativement à une situation, mais ceux-ci ne doivent pas transparaître à un point tel qu'un membre de la famille puisse percevoir que l'intervenant prend le parti d'un membre au détriment d'un autre. Cecchin (1987) soutient qu'une attitude de neutralité est maintenue par la curiosité : d'une part, plus l'intervenant se montre curieux, plus il formule d'hypothèses ; d'autre part, plus il élabore de nombreuses hypothèses, plus il devient curieux dans l'exploration de ces hypothèses.

Présentons maintenant les interventions possibles du médecin selon trois catégories : celles qui visent à démontrer sa neutralité ; celles qui visent à structurer l'entrevue ; les interventions systémiques particulières.

Les interventions qui visent à démontrer la neutralité du médecin

La neutralité est un principe essentiel à l'approche familiale systémique. Selon ce principe, le médecin est invité à faire preuve d'impartialité envers la famille qu'il rencontre.

Les médecins sont souvent portés à essayer de convaincre leurs patients d'adopter des comportements parce qu'ils sont persuadés que ces comportements constituent la seule voie à suivre au regard d'un problème de santé donné ; certains d'entre eux peuvent donc trouver difficile de faire preuve de neutralité quant à la démarche de la famille. La neutralité se reflète par une attitude de respect et de curiosité à l'égard de la *réalité* ou des croyances de chaque membre de la famille. Le médecin ne peut imposer son propre système de croyances, même si celui-ci est basé sur des données scientifiques (donc, considérées comme valables), car ce système se heurte à celui du patient et de sa famille, basé sur des données considérées aussi comme des plus valables par la famille. Il apparaît donc inefficace d'essayer de persuader un individu d'avoir un certain comportement si ce comportement ne cadre pas avec son propre système de croyances ou de valeurs.

La neutralité s'exprime envers un individu, ses idées, ses sentiments et ses comportements, mais elle n'exclut pas l'expression d'une désapprobation des comportements dangereux. La nuance est importante : si on veut protéger la relation de confiance, il s'agit de désapprouver le comportement et non la personne elle-même. Chaque membre de la famille doit se sentir suffisamment en confiance pour partager ses idées et ses sentiments, sans se sentir jugé par le médecin. Celui-ci démontre de l'impartialité devant la responsabilité du problème et il évite d'établir une alliance avec un ou plusieurs membres de la famille au détriment des autres membres.

Les interventions qui visent à structurer l'entrevue

À l'instar des consultations individuelles habituelles des médecins, les consultations faites dans un contexte familial nécessitent une structure, notamment un ordre du jour. Ainsi, selon Wright et Leahey (2000), savoir structurer une consultation constitue une habileté de base dans l'intervention auprès des familles. Les auteurs proposent des consultations en quatre étapes : l'engagement, l'évaluation, l'intervention et la conclusion. Bien que l'intervention semble constituer une étape distincte, il est essentiel de considérer aussi ce qui se passe pendant l'engagement, l'évaluation et la conclusion comme une intervention.

L'*engagement* vise à établir une relation de confiance avec la famille. Le médecin doit se présenter (en serrant la main) à chaque membre de la famille et lui demander de se présenter. Ensuite, il mentionne son intérêt envers l'expérience et les préoccupations suscitées par le problème de santé chez les membres de la famille. Puis, il leur fait part de la structure de la rencontre (exemples : le temps accordé à l'entrevue et le déroulement prévu) afin de faciliter leur participation. Duhamel (1995) abonde dans le même sens, en soulignant l'importance pour l'intervenant d'expliquer l'objet (ou les objets, s'il y a lieu) de la consultation et de préciser la durée de cette dernière. Ainsi, les membres de la famille sont davantage en mesure de juger de la nature des problèmes à aborder dans le laps de temps accordé. Après avoir annoncé ce qu'il compte faire au cours de la consultation, le médecin doit demander aux membres de la famille s'ils désirent aborder d'autres sujets. L'ordre du jour se trouve donc établi.

L'étape de l'*évaluation* vise à explorer les liens entre le problème de santé et la dynamique familiale à l'aide des questions systémiques (que nous abordons plus loin). Le médecin explore la principale source de souffrance et de préoccupation de chaque membre de la famille, de même que les ressources (de soutien ou autres) accessibles à la famille. Il demande aux membres de la famille de préciser le genre d'information qui leur serait le plus utile pour mieux composer avec la maladie.

L'étape de l'*intervention* a lieu lorsque, par exemple, le médecin offre des informations et des recommandations basées sur l'évaluation des besoins de la famille. Le médecin devrait aussi reconnaître les forces de la famille, en soulignant les compétences qu'il a pu observer chez tel ou tel membre. En misant ainsi sur les forces de la famille et en sensibilisant les membres à leurs propres ressources, qu'elles soient internes ou externes, il tente de renforcer leur sentiment de confiance en leur capacité de s'adapter au problème de santé d'un des leurs.

Au moment de la *conclusion*, le médecin résume ce qui s'est passé au cours de l'entrevue et annonce comment il entrevoit ce qui suivra. Si les difficultés d'adaptation des membres de la famille dépassent leurs ressources et les compétences du médecin, celui-ci les renvoie alors à d'autres professionnels de la santé, davantage en mesure de répondre à leurs besoins. En terminant l'entrevue, le médecin offre la possibilité d'une consultation future pour assurer le suivi, au besoin.

Les interventions systémiques particulières

Au cours des différentes étapes d'une entrevue réalisée dans un contexte familial, le médecin trouvera très efficace d'utiliser des interventions systémiques particulières, comme les suivantes.

POSER DES QUESTIONS SYSTÉMIQUES

Les questions systémiques constituent des interventions en elles-mêmes parce qu'elles suscitent la réflexion chez les membres de la famille (Tomm, 1987a, 1987b). Ces questions permettent au médecin de faire des liens entre, d'une part, les croyances, les sentiments et les comportements des membres de la famille et, d'autre part, les événements liés à la maladie. Ces questions permettent aussi la transmission de l'information relative au problème de santé ainsi que l'élaboration d'hypothèses sur le fonctionnement familial.

Le tableau 19.1 présente les différentes catégories de questions systémiques, accompagnées d'exemples et de la précision des buts visés. Ces questions, tirées de Duhamel (1995), visent essentiellement à explorer l'expérience des membres de la famille à l'égard du problème de santé, à déterminer leurs principaux besoins et à susciter leur réflexion sur le sujet. Nous verrons comment utiliser ces questions dans l'exemple de consultation présenté à la dernière section du chapitre.

DONNER DE L'INFORMATION ET FAIRE DE L'ENSEIGNEMENT THÉRAPEUTIQUE

Recevoir de l'information et bénéficier d'un enseignement[1] constitue un des principaux besoins ressentis par la famille dont un membre vit un problème de santé. Le patient et sa famille se perçoivent davantage en maîtrise du problème lorsqu'ils possèdent des informations pertinentes sur la nature du problème, le pronostic, le traitement et les ressources disponibles. Par ailleurs, les membres de la famille désirent connaître leur rôle potentiel dans la gestion de la maladie, afin de préserver leur sentiment de compétence et de maîtrise de la situation.

Pour le médecin, la famille elle-même constitue une importante source d'information, notamment lorsqu'un de ses membres est aux prises avec une maladie chronique. Il est important pour le médecin de connaître les expériences et les connaissances antérieures de la famille. En plus d'informer le médecin, ce partage favorise la valorisation des compétences des membres de la famille. Valorisés, ceux-ci participeront mieux à la gestion de la maladie.

Tableau 19.1 **Les questions systémiques**

CATÉGORIES	EXEMPLES	BUTS
Inquiétudes et préoccupations des membres de la famille	« Qu'est-ce qui vous inquiète le plus dans la maladie de votre mari ? » « Quelle est la plus grande difficulté que vous devez affronter en tant que couple à cause de cette maladie ? »	Constituer une entrée en matière. Cibler les principales préoccupations de la famille.
Croyances et perceptions relatives à la maladie des membres de la famille	« Quelle différence y a-t-il entre votre façon d'expliquer la maladie et celle de votre conjoint ? »	Explorer les croyances relatives à la maladie des membres de la famille.
Flexibilité des règles familiales et des rôles familiaux	« Quels sont les changements les plus importants que vous avez notés dans votre couple depuis le début de la maladie de votre mari ? » « Qui a le plus de difficulté à s'adapter aux changements causés par la maladie ? » « Comment y arrivez-vous ? »	Cerner les sources de souffrance ou de difficultés relatives au problème de santé. Déterminer les changements que la famille a dû faire pour composer avec le problème de santé et s'y adapter.
Différences de perception ou d'expérience entre les membres de la famille	« Qui semble le plus touché par l'hypertension ? » « Comment le démontre-t-il ? »	Faire des liens entre le comportement d'un membre de la famille et celui d'un autre en explorant les différences entre les personnes, les croyances et les périodes. Ébranler les croyances contraignantes.
Réactions aux comportements des autres membres de la famille	« Lorsque vous avez appris à votre femme que vous faisiez de l'hypertension, quelle a été sa réaction ? » « Lorsque votre mari se plaint de devoir prendre des médicaments, quelle est votre réaction ? »	Aider les membres de la famille à observer les comportements des autres et à examiner les conséquences de ces comportements. (Le médecin doit être attentif au ton et aux mots utilisés par les personnes, et veiller à faire rectifier les paroles s'il y a présence de blâme.)
Relation entre des membres de la famille	« Que pensez-vous que votre mari répondrait si je lui demandais ce qui est le plus frustrant dans son expérience de la maladie ? »	Susciter la participation d'un membre de la famille en attisant sa curiosité au sujet de ce que pense réellement un autre membre. Obtenir des informations sur la qualité de la communication qui existe entre les membres de la famille.

Tableau 19.1 **Les questions systémiques (*suite*)**

CATÉGORIES	EXEMPLES	BUTS
Hypothèses	« Se pourrait-il que votre conjointe vous harcèle avec vos médicaments parce qu'elle craint une complication de l'hypertension ? »	Confirmer ou réfuter des hypothèses portant sur un pattern de communication circulaire et inviter la famille à poursuivre une réflexion sur le sujet. Permettre la transformation d'un pattern de communication circulaire en ébranlant une croyance contraignante.
Patterns de communication circulaire	« Lorsque vous surveillez votre mari aussi étroitement, que croyez-vous qu'il pense (ou ressent) ? »	Mêmes buts que pour la catégorie précédente.
Efficacité des ressources d'adaptation	« En dehors de la famille, qui vous aide le plus à composer avec la maladie, et comment ? »	Explorer les ressources internes et externes du patient et de sa famille.
Relations avec les professionnels de la santé	« Quel est le meilleur conseil que vous avez reçu de la part des professionnels de la santé ? » « Quel est le pire ? » « En tant que médecin, de quelle façon puis-je vous aider le plus efficacement possible pour composer avec la maladie ? »	Obtenir des précisions qui orientent les interventions auprès de la famille.

Il est intéressant de demander au patient et à sa famille quels moyens d'apprentissage ils privilégient. Le médecin peut alors adapter son enseignement ou le choix des ressources d'enseignement vers lesquelles il dirigera la famille. Dans cet ordre d'idées, il est important de demander aux membres de la famille d'explorer et de commenter l'enseignement reçu, afin de vérifier si cet enseignement cadre avec leur système de croyances et d'améliorer ainsi son efficacité.

DÉCRIRE LA SITUATION COMME ÉTANT NORMALE

Rassurer une personne sur ses réactions ou sur ses perceptions ne consiste pas à banaliser la situation. Quand les membres de la famille se rendent compte que le médecin perçoit leurs comportements, leurs sentiments ou leurs idées comme des réactions normales à une situation, cela peut avoir un effet apaisant. Voici quelques exemples d'interventions qui montrent à un patient que le médecin croit que ses réactions sont normales :

- « Compte tenu des circonstances, votre réaction est très compréhensible. »
- « Il est tout à fait normal que vous ressentiez de la colère ou de la frustration. »

- « Il est normal d'accorder davantage d'attention à un enfant malade. »

Une fois rassuré sur ses propres réactions, un individu peut s'exprimer sans crainte d'être jugé et s'ouvrir davantage aux idées des autres.

SOULIGNER LES FORCES ET LES RESSOURCES DE LA FAMILLE

Les professionnels de la santé donnent souvent de nombreux conseils à la famille pour l'aider à mieux gérer le problème de santé de leur membre touché. Si les conseils ne tiennent pas compte des capacités de la famille, les gens peuvent se mettre à douter de leurs propres compétences et se fier davantage aux professionnels de la santé pour trouver des solutions. Il devient alors important de souligner leurs forces aux membres de la famille, ce qui atténue leurs sentiments d'échec ou de culpabilité et leur procure une impression de maîtrise de la situation. Voyons deux exemples d'intervention :

LE MÉDECIN — (à la fille d'une femme atteinte d'un cancer) *Vous avez très bien pris soin de votre mère à la maison jusqu'à présent ; cependant, à cause de son état actuel, il est maintenant temps de l'hospitaliser.*

LE MÉDECIN — (à une femme traitée en chimiothérapie et accompagnée de son conjoint à la consultation) *Parmi les choses que votre mari fait pour vous soutenir, qu'est-ce qui vous aide le plus à composer avec la situation ?*

Un sentiment de compétence et de confiance devant le problème de santé réduit les risques de dépendance par rapport au système de santé.

RECADRER[2] L'EXPÉRIENCE DE LA FAMILLE

Cette catégorie d'intervention, qui a pour but de modifier la perception de la réalité par les individus, consiste à donner une autre signification à la description d'une situation, d'un comportement ou d'un problème, différente de celle que lui accorde un membre de la famille. Il ne s'agit pas de trouver une *vraie* explication, mais d'offrir une signification qui peut être plus utile à la famille. Reprenons la situation de l'introduction, à titre d'exemple :

M. FOREST — (au médecin) *Elle me harcèle tout le temps avec mes pilules…*

LE MÉDECIN — (qui recadre la situation) *Est-ce possible que les paroles de votre femme soient autre chose que du harcèlement ? Peut-être le souci de vous protéger ?*

Dans cet exemple, le médecin tente d'ébranler une croyance contraignante : M. Forest croit que sa femme le harcèle, ce qui le met en colère et le pousse à résister à ses demandes relatives à la prise de médicaments. Le médecin désamorce cette croyance en offrant l'idée qu'une autre intention, celle de protection, anime Mme Forest. Cette catégorie d'intervention peut surprendre les membres de la famille et les porter à réfléchir, à se percevoir autrement, ce qui est très utile dans l'adaptation au problème de santé.

La mise en application des interventions

Laurent, âgé de 52 ans, a fait un infarctus du myocarde un mois plus tôt. Traité rapidement à l'urgence et aux soins intensifs, sa condition a évolué de façon satisfaisante. Au moment de lui accorder son congé de l'hôpital, le cardiologue dit à Laurent qu'il ne gardera pas d'insuffisance cardiaque résiduelle.

Laurent et sa conjointe, Monique, rencontrent leur médecin de famille à son bureau. Au début de la consultation, le médecin annonce l'ordre du jour : il posera plusieurs questions sur la condition cardiaque de Laurent et sur son traitement ; il procédera à un examen physique. Il demande ensuite à Laurent et à Monique s'il y a des éléments particuliers dont ils aimeraient discuter ou s'ils ont des questions à poser.

Dans les tableaux qui suivent, la colonne de gauche présente un dialogue, alors que, dans la colonne de droite, des commentaires précisent les catégories d'intervention et leur utilité.

	Dialogue	Commentaires
LE MÉDECIN	— *Plusieurs de mes patients qui ont eu un infarctus me disent que leur maladie a provoqué des changements dans leur vie familiale. J'aimerais aborder ce point avec vous aujourd'hui parce que ces changements peuvent influencer l'évolution de votre maladie. Qu'en pensez-vous ? Êtes-vous d'accord pour que nous en parlions ? Nous avons dix minutes pour en discuter.*	Il est essentiel que le médecin annonce qu'il veut aborder ce point avec le couple et qu'il vérifie si les intéressés sont d'accord ; en effet, certaines personnes peuvent trouver surprenant de discuter de ce sujet avec leur médecin. Cette intervention aide à établir une relation de confiance. Par ailleurs, en intégrant ce point de discussion à l'ordre du jour, le médecin donne une structure à la consultation. Le médecin peut même prévoir le temps approximatif qu'il compte consacrer à la consultation et en informer ses visiteurs.
LAURENT	— (spontané) *Je suis content que vous disiez ça, Docteur ! Monique ne me laisse rien faire dans la maison et elle est en train de s'épuiser. Peut-être que si vous lui parliez, elle me laisserait un peu tranquille.*	Le patient annonce ici qu'il est d'accord pour aborder ce point au cours de la consultation. Il ajoute une dimension en annonçant qu'il y a, selon lui, un problème dont il commence déjà la description.
LE MÉDECIN	— *Monique, êtes-vous d'accord que nous discutions de ce point aujourd'hui ?*	Lorsqu'un médecin reçoit deux ou plusieurs personnes, il est essentiel qu'il vérifie où se situe chacune par rapport aux éléments de l'ordre du jour présenté, pour ainsi démontrer sa neutralité.
MONIQUE	— *Oui, mais j'ai aussi quelques questions concernant la médication de Laurent. Il me semble plus fatigué depuis qu'il prend le médicament X.*	Ici, Monique exprime son accord sur l'ajout de ce sujet à l'ordre du jour, mais elle désire s'assurer que le médecin répondra aussi à ses inquiétudes.

LE MÉDECIN — (concluant) *C'est d'accord. Alors commençons tout de suite.*

Le médecin procède donc au questionnaire concernant les signes et les symptômes cardiaques de Laurent. Il s'informe aussi des difficultés relatives à la prise des médicaments prescrits. Il apprend que Monique voit à ce que Laurent prenne bien ses médicaments selon l'ordonnance.

> Le médecin reçoit la question de Monique et accepte officiellement de l'aborder. Il s'assure ainsi de la collaboration de la conjointe de son patient. À cette étape de la consultation, le médecin doit éviter de plonger dans l'un ou l'autre des sujets. Il doit plutôt planifier un ordre du jour qu'il pourra gérer en fonction du temps dont il dispose.

LAURENT — (sur un ton impatient) *Il n'y a pas de danger que je les oublie! Monique se charge de me le rappeler plusieurs fois par jour. Même avant l'heure! Puis, dès que je les ai pris, elle planifie la dose suivante…*

MONIQUE — *Croyez-moi, Docteur: si je ne les lui donnais pas, il les oublierait une fois sur deux!*

LAURENT — *Non! Je ne les oublierais pas. Je ne sais pas ce qui lui a mis cette idée dans la tête!*

> Laurent se sent très à l'aise de s'exprimer. Est-ce parce que le médecin a invité le couple à parler de son expérience avec la maladie? Laurent aurait-il fait ces commentaires de toute façon? On peut croire que l'invitation du médecin à aborder les conséquences de la maladie sur la vie familiale a pu amener Laurent à penser que ces informations étaient importantes pour le médecin.
>
> Il s'agit en effet d'informations importantes sur le comportement du couple en relation avec la maladie de Laurent. Ces informations sont aussi révélatrices des croyances de Laurent et de celles de Monique sur la maladie et son traitement.

MONIQUE — (sur un ton agressif) *Tous les hommes oublient leurs médicaments! Mon père les oubliait, et il est mort! Mon frère les oublie, et sa pression est toujours très élevée! Ma belle-sœur est tellement inquiète qu'il fasse une attaque…*

LE MÉDECIN — (renvoyant à Monique ses paroles) *Vous semblez très inquiète de la santé de Laurent… Mais terminons-en avec l'examen physique, et nous reparlerons de cet aspect tout de suite après.*

Le médecin procède à l'examen physique de Laurent et constate le bon état général de son patient. Il aborde ensuite le sujet de l'adaptation familiale à la maladie.

> Ici, on peut imaginer que le ton impatient de Laurent amène le médecin à faire l'hypothèse que son patient trouve sa conjointe trop envahissante et que la tension monte entre eux. Il tente donc un recadrage des émotions de Monique, en mettant en évidence son inquiétude plutôt que son agressivité.
>
> Si le médecin veut demeurer efficace, il est essentiel qu'il s'écarte le moins possible de l'ordre du jour planifié, tout en recevant l'information qu'on lui donne. À cet effet, il effectue donc une intervention liée à la structure de l'entretien.

	— *Tout à l'heure, j'ai compris que, depuis la crise cardiaque de Laurent, il y a eu plusieurs changements dans votre couple. Quels sont les changements les plus importants ?*	Il s'agit d'une question sur la flexibilité des règles et des rôles qui invite le patient et sa conjointe à décrire ce qui se passe entre eux depuis la maladie.
MONIQUE	— *Laurent me reproche toujours d'en faire trop à sa place ! Une crise cardiaque, ça se soigne avec du repos surtout ! Le médecin et les infirmières à l'urgence ont été très clairs là-dessus ! Et puis, moi aussi, je connais ça. Mon père en est mort !*	Monique rapporte que son conjoint lui reproche de se substituer à lui. Elle fait aussi part au médecin de ses croyances relatives à la maladie. Ces croyances sont basées sur les informations qu'elle a reçues pendant l'hospitalisation de son conjoint et sur son expérience antérieure. Ce sont des croyances contraignantes, puisqu'elles engendrent de l'anxiété et des comportements de blâme.
LAURENT	— *Je ne suis pas aussi atteint que ton père. Je ne fumais déjà plus depuis deux ans et j'avais perdu sept kilos. Je me sens mieux, quand même ! Ça fait un mois, et le cardiologue dit que je pourrai reprendre le travail le mois prochain.*	De son côté, Laurent confirme que sa femme l'empêche de faire des choses et que cela l'impatiente. Il décrit ses propres croyances relatives à sa maladie. Le médecin peut constater que la divergence des croyances des conjoints nuit au soutien mutuel qu'ils pourraient se donner pour affronter cette épreuve.
MONIQUE	— *C'était déjà trop tard puisque tu as fait un infarctus !*	
LE MÉDECIN	— (s'adressant aux deux conjoints) *Il semble que vous ne voyez pas la maladie de Laurent, ni son traitement, d'un même œil et que ça cause des discussions qui sont difficiles pour vous deux. Avez-vous de telles discussions à la maison ?*	Le médecin fait part de son observation quant aux conséquences de la maladie sur la relation de Laurent et Monique. Il pose des questions qui visent à faire ressortir un pattern de communication circulaire. Cette question-ci est destinée à mettre en évidence un pattern de communication circulaire qui peut nuire à l'adaptation à la maladie et, conséquemment, à la réadaptation de Laurent.
LAURENT	— *C'est comme je vous disais au début… Monique ne me laisse rien faire dans la maison. Elle s'épuise. Elle me surveille.*	Ici, le médecin et Laurent continuent de mettre en lumière un pattern de communication circulaire.
LE MÉDECIN	— *Lorsque Monique vous demande de prendre vos médicaments, à quoi pensez-vous ?*	Le médecin pose une autre question sur le pattern de communication circulaire, question qui ajoute une information pour Monique : Laurent sait qu'elle a eu de la peine au décès de son père.
LAURENT	— *Ça me choque tellement ! Je pense qu'elle m'en veut d'avoir fait un infarctus. Son père est mort d'un infarctus et elle a eu tellement de peine.*	

LE MÉDECIN	— *Et que faites-vous lorsqu'elle vous demande de prendre vos médicaments et que ça vous choque?*	Le médecin poursuit son exploration des patterns de communication circulaire avec Laurent.
LAURENT	— *Je bougonne et je m'entête… Je lui dis de me laisser en paix.*	
LE MÉDECIN	— *De votre côté, Monique, quelles sont vos pensées lorsque Laurent s'entête?*	Le médecin pose à Monique une question sur les patterns de communication circulaire.
MONIQUE	— *Je me dis que Laurent se conduit comme mon père, et j'ai tellement peur! Je ne peux faire autrement que le suivre et le surveiller…*	
LE MÉDECIN	— *Si je comprends bien, Monique harcèle Laurent parce qu'elle s'inquiète de l'entêtement de Laurent, et Laurent s'entête parce que Monique le harcèle?*	Le médecin pourrait illustrer ce pattern à l'aide d'un pattern à l'intention du couple.
	Monique et Laurent se regardent et se rappellent avoir déjà réagi de cette manière en d'autres circonstances. Ils s'entendent pour y être attentifs et tenter quelque chose de plus constructif.	
	— *Je vois que ça vous rappelle un problème semblable, que vous avez déjà résolu. Je vous invite à en discuter ensemble. Je suis certain que vous retrouverez comment vous avez résolu cette difficulté et que ce moyen, même s'il faut l'adapter à la situation d'aujourd'hui, vous aidera à nouveau. Nous pourrions en reparler dans un mois, si vous le voulez.*	Le médecin met en évidence les ressources des conjoints et les invite à mobiliser ces ressources pour résoudre le problème actuel. Il assure le suivi, en montrant qu'il évalue que la situation mérite qu'on s'y attarde.

Cet exemple constitue une illustration de l'utilité de l'approche familiale dans la démarche clinique du médecin. On peut en effet imaginer ce qui aurait pu se passer sur le plan du traitement de la maladie si le médecin n'avait pas effectué ces interventions. Peut-être que Laurent n'aurait pas pris adéquatement ses médicaments. Peut-être que des conflits conjugaux auraient provoqué un stress suffisamment important pour précipiter une rechute des symptômes cardiaques de Laurent ou un problème de santé chez la conjointe. Peut-être que le médecin aurait dû intervenir de nouveau à plusieurs reprises. Dans ce sens, nous croyons que ces interventions ont probablement fait gagner du temps au médecin et au patient, et qu'elles ont permis d'éviter des souffrances psychologiques, sinon physiques, au sein du couple.

Conclusion

Au cours de ses consultations, le médecin doit souvent intervenir auprès de la famille du patient. Cela se produit lorsque le patient est accompagné d'un ou de plusieurs membres de sa famille, notamment au cabinet du médecin, au chevet du malade, à l'hôpital ou à domicile. Quelquefois, le médecin convoque lui-même une rencontre familiale soit pour annoncer une mauvaise nouvelle, soit pour offrir des informations au sujet d'une maladie et de son traitement, soit pour mieux comprendre un problème de santé.

Il existe des stratégies de communication fort utiles au médecin lorsqu'il rencontre le patient dans un contexte familial. Ces stratégies visent principalement la structure de l'entrevue et les catégories de questions à poser aux membres de la famille. En effet, il est important que le médecin clarifie les objectifs et le déroulement de la consultation dès le début. Par ailleurs, les questions qu'il pose doivent aider les membres de la famille à mobiliser leurs ressources pour affronter le problème de santé du patient. C'est pourquoi nous avons présenté un répertoire d'interventions et des exemples tirés de la pratique habituelle du médecin de famille.

Notes

1. À ce sujet, consulter le chapitre 26, « L'enseignement thérapeutique et la motivation du patient ».
2. Ce sens du verbe « recadrer » (Duhamel, 1995) est emprunté à l'anglais *to reframe*.

Références

Ajzen, I. (1996). « The directive influence of attitudes on behavior », dans *The psychology of action : Linking cognition and motivation to behavior*, sous la direction de P.M. Gollwitzer et J.A. Bargh, New York, Guilford Press, p. 385-403.

Baird, M. (2002). « Comments on the commissioned report health and behavior : The interplay of biological, behavioral and societal influences », *Families, Systems and Health : The Journal of Collaborative Family HealthCare*, vol. 20, n° 1, p.1-6.

Bergman-Evans, B. (1994). « Health profile of spousal Alzheimer's caregivers : Depression and physical health characteristics », *Journal of Psychosocial Nursing*, vol. 32, n° 9, p. 25-30.

Burman, B., et G. Margolin (1992). « Analysis of the association between marital relationships and health problems : An interactional perspective », *Psychological Bulletin*, vol. 112, n° 1, p. 39-63.

Campbell, T.L. (1987). *Family's impact on health : A critical review and annotated bibliography*, Rockville (Maryland), U.S. Department of Health and Human Services.

Cecchin, G. (1987). « Hypothesizing, circularity and neutrality revisited : An invitation to curiosity », *Family Process*, vol. 26, n° 4, p.405-413.

Doherty, W.J., et T.L. Campbell (1989). *Families and health*, Newbury Park (Californie), Sage Publications.

Duhamel, F. (1995). *La santé et la famille : une approche systémique en soins infirmiers*, Boucherville, Gaëtan Morin.

Harkaway, J.E., et W.C. Madsen (1989). « A systemic approach to medical noncompliance : The case of chronic obesity », *Family Systems Medicine*, vol. 7, n° 1, p. 42-65.

Hill, R. (1958). « Social stresses on the family : Generic features of families under stress », *Social Casework*, vol. 49, p. 139-150.

Jensen, S., et B.A. Given (1991). « Fatigue affecting family caregivers of cancer patients », *Cancer Nursing*, vol. 14, n° 4, p. 181-187.

Jepson, C., R. McCorkle, D. Adler, I. Nuamah et E. Lusk (1999). « Effects of home care on caregivers' psychosocial status », *Image : Journal of Nursing Scholarship*, vol. 31, n° 2, p. 115-120.

Maturana, H.R. (1988). « Reality : The search for objectivity on the quest for a compelling argument », *Irish Journal of Psychology*, vol. 9, p. 25-82.

Mauksch, L.B., et T. Roesler (1990). « Expanding the context of the patient's explanatory model using circular questioning », *Family Systems Medicine*, vol. 8, n° 1, p. 3-13.

McCubbin, H.I., et J.M. Patterson (1983). « The family stress process : The double ABCX model of adjustment and adaptation », *Marriage & Family Review*, vol. 6, n° 1, p. 7-35.

Patterson, T.L., J.F. Sallis, P.R. Nader, R.M. Kaplan, J.W. Rupp, C.J. Atkins et K.L. Seen (1989). « Familial similarities of changes in cognitive, behavioral, and physiological variables in a cardiovascular health promotion program », *Journal of Pediatric Psychology*, vol. 14, n° 2, p. 277-292.

Sales, E., R. Schultz et D. Biegel (1992). « Predictors of strain in families of cancer patients : A review of the literature », *Journal of Psychosocial Oncology*, vol. 10, n° 2, p. 1-26.

Sallis, J.F., et P.R. Nader (1988). « Family determinants of health behavior », dans *Health Behaviors : Emerging research perspectives*, sous la direction de D.S. Gochman, New York, Plenum Press, p. 107-121.

Selvini-Palazzoli, M., L. Boscolo, G. Cecchin et G. Prata (1980). « Hypothesizing-circularity-neutrality : Three guidelines for the conductor of the session », *Family Process*, vol. 19, p. 3-12.

Tomm, K. (1984). « One perspective on the Milan systemic approach : Part II – Description of session format, interviewing style and interventions », *Journal of Marital and Family Therapy*, vol. 10, n° 3, p. 33-45.

Tomm, K. (1987a). « Interventive interviewing : Part I. Strategizing as a fourth guideline for the therapist », *Family Process*, vol. 26, n° 1, p. 3-13.

Tomm, K. (1987b). « Interventive interviewing : Part II. Reflexive questioning as a means to enable self-healing », *Family Process*, vol. 26, n° 2, p. 167-183.

Von Bertalanffy, L. (1968). *General system theory : Foundations development, applications*, New York, Braziller.

Watzlawick, P., H.H. Beavin et D.D. Jackson (1967). *Pragmatics of human communication : A study of interactional patterns, pathologies and paradoxes*, New York, W.W. Norton.

Weiner, N. (1948). *Cybernetics : Or, control and communication in the animal and the machine*, New York, John Wiley & Sons.

Wright, L.M., et M. Leahey (2000). *Nurses and families : A guide to family assessment and intervention*, 3e édition, Philadelphie, Davis.

Wright, L.M., W.L. Watson et J.M. Bell (1990). *The cutting edge of family nursing*, Calgary, Family Nursing Unit Publications.

Wright, L.M., W.L. Watson et J.M. Bell (1996). *Beliefs : The heart of healing in families and illness*, New York, Basic Books.

Les patients accompagnés

Ellen Rosenberg

CHAPITRE 20

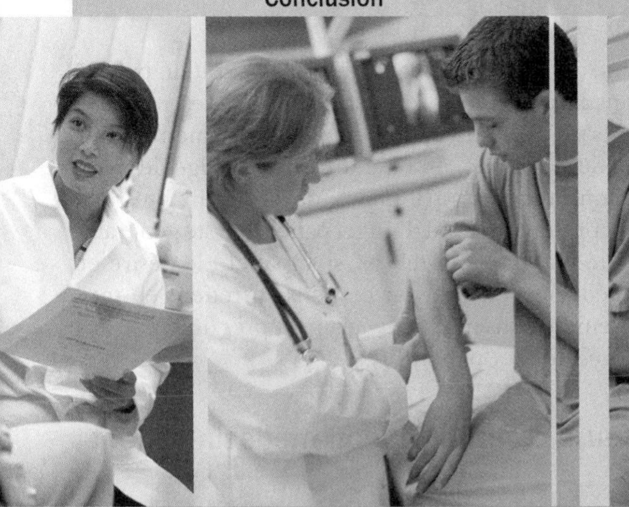

Dans sa presque totalité, la littérature spécialisée portant sur la communication entre le médecin et le patient ne traite que des interactions entre ces deux personnes. Pourtant, les rencontres à trois sont nombreuses, et celles à plus de trois ne sont pas rares. En effet, selon une étude menée sur la médecine familiale au Canada, 23 % des consultations ont lieu en présence d'une autre personne et 8 %, en présence de deux autres personnes (Brown, Brett, Stewart et Marshall, 1998). Généralement, la tierce personne est une femme : la mère ou la conjointe du patient. Bien que la présence d'un tiers soit plus fréquente dans les tranches extrêmes du spectre des âges, elle se produit aussi néanmoins dans les tranches intermédiaires (de 21 à 60 ans) : 18 % des patients de ce dernier groupe sont accompagnés d'au moins une personne.

Ces rendez-vous à trois personnes ou plus constituent un défi particulier pour le médecin. Dans ce chapitre, nous faisons le tour de la littérature spécialisée sur le sujet et nous présentons des conseils pratiques destinés à aider le médecin soucieux d'améliorer la communication avec le patient dans les rencontres à trois. Nous traiterons donc des points suivants : les raisons de la présence d'un tiers ; les limites de l'autonomie du patient ; la présence d'un interprète ; les méthodes d'interaction à trois.

Nous ne traiterons pas en profondeur les thèmes des personnes âgées, des enfants, des adolescents et de la famille, que nous avons vus ailleurs[1]. Nous nous attarderons plutôt sur les barrières linguistiques auxquelles le médecin peut se heurter dans les rencontres à trois et nous illustrerons notre approche à l'aide de deux cas cliniques, tirés de notre pratique : des extraits d'un entretien avec un patient souffrant d'une baisse de ses fonctions cognitives ; des extraits d'un autre entretien, réalisé en présence d'un interprète.

Les raisons de la présence d'une tierce personne

Les raisons de la présence d'un tiers peuvent être très variées. Il est donc important pour le médecin de connaître ces raisons dès le début de l'entrevue. Il est tout aussi important de vérifier auprès du patient s'il préfère ou non la présence du tiers et quel rôle il entend lui laisser jouer. Dans la section intitulée « Les méthodes d'interaction à trois », nous traiterons des stratégies appropriées.

La garde légale du patient

Le tiers présent peut être la personne qui a la garde légale du patient, soit un parent ou le tuteur légal d'un mineur. Il peut aussi s'agir du représentant légal d'une personne inapte[2], c'est-à-dire un adulte qui a souffert d'un handicap lié au développement et qui n'a donc jamais été capable de s'occuper de lui-même, ou bien un adulte affligé de troubles cognitifs acquis. Dans certaines circonstances, les tribunaux déclarent inaptes des adultes souffrant de troubles cognitifs. Le représentant légal d'un tel patient assiste généralement à l'entrevue médicale. Cependant, même dans un tel cas, si le patient le désire et que le représentant légal y consent, le médecin pourra avoir certains entretiens en tête à tête avec le patient. Il doit cependant obtenir le consentement éclairé auprès du représentant légal, tout comme il doit le faire auprès de tout patient.

Le besoin de favoriser une meilleure communication médecin-patient

LES TROUBLES COGNITIFS

Certains patients, qui ne sont pas inaptes aux termes de la loi, ont pourtant des défaillances de mémoire ou de compréhension telles qu'ils sont plus ou moins incapables d'expliquer leurs antécédents médicaux et de comprendre les recommandations du médecin ou même de s'en souvenir. Parfois, ce jugement d'incapacité émane d'un membre de la famille ; le médecin doit donc en déterminer l'origine, le patient lui-même ou un tiers, et en tenir compte. Par ailleurs, l'accompagnant d'une personne inapte ne détient pas toujours l'autorité légale : le médecin doit donc constater l'incapacité du patient et, le cas échéant, vérifier que l'accompagnant est bel et bien responsable du patient, le représentant légal étant la seule personne habilitée à prendre des décisions à la place d'un patient déclaré inapte (exemple : donner son consentement à un traitement).

Les patients affligés de déficits cognitifs peuvent néanmoins donner leur consentement éclairé à des actes diagnostiques ou thérapeutiques. Cependant, pour que ce consentement soit éclairé, le patient doit comprendre qu'il lui faut prendre une décision, il doit comprendre également que le refus ou l'acceptation du traitement comporte des bénéfices escomptés et des risques potentiels, et il doit exprimer son choix avec constance. Les critères utilisés pour déterminer la personne qui peut donner son consentement et pour déterminer les sortes de traitement varient selon le pays et, au Canada, ils varient selon la province.

LES BARRIÈRES LINGUISTIQUES

La relation qui existe entre l'interprète et le patient peut être de plusieurs sortes : l'interprète peut être un membre de la famille (le conjoint ou la conjointe, le père ou la mère, un fils ou une fille, un parent plus éloigné), un ami ou une simple connaissance ; l'interprète peut aussi être une personne engagée par le patient ou bien par un organisme communautaire ou gouvernemental. Bien sûr, la nature de cette relation patient-interprète influe sur la communication, y compris sur la communication médecin-patient. Par exemple, dans le cas de maladies transmissibles sexuellement, il est rare que les parents et les enfants s'expriment librement en présence les uns des autres ; dans certaines cultures, un homme et une femme ne discutent pas entre eux de grossesse et d'accouchement, sauf s'ils forment un couple. De plus, le patient ne choisit pas toujours son interprète. Enfin, l'interprète peut maîtriser à des degrés divers la langue du patient ou celle du médecin et la terminologie médicale.

La prise de décision au sein de la famille

Quand c'est le chef de famille qui prend les décisions sur les soins de santé pour les autres membres, il sert forcément d'intermédiaire entre le patient et le médecin. Cette façon de faire peut correspondre aux préférences du patient, mais ce n'est pas toujours le cas et elle est plus fréquente dans certaines cultures que dans d'autres. Le médecin ne doit jamais présumer que la présence d'un tiers indique que le patient veut que celui-ci parle à sa place et il ne doit jamais perdre de vue que chaque patient est un individu qui a ses propres préférences, déterminées par de nombreux facteurs, y compris sa culture d'origine. En effet, la personnalité de tout individu comporte plusieurs facettes – plus ou moins manifestes, selon la situation –, notamment le sexe, la profession, l'état matrimonial, la religion et l'ethnie. Par conséquent, à la première consultation, le médecin devrait insister pour parler d'abord au patient en tête à tête, ne serait-ce que brièvement, afin de connaître ses préférences : désire-t-il s'entretenir en tête à tête avec le médecin ou laisser un tiers parler à sa place ? Au besoin, le médecin peut expliquer que le tête à tête initial fait partie de la procédure habituelle. Quand le patient n'est pas du même sexe que lui, le médecin peut recourir à la présence d'une autre personne, du même sexe que le patient (exemple : un infirmier ou une infirmière), qui agira à titre de *chaperon*.

Les préférences du patient et de la tierce personne

Certains couples font presque tout ensemble : le conjoint n'assiste pas à l'entrevue médicale pour se substituer au patient dans la prise de décision, mais comme témoin et participant. Dans d'autres cas, la tierce personne est le principal soignant du patient adulte, même si celui-ci ne souffre d'aucune incapacité : c'est qu'elle souhaite prendre part à la consultation pour exprimer ses inquiétudes au médecin ou pour bien comprendre le plan de prise en charge et pouvoir en discuter avec le médecin, puisque c'est à elle que revient, en pratique, la responsabilité de cette prise en charge[3]. Enfin, il se peut que le tiers souhaite s'entretenir avec le médecin de ses préoccupations à son propre sujet. Il importe de faire ressortir les motivations de la tierce personne (*third person's agenda*), de même que celles du patient (*patient's agenda*).

Le patient accompagné de ses enfants

Il arrive qu'un adulte se présente à une consultation pour lui-même, accompagné d'un ou de plusieurs de ses enfants. Selon plusieurs des médecins interrogés par Brown et autres (1998), les enfants perturbent la consultation. On peut raisonnablement supposer qu'ils interrompent souvent la communication médecin-patient et que leur présence nuit à la franchise de la discussion sur certains sujets de même qu'à l'efficacité de certains actes médicaux, particulièrement les examens intimes. Afin de réduire le dérangement, le médecin peut demander au parent de rappeler à l'ordre l'enfant ou remettre à ce dernier des objets pour l'occuper (exemples : des jouets, des livres ou du matériel de dessin). Dans certains milieux cliniques, le médecin peut même demander à un autre membre du personnel de prendre soin de l'enfant à l'extérieur de la salle d'examen.

Les limites de l'autonomie du patient

L'autonomie croissante : l'enfant

Les rencontres avec un patient enfant se déroulent presque toujours à trois ou plus, puisque au moins un adulte (un parent ou le tuteur) est habituellement présent. Dans l'étude de Brown et autres (1998), 98 % des enfants âgés de moins de 13 ans et 33 % des adolescents étaient accompagnés par un parent.

Bien qu'il existe des études sur la communication médecin-parent, il y en a très peu qui portent sur le processus complexe de la communication médecin-parent-enfant. Dans une récente revue de la littérature, Tates et Meeuwesen (2001) ont répertorié et analysé 12 études : il en ressort que ce sont les enfants qui interviennent le moins dans la conversation (de 2 % à 14 % des interventions), le pourcentage augmentant avec l'âge de l'enfant. Par ailleurs, Meeuwesen, Bensing et Kaptein (1998) ont constaté une augmentation des interventions verbales des enfants pendant les consultations entre les années soixante-dix et les années quatre-vingt.

Même lorsque les rencontres se déroulent à trois, la plupart des études portent sur les interactions médecin-parent et médecin-enfant. Il en ressort que les interactions médecin-parent ressemblent aux interactions médecin-patient adulte, et la plus grande partie de ces interactions sont d'ordre cognitif plutôt qu'affectif : le médecin demande ou donne des informations. Les parents posent quelques questions et répondent à plusieurs autres. En revanche, la plus grande partie de la communication médecin-enfant se déroule sur le plan affectif, ce qui inclut le comportement social et les blagues.

Trois études (Meeuwesen et Kaptein, 1996; Meeuwesen et autres, 1998; Aronsson et Rundström, 1988) portant sur la structure de la communication au sein de la triade médecin-parent-enfant ont fait ressortir que le parent répond à la place de son enfant dans 52 % des cas où la question est pourtant directement adressée à l'enfant. Par ailleurs, on a mis en corrélation l'augmentation de la participation de l'enfant à la conversation (dont nous avons parlé plus haut) avec l'augmentation du nombre de fois que l'enfant prend l'initiative de la parole et avec le nombre de fois que le médecin s'adresse à l'enfant (Tates et Meeuwesen, 2001).

L'autonomie décroissante: la personne souffrant de troubles cognitifs

Lorsque le patient est âgé et que ses fonctions cognitives ont baissé, les médecins ont tendance à s'informer à leur sujet auprès de leurs proches. Même s'il est fréquent qu'un soignant accompagne une personne âgée à un rendez-vous, les chercheurs en communication n'ont pas répertorié beaucoup d'études portant sur les interactions entre les membres de la triade qui en résultent. Des intervenants en oncologie et en soins palliatifs ont inventorié des études sur l'information donnée aux patients et aux membres de leurs familles sur les diagnostics et les pronostics. Par exemple, dans une étude qui portait sur les patients âgés et leurs proches, on a noté que le patient et le proche convenaient, dans seulement 66 % des cas, du désir du patient d'être informé d'un diagnostic grave, tel que le cancer (Noone, Crowe, Pillay et O'Keeffe, 2000).

Greene, Majerovitz et Adelman (1994) observent que le patient plus âgé soulève moins de sujets et s'exprime moins en présence d'un accompagnant que lorsqu'il est seul avec le médecin. En fait, dans les rencontres triadiques de ce genre, le patient est souvent exclu des conversations. De plus, le médecin et le patient prennent moins de décisions en présence d'un tiers.

Dans la section intitulée « Établir les règles de base de la conversation », nous proposons des solutions aux problèmes pouvant surgir pendant des rencontres avec une personne affligée de troubles cognitifs accompagnée d'un membre de sa famille[4].

La présence d'un interprète

Chaque fois qu'une barrière linguistique se dresse entre le médecin et le patient, il existe aussi une différence culturelle entre les deux intéressés. L'interprète est une personne qui parle à la fois la langue du médecin et celle du patient. Examinons d'abord comment la présence d'un interprète influe sur la communication médecin-patient.

L'influence de l'interprète sur la communication

Il existe une corrélation entre, d'une part, la barrière linguistique médecin-patient et, d'autre part, une insuffisance sur le plan de la communication et sur celui de la qualité des soins (Rivadeneyra, Elderkin-Thompson, Cohen-Silver et Waitzkin, 2000). Le plus souvent, les interactions qui comportent un interprète sont centrées sur le médecin. Le patient pose peu de questions et fait peu de remarques. Le médecin a plus tendance à ne pas tenir compte des interventions du patient accompagné d'un interprète et à donner des réponses fermées à ses questions qu'il ne le fait avec un patient non accompagné. D'un autre côté, le patient qui recourt aux services d'un interprète ou en ressent le besoin considère son médecin comme moins amical et moins respectueux qu'un autre patient le ferait (Cooper-Patrick et autres, 1999).

Kaufert (1990) note toutefois que les personnes qui prennent part à l'entrevue médicale ne reconnaissent pas toujours l'importance du rôle de l'interprète. Selon Dimitrova (1997), la présence de l'interprète, même si elle ne modifie par les modèles habituels d'interaction médecin-patient (exemple : le médecin tend à intervenir sans attendre son tour), nuit aux interventions du patient. Ainsi, celui-ci tend à intervenir avant que l'interprète ne parle ou n'ait terminé. Par ailleurs, à titre de participant de troisième rang, l'interprète recourt à différentes stratégies pour arriver à prendre la parole (exemples : interrompre un interlocuteur ou saisir l'occasion lorsqu'elle se présente).

Au cours d'une entrevue médicale interculturelle, encore plus que dans une entrevue où les personnes appartiennent à la même culture, le débit trop rapide d'un des interlocuteurs a davantage tendance à provoquer des malentendus entre le médecin et le patient. Or, ces malentendus ont une incidence directe sur la qualité des soins donnés au patient. En effet, comparativement à un autre patient, le patient qui fait appel à un interprète reçoit moins d'information sur le schéma posologique des médicaments, il comprend moins bien les recommandations et les prescriptions médicales, il est plus susceptible de manquer ses rendez-vous et il se présente plus souvent à l'urgence (Shapiro et Saltzer, 1981 ; Manson, 1988). Woloshin, Schwartz, Katz et Welch (1997) ont montré qu'aux États-Unis le patient non anglophone a moins de chance de recevoir des services préventifs que le patient anglophone.

L'influence de la différence culturelle sur la communication

Le patient et le médecin, même lorsqu'ils appartiennent à la même culture, divergent souvent dans leur manière d'expliquer la maladie. Au cours de leurs études universitaires, les médecins ont tous acquis des modèles explicatifs très semblables. Par ailleurs, ils connaissent généralement assez bien les modèles explicatifs populaires du pays où ils exercent, mais ils ont plutôt tendance à méconnaître ceux des immigrants[5]. Quand le médecin n'a pas clairement conscience de l'écart entre sa conception de la maladie et celle du patient, la qualité des soins qu'il donne peut s'en ressentir (Rechtman, 1997). Bien sûr, quand il s'agit de problèmes biomédicaux bien définis, cet écart peut être de faible importance. Par contre, lorsqu'il est question de problèmes psychologiques, lorsque le médecin et le patient se comprennent difficilement ou ne parviennent pas à un accord au sujet de la prise en charge, le médecin devrait demander à l'interprète de servir de médiateur culturel[6] et d'expliquer, à l'un comme à l'autre, les expressions, les intentions, les attentes, les perceptions et les motivations de chacun (Roberts, 1997 ; O'Keefe, 1995 ; Cohen-Émérique, 1993, 1989). Bien qu'il soit essentiel de comprendre les particularités du groupe culturel du patient, il importe toutefois de ne jamais oublier que chaque patient est par-dessus tout un *individu unique*, qui a sa propre façon de vivre sa culture (O'Keefe, 1995).

Avec le temps, plusieurs difficultés liées aux relations interculturelles en contexte clinique s'amenuisent ou disparaissent tout à fait. Des rencontres plus longues et plus régulières, par exemple, ont tendance à améliorer l'efficacité de la relation thérapeutique, en particulier lorsqu'elles ont lieu sans la présence des membres de la famille ou du réseau de soutien social (McAll, Tremblay et Le Goff, 1997 ; Ntetu et Fortin, 1995 ; Rhéaume, Sévigny et Tremblay, 2000). En d'autres mots, une interaction soutenue avec le patient aide le médecin à se familiariser avec sa réalité socioculturelle et entraîne une véritable relation de confiance. Et lorsque la relation de confiance est établie, les deux intéressés tiennent compte des difficultés liées à la langue. Ces constatations confirment les résultats obtenus par Chouat (1995) dans un sondage qu'il a mené auprès de cadres et de professionnels des établissements de santé et de services sociaux.

Les attentes du médecin à l'égard de l'interprète

Comme il a besoin de l'interprète pour s'assurer de l'exactitude des informations échangées, le médecin nourrit de grandes attentes à l'égard de cette personne. Il a tendance à supposer que l'interprète professionnel maîtrise aussi bien la culture à expliquer que la langue à traduire. Le médecin s'attend à ce que l'interprète soit capable de traduire la terminologie médicale propre à la situation et qu'il connaisse bien le système des soins de santé. Il ne faut donc pas perdre de vue que l'interprète, même si c'est sa profession, n'est pas pour autant un professionnel de la santé : le médecin doit donc s'adresser à lui comme à un non-spécialiste de la médecine, en utilisant un vocabulaire et en donnant des explications compréhensibles par le commun des mortels.

Le filtrage de l'information

Quand ils font appel aux services d'un interprète, les médecins se plaignent souvent du *filtrage* de l'information (exemples : l'omission, l'ajout ou la contraction d'informations). Les chercheurs sont divisés quant aux causes de ce filtrage. Selon Baker, Hayes et Puebla-Fortier (1998), le filtrage a lieu lorsque l'interprète n'a pas reçu de formation dans ce domaine, ce qui est souvent le cas quand c'est un membre de la famille qui joue ce rôle. Selon Grondin (1990), le filtrage, qu'il soit délibéré ou involontaire, est essentiellement motivé par les normes culturelles qui régissent les choses qu'on peut dire et les façons de les dire. Vissandjée, Ntetu, Courville, Breton et Bourdeau (1998) émettent une hypothèse plus nuancée : le filtrage ou la censure de certains éléments peut s'expliquer par des facteurs culturels, par la méconnaissance (de la part de l'interprète *ou* du patient) de la terminologie médicale, par la relation qu'ont l'interprète et le patient ou par la nature même du diagnostic médical à traduire.

L'interprète peut aussi filtrer le message si l'approche adoptée par le médecin est contraire aux valeurs et aux croyances culturelles du patient. Par exemple, dans plusieurs cultures, il est inadmissible qu'une femme soit examinée par un médecin de sexe masculin. Par ailleurs, les conseils qui reposent sur la croyance en la prééminence de l'autonomie de l'individu peuvent être profondément troublants pour les membres d'une culture collectiviste, comme les Japonais ou la plupart des peuples africains. C'est ainsi que de nombreux patients estiment devoir choisir leur traitement en fonction de leur famille plutôt qu'en fonction d'eux-mêmes. Enfin, dans certaines cultures, l'interprète gardera pour lui les mauvaises nouvelles ou il les filtrera en partie, convaincu que la transmission de ces nouvelles est nuisible parce qu'elle découragerait le patient et diminuerait la qualité et la durée de sa vie.

Les modèles d'interprétation

Les interprètes professionnels, les cliniciens et les spécialistes des sciences sociales ne partagent pas la même opinion sur le rôle de l'interprète. C'est pourquoi il existe divers modèles pour décrire la façon dont un interprète doit procéder, mais aucune étude n'a permis d'évaluer et de comparer les effets de l'utilisation de ces modèles. Par ailleurs, on ne trouve pas de description du point de vue des patients dans la littérature spécialisée. En pratique clinique, on a toutefois observé trois sortes d'interactions qui se produisent pendant les rencontres médecin-patient-interprète (Hatton et Webb, 1993).

LE MODÈLE DE LA BOÎTE NOIRE

Selon la première sorte d'interaction, le modèle de la boîte noire, l'interprète traduit mot à mot les propos échangés entre le médecin et le patient, adoptant ainsi un rôle neutre, totalement *invisible*. Les interprètes et les médecins moins expérimentés favorisent souvent cette approche, car ils ne considèrent pas les situations bilingues comme très complexes. C'est le modèle qu'on enseigne aux interprètes professionnels et que la plupart d'entre eux utilisent.

LE MODÈLE TRIANGULAIRE

Selon le modèle triangulaire, l'interprète est considéré comme un collaborateur, un membre à part entière de l'équipe médicale. Pour les interprètes professionnels et pour les médecins expérimentés, ce modèle est indispensable au succès d'une communication efficace parce qu'ils ont conscience de l'influence des caractéristiques individuelles du patient sur la relation. On utilise plus fréquemment ce modèle dans les cas de maladies mentales ou à la suite d'une longue collaboration triadique médecin-interprète-patient.

LE MODÈLE DE L'ENTRETIEN MENÉ PAR L'INTERPRÈTE

Selon ce troisième modèle, comme son nom l'indique, l'interprète établit le contact avec le patient et est enclin à mener l'entrevue médicale, ce qui marginalise le rôle du médecin. Ce comportement est typique des interprètes non professionnels. On l'a observé chez de futures infirmières en apprentissage supervisé (Hatton et Webb, 1993) et chez les intervenants de certains services communautaires en santé mentale.

Le choix de l'interprète

LE DÉDOUBLEMENT DES RÔLES

Très souvent, l'interprète non professionnel fait partie de la famille du patient ou de son réseau social. À ce titre, il n'est donc pas rare qu'il veuille exprimer au médecin son opinion sur les problèmes de santé du patient. Le médecin devrait clarifier ces deux rôles avec l'interprète et lui accorder le temps nécessaire pour les accomplir tous les deux. Il ne faut pas oublier que l'interprète non professionnel n'a bénéficié d'aucune formation dans le domaine. C'est pourquoi il arrive souvent que le médecin doive préciser ses attentes à l'interprète, de façon claire et dès le début de l'entretien. En cas de divergence d'opinions sur le rôle de l'interprète, les *trois* participants devraient s'entendre sur leur rôle respectif.

Pour le patient, l'interprète non professionnel représente à la fois sa propre voix et celle du médecin, mais il est en même temps son fils, son ami, etc. Dans le contexte de leur relation ordinaire, les deux personnes n'aborderaient peut-être pas les sujets traités durant la consultation. Pour cette raison, il arrive parfois que le patient ne communique pas certaines informations à l'interprète (qui est en même temps un proche), ni, par conséquent, au médecin. S'il constate ce comportement, le médecin pourra tenter de communiquer directement avec le patient lorsqu'il sera seul avec lui durant l'examen physique. Il pourra aussi faire appel à un interprète professionnel, au moins une fois, de façon à obtenir des informations que le patient aura gardées pour lui.

LES ATTEINTES À LA CONFIDENTIALITÉ

Pour communiquer des informations au médecin, le patient doit, bien sûr, les révéler *aussi* à l'interprète. Or, s'il s'agit d'un interprète professionnel, le patient ne le connaît généralement pas; il a donc besoin de temps pour lui faire confiance et s'assurer que cet étranger respectera le secret professionnel à l'égard de toutes les informations révélées. Cependant, comme l'interprète appartient au même groupe ethnique d'expatriés que lui, le patient craint souvent la fuite de renseignements personnels. Ce genre de fuite peut entraîner des conséquences très graves pour le patient et pour les membres de sa famille. Ainsi, le fait d'être porteur de certaines maladies peut constituer un empêchement au mariage des autres membres de sa famille (exemple : le cancer dans la communauté vietnamienne). On enseigne aux interprètes professionnels à suivre les mêmes règles de confidentialité que les médecins. Il est important de revoir ces règles avec l'interprète à l'occasion d'une première collaboration et de les lui rappeler lorsqu'on aborde un sujet particulièrement délicat.

Les méthodes d'interaction à trois

Aménager la salle de consultation

Il est essentiel d'aménager la salle de consultation à l'avance de façon à accueillir trois personnes (ou quatre, s'il y a lieu) : cette attention permet de transmettre aux intéressés le message qu'on juge appropriée la présence d'une tierce personne. Quand il y a trois personnes, on dispose habituellement les chaises en triangle équilatéral. Cette disposition est particulièrement importante lorsque la tierce personne est un interprète, car elle renforce le fait que l'interprète est au service du patient *et* du médecin.

Clarifier les raisons de la présence de la tierce personne

Les raisons de la présence du tiers détermineront les comportements à adopter. Il faut donc, dès le début de l'entrevue, établir clairement le rôle de chacun.

Choisir judicieusement la tierce personne

Le choix du tiers doit être acceptable tant pour le patient que pour le médecin. Il est essentiel d'en discuter ouvertement avec le patient, préférablement en tête à tête, afin de lever toute équivoque.

Lorsque le patient souffre de troubles cognitifs, le médecin doit pouvoir parler à quelqu'un qui pourra lui donner les renseignements nécessaires à l'établissement d'un diagnostic (exemple : les symptômes du patient). Si le tiers est un interprète, il doit être majeur et maîtriser les deux langues, suffisamment pour transmettre le genre de renseignements qu'on échange durant une consultation médicale. S'il s'agit d'un interprète non professionnel, il est préférable de déterminer son niveau de compréhension, tout comme on le ferait avec n'importe quel patient. Pour évaluer le niveau de compréhension d'un interprète non professionnel, le médecin peut lui demander de reformuler des explications. L'évaluation de son habileté à exprimer ce que le patient dit est plus difficile. Si l'interprète hésite après que le patient a parlé ou qu'il ne dit qu'une petite phrase alors que le patient en a dit une longue, le médecin ferait bien de lui demander s'il trouve difficile de traduire ce que dit le patient.

Établir les règles de base de la conversation

Le médecin doit d'abord demander au patient ses préférences relatives à la façon de procéder. Quand la tierce personne n'est pas un interprète, différentes formules sont possibles, dont les suivantes :

- converser avec le patient et donner ensuite au tiers la possibilité de présenter son point de vue ;

- converser avec le tiers et demander ensuite au patient d'apporter des éclaircissements;
- converser à trois;
- converser à trois un certain laps de temps et passer ensuite un moment en tête à tête avec l'une des personnes ou avec chacune d'elles tour à tour.

Parfois, en particulier lorsque le patient appartient à une culture collectiviste, il peut arriver que le médecin doive avoir plusieurs entretiens en présence d'un tiers avant de pouvoir s'entretenir en tête à tête avec ce patient. Ces rendez-vous amèneront petit à petit le patient et le tiers à faire confiance au clinicien. C'est d'ailleurs une excellente occasion d'expliquer les raisons d'un tête à tête: le souci de garantir l'autonomie du patient, la croyance que la communication directe améliore le diagnostic et l'efficacité des actes médicaux.

Dans certains cas, le médecin doit souligner l'importance de la marche à suivre. Par exemple, il est bon d'insister pour voir en tête à tête, pendant un moment, tout enfant âgé de plus de 10 ans. Par ailleurs, le médecin doit aussi insister pour passer du temps en tête à tête avec le patient dans tous les cas où il sait ou suppose que le tiers fait souffrir le patient (exemples: la violence conjugale, la violence envers une personne âgée). Il est souvent facile d'y arriver sans affrontement en demandant à la tierce personne de sortir pendant la durée de l'examen physique. Quand le médecin est de sexe masculin et qu'il doit examiner une patiente, il doit parfois demander la présence d'un *chaperon*, par exemple une infirmière.

Communiquer avec le patient sans l'entremise de la tierce personne

Lorsque le médecin ou le patient peut comprendre ne serait-ce que quelques mots dans la langue de l'autre, le dialogue direct devient possible. Dans le cas contraire, en particulier lorsqu'il n'y a pas de langue commune ou bien lorsque le patient est un aphasique ou un enfant au stade préverbal, les possibilités de communication sont évidemment réduites, mais le médecin peut toujours tenter de communiquer à l'aide du langage non verbal (exemples: les éléments paralinguistiques, comme le débit et l'intonation; la position du corps, le contact visuel, les mimiques faciales, le toucher[7]).

L'ENFANT

Quand le patient est un enfant en âge de parler, accompagné d'un parent, il est raisonnable de se concentrer d'abord sur l'enfant pour établir une bonne relation et faire le tour de ses antécédents. Évidemment, si le parent interrompt son enfant, le médecin devrait poser de nouveau ses questions directement à l'enfant. Le praticien trouvera profitable d'assurer le parent qu'il pourra parler et être écouté à son tour, une fois que l'enfant aura dit ce qu'il a à dire: ce sera l'occasion d'éclaircir les points restés dans l'ombre au sujet des antécédents de l'enfant. Si l'enfant hésite à parler, le médecin peut alors s'adresser directement au parent. Il importe de prêter attention aux préoccupations de l'enfant comme à celles de l'adulte et de *discuter à trois* du diagnostic et de la prise en charge.

Avec l'âge, il arrive que l'enfant préfère rencontrer le médecin en tête à tête, au moins pendant une partie de l'entrevue. Le médecin peut en offrir la possibilité à l'enfant qui a atteint une certaine maturité. À l'adolescence, il importe davantage, à chaque rendez-vous, de rencontrer le jeune en tête à tête. Le médecin peut présenter cette façon de faire comme partie intégrante de sa pratique normale: «Je prends toujours quelques instants pour parler à un adolescent sans la présence de ses parents.» Comme les enfants d'immigrants vont à l'école et que la plupart des enfants apprennent les langues beaucoup plus rapidement que les adultes, il est rare de recevoir en entrevue médicale un enfant incapable de s'exprimer dans la langue usuelle.

LE PATIENT SOUFFRANT DE TROUBLES COGNITIFS

Se centrer sur le patient est tout aussi important quand on a affaire à une personne âgée souffrant de troubles cognitifs. Le médecin doit alors tenter d'obtenir du patient qu'il exprime lui-même les raisons de sa visite ainsi que ses préférences relatives aux examens paracliniques et au traitement. Le médecin doit aussi chercher à clarifier avec la tierce personne les antécédents du patient, s'il y a lieu. La transmission du diagnostic et la négociation de la prise en charge peuvent se dérouler à trois.

Collaborer avec l'interprète

La collaboration de l'interprète est essentielle à la bonne marche de l'entretien médical. Le médecin trouvera utiles les quelques pistes suivantes portant sur les techniques à adopter et les pièges à éviter.

LES TECHNIQUES À ADOPTER

- Établir une relation non verbale avec le patient en le regardant et en se faisant le miroir de ses expressions de détresse, de douleur, de tristesse, d'angoisse, etc.
- Encourager l'interprète à traduire au fur et à mesure ce que dit le patient de ses symptômes et à en expliquer la signification culturelle, s'il y a lieu.
- Dire des phrases simples et courtes, une à la fois, et laisser le temps à l'interprète de les traduire.
- Vérifier régulièrement sa propre compréhension auprès de l'interprète.
- Encourager l'interprète à traduire tous les énoncés du patient.
- Écouter tout ce que l'interprète a à dire sans l'interrompre.
- Laisser le temps au patient d'exprimer le fond de sa pensée avant de reprendre la parole. Pour y arriver, il est parfois nécessaire de laisser le patient dire plusieurs phrases et de permettre à l'interprète de les traduire une à une.

LES PIÈGES À ÉVITER

- Conclure trop hâtivement. Le médecin en arrive souvent à un diagnostic différentiel rapide. En présence d'un interprète, ce qui allonge nécessairement l'entretien médical, le médecin sera d'autant plus tenté de procéder ainsi s'il veut gagner du temps. Il doit cependant toujours garder présent à l'esprit l'envers de la médaille : le processus de traduction peut déjà fragiliser la communication médecin-patient.
- Laisser l'interprète répondre à la place du patient. L'interprète non professionnel a souvent tendance à vouloir répondre à la place du patient. Le cas échéant, le médecin doit rappeler explicitement à l'interprète de traduire ses questions au patient et de lui traduire les réponses du patient.
- Ne pas tenir compte des différences linguistiques et culturelles. Parfois, certains termes médicaux n'ont pas d'équivalent dans la langue du patient. Il arrive aussi que le patient reconnaisse dans son problème de santé un syndrome clinique qui a un nom dans sa langue, sans équivalent dans la langue du médecin. Par ailleurs, le patient d'une autre culture peut entretenir des croyances relatives à la santé qui sont fort différentes de celles qui ont court dans le reste de la population. Par exemple, dans certaines cultures,

les notions de chaud et de froid ont des significations très précises qui n'ont rien à voir avec la température. Par exemple, en Chine, certaines maladies sont vues comme un *excès de chaleur* et doivent donc être traitées à l'aide d'aliments qui ont le *froid* comme qualité (et vice versa). Quand l'interprète ne fait que traduire mot à mot le discours du patient et qu'il omet de souligner ces différences conceptuelles, le médecin ne peut pas vraiment comprendre ce qui est dit. S'il se sent perplexe ou confus, le médecin devrait demander à l'interprète d'éclaircir les termes et les concepts utilisés par le patient. Le corollaire est aussi vrai : le médecin peut vérifier si les termes qu'il utilise sont bien compris par l'interprète et s'il est possible de les traduire dans la langue du patient ou s'il faut les lui expliquer.

Tenir compte des motivations et des besoins de la tierce personne

La tierce personne qui assiste à une consultation médicale a ses propres besoins, et il est important que le médecin les reconnaisse. Ainsi, l'interprète professionnel a besoin que le médecin et le patient lui permettent de remplir son rôle, c'est-à-dire traduire *tout* ce que dit le médecin et *tout* ce que dit le patient. Par ailleurs, l'interprète non professionnel a presque toujours ses propres motivations en se présentant à une consultation. Le médecin doit faire ressortir ces motivations et décider de la façon dont il en tiendra compte. Dans certains cas, il est impossible ou inapproprié d'en tenir compte pendant l'entretien : il arrive fréquemment que l'interprète veuille que le patient se voit prescrire tel médicament ou tel examen paraclinique ; il arrive même que l'interprète demande au médecin de prescrire un médicament à un membre de la famille qui n'est pas sur place.

Deux cas cliniques

Une mère accompagnée de sa fille

Mme Jones se présente, accompagnée de sa fille, Mme Holmes, au cabinet de la Dre Messier, leur médecin à toutes les deux depuis des années. C'est la première fois que les deux femmes viennent ensemble à un rendez-vous.

La Dre Messier exerce au même cabinet depuis 14 ans. Elle vit dans la ville où elle travaille depuis qu'elle a été reçue médecin.

Née au Canada, Mme Jones a vécu dans la même ville presque toute sa vie. Elle a travaillé comme infirmière en Europe durant la Seconde Guerre mondiale. À la fin de la guerre, elle est revenue au Canada et s'est mariée. Elle n'a plus jamais travaillé à l'extérieur du foyer. Elle vit avec son mari, un comptable à la retraite. Mme Jones est généralement en bonne santé.

Mme Holmes a toujours vécu dans la même ville. Elle est enfant unique et habite près de chez ses parents. Elle vit avec son mari, et tous deux sont enseignants. Leurs deux enfants étudient à l'université dans d'autres villes. Mme Holmes est en bonne santé.

Mme Holmes est inquiète : elle craint que sa mère ne soit atteinte de la maladie d'Alzheimer. Elle lui a donc recommandé de consulter la Dre Messier au sujet de ses défaillances de mémoire. Mme Jones a acquiescé à la demande de sa fille.

Lorsque la Dre Messier s'avance dans la salle d'attente et appelle Mme Jones, les deux femmes se lèvent et suivent la médecin. Une fois dans la salle de consultation, les trois femmes s'assoient sur les chaises disposées à égale distance l'une de l'autre (voir la figure 20.1).

Figure 20.1 **La salle de consultation de la D^re^ Messier**

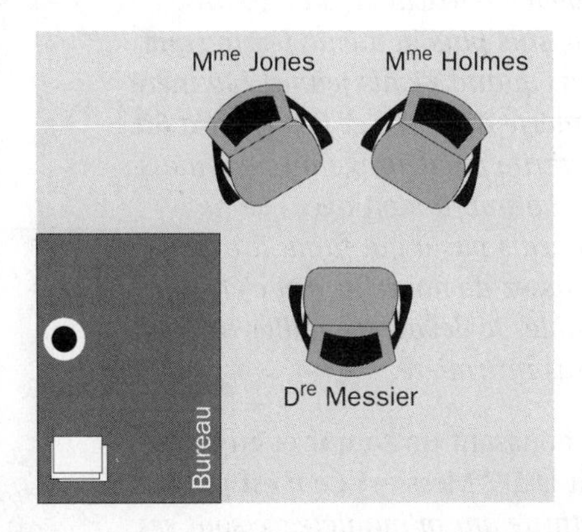

LA MÉDECIN	— *Bonjour, Madame Jones. Comment allez-vous aujourd'hui ?*	La docteure s'adresse à la patiente selon sa manière habituelle. Elle lui pose une question générale, qui sert le plus souvent de formule de politesse, mais qui peut aussi inciter la patiente à dire ce qui la préoccupe. La médecin n'a encore rien dit à propos de la présence de Mme Holmes. Notamment, dans la salle d'attente, elle n'a pas demandé à Mme Jones si elle désirait que sa fille assiste à la consultation. Peut-être ne l'a-t-elle pas fait parce que la salle d'attente est un espace public.
MME HOLMES	— *Je suis très inquiète à son sujet, Docteure. Elle oublie des choses.*	La tierce personne exprime la raison de sa présence.
LA MÉDECIN	— (à Mme Holmes) *Vous devez certainement vous faire bien du souci, si vous avez décidé d'accompagner votre mère aujourd'hui. J'aimerais d'abord écouter votre mère. Puis, nous reviendrons à vos inquiétudes.*	La médecin souligne la présence de la tierce personne. Elle explique clairement sa façon de procéder et la règle de conduite qu'elle entend suivre.
	(à Mme Jones) *Ce n'est pas du tout dans votre habitude de vous faire accompagner par votre fille à un rendez-vous. Voulez-vous me voir d'abord en tête à tête pendant un moment ou préférez-vous qu'elle reste ?*	La médecin interroge la patiente sur sa préférence. Devant sa fille, toutefois, il est possible que Mme Jones n'exprime pas ses vrais sentiments. Dans la salle d'attente, la docteure aurait pu demander à voir d'abord Mme Jones en tête à tête.
MME JONES	— *Susan tenait à venir. Vous savez, elle et moi, nous n'avons pas de secret.*	En entendant cette réponse, la médecin comprend que la patiente désire que sa fille reste.
LA MÉDECIN	— *Que puis-je faire pour vous aujourd'hui ?*	La médecin pose à la patiente une question ouverte dans le but de connaître les motifs de la visite.

MME Jones — *Je vais très bien. Je n'ai pas de problème particulier. J'ai 80 ans. Je ne suis plus la même femme que j'étais quand j'étais jeune ! Ma mère est morte à 62 ans et j'en ai déjà 80. L'arthrite me dérange un peu, mais c'est normal à mon âge… Je ne mangeais pas à ma faim. Il n'y avait pas assez de nourriture et c'était très humide. Je devais travailler très fort. J'étais infirmière.*

Cette réponse fournit des indices à la médecin, qui tendent à confirmer les inquiétudes de Mme Holmes à propos du fonctionnement intellectuel de sa mère.

Mme Jones ne soulève aucun problème dont elle voudrait que la médecin s'occupe, mais évoque plutôt des souvenirs.

Mme Holmes — (en poussant un soupir et en regardant la Dre Messier) *Ce n'est pas tant l'arthrite qui m'inquiète, ce sont ses problèmes de mémoire. Elle oublie ses rendez-vous. Des gens téléphonent et laissent des messages pour mon père, et elle oublie même qu'ils ont appelé.*

La médecin — (à Mme Holmes) *Je vois que ça vous perturbe. Vous allez pouvoir m'en parler, mais je voudrais d'abord que nous donnions la possibilité à votre mère de me dire sa façon de voir les choses.*

La docteure exprime de l'empathie pour la tierce personne et énonce à nouveau sa règle de conduite.

L'utilisation du pronom *nous* est utile pour établir une alliance avec la tierce personne. La médecin sous-entend ainsi qu'elle-même et Mme Holmes veulent le bien de Mme Jones.

(à Mme Jones) *Je comprends ce que votre fille dit à propos de votre mémoire. Mais vous, pensez-vous éprouver des problèmes de mémoire ?*

La médecin essaie d'obtenir le point de vue de la patiente sur le problème que décrit la tierce personne. L'approche est semblable aux conversations dans lesquelles un médecin et un patient comparent leurs perceptions respectives de la maladie de ce dernier.

Mme Jones — *Je ne pense pas. C'est normal de ne pas tout me rappeler à mon âge. Je ne me plains pas, sauf de l'arthrite. Il n'y avait pas assez de nourriture… Vous savez, c'était très humide.*

La patiente explique ce qui est normal, selon elle, au stade du cycle de vie où elle se trouve.

Elle ressasse ses souvenirs.

La médecin — *Vous parlez de l'époque de la guerre. Je m'en souviens, vous m'en avez déjà parlé. Ça a été des temps vraiment difficiles pour vous. Je peux à peine imaginer comment on pouvait se débrouiller dans de telles conditions ! Vous avez aidé de nombreuses personnes, j'en suis sûre. Pensez-vous que ces événements passés ont un effet sur vous aujourd'hui ?*

La docteure met à profit la relation déjà bien établie avec Mme Jones pour lui montrer qu'elle la comprend bien. La patiente peut ainsi se rendre compte que la médecin la connaît bien, qu'elle connaît non seulement ses maladies, mais son passé. De plus, la médecin valorise Mme Jones en tant que personne.

Mme JONES — *C'est tout à fait normal. Quand on vieillit, on ne peut pas s'attendre à rester la même personne. Ma mère est morte à 62 ans.*

> En parlant de la mort de sa mère à un âge relativement jeune, Mme Jones révèle qu'elle n'a pas eu droit à un modèle familial de vieillesse *normale*.

LA MÉDECIN — *C'est vrai, quand on vieillit, les choses changent. Et vous avez appris à vous adapter aux changements, j'en suis sûre, mais il y a des choses plus difficiles à supporter que d'autres. Est-ce que certains changements liés à votre vieillissement vous causent des problèmes ?*

> La médecin accepte le fait que sa patiente trouve normales les situations courantes qui entraînent parfois des difficultés. Si Mme Jones peut parler d'un problème décrit aussi par sa fille, la médecin aura alors un sujet sur lequel les trois personnes pourront s'exprimer.

Mme JONES — *Non, pas du tout. Je ne me plains pas. J'ai juste peur d'aller faire des courses toute seule maintenant.*

LA MÉDECIN — *Ah oui ? Pourquoi ?*

> La médecin demande des éclaircissements à sa patiente.

Mme JONES — *J'oublie souvent d'acheter les choses dont j'ai besoin. C'est mieux quand Susan vient avec moi… Avant de partir, elle fait une liste de ce qu'il faut acheter.*

LA MÉDECIN — *Je vais procéder à votre examen physique pour déterminer si vous avez une maladie qui pourrait nuire à votre mémoire. Mais auparavant, j'aimerais savoir ce qui préoccupe votre fille. Puis, tous les trois, nous discuterons de ce qui pourrait vous aider à faire les choses que vous jugez importantes.*

> La médecin sent qu'elle a réussi à faire ressortir l'opinion et les motivations de sa patiente. C'est pourquoi, en accord avec ce qu'elle a déjà dit, elle annonce la suite de la consultation, y compris l'examen physique qui lui permettra de répondre aux plaintes de la patiente.

(à Mme Holmes) *Bon, Madame Holmes, je suis toute à vous, je vous écoute. J'aimerais que vous me disiez ce que vous avez remarqué.*

> La médecin prête attention aux motivations et aux préoccupations de la tierce personne.

Mme JONES — *Eh bien ! Ma mère égare régulièrement son sac à main dans la maison…*

Suit un dialogue, dans lequel la médecin fait ressortir toutes les inquiétudes de Mme Holmes à l'égard de sa mère. Ainsi, elle apprend que la fille trouve difficilement le temps d'accompagner sa mère faire ses courses trois fois par semaine.

Ensuite, la médecin effectue l'examen physique de sa patiente, et les trois femmes se retrouvent ensemble.

LA MÉDECIN — (aux deux femmes) *Les résultats de l'examen sont normaux, mais vous avez toutes deux remarqué certains changements dans la façon dont vous* (en regardant Mme Jones) *fonctionnez.*

(s'adressant maintenant à Mme Jones) *Je suis d'accord avec vous : les choses changent à mesure qu'on vieillit. Mais ça serait bien pour vous de pouvoir continuer, dans la mesure où c'est possible, à faire ce que vous aimez. J'aimerais qu'on fasse une analyse de votre sang pour voir s'il y a quelque chose qui ne va pas et qu'on pourrait corriger. D'ici là, je constate que vous avez besoin d'un peu d'aide pour faire vos courses. Je me rends aussi compte que Susan trouve difficile de s'arranger pour vous y accompagner trois fois par semaine. Pensez-vous pouvoir trouver une façon de faire vos courses sans avoir à compter autant sur elle ?*

La médecin présente les résultats de l'examen aux deux femmes. Elle accorde une attention particulière à la patiente et au problème exprimé, mais elle souligne l'importance du bien-être de la tierce personne.

Une femme d'origine étrangère accompagnée de son mari

C'est la première fois que Mme Singh consulte le Dr Laurin (un médecin de famille) à son cabinet de Montréal. M. et Mme Singh se présentent ensemble au bureau du médecin.

Le Dr Laurin est né à Montréal, tout comme ses parents. Ses grands-parents s'étaient installés à Montréal, après avoir quitté la ferme que leurs ancêtres occupaient depuis le XVIIe siècle. Le Dr Laurin a toujours vécu à Montréal. Il y a neuf ans qu'il y pratique la médecine. Depuis cinq ans, la moitié environ de ses nouveaux patients sont des immigrants en provenance du sous-continent indien[8].

Âgée de 25 ans, Mme Singh est née en Inde, dans le Punjab. Il y a trois ans, alors qu'elle était encore en Inde, elle s'est mariée : il s'agissait d'un mariage arrangé par les familles des deux époux. Immédiatement après, elle a immigré à Montréal, où son mari vivait déjà. Dans son pays natal, Mme Singh était enseignante.

M. Singh provient de la même région que sa femme. Il y a 11 ans, il était venu au Canada pour terminer ses études universitaires, mais il n'a jamais pu trouver d'emploi dans son domaine. Depuis la fin de ses études, il travaille comme serveur dans un restaurant.

Le couple a deux enfants âgés respectivement de deux ans et de sept mois.

Le couple a pris rendez-vous avec le médecin en raison des fréquents maux de tête dont souffre Mme Singh et qui nuisent à sa capacité de s'occuper de ses enfants et de son mari. Les époux veulent que le Dr Laurin soulage Mme Singh de ses douleurs à l'aide d'un traitement.

Figure 20.2 **La salle de consultation du Dr Laurin**

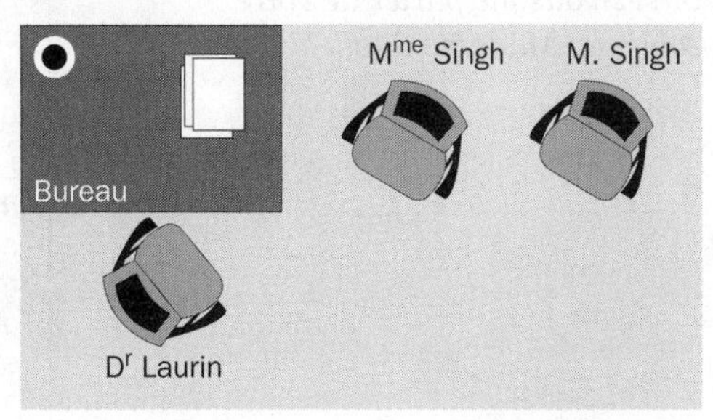

M. et Mme Singh entrent dans la salle de consultation. Le médecin les accueille.

LE MÉDECIN — *Bonjour, Madame Singh ! Comment allez-vous ?*

> Le médecin essaie de lancer une interaction dyadique avec Mme Singh, comme il le ferait avec tout autre patient. Il s'adresse donc directement à elle.

MME SINGH — (en riant nerveusement) *Bien, merci.*

LE MÉDECIN — *Assoyez-vous !*

Mme Singh s'assoit sur la chaise la plus éloignée du médecin.

> Le médecin n'a pas modifié l'aménagement de la pièce : les chaises ne sont pas disposées en triangle.

— (désignant l'autre chaise) *S'il vous plaît, assoyez-vous plutôt ici, plus près de moi.*

> Le médecin veut optimiser l'utilisation de l'espace pour établir une bonne relation avec Mme Singh.

(désignant M. Singh) *Est-ce votre mari ?*

> Le médecin établit l'identité de la tierce personne.

MME SINGH — *Oui.*

Mme Singh s'assoit près du médecin ; M. Singh s'assoit sur l'autre chaise. Mme Singh regarde le plancher, elle semble mal à l'aise ; M. Singh regarde le médecin.

LE MÉDECIN — (à Mme Singh) *Pourquoi êtes-vous venue me voir aujourd'hui ?*

> Le médecin pose ses questions à Mme Singh.

M. Singh — *Elle a un mal de tête affreux, elle est tout le temps malade.*

M. Singh emploie les expressions « mal de tête » et « malade ».

Le médecin ne fait aucun commentaire sur le fait que M. Singh réponde à la place de sa femme.

Le médecin — *Pouvez-vous me parler de votre problème, Madame Singh ?*

Le médecin interpelle sa patiente par son nom, ce qui indique une règle qu'il entend suivre dans le déroulement de l'entretien : la patiente doit répondre elle-même aux questions.

Le médecin pose une question ouverte afin d'amener la patiente à lui dire pourquoi elle est venue le consulter. Il demande délibérément à Mme Singh quel est son problème afin que celle-ci puisse décrire la maladie dans son ensemble au lieu de s'attarder prématurément sur un seul symptôme. Il ne cherche pas à savoir s'il y a tel ou tel symptôme. Cette approche, efficace dans les entretiens qui se déroulent sans barrière linguistique ni interprète, pose cependant un problème dans la présente situation.

M. Singh — *C'est très grave. Elle a ça tout le temps.*

Ce n'est toujours pas la patiente qui répond et M. Singh ne vérifie pas ses réponses auprès de sa femme. Il est invraisemblable qu'il puisse décrire mieux qu'elle les maux qu'elle éprouve dans son corps. Il désigne les symptômes à l'aide du démonstratif « ça », sans préciser de quoi il s'agit.

Le médecin — (à Mme Singh) *Pouvez-vous me dire ce que vous ressentez ?*

Le médecin adresse une autre question ouverte à Mme Singh. Il n'a pas encore parlé explicitement du déroulement de l'entretien. Il aurait pu dire qu'il préférait que Mme Singh réponde elle-même aux questions. Il aurait aussi pu demander à M. et à Mme Singh, ou à l'un d'eux, de lui expliquer leurs attentes quant au déroulement de la consultation. Mme Singh lève brièvement les yeux vers le médecin, puis les baisse à nouveau vers le sol. Aucun des époux ne répond à la question ouverte.

Ça a commencé il y a combien de temps ?

Le médecin passe immédiatement à une question fermée, comme s'il supposait que Mme Singh ne connaît pas suffisamment l'anglais pour formuler des phrases complètes, mais qu'elle peut répondre à l'aide d'un mot ou de quelques mots. Cependant, il ne vérifie pas son hypothèse auprès du couple.

Comme il n'obtient pas la version de la patiente sur sa maladie, le médecin continue de demander des renseignements sur le problème dans son ensemble : il pose une question fermée sur la durée, sans avoir élucidé la nature du problème et en désignant le problème comme l'a fait M. Singh, à l'aide du démonstratif « ça ».

M. SINGH — *Ça a commencé hier. Elle est malade depuis hier.*

LE MÉDECIN — (à M. Singh) *Combien de fois est-ce arrivé depuis hier ?*

Le médecin passe maintenant à une conversation dyadique avec M. Singh.

Il le fait sans avoir explicité les différences entre ses propres attentes et celles des Singh en ce qui a trait à l'interaction ni mentionné le malaise causé chez chacun par les différences dans les modèles de communication.

Mme Singh et son mari semblent suivre un modèle qui ne respecte pas les normes du Dr Laurin en la matière. Pourquoi M. Singh parle-t-il au nom de sa femme ? Ce n'est pas clair : est-ce en raison d'une barrière linguistique qui existerait entre elle et le médecin ou tout simplement parce que, selon la culture des Singh, c'est au mari qu'il revient de parler au médecin ?

Le médecin est peut-être perturbé par ce modèle de communication, surtout s'il est persuadé du bien-fondé de respecter l'autonomie de tout patient. Il considère peut-être Mme Singh comme un être humain libre, qui ne peut exercer son autonomie qu'en communiquant elle-même avec lui.

Peut-être le médecin s'inquiète-t-il aussi de n'entendre que la perception de M. Singh au sujet de la maladie de sa femme et non la perception de la patiente elle-même ? Peut-être est-il préoccupé par la possibilité que ce manque d'information l'empêche d'accomplir correctement ses tâches professionnelles ?

M. SINGH — *Tout le temps.*

LE MÉDECIN — (à M. Singh) *Est-elle est capable de manger ou de boire ?*

M. SINGH — *Elle n'a pas de problème pour manger.*

LE MÉDECIN — (à M. Singh) *Y a-t-il quelque chose qui aggrave ça ?*

M. SINGH — *Oui, quand les enfants sont turbulents.*

Le médecin semble avoir interprété le mot *malade* (employé par M. Singh) dans le sens d'avoir des nausées ou des vomissements. Quant à M. Singh, il semble répondre aux questions comme si le médecin se renseignait sur le mal de tête de sa femme.

En faisant allusion au comportement des enfants, M. Singh donne une information importante sur le contexte dans lequel les symptômes se produisent.

Le médecin — (à M. Singh) *Y a-t-il quelque chose qui améliore la situation ?*

L'entretien peut se poursuivre longtemps entre le médecin et M. Singh, qui répond à toutes les questions sans jamais consulter sa femme.

Au lieu de poser des questions sur la réponse de M. Singh, le médecin continue de suivre la structure normale de l'entretien médical.

Il est plus difficile de saisir les indices donnés sur les émotions et le contexte familial lorsqu'un tiers parle au nom du patient. Dans le cas présent, on ne peut même pas être sûr que Mme Singh partage l'opinion de son mari sur le rôle du comportement des enfants dans ses maux de tête. Si le médecin prêtait attention au comportement non verbal de sa patiente, il pourrait peut-être en tirer des conclusions intéressantes.

Comment le Dr Laurin aurait-il pu s'y prendre autrement ? Reprenons cet exemple à partir du moment où M. Singh confie au médecin qu'il trouve la situation très grave.

M. Singh — *C'est très grave. Elle a ça tout le temps.*

Le médecin — (à M. Singh) *Je suis tout à fait désolé que votre femme se sente malade. Je pourrai encore mieux l'aider si elle me dit elle-même exactement comment elle se sent.*

Le médecin exprime son empathie. Comme il est invraisemblable qu'une autre personne puisse mieux décrire que soi ce qu'on ressent dans son corps, le médecin explique à M. Singh pourquoi il croit préférable que sa femme parle elle-même de ses symptômes.

(à Mme Singh) *Madame Singh, vous êtes dans un pays étranger. Il est peut-être difficile pour vous de me comprendre ou de dire en français comment vous vous sentez. Préférez-vous me parler directement ou que votre mari traduise ce que vous direz ?*

Le médecin utilise un langage simple, dépourvu d'expressions idiomatiques. Il donne à la patiente la possibilité d'avouer ses difficultés linguistiques et de laisser son mari traduire ses propos. Cependant, il a posé une double question.

Mme Singh — *Oui.*

Le médecin — *Je veux être sûr de bien comprendre. Qu'est-ce qui est le plus facile pour vous ? C'est vous qui parlez ?*

Mme Singh rit nerveusement et ne répond pas.

— *C'est votre mari qui parle ?*

Le médecin s'aperçoit qu'il a posé une double question et il tente de clarifier la situation avec sa patiente, toujours à l'aide d'un niveau de langue simple. Il a simplifié sa question en mettant de l'avant sa préférence.

Mme Singh — *Mari parler.*

Le médecin remarque que la patiente ne semble pas maîtriser le français.

LE MÉDECIN — (à M. Singh) *Pouvez-vous me dire ce qu'elle éprouve?*

> Le médecin respecte maintenant la préférence de sa patiente.

M. SINGH — *Ça a commencé hier. Elle est malade depuis hier.*

LE MÉDECIN — (à M. Singh) *Bon, Monsieur Singh, je ne peux aider votre femme que si je sais exactement ce qui ne va pas chez elle. Pour découvrir ce qui ne va pas, ça m'aiderait vraiment beaucoup d'entendre* exactement *ce qu'*elle *dit ressentir. Pourriez-vous, s'il vous plaît, lui demander de dire ce qu'elle ressent, puis me traduire ce qu'elle dit?*

> Le médecin explique clairement à M. Singh la façon dont il voit le déroulement de l'entretien et ce qu'il attend de lui.

M. Singh traduit alors les questions du Dr Laurin et les réponses de sa femme. Mme Singh semble comprendre la plupart des questions du médecin, car elle y répond souvent dans sa langue avant que son mari ne les lui traduise. Après avoir terminé le questionnaire sur les antécédents médicaux, le médecin peut commencer l'examen physique.

Voyons maintenant comment peut se dérouler la suite de la consultation, c'est-à-dire l'examen physique de la patiente, selon que le médecin est *un homme ou une femme.*

L'examen physique mené par une médecin

LA MÉDECIN — (à Mme Singh) *Je vais maintenant vous examiner. Vous pouvez vous déshabiller et mettre la tunique. Nous allons sortir de la pièce, puis je vais revenir.*

> La médecin explique sa manière de procéder.

(à M. Singh) *Il serait préférable que vous attendiez à l'extérieur durant l'examen. Je viendrai vous chercher quand ce sera fini.*

> Elle présente les normes qui gouvernent ses actes professionnels. M. Singh sort de la pièce.

(à Mme Singh) *Parlez-moi de votre vie avant votre arrivée au Canada.*

> Comme elle a remarqué que Mme Singh semble comprendre l'anglais, la médecin tente de déterminer les antécédents de la patiente qui remontent avant son immigration.

MME SINGH — *J'étais enseignante dans mon pays. J'enseignais les mathématiques.*

LA MÉDECIN — *J'ai remarqué que votre mari répondait à mes questions à votre place. Je sais que*

> La médecin explique les normes sur les consultations au Canada.

vos coutumes sont différentes des nôtres. Je suis plus habituée à parler directement à la femme elle-même et non à son mari. Mais je veux faire ce que vous préférez. Je veux aussi être certaine de comprendre ce qui vous arrive et que vous comprenez bien ce que je dis.

Nous avons plusieurs possibilités.

Elle propose à Mme Singh diverses possibilités sur la façon de procéder. Ce faisant, elle lui donne beaucoup trop d'éléments.

La première : nous pouvons faire comme nous l'avons fait aujourd'hui.

La deuxième : vous et moi pouvons nous rencontrer seules.

La troisième : votre mari peut être présent pendant l'entrevue et donner son point de vue.

La quatrième : je peux faire venir une interprète. C'est une femme dont le travail est de traduire. Elle vous répétera dans votre langue ce que je dis et elle me répétera en français ce que vous me dites. Ça ne vous coûtera rien. Tout comme moi, elle ne répétera à personne d'autre notre conversation.

Il n'est pas nécessaire de fonctionner de la même façon à toutes vos visites, et vous n'avez pas à décider tout de suite. Voulez-vous y réfléchir ?

Cependant, la dernière phrase indique qu'il s'agit d'un éventail de choix auxquels Mme Singh doit réfléchir.

L'examen physique mené par un médecin

LE MÉDECIN — (à Mme Singh) *Je vais maintenant vous examiner. Vous pouvez vous déshabiller et mettre cette tunique. Nous allons sortir de la pièce, puis je vais revenir.*

Le médecin explique sa manière de procéder.

(à M. Singh) *Il est préférable que vous attendiez à l'extérieur durant l'examen. Je viendrai vous chercher quand ce sera fini.*

Il présente les normes qui gouvernent ses actes professionnels.

M. SINGH — *Je dois rester ici.*

LE MÉDECIN — *Pouvez-vous me dire pourquoi vous devez rester ?*

Le médecin veut comprendre les motivations de M. Singh.

M. SINGH	— *Nos femmes ne sont pas comme les vôtres. Je dois rester.*	
LE MÉDECIN	— *Dans votre pays, feriez-vous la même chose ?*	Le médecin veut comprendre l'insistance de M. Singh.
M. SINGH	— *Dans mon pays, le médecin est une femme et je n'aurais donc pas à rester.*	
LE MÉDECIN	— *Seriez-vous d'accord pour sortir de la salle d'examen si une autre femme était présente ?*	Le médecin fait ressortir que le problème est lié au fait qu'il est un homme et il cherche une solution acceptable pour M. Singh.
M. SINGH	— *Oui.*	
LE MÉDECIN	— *Aujourd'hui, il n'y aucune femme disponible, vous pouvez donc rester. Mais, la prochaine fois, nous pourrons prévoir la présence d'une autre femme.*	Le médecin fait une concession.
	Au Canada, les médecins ont la chance de pouvoir recourir aux services d'interprètes médicaux professionnels pour les aider dans leur travail. Au prochain rendez-vous de votre femme, je ferai venir une interprète professionnelle. Cette femme, qui a une formation sur les questions de santé, parlera votre langue et la mienne. Ça ne vous coûtera rien. Et, tout comme moi, elle ne répétera absolument rien à personne de ce qui se sera dit ici. J'ai seulement besoin de savoir quelle est la langue que votre femme parle le mieux. Cela vous convient-il ?	Il donne des renseignements pertinents sur les interprètes professionnels. Il a privilégié une solution qui lui permettra de parler directement à la patiente plutôt qu'à son mari. Il a donc choisi d'imposer son modèle de soins, dans lequel l'interaction médecin-patient est primordiale. Grâce à l'interprète professionnelle, le médecin pourra donc proposer à Mme Singh les mêmes possibilités que la médecin du dialogue précédent.

Conclusion

Les consultations que donne le médecin de première ligne se déroulent souvent à trois. Le médecin doit donc adapter le contenu et le style de sa communication à la présence de la tierce personne. Il peut arriver que le tiers provoque une certaine distance entre le médecin et le patient. Lorsque la capacité du patient à exprimer ses plaintes et ses pensées est limitée (en raison d'une barrière linguistique ou de troubles cognitifs), il est certes très facile pour le médecin de se tourner vers le tiers, qui répondra à ses questions plus rapidement et plus clairement que le patient. Cependant, cette manière de procéder augmente le danger que le médecin ne comprenne pas bien les symptômes du patient, que le patient ne comprenne pas les prescriptions de traitement et que le médecin, ne saisissant pas les préférences du patient, ne puisse pas en tenir compte.

Dans les entretiens à trois, il importe que le médecin explique clairement le rôle de chacun et qu'il s'assure de la capacité du tiers à s'acquitter de son rôle. Par conséquent, il est important de demander à la tierce personne, dès le début de l'entretien, les raisons de sa présence. Le médecin doit faire ressortir les motivations des deux personnes, de façon à mettre au point un ordre du jour négocié pour la consultation. Le diagnostic et le plan de traitement doivent aussi faire l'objet d'une négociation entre les trois participants. À l'occasion de toute consultation, le médecin doit garder présent à l'esprit qu'il lui faut *lui-même* établir une relation avec le patient.

Quoique l'interprète professionnel ait ses préférences quant à la forme de l'entretien, il n'a pas d'attentes particulières en ce qui a trait au fond. Quand il recourt à un interprète, le médecin trouvera efficaces les techniques suivantes: utiliser des phrases courtes et simples; encourager l'interprète à traduire phrase à phrase; vérifier régulièrement s'il a lui-même bien compris; inciter l'interprète à traduire *tous* les énoncés du patient; permettre au patient de terminer ses phrases avant de réagir; encourager l'interprète à traduire au fur et à mesure ce que dit le patient de ses symptômes et à en expliquer la signification culturelle, s'il y a lieu.

Dans sa pratique quotidienne, le médecin applique aux rencontres à trois des stratégies de communication dyadique médecin-patient, de même que des stratégies adaptées, qu'il a mises au point plus ou moins consciemment. En prêtant attention aux aspects dont nous avons discuté et en utilisant de manière consciente les stratégies et les techniques décrites dans ce chapitre, le médecin verra la qualité et l'efficacité de sa communication s'améliorer dans ses rencontres à trois.

Notes

1. Les chapitres suivants portent sur ces thèmes: le chapitre 12 («Les enfants»); le chapitre 13 («Les adolescents»); le chapitre 14 («Les personnes âgées et leurs proches»); le chapitre 19 («La famille: lorsque des proches participent à la consultation médicale»).
2. Au Québec, une personne inapte est une personne jugée incapable de s'occuper d'elle-même et de ses biens. En ce sens, dans le reste de la francophonie, on utilise généralement le terme *incapable*.
3. À ce sujet, lire le chapitre 19, intitulé «La famille: lorsque des proches participent à la consultation médicale».
4. Pour en apprendre davantage sur la communication médecin-patient âgé, que ce soit en tête à tête ou en présence d'un tiers, lire le chapitre 14, intitulé «Les personnes âgées et leurs proches».
5. Pour en apprendre davantage sur les modèles explicatifs populaires, lire le chapitre 4, intitulé «Les représentations profanes liées aux maladies».
6. Au sujet des médiateurs culturels et des autres notions traitées dans cette section, le lecteur trouvera profitable la lecture du chapitre 18, intitulé «Les patients de culture différente».
7. Au chapitre 9, intitulé «La gestion des émotions», une section porte sur l'expression non verbale des émotions.
8. Le sous-continent indien comprend l'Inde, le Bangladesh, le Pakistan, le Népal, le Bhoutan et le Myanmar.

Références

Aronsson, K., et B. Rundström (1988). «Child discourse and parental control in pediatric consultations», *Text*, vol. 8, p. 159-184.

Baker, D.W., R. Hayes et J. Puebla-Fortier (1998). «Interpreter use and satisfaction with interpersonal aspects of care for Spanish-speaking patients», *Medical Care*, vol. 36, n° 10, p. 1461-1470.

Brown, J.B., P. Brett, M. Stewart et J.N. Marshall (1998). «Roles and influences of people who accompany patients on visits to the doctors», *Le médecin de famille canadien*, vol. 44, p. 1644-1650.

Chouat, N. (1995). *La gestion de la diversité dans les établissements de la santé et des services sociaux: bilan de la recherche*, Montréal, Ministère de la Santé et des Services sociaux du Québec.

Cohen-Émerique, M. (1989). «Connaissance d'autrui et processus d'attribution en situations interculturelles», dans *Actes du 2e colloque européen de l'ARIC*, Paris, L'Harmattan, p. 95-109.

Cohen-Émerique, M. (1993). «L'approche interculturelle dans le processus d'aide», *Santé mentale au Québec*, vol. XVIII, n° 1, p. 71-92.

Cooper-Patrick, L., J.J. Gallo, J.J. Gonzales, H.T. Vu, N.R. Powe, C. Nelson et D.E. Ford (1999). « Race, gender, and partnership in the patient-physician relationship », *Journal of the American Medical Association*, vol. 282, p. 583-589.

Dimitrova, B.E. (1997). « Degree of interpreter responsibility in the interaction process in community interpreting », dans *The critical link: Interpreters in the community*, sous la direction de S.E. Carr, R.P. Roberts, A. Dufour et D. Steyn, Philadelphie, John Benjamins, p. 147-164.

Greene, M.G., S.D. Majerovitz et R.D. Adelman (1994). « The effects of the presence of a third person on the physician-older patient medical interview », *Journal of the American Geriatrics Society*, vol. 42, n° 4, p. 413-419.

Grondin, J. (1990). « Les Inuits en ville : communication et fictions autour des soins interculturels », *Anthropologie et sociétés*, vol. 14, n° 1, p. 65-81.

Hatton, D.C., et T. Webb (1993). « Information transmission in bilingual, bicultural contexts : A field study of community health nurses and interpreters », *Journal of Community Health Nursing*, vol. 10, n° 3, p. 137-147.

Kaufert, J.M. (1990). « Sociological and anthropological perspectives on the impact of interpreters on clinical/client communication », *Santé, Culture, Health*, vol. VII, n°s 2-3, p. 209-233.

Manson, A. (1988). « Language concordance as a determinant of patient compliance and emergency room visits in patients with asthma », *Medical Care*, vol. 26, p. 1119-1128.

McAll, C., L. Tremblay et F. Le Goff (1997). *Proximité et distance : les défis de communication entre intervenants et clientèle multiethnique en CLSC*, Montréal, Saint-Martin.

Meeuwesen, L., J. Bensing et M. Kaptein (1998). « Doctor-parent-child communication over the years : An interactional analysis », dans *Doctor-patient communication and the quality of care in general practice*, sous la direction de J. Bensing, U. Sätterlund-Larsson et J. Szecsenyi, Utrecht, Nivel, p. 5-18.

Meeuwesen, L., et M. Kaptein (1996). « Changing interactions in doctor-parent-child communication », *Psychology and Health*, vol. 11, n° 6, p.787-795.

Noone, I., M. Crowe, I. Pillay et S.T. O'Keeffe (2000). « Telling the truth about cancer : Views of elderly patients and their relatives », *Irish Medical Journal*, vol. 93, n° 4, p. 104-105.

Ntetu, A.L., et J.-A. Fortin (1995). *Analyse des interactions entre les clients autochtones et les intervenants en milieu ethnique*, Chicoutimi, Université du Québec à Hull.

O'Keefe, J. (1995). « Déontologie de l'interprétariat », dans *L'interprétariat en milieu social : actes du colloque européen*, Strasbourg, Parlement européen, p. 59-60.

Rechtman, R. (1997). « Transcultural psychotherapy with Cambodian refugees in Paris », *Transcultural Psychiatry*, vol. 34, n° 3, p. 359-375.

Rhéaume, J., R. Sévigny et L. Tremblay (2000). *La sociologie implicite des intervenants en contexte pluriethnique*, Montréal, CLSC Côte-des-Neiges, Centre de recherche et de formation affilié à l'Université McGill, publication n° 5.

Rivadeneyra, R., V. Elderkin-Thompson, R. Cohen-Silver et H. Waitzkin (2000). « Patient centeredness in medical encounters requiring an interpreter », *The American Journal of Medicine*, vol. 108, n° 6, p. 470-474.

Roberts, R.P. (1997). « Community interpreting today and tomorrow », dans *The critical link : Interpreters in the community*, sous la direction de S.E. Carr, R.P. Roberts, A. Dufour et D. Steyn, Philadelphie, John Benjamins, p. 7-26.

Shapiro J., et E. Saltzer (1981). « Cross-cultural aspects of physician-patient communication patterns », *Urban Health*, vol. 10, p. 10-15.

Tates, K., et Meeuwesen, L. (2001) « Doctor-parent-child communication. A (re)view of the literature », *Social Science and Medicine*, vol. 52, p. 839-851.

Vissandjée, B., A.L. Ntetu, F. Courville, E.R. Breton et M. Bourdeau (1998). « L'interprète en milieu clinique interculturel », *L'infirmière canadienne*, vol. 94, n° 5, p. 36-42.

Woloshin, S, L.M. Schwartz, S.J. Katz et H.G. Welch (1997). « Is language a barrier to the use of preventive services ? », *Journal of General Internal Medicine*, vol. 12, p. 472-477.

Les patients aux plaintes physiques inexpliquées

Bernard Millette

CHAPITRE 21

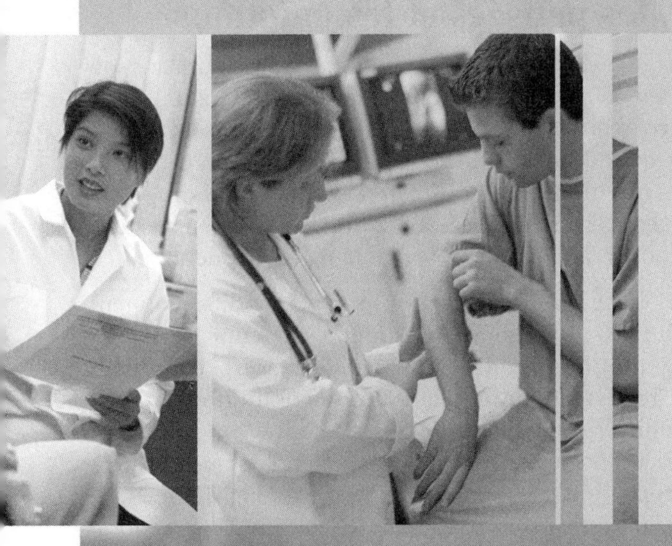

Lorsque le patient propose (*offers*, selon Balint) à son médecin des plaintes somatiques (exemples: «J'ai mal», «Je suis fatigué», «J'ai des battements de cœur»), l'accueil que le praticien accorde à ces plaintes influence leur devenir (leur disparition, leur ancrage ou leur aggravation) (Balint, 1966). Aussi le praticien est-il heureux s'il peut rapidement discerner le problème et poser un diagnostic médical tel que «Vous avez une fracture», «Vous faites une hépatite», «Vous avez un trouble de la thyroïde accompagné de palpitations». Il est toutefois plus mal à l'aise s'il ne peut trouver de correspondances entre les plaintes somatiques et un diagnostic connu faisant partie de la classification nosologique des maladies. Il envisagera alors l'hypothèse d'un diagnostic psychologique. Mais il est également probable qu'il songera au risque de rater une maladie physique importante ou de se faire manipuler par un patient qui cherche des compensations en se plaignant de symptômes physiques. La communication dans un tel contexte peut devenir difficile et déraper vers l'évitement ou l'affrontement.

Comment le médecin peut-il aider un patient souffrant de symptômes qui ne correspondent à aucune maladie organique connue? Lorsque le clinicien pose un diagnostic de somatisation[1], quelles stratégies peut-il employer pour inciter le patient à passer d'une interprétation purement physique de ses malaises à la possibilité de composantes psychologiques? Comment favoriser cette réattribution des symptômes? Dans les cas où les malaises physiques ressentis deviennent chroniques, perpétuant ainsi la souffrance, comment motiver le patient à transformer son *objectif de guérison* en un *plan d'adaptation* (*coping*) grâce à des stratégies l'aidant à composer avec ses malaises?

Le but du présent chapitre est de proposer des stratégies de communication concrètes pour assurer le bon déroulement d'une entrevue lorsqu'un patient présente des plaintes somatiques qui ne semblent pas associées à une maladie physique *connue*. En premier lieu, nous recenserons les éléments principaux des approches présentées, puis nous en illustrerons certains à l'aide de deux cas distincts inspirés de notre pratique: le premier, un patient inquiet des palpitations ressenties (symptômes somatiques transitoires); le second, une patiente souffrant depuis plusieurs années de malaises physiques nombreux (trouble de somatisation chronique).

Les liens entre le corps, les pensées et les émotions

Lorsqu'un individu prend conscience de phénomènes physiques survenant dans son corps, phénomènes habituellement peu ou pas ressentis (exemples: des palpitations, une activité de l'intestin, des mouvements respiratoires), il veut leur donner un sens. Selon Leventhal, Meyer et Nerenz (1980), quand un individu ressent un phénomène ou un symptôme physique, il se pose vite des questions et se construit des représentations sur sa nature, ses causes, sa gravité, sa durée et ses conséquences. Bien plus, il s'inquiète parfois, dès le départ, des traitements qu'on pourrait lui proposer et de leurs conséquences[2].

Par ailleurs, les phénomènes physiologiques seront ressentis et perçus différemment par chaque personne selon l'intensité des phénomènes eux-mêmes, l'acuité de la perception sensorielle de l'individu et l'attention qu'il porte à ses sensations corporelles (Barsky, 1979; Sharpe et Bass 1992; Creed, 1992). Ainsi, dans toute sensation somatique, il y a deux éléments constants: un premier, sensoriel, la perception, et un second, cognitif, l'interprétation ou l'attribution. Des facteurs sociaux, psychologiques et physiques influencent à la fois la perception et l'interprétation d'un phénomène. Ainsi, la peur d'une maladie du cœur et l'hypervigilance qui peut y être associée risquent d'accroître la perception d'occasionnelles palpitations présentes depuis longtemps, mais auparavant ignorées. Le fait que quelqu'un de l'entourage ait souffert d'un accident coronarien peut conduire un individu à interpréter les palpitations qu'il ressent comme un indice *évident* de la présence d'une maladie cardiaque. Par ailleurs, la dépression et la souffrance psychologique qui en découlent peuvent moduler à la fois la perception des phénomènes physiques et leur attribution à une cause précise.

L'interprétation des malaises ressentis joue un rôle majeur dans la place qu'ils prennent dans la vie quotidienne et dans la façon dont ils sont présentés au médecin (Creed, Mayou et Hopkins, 1992). Toutefois, un fait demeure : le patient ayant des symptômes qu'il attribue à une cause physique est quelqu'un qui ressent *vraiment* des malaises, quelle qu'en soit l'origine ; il en souffre et il s'attend à pouvoir compter sur l'aide du médecin qu'il consulte. Non seulement la catégorisation qui oppose le *vrai* malade au malade *somatisant* est fausse, mais elle amène le médecin à croire que le « somatisant » produit intentionnellement sa souffrance. Or, pour le médecin, croire que le patient produit volontairement sa souffrance risque de provoquer chez lui de l'irritabilité, de la colère, des difficultés à manifester de l'empathie, une distanciation émotionnelle, une obséquiosité réactionnelle, etc.

Les écoles de pensée psychanalytique nous offrent des hypothèses riches et intéressantes au sujet des processus inconscients impliqués dans les souffrances physiques et les plaintes que les patients expriment (Verrier et Charbonneau, 1999). De son côté, la communauté psychiatrique a défini une classification des troubles et maladies somatoformes (plaintes ou manifestations somatiques liées à des difficultés affectives) (American Psychiatric Association, 2000). Toutefois, la discussion de ces éléments dépasse les objectifs du présent chapitre.

McWhinney, Epstein et Freeman (1997) critiquent la dichotomie entre corps et esprit, héritée du Siècle des lumières et qui nous amène, selon les circonstances, à centrer notre attention soit sur les aspects physiques, soit sur les facteurs émotionnels, mais plus rarement sur ces deux facettes perçues de façon intégrée. Or, soulignent ces auteurs, toute expérience humaine se vit et s'exprime à travers la globalité de l'être humain, soit un être émotif fait de chair et d'os, capable de réfléchir sur lui-même et en interaction avec l'environnement qu'il influence et qui l'influence. Tout vécu humain fait appel, en même temps mais à des degrés divers, selon les circonstances, au biologique, à l'affectif et au social. Ainsi, le terme même de *psychosomatique* pose problème, car il dichotomise des phénomènes qui ne sont ni ne peuvent être dissociés.

Les stratégies de communication dans un contexte de plaintes somatiques

Toute entrevue médicale a pour fonction de créer des liens afin de colliger des informations qui permettront au médecin et au patient de prendre, ensemble, des décisions (Cohen-Cole, 1991 ; Silverman, Kurtz et Draper, 1998). Le clinicien tirera donc profit des approches et des principes généraux décrits dans les différents chapitres du présent volume. Toutefois, compte tenu de l'attention plus particulière que le malade somatisant porte à son corps et de sa réticence à l'attribution (ou à la réattribution) psychologique, le clinicien devra adapter sa stratégie aux caractéristiques de ce type de patient.

Dans les prochaines lignes, nous nous attarderons sur les stratégies utiles pour colliger les informations pertinentes tout en créant (ou en renforçant) les liens thérapeutiques. Plus loin dans le texte, nous explorerons les pistes de solution ou d'atténuation des problèmes vécus par les patients, sans toutefois prétendre approfondir celles qui sont liées aux approches psychothérapeutiques, notre but étant surtout de cibler les aspects communicationnels.

Accueillir le patient et recueillir l'information

Les premières tâches du médecin sont d'accueillir le patient et de colliger les informations nécessaires à la détermination des problèmes et de leur solution ou de leur atténuation (voir le tableau 21.1). Le praticien devra aussi favoriser la mise en place d'une relation médecin-patient chaleureuse et harmonieuse. Or, le clinicien, surtout le généraliste, ne peut prévoir ce dont chaque patient se plaindra, ni si l'origine de ses malaises sera surtout biologique ou psychologique. Heureusement, Lisansky et Shochet (1967) ont proposé une stratégie pertinente pour surmonter cette difficulté.

Tableau 21.1 **Les tâches du médecin : accueillir le patient et recueillir les informations**

• Créer et renforcer les liens (par l'écoute, l'empathie, etc.).
• Colliger les données pertinentes pour repérer et délimiter les problèmes.

LE MODÈLE DES TROIS ZONES D'EXPLORATION DE LISANSKY ET SHOCHET

Comme le soulignent McWhinney et autres (1997), tout vécu humain sollicite le biologique, l'affectif et le social. Durant un événement ou à l'occasion de réflexions a posteriori, l'individu a souvent tendance à attribuer ses sensations à une origine précise, à l'exclusion des autres (ou biologique, ou psychologique, ou sociale). En pratique médicale courante, plusieurs patients consultent un médecin pour des plaintes physiques dont l'origine est principalement physique et perçue comme telle (exemples : une fracture causée par une chute, une infection urinaire) : patient et médecin sont alors sur la même longueur d'onde ! D'autres personnes consultent en demandant d'emblée de l'aide psychologique pour des problèmes d'ordre affectif. Dans ce contexte, ces patients acceptent assez facilement de parler directement de leurs émotions, le rôle du médecin étant, en plus de les aider sur le plan affectif, de s'assurer qu'il n'y a pas de facteurs physiques qui contribuent à leurs troubles émotifs ou les expliquent (exemples : l'hyperthyroïdie, l'hépatite).

Par contre, le défi est beaucoup plus grand lorsque le patient consulte pour une plainte somatique (exemples : « J'ai mal à la tête », « Je suis fatigué », « J'ai des crises d'étourdissement ») dont l'origine semble, après l'évaluation du médecin, principalement liée à des facteurs psychosociaux dont le patient n'est pas conscient ou qu'il n'est pas prêt à reconnaître. Non seulement le patient peut être réticent à accepter une hypothèse affective, mais il est parfois tellement convaincu que le problème est physique, ou incapable d'en accepter une cause émotive, qu'il aura tendance soit à minimiser les indices qui pourraient étayer l'hypothèse d'une origine affective ou encore à ne pas rapporter ces indices, de peur que le médecin ne *rate* le diagnostic physique.

Lorsque le patient exprime des malaises (*illness*), le clinicien a la responsabilité de s'assurer de la présence ou non d'une pathologie reconnaissable, c'est-à-dire la présence ou non d'une maladie (*disease*). La démarche clinique devrait toujours inclure, d'une part, cette investigation en vue de circonscrire une possible maladie et, d'autre part, une exploration de la perspective du patient sur ses malaises (Stewart et autres, 2003). Le médecin s'enquerra ainsi des idées et des schémas explicatifs du patient, de ses craintes, de ses attentes, des conséquences sur sa vie du problème dont il se plaint ainsi que des émotions qu'il ressent: ces éléments seront très utiles au clinicien pour mieux saisir la situation et ainsi pouvoir mieux cibler ses interventions en toute connaissance de cause.

De façon pragmatique et ne connaissant pas à l'avance les problèmes auxquels il aura à faire face pendant une consultation, le médecin aimerait bien pouvoir adopter une approche *passe-partout* qui serait efficace dans la plupart de ses entrevues. Le modèle proposé par Lisansky et Shochet (1967) répond en partie à ce souhait. Il y a plusieurs années, ces auteurs ont en effet décrit une stratégie intéressante pour aborder la sphère affective au cours d'une entrevue médicale. Ils conseillent au praticien de visualiser trois aires à explorer pour arriver à un diagnostic *global* (voir la figure 21.1) :

- l'*aire biologique*, à laquelle les patients, en général, permettent librement l'accès;
- l'*aire sociale*, qui ne soulève que rarement des résistances majeures de la part du patient;
- l'*aire psychologique*, dont certains patients ne permettent que très difficilement l'accès.

Figure 21.1 **L'entrevue médicale selon l'approche biopsychosociale**

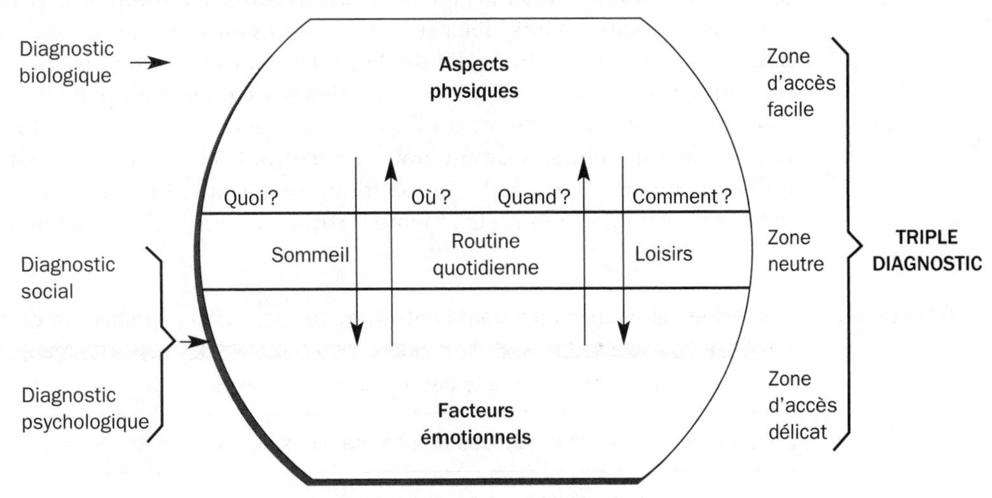

Source : Traduite et adaptée de Lisansky et Shochet (1967).

Selon l'approche de Lisansky et Shochet, lorsqu'un patient se présente avec une plainte somatique, le médecin explorera d'abord les symptômes physiques. Ainsi, le patient qui consulte pour des plaintes qu'il croit être d'origine physique sera rassuré de l'attention apportée par le médecin à ses symptômes physiques. Par ailleurs, il est intéressant de noter que le clinicien peut, dans ce contexte, aborder certaines fonctions physiques intimes (exemples: la miction, l'éjaculation) sans susciter trop de réticence de la part du patient. En effet, poser ce genre de questions est considéré comme faisant partie du rôle *traditionnel* du médecin, ce qui est moins vrai en ce qui concerne l'exploration de la sphère psychosociale.

Par la suite, le médecin posera des questions touchant une zone plus *personnelle*, mais assez accessible, l'aire sociale. Comme le public considère généralement l'approche holistique comme plus pertinente pour favoriser la santé, le patient devrait se laisser convaincre assez facilement de la nécessité, pour le médecin, de s'enquérir, par exemple, de sa nutrition et de son alimentation, de ses habitudes de sommeil, de ses loisirs, de son travail, de sa situation de famille, du nombre d'enfants qu'il a, etc. Pendant cette exploration, le clinicien sera attentif aux réponses du patient, plus particulièrement aux indices non verbaux qui pourraient l'aider à déjà atteindre ou percevoir la sphère psychologique des émotions, qui est, rappelons-le, plus *sensible*, et donc généralement plus *protégée* que les sphères sociale et physique. Il est rare que le médecin, à l'aide des données recueillies et des indices non verbaux observés (exemples: le froncement des yeux, un faciès triste, le serrement des poings), ne puisse pas, durant ou après l'exploration des zones physique et sociale, accéder à la zone des émotions. Par contre, la résistance du patient peut parfois obliger le médecin à utiliser différentes techniques incluant l'information (psychoéducation), le reflet ou la confrontation, ce dont nous reparlerons plus loin[3].

Comprendre la perspective du patient

Pour le praticien, il est particulièrement indiqué, dans le contexte de plaintes somatiques sans lien évident avec des maladies ou des syndromes cliniques connus, de prêter une attention particulière à l'exploration adéquate de la perspective du patient[4], de ses schémas explicatifs des symptômes ainsi que des conséquences que les malaises ressentis ont sur son quotidien (voir le tableau 21.2). La compréhension de la perspective du patient aidera le médecin à mieux cibler ses interventions diagnostiques et thérapeutiques, comme nous l'illustrerons plus loin à l'aide de cas cliniques tirés de notre pratique. De plus, l'attention apportée aux souffrances quotidiennes signalera au patient que le médecin a le souci de bien comprendre ce qu'il vit, ce qui aidera à renforcer le lien de confiance et la relation thérapeutique. Comme nous le verrons, le clinicien sera aussi mieux placé pour utiliser la technique du reflet empathique relativement à la souffrance ressentie par le patient, souffrance bien réelle, même lorsque sa source n'est pas une maladie organique reconnaissable.

Tableau 21.2 **Les tâches du médecin pendant l'entrevue: comprendre la perspective du patient**

• Explorer la perception qu'a le patient de ses malaises.
• S'informer des conséquences de ses malaises sur sa vie quotidienne.
• Reconnaître et légitimer sa souffrance.

Procéder à l'examen physique

La personne qui craint une maladie physique perdra confiance en son médecin si elle a l'impression que celui-ci ne l'a pas écoutée et qu'il n'a pas vraiment cherché à établir un diagnostic physique. Ainsi, cette personne demeurera sceptique devant un diagnostic établi à partir d'un questionnaire et d'un examen physique perçus comme rapides, superficiels et incomplets. Évidemment, il s'agit ici de la *perception* du patient, alors que le médecin pourrait avoir effectué sa démarche dans les règles de l'art. Donc, même si le praticien est convaincu de la futilité d'un examen physique, il est préférable qu'il consacre un certain temps à l'évaluation physique attentive des zones liées aux symptômes du patient (voir les tableaux 21.3 et 21.4). Il pourrait, dans ce contexte, penser à voix haute, technique communicationnelle utile pour indiquer au patient sa minutie et son souci de faire un examen complet (exemples: «Je vais palper votre foie», «Bon, tout est normal sur ce plan», «Maintenant, je sonde la région de vos reins»).

Tableau 21.3 **Les tâches du médecin : procéder à l'examen physique du patient**

• Faire l'examen physique même si on ne le juge pas essentiel d'un point de vue purement médical.
• Attirer l'attention du patient sur les points évalués lors de l'examen physique en utilisant diverses techniques communicationnelles (exemple : penser à voix haute).

Tableau 21.4 **Les tâches du médecin : nommer et expliquer les phénomènes au patient**

• Découvrir et nommer la maladie, le malaise ou la psychodynamique en cause.
• Inclure le patient dans la recherche d'explications.
• Solliciter son opinion sur les causes de ses malaises et sur les solutions possibles.
• Nommer le diagnostic ou le problème, puis expliquer *précisément* (éviter les explications vagues) les phénomènes physiques à la base des malaises ressentis.
• Émettre, *dès la première entrevue*, l'hypothèse de facteurs affectifs pouvant intervenir dans l'explication des malaises somatiques.

Éviter la psychologisation hâtive et utiliser l'approche socratique

Le médecin proposera son avis professionnel, c'est-à-dire son diagnostic ou son analyse, puis ses recommandations, en s'appuyant sur l'évaluation qu'il a effectuée (l'anamnèse et l'examen physique), en utilisant de façon claire et évidente les données recueillies et en tenant compte des opinions déjà émises par le patient (voir le tableau 21.4). Dans le cas d'un patient somatisant, le médecin a intérêt à éviter toute psychologisation[5] hâtive. Ainsi, il insistera plutôt sur la description des mécanismes physiologiques responsables des malaises ressentis (exemples : le stress, la sécrétion d'adrénaline, les palpitations qui en résultent ; le cerveau en éveil et attentif, la perception plus vive). Selon la situation, le clinicien pourra structurer ses explications sous l'angle physiologique, cognitif et comportemental, et souligner les possibles facteurs prédisposant, précipitant ou perpétuant les malaises ressentis (Creed et autres, 1992 ; Salkovskis, 1992).

Le médecin utilisera de préférence l'approche socratique (l'utilisation d'une suite de questions ouvertes) pour favoriser l'ouverture du patient à d'autres interprétations ou explications possibles de son problème (y compris l'hypothèse de facteurs psychologiques), et l'amener ainsi à remettre en question l'explication initiale, uniquement physique, de ses malaises. Cette approche doit être souple, utilisée dans un climat où patient et médecin cherchent ensemble, conjointement et solidairement, à mettre le doigt sur les sources du problème et à déterminer les solutions possibles. Au cours de cette démarche, le médecin doit éviter d'amener le patient à se sentir craintif, coupable ou dénigré de proposer ses propres idées ou hypothèses. Ainsi, le médecin ne peut pas *exiger* l'accord du patient sur le diagnostic médical, qui demeure l'avis professionnel d'un expert, avis dont le patient peut disposer à sa guise. Si un désaccord persiste, le clinicien le reconnaît, tout en se montrant ouvert pour en rediscuter. Il se montre également disponible pour continuer d'explorer, avec lui, les moyens d'atténuer les souffrances induites par les malaises ressentis.

Préparer le terrain à l'hypothèse psychologique

Par ailleurs, il est pertinent et très stratégique d'informer le patient, dès la première rencontre, qu'une des hypothèses, parmi d'autres, est la possibilité que des facteurs psychologiques jouent un rôle dans l'explication de ses malaises. Ainsi, si les résultats des analyses biologiques demandées sont normaux, ils serviront à renforcer l'hypothèse psychologique. À l'opposé, lorsque le médecin attend d'avoir été informé de la normalité des examens pour proposer tardivement une hypothèse psychologique, il risque fortement de soulever de la méfiance et de la résistance de la part du patient. En effet, celui-ci peut alors déduire que le médecin émet cette hypothèse de la dimension *affective* uniquement parce qu'il n'a rien trouvé d'autre.

Tenir compte des émotions du patient et de ses propres émotions

Si le patient présente une somatisation transitoire liée à un incident précis ou à des facteurs externes ponctuels, il répondra favorablement à la reconnaissance, par le médecin, de la véracité de ses symptômes et de la légitimité des émotions qu'il ressent. Il sera rassuré par une information claire sur l'origine de ses malaises (les mécanismes physiologiques et l'influence de facteurs psychologiques). Plus loin, nous illustrerons cette approche à l'aide d'un cas clinique.

Par contre, devant un patient souffrant d'un trouble somatoforme chronique, le travail du clinicien est plus exigeant (voir le tableau 21.5). Comme le médecin s'attend à ce que son patient et lui-même travaillent ensemble dans un but de guérison, il risque de se sentir frustré des plaintes persistantes du patient et de son *incapacité* à le guérir de ses malaises. Le médecin doit alors reconnaître ses propres émotions négatives, telles que son anxiété au sujet de la suite des choses, sa frustration liée à l'échec répété de ses efforts pour faire accepter l'hypothèse psychologique, sa honte de ne pas trouver de solution, sa colère

Tableau 21.5 **Les tâches du médecin : collaborer avec le patient dans la recherche de solutions**

• S'appliquer à modifier l'interprétation que le patient se fait des facteurs qui induisent ses malaises (faciliter la réattribution, particulièrement en fonction d'une hypothèse psychologique).
• Assurer la psychoéducation.
• Offrir un soutien empathique.
• Cibler et renforcer les aspects positifs, soit les forces et les succès du patient ; le féliciter.
• S'entendre avec le patient pour *faire l'essai de* différer tout autre examen diagnostique, tout en maintenant le suivi.
• S'appliquer à remplacer l'objectif de *guérison* par un but plus réaliste d'adaptation (*coping*) au problème chronique.
• Au besoin, planifier plusieurs entrevues, ou même inclure dans le suivi des entrevues régulières, peu importe la présence ou non d'un problème.
• Si cela s'avère nécessaire, diriger le patient vers un spécialiste (pour un avis ou un traitement).

contre la mauvaise volonté apparente du patient, sa culpabilité de ressentir de telles émotions, etc. De plus, le praticien doit accepter l'éventualité de l'absence de solution complètement satisfaisante à cette situation et aux difficultés du patient.

Lorsqu'il ne peut amener un patient somatisant chronique à accepter l'hypothèse de facteurs psychologiques expliquant partiellement ou complètement ses malaises, le médecin non seulement doit inciter ce malade à s'adapter à la situation et à délaisser son irritante quête d'une guérison *physique* impossible, mais il devra probablement, lui aussi, faire le deuil de sa capacité à résoudre complètement les problèmes. Ce contexte difficile fait parfois oublier au médecin l'importance de cibler les points positifs dans la vie du patient, de souligner ses efforts pour faire face à cette situation difficile et de reconnaître avec lui, de façon empathique, les limites de la médecine et la réalité de sa souffrance.

Recourir à une expertise spécialisée

Dans certains cas, une expertise spécialisée peut être nécessaire, soit pour clarifier l'analyse de la situation, soit pour aider le médecin au sujet de la thérapie ou du suivi. Évidemment, arriver à faire accepter au patient le fait d'être dirigé vers un spécialiste est en soi un défi de taille, qui n'est pas toujours surmontable. Parmi les stratégies utiles, le clinicien peut utiliser celle qui consiste à centrer l'attention sur lui-même, à titre de médecin, en soulignant son besoin d'aide pour établir le diagnostic et déterminer les traitements nécessaires: «Je me préoccupe de votre santé et je suis touché par votre souffrance. Je souhaite vraiment vous aider. Mais j'ai besoin d'aide pour vous aider, c'est pourquoi j'aimerais pouvoir compter sur l'avis professionnel du Dr Untel.»

Une autre stratégie (qui n'exclut pas la précédente) consiste à souligner de nouveau la souffrance du patient, ce qui a été déjà tenté sans succès, et la pertinence d'explorer d'autres avenues: «Je sens que vous n'êtes pas très enthousiaste à l'idée d'aller voir un psychologue. Par contre, vous continuez de souffrir et cela me préoccupe. Les approches que nous avons déjà utilisées n'ont pas apporté les solutions espérées. Ne pouvons-nous pas nous donner un certain temps pour explorer une nouvelle façon d'aborder vos malaises? Je ne vous demande pas d'être d'accord avec l'hypothèse de la présence de facteurs psychologiques qui expliqueraient vos malaises, mais d'accepter l'essai, pour quelques mois, d'une nouvelle approche… De toute façon, actuellement, vous souffrez, et les solutions que nous avons tenté d'appliquer ne fonctionnent pas! Alors, que risquez-vous à tenter cette nouvelle voie? Au pire, la situation actuelle persistera. Par contre, vous pourriez aussi voir votre souffrance, vos malaises s'atténuer. Au fond, quel risque courez-vous?»

Prendre le temps nécessaire

En conclusion de ce survol des principales tâches à accomplir pour aider un patient à passer d'une hypothèse strictement somatique à une explication qui tient compte des facteurs psychologiques (psychosomatiques), il est utile de souligner l'importance de ne pas aller trop vite. En effet, le médecin doit éviter de proposer au patient, trop tôt dans l'entrevue, une hypothèse ou un diagnostic psychologique, ou encore de lui souligner les liens affectifs qu'il perçoit entre certains événements et les symptômes ressentis. Même dans le cas où l'hypothèse psychologique est pertinente et se révélera vraie, il est risqué, d'un point de vue professionnel, de conclure prématurément qu'un symptôme somatique est lié à un phénomène physiologique bénin ou qu'il n'est pas l'indice d'une maladie physique grave. De plus, le patient pourrait considérer que le médecin ne s'est pas vraiment attardé à comprendre ses malaises physiques. Enfin, le diagnostic d'un problème de somatisation devrait se fonder sur la *présence* de véritables indices qui militent en faveur d'une explication psychologique et non uniquement sur l'*absence* d'un diagnostic organique pour expliquer un phénomène physiologique ou une plainte somatique. Il pourrait en effet y avoir une explication physiopathologique que le médecin n'a pas encore découverte.

Voyons maintenant comment ces stratégies peuvent se traduire concrètement pendant une consultation en cabinet.

Le premier cas clinique – Un cœur palpitant

M. Yves Legrand, âgé de 39 ans, est ingénieur pour une grande entreprise nationale. Il est marié depuis 12 ans et est le père de 2 enfants. Il consulte le Dr Legendre depuis quatre ans, notamment pour le bilan médical annuel demandé par son employeur. Le médecin a noté une tension artérielle variable (hypertension labile) et a conclu que M. Legrand, qui porte bien ses huit kilos en trop, souffrait aussi d'un côlon irritable peu symptomatique et d'un asthme léger. Il perçoit son patient comme une personne qui s'inquiète facilement, ce que le patient n'admet que partiellement. M. Legrand ne prend aucun médicament, si ce n'est, à l'occasion, un produit pour dilater ses bronches (un antiasthmatique). Ce jour-là, il consulte pour des palpitations.

Avant de faire venir M. Legrand à son bureau, le médecin prend quelques instants pour relire son dossier médical.

En relisant le dossier médical du patient, le médecin sera mieux préparé à l'entrevue, ce qui peut contribuer à renforcer la relation médecin-patient, le patient se sentant connu, reconnu et attendu.

LE MÉDECIN — *Bonjour, Monsieur Legrand. Qu'est-ce qui vous amène aujourd'hui?*

Le médecin accueille son patient, lui pose une question ouverte et attend la réponse en demeurant silencieux. Il garde le contact visuel avec son patient, a le faciès détendu et attentif: il laisse ainsi la place au patient et s'efforcera de ne pas l'interrompre au cours des premiers instants de l'entrevue. Il s'assure que ses gestes et ses attitudes non verbales transmettent bien au patient sa disponibilité à l'écouter (contact visuel soutenu, attitude ouverte et accueillante).

LE PATIENT — *Ah! Docteur, ça ne va pas bien. Je n'ai pas réussi à vous joindre. Ah! Vous, les médecins! On ne peut jamais vous voir quand on a besoin de vous.*

Le médecin reçoit le commentaire négatif du patient à son endroit. Il peut soit ne pas y réagir, soit, de préférence, exprimer qu'il est désolé de n'avoir pu être libre au moment où son patient vivait une difficulté et avait besoin de son aide. Il doit surtout éviter de se justifier ou de contredire le patient. Le médecin demeure attentif, penché vers l'avant, ce qui encourage le patient à poursuivre.

La création et le maintien d'un climat favorable

Les premières perceptions du patient et sa lecture du climat de ce début de rencontre influenceront la suite de l'entrevue. Il n'est donc pas anodin pour le médecin d'y prêter attention. Le patient, inquiet et souffrant, peut parfois interpréter les actions ou les attitudes du médecin comme des marques de désintérêt à son égard et, dans certains cas, refléter cette perception au médecin par une remarque irritante. Alors, si le médecin saute sur l'occasion pour se justifier, l'entrevue est bien mal partie ! Mais revenons à notre entretien.

LE PATIENT — *Enfin, j'ai consulté un médecin à la clinique d'urgence, il y a une semaine. On m'a vu immédiatement, car c'était pour mon cœur. Le médecin m'a fait des prises de sang et m'a fait passer un électrocardiogramme. Après trois bonnes heures dans la salle d'attente, je l'ai vu revenir. Il m'a dit que mon ECG était normal, hormis de rares palpitations. Il a ajouté que c'était probablement mes nerfs, mais il m'a malgré tout recommandé de me faire faire d'autres prises de sang et un ECG à l'effort. Il m'a remis les ordonnances à cet effet. Il m'a aussi prescrit un autre test, un genre de moniteur que je devrai porter durant 24 heures afin de voir si j'ai des palpitations. Non mais… C'est moi qui les ai ressenties, ces palpitations : je n'ai pas rêvé ! Il me dit que ce n'est rien, mais du même coup il me fait faire toutes ces analyses. Moi, je ne suis vraiment pas rassuré.*

Le médecin du service des urgences a été fort prudent ! À la suite de son évaluation immédiate, il aurait pu adresser le patient à son médecin de famille pour laisser ce dernier, qui le connaît mieux, décider des analyses complémentaires à faire. Les craintes d'un patient au sujet de ses malaises sont souvent aggravées par les actions et les paroles des médecins, même lorsqu'elles sont justifiées ou défendables. Bien sûr, la prescription d'examens complémentaires (exemples : des analyses en laboratoire, des examens radiographiques) peut être nécessaire. Elle ne devrait toutefois jamais être faite à la légère, car ce geste sera obligatoirement interprété par le patient. Dans certains cas, cette lecture aggravera l'anxiété du patient ou confirmera une croyance inappropriée que les symptômes sont liés à une maladie en particulier.

LE MÉDECIN — *Hum ! Je comprends que ces palpitations vous aient beaucoup inquiété. Cela a dû être pénible !*

Avez-vous encore des palpitations ? Vous inquiètent-elles toujours autant ?

LE PATIENT — *J'en ai eu quelques-unes, mais je n'ai pas eu de crise, comme la fois de ma visite à l'urgence. Mais, je suis toujours très inquiet.*

Par un reflet empathique, le médecin reconnaît l'inquiétude du patient et, de plus, il *normalise* les émotions que le patient ressent. Il les accepte, sans immédiatement proposer une autre explication, ce qui pourrait être perçu par le patient comme la négation de l'à-propos de ses craintes, alors que le médecin ne connaît pas encore toute l'histoire et qu'il n'a pas fait d'examen physique. (À cette étape précoce de l'entrevue, le médecin penche déjà pour une explication bénigne des symptômes de son patient, mais il se garde bien de l'exprimer.)

Le médecin — *Nous allons revenir à vos palpitations. Mais avant, j'aimerais savoir si, à part ces palpitations et les malaises associés, vous avez d'autres préoccupations que vous aimeriez aborder aujourd'hui durant l'entrevue.*

Le médecin fait le survol des motifs de consultation afin de tous les recenser et de pouvoir ainsi, avec son patient, établir un ordre de priorité pour les sujets à aborder et décider de la gestion du temps disponible pour l'entrevue. Dans ce cas-ci, le patient n'a pas d'autre raison de consultation.

Le patient — *Non. C'est déjà assez avec le cœur !*

Le médecin — *Justement ! Pouvez-vous me dire un peu plus en détail ce qui s'est passé depuis la première fois que vous avez ressenti ces malaises pour lesquels vous avez consulté à l'urgence ?*

Le médecin poursuit avec une question ouverte, suivie d'un silence, ce qui permet au patient de se recentrer sur l'histoire de ses malaises à partir du début (la chronologie des événements).

Le patient raconte son histoire spontanément, encouragé en cela par des interventions de facilitation et quelques questions ouvertes de la part du médecin.

En réponse à des questions plus précises, le patient confirme ne pas avoir eu de douleurs à la poitrine, ni au repos, ni à l'effort, sauf, rarement, de brefs pincements dans la région du sein gauche, à l'occasion de certains mouvements. Le médecin poursuit.

— *En somme, si je résume : vous avez eu depuis deux mois quelques périodes isolées de battements de cœur, sans autres malaises associés, si ce n'est un peu de gêne respiratoire lorsque vos battements surviennent, associée parfois à une courte impression de faiblesse, puis suivie d'une sensation de fatigue qui dure quelques heures. Aussi, de rares et brefs pincements dans la région du sein gauche provoqués par certains mouvements. Vous n'avez pas eu de douleurs au centre de la poitrine. Vous ne prenez pas de médicament régulièrement et n'aviez rien pris au moment de ces malaises. Est-ce bien cela ?*

Le médecin fait un résumé des détails fournis par le patient au sujet de ses malaises, ce qui permet de clarifier les faits et d'en faire confirmer ou corriger la compréhension qu'il en a. Cette démarche communique aussi au patient les efforts que le médecin déploie pour saisir la nature de ses problèmes (ce qui devrait aider à solidifier la relation médecin-patient).

Le patient — *Oui. Et ce n'est certainement pas mon imagination ou mes nerfs qui sont en cause. Je sens vraiment que mon cœur donne des coups. J'ai peur que ce soit grave. Il faut absolument que vous fassiez les démarches pour que je puisse rapidement passer tous les examens recommandés par le médecin que j'ai vu à l'urgence.*

LE MÉDECIN — *Il est clair que vous avez ressenti des palpitations et des malaises. De plus, vous craignez qu'ils soient dus à une maladie de cœur ! Hum ! C'est compréhensible que cela vous inquiète !*

Le médecin reflète au patient ce qu'il a compris de son discours et ce qu'il a perçu de son état émotif. Il accepte les symptômes comme un état de fait et, encore ici, il valide les émotions que le patient éprouve en rapport avec son interprétation des malaises ressentis.

Le médecin fait une pause tout en maintenant le contact visuel avec son patient.

LE PATIENT — *Ah ! Oui, ça m'inquiète vraiment !*

Le clinicien complète la collecte des informations sur les aspects plus biologiques des malaises à l'aide de questions ouvertes et fermées, utilisant les premières pour aborder un nouveau champ et les dernières pour préciser certains points d'un champ donné. Il apprend ainsi que M. Legrand prend plusieurs cafés et colas par jour. Par ailleurs, le médecin souhaite explorer d'autres éléments utiles pour situer les malaises du patient. Selon le modèle de Lisansky et Shochet, le médecin passe de l'aire biologique à l'aire sociale (de la zone d'accès facile à la zone plutôt neutre).

LE MÉDECIN — *Les malaises que vous ressentez peuvent avoir diverses origines : le cœur, la thyroïde, le stress, l'alimentation, etc. Maintenant que je comprends mieux vos symptômes et leur histoire, j'aimerais poursuivre en évaluant l'ensemble des facteurs qui pourraient provoquer ces palpitations, en particulier les facteurs liés à votre mode de vie. C'est pourquoi j'aimerais savoir comment ça se passe dans votre vie de tous les jours.*

Le médecin annonce la transition d'un questionnaire surtout biologique à des questions touchant d'autres sphères de la vie du patient. Cette *annonce* diminue l'incertitude du patient en réaction à la démarche du médecin et facilite le passage à une zone moins biologique. Elle fournit aussi au patient l'occasion d'émettre des réserves sur les intentions du médecin, réserves qui pourront être abordées directement plutôt que de se manifester, indirectement, par de la résistance durant l'entrevue.

LE PATIENT — *Je vous vois venir : vous voulez mettre le tout sur le compte de mes nerfs.*

Le patient, qui connaît le médecin depuis plusieurs années, parle franchement. Plusieurs patients pourraient ne pas s'exprimer aussi clairement et librement, tout en interprétant de façon similaire les intentions du médecin. Il est donc fort important pour le clinicien d'être attentif aux indices non verbaux d'inconfort ou de désaccord afin de pouvoir intervenir si cela s'avère pertinent (indices qui seront des leviers ...

pour faciliter le passage à la zone, plus difficile d'accès, des émotions).

LE MÉDECIN — *Les émotions sont toujours un peu, beaucoup mêlées à notre vie. Il se peut qu'elles expliquent vos palpitations. Il est aussi possible, comme vous le mentionnez, que vos malaises soient liés à une maladie physique en particulier. Mais, le surmenage, le stress, l'alimentation peuvent également être en cause. C'est pourquoi je souhaite faire un bon tour d'horizon, puis un examen physique, ce qui nous permettra de mieux décider des prochaines étapes. Qu'en pensez-vous ?*

Le médecin joue franc-jeu et explique les différentes hypothèses qu'il souhaite explorer, en insistant toutefois sur l'importance de bien évaluer, aussi, les hypothèses physiques. Dans certaines situations, il peut arriver qu'il soit plus judicieux pour le médecin de ne pas dévoiler trop rapidement sa stratégie. Ainsi, dans des cas où le diagnostic est rendu plus complexe par l'attitude fuyante du patient, il pourrait être opportun de faire la transition sans l'annoncer. Ici, le médecin préfère la transparence.

LE PATIENT — *Allez-y, Docteur.*

LE MÉDECIN — *Comment va le sommeil ?*

Le médecin complète le tour d'horizon et apprend que le patient s'endort plus ou moins rapidement depuis quelques mois, qu'il mène une vie plutôt sédentaire et qu'apparemment tout se passe assez bien à la maison. Par contre, depuis deux ou trois mois, la somme de travail de M. Legrand s'est accrue, et la pression au bureau est forte. De plus, son beau-frère, âgé de 48 ans, a récemment fait un infarctus du myocarde. Le médecin prend bonne note des propos du patient, mais il évite, à cette étape, de lui souligner immédiatement les liens chronologiques possibles entre la tension au bureau et la survenue des palpitations. Il attend d'avoir un tableau plus complet et d'avoir terminé son examen physique. Souligner *trop tôt* de possibles liens psychosociaux peut rendre le patient méfiant et le faire hésiter à fournir certaines informations, de peur que celles-ci n'incitent le médecin à prêter moins d'attention aux causes physiques. De plus, le patient pourrait y voir l'indice de l'approche peu rigoureuse d'un médecin qui saute vite aux conclusions sans avoir procédé à un examen adéquat.

C'est pourquoi, même lorsque le praticien est convaincu de la bénignité physique des malaises d'un patient, il se doit de faire un examen physique attentif, surtout des zones ayant un lien avec la symptomatologie (dans le cas de M. Legrand, l'examen pourrait inclure, par exemple, l'auscultation du cœur et des poumons, la prise de la tension artérielle et un examen neurologique sommaire).

L'examen physique de M. Legrand est normal. Le patient et le médecin se rassoient pour la conclusion de l'entrevue.

LE MÉDECIN — *Si je résume, Monsieur Legrand, depuis deux mois, vous avez ressenti à quelques reprises des battements de cœur, des palpitations, avec parfois*

Le médecin conclut en appuyant son opinion sur les divers éléments de l'anamnèse, de l'examen physique et des investigations.

Il résume les propos du patient, et il lui fait reconnaître et admettre certains *faits* qui, ainsi

...

un peu de gêne respiratoire, une brève faiblesse ou de la fatigue. Vous craignez que ces malaises ne soient dus à un problème cardiaque. Par ailleurs, depuis deux ou trois mois, il y a plus de pression au travail. Et vous buvez plusieurs cafés et colas par jour. Est-ce bien cela ?

> ...
> *acceptés*, pourront être réutilisés plus tard au cours de l'argumentation (exemples : l'augmentation de la pression au travail, la grande consommation quotidienne de caféine).

LE PATIENT — *Hum... Oui.*

LE MÉDECIN — *D'autre part, durant votre examen physique, j'ai noté que votre tension artérielle est belle, à 134 sur 76. Votre cœur bat régulièrement, à une fréquence normale de 72 battements par minute. L'auscultation de votre cœur et de vos poumons dénote un fonctionnement normal. Le reste de l'examen physique est également normal. De plus, votre électrocardiogramme au repos, soit le test du cœur que le médecin vous a fait passer à l'urgence, était normal et ne montrait aucun signe d'anomalie, sauf quelques rares extrasystoles auriculaires, c'est-à-dire quelques palpitations bénignes. Ça va...*

> Le médecin fait part des résultats de l'examen physique au patient en les personnalisant (« Votre examen », « Votre cœur », etc.).
>
> Il est à noter que certains médecins utilisent fréquemment des formulations négatives comme « Vous *n'*avez *pas* de... », un type d'énoncé qui *n'*aide *pas* le patient à avoir une perception positive de son état de santé. Par contre, ici, le médecin transmet au patient l'information relative à l'examen physique à l'aide d'énoncés encourageants, en nommant et en soulignant les éléments qui fonctionnent adéquatement. Il utilise un langage adapté, clair et simple[6].

Le médecin fait une pause.

> Cette petite pause vise à permettre au patient d'intervenir ou de poser des questions s'il le juge à propos.

LE PATIENT — (son faciès exprimant une attente de la suite) *Hum... Hum...*

LE MÉDECIN — *En somme, selon moi, ce que vous avez ressenti, ce sont des palpitations, des battements supplémentaires de votre cœur, ce qui arrive fréquemment à nous tous et qui n'a aucune conséquence sur la santé. D'ailleurs, la plupart de ces battements supplémentaires ne sont pas ressentis par ceux qui les ont. Dans votre cas, la fréquence de vos battements a probablement été accrue, à la fois, par le café, le cola et le stress au travail, stress qui fait sécréter une plus grande quantité d'hormones, comme l'adrénaline et la cortisone. Cette plus grande fréquence des palpitations a*

> Enfin, le médecin souligne les liens entre les malaises du patient, l'examen physique et son interprétation professionnelle du problème.
>
> Le patient est déjà en quelque sorte lié par les faits qu'il a admis et les résultats de l'examen physique qu'il n'a pas remis en question. Il lui reste à accepter les liens que le médecin a établis entre tous ces éléments et les malaises ressentis.

certainement contribué au fait que vous ayez commencé à les percevoir. Qu'en pensez-vous, Monsieur Legrand ?

LE PATIENT — (avec une mine renfrognée) *Êtes-vous en train de me dire que ce que je ressens est lié au stress ? Je vis du stress depuis des années et je n'avais jamais eu de palpitations. Je ne vois pas pourquoi cela arriverait maintenant. Et puis, cela n'explique pas mes faiblesses et ma fatigue !*

Le patient résiste à l'hypothèse psychophysiologique, car certaines de ses propres observations n'y sont pas incluses. Effectivement, ici, dans sa conclusion, le médecin a omis d'expliquer certains symptômes rapportés par le patient (ses faiblesses et sa fatigue), ce qu'il aurait été préférable de faire !

Notons que l'approche du dialogue, adoptée par le médecin, permet au patient de se sentir à l'aise d'intervenir, de s'exprimer et de demander des informations complémentaires.

Le médecin a donc proposé son hypothèse psychophysiologique au patient. Pour en faciliter l'acceptation, il peut utiliser différentes approches, dont la psychoéducation, que nous allons maintenant expliquer et illustrer en détail.

La somatisation et le modèle cognitivo-comportemental

Lorsqu'un individu perçoit une manifestation physiologique dans son corps (exemple : des palpitations), il l'interprète rapidement, *automatiquement.* Dans un des modèles explicatifs du processus de somatisation, on insiste sur le fait que certains individus sont hypervigilants à l'égard des symptômes physiques ou ont une sensibilité plus marquée aux sensations physiques. Un individu pourrait ainsi interpréter un phénomène *normal* comme l'indice d'une maladie grave, ce qui provoquera chez lui une réaction émotive telle que l'anxiété, la tristesse, la colère. La personne qui devient plus anxieuse devient aussi encore plus attentive à ses sensations corporelles dans le but de pouvoir confirmer ou infirmer son impression première de danger. Il se produirait, dans ce contexte, un phénomène d'amplification sensorielle (Barsky, 1979 ; Sharpe, Peveler et Mayou, 1992). Selon ses expériences antérieures, ses croyances et son état émotif, l'individu risque ainsi d'être victime d'un biais de perception ou d'un biais de prédiction qui augmente la probabilité que le prochain phénomène physiologique soit ressenti (perçu), puis *attribué* à un processus morbide dangereux. Et le cycle recommence… (voir la figure 21.2)

Figure 21.2 **Le modèle cognitivo-comportemental**

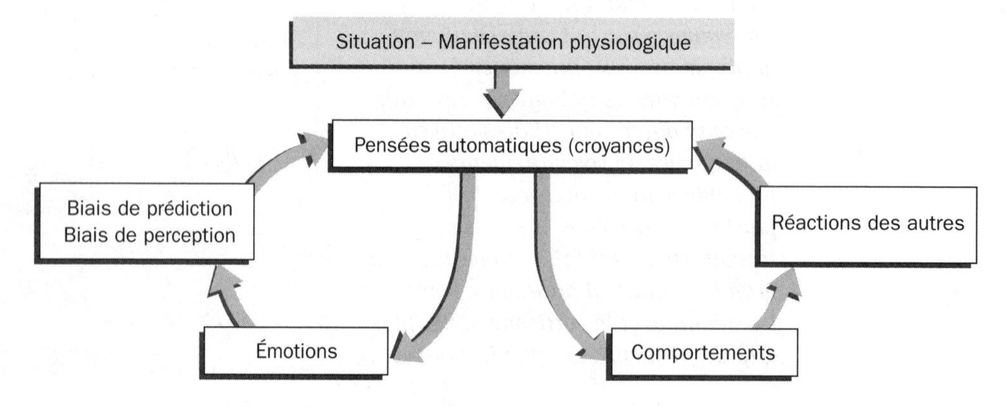

De plus, la personne inquiète peut se mettre à recourir à des comportements d'évitement afin d'esquiver des situations ou des événements potentiellement inducteurs de ses malaises. Enfin, il ne faut pas minimiser ici l'influence des parents, des amis, des professionnels de la santé et autres qui, par leurs propos ou leurs actions en réaction à ceux du patient, viendront parfois renforcer ses craintes et ses croyances inappropriées.

En ce qui concerne M. Legrand, il est probable que les premières palpitations ressenties aient entraîné une attention sélective au rythme cardiaque et aux sensations corporelles en général. L'anxiété générée par l'attribution des symptômes à une maladie cardiaque potentiellement grave a pu contribuer, en elle-même, à augmenter les réactions physiologiques (exemple : sécrétion d'adrénaline induisant des tremblements et des palpitations). L'hyperventilation légère associée au phénomène explique fort probablement la faiblesse ressentie. L'état émotif de ces dernières semaines (l'anxiété liée au travail et aux inquiétudes sur sa santé) et les troubles de sommeil peuvent expliquer la sensation d'abattement (la fatigue).

Selon les circonstances, le médecin a plusieurs choix pour poursuivre l'entrevue et se rapprocher de l'acceptation d'une hypothèse psychologique par le patient. Il peut ainsi explorer plus avant les croyances du patient et les bases sur lesquelles elles reposent[7], expliquer le mécanisme des phénomènes et leurs liens avec les symptômes ressentis (la psychoéducation, l'enseignement thérapeutique[8]), faire ressentir les sensations *ici et maintenant* (exemple : en provoquant l'hyperventilation du patient) ou employer plusieurs de ces stratégies à la fois. Toujours selon les circonstances, le tout pourra se dérouler à l'occasion d'une ou de plusieurs entrevues.

Voyons ce que le Dr Legendre a choisi de faire. Reprenons le dialogue au moment où le patient résiste à l'hypothèse psychologique.

LE PATIENT — (avec une mine renfrognée) *Êtes-vous en train de me dire que ce que je ressens est lié au stress ? Je vis du stress depuis des années et je n'avais jamais eu de palpitations. Je ne vois pas pourquoi cela arriverait maintenant. Et puis, cela n'explique pas mes faiblesses et ma fatigue !*

LE MÉDECIN — *D'accord ! Admettons qu'une des hypothèses pour expliquer vos palpitations soit une maladie du cœur lui-même ! Selon vous, y aurait-il d'autres possibilités, en dehors du cœur, pour expliquer vos malaises ?*

> Le médecin force le patient à explorer d'autres hypothèses explicatives, d'autres possibilités d'attribution des malaises ressentis.

LE PATIENT — *Je ne sais pas, moi. C'est vous le médecin !*

LE MÉDECIN — *Oui, effectivement, je suis le médecin, mais comme c'est vous qui subissez ces malaises, j'aimerais connaître votre opinion et vos suggestions :*

> Fréquemment, dans ces circonstances, le patient renvoie la balle au médecin. Cette réaction du patient ne devrait pas décontenancer le clinicien, mais plutôt l'inciter à créer un climat disposant mieux le patient à se *lancer*.

cela est important pour moi et m'aidera à vous aider.

LE PATIENT — *En dehors, du cœur… et du stress que, vous, vous accusez toujours? Non! Je ne vois pas… Ouais…. Attendez. Vous avez mentionné le café. C'est vrai que j'en prends beaucoup… Ma sœur a eu un problème d'hormones, elle en manquait, et son cœur battait lentement. Le contraire arrive peut-être pour moi: trop d'hormones?*

Le médecin demeure attentif, mais silencieux, afin de laisser au patient le temps d'échafauder d'autres hypothèses explicatives.

LE MÉDECIN — *Oui, une maladie du cœur, des excitants tels que le café, le cola, l'alcool et le stress peuvent entraîner des palpitations. Il est vrai aussi qu'un excès d'hormones de la thyroïde, une glande située dans le cou, pourrait aussi expliquer des palpitations, mais, dans ce type de maladie, le rythme du cœur au repos est généralement plus rapide, ce qui n'est pas votre cas.*

Mais, je note que vous ne semblez pas très enthousiaste devant l'hypothèse que le stress soit la cause de vos malaises! Qu'est-ce qui motive votre opinion à ce sujet?

Le médecin résume les hypothèses émises et s'enquiert des raisons de la réticence du patient à accepter que le stress puisse expliquer ses malaises.

Il est à noter ici que le médecin procède surtout par questionnement, en engageant le patient dans la démarche, plutôt qu'en donnant lui-même directement des informations (Salkovskis, 1992; Sharpe et autres, 1992). Cette approche, qui amène le patient à découvrir les choses par lui-même, donnerait plus de résultats et permettrait une meilleure rétention des acquis et de l'information. De plus, le patient étant arrivé, par lui-même, à ses propres conclusions, il lui est difficile par la suite de ne pas les endosser! Enfin, le médecin, ainsi mieux informé des croyances et des craintes du patient, peut intervenir plus efficacement.

LE PATIENT — *Écoutez: j'ai été stressé souvent dans ma vie et je n'ai jamais eu de palpitations, ni de difficulté à respirer, ni de faiblesses. De plus, dans mon entourage, plusieurs ont eu des problèmes cardiaques, et je veux être certain que ce n'est pas mon cas.*

Le patient croit qu'il peut survivre au stress, mais qu'il pourrait mourir d'une attaque cardiaque. Il veut être certain que les malaises qu'il a ressentis ne s'expliquent pas, dans son cas, par l'hypothèse la plus lourde de conséquences.

LE MÉDECIN — *Oui, toutes ces hypothèses, selon moi, sont possibles, y compris celle du cœur, quoique à des degrés très variables. Notre objectif aujourd'hui est de nous assurer que rien de grave n'est en cours et de déterminer l'hypothèse expliquant le mieux vos symptômes. Dans ce contexte, le stress, à mon avis, est une des pistes valables, mais, et je suis d'accord avec vous, ce n'est pas la seule.*

Les professionnels de la santé évaluent les risques selon les probabilités (« Il y a une chance sur un million que vous ayez… »), mais, pour le patient, l'estimation est plutôt binaire (« Mort ou pas mort! »). Il faut donc, ici, amener le patient à remettre en question son évaluation de la situation et à prendre conscience du fait que la certitude absolue est impossible. Dans son évaluation des risques, le patient doit tenir compte de la probabilité de leur actualisation, *compte tenu des indices présents.*

Mais arrêtons-nous à l'hypothèse du stress. Ainsi, essayez d'imaginer et de vivre la scène suivante que je vous propose.

> Ici, le médecin fait de la psychoéducation en stimulant la prise de conscience par le patient des liens possibles entre l'anxiété et des perturbations physiologiques. On peut utiliser d'autres exemples, l'idée étant d'illustrer la notion à l'aide d'un fait concret puisé dans la vie quotidienne.

Ici, le médecin maintient un contact visuel chaleureux avec le patient et il se met à parler lentement, en dramatisant un peu, mais sans exagérer.

— *Vous êtes en train de traverser la rue à pied et, soudainement, un lourd camion surgit. Le conducteur ne vous voit qu'à la dernière minute et il freine violemment. Les pneus crissent sur la chaussée. Vous fixez le camion, vous êtes incapable de réagir. Ouf! Le véhicule s'arrête à quelques centimètres de vous! Qu'allez-vous ressentir physiquement durant cet événement et immédiatement après?*

> La crainte et l'anxiété que ressent un individu à la vue d'un camion fonçant réellement sur lui sont des émotions adaptées à la situation, car le danger est bien réel. Lorsque la crainte et l'anxiété surviennent sans danger objectif significatif, mais plutôt à cause de l'interprétation dramatique du patient, les émotions demeurent *adaptées* à l'interprétation de la situation, mais l'interprétation elle-même est *inadéquate*, inadaptée, erronée (exemple : la peur de marcher en plein jour sur le trottoir au cas où…). D'où la pertinence pour le médecin de reconnaître et légitimer les émotions du patient, mais de remettre en question les interprétations alarmistes qui, elles, provoquent les émotions négatives.

LE PATIENT — *Heu!… Je ne sais pas trop… Certainement que je vais me sentir mal…*

LE MÉDECIN — *Mais encore…*

Il garde le silence et maintient le contact visuel, en attendant la suite.

> Le médecin pousse le patient à poursuivre en utilisant la technique de facilitation[9], car, effectivement, le patient peut ici trouver difficile de se lancer.

LE PATIENT — *Ouais, probablement que mon cœur se mettrait à battre très vite, que j'aurais des sueurs… Heu… des tremblements.*

LE MÉDECIN — *Mais encore…*

> Le médecin utilise de nouveau la facilitation.

LE PATIENT — *Hum… je pourrais me sentir faible, peut-être que j'aurais des nausées…*

LE MÉDECIN — *Effectivement, vous pourriez aussi, par la suite, avoir un fort mal de tête et même aussi des cauchemars durant quelques nuits, avec des sueurs, des palpitations, etc.*

> Le médecin étaye son message en détaillant la kyrielle de malaises possibles, ce qui fait *vivre* au patient les liens entre les *stress psychologiques* et les *réactions physiologiques.*

Or, en supposant que vous ayez vraiment vécu cet événement, vous n'avez pas été frappé, vous n'étiez pas malade physiquement, vos symptômes n'étaient pas dus à une crise psychologique grave liée à votre vie. Mais vous avez bel et bien éprouvé des symptômes physiques très réels, très concrets.

Ainsi, l'anxiété ou le stress peuvent provoquer des symptômes physiques, que ce stress soit aigu, comme dans l'exemple du camion, ou chronique, comme dans le cas de la trop grande pression qu'on peut ressentir au travail… N'y aurait-il pas dans votre vie, en ce moment, l'équivalent d'un camion fonçant sur vous ?

> Après avoir établi en l'illustrant la plausibilité du rôle des facteurs psychologiques dans la survenue de malaises physiques, le clinicien est maintenant dans une position de force pour proposer un lien explicite entre les malaises du patient et des facteurs psychologiques.

LE PATIENT — *Ouais… C'est vrai que le boulot est stressant ces temps-ci. Mais même au repos, calme, à la maison, je les sens mes palpitations, et ça m'énerve !*

LE MÉDECIN — *Tenez !* (en désignant la bouche d'air du système central de ventilation, située au plafond de la pièce) *Écoutez le bruit de la ventilation… Entendez-vous ce bourdonnement ?*

LE PATIENT — *Heu… Oui, je l'entends.*

> Le médecin poursuit sa démarche de psychoéducation. À la première étape, il s'est attardé au phénomène général. Maintenant, il insiste sur le lien entre l'hypervigilance et une perception extrême des manifestations physiologiques. Il amène le patient à expérimenter *ici et maintenant*, dans le cabinet, la réalité de ce lien.

LE MÉDECIN — *Vous l'entendez maintenant parce que vous y prêtez attention. Pendant que nous discutions, ce bruit était présent, mais vous n'en étiez pas conscient. Beaucoup de ce que nous voyons, entendons, ressentons est lié à l'attention que nous y prêtons, à notre vigilance ou à notre sensibilité à voir, à entendre ou à ressentir certains éléments, plus significatifs pour nous que d'autres, auxquels nous attachons moins d'importance.*

> Puis, le médecin utilise cette démonstration pour l'appliquer à la situation particulière du patient : son environnement de travail, un événement dans sa vie, son hypervigilance, les malaises qu'il ressent, ses interprétations, son anxiété et la reprise du cycle.

Dans votre cas, il est possible que la triste maladie de votre beau-frère vous ait sensibilisé à la possibilité d'une maladie du cœur pour vous et ait ainsi aiguisé votre vigilance par rapport aux signes d'un possible problème cardiaque, ce qui est, humainement, tout à fait compréhensible.

> Le médecin explique le rôle de l'interprétation (ou l'attribution) des symptômes et son influence négative sur la suite des événements – si l'interprétation retenue est dramatique et soulève de l'anxiété.

Cette hypervigilance (c'est ainsi qu'on appelle ce phénomène) vous a amené, à mon avis, à interpréter des palpitations bénignes comme l'indice d'une maladie cardiaque, d'où l'aggravation conséquente de votre anxiété, la sécrétion accrue des hormones du stress, dont l'adrénaline et, secondairement, l'accroissement des palpitations.

(en lançant un regard interrogatif à son patient) *N'étiez-vous pas inquiet, ces derniers temps, et attentif à votre cœur ?*

> Il est très utile d'avoir à sa portée des schémas simples pour illustrer ses explications (la figure 21.2 en est un bon exemple). De plus, le médecin peut remettre une brochure ou un dépliant d'information au patient, ou lui suggérer des lectures, ce qui lui permettra, de retour à la maison, d'approfondir le sujet. Il est important de noter que le médecin, tout en mentionnant les facteurs psychosociaux, souligne les mécanismes physiologiques explicatifs.

LE PATIENT — *Pour être inquiet au sujet de mon cœur, ça, oui, c'est vrai que je le suis ! Il est aussi vrai que je me surveille et m'étudie.*

LE MÉDECIN — *Si vous êtes d'accord, nous allons vérifier à l'aide d'un examen sanguin si votre thyroïde pourrait être en cause, mais j'en doute. Qu'en pensez-vous, Monsieur Legrand ?*

> Le médecin accepte de faire faire une analyse sanguine, mais c'est davantage dans le but de répondre aux attentes du patient que par nécessité clinique immédiate ; un autre médecin pourrait tout aussi bien décider d'attendre.

LE PATIENT — *Oui, c'est vrai que je subis passablement de pression au bureau. Vous allez donc me faire faire une prise de sang ? Mais vous ne parlez plus des examens pour mon cœur que le médecin de l'urgence avait recommandés, vous savez, le moniteur de palpitations.*

> Le patient persiste dans sa crainte d'un problème physique significatif. Le médecin, tant au point de vue du diagnostic que de la suite des soins, doit pouvoir comprendre et accepter que le patient demeure incertain ou en désaccord, sans vouloir, pour le moment, le convaincre à tout prix. Il doit donner l'occasion au patient d'y réfléchir et... de ne pas perdre la face !

LE MÉDECIN — *Pour l'instant, rien ne laisse supposer qu'il y ait un problème avec votre cœur. Les résultats de l'électrocardiogramme à l'urgence et mon examen d'aujourd'hui sont normaux. De plus, les malaises ressentis n'orientent nullement les conclusions vers la possibilité d'une crise cardiaque. Nous savons, vous et moi, que vous avez effectivement eu des palpitations. Pour ma part, elles ont une origine bénigne et sont liées à la fois au stress et à la prise d'excitants, comme le café et le cola. Je ne crois donc pas nécessaire, pour l'instant, de faire d'autres examens.*

> Le médecin juge qu'il n'est pas indiqué, pour l'instant, de demander des examens cardiaques supplémentaires. Cependant, il n'exclut pas la possibilité d'y avoir recours plus tard, ce qui laisse la porte ouverte à une réévaluation et rassure ainsi le patient.

Puis-je vous suggérer de réduire de beaucoup votre consommation de café et de cola, et de vous réserver plus de temps de détente ? Nous pourrions rediscuter de tout cela dans quelques semaines et réévaluer la situation.

Le médecin propose au patient la modification d'habitudes liées à l'hygiène de vie.

Pensez-vous pouvoir réduire votre consommation de caféine et trouver un peu de temps pour vous détendre ?

Le médecin confirme le caractère réaliste de ses suggestions auprès de son patient et vérifie la volonté de ce dernier de les mettre en application. Il pourrait aussi demander au patient de lui résumer ce qu'il a compris des explications et des recommandations afin de pouvoir clarifier certaines informations ou convenir des points de désaccord, s'il y a lieu.

Le patient revient six semaines plus tard. Les palpitations ont diminué et, surtout, le patient y prête moins attention. Le médecin refait un examen physique et renforce ses recommandations liées à l'hygiène de vie.

Pour une bonne partie des cas en pratique de première ligne, l'attitude et les interventions du médecin peuvent grandement empêcher qu'un phénomène de somatisation transitoire ne se complique et ne devienne un problème permanent. Les stratégies clés de la réussite sont les suivantes :

- l'écoute empathique ;
- la reconnaissance du caractère réel des symptômes ;
- l'exploration de la perspective du patient ;
- des hypothèses explicatives, proposées ouvertement, et accompagnées d'une insistance sur les mécanismes physiologiques en cause ;
- une investigation bien expliquée, mais limitée à l'essentiel ;
- une approche psychoéducative.

Ces stratégies peuvent très bien être utilisées dans le cadre d'une pratique courante, sans allonger indûment les entrevues.

Par contre, un nombre limité de patients, dont la somatisation est déjà bien ancrée, demeureront un défi pour le clinicien affairé. Nous abordons ce problème à l'aide d'un second cas clinique. Notons, avant de passer à cette section, que la plupart des patients qui se retrouvent dans les cabinets des psychologues ou des psychiatres ont déjà accepté d'explorer l'hypothèse psychologique. Toutefois, certains patients résisteront à la psychologisation de leurs malaises et démontreront une méfiance marquée envers toute suggestion d'être adressés à un expert *psy* : or, ces malades continueront probablement à fréquenter les cliniques médicales. En effet, ils souhaitent malgré tout obtenir de l'aide, mais ils font comprendre, directement ou indirectement, que cette aide doit viser le soulagement des malaises physiques et non celui des difficultés psychologiques qui, selon eux, ne sont pas la source de leurs problèmes physiques. Examinons le cas d'une patiente convaincue de ne pas avoir de problèmes psychologiques et qui refuse toute nouvelle consultation auprès de professionnels de la psychologie ou de la psychiatrie.

Le second cas clinique – La fatigue douloureuse

Marie-Claude Petit accepte difficilement ses malaises musculaires et la fatigue qu'elle traîne depuis des années. Des docteurs, elle en a vu plusieurs ! On lui a dit qu'elle était déprimée, qu'elle souffrait de fatigue chronique ou de fibromyalgie et qu'elle devrait se prendre en main. Les consultants, elle les connaît tous ! Les thérapies, elle les a toutes essayées... ou presque ! Les antidépresseurs, les vitamines, l'acupuncture, la massothérapie, la diète sans sucre, etc. Toutes ces approches semblent l'aider un peu, surtout au début, mais elle est périodiquement à plat et ressent des malaises. Âgée de 42 ans, elle travaille comme technicienne en comptabilité pour une entreprise financière. Séparée depuis six ans, elle vit seule. Elle fait peu d'activité physique à cause de sa grande fatigue et de ses douleurs musculaires. Depuis quatre ans, elle voit toujours la même médecin, *sa* généraliste, qui ne l'a pas guérie, mais qui au moins semble prendre un peu plus de temps que les autres pour l'écouter.

Ces temps-ci, Mme Petit trouve que rien ne va plus. C'est la période des bilans financiers de fin d'année, et elle sent son énergie, déjà pauvre, fondre rapidement. Elle a mal partout et voudrait pouvoir se reposer. Elle en a assez et elle est bien décidée à... pousser sa médecin à faire enfin quelque chose ! Elle a fortement insisté pour avoir un rendez-vous rapproché. Elle entre dans le cabinet de la médecin l'air à la fois abattu et renfrogné.

Mme Petit est assise sur le bord de la chaise. Les sourcils froncés, les poings serrés, elle fixe du regard sa médecin.

LA MÉDECIN — *Bonjour, Madame Petit. Vous vouliez que je vous voie le plus tôt possible. Que se passe-t-il ?*

LA PATIENTE — *Le plus tôt possible... Hum !... J'ai presque eu le temps de mourir avant de pouvoir vous voir. Une semaine pour avoir un rendez-vous urgent ! Une semaine !*

Vous vous préoccupez peu de ma souffrance, vous ! Vous êtes comme tous les autres, vous pensez que je me plains pour rien. Là, je n'en peux plus de ma fatigue. J'exige que vous me fassiez un vrai bilan pour vraiment trouver pourquoi je souffre tant, parce que moi, je souffre, même si vous pensez que c'est dans ma tête. Vous autres, les médecins, vous pensez plus à faire marcher...

Comme elle connaît cette patiente depuis plusieurs années, la clinicienne est un peu mieux préparée à ses manifestations de colère. Malgré tout, la généraliste se sent agressée et ressent, elle aussi, de l'irritation. Elle reconnaît que sa propre colère et sa propre frustration sont accrues par son sentiment d'impuissance devant les plaintes répétées de sa patiente. En effet, que de temps passé à écouter, à réconforter, à expliquer... Et voilà qu'il faut tout recommencer ! L'apparition d'émotions négatives, dans un tel contexte, est compréhensible. Le fait d'en être consciente et de réaliser qu'il s'agit d'un défi thérapeutique difficile permet à la médecin d'atténuer son sentiment de culpabilité.

La médecin — *Madame Petit, je perçois bien que vous êtes fâchée. Je veux vraiment vous aider et je suis préoccupée de votre souffrance. Si nous tentions d'y voir plus clair pour comprendre ce qui se passe aujourd'hui... Mais, je vous sens toute tendue, et ce ne doit pas être très confortable d'être assise ainsi sur le bord de votre chaise. Prenez le temps de vous asseoir plus confortablement et racontez-moi ce qui se passe maintenant.*

La médecin reconnaît la colère et la souffrance de sa patiente.

Elle l'invite à s'asseoir confortablement, puis lui propose d'examiner avec elle le problème de ce jour, recentrant ainsi l'attention de la patiente sur ce qui l'amène maintenant.

Mme Petit détaille ses malaises et décrit sa monotone routine quotidienne. Plusieurs minutes plus tard, elle résume.

La patiente — (le visage triste, l'air abattu et pleurant) *Je ne peux pas vivre toute ma vie avec cette fatigue et ces malaises.*

La médecin — *Je suis très consciente, Madame Petit, que vos malaises persistent malgré vos efforts et les miens. La médecine a effectivement ses limites et, ici, vous et moi constatons son impuissance à vous guérir complètement. Je conçois que cela puisse être très frustrant et fâchant pour vous, qui, quotidiennement, vivez avec des malaises et ressentez de la fatigue.*

La médecin transmet un reflet empathique : elle reconnaît la souffrance de sa patiente et elle souligne la compréhension qu'elle a des émotions négatives qui en découlent. De part et d'autre, il ne s'agit pas de mauvaise volonté, mais des limites réelles de la médecine. Une fois ce fait reconnu, la patiente doit chercher d'autres solutions.

Pendant un moment, patiente et médecin demeurent silencieuses. Puis la médecin court un risque.

— *Madame Petit, réfléchissez un moment aux examens médicaux que vous avez passés et aux traitements qui vous ont été proposés, et dites-moi si vous connaissez quelque chose d'autre qui serait pertinent et qu'on n'aurait pas déjà tenté pour vous aider.*

La médecin décide de tenter sa chance : la question posée risque en effet de susciter un affrontement au sujet de la valeur d'examens ou de traitements que la patiente pourrait considérer ne pas avoir été, à ce jour, correctement essayés. Par contre, cette question pourrait aussi forcer la patiente à convenir que, d'un point de vue médical, tout ce qui était pertinent et raisonnable a déjà été essayé. La question pourrait aussi permettre à la médecin de découvrir certaines attentes que sa patiente n'a pas encore exprimées et d'en discuter avec elle.

La patiente — *Ouais... Pas vraiment... Non, je n'en connais pas ! C'est ce qui me décourage. Il n'y a plus rien qui pourrait m'aider.*

Mme Petit est maintenant affaissée sur sa chaise, silencieuse, et elle pleure.

LA MÉDECIN — *Oui, effectivement, je comprends très bien comment cela peut être frustrant et décourageant pour vous.*

Mais, tout en tenant compte des limites de la médecine et des difficultés que nous avons pour faire disparaître vos malaises, je vous propose d'explorer ce que vous pourriez faire pour atténuer vos problèmes, pour vivre une vie satisfaisante malgré vos malaises.

Forte du levier de l'empathie, la médecin tente de centrer l'attention de sa patiente sur les moyens à employer ou les stratégies à mettre en œuvre pour s'adapter à la situation plutôt que sur l'atteinte, à tout prix, de l'objectif de guérison par la médecine – qui semble difficile, et même inatteignable.

LA PATIENTE — (en sanglotant) *Impossible ! Je ne peux vivre ainsi, vaut mieux mourir…*

LA MÉDECIN — (en touchant la main de sa patiente) *Madame Petit, je perçois votre souffrance, votre grande tristesse de devoir vivre avec ces malaises. C'est vrai : cette situation est frustrante, irritante…*

La médecin reprend son message et manifeste à nouveau son empathie pour la difficile situation où se trouve sa patiente.

Par contre, comme ni vous ni moi n'y pouvons changer grand-chose, je vous propose de centrer nos efforts sur les façons de vivre une vie intéressante malgré ce handicap.

Et si nous faisions une première liste de vos accomplissements au cours de ces derniers mois, malgré la présence de vos malaises et de votre fatigue ?

La médecin centre l'attention de sa patiente sur les énergies encore disponibles, sur les points positifs, souvent oubliés dans un tel contexte.

La médecin pourrait avoir pour but de rendre sa patiente plus consciente des facteurs psychologiques favorisant la persistance de ses malaises. Par contre, lorsque la résistance est forte, la meilleure stratégie pourrait être l'exploration d'autres approches, présentées comme visant à soulager les malaises physiques ou à rendre la vie plus confortable *malgré* la persistance de malaises somatiques, ces solutions de rechange consistant, dans les faits, en un traitement psychologique, mais non explicitement présentées comme telles. Ainsi, Mme Petit pourrait choisir de faire de la relaxation, de la méditation, de recevoir des massages, de faire des activités de plein air, de tenir le journal de ses succès obtenus malgré son handicap, etc. Au cours du suivi de patients qui sont aux prises avec des problèmes semblables à ceux de Mme Petit, il est important de se centrer sur l'adaptation dynamique à la situation (*coping*) et de ne pas chercher, à tout prix, à trancher entre un diagnostic physique et un diagnostic psychologique, toutes les combinaisons de causes étant possibles et beaucoup d'inconnu persistant dans notre connaissance des liens entre le corps, l'esprit et les émotions.

Une discussion plus détaillée des différentes options de traitement que le médecin peut proposer aux patients souffrant de somatisation chronique dépasse les objectifs de ce chapitre. Toutefois, ce court aperçu du vécu de Mme Petit et de sa médecin illustre les défis majeurs de communication qu'un clinicien doit relever avec ces patients qui souffrent de problèmes somatiques chroniques pour lesquels on ne peut trouver de cause précise ni de traitement réellement efficace.

Conclusion

Les stratégies de communication, décrites tout au long de ce livre et plus particulièrement dans le présent chapitre, s'avèrent fort utiles et pertinentes au cours d'entrevues menées avec des patients présentant des plaintes physiques dont la source est émotive ou indéterminée. Mais il ne faut pas oublier que l'approche du patient aux plaintes physiques inexpliquées pose au clinicien un défi intéressant, et souvent frustrant.

Les éléments clés de la démarche clinique et des stratégies de communication qui aideront le médecin à aplanir les difficultés incluent l'attention particulière portée à l'exploration du point de vue du patient sur ses malaises et la reconnaissance de l'authenticité de sa souffrance – quelle qu'en soit la cause. Autre point essentiel, le médecin se doit de faire un examen physique en lien avec les malaises du patient, même lorsqu'il est convaincu de l'origine affective des symptômes. Il évitera la psychologisation hâtive en centrant l'information initiale, fournie au patient, sur la description des phénomènes physiologiques à la base de ses malaises. Par contre, l'hypothèse du rôle possible des facteurs psychologiques devrait être présentée dès la première entrevue.

Dans ce contexte, il apparaît plus pertinent de recourir au questionnement socratique pour stimuler la recherche d'explications et de solutions de rechange que de donner un minicours magistral au patient. Ce dernier, en effet, deviendra plus conscient et retiendra mieux l'information s'il doit lui-même travailler à résoudre ses problèmes. Enfin, à l'occasion du suivi d'un patient somatisant chronique qui n'accepte pas d'explorer les facteurs psychologiques, le médecin pourra tenter de remplacer l'objectif de guérison physique par celui d'une adaptation dynamique maximale à la situation, et ce en dépit de la persistance des malaises physiques.

Notes

1. Le thème de la somatisation est un sujet fort complexe. Dans le cadre du présent chapitre, nous retenons la définition descriptive qu'en fait Lipowski (1988, p. 1359 ; traduction libre de l'auteur) : « La somatisation est la tendance à ressentir et à exprimer des souffrances physiques (somatiques) et des symptômes inexpliqués selon les données médicales, à attribuer ces derniers à des malaises d'origine physique et à rechercher de l'aide médicale pour eux. On tient généralement pour acquis que cette tendance devient manifeste en réponse à un stress psychosocial. [...] Cette interprétation constitue une inférence de la part d'observateurs externes, car souvent la personne qui somatise ne le reconnaît pas. »
2. Voir le chapitre 4, intitulé « Les représentations profanes liées aux maladies ».
3. Voir aussi le chapitre 9, intitulé « La gestion des émotions ».
4. Voir le chapitre 6, intitulé « L'approche centrée sur le patient : diverses manières d'offrir des soins de qualité ».
5. Dans le cadre du présent chapitre, la psychologisation est le fait de proposer, d'une façon inappropriée, une interprétation d'ordre psychologique pour un événement ou un fait.
6. À ce sujet, lire le chapitre 15, intitulé « Les patients aux prises avec des problèmes d'alphabétisme fonctionnel ».
7. Voir le chapitre 4, intitulé « Les représentations profanes liées aux maladies ».
8. Voir le chapitre 26, intitulé « L'enseignement thérapeutique et la motivation du patient ».
9. Pour en apprendre davantage sur les facilitateurs, lire le chapitre 7, intitulé « Les fonctions de l'entrevue médicale et les stratégies communicationnelles ».

Références

American Psychiatric Association (2000). *Diagnostic and statistical manual of mental disorders (DSM-IV-TR)*, 4e édition, Washington (District de Columbia), American Psychiatric Association (APA).

Balint, M. (1966). *Le médecin, son malade et la maladie*, coll. Petite Bibliothèque Payot, Paris, Payot.

Barsky, A.J. (1979). « Patients who amplify bodily sensations », *Annals of Internal Medicine*, vol. 91, n° 1, p. 63-70.

Bridges, K., D. Goldberg, B. Evans et T. Sharpe (1991). « Determinants of somatization in primary care », *Psychological Medicine*, vol. 21, n° 2, p. 473-483.

Cohen-Cole, SA. (1991). *The medical interview: The three-function approach*, Saint Louis (Washington), Mosby Year Book.

Creed, F. (1992). « A model of non-organic disorders », dans *Medical symptoms not explained by organic disease*, sous la direction de F. Creed, R. Mayou et A. Hopkins, Londres, Royal College of Physicians, p. 47-52.

Creed, F., R. Mayou et A. Hopkins (sous la direction de) (1992). *Medical symptoms not explained by organic disease*, Londres, Royal College of Physicians.

Goldberg, D. (1992). « The management of medical out-patients with non-organic disorders: The reattribution model », dans *Medical symptoms not explained by organic disease*, sous la direction de F. Creed, R. Mayou et A. Hopkins, Londres, Royal College of Physicians, p. 53-59.

Kirmayer, L.J., et J.M. Robbins (1996). « Patients who somatize in primary care : A longitudinal study of cognitive and social characteristics », *Psychological Medicine*, vol. 26, n° 5, p. 937-951.

Leventhal, H., D. Meyer et D. Nerenz (1980). « The common sense representation of illness danger », dans *Contribution to medical psychology*, sous la direction de S. Rachman, New York, Pergamon Press, vol. 2, p. 7-30.

Lipowski, Z.J. (1988). « Somatization : The concept and its clinical application », *American Journal of Psychiatry*, vol. 145, n° 11, p. 1358-1368.

Lisansky, E.T., et B.R. Shochet (1967). « Comprehensive medical diagnosis for the internist », *Medical Clinic of North America*, vol. 51, n° 6, p. 1381-1397.

McWhinney, I.R., R.M. Epstein et T.R. Freeman (1997). « Rethinking somatization », *Annals of Internal Medicine*, vol. 126, n° 9, p. 747-750.

Salkovskis, P. (1992). « The cognitive-behavioural approach », dans *Medical symptoms not explained by organic disease*, sous la direction de F. Creed, R. Mayou et A. Hopkins, Londres, Royal College of Physicians, p. 70-84.

Salmon, P. (2000). « Patients who present physical symptoms in the absence of physical pathology : A challenge to existing models of doctor-patient interaction », *Patient Education and Counseling*, vol. 39, n° 1, p. 105-113.

Sharpe, M., et C. Bass (1992). « Pathophysiological mechanisms in somatization », *International Review of Psychiatry*, vol. 4, p. 81-97.

Sharpe, M., R. Peveler et R. Mayou (1992). « The psychological treatment of patients with functional somatic symptoms : A practical guide », *Journal of Psychosomatic Research*, vol. 36, n° 6, p. 515-529.

Silverman, J., S.M. Kurtz et J. Draper (1998). *Skills for communicating with patients*, Abingdon (Royaume-Uni), Radcliffe Medical Press.

Simon, G., R. Gater, S. Kisely et M. Piccinelli (1996). « Somatic symptoms of distress : An international primary care study », *Psychosomatic Medicine*, vol. 58, n° 5, p. 481-488.

Stewart, M., J. Belle Brown, W.W. Weston, I.R. McWhinney, C.L. McWilliam et T.R. Freeman (2003). *Patient-centered medicine : Transforming the clinical method*, 2e édition, Abingdon (Royaume-Uni), Radcliffe Medical Press.

Verrier P., et J. Charbonneau (1999). « Troubles somatoformes », dans *Psychiatrie clinique : une approche bio-psycho-sociale*, sous la direction de P. Lalonde, F. Grunberg et J. Aubut, tome I : *Introduction et syndromes cliniques*, 3e édition, Boucherville, Gaëtan Morin, p. 482-504.

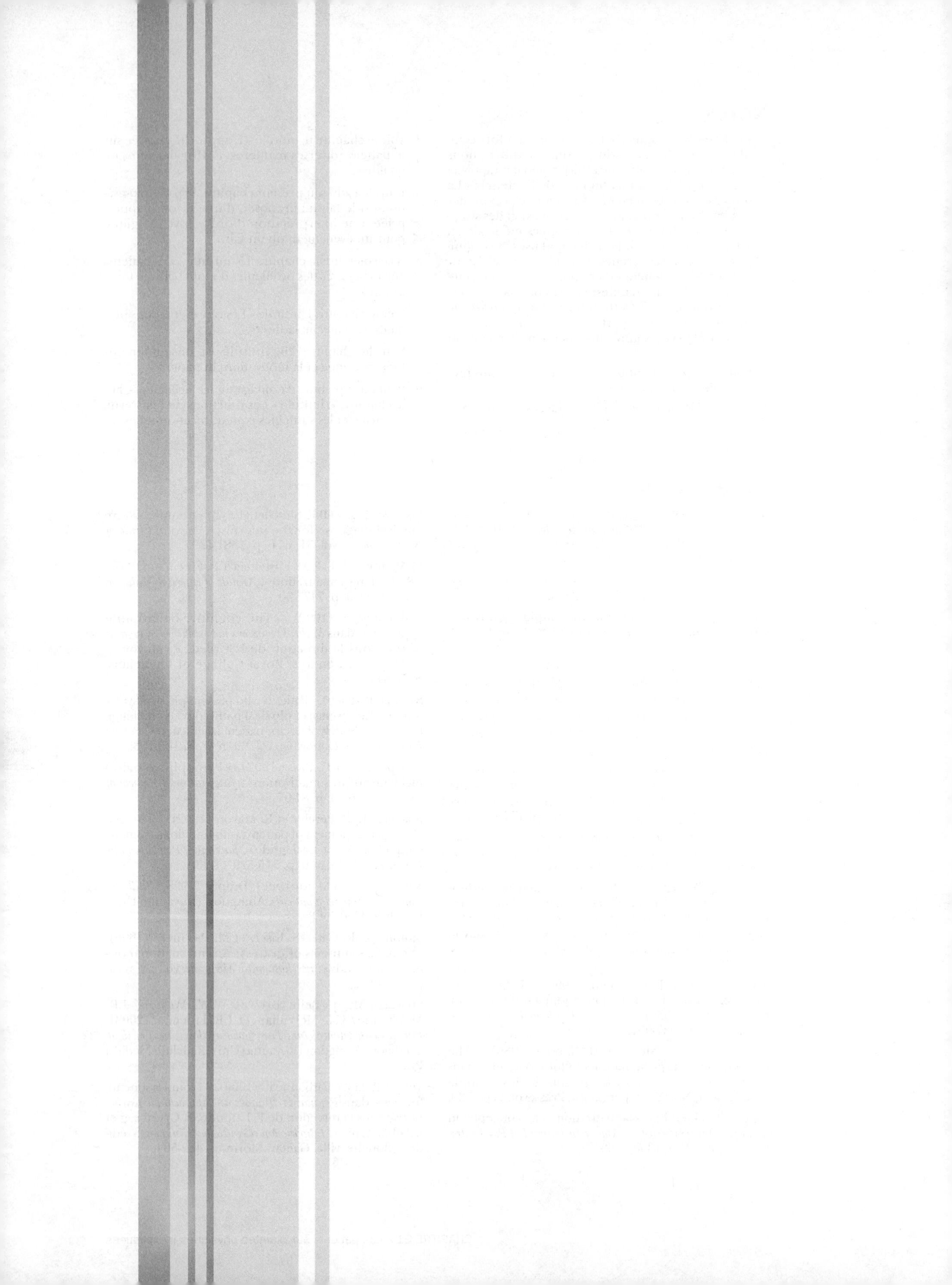

La collaboration interprofessionnelle

PARTIE 4

La collaboration médecin-infirmière

Johanne Goudreau
Harold Dion

CHAPITRE
22

Nicole, infirmière dans un service hospitalier depuis 12 ans, informe le Dr Manseau que le patient asthmatique dont il s'occupe a des croyances qui nuisent au traitement optimal de sa maladie.

Nathalie, médecin de famille, et Maurice, infirmier, travaillent en tandem depuis un an dans une clinique de médecine familiale. Comme tous les jours où ils voient des patients en consultation, ils se rencontrent pour discuter de leur agenda respectif et planifier leur collaboration avant de commencer leur journée.

Dans le domaine de la santé, il est généralement reconnu que la collaboration médecin-infirmière constitue un élément essentiel de la qualité et des résultats des soins, ainsi que du contrôle des coûts (Fagin, 1992; McMahan, Hoffman et McGee, 1994; Sullivan, 1998; Lipley, 2001). Or, l'étude de la collaboration interprofessionnelle met en évidence plusieurs facteurs qui en influencent l'efficacité, dont la qualité de la communication. Les études semblent en effet indiquer que des stratégies de communication qui favorisent le recours à l'expertise de chaque professionnel dans une équipe soutiennent la collaboration interprofessionnelle et constituent une valeur ajoutée à la démarche de soins (Coeling et Cukr, 2000; Zwarenstein et Bryant, 2000). Toutefois, l'histoire de la relation médecin-infirmière, marquée d'inégalités professionnelles surtout liées au sexe, à la position sociale et au niveau de formation, constitue une embûche de taille à surmonter avant d'établir ce genre de relation (Ornstein, 1990; Fagin, 1992; McMahan et autres, 1994; Pavlovich-Danis, Forman et Simek, 1998). Ce chapitre vise essentiellement à aider les médecins et les infirmières à travailler en collaboration pour le bien-être de leurs patients à l'aide d'une communication efficace.

L'efficacité des soins

Au cours des années quatre-vingt-dix, un certain nombre d'études évaluatives, menées surtout dans des services hospitaliers de soins intensifs, ont démontré que la collaboration médecin-infirmière est liée, d'une part, à la satisfaction des professionnels concernés, au maintien des infirmières dans leur milieu de travail et à la qualité des soins, et, d'autre part, à une diminution des coûts des soins.

Dans ces études, on définissait la collaboration interprofessionnelle selon diverses variables, comme la fréquence des réunions interprofessionnelles officielles, la culture du groupe de travail, la communication (exemple: le processus de prise de décision), la coordination de l'équipe et la gestion des conflits. Ainsi, les études de Baggs (Baggs et Ryan, 1990; Baggs, Ryan, Phelps, Richeson et Johnson, 1992; Baggs et Schmitt, 1995, 1997; Baggs et autres, 1997) ont montré que la perception que les médecins et les infirmières travaillant dans un service de soins intensifs ont de la collaboration médecin-infirmière est liée à la satisfaction que ces deux catégories de professionnels ont relativement à leur travail. D'autres études ont mis en évidence le fait qu'une plus grande collaboration interprofessionnelle était liée à une durée de séjour plus courte des patients, à une meilleure qualité des soins techniques et à une meilleure stabilité du personnel infirmier (Knaus, Draper, Wagner et Zimmerman, 1986; Shortell, Zimmerman et Rousseau, 1994). Enfin, les recherches de Lassen, Fosbinder, Minton et Robins (1997) et celles de Warren, Houston et Luquire (1998) ont permis d'associer la collaboration médecin-infirmière à la réduction des coûts d'hospitalisation.

Par ailleurs, une étude méthodique de Zwarenstein et Bryant (2000), produite dans le cadre de la Cochrane Database of Systematic Reviews et visant à évaluer l'effet de mesures prises pour améliorer la collaboration interprofessionnelle, a mis en évidence les résultats de deux études évaluatives portant sur l'instauration de tournées interdisciplinaires régulières dans des services cliniques. Ainsi, mené dans un service de médecine interne d'un hôpital américain, un essai clinique randomisé a démontré que le fait d'effectuer une tournée interdisciplinaire quotidienne, durant laquelle les médecins et les infirmières décidaient ensemble du plan de traitement des patients, diminuait significativement la durée de séjour de ces derniers et, par conséquent, les coûts d'hospitalisation (Curley, McEachern et Speroff, 1998). La deuxième étude (Jitapunkul et autres, 1995), qui s'est déroulée en Thaïlande, a montré que ce genre de tournées, pendant lesquelles les médecins et les infirmières décidaient ensemble du plan des soins à donner aux patients, réduisait la durée de séjour des patientes hospitalisées dans un service médical donné.

En somme, ces deux études montrent la pertinence de promouvoir la collaboration médecin-infirmière. Toutefois, la définition de la collaboration interprofessionnelle varie d'une étude à une autre, ainsi que ses caractéristiques et les variables qui servent à la décrire et à la mesurer.

Pour une définition de la collaboration médecin-infirmière

En fait, même s'il existe plusieurs définitions de la collaboration interprofessionnelle, elles partagent toutes à peu près le même sens. Une recherche qualitative portant sur trois études de cas de la collaboration entre professionnels dans les Centres locaux de services communautaires (CLSC) du Québec a permis à D'Amour, Sicotte et Lévy (1999) de proposer un modèle de structuration de la collaboration interprofessionnelle. Dans ce modèle, inspiré de l'approche organisationnelle (Friedberg, 1993; Crozier et Friedberg, 1995), la collaboration interprofessionnelle est conçue comme la « structuration d'une action collective entre partenaires en situation d'interdépendance » (D'Amour et autres, 1999, p. 72), ce qui met l'accent sur la qualité et la finalité des structures et des communications qui soutiennent les échanges entre les professionnels.

De leur côté, Way et Jones, un médecin de famille et une infirmière qui travaillent en collaboration depuis près de 20 ans en soins de première ligne, se basent essentiellement sur leur expérience pour avancer que la collaboration interprofessionnelle est un processus de communication et de prise de décision qui favorise la synergie des intervenants sur le plan des connaissances et des compétences (individuelles et communes), ce qui influe sur les soins offerts au patient. C'est d'ailleurs la définition qu'on utilise dans une importante étude en cours dans les cliniques de soins de première ligne en Ontario, étude qui vise à évaluer un programme de formation portant sur la collaboration médecin-infirmière dans tout ce qui touche les pratiques professionnelles et les soins donnés aux patients (Way, Jones et Busing, 2000, p. 3; Way, Jones, Baskerville et Busing, 2001).

Les caractéristiques de la collaboration interprofessionnelle

Par ailleurs, en s'inspirant de la méthode de l'analyse conceptuelle (Walker et Avant, 1988), Henneman, Lee et Cohen (1995, p. 105) proposent une description de la collaboration interprofessionnelle, particulièrement entre les médecins et les infirmières, à l'aide des caractéristiques suivantes :

- la concertation (*joint venture, cooperative endeavor*) ;

- la participation volontaire (*willing participation*) ;
- la planification et la prise de décision partagées (*shared planning and decision making*) ;
- le travail d'équipe (*team approach*) ;
- le partage de l'expertise (*contribution of expertise*) ;
- la responsabilité et le pouvoir partagés (*shared responsibility, power is shared*) ;
- les relations non hiérarchiques (*non-hierarchical relationships*).

Comme on le voit, la plupart de ces caractéristiques se trouvent aussi dans les définitions précédentes, ce qui montre bien qu'il existe une ligne directrice dans la conceptualisation de la collaboration interprofessionnelle. Voyons, à l'aide d'un exemple adapté de Henneman et autres (1995, p. 106), comment on peut appliquer ces caractéristiques à un cas concret.

Une conversation téléphonique entre une infirmière et un médecin qui travaillent dans une unité de soins intensifs porte sur l'admission d'un nouveau patient en provenance de l'urgence. Il n'y a pas de lit disponible et aucun départ de patient n'est prévu. Ce genre de situation engendre souvent des tensions interprofessionnelles, particulièrement dans les cas où l'infirmière ne partage pas d'emblée l'opinion clinique du médecin et ne participe pas à la prise de décision. Selon l'infirmière, le médecin prend alors une décision plus ou moins appropriée au contexte parce qu'il ne possède pas toutes les informations nécessaires, et les soins donnés au patient peuvent ne pas être optimaux.

Si l'infirmière et le médecin collaborent, on peut facilement imaginer la conversation suivante.

L'INFIRMIÈRE — *Bonjour, Docteur. C'est Francine Hébert, aux soins intensifs. L'urgence annonce une admission et nous n'avons aucun lit libre. Nous devons décider quel patient peut être transféré. Je recommande M. Lebrun. Sa condition a été stable toute la soirée; il reçoit de la dopamine à faible dose et on n'a pas eu besoin de lui aspirer les voies respiratoires plus souvent qu'aux quatre heures. Je pense qu'il sera bien au service de médecine générale.*

LE MÉDECIN — *On peut le transférer même s'il prend de la dopamine?*

L'INFIRMIÈRE — *Oui. Il ne reçoit qu'une petite dose.*

LE MÉDECIN — *Ah! Bon. Je croyais que l'administration de dopamine exigeait d'être aux soins intensifs...*

L'INFIRMIÈRE — *C'est nouveau. Maintenant, on accepte les patients en traitement de dopamine à faible dose.*

LE MÉDECIN — *D'accord! Mais avant de le transférer, pouvez-vous vous assurer que la gazométrie sanguine de ce matin était normale? Je vais aller voir le patient à l'urgence et je vous appellerai pour vous tenir au courant. Merci!*

L'INFIRMIÈRE — *Il n'y a pas de quoi. C'est moi qui vous remercie d'aller voir le patient à l'urgence. À plus tard!*

Dans cet échange, toutes les caractéristiques de la collaboration sont présentes. En effet, le médecin et l'infirmière décident de concert quel patient sera transféré; ils partagent volontairement leur expertise et reconnaissent leurs responsabilités respectives. De plus, l'utilisation du « nous » montre que ces deux professionnels utilisent une approche de travail d'équipe.

Qu'en est-il de ces caractéristiques et de leurs définitions dans les études qui portent sur la collaboration médecin-infirmière ? C'est ce que nous allons examiner.

Un processus lié à la communication

En se basant sur les caractéristiques dont nous avons parlé plus haut et que Henneman et autres (1995) ont utilisées pour effectuer une analyse critique des études sur le sujet, Lockhart-Wood (2000) propose la définition suivante de la collaboration médecin-infirmière :

> Un processus dans lequel deux ou plusieurs personnes discutent ensemble d'un problème commun. Chaque participant partage avec les autres personnes concernées, en toute confiance et d'égal à égal, ce qu'il sait du problème, et ces échanges se font dans le respect mutuel de l'opinion des autres. Les participants se concentrent sur les besoins du patient quand il s'agit de discuter et d'établir un plan de soins. Tous devraient être convaincus que l'information pertinente a été partagée[1].

Cette définition sous-entend que l'amélioration des pratiques de collaboration interprofessionnelle exige que les médecins et les infirmières reconnaissent l'importance de leur participation respective aux soins et la valorisent ; elle sous-entend également la nécessité de briser les contraintes habituelles de la collaboration professionnelle, comme l'organisation hiérarchique du travail.

Les obstacles à la communication

Or, plusieurs études et d'autres écrits soulignent les tensions, et même l'opposition, dans les relations médecin-infirmière passées et actuelles et mettent ainsi en évidence cette contrainte importante (Huntingdon et Shores, 1983 ; McMahan et autres, 1994 ; Blickensderfer, 1996 ; Pavlovich-Danis et autres, 1998). Déjà, à la fin des années soixante, Stein (1967) parlait de la relation médecin-infirmière comme d'un « manège entre médecin et infirmière » (*doctor-nurse game*). En peu de mots, l'auteur avait mis en évidence le fait que les infirmières partageaient leur expertise avec les médecins en utilisant des stratégies de communication reflétant une attitude et des comportements de soumission à leur autorité.

Plus récemment, Hojat et autres (2001) ont relevé plusieurs obstacles à la collaboration médecin-infirmière. Ces auteurs soutiennent que les relations d'opposition entre les médecins et les infirmières pourraient avoir des liens avec le concept d'autonomie, inhérent à toute pratique professionnelle. Ainsi, l'autonomie professionnelle entre en contradiction avec la hiérarchie médecin-infirmière, hiérarchie qui est liée, notamment, à la différence dans le niveau d'éducation, à la division sociale du travail, à la socialisation des rôles établie selon le sexe, à la compétence légale, au style de communication, à l'élitisme professionnel et à l'ambiguïté des rôles.

Interrogés sur le sujet, des médecins et des infirmières affirment s'attendre à la collaboration interprofessionnelle ; toutefois, leurs attentes diffèrent (Coeling et Wilcox, 1994). Les médecins souhaitent que les infirmières leur fournissent des informations précises, nécessaires à leur démarche clinique, alors que les infirmières désirent une relation égalitaire dans laquelle elles sont reconnues et respectées en tant que professionnelles.

Dans un autre ordre d'idées, certaines études menées en Angleterre au cours des années soixante-dix et quatre-vingt ont montré que la communication médecin-infirmière était vague et non systématique, et que la majorité des médecins et des infirmières qui travaillaient en équipe (en soins de première ligne) ne communiquaient entre eux ni par écrit ni à l'occasion des réunions, ce qui, selon les chercheurs, favoriserait plus le morcellement des soins et les conflits interprofessionnels que la collaboration (Ross, Rink et Furne, 2000). Par ailleurs, une étude qualitative, effectuée en Angleterre par Gregson, Cartlidge et Bond (1991), a mis en évidence deux faits qui favorisent la collaboration médecin-infirmière dans les cliniques en soins de première ligne : le partage d'espaces de travail et la continuité dans les relations de travail. Ces études semblent ainsi indiquer que la création d'espaces de travail partagés et l'établissement de moments réguliers de discussion entre les médecins et les infirmières pourraient améliorer leur collaboration interprofessionnelle.

Un processus relationnel

En somme, ces définitions et ces résultats d'études mettent en évidence des éléments relationnels et organisationnels liés à la collaboration interprofessionnelle. Ainsi, la collaboration apparaît comme un processus relationnel, basé sur deux aspects : une importance égale doit être accordée à la participation de chacun des partenaires concernés ; il faut une structure qui facilite les échanges verbaux destinés au partage de l'information et à la prise de décision conjointe. Nous croyons qu'il est possible de favoriser ce type de processus relationnel grâce à l'utilisation de certaines stratégies de communication et que les médecins et les infirmières peuvent faire l'apprentissage de ces stratégies. Plus précisément, il est souhaitable de mettre en application les stratégies suivantes :

- le médecin et l'infirmière doivent se connaître et se reconnaître en tant qu'experts dans leur domaine respectif ;
- ils doivent avoir une attitude de respect l'un envers l'autre et démontrer des habiletés d'écoute ;
- ils doivent démontrer des habiletés liées à l'échange des informations cliniques et à la gestion des conflits, de façon satisfaisante pour l'un et l'autre.

Ces stratégies sont justement l'objet de la section suivante.

Favoriser la collaboration interprofessionnelle

Certains auteurs (Coeling et Wilcox, 1994 ; Baggs et Schmitt, 1997 ; Coeling et Cukr, 2000 ; Lebel et Thibaudeau, 2001) ont déjà proposé différents éléments de communication comme bases d'une collaboration efficace entre médecins et infirmières. Le tableau 22.1 présente les habiletés fréquemment décrites dans la littérature spécialisée. Nous avons classé ces éléments selon les apprentissages liés au savoir, au savoir-être et au savoir-faire. Ainsi, comme nous l'avons précisé plus haut, la collaboration efficace exige d'abord que les professionnels connaissent et comprennent leurs rôles respectifs ; il est en effet souhaitable qu'ils sachent à quoi ils peuvent s'attendre l'un de l'autre. Ensuite, il faut avoir les comportements qui facilitent habituellement la collaboration, comme l'écoute de l'autre, la réceptivité et le respect de son expertise. Enfin, il apparaît que des habiletés précises liées à la communication facilitent cette écoute et ce respect : l'échange et le partage d'informations, la rigueur (exactitude, précision et logique) du discours relatif aux informations cliniques et la gestion efficace des conflits. Voyons maintenant ces éléments dans le détail, accompagnés de quelques situations qui visent à les illustrer.

La compréhension des rôles de chacun

Il est essentiel qu'un médecin et une infirmière qui souhaitent collaborer connaissent et comprennent leurs propres rôles et les rôles de l'autre. Or, actuellement, comment

Tableau 22.1 **Les éléments de la communication qui favorisent la collaboration médecin-infirmière**

DOMAINES	HABILETÉS
Le savoir	• La compréhension des rôles de chacun
Le savoir-être	• L'écoute de l'autre • La réceptivité • Le respect de l'expertise
Le savoir-faire	• L'échange et le partage d'informations • La rigueur du discours • La gestion des conflits

ces professionnels perçoivent-ils leurs rôles respectifs ? Malheureusement, à notre connaissance, aucune étude ne nous permet de nous prononcer sur ce sujet. Cependant, la mise en évidence scientifique du manque de collaboration interprofessionnelle dont nous avons parlé ainsi que l'observation quotidienne des milieux cliniques portent à croire que les médecins et les infirmières se connaissent… peu et mal !

Les préjugés qui se sont formés au fil de l'histoire des relations entre les médecins et les infirmières influent probablement sur la perception qu'ont ces professionnels de leurs rôles respectifs, ce qui nuit à la collaboration, même s'ils la souhaitent ardemment. Par exemple, les médecins affirment souvent que les infirmières ne possèdent pas les connaissances scientifiques nécessaires à l'évaluation adéquate de l'état d'un patient. Par ailleurs, on entend fréquemment les infirmières se plaindre que les médecins manquent d'humanité envers leurs patients. Il est certain que la proximité de leurs champs d'expertise respectifs et, même, la confusion qui les « unit » peuvent entretenir ce genre de préjugés et constituer une barrière importante à la collaboration.

Pour mieux se connaître, les médecins et les infirmières doivent avoir la possibilité de discuter, aussi bien pendant leur formation initiale et à l'occasion de perfectionnement professionnel qu'au cours des activités cliniques courantes. Ainsi, pour corriger cette méconnaissance mutuelle et favoriser la collaboration, des pédagogues ont mis sur pied des activités de formation interdisciplinaire, communes au programme de médecine et au programme de sciences infirmières (Coeling et Wilcox, 1994 ; Huff et Garrola, 1995 ; Hojat, Fields, Veloski, Cohen et Plumb, 1999), c'est-à-dire que les groupes sont constitués d'étudiants des deux domaines. En plus de permettre à ces futurs professionnels de mieux se connaître entre eux, certaines de ces activités de formation visent expressément l'apprentissage de stratégies de communication utiles à la collaboration. L'évaluation de quelques programmes indique qu'en plus d'apprendre à communiquer efficacement, le futur médecin et la future infirmière se familiarisent avec l'expertise de l'autre et apprennent à l'apprécier à sa juste valeur. Nous trouvons un bon exemple de cette approche interdisciplinaire en formation continue à l'Institut universitaire de gériatrie de Montréal (Lebel et Thibaudeau, 2001) : des cliniciens offrent un programme où divers professionnels (psychologues, travailleurs sociaux, ergothérapeutes, infirmières, médecins) sont amenés à partager leur perception de la collaboration interprofessionnelle, à discuter des avantages et des inconvénients d'une telle pratique et à mettre en application les habiletés utiles à la collaboration, notamment les habiletés de communication, sur lesquelles nous reviendrons plus loin.

Voyons maintenant un exemple des effets néfastes que les idées préconçues des rôles peuvent avoir sur l'efficacité de la collaboration interprofessionnelle.

Il est quatre heures du matin. Un homme de 46 ans, hospitalisé à la suite d'un infarctus du myocarde, fume dans la salle de bain attenante à sa chambre. L'infirmière remarque le comportement du patient et aborde le sujet. Le patient lui apprend que le médecin a déjà commencé à discuter du tabagisme avec lui. Il dit à l'infirmière avoir compris qu'il doit cesser de fumer, sinon le médecin ne le traitera pas de façon optimale. Il rapporte les paroles du médecin :

LE MÉDECIN — *Votre traitement ne sera pas complet si vous n'arrêtez pas de fumer. C'est l'élément le plus important de votre guérison. Même si je vous donnais les médicaments les plus récents !*

LE PATIENT — (à l'infirmière, sur un ton qui montre son angoisse et aussi sa colère) *J'ai déjà essayé… Plusieurs fois ! Sans résultat… Au contraire, je flanche, je recommence et… je fume deux fois plus ! Et ma femme me harcèle sans arrêt ! Elle me suit partout, elle me dispute et elle jette mes paquets de cigarettes à la poubelle…*

L'infirmière, dont la formation l'a préparée à soutenir les patients dans les changements d'habitudes d'hygiène de vie, décide d'explorer avec ce patient les différentes expériences de cessation du tabagisme. Elle l'informe que la plupart des personnes doivent faire plusieurs tentatives avant de réussir à arrêter de fumer. Elle l'invite ensuite à parler de l'histoire et de l'importance de cette habitude dans sa vie. Puis, elle lui dit qu'il existe des ressources qui pourraient l'aider. Enfin, l'infirmière suggère au patient de parler de ses inquiétudes au médecin.

Peu avant la fin du quart de travail, l'infirmière aperçoit le médecin au poste de garde, en train de consulter un dossier. Elle se demande si elle doit lui faire part de son intervention auprès du patient et de ses observations.

L'INFIRMIÈRE — (en elle-même) *Il n'a pas vraiment le temps de m'écouter. Au fond, moi non plus, je n'ai pas le temps de lui parler. De toute façon, il ne trouvera pas ça important et il ne m'écoutera pas. Comme l'autre fois… Ce n'est pas comme si le patient avait ressenti des douleurs angineuses. Au fond, ce médecin a fait son travail en conseillant fortement au patient d'arrêter de fumer. Bon ! J'ai écrit dans le dossier que le patient a peu dormi, qu'il est très anxieux par rapport à sa maladie et au traitement prescrit. J'ai ajouté que je l'ai surpris à fumer dans la salle de bain. Peut-être va-t-il en tenir compte ? Non, je n'y crois pas tellement… Qu'est-ce qui lui a pris de faire si peur à son patient ? Bof ! Tout le monde sait que les médecins veulent toujours aller plus vite et qu'ils ne sont pas sensibles aux effets de leurs interventions sur leurs patients.*

Plus tard, le médecin lit la note de l'infirmière dans le dossier.

LE MÉDECIN — (en lui-même) *Bon ! Cette infirmière doit vouloir que je prescrive un somnifère au patient parce qu'il a mal dormi. Ça doit l'avoir dérangée dans sa routine ! Bon ! Je vais avertir le patient qu'il n'a pas le droit de fumer dans la salle de bain. Ni ailleurs, en fait.*

Il s'agit là d'un bel exemple… de collaboration manquée ! En effet, les deux expertises professionnelles auraient pu bien se compléter, mais elles n'ont pas été partagées. Au lieu de communiquer entre eux, ces deux professionnels ont opté pour le monologue intérieur, à cause notamment des idées préconçues qu'ils entretiennent sur leurs rôles respectifs.

On sait que le tabagisme est une habitude dont il peut être très difficile de se défaire; on sait aussi que, dans le cas de personnes qui ne se sentent pas capables d'arrêter de fumer, plusieurs genres d'interventions sont nécessaires. Certaines de ces interventions peuvent être effectuées par une infirmière, qui peut en déterminer facilement le meilleur moment, étant donné sa présence constante auprès des patients, alors que d'autres interventions peuvent être faites par le médecin au moment de la visite quotidienne. Compte tenu de l'importance de ces interventions dans le succès d'une tentative pour arrêter de fumer, les médecins et les infirmières ont donc avantage à en discuter afin de combiner leurs expertises respectives et d'ainsi soutenir les patients le plus efficacement possible dans leur démarche.

L'écoute de l'autre, la réceptivité et le respect de l'expertise

L'écoute constitue une stratégie essentielle de toute communication efficace. De plus, elle permet aux interlocuteurs de mieux se connaître. Voyons un exemple.

Un médecin est au poste de garde, à l'étage de médecine générale d'un centre hospitalier. Comme il est en retard sur son horaire de consultation, il continue d'écrire dans un dossier pendant que l'infirmière lui parle d'un patient admis la veille à cause d'une exacerbation aiguë d'asthme. L'infirmière apporte au médecin un élément important de ses observations cliniques.

L'INFIRMIÈRE — *Votre patient croit toujours que l'asthme est une maladie intermittente qui ne nécessite pas de traitement soutenu. Il ne voit vraiment pas l'utilité d'adopter une stratégie de soins et de prévention.*

LE MÉDECIN — (continuant d'écrire) *Hum...*

Comme l'infirmière a l'impression que le médecin ne l'écoute pas et qu'elle a des tâches qui l'attendent, elle quitte le poste de garde sans rien dire.

En général, un patient hospitalisé dans un service médical reçoit la visite quotidienne d'un médecin, et cette visite ne dure que quelques minutes. Le médecin prend alors connaissance de l'évolution des symptômes de la maladie et des résultats des analyses de laboratoire, s'il y a lieu; ensuite, il questionne et examine le patient; enfin, il rédige une note dans le dossier, en précisant le diagnostic médical ainsi que le traitement à instaurer ou à continuer. De son côté, l'infirmière observe l'évolution du patient et veille à l'application du traitement; son observation de l'évolution du patient, basée sur une approche biopsychosociale, comporte, notamment, des éléments relatifs à la compréhension qu'a le patient de sa maladie et à son processus d'adaptation à cette maladie; en effet, les interventions de l'infirmière visent particulièrement à soutenir le patient et sa famille dans ce processus d'adaptation, de réadaptation ou de rétablissement.

Or, dans notre exemple, le médecin, qui est en retard sur son horaire de consultation au cabinet, continue d'écrire dans le dossier pendant que l'infirmière lui parle. De son côté, l'infirmière a l'impression que le médecin ne l'écoute pas et qu'il n'est pas intéressé par ce qu'elle a à dire; elle décide donc de se taire et ne donne pas les autres informations importantes concernant le patient. De son côté, le médecin demeure perplexe devant le départ de l'infirmière, qui lui apparaît plutôt précipité.

Comme dans toute relation, une écoute attentive favorise la collaboration entre professionnels. Plusieurs stratégies peuvent faciliter l'écoute. D'abord, quand on veut s'adresser à quelqu'un, on peut simplement annoncer son intention ; on peut aussi demander à l'autre personne si le moment est bien choisi. L'interlocuteur peut alors accorder son attention ou remettre la conversation à plus tard. Il est évident que, dans le premier cas, il est préférable de faire face à la personne, ou à tout le moins d'établir un bon contact visuel, et d'éviter les activités qui nuisent à la communication, comme répondre au téléphone, consulter un dossier, écrire ou s'éloigner de la personne. Enfin, on peut aussi reformuler ou résumer les propos de son interlocuteur afin de lui confirmer que son message a été entendu et bien compris, de valider sa propre compréhension et d'éliminer toute ambiguïté.

Reprenons notre dernier exemple. Cette fois-ci, l'infirmière demande au médecin de lui accorder son attention et celui-ci interrompt ce qu'il est en train de faire pour écouter l'infirmière.

L'INFIRMIÈRE — *Bonjour, Docteur. J'aurais besoin de vous parler au sujet de M. Gervais. Ça ne prendra qu'un instant. Est-ce un bon moment pour vous ?*

Persuadé qu'il y a fort peu de bons moments dans un service hospitalier et convaincu que l'infirmière veut lui transmettre des informations importantes pour le plan de soins du patient, le médecin arrête d'écrire et se tourne vers elle.

LE MÉDECIN — *Je vous écoute !*

L'INFIRMIÈRE — *Votre patient croit toujours que l'asthme est une maladie intermittente qui ne nécessite pas de traitement soutenu. Il ne voit vraiment pas l'utilité d'adopter une stratégie de soins et de prévention.*

LE MÉDECIN — *Tiens ! Comme c'est curieux… Je viens tout juste de lui expliquer encore une fois que l'asthme est une maladie inflammatoire chronique et qu'il est extrêmement important de prendre régulièrement des corticostéroïdes en inhalation s'il veut éviter les crises aiguës.*

L'INFIRMIÈRE — *D'après ce qu'il m'a dit, il croit qu'il doit prendre les corticostéroïdes seulement lorsqu'il souffre d'une infection des voies respiratoires afin d'éviter les crises et prendre les bronchodilatateurs en toute autre occasion. En fait, il m'a même précisé que sa belle-fille lui avait expliqué que son fils de 12 ans était traité de cette manière et que tout se passait bien.*

LE MÉDECIN — *Eh bien ! Elle est bonne, celle-là ! Il m'a pourtant dit avoir bien compris lorsque je l'ai laissé hier matin.*

L'INFIRMIÈRE — *Je pense qu'il était certain d'avoir bien compris, en effet ! Nous avons exploré ses inquiétudes à propos de la maladie et de son traitement, et il est clair qu'il s'inquiète beaucoup au sujet de l'utilisation des corticostéroïdes. Il a entendu, à la télé, que la cortisone utilisée régulièrement peut rendre malade. Je crois qu'il devrait consulter le Centre d'enseignement sur l'asthme afin de recevoir davantage de renseignements sur la gestion de sa maladie. Je lui en ai glissé un mot et lui ai dit que je vous en parlerais. Qu'en pensez-vous ?*

LE MÉDECIN — *Excellente idée ! Je vais faire la demande de consultation au centre tout de suite. Il pourra y aller dès qu'il aura son congé de l'hôpital.*

Comme nous le voyons, une demande claire de la part de l'infirmière et une écoute attentive de la part du médecin ont favorisé la communication d'éléments importants qui découlent de l'évaluation et de l'intervention de l'infirmière, ce qui permet de répondre plus adéquatement aux besoins de ce patient. On peut imaginer qu'à la suite de cette discussion constructive entre le médecin et l'infirmière, le patient a pu apprendre à gérer sa maladie de façon optimale et, par conséquent, à en diminuer le nombre d'épisodes aigus.

L'échange et le partage d'informations

Pour se parler, il est souhaitable que des interlocuteurs soient « sur la même longueur d'onde ». C'est pourquoi quelques auteurs, comme Milligan, Gilroy, Katz, Rodan et Subramanian (1999), proposent que médecins et infirmières adoptent un « métacadre conceptuel commun[2] ». C'est d'ailleurs ce qui se produit tout naturellement lorsque des personnes travaillent ensemble depuis longtemps et qu'elles mettent au point un vocabulaire commun qui facilite les échanges d'informations. Pour accélérer le processus, on peut donc élaborer ce vocabulaire de façon structurée. Certains outils facilitent une telle élaboration, notamment les programmes de suivi systématique de clientèle, les plans d'intervention et les discussions de cas structurées. Ces outils permettent aussi de clarifier les rôles respectifs de chacun et de s'entendre sur ces rôles.

Le programme de suivi systématique de clientèle est un document rédigé par tous les professionnels qui devront le mettre en application. Il décrit les différentes étapes d'une période de traitement liée à un problème de santé particulier. Il s'applique à un ensemble de patients qui présentent ce problème. On y précise quels professionnels doivent rencontrer le patient, la fréquence et les objectifs des rencontres, de même que les interventions à faire. Enfin, on y prévoit un plan d'évaluation de la démarche. Actuellement, les programmes de suivi systématique sont principalement utilisés par les équipes de soins de troisième ligne, comme celles qui travaillent en néphrologie et en cardiologie.

Le plan d'intervention est aussi un document que les professionnels rédigent ensemble, mais il décrit les différentes actions qui seront effectuées par l'un ou l'autre d'entre eux auprès d'un seul patient. Ce document vise l'ensemble des problèmes de santé du patient et peut s'échelonner sur une longue période, tout en étant mis à jour au fur et à mesure de l'évolution de la condition du patient. On y trouve les problèmes, les objectifs, les interventions et l'évaluation continue de la démarche. Le plan d'intervention est actuellement utilisé par plusieurs équipes en santé mentale.

On peut dire que l'élaboration du programme de suivi systématique ou du plan d'intervention constitue en soi une collaboration interprofessionnelle. De plus, ces documents procurent un cadre et un langage communs, utiles dans les discussions interprofessionnelles nécessaires à la continuité des soins.

Quant à la discussion de cas structurée, c'est une rencontre entre professionnels au cours de laquelle ceux-ci discutent de la démarche entreprise avec un patient et de l'évolution de l'état de ce dernier. Une entente entre les professionnels sur la structure et la durée de la rencontre, ainsi que sur les cas et les éléments abordés, peut faciliter les échanges d'informations entre eux et bonifier la collaboration.

Dans la situation qui suit, Maurice, infirmier, et Nathalie, médecin de famille, travaillent dans une clinique de médecine familiale. Ce matin, ils se rencontrent pour discuter de certains cas de leur journée de consultation. Au Canada, cette approche est plus ou moins répandue selon les provinces. Cependant, aux États-Unis, en Angleterre et en Australie, ce genre de collaboration fait de plus en plus d'adeptes parmi les décideurs et les cliniciens qui souhaitent améliorer l'accessibilité, la continuité et la globalité des soins de première ligne en conjuguant l'expertise des médecins de famille et celle des infirmières (Ministère de la Santé et des Services sociaux du Québec, 2000). Les médecins et les infirmières partagent ainsi les responsabilités liées à l'évaluation, au traitement et au suivi de la santé des patients qui les consultent. Notons que ce partage des responsabilités varie selon les milieux.

Nathalie et Maurice font le point sur l'évolution de l'état de santé de M. Richer. Ce patient souffre d'hypertension depuis deux ans ; il présente un problème d'observance de son traitement médicamenteux et un problème de négligence des facteurs de risque qui concernent son état. Il y a six mois, Nathalie et Maurice avaient élaboré un plan d'intervention pour M. Richer et, à l'occasion d'une consultation commune, ils avaient présenté ce plan, qui avait été accepté par leur patient.

LA MÉDECIN — *J'ai vu, dans le dossier de M. Richer, qu'il s'est présenté à toutes les consultations planifiées il y a six mois.*

L'INFIRMIER — *Oui, comme prévu, j'ai rencontré M. Richer quatre fois. Nous avons pu discuter de ses difficultés à respecter la prise de médicaments. Nous avons aussi abordé la cessation du tabagisme et la pratique de l'exercice. Sa femme l'a accompagné à deux reprises et nous avons discuté ensemble du soutien qu'elle peut lui apporter.*

LA MÉDECIN — *Au moment de ces visites, les mesures de sa tension artérielle étaient très acceptables. Est-ce que les mesures entre les visites l'étaient aussi ? Au fait, a-t-il pris sa tension à la maison ?*

L'INFIRMIER — *Oui ! Beaucoup plus régulièrement au cours de cette période, d'ailleurs. Lorsqu'il a constaté l'amélioration de son état, cela l'a encouragé à se discipliner et les inscriptions dans son carnet ont été plus régulières.*

LA MÉDECIN — *Nous avions fixé comme objectif qu'il consulterait une nutritionniste. Où en est-on avec cela ? L'a-t-il fait ?*

L'INFIRMIER — *Nous travaillons encore là-dessus. En fait, sa femme est plus réticente que lui à ce sujet. Elle affirme qu'elle comprend très bien ce qu'on dit dans les dépliants que je lui ai remis et qu'elle surveille son mari de près. Cependant, j'ai observé que la surveillance de sa femme est souvent un facteur de stress pour M. Richer. Il le dit à mots couverts, il ne veut pas faire de la peine à sa femme. Depuis qu'elle s'intéresse à sa maladie et qu'elle a décidé de l'aider, il dit qu'ils se sont rapprochés, ce qui lui manquait depuis quelques années.*

LA MÉDECIN — *Je comprends. Toutefois, son alimentation est vraiment problématique, avec toutes les croustilles et le cola qu'il ingurgite chaque jour ! Comment penses-tu résoudre ce problème ?*

L'INFIRMIER — *En fait, nous nous sommes entendus sur deux points. Premièrement, au cours du mois dernier, M. Richer et sa femme ont écrit leur journal alimentaire pendant une semaine. Lorsque nous avons analysé ce journal, force a été de constater que la consommation de croustilles est vraiment un problème. Nous en avons parlé, et Mme Richer a proposé de remplacer les croustilles par du maïs soufflé – mais en limitant le sel ! Notre patient s'est dit d'accord. Ils en sont à la période d'essai.*

Par ailleurs, Mme Richer prêtera une attention particulière à la quantité de sel dans la préparation des repas, et lui, il s'est engagé à ne pas en ajouter dans son assiette. Nous évaluerons ce changement à la prochaine visite.

LA MÉDECIN — *Finalement, ont-ils consulté une nutritionniste?*

L'INFIRMIER — *Non. Actuellement, leur engagement dans le processus est bien amorcé et ils désirent vraiment faire des efforts par eux-mêmes. Nous avons misé sur leur motivation et nous nous sommes donné trois autres mois avant de faire appel à d'autres ressources. Je pense que c'est important de leur laisser le plus d'autonomie possible. Ils ont été autonomes toute leur vie.*

LA MÉDECIN — *Oui, tu as raison. Les mesures de tension s'améliorent. Alors, j'imagine que le reste va suivre tranquillement. Ils semblent prendre les choses au sérieux et être décidés à changer leurs habitudes. Il faudra penser à refaire les analyses de laboratoire. Voici une ordonnance: on continue la même médication.*

Au cours de cet échange verbal d'une dizaine de minutes – eh oui! travailler en collaboration exige du temps! –, la médecin et l'infirmier ont contribué à la réussite des soins donnés à M. Richer, selon leur expertise respective et à partir du plan d'intervention qu'ils avaient élaboré ensemble. Au départ, les deux professionnels s'étaient entendus, avec M. Richer il va sans dire, que ce serait l'infirmier qui serait responsable d'aider le patient à adopter de nouveaux comportements relatifs à la prise de médicaments et à l'alimentation. L'infirmier avait ensuite proposé au patient d'intégrer sa femme dans la démarche. Au cours de leur discussion, la médecin et l'infirmier ont révisé les objectifs du plan d'intervention élaboré conjointement. La médecin a fait le point sur l'évolution des mesures de tension artérielle, sur les analyses de laboratoire à faire et sur la médication à continuer. Pour sa part, l'infirmier a abordé la démarche de changement entreprise par le patient et sa femme, en mettant en évidence leurs efforts, les résultats obtenus et leur désir de prendre en main leur santé.

La collaboration entre cette médecin et cet infirmier a permis de soutenir un couple dans leur adaptation à l'état d'hypertension du mari. Comme on le voit, ce genre de collaboration exige que les professionnels se parlent dans un contexte où leur expertise respective est mise à contribution. On peut présumer que les consultations médicales n'auraient pas permis à elles seules cette adaptation et que M. Richer aurait pu se retrouver parmi les 70 % d'hypertendus dont l'état est plus ou moins contrôlé ou pas contrôlé du tout (Whelton et autres, 2002). Toutefois, cela exige du temps de la part des professionnels concernés; c'est pourquoi nous croyons qu'il est important que les échanges verbaux soient fondés sur la rigueur du discours.

La rigueur du discours

Pour favoriser l'écoute de l'autre et l'échange d'informations, la communication entre professionnels exige de la rigueur. Faire preuve de rigueur dans la communication, c'est être concret, être précis (se focaliser sur l'essentiel) et être logique. Le manque de rigueur engendre de la frustration chez les interlocuteurs et les éloigne l'un de l'autre (Egan et Forest, 1987). Voyons l'exemple suivant, où l'infirmière d'une clinique médicale tente d'expliquer au médecin de garde son inquiétude devant la condition d'une patiente.

Mme Ricard suit une anticoagulothérapie instaurée à la suite d'une thrombophlébite. Comme elle n'a pas le téléphone, elle doit se rendre à la clinique une fois par semaine pour faire ajuster son traitement. L'infirmière et le médecin traitant ont élaboré ensemble un plan d'intervention pour cette patiente. Selon ce plan, l'infirmière est responsable de s'assurer que l'analyse de laboratoire est effectuée chaque semaine et d'ajuster la dose de médicament anticoagulant selon une échelle précise ; elle doit aussi questionner la patiente sur les effets secondaires de son médicament, notamment les saignements, ainsi que sur les symptômes de récidive de la maladie. Par ailleurs, elle a planifié enseigner ces signes et ces symptômes à la patiente afin de la rendre plus autonome dans son traitement ; elle prévoit aussi lui recommander des éléments d'une hygiène de vie compatible avec ce problème de santé. Enfin, elle a l'intention de proposer à Mme Ricard de la diriger au Centre local de services communautaires, où elle pourra participer à des activités sociales, ce qui pourrait aider à briser son isolement. De son côté, le médecin verra la patiente en consultation tous les trois mois et au besoin, selon l'observation des signes et des symptômes de la maladie et selon les effets secondaires du traitement médicamenteux ou les résultats de laboratoire.

Mme Ricard se présente avec une boiterie de la jambe atteinte. En l'absence du médecin traitant de la patiente, l'infirmière s'adresse au médecin de garde à la clinique. Celui-ci vient de terminer une consultation et il rédige ses notes au dossier avant de voir le patient suivant. L'infirmière entre dans le bureau sans frapper et commence d'emblée à parler au médecin.

L'INFIRMIÈRE — *Il faut que vous veniez voir cette patiente ! Sa jambe n'est vraiment pas belle. De plus, c'est une femme qui vit seule et elle n'a pas le téléphone. Alors, elle ne pourrait pas nous tenir au courant.*

LE MÉDECIN — *Qui est son médecin traitant ?*

L'INFIRMIÈRE — (impatiente) *Il n'est pas là. Je pense qu'on ne peut pas attendre qu'il revienne.*

Il s'agit là d'une situation qui pourrait facilement tourner à l'impasse : l'infirmière, frustrée de ne pas avoir la réponse qu'elle veut, pourrait croire que le médecin fait preuve de mauvaise volonté ; de son côté, le médecin, frustré, lui aussi, d'avoir été apostrophé ainsi avec un message aussi vague, pourrait penser que l'infirmière manque totalement d'autonomie. En fin de compte, la patiente se retrouverait probablement à l'urgence sans trop savoir ce qui se serait passé.

Parmi les éléments qui auraient pu faciliter cet échange verbal, notons une plus grande précision des informations données par l'infirmière au sujet de l'état de la patiente ainsi qu'une plus grande précision des questions posées par le médecin. La conversation aurait pu commencer de la façon suivante.

L'INFIRMIÈRE — *Bonjour, Docteur. J'aimerais vous parler de Mme Ricard, qui est dans mon bureau actuellement.*

LE MÉDECIN — (en train d'écrire) *Bonjour ! Oui, d'accord. Assoyez-vous. Si vous permettez, je vais d'abord terminer ma note. Ce ne sera pas très long.*

Cette entrée en matière permet d'établir une relation claire dès le début: les interlocuteurs précisent la situation concrète dans laquelle ils se trouvent et ils établissent l'objet de la conversation.

— (après avoir posé son stylo) *Je vous écoute.*

L'INFIRMIÈRE — *Mme Ricard est âgée de 62 ans. C'est une patiente du Dr Moreau. Elle vient une fois par semaine pour faire ajuster sa dose de Coumadin, qu'elle prend depuis une thrombophlébite survenue il y a trois semaines. Malgré une augmentation régulière des doses, son traitement n'est pas encore optimal. Aujourd'hui, elle s'est présentée avec une boiterie de la jambe atteinte. À l'examen, je vois une inflammation, sa jambe est légèrement gonflée et chaude.*

LE MÉDECIN — *A-t-elle eu des épisodes précédents?*

L'INFIRMIÈRE — *Oui, à deux reprises. Le dernier remonte à trois ans.*

LE MÉDECIN — *Eh bien! Je pense qu'il va falloir l'envoyer à l'urgence.*

L'INFIRMIÈRE — *Elle n'y tient pas vraiment, vous savez. Elle se fatigue vite, et attendre à l'urgence la rend très anxieuse. Je me demande si on ne pourrait pas lui donner du Levonox. Si elle n'est pas capable de faire les injections elle-même, nous pouvons demander les soins à domicile pour la fin de semaine. Qu'en pensez-vous?*

LE MÉDECIN — *Je n'y avais pas pensé! Mais c'est vrai, on pourrait essayer d'éviter cette attente désagréable à l'urgence. Je vais aller voir Mme Ricard maintenant.*

La collaboration entre ce médecin et cette infirmière évitera probablement à Mme Ricard de se rendre à l'urgence. Pour qu'un médecin puisse prendre une décision éclairée dans ce genre de situation, il est essentiel que l'infirmière lui apporte suffisamment d'informations précises sur l'état du patient concerné.

La gestion des conflits

Il peut arriver qu'un médecin et une infirmière ne s'entendent pas sur l'évaluation de l'état de santé d'une personne ou sur l'approche thérapeutique à adopter. Compte tenu que le médecin a le dernier mot dans ce domaine et qu'il en porte la responsabilité légale, il peut ne pas tenir compte de la perception et de l'évaluation de l'infirmière, alors que celle-ci peut ne pas partager son expertise en se disant: « Cela ne vaut pas la peine! » Toutefois, puisque les médecins et les infirmières visent essentiellement le même but, soit l'amélioration de la santé des personnes qu'ils traitent et soignent, il est plus que souhaitable qu'ils soient capables d'échanger des idées et de mettre en commun des points de vue différents, tout en cherchant, dans la mesure du possible, à s'entendre. Plusieurs études montrent en effet que les patients souffrent des messages contradictoires qu'ils reçoivent des professionnels de la santé (Hudon, Stewart et Groleau, 1998).

La littérature spécialisée sur la gestion des conflits en milieu de travail est très abondante. Nous avons choisi de nous appuyer sur les travaux de formation continue de Lebel et Thibaudeau (2001) pour présenter la situation suivante, adaptée de Stein (1990). Ces travaux constituent en effet une synthèse de la recherche dans le domaine et décrivent bien l'expérience québécoise.

À la suite d'une mastectomie partielle, Mme Tremblay, âgée de 42 ans, a confié à l'infirmière qu'elle était très inquiète de n'être plus désirable pour son mari. Au cours de cet échange verbal avec la patiente, l'infirmière a offert à sa patiente d'organiser une rencontre avec elle et son mari le lendemain après-midi. Mme Tremblay a accepté la proposition. Mentionnons que, depuis quelques années, la formation de base d'un grand nombre d'infirmières dans de nombreux pays, y compris le Canada (au Québec, particulièrement pendant la formation universitaire) les prépare à évaluer les conséquences d'un problème de santé d'un patient sur les membres de sa famille. Le chirurgien, qui n'est pas au courant des inquiétudes de la patiente ni de l'intervention planifiée la veille par l'infirmière, a signé le congé pour le lendemain matin. Voici la conversation entre le médecin et l'infirmière.

L'INFIRMIÈRE — *Docteur, j'ai remarqué que vous avez signé le congé de Mme Tremblay pour demain matin.*

LE MÉDECIN — *Oui, elle a bien récupéré à la suite de la chirurgie. Elle est prête à partir.*

L'INFIRMIÈRE — *Je suis d'accord: la plaie a bien évolué, ainsi que son état général. Cependant, j'aimerais savoir ce que vous pensez de ses inquiétudes par rapport à son conjoint?*

LE MÉDECIN — *De quelles inquiétudes voulez-vous parler?*

L'INFIRMIÈRE — *Ah! Elle ne vous a rien dit? Elle est très inquiète au sujet de son couple. Elle a peur que son mari n'ait plus de désirs sexuels pour elle à cause de la nouvelle apparence de son sein. Elle est vraiment très inquiète et je crois que ça pourrait nuire à sa récupération. J'ai mentionné dans ma note hier après-midi que j'ai planifié une rencontre avec elle et son mari afin d'aborder ce problème. Cette rencontre est prévue pour demain après-midi.*

LE MÉDECIN — (un peu impatienté) *Je n'étais pas au courant de ça. Et j'ai déjà signé le congé! Je la dirigerai vers quelqu'un d'autre si le problème persiste.*

Pour le médecin, la discussion est terminée. Il se tourne et reprend le dossier qu'il compulsait. L'infirmière pense tout autrement. À partir de ses connaissances et de son expérience clinique, elle est persuadée de la nécessité d'une intervention précoce auprès de cette patiente et de son mari. Elle ne veut donc pas en rester là.

L'INFIRMIÈRE — *S'il vous plaît, Docteur. Je crois que cette patiente bénéficierait de nos efforts de collaboration. Les échanges que j'ai eus avec elle ont permis de constater que le problème est déjà là pour elle. Je recommande fortement que vous reportiez son congé après la rencontre avec son mari.*

Le médecin, comme l'infirmière, prend à cœur le bien-être de la patiente. Si le médecin avait lu la note de l'infirmière, il aurait planifié le congé pour l'après-midi ou même le lendemain matin. Cependant, il a déjà annoncé le congé. Il peut être aux prises avec diverses pensées et émotions qui le poussent à maintenir ou non sa décision. Toutefois, l'attitude assurée, convaincue et convaincante de l'infirmière, l'évaluation solide que celle-ci fait de la situation et, finalement, son appel à la collaboration pour le bien-être de la patiente, tous ces éléments favorisent sa réflexion.

LE MÉDECIN — *Il s'agit d'un problème fréquent à la suite d'une chirurgie du sein. Une intervention précoce pourrait certainement aider la patiente et son conjoint. Nous pourrons peut-être leur éviter de s'enliser dans cette difficulté. Que feront-ils s'ils ont besoin d'autres rencontres? Ils ne pourront pas revenir vous voir, n'est-ce pas?*

L'INFIRMIÈRE — *Non, mais j'ai déterminé quelques ressources à leur proposer. Tout à l'heure, vous disiez que vous pourriez diriger Mme Tremblay vers quelqu'un d'autre. Je peux intégrer vos ressources à ma liste et vous la remettre, si vous voulez. Vous aurez ainsi tout ce qu'il vous faut dans votre dossier pour la visite en clinique externe.*

Cet échange verbal illustre quelques stratégies de communication proposées par Lebel et Thibaudeau (2001). Ces stratégies ont ainsi permis d'effectuer les étapes nécessaires à la résolution du conflit qui existait entre le médecin et l'infirmière :

- L'infirmière a expressément mentionné au médecin la nécessité de collaborer pour offrir les meilleurs soins possibles dans cette situation clinique. On parle donc ici de *métacommunication*, c'est-à-dire de communication qui porte sur la communication, ou encore de *stratégie d'entretien*.
- Le problème a été clairement défini et les professionnels ont abordé plusieurs de ses éléments, notamment le congé, qui devient prématuré si on tient compte du problème de la patiente et de la solution planifiée par l'infirmière, ainsi que le fait que le médecin n'a pas pris connaissance des notes de l'infirmière.
- L'attitude ouverte et souple des deux interlocuteurs a favorisé la collaboration.

Conclusion

La collaboration interprofessionnelle entre les médecins et les infirmières constitue certainement un élément primordial de l'efficacité des soins dans notre système de santé, que ce soit à l'hôpital ou dans les services ambulatoires. En effet, les soins complexes exigés par les problématiques de santé contemporaines ne pourront être fournis que par des équipes de professionnels de la santé dont l'infirmière et le médecin seront les membres les plus actifs. Or, la relation médecin-infirmière comporte certaines particularités dont l'origine remonte au XIXe siècle, alors que Florence Nightingale soignait les soldats avec les médecins de l'armée britannique pendant la guerre de Crimée : d'une part, l'objectif commun du mieux-être des patients et des moyens complémentaires pour atteindre cet objectif; d'autre part, un niveau d'éducation et un statut professionnel inégaux. Il faut être conscient que ces particularités peuvent favoriser l'établissement d'une relation de collaboration efficace – ou y nuire.

Les caractéristiques de la collaboration interprofessionnelle peuvent servir de guides aux médecins et aux infirmières pour élaborer et mettre en application les différentes stratégies de communication qui soutiennent cette collaboration. Ainsi, les deux groupes de professionnels doivent échanger des informations qui leur permettront de connaître et de respecter leurs expertises respectives, tant sur le plan de leur formation (de base ou continue) que sur le plan de leurs rapports quotidiens. Ces échanges d'informations doivent mettre en évidence les ressemblances et les différences qui unissent ces deux professions, les caractéristiques propres à chacune et leur rôle dans l'atteinte des objectifs liés aux soins de santé. De plus, il est essentiel que les médecins et les infirmières appliquent les *règles de base* de la communication, notamment l'écoute et la pratique du message clair et précis. Pour atteindre cette communication efficace, ces professionnels disposent d'une panoplie d'outils, comme la discussion de cas et le programme de suivi systématique – encore faut-il qu'ils s'accordent du temps pour les utiliser ! Enfin, il est souhaitable que les médecins et les infirmières apprennent à gérer les conflits qui peuvent les opposer, sans y percevoir de menace à l'estime de soi, et à se servir de la résolution de ces conflits pour offrir des soins complémentaires à leurs patients.

Notes

1. P. 276 : « A process whereby two or more people come together to discuss a common problem. Each participant has the self-confidence to share his/her information of a problem on an equal basis with the other person and each has a mutual respect for the other's opinions. The participants focus on the needs of the patient when communicating with each other in order to negotiate the patient's plan of care. All participants should be satisfied that the relevant information has been shared. »
2. P. 47 : « theoretical base that spans both clinical outcomes and professional boundaries ».

Références

Baggs, J.G., et S.A. Ryan (1990). « ICU nurse-physician collaboration and nursing satisfaction », *Nursing Economics*, vol. 8, n° 6, p. 386-392.

Baggs, J.G., S.A. Ryan, C.E. Phelps, J.F. Richeson et J.E. Johnson (1992). « The association between interdisciplinary collaboration and patient outcomes in a medical intensive care unit », *Heart & Lung: The Journal of Acute and Critical Care*, vol. 21, p. 18-24.

Baggs, J.G., et M.H. Schmitt (1995). « Intensive care decisions about level of aggressiveness of care », *Research in Nursing & Health*, vol. 18, p. 345-355.

Baggs, J.G., et M.H. Schmitt (1997). « Nurses' and resident physicians' perceptions of the process of collaboration in an MICU », *Research in Nursing & Health*, 20, n° 1, p. 71-80.

Baggs, J.G., M.H. Schmitt, A.I. Mushlin, D.H. Eldredge, D. Oakes et A.D. Hutson (1997). « Nurse-physician collaboration and satisfaction with the decision-making process in three critical care units », *American Journal of Critical Care*, vol. 6, n° 5, p. 393-399.

Blickensderfer, L. (1996). « Nurses and physicians : Creating a collaborative environment », *Journal of Intravenous Nursing*, vol. 19, n° 3, p. 127-131.

Coeling, H.V., et P.L. Cukr (2000). « Communication styles that promote perceptions of collaboration, quality, and nurse satisfaction », *The Journal of Nursing Care Quality*, vol. 14, n° 2, p. 63-74.

Coeling, H.V., et J.R. Wilcox (1994). « Steps to collaboration », *Nursing Administration Quarterly*, vol. 18, n° 4, p. 44-55.

Crozier, M., et E. Friedberg (1995). « Organizations and collective action : Our contribution to organizational analysis », *Research in the Sociology of Organizations*, vol. 13, p. 72-91.

Curley, C., J.E. McEachern et T.A. Speroff (1998). « A firm trial of interdisciplinary rounds on the inpatient medical wards », *Medical Care*, vol. 36, n° 8 (suppl.), p. AS4-AS12.

D'Amour, D., C. Sicotte et R. Lévy (1999). « L'action collective au sein d'équipes interprofessionnelles dans les services de santé », *Sciences sociales et santé*, vol. 17, n° 3, p. 67-94.

Egan, G., et F. Forest (1987). *Communication dans la relation d'aide*, Montréal, HRW.

Fagin, C.M. (1992). « Collaboration between nurses and physicians : No longer a choice », *Academic Medicine*, vol. 67, n° 5, p. 295-303.

Friedberg, E. (1993). *Le pouvoir et la règle : dynamique de l'action organisée*, Paris, Seuil.

Gregson, B., A. Cartlidge et J. Bond (1991). « Interprofessional collaboration in primary care organisations », *The Royal College of Practitioners Occasional Paper*, n° 52.

Henneman, E.A., J.L. Lee et J.I. Cohen (1995). « Collaboration : A concept analysis », *Journal of Advanced Nursing*, vol. 21, n° 1, p. 103-109.

Hojat, M., S.K. Fields, J.J. Veloski, J.M. Cohen et J.D. Plumb (1999). « Psychometric properties of an attitude scale measuring physician-nurse collaboration », *Evaluation and the Health Professions*, vol. 22, n° 2, p. 208-220.

Hojat, M., T.J. Nasca, J.M. Cohen, S.K. Fields, S.L. Rattner, M. Griffiths, D. Ibarra, A.A. de Gonzalez, A. Torres-Ruiz, G. Ibarra et A. Garcia (2001). « Attitudes toward physician-nurse collaboration : A cross-cultural study of male and female physicians and nurses in the United States and Mexico », *Nurse Researcher*, vol. 50, n° 2, p. 123-128.

Hudon, E., M. Stewart et D. Groleau (1998). *L'adaptation en post-infarctus : vers une meilleure compréhension*, Montréal, Fonds de la recherche en santé du Québec.

Huff, F., et G. Garrola (1995). « Conceptual and practical issues in interdisciplinary education », *Journal of Allied Health*, p. 359-365.

Huntingdon, J.A., et L. Shores (1983). « From conflict to collaboration », *The American Journal of Nursing*, vol. 83, p. 1484-1486.

Jitapunkul, S., C. Nuchprayoon, S. Aksaranugraha, D. Chalwanichsiri, B. Leenawat et W.A. Kotepong (1995). « A controlled clinical trial of multidisciplinary team approach in the general medical wards of Chulalongkorn Hospital », *The Journal of The Medical Association of Thailand*, vol. 78, n° 11, p. 618-623.

Knaus, W.A., E.A. Draper, D.P. Wagner et J.E. Zimmerman (1986). « An evaluation of outcome from intensive care in major medical centers », *Annals of Internal Medicine*, vol. 104, p. 410-418.

Lassen, A.A., D.M. Fosbinder, S. Minton et M.M. Robins (1997). « Nurse/physician collaborative practice : Improving health care quality while decreasing cost », *Nursing Economics*, vol. 15, n° 2, p. 87-104.

Lebel, P., et G. Thibaudeau (sous la direction de) (2001). *Formateurs à l'interdisciplinarité.*

Lipley, N. (2001). « Nurse-doctor teamwork could save NHS millions », *Nursing Standard*, vol. 15, n° 25, p. 8.

Lockhart-Wood, K. (2000). « Collaboration between nurses and doctors in clinical practice », *British Journal of Nursing* (*Specialist Nursing* suppl.), vol. 9, n° 5, p. 276-280.

McMahan, E., K. Hoffman et G.W. McGee (1994). « Physician-nurse relationships in clinical settings : A review and critique of the literature, 1966-1992 », *Medical Care Review*, vol. 51, n° 1, p. 83-112.

Milligan, R.A., J. Gilroy, K.S. Katz, M.F. Rodan et K.N. Subramanian (1999). « Developing a shared language : Interdisciplinary communication among diverse health care professionals », *Holistic Nursing Practice*, vol. 13, nº 2, p. 47-53.

Ministère de la Santé et des Services sociaux du Québec (2000). *Organisation des services : état de situation et perspectives*, Québec, Gouvernement du Québec.

Ornstein, H. (1990). « Collaborative practice between Ontarian nurses and physicians : Is it possible ? », *Canadian Journal of Nursing Administration*, p. 10-14.

Pavlovich-Danis, S., H. Forman et P.P. Simek (1998). « The nurse-physician relationship : Can it be saved ? », *The Journal of Nursing Administration*, vol. 28, nºs 7-8, p. 17-20.

Ross, F., E. Rink et A. Furne (2000). « Integration or pragmatic coalition ? An evaluation of nursing teams in primary care », *Journal of Interprofessional Care*, vol. 14, nº 3, p. 259-267.

Shortell, S.M., J.E. Zimmerman et D.M. Rousseau (1994). « The performance of intensive care units : Does good management make a difference ? », *Medical Care*, vol. 32, p. 508-525.

Stein, L. (1967). « The doctor-nurse game », *Archives of General Psychiatry*, vol. 16, p. 699-703.

Stein, L. (1990). « The doctor-nurse game revisited », *The New England Journal of Medicine*, vol. 322, nº 8, p. 546-549.

Sullivan, T.J. (1998). *Collaboration : A health care imperative.* New York, McGraw-Hill.

Walker, L.O., et K.C. Avant (1988). *Strategies for theory construction in nursing*, 2e édition, Norwalk (Connecticut), Appleton and Lange.

Warren, M.L., G. Houston et R. Luquire (1998). « Linking outcomes management and practice improvement », *Outcomes Management for Nursing Practice*, vol. 2, nº 3, p. 95-98.

Way, D., et L. Jones (1994). « The family physician-nurse practitioner dyad : Indications and guidelines », *Journal de l'Association médicale canadienne*, vol. 151, nº 1, p. 29-34.

Way, D., L. Jones, B. Baskerville et N. Busing (2001). « Primary health care services provided by nurse practitioners and family physicians in shared practice », *Journal de l'Association médicale canadienne*, vol. 165, nº 9, p. 1210-1214.

Way, D., L. Jones, et N. Busing (2000). « Implementation strategies : "Collaboration in primary care – Family doctors and nurse practitioners delivering shared care" », document de travail écrit pour The Ontario College of Family Physicians.

Whelton, P.K., J. He, L.J. Appel, J.A. Cutler, S. Havas, T.A. Kotchen, E.J. Roccella, R. Stout, C. Vallbona, M.C. Winston et J. Karimbakas (2002). « Primary prevention of hypertension : Clinical and public health advisory from the National High Blood Pressure Education Program », *The Journal of the American Medical Association*, vol. 288, nº 15, p. 1882-1888.

Zwarenstein, M., et W. Bryant (2000). « Interventions to promote collaboration between nurses and doctors », *Cochrane Database of Systematic Reviews*, vol. 2, CD000072.

La communication médecin-pharmacien

Marc Parent
Michel Turgeon

CHAPITRE 23

Pour les non-initiés, l'étroite collaboration entre le médecin et le pharmacien peut sembler une évidence, un fait établi. Ces deux professionnels de la santé n'ont-ils pas un objectif commun, soit le bien-être de leurs patients ? Mais, qu'en est-il donc en réalité ?

La communication est un vaste domaine ; elle peut revêtir plusieurs formes. Non seulement la communication médecin-pharmacien devrait-elle aller de soi, mais on s'attend à ce qu'elle soit efficace et de qualité. On pourrait facilement penser que le volume des échanges de vues entre les médecins et les pharmaciens est plutôt faible : il n'en est rien. En effet, par la prescription de médicaments sous la forme d'ordonnances, la communication médecin-pharmacien est quotidienne. Chacune des 100 millions d'ordonnances de médicaments qu'exécutent annuellement les pharmaciens québécois en exercice privé sont autant de messages transmis au pharmacien par le médecin au bénéfice du patient. Chaque ordonnance est une transmission d'information, partielle ou complète, à la fois sur l'état de santé d'un individu et sur le plan de traitement médicamenteux qu'on lui propose.

Dans ce chapitre, nous ferons d'abord un tour d'horizon des modalités générales de la communication médecin-pharmacien, pour nous attarder ensuite sur diverses situations de communication, tant du point de vue de la pratique pharmaceutique que médicale. Ainsi, nous proposons au lecteur divers scénarios, inspirés de notre pratique, de communication verbale entre les médecins et les pharmaciens, tout en relevant les embûches potentielles et en suggérant des pistes de solutions.

Un outil incontournable

La communication médecin-pharmacien est quotidienne ; elle peut être écrite, sous forme d'ordonnances, de lettres[1] et de demandes d'information ou de consultation. Évidemment, ces moyens de communication écrite sont partiels et comportent certaines limites. En effet, pour qu'une véritable communication s'installe entre deux individus, il faut qu'une interaction efficace permette de valider la compréhension de part et d'autre à l'aide d'une rétroaction mutuelle. Pour atteindre cet objectif, des modes de communication complémentaires sont requis.

La communication verbale se prête mieux à cette interaction que l'écrit. Dans le cas qui nous intéresse, la communication verbale peut se produire sur l'initiative de l'un ou l'autre des deux professionnels de la santé. Elle peut avoir pour objet la discussion d'informations relatives à une ordonnance, la précision d'informations médicales ou pharmaceutiques ou l'échange de vues sur le traitement ou le suivi d'un patient en particulier.

Ainsi, la communication entre médecins et pharmaciens est-elle fréquente et diversifiée. Il est toutefois surprenant de constater que les études et les articles portant spécifiquement sur la communication entre ces professionnels de la santé sont rares. En effet, il est difficile de trouver des références sur ce sujet dans la littérature pharmaceutique ou médicale. De plus, la majorité des publications trouvées portent sur le volet pharmacien de ce tandem.

Cependant, diverses données, concernant en particulier l'observance du traitement, indiquent que l'amélioration de la communication entre le patient, le médecin et le pharmacien est de nature à augmenter la justesse et l'observance du traitement (Roberts, 1998). C'est d'ailleurs sur cette base que l'Association médicale canadienne propose aux médecins et aux pharmaciens de travailler en collaboration ou en partenariat pour assurer aux patients une information valable et utile (CMA /AMC, 1996). Ces publications montrent aussi que la communication médecin-pharmacien suscite des commentaires variés. En effet, si cette communication est excellente dans certains cas, elle peut aussi être plus difficile et même devenir frustrante dans d'autres cas (Major, 1999). Pourquoi en est-il ainsi ? D'où viennent ces frustrations ?

Les sources de frustration

La communication amorcée par le pharmacien en pratique privée porte, à quelques exceptions près, sur un problème relatif à une ordonnance rédigée pour un patient. Que ce soit pour discuter du choix d'un médicament, de son dosage, des interactions médicamenteuses potentielles, de l'apparition d'une réaction indésirable, d'un problème d'observance ou d'une duplication thérapeutique, ou que ce soit pour obtenir l'autorisation de procéder au renouvellement ou simplement parce que le pharmacien est incapable de lire l'ordonnance, le médecin perçoit souvent cette communication comme une remise en question de ses décisions cliniques et une atteinte à son ego. La relation débute pour ainsi dire mal. Il peut difficilement en être autrement, mais force est d'en faire le constat. De plus, la discussion est souvent centrée sur le *problème* et non sur le *patient*, ce qui peut facilement amplifier la menace perçue par le médecin, puisqu'on met ainsi l'accent sur l'*erreur* plutôt que sur la mise à profit de deux expertises complémentaires pour résoudre le problème du patient (Berger, 2000).

Il faut aussi constater que, très souvent, les médecins et les pharmaciens ne se connaissent pas personnellement. Il est bien admis que la rencontre en personne est la plus efficace. Elle permet d'apporter les éclaircissements voulus, d'interpréter plus facilement les nuances subtiles des changements d'intonation et de percevoir des messages non verbaux (Buerger, 1999). Malheureusement, dans la majorité des situations de communication médecin-pharmacien, il s'agit d'une relation *à l'aveuglette*, dans laquelle aucun sentiment humain ni relation de confiance n'a pu se développer au préalable (CMA /AMC, 1996).

L'état de la situation

Les attentes et les perceptions des rôles respectifs du médecin et du pharmacien peuvent différer. Une étude récente (Ranelli et Biss, 2000) a démontré que la perception des rôles du pharmacien par le médecin varie notamment en fonction de l'âge de ce dernier. En effet, la perception semble plus favorable chez les jeunes médecins que chez les médecins plus âgés.

Il importe aussi de constater que la pratique, tant celle de la médecine que celle de la pharmacie, a évolué au cours de ces dernières années. Cependant, un des changements les plus notables réside dans l'exercice de la pharmacie : originellement centrés sur la préparation et la distribution des médicaments, les pharmaciens s'orientent de plus en plus vers l'optimisation des médicaments, tant du point de vue de leur sélection et de leur qualité que du point de vue de leur utilisation par les patients. Ces changements profonds ont vu le jour dans les années soixante-dix et ont graduellement progressé jusqu'à ce jour. Comme les universités ont d'ailleurs modifié leurs programmes de formation en conséquence, il n'est pas surprenant que ces changements dans la profession aient aujourd'hui atteint une masse critique, suffisante pour que les médecins en remarquent les répercussions dans le nombre et la qualité des interactions qu'ils ont avec les pharmaciens. De plus, les occasions de collaboration interprofessionnelle, y compris durant la formation, sont en augmentation et la perception réciproque des rôles professionnels est vraisemblablement ancrée plus solidement.

Enfin, le milieu et le genre de pratique, tant pour la médecine que pour la pharmacie, influent sur la communication médecin-pharmacien. En effet, les médecins peuvent exercer en cabinet privé ou en établissement de santé, que ce soit en centre hospitalier (CH) ou en centre local de services communautaires (CLSC). Ils peuvent desservir des clientèles ambulatoires (en urgence ou en clinique externe) ou traiter des patients admis en centre hospitalier de soins aigus ou en centre hospitalier de longue durée (CHSLD). De leur côté, les pharmaciens peuvent pratiquer dans une pharmacie affiliée à une chaîne nationale (pharmacie à grande surface), dans une pharmacie de quartier plus petite, dans une pharmacie de clinique médicale ou en établissement de santé. Il est clair que le lieu de pratique influe sur les relations humaines et professionnelles qu'ont le médecin et le pharmacien : il modifie le genre et le nombre d'entretiens et de rencontres entre ces professionnels (Berger, 2000).

La communication amorcée par le pharmacien

Le cas suivant, inspiré de notre pratique, nous permettra de cerner certains problèmes liés à la communication amorcée par le pharmacien et de proposer des solutions pour les résoudre.

Cas 1 **L'appel téléphonique d'une pharmacienne à un médecin**

LA PHARMACIENNE — *Bonjour. Puis-je parler au Dr Tremblay, s'il vous plaît ?*

LA RÉCEPTIONNISTE — *Oui. C'est de la part de qui, s'il vous plaît ?*

LA PHARMACIENNE — *C'est la pharmacie Quintal.*

LA RÉCEPTIONNISTE — *Un instant, s'il vous plaît.*

LE MÉDECIN — *Allo !*

LA PHARMACIENNE — *Bonjour, Docteur Tremblay. C'est la pharmacie Quintal. Je vous appelle au sujet de M. Labbé. Son ordonnance de métoprolol est échue et il veut la renouveler.*

LE MÉDECIN — *Monsieur qui ?*

LA PHARMACIENNE — *Labbé.*

LE MÉDECIN — *Ça ne me dit rien ! Ça doit faire longtemps que je ne l'ai pas vu. Dites-lui de prendre rendez-vous avez moi. Je ne renouvelle pas cette ordonnance par téléphone.*

LA PHARMACIENNE — *Alors, qu'est-ce je dois faire avec sa demande de renouvellement ? Il me dit qu'il n'a plus de médicament…*

LE MÉDECIN — *Moi, je ne veux pas lui en prescrire au téléphone. Dites-lui de venir me voir. Au revoir !* (en raccrochant)

LA PHARMACIENNE — (en aparté) *Bon. Que vais-je faire maintenant ?*

Cet exemple illustre une situation vécue régulièrement par les médecins et les pharmaciens, soit celle où un patient se présente à la pharmacie pour avoir son médicament alors que sa prescription n'est plus renouvelable. Elle nous fournit l'occasion de discuter d'un certain nombre d'éléments propres à la communication pharmacien-médecin.

Faciliter la prise de contact aux autres professionnels

Abordons un premier aspect: la facilité pour un pharmacien de joindre un médecin et vice-versa. Les modèles d'organisation des pharmacies et des cabinets médicaux varient beaucoup. Cependant, une chose ne change pas: le médecin et le pharmacien sont des professionnels très occupés, voire débordés, et souvent pressés. Au moment où l'un doit communiquer avec l'autre, celui-ci est donc vraisemblablement déjà engagé dans une activité professionnelle. Dans les limites de l'éthique, on doit cependant faciliter la prise de contact entre professionnels. Ainsi, on peut donner des consignes précises aux réceptionnistes, aux secrétaires et aux assistants techniques[2] afin de faciliter et d'accélérer la prise de contact entre les médecins et les pharmaciens. Les systèmes de réponse automatisée, source fréquente de frustrations, devraient aussi permettre à un professionnel de joindre directement et rapidement un autre professionnel.

Dans une proportion importante des cas, les appels téléphoniques faits par les pharmaciens aux médecins débutent par un problème, donc sur une note plutôt négative. Dans ces circonstances, comment peut-on faciliter la collaboration ? Rappelons que le principal objectif de la communication amorcée par le pharmacien est de prévenir ou de résoudre des problèmes liés à la médication et d'optimiser les soins donnés au patient (Berger, 2000).

Se présenter

Dans le cas 1, la pharmacienne ne se présente pas, elle reste sous le couvert du nom de la pharmacie où elle exerce. À l'occasion de groupes de réflexion organisés à Montréal et à Québec en 1998 dans le cadre du programme IMPACC, les médecins et les pharmaciens étaient d'accord pour dire qu'ils ne se connaissent souvent que très peu ou pas du tout. Alors que le pharmacien connaît le nom du médecin prescripteur, la plupart du temps le médecin ne sait pas qui est le pharmacien de son patient. De plus, tout en étant fidèle à une pharmacie, le patient peut recevoir au sein même de cette pharmacie les services de plusieurs pharmaciens. Par conséquent, dès le début de la conversation téléphonique, la personne qui appelle devrait se présenter : dans le cas présent, la pharmacienne aurait dû le faire, en plus de nommer la pharmacie où elle exerce. Quand un professionnel en appelle un autre, se présenter dès le début de la conversation dispose généralement l'autre interlocuteur à collaborer, en évitant les écueils suscités par le fait d'avoir à parler à un inconnu.

Préciser l'objet de l'appel

Poursuivons l'examen du cas de la pharmacienne qui appelle le médecin. Quel est l'objet précis de cet appel ? Certes, la pharmacienne a bien nommé le problème (l'ordonnance échue d'un patient du médecin), mais le patient est nommé d'une façon sommaire et la demande faite au médecin est sous-entendue plutôt que clairement exprimée. Dans les discussions de cette nature, nous suggérons d'établir clairement l'identité du patient et de s'assurer, avant de poursuivre, qu'on parle bien de la même personne, par exemple à l'aide de l'adresse, du numéro de téléphone ou de la date de naissance. Par la suite, le professionnel qui appelle le médecin présente et précise la demande de façon que les deux interlocuteurs puissent élaborer ensemble une solution au problème.

Cas 1 (revu et corrigé) **L'appel téléphonique d'une pharmacienne à un médecin**

LA PHARMACIENNE	*— Bonjour. Puis-je parler au Dr Tremblay, s'il vous plaît ?*	
LA RÉCEPTIONNISTE	*— Oui. C'est de la part de qui, s'il vous plaît ?*	
LA PHARMACIENNE	*— Chantal Breton, pharmacienne à la pharmacie Quintal.*	La pharmacienne qui appelle décline son nom, sa profession et l'endroit où elle exerce.
LA RÉCEPTIONNISTE	*— Un instant, s'il vous plaît.*	
LE MÉDECIN	*— Bonjour, Madame Breton. Qu'est-ce que je peux faire pour vous ?*	Le médecin confirme à la pharmacienne qu'il sait à quel titre elle l'appelle.
LA PHARMACIENNE	*— Je vous appelle au sujet de M. Labbé, Maurice Labbé, de la rue Saint-Joseph. Est-ce que ça vous dit quelque chose ?*	Avant de parler du problème, la pharmacienne donne le nom du patient visé et en vérifie l'identité auprès du médecin.
LE MÉDECIN	*— Oui, vaguement… Ça fait bien longtemps que je ne l'ai vu !*	Le médecin confirme qu'il s'agit d'un de ses patients, tout en précisant qu'il y a longtemps qu'il ne l'a vu.
LA PHARMACIENNE	*— Oui, c'est bien probable. Vous lui aviez prescrit du métoprolol il y a un peu plus d'un an pour traiter son hypertension. Il y a un mois, je lui ai donné son dernier renouvellement et je l'ai avisé de vous consulter pour une autre ordonnance. Aujourd'hui, il revient me voir en me disant qu'il n'a pas pris contact avec vous. Seriez-vous d'accord pour renouveler son ordonnance cette fois-ci et convenir avec lui qu'il vous verra sans faute avant le prochain renouvellement ?*	La pharmacienne expose le problème et présente sa demande en tenant compte de la réponse précédente du médecin au sujet de l'absence de suivi.
LE MÉDECIN	*— Ouais, on peut bien faire ça. Je mets une note dans mon dossier. Et, s'il vous plaît, pourriez-vous lui demander de téléphoner à ma secrétaire pour fixer un rendez-vous avec moi sous peu ?*	Le médecin accepte la proposition de la pharmacienne et lui demande sa collaboration afin d'harmoniser le suivi médical avec le suivi pharmaceutique.
LA PHARMACIENNE	*— Certainement ! Je ne vous retiens pas plus longtemps. Merci et au revoir.*	
LE MÉDECIN	*— Au revoir.*	

En résumé, l'entretien téléphonique devrait contenir les éléments suivants :

- la présentation claire et complète des interlocuteurs ;
- l'identification précise du patient visé ;
- le but de l'appel ;
- la mise au point partagée d'une solution.

Dans le but d'optimiser ce genre d'entretien il est important que le professionnel qui en appelle un autre prépare correctement l'entretien téléphonique. En ce sens, Berger (2000) donne les conseils suivants, qui peuvent s'avérer fort utiles :

- Avoir en main les éléments pertinents (nom du patient, éléments de la problématique, etc.).
- Bien cerner les éléments à discuter (posséder l'ensemble de l'information nécessaire), être succinct et précis.
- Favoriser les échanges d'informations, en se focalisant sur le problème à résoudre, en évitant les difficultés liées à la personnalité de chacun et en respectant ses limites professionnelles. Le médecin et le pharmacien devront donc être prêts à écouter les arguments exposés par l'autre et à en tenir compte.
- Être prêt à faire face au refus, à la résistance, et même à la colère de son interlocuteur.
- Être en mesure de proposer plus d'une solution au problème.

Une des entraves à la communication entre le médecin et le pharmacien réside dans le fait qu'ils ne parlent pas le même *langage*. En effet, les médecins sont entraînés à utiliser entre eux un langage « centré sur la problématique du patient » alors que les pharmaciens utilisent un langage « centré sur la médication » (Herrier et Boyce, 1996a). Il est pourtant bien établi qu'un des principes importants d'une communication efficace et persuasive consiste à être perçu comme un interlocuteur *valable*. Dans le but d'améliorer la communication avec le médecin, le pharmacien a donc avantage à utiliser un langage qui est familier au médecin.

Herrier et Boyce (1996a) proposent au pharmacien une technique simple et rapide : utiliser un langage *centré sur le problème du patient* pour obtenir de lui l'information suffisante pour évaluer la situation. Le pharmacien peut ensuite exposer la situation au médecin dans un langage avec lequel celui-ci est à l'aise. Une telle harmonisation du langage facilite la compréhension mutuelle qui est un préalable à la résolution partagée du problème du patient. Les étapes clés de cette démarche sont résumées dans l'encadré 23.1.

En fait, on peut regrouper les questions de Herrier et Boyce selon le plan général de la discussion du cas.

1. Présenter le motif de la consultation de la façon que le patient l'a formulé spontanément.
2. Adapter la présentation du cas à l'interlocuteur en suivant l'ordre des éléments suivants :
   a) les éléments subjectifs pouvant faire l'objet des questions au patient ;
   b) les éléments objectifs pouvant être mesurés chez le patient ;
   c) l'évaluation de la situation et la formulation du problème ;
   d) les suggestions pour résoudre le problème.

Cette démarche logique de présentation de cas est inspirée du système de notation au dossier qu'on appelle SOAP[3] (Borgsdorf et Mosser, 1973 ; Gagnon, Bordage, Larouche et Rousseau, 1980).

Encadré 23.1 **Un langage centré sur le problème du patient**

Les étapes suivantes permettent au pharmacien d'obtenir l'information du patient lui-même en utilisant un langage centré sur la problématique de ce dernier et non sur la médication.

1. Commencer l'entrevue en posant une question ouverte au patient.
   Exemple : « Que puis-je faire pour vous aider aujourd'hui ? »
2. Approfondir la recherche d'information à l'aide d'une deuxième question ouverte.
   Exemple : « Pouvez-vous précisez, s'il vous plaît ? »
3. Résumer les propos du patient.
   Exemple : « Si je vous ai bien compris, vous me dites que… »
4. Préciser le problème du patient selon les sept aspects suivants.
   a) La localisation
      Exemple : « Où le symptôme est-il localisé ? »
   b) La qualité
      Exemple : « Comment décririez-vous le symptôme ? »
   c) La sévérité
      Exemple : « Quelle est l'intensité du symptôme ? »
   d) La chronologie
      Exemple : « Quand le symptôme a-t-il débuté ? Quelle est sa durée ? Quelle est sa fréquence ? »
   e) Le contexte
      Exemple : « Dans quelles circonstances avez-vous noté le symptôme ? »
   f) Les facteurs de modification
      Exemple : « Qu'est-ce qui accentue ou diminue le symptôme ? »
   g) Les autres symptômes associés
      Exemple : « Avez-vous d'autres malaises ? »
5. Résumer la conversation et, au besoin, préciser certains points en posant des questions fermées.

Source : Traduit et adapté de Herrier et Boyce (1996b).

La communication amorcée par le médecin

Il arrive aussi que la communication soit amorcée par le médecin. Dans la grande majorité des cas, il s'agit d'un appel, fait à la demande du patient, pour renouveler la prescription d'un médicament.

Cas 2 **L'appel téléphonique d'un médecin à une pharmacienne**

LE RÉPONDEUR DE LA PHARMACIE — *Bienvenue à la pharmacie Quintal. Nos heures d'ouverture sont de 9 h à 21 h, du lundi au vendredi, et de 9 h à 17 h, le samedi et le dimanche. Pour joindre le service des cosmétiques, faites le 1 ; pour le comptoir postal, faites le 2 ; […] ; pour parler au pharmacien, faites le 7.*

Le médecin appuie sur le 7 et attend un moment.

L'ASSISTANTE TECHNIQUE — *Oui bonjour, Nathalie Ouellet à l'appareil. Que puis-je faire pour vous ?*

LE MÉDECIN — *Ici le Dr Saucier. J'appelle pour renouveler l'ordonnance d'un patient.*

L'ASSISTANTE TECHNIQUE — *Un instant, s'il vous plaît. Je vais vous passer la pharmacienne. Ça ne devrait pas être très long. Elle termine de servir un client et prend votre appel tout de suite* (elle met l'appel en attente).

LE MÉDECIN — (en aparté) *Zut alors!*

Un moment passe.

LA PHARMACIENNE — *Oui, bonjour. C'est la pharmacienne à l'appareil. Que puis-je faire pour vous?*

LE MÉDECIN — *J'aimerais renouveler le métoprolol de M. Alphonse Rousseau.*

LA PHARMACIENNE — *Pourriez-vous me donner les coordonnées de M. Rousseau? Son adresse, sa date de naissance ou son numéro de téléphone, s'il vous plaît.*

LE MÉDECIN — *Attendez, j'ai son numéro de téléphone sur le message que m'a donné ma secrétaire. Je le récupère. Voilà, il s'agit du 888-8888.*

LA PHARMACIENNE — *Quelle est la posologie?*

LE MÉDECIN — *Je ne le sais pas précisément. Je n'ai pas son dossier devant moi.*

LA PHARMACIENNE — *Attendez, je vais vérifier dans son dossier informatisé. Bon, voilà: il prend 50 mg, deux fois par jour.*

LE MÉDECIN — *D'accord. J'aimerais faire une prescription pour un mois, renouvelable pendant un an.*

LA PHARMACIENNE — *Très bien. Quel est le numéro de votre permis d'exercice, Docteur Saucier?*

LE MÉDECIN — *C'est le 76-000. Merci et bonne journée.*

Que retenir de cet entretien téléphonique? Tout d'abord, qu'il existe de fréquentes *entraves technologiques* à la communication. En effet, le médecin doit souvent passer par un système de réponse téléphonique automatisée pour parler au pharmacien. De plus, il est rare que le pharmacien réponde directement au médecin lorsque celui-ci accède au laboratoire. En effet, dans bien des cas, le premier contact est un assistant technique, ce qui prolonge l'attente et peut ajouter à la frustration de certains. Faciliter aux médecins la prise de contact avec le pharmacien améliore grandement la communication interprofessionnelle. C'est pourquoi plusieurs pharmacies leur offrent un traitement préférentiel dans leur système de réponse automatisée; d'autres ont une ligne qui leur est réservée. Ces deux solutions facilitent les communications interprofessionnelles en maximisant les avantages des systèmes de réponse automatisée.

Ici aussi, il est important de se présenter (nom, profession, établissement), d'établir l'identité du patient et de formuler la demande de façon claire et précise. Tout comme le pharmacien, le médecin doit préparer l'entretien téléphonique et avoir en main tous les éléments nécessaires pour établir l'identité du patient.

Cas 2 (revu et corrigé) **L'appel téléphonique d'un médecin à une pharmacienne**

LE RÉPONDEUR DE LA PHARMACIE — *Bienvenue à la pharmacie Quintal. Afin de nous permettre de bien acheminer votre appel, veuillez choisir parmi les options suivantes: si vous êtes un médecin ou un pharmacien, faites le 1; pour les prescriptions, faites le 2; …*

Pour un médecin qui appelle, le message du système de réponse est bref: on donne la priorité aux professionnels de la santé.

Le médecin appuie sur le 1.

L'ASSISTANTE TECHNIQUE	— *Oui bonjour, Nathalie Ouellet, assistante technique. Que puis-je faire pour vous ?*	La personne qui répond décline son nom et son titre de fonction.
LE MÉDECIN	— *Ici le Dr Saucier. J'appelle pour renouveler l'ordonnance d'un patient.*	Le médecin énonce clairement le but de son appel.
L'ASSISTANTE TECHNIQUE	— *Un instant, s'il vous plaît. J'avise la pharmacienne que vous êtes en ligne.*	L'appel est acheminé rapidement.
LE MÉDECIN	— *Merci !*	
LA PHARMACIENNE	— *Bonjour, Docteur Saucier. Ici Magalie Tremblay, pharmacienne. Vous voulez renouveler une ordonnance ? C'est pour qui ?*	La pharmacienne confirme au médecin qu'elle sait qui l'appelle et à quel sujet. Elle lui demande le nom du patient.
LE MÉDECIN	— *J'aimerais renouveler le métoprolol de M. Alphonse Rousseau, de la rue des Fauvettes, à Saint-Gérard. Son numéro d'assurance maladie est le ROUA9999 9999.*	Le médecin précise la demande : nom, adresse et numéro d'assurance maladie du patient. Ayant préparé son entretien, il avait toutes les informations nécessaires à portée de la main.
LA PHARMACIENNE	— *Oui, bien sûr. Quelle est la posologie ?*	
LE MÉDECIN	— *Il prend 50 mg deux fois par jour. J'aimerais qu'on lui renouvelle l'ordonnance pour six mois. Je le reverrai à ce moment-là.*	Le médecin donne les renseignements précis qu'on lui demande.
LA PHARMACIENNE	— *Oui, bien sûr. Attendez… Voilà, c'est fait.*	
LE MÉDECIN	— *D'ailleurs, aujourd'hui, j'ai trouvé sa tension artérielle un peu à la limite supérieure. Vous serait-il possible de suivre l'évolution de sa tension au cours des prochains mois et de m'aviser si la pression systolique dépasse les 160 mm Hg ?*	Le médecin expose ouvertement la problématique clinique qu'il entrevoit et sollicite l'aide de la pharmacienne pour maximiser le suivi et la continuité des soins.
LA PHARMACIENNE	— *Bien sûr ! Je tape une note dans son dossier. Quelle était sa tension aujourd'hui, Docteur Saucier ?*	La pharmacienne confirme sa collaboration. La note au dossier permettra à n'importe quel pharmacien en service de faire le suivi demandé par le médecin aux prochaines visites du patient.

LE MÉDECIN	— *Elle était de 148/88 au bras droit et de 152/88 au bras gauche. C'est un peu plus élevé que la dernière fois. Au fait, M. Rousseau a-t-il renouvelé régulièrement ses médicaments au cours de ces derniers mois ?*	Le médecin donne des détails sur la problématique, ce qui l'amène à demander des informations à la pharmacienne sur l'observance du patient, informations qui pourraient expliquer la diminution de la réponse aux antihypertenseurs.
LA PHARMACIENNE	— *Attendez que je vérifie... Oui, il l'a fait régulièrement, sauf il y a deux mois : il était en retard de cinq jours pour son renouvellement. Ça ne devrait pas avoir d'effet significatif.*	La pharmacienne répond à la question du médecin et donne son opinion.
LE MÉDECIN	— *Parfait ! Merci et bonne journée !*	
LA PHARMACIENNE	— *Au revoir et à la prochaine !*	

Cet entretien revu et corrigé illustre très bien comment le médecin peut atteindre ses objectifs et améliorer la qualité de l'interaction professionnelle au plus grand bénéfice du patient. Il est intéressant de noter que le renouvellement de l'ordonnance a requis ici presque deux fois moins de dialogues que dans la première version. Soulignons également que tout l'entretien téléphonique a été bien plus profitable et efficace, comprenant des demandes d'information et de la collaboration clinique, dans un nombre de dialogues comparable à celui du premier scénario.

Les particularités de l'information échangée

Pour atteindre l'efficacité de la communication, il faut distinguer deux sortes d'information échangée : l'information d'ordre général et celle d'ordre particulier.

L'information d'ordre général

L'information d'ordre général ne vise pas un patient déterminé, mais elle peut être utilisée par l'un ou l'autre des professionnels dans le traitement d'un patient. Ce genre d'information n'est pas adapté ni personnalisé en fonction d'un patient. Par exemple, le médecin peut demander au pharmacien de confirmer l'existence d'une interaction médicamenteuse entre la fluoxétine et le dextrométhorphane.

Cas 3 **Une demande d'information d'ordre général**

LE MÉDECIN	— *Pourriez-vous me préciser la dose recommandée pour la ciprofloxacine, s'il vous plaît ?*	Il s'agit d'une demande d'information d'ordre général.
LA PHARMACIENNE	— *La dose varie de 250 mg à 750 mg, deux fois par jour, Docteur.*	La réponse aussi est d'ordre général.

LE MÉDECIN	— *Merci, au revoir !*
LA PHARMACIENNE	— *Au plaisir !*

L'information d'ordre particulier

L'information d'ordre particulier, c'est-à-dire relative à une situation précise, est en lien direct avec la résolution d'un problème clinique. Ainsi, si nous reprenons l'exemple de l'interaction médicamenteuse entre la fluoxétine et le dextrométhorphane, le médecin pourrait vouloir déterminer si les hallucinations visuelles de Mme X sont la conséquence clinique de cette interaction.

L'échange d'information d'ordre particulier présuppose donc deux étapes distinctes et complémentaires. La première étape consiste à formuler des questions en vue de comprendre le problème clinique ; elle nécessite un survol des antécédents et une description de la problématique. La deuxième étape porte sur la situation clinique et amène la transmission d'une information adaptée à la problématique visée. Le médecin et le pharmacien doivent donc s'assurer de formuler adéquatement leurs questions afin que leurs objectifs soient explicites. Ainsi, la question « Quelle est la dose recommandée pour la ciprofloxacine ? » est très différente de la question « Quelle est la dose de ciprofloxacine recommandée pour un homme âgé souffrant de prostatite et d'insuffisance rénale ? ».

Cas 3 (revu et corrigé) Une demande d'information d'ordre particulier

LE MÉDECIN	— *Pourriez-vous me préciser la dose recommandée pour la ciprofloxacine, s'il vous plaît ?*	Il s'agit d'une demande d'information d'ordre général.
LA PHARMACIENNE	— *Certainement. Est-ce pour un de vos patients en particulier ?*	La pharmacienne demande des précisions sur l'information d'ordre particulier souhaitée.
LE MÉDECIN	— *Oui, j'ai un patient âgé de 78 ans. Il souffre d'une prostatite qui ne s'améliore pas après deux semaines d'utilisation de triméthoprime-sulfaméthoxazole.*	Le médecin précise le contexte clinique pour lequel il cherche une solution.
LA PHARMACIENNE	— *Je vois, c'est une personne assez âgée. Sa fonction rénale est-elle normale ?*	La pharmacienne demande des précisions sur le contexte clinique, nécessaires à une réponse pharmacologique adaptée.
LE MÉDECIN	— *Attendez.... la mesure de sa créatinine était à... 122 µmoles/L il y a deux mois.*	Le médecin donne les précisions demandées.
LA PHARMACIENNE	— *Ah ! Bon. Compte tenu de son âge, ça signifie un certain degré d'insuffisance rénale. Mais comme il souffre d'une*	La pharmacienne donne son opinion et fournit au médecin une réponse clinique adaptée à la situation du patient visé.

prostatite, on peut choisir un traitement un peu plus agressif. On pourrait lui donner 500 mg par voie orale deux fois par jour pendant un mois. Mais si la créatinine progresse, il faudrait songer à réduire la dose d'au moins 25 %.

LE MÉDECIN — *Bon, merci beaucoup. Ces renseignements me seront très utiles.*

Le médecin se dit satisfait de la réponse de la pharmacienne.

LA PHARMACIENNE — *De rien, ça m'a fait plaisir. Donnez-m'en des nouvelles.*

La pharmacienne offre de faire le suivi.

LE MÉDECIN — *Bien sûr, au revoir !*

LA PHARMACIENNE — *À la prochaine !*

La deuxième version de l'entretien téléphonique a permis de mieux cerner la problématique et les conditions cliniques sous-jacentes, ce qui amène une réponse *adaptée au patient.* Dans la première version, les informations, bien qu'elles soient exactes, ne permettent pas de donner une réponse personnalisée.

Les entraves à la communication médecin-pharmacien

L'insuffisance ou l'inefficacité de la communication médecin-pharmacien peut avoir plusieurs causes.

Une des entraves le plus fréquemment mentionnée est que le pharmacien n'a pas confiance de pouvoir persuader le médecin d'accepter ses recommandations (Ranelli et Biss, 2000). Il peut alors se sentir frustré de ne pas être apprécié et reconnu par le médecin en tant que professionnel qui possède une expertise particulière pouvant contribuer aux soins des patients.

Un autre aspect du problème est lié au fait que les médecins trouvent plus ou moins efficaces certaines interventions des pharmaciens, ce qui les rend moins portés à écouter leurs recommandations. Aussi, les médecins ont de la difficulté à joindre les pharmaciens en raison des contraintes liées aux emplacements ou aux contacts téléphoniques. C'est ce qu'illustre, entre autres, le cas 2 (voir la section « La communication amorcée par le médecin »).

Enfin, une entrave importante à la communication réside dans le fait que les médecins et les pharmaciens se connaissent rarement. Des recherches ont démontré que le succès des pharmaciens à faire accepter leurs recommandations aux médecins est beaucoup plus lié à leur compétence dans les relations interprofessionnelles qu'à leur expertise pharmacologique (Major, 1999). Cette expertise est évidemment essentielle à une communication efficace, mais insuffisante à elle seule.

Les perceptions sont des caractéristiques personnelles qui influent sur l'attitude de tout individu engagé dans la communication interpersonnelle. Aucune étude ne permettra de bien délimiter les perceptions d'un interlocuteur donné. Certains auteurs, dont Anz (2000), se sont quand même penchés sur la perception qu'ont les médecins du travail des pharmaciens; dans le tableau 23.1, nous proposons au lecteur quelques pistes de réflexion sur le sujet.

Tableau 23.1 **Quelques pistes de réflexion sur la perception que le médecin a de la pratique du pharmacien**

Le médecin *a une perception favorable* de la pratique du pharmacien quand celui-ci... • intercepte les erreurs sur les ordonnances (exemple : doses trop élevées); • informe le patient sur ses médicaments; • donne des conseils au patient sur l'utilisation des médicaments en vente libre; • suggère au médecin des médicaments de remplacement; • relève des effets indésirables; • détecte des interactions médicamenteuses potentielles; • relève l'inobservance du patient; • découvre un état non traité; • demande au médecin une autorisation de renouvellement d'ordonnance; • informe le médecin au sujet de nouveaux médicaments.
Le médecin *n'est pas à l'aise* avec la pratique du pharmacien quand celui-ci... • suggère des médicaments d'ordonnance au patient; • évalue les effets thérapeutiques des traitements pharmacologiques; • traite des états mineurs du patient.
Le médecin *a une perception négative* de la pratique du pharmacien quand celui-ci... • effraie le patient en lui transmettant certaines informations; • sert le mauvais médicament; • sert le mauvais dosage d'un médicament; • fait au patient des commentaires désobligeants sur le médecin.

Source : Traduit et adapté de Anz (2000).

Les avantages d'une communication efficace

Quelles sont les attentes mutuelles des médecins et des pharmaciens ? Que pensent pouvoir offrir ces professionnels de la santé à leurs vis-à-vis ? Des groupes de réflexion interprofessionnels réunissant des médecins et des pharmaciens ont montré que les attentes diffèrent selon la profession et qu'elles reflètent leurs rôles complémentaires. En général, et ce n'est pas surprenant, les demandes des uns correspondent à ce que les autres peuvent offrir. Le tableau 23.2 résume bien les services que le médecin et le pharmacien peuvent s'offrir mutuellement.

Encore de nos jours, ces professionnels communiquent entre eux principalement au moyen d'ordonnances. Celles-ci peuvent être verbales, mais elles sont le plus souvent écrites. Le pharmacien ne dispose donc que d'une quantité limitée d'informations pour évaluer la thérapie médicamenteuse de son client et le conseiller adéquatement (Ranelli et Biss, 2000). Conséquemment, le médecin et son patient ne peuvent pas bénéficier de toute l'expertise pharmacologique que pourrait leur apporter le pharmacien. Par ailleurs, des communications interprofessionnelles efficaces et plus fréquentes (par exemple, lorsque la pharmacie est située à même la clinique médicale) ont rendu des thérapies médicamenteuses plus sûres, plus efficaces et moins coûteuses (Mitchell, 1990).

Tableau 23.2 **Les services que le médecin et le pharmacien peuvent s'offrir mutuellement**

CE QUE LE MÉDECIN PEUT OFFRIR AU PHARMACIEN	CE QUE LE PHARMACIEN PEUT OFFRIR AU MÉDECIN
Le diagnostic médical.	Le profil pharmaceutique.
Des informations pertinentes sur le patient.	Le renouvellement d'ordonnance.
Les résultats d'épreuves de laboratoire (dosages médicamenteux, fonction rénale, etc.).	Des informations pertinentes sur le patient.
	Les interactions médicamenteuses.
Les informations sur l'observance du patient.	Le coût des médicaments et les autres renseignements nécessaires pour remplir les formulaires.
	Le renforcement des recommandations du médecin.
	Le *dosage* des informations sur les effets indésirables des médicaments prescrits.
	La gestion de la couverture des régimes d'assurance.
	Les informations sur l'observance du patient.

Un des bénéfices majeurs découlant d'une synergie entre le médecin et le pharmacien est donc l'amélioration de l'observance du traitement médical par le patient et, ultimement, l'amélioration de son état de santé. On avance en effet que l'inobservance des recommandations médicales en général et l'inobservance du traitement médicamenteux en particulier sont d'environ 50 %, ce qui constitue une des causes principales de morbidité et de mortalité.

Cependant, on peut contrer efficacement l'inobservance seulement si on peut la détecter. On a démontré que les médecins ne réussissent à dépister l'inobservance que dans 50 % des cas (Drouin et Milot, 2002). Les questionnaires simples de dépistage permettent de faire mieux, mais ne peuvent pas détecter une proportion significative des cas (Grégoire, Guibert, Archambault et Contandriopoulos, 1992). La combinaison de méthodes améliore cette prédiction (Malenfant, Parent et Grégoire, 1998). Cependant, bien que 15 % des ordonnances ne se rendent jamais à la pharmacie, on peut tout de même présumer que le dossier du pharmacien comporte une liste relativement complète de ce que le patient s'est procuré. Bien qu'aucune étude ne porte sur cet aspect en particulier, la combinaison des dossiers médicaux et des dossiers pharmaceutiques constitue potentiellement un formidable portrait de la concordance entre la prescription médicale et certains comportements des patients liés à l'observance thérapeutique.

Favoriser la communication

Tous les pharmaciens ont en mémoire au moins un médecin condescendant qui a résisté à leurs recommandations ou n'en a simplement pas tenu compte. D'un autre côté, chaque médecin a en mémoire au moins un pharmacien qui l'a harcelé de ses appels téléphoniques au sujet de la médication prescrite. Ce genre de relation dysfonctionnelle découle habituellement de tensions liées au pouvoir et à l'autonomie (Buerger, 1999). En effet, le pharmacien est désireux de s'assurer une plus grande autonomie professionnelle et de jouer un rôle actif dans les soins donnés au patient, mais cette attitude peut être interprétée par le médecin comme une menace à son autonomie professionnelle et un affront à son jugement clinique.

Pour améliorer la communication, le médecin et le pharmacien doivent être conscients des divers facteurs qui compliquent l'échange d'information (les contraintes de temps, les dérangements fréquents, les différences dans la perception des priorités, etc.). Les groupes de réflexion ont mis en évidence plusieurs facteurs favorables et défavorables qui influent sur la qualité de la communication médecin-pharmacien (voir le tableau 23.3).

Tableau 23.3 **Les facteurs qui influent sur la communication médecin-pharmacien**

LES FACTEURS FAVORABLES	LES FACTEURS DÉFAVORABLES
La connaissance personnelle.	L'absence de respect mutuel.
La fréquence des contacts.	L'attente avant de pouvoir parler à la bonne personne.
La proximité des lieux de pratique.	La lourdeur du filtrage d'appels, l'obligation d'avoir à passer par des intermédiaires.
La facilité de prendre contact.	La méconnaissance mutuelle des exigences du travail.
La confiance mutuelle dans les compétences.	Le sentiment que l'autre professionnel outrepasse ses fonctions.
La proposition de solutions.	
L'assurance d'un suivi par le médecin.	
La priorité du bien-être du patient.	

À faire

Barnard, spécialiste en communication, propose des *trucs* aux pharmaciens pour favoriser l'efficacité de la communication avec les médecins (Buerger, 1999). Ces recommandations s'appliquent probablement aussi aux médecins et à tout autre professionnel engagé dans la communication interprofessionnelle. Elle fait notamment les recommandations suivantes :

- Prendre l'initiative : d'abord se présenter, puis aborder les problèmes cliniques et les pistes de solution.
- Ne pas blâmer : éviter de créer une relation conflictuelle en insistant sur les erreurs perçues ; présenter plutôt le problème et proposer des solutions.
- Faciliter aux médecins la prise de contact téléphonique.
- Se préparer à l'avance : avant d'appeler le médecin, s'assurer d'avoir en main tous les éléments pertinents du dossier.
- Se concentrer sur l'objectif : si une situation conflictuelle se dessine, recentrer son intervention sur l'objectif essentiel, soit le bien-être du patient.
- Parler le même langage : se familiariser avec les termes médicaux et familiariser les médecins avec le langage pharmaceutique ; respecter la démarche médicale clinique prévue pour la résolution du problème.

À ne pas faire

Buerger (1999) rappelle les principaux comportements à éviter pour favoriser l'efficacité de la communication :

- Blâmer l'autre.
- Avoir des œillères.
- Susciter des entraves à la communication.
- Intervenir sans connaître tous les éléments pertinents de la situation ou du cas.
- Porter des attaques ou dénigrer.
- Utiliser un langage qui n'est pas familier à l'autre.

Quelques conseils pratiques

En terminant, voici quelques conseils qui peuvent s'avérer utiles dans l'établissement d'une communication efficace, satisfaisante tant pour le médecin que pour le pharmacien :

- Penser et utiliser l'ordonnance comme un outil de communication (Liddell et Goldman, 1998 ; Langlois, Gilbert et Beaulac-Baillargeon, 1999).
- Encourager la formation commune des médecins et des pharmaciens, en particulier grâce à la formation professionnelle continue (Herrier et Boyce, 1996a).
- Faciliter la prise de contact aux autres professionnels.
- Éviter de faire intervenir des intermédiaires dans la prise de contact (Fields, McPherson et Metge, 1996).
- Pendant l'entretien, éviter les distractions et réduire le plus possible les interruptions extérieures.
- Centrer la communication sur la résolution du problème du patient.

Conclusion

La communication médecin-pharmacien est donc fréquente et multiforme. Il s'agit d'un outil précieux, quoiqu'il demeure sous-exploité, selon nous. Il est important de se rappeler que le médecin et le pharmacien partagent un but ultime, soit le bien-être du patient. Ils doivent donc tous deux garder cet objectif commun présent à l'esprit, particulièrement lorsque surviennent des problèmes de communication.

Enfin, en se familiarisant avec le mode de communication et le langage utilisés par l'autre, chaque professionnel favorisera des discussions de qualité, plus fonctionnelles et plus satisfaisantes – au grand bénéfice des patients.

Notes

1. Au Québec, il s'agit d'*opinions pharmaceutiques*.
2. Il s'agit ici de l'assistant technique en pharmacie (ATP), terme qui est utilisé au Québec pour désigner l'aide-pharmacien, en remplacement du terme *technicien en pharmacie*.
3. Subjective/objective assessment plan.

Références

Anz, B. (2000). « Pharmacist and physician communication via the Internet », présentation orale, Fédération internationale pharmaceutique, Vienne.

Berger, B. (2000). « Guidelines for physician interaction », *U.S. Pharmacist*, vol. 25, n° 2.

Borgsdorf, L.R., et R.S. Mosser (1973). « The problem-oriented medical record : An ideal system for pharmacist involvement in comprehensive patient care », *American Journal of Hospital Pharmacist*, vol. 30, n° 10, p. 904-907.

Buerger, D.K. (1999). « Basic steps to better pharmacist-physician communication », *The Consultant Pharmacist*, vol. 14, n° 1 (www.ascp.com/public/pubs/ tcp/ 1999/ jan/helpful.shtml).

CMA/AMC (1996). « CMA Policy Summary – Approaches to enhancing the quality of drug therapy : A joint statement by the CMA and the Canadian Pharmaceutical Association », *Journal de l'Association médicale canadienne*, vol. 155, n° 6, p. 784A.

Drouin, D., et M. Milot (2002). « Observance aux recommandations médicales et hypertension artérielle », dans *Hypertension artérielle 2002 : guide thérapeutique*, 2e édition, Société québécoise d'hypertension artérielle, p. 41-48 (http://mdm.ca/cpgsnew/cpgs-f/search/french/help/2SQHA.htm).

Fields, C.E., M.L. McPherson et C.J. Metge (1996). « Prescribing patterns of renally eliminated medications in a home health care population », *The Consultant Pharmacist*, vol. 2, n° 11, p. 135-148.

Gagnon, S., G. Bordage, R. Larouche et D. Rousseau (1980). *Le dossier médical par problème : guide technique de rédaction*, Québec, Bureau de pédagogie médicale, Faculté de médecine, Université Laval.

Grégoire, J.-P., R. Guibert, A. Archambault et A.P. Contandriopoulos (1992). « Medication compliance in a family practice », *Canadian Family Physician*, vol. 38, p. 2333-2337.

Herrier, R.N., et R.W. Boyce (1996a). « Why won't physicians accept my advice ? », *Journal of the American Pharmaceutical Association*, vol. NS36, n° 4, p. 224-284.

Herrier, R.N., et R.W. Boyce (1996b). « Communicating more effectively with physicians, part 2 », *Journal of the American Pharmaceutical Association*, vol. NS36, n° 9, p. 547-548.

IMPACC (1998). « Focus groups Médecins et pharmaciens », printemps.

Langlois, M., C. Gilbert et L. Beaulac-Baillargeon (1999). *Évaluation d'un formulaire d'ordonnance comprenant l'histoire médicamenteuse*, mémoire de maîtrise en pharmacie d'hôpital, Québec, Faculté de pharmacie, Université Laval.

Liddell, M.J., et S.P. Goldman (1998). « Attitudes to and use of a modified prescription form by general practitioners and pharmacists », *The Medical Journal of Australia*, vol. 168, n° 7, p. 322-355.

Major, M.J. (1999). « Resolving pharmacist-physician conflict or how to get your drug therapy recommendations accepted », *The Consultant Pharmacist*, vol. 14, n° 4 (www.ascp.com/public/pubs/tcp/1999/apr/rppc.shtml).

Malenfant, J., M. Parent et J.-P. Grégoire (1998). *Dépistage de l'inobservance*, essai de maîtrise en pharmacie d'hôpital, Québec, Faculté de pharmacie, Université Laval.

Mitchell, J.L. (1990). « Building cooperation with physicians : An interview with Charles Fortner », *Journal of the American Pharmaceutical Association*, vol. NS30, n° 2, p. 24-26.

Ranelli, P.L., et J. Biss (2000). « Physicians' perceptions of communication with and responsibilities of pharmacists », *Journal of the American Pharmacists Association*, vol. 40, n° 5, p. 625-630.

Roberts, M.S. (1998). « Prescriptions, practitioners, and pharmacists », *The Medical Journal of Australia*, vol. 168, n° 7, p. 317-318.

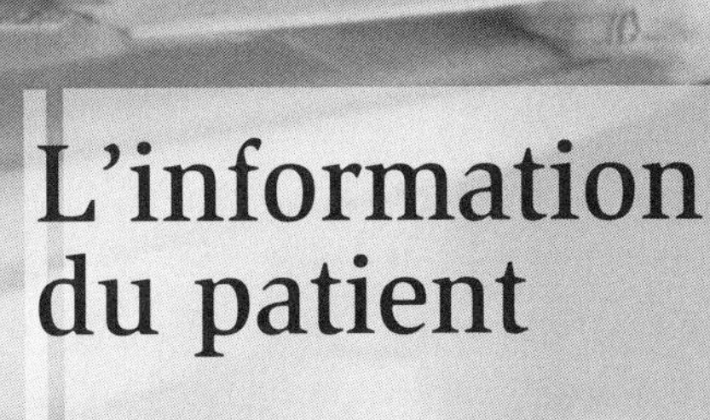

L'information du patient

La communication pharmacien-patient en pharmacie communautaire

Christiane Mayer
Lyne Lalonde
Raymond Caron
Marie-Claude Vanier

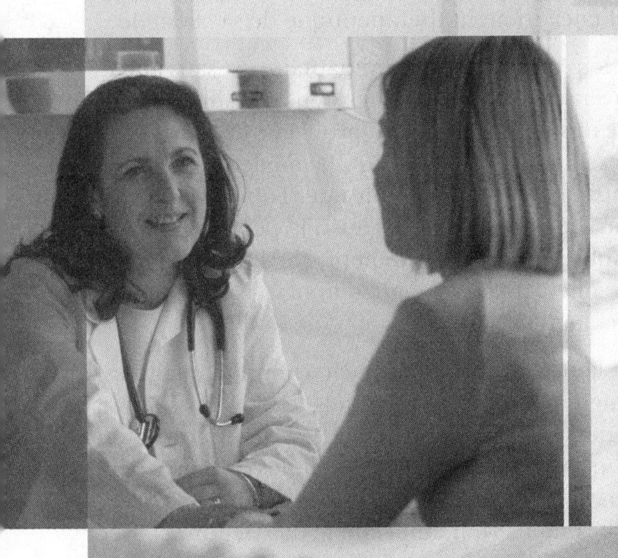

CHAPITRE
24

Au cours de cette dernière décennie, le rôle du pharmacien communautaire a considérablement évolué. Au Québec, le virage ambulatoire a provoqué des bouleversements importants dans le système de santé, et le pharmacien communautaire n'a pas échappé aux nombreux changements qui ont touché l'ensemble des praticiens de la santé. Le pharmacien communautaire est de plus en plus appelé à remplir de nouvelles tâches, qui dépassent son rôle traditionnel de simple distributeur de médicaments, et à intervenir dans l'encadrement de la clientèle, principalement à l'officine, mais parfois à domicile. Le pharmacien a vu son rôle de professionnel de la santé de première ligne devenir de plus en plus évident, et les tâches multiples qui l'attendent sont aujourd'hui beaucoup plus complexes et diversifiées qu'autrefois.

Dans une telle conjoncture, il n'est pas étonnant que la communication pharmacien-patient ait pris une importance grandissante. Pendant longtemps, la pratique de la pharmacie a été centrée sur le médicament et ses effets en lien avec la maladie. Désormais, on adopte une approche beaucoup plus interactionnelle (on parle de *soins pharmaceutiques*), en mettant l'accent sur le patient lui-même. Les responsabilités et les tâches du pharmacien d'aujourd'hui font appel non seulement à son expertise scientifique, mais aussi à sa compétence interpersonnelle, à sa capacité d'entrer en communication étroite avec le patient, à son ouverture aux autres, à sa capacité d'écoute et à son pouvoir de persuasion. Jamais l'importance de savoir établir un rapport de confiance avec le patient n'a été aussi grande. L'approche dite des *soins pharmaceutiques* ne peut se concrétiser que si le pharmacien prend le temps de créer un climat de confiance et d'établir un rapport chaleureux avec son client, ce qui permet à ce dernier de s'engager activement dans le processus : on assiste alors à une véritable *alliance thérapeutique*.

Depuis quelques années, un autre facteur est venu modifier considérablement la pratique de la pharmacie communautaire : les attentes de la clientèle. Bien sûr, le client s'attend à ce que le pharmacien lui fournisse des médicaments, mais, bien plus, il exige que le pharmacien soit aussi un conseiller, qu'il lui explique le traitement, qu'il le mette en garde contre les effets indésirables, qu'il assure le suivi à l'occasion du renouvellement des ordonnances, bref, qu'il *s'occupe* et *se préoccupe* de lui. Par ailleurs, plusieurs patients veulent aussi l'avis de leur pharmacien avant de se procurer un médicament en vente libre ou un produit dit *naturel*. Pour toutes ces raisons, le pharmacien consacre de plus en plus de son temps à son rôle de conseiller et à l'encadrement thérapeutique de sa clientèle.

Parmi les professionnels de la santé, le pharmacien communautaire est sans aucun doute l'un des plus accessibles. C'est souvent le premier que les gens consultent pour obtenir un conseil, ou simplement pour être rassurés au sujet d'un problème de santé. C'est aussi lui qui rencontre le patient régulièrement entre les visites chez le médecin. Aussi est-il bien placé pour évaluer l'efficacité d'un traitement et pour constater l'amélioration ou la dégradation de l'état de santé du patient. Le pharmacien est aussi la personne la plus apte à déceler et à gérer, le cas échéant, l'inobservance du traitement. Par ailleurs, le pharmacien est sûrement une des personnes les mieux placées pour assurer au patient le plus grand bénéfice de son traitement pharmacologique.

Enfin, soulignons que le contexte de la pratique en pharmacie communautaire est particulier, parfois déroutant, et que plusieurs facteurs sur lesquels le pharmacien n'a aucune prise peuvent avoir des conséquences sur la qualité et l'efficacité de son intervention auprès du patient. Parmi ces facteurs, mentionnons les contraintes de temps liées à la pratique quotidienne, le fait de passer parfois par un intermédiaire (comme un parent ou un ami), la livraison fréquente des médicaments (qui empêche le contact direct avec le patient) et le fait que certaines consultations ne peuvent se faire qu'au domicile du patient. Sans parler de la clientèle elle-même, qui peut parfois donner du fil à retordre aux meilleurs communicateurs ! S'il vise l'efficacité de la communication avec le patient, le pharmacien est donc mis à rude épreuve des dizaines de fois par jour, dans une multitude de situations aussi variées qu'imprévisibles.

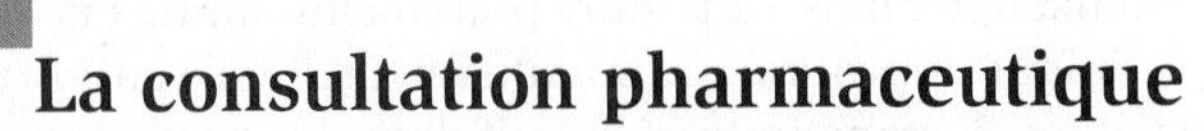

La consultation pharmaceutique

En tant qu'intervenant de première ligne, le pharmacien communautaire pose un ensemble d'actes professionnels visant à assurer l'efficacité et l'innocuité des traitements pharmacologiques de ses patients. Pour atteindre ces objectifs, on préconise une approche systématique, celle des soins pharmaceutiques. Selon l'Ordre des pharmaciens du Québec, les soins pharmaceutiques se définissent comme étant l'« ensemble des actes et des services que le pharmacien doit procurer à un patient afin d'améliorer sa qualité de vie par l'atteinte d'objectifs pharmacothérapeutiques de nature préventive, curative ou palliative » (Martel, 1996). Non seulement le pharmacien a la responsabilité de remettre au patient le bon médicament, mais encore doit-il s'assurer de l'utilisation appropriée qu'on en fait et de son efficacité. Il est donc essentiel qu'il découvre d'abord les besoins du patient et les contraintes auxquelles celui-ci pourrait être soumis, qu'il communique efficacement au patient les informations sur son traitement et qu'il lui en facilite la prise en charge (Ordre des pharmaciens du Québec, 1998). Ainsi, c'est grâce à la consultation pharmaceutique que le processus de communication peut s'établir entre le patient et le pharmacien.

Les objectifs

À l'officine, la consultation pharmaceutique vise plusieurs objectifs, répartis en objectifs de premier et de second niveau.

Les *objectifs de premier niveau* sont à la base de toute consultation pharmaceutique et devraient être atteints dans toute communication pharmacien-patient qui se déroule à l'officine. Ils consistent à établir un rapport professionnel permettant un échange d'informations satisfaisant pour le pharmacien et son patient. L'efficacité de la communication touche des situations variées : la remise d'un nouveau médicament, le renouvellement d'une ordonnance ou le choix d'un médicament en vente libre. Ainsi, le pharmacien doit s'assurer que le patient sait bien comment prendre son médicament, qu'il en connaît les effets bénéfiques attendus ainsi que les effets indésirables potentiels et qu'il maîtrise les techniques particulières d'utilisation de certains produits (les aérosols, les timbres transdermiques, etc.). Enfin, la consultation pharmaceutique peut aussi servir à prévenir l'inobservance.

Les *objectifs de second niveau*, plus pointus, doivent aussi préoccuper le pharmacien. Ces objectifs consistent non seulement à établir une communication efficace avec le patient (objectif de premier niveau), mais aussi à résoudre avec ce dernier les problèmes liés à la pharmacothérapie. Ces objectifs impliquent une communication plus soutenue et plus approfondie avec le patient, selon le contexte. Il peut s'agir d'une pharmacothérapie complexe, d'inobservance ou de situations particulières qui peuvent influer sur les résultats thérapeutiques escomptés. L'atteinte de ces objectifs exige une compétence interpersonnelle et la maîtrise de plusieurs habiletés de communication : l'écoute active, l'empathie, le respect, l'authenticité, le choix des questions à poser, etc. Ainsi, après avoir circonscrit un problème lié à la pharmacothérapie, le pharmacien doit travailler de concert avec le patient, de façon à aider ce dernier à prendre en charge son traitement et à trouver des solutions à un problème. Par exemple, lorsque le pharmacien constate que le patient fait preuve d'inobservance, le lien de confiance qui aura pu s'établir entre eux leur permettra de chercher ensemble les causes du problème et ses solutions. L'approche des soins pharmaceutiques amène le patient à prendre lui-même les décisions concernant sa santé, à partir des informations et de l'éclairage que lui fournit le pharmacien. Ensemble, le pharmacien et le patient fixent les buts à atteindre pour maintenir un état de santé optimal et décident d'un suivi clinique approprié. Le but ultime de l'intervention du pharmacien est donc d'amener le patient à assumer un rôle actif dans son traitement. Dans une telle perspective, on comprendra aisément l'importance de maîtriser les techniques de communication adéquates.

Les contraintes

Réaliser une consultation pharmaceutique efficace en pharmacie communautaire n'est pas toujours facile. À certains moments, le pharmacien est soumis à une pression telle qu'il lui est difficile d'assumer pleinement son rôle de conseiller. Ainsi, les contraintes liées à l'espace et à l'affluence des clients sont des facteurs importants qui peuvent nuire à la communication et dont il faut tenir compte.

Pour être efficace, la consultation pharmaceutique doit se tenir à l'abri des oreilles ou des regards indiscrets. Au Québec, depuis février 1996, le *Règlement sur la tenue des pharmacies* stipule que ces établissements doivent prévoir un endroit où le pharmacien peut s'entretenir confidentiellement avec ses patients : une aire de confidentialité. Ainsi, dans toutes les pharmacies du Québec, le pharmacien dispose d'un endroit isolé pour réaliser ses consultations, certains établissements offrant même une pièce fermée réservée à cet usage.

En général, le pharmacien dispose de peu de temps pour les consultations. Il doit donc gérer son temps de manière serrée et être efficace. Cependant, les particularités de la clientèle d'une pharmacie communautaire compliquent la réalisation des consultations. Parfois, en cinq minutes à peine, le contexte de pratique est bouleversé par l'arrivée simultanée de plusieurs clients. Il est évident que le fait de travailler devant une file d'attente engendre, pour le pharmacien, une pression qui peut nuire considérablement à sa disponibilité et à la qualité des entretiens avec chaque patient. Pour cette raison, les pharmaciens sont de plus en plus nombreux à réaliser des consultations sur rendez-vous, surtout dans les cas qu'ils jugent complexes.

D'autres obstacles de taille auxquels le pharmacien doit faire face sont liés directement au système de santé – sur lequel il n'a aucune prise. D'une part, la complexité du régime d'assurance-médicaments, y compris les fréquents changements qu'on y apporte, oblige le pharmacien à consacrer beaucoup de temps à l'explication de ses modalités d'application. D'autre part, il ne faut pas sous-estimer l'importance du coût des médicaments : préoccupé par la somme à débourser, le patient est souvent moins réceptif aux indications que lui transmet le pharmacien sur la manière de prendre son médicament.

Finalement, il est important de souligner que le pharmacien doit également composer avec de nombreux facteurs de distraction, comme les appels téléphoniques, les autres clients, les autres employés, etc. Il doit donc être en mesure de gérer ces interruptions afin qu'elles ne deviennent pas une entrave à la communication avec son patient (voir l'encadré 24.1).

La pratique de la pharmacie communautaire est parfois imprévisible et exige des pharmaciens une grande vigilance, une ouverture, une disponibilité, des interventions claires et précises, de même qu'une grande capacité d'adaptation. Le pharmacien doit souvent réagir avec souplesse à des situations de nature extrêmement variée. Dans ce contexte, il doit maîtriser les techniques de base en communication interpersonnelle.

Encadré 24.1 **Le quotidien d'une pharmacienne**

Isabelle pratique dans une pharmacie ayant pignon sur rue dans un quartier huppé de la ville de Québec. Bien que l'établissement soit petit, on y dispose quand même d'un lieu de rencontre, aménagé un peu à l'écart et destiné aux consultations que la pharmacienne accorde aux clients. La pharmacie comporte aussi un bureau fermé pour les consultations qui exigent une plus grande confidentialité.

Isabelle est arrivée à la pharmacie en retard de quelques minutes à cause d'une tempête de neige qui a provoqué de nombreux accrochages et ralenti la circulation. À son arrivée, les clients sont déjà nombreux et plusieurs attendent pour faire remplir leur ordonnance. Le pharmacien qui termine son quart de travail transmet rapidement à Isabelle les informations nécessaires pour que celle-ci assure le suivi.

Isabelle, qui tient à offrir un service de qualité à ses clients, se dépêche de vérifier les ordonnances des clients qui attendent et elle donne des conseils aux patients qui ont remis une nouvelle ordonnance. Entre-temps, un médecin appelle pour avoir de l'information sur un nouveau médicament; un autre téléphone pour transmettre l'ordonnance d'un patient; toujours au bout du fil, une mère inquiète veut savoir si elle doit se rendre à l'hôpital avec son enfant fiévreux; enfin, un patient attend dans le bureau de consultation pour se faire expliquer le mode d'utilisation de son inhalateur. Le travail en pharmacie communautaire n'est pas de tout repos!

Les techniques de communication

La communication pharmacien-patient est un processus interactif et dynamique (Silverman, Kurtz et Draper, 1998). Un bon communicateur doit transmettre efficacement son message et bien décoder celui de ses interlocuteurs. C'est pourquoi la maîtrise des techniques de base en communication interpersonnelle aidera le pharmacien: pratiquer l'écoute active; formuler ses questions clairement; structurer ses messages et adapter son niveau de langage en fonction de son interlocuteur; démontrer de l'empathie.

Pratiquer l'écoute active

La qualité de l'écoute est un facteur déterminant de l'efficacité d'une communication entre le pharmacien et son patient (Tindall, Beardsley et Kimberlin, 1994). Pratiquer l'écoute active, c'est chercher à détecter le message réel, l'intention de son interlocuteur. Il faut donc être attentif aux mots, mais aussi à la manière dont le message est exprimé. L'écoute active est un acte volontaire, fondé sur les attitudes suivantes:

- Être disposé à écouter (exemple: éviter de bousculer le patient sous prétexte qu'on est pressé ou débordé).
- Être à l'affût des indices verbaux (la parole) et non verbaux (les éléments paralinguistiques, le langage corporel et les mimiques faciales) transmis par le patient[1].
- Faire preuve de compréhension et encourager le patient à s'exprimer. Exemples: à l'aide d'incitatifs verbaux («Hum», «Oui», «Je vous écoute», «Si j'ai bien compris...»);

à l'aide d'incitatifs non verbaux (la position par rapport au patient, la posture, le contact visuel et la physionomie) ; en reformulant les propos du patient pour s'assurer qu'on a bien compris et demander des informations complémentaires; en utilisant judicieusement des pauses, soit avant de formuler certaines questions, soit avant de reformuler le message du patient, soit pour laisser à ce dernier le temps de s'exprimer.

Formuler ses questions clairement

La façon dont le pharmacien formule ses questions peut déterminer la qualité et la quantité des renseignements que lui fournira son patient. À l'aide de différentes techniques d'entrevue, comme l'utilisation de *questions ouvertes*, de même que l'encouragement à développer ses réponses et à s'exprimer librement, le pharmacien peut obtenir des renseignements essentiels et beaucoup plus complets qu'il n'en obtiendrait avec des questions fermées (Cormier, 2000). Par ailleurs, il est généralement conseillé d'utiliser un langage clair et simple[2].

Structurer ses messages et adapter son vocabulaire

De nombreux professionnels, tant en santé que dans d'autres domaines, oublient souvent que la population ne partage pas le même langage qu'eux. Bien que certains termes propres à la médecine soient passés dans la langue courante, la plupart des patients ne comprennent pas le langage spécialisé (qui frise parfois le jargon) que les professionnels de la santé utilisent (exemples: « Ce médicament vous a été prescrit pour un reflux œsophagien », « Ce médicament peut causer de l'œdème aux membres inférieurs », « Le prurit est un effet secondaire très fréquent »). Plusieurs patients hésitent à avouer qu'ils ne comprennent pas ce que le pharmacien leur dit et quittent la pharmacie avec des questions restées sans réponse et de l'information incomplète ou floue. Une bonne communication repose sur des questions et des réponses courtes, faciles à comprendre, dénuées de jargon et adaptées à l'interlocuteur[3]. Les questions ouvertes permettent justement de déterminer rapidement et efficacement le bon niveau de langage pour être bien compris de son interlocuteur.

Démontrer de l'empathie

L'empathie est probablement l'une des attitudes qui a le plus d'effet sur le résultat de la communication (Frankel, 1994; Northouse et Northouse, 1998). Elle joue un rôle primordial dans l'établissement de la relation de confiance entre le pharmacien et son patient. Quand on parle d'empathie, une image revient constamment: celle de la *compréhension de l'autre.* L'empathie consiste à comprendre et accepter le point de vue de l'autre. Dans le cadre de la relation pharmacien-patient, elle facilite le partage de l'information puisque le patient sent qu'on ne le juge pas et qu'on l'écoute réellement[4].

L'intégration des techniques de communication

Comment intégrer concrètement ces différentes techniques de communication à la communication pharmacien-patient? Il existe trois approches pour y arriver:

- la technique interactive de consultation pharmaceutique;

- le modèle RIG;
- la méthode systématique de consultation en automédication.

Nous décrirons chacune de ces approches à l'aide de situations inspirées de notre pratique et représentatives de la pharmacie communautaire, soit la remise d'un nouveau médicament, le renouvellement d'une ordonnance et la consultation pour un médicament en vente libre. Nous verrons comment mettre à profit ces techniques de façon à atteindre les objectifs de premier et de second niveau inhérents à la consultation pharmaceutique.

La technique interactive de consultation pharmaceutique

La consultation qui accompagne la remise d'une nouvelle ordonnance est probablement l'une des situations de communication interpersonnelle les plus fréquentes de la pratique à l'officine. La qualité de la communication pharmacien-patient peut alors faire toute la différence entre le fait qu'un patient prenne ses médicaments correctement ou ne tienne pas compte des recommandations du pharmacien.

La technique interactive de consultation pharmaceutique[5] (Gardner, Boyce et Herrier, 1997; Mayer, 2003) se distingue de ce qu'on appelait jusqu'à tout récemment les « conseils aux patients » : comme son nom l'indique, elle implique une *dynamique interactive* entre le pharmacien et le patient, et non la simple transmission unidirectionnelle (du pharmacien au patient) de l'information. Pour rendre la consultation avec le patient la plus efficace possible, le pharmacien doit d'abord obtenir du patient le maximum de renseignements pertinents. Il doit tenir compte de plusieurs facteurs sur lesquels il possède au départ peu ou pas de données: le diagnostic médical, les résultats de laboratoire, les informations déjà transmises par le médecin, la perception qu'a le patient de sa maladie et de son traitement, les antécédents familiaux qui peuvent influer sur les croyances du patient, l'état émotif de ce dernier, etc. Une fois en possession de ces renseignements, le pharmacien pourra se faire une meilleure idée de la situation globale et ainsi adapter son message. Il pourra plus facilement atteindre les objectifs de premier niveau de sa consultation: s'assurer que le patient sait bien comment prendre son médicament et qu'il en connaît les effets bénéfiques attendus et les effets indésirables potentiels.

L'entretien structuré selon la technique interactive présente plusieurs avantages, tant pour le pharmacien que pour le patient. D'une part, en favorisant un échange de vues bidirectionnel entre le pharmacien et le patient, cet entretien structuré stimule l'engagement actif du patient par rapport à son problème de santé. D'autre part, l'avantage principal de cette approche pour le pharmacien est de lui permettre de déterminer rapidement ce que le patient sait déjà (entre autres, l'information qu'il a obtenue d'autres professionnels de la santé) et, ainsi, de se concentrer sur ce que le patient ne sait pas, tout en évitant les pertes de temps. De cette façon, le pharmacien peut personnaliser chaque consultation en l'adaptant aux besoins du patient. Enfin, dans plusieurs occasions, la connaissance des informations déjà transmises au patient par le médecin facilite le renforcement des messages par le pharmacien, ce qui améliore grandement l'observance et les chances de succès du traitement. Examinons l'exemple suivant.

M. Bernard Therrien est âgé de 62 ans. Lui et sa conjointe, Simone, habitent un petit logement situé au centre-ville. Le couple mène une existence convenable. M. Therrien sort du bureau de son médecin, une ordonnance de glyburide à la main. Il se rend à la pharmacie pour se procurer le médicament prescrit.

M. THERRIEN — *J'ai une ordonnance à faire remplir.*

L'ASSISTANT TECHNIQUE[6] — *Très bien. Avez-vous un dossier ici, Monsieur Therrien ?*

Comme c'est le cas ici, l'accueil du patient est souvent confié à un assistant technique en pharmacie. Cette pratique permet au pharmacien de consacrer tout son temps à la véritable consultation avec le patient.

M. THERRIEN — *Non, c'est la première fois que je viens vous voir.*

L'ASSISTANT TECHNIQUE — *D'accord. Je vais avoir besoin de quelques renseignements pour ouvrir un dossier à votre nom. Ensuite, la pharmacienne vous remettra votre médicament.*

L'assistant technique pose alors les questions d'usage au patient et note au dossier les informations qu'il recueille. Il invite ensuite M. Therrien à s'asseoir dans la salle d'attente en lui disant qu'on l'appellera quandle médicament sera prêt.

Cinq minutes plus tard, la pharmacienne appelle M. Therrien et tous deux s'installent dans l'aire de confidentialité.

L'aire de confidentialité permet au patient de s'exprimer librement et en toute confiance.

La consultation interactive comporte trois étapes : l'ouverture, le cœur (ou les trois questions primaires) et la fermeture. Nous décrivons ces étapes (voir le tableau 24.1) à partir de la version originale américaine (Gardner et autres, 1997 ; Mayer, 2003).

L'OUVERTURE

Tout d'abord, le pharmacien se présente, vérifie l'identité du patient et s'assure que celui-ci a du temps à lui consacrer. Il vérifie ensuite s'il s'agit d'un nouveau traitement. Dès le départ, on peut ainsi éviter les pertes de temps : une nouvelle ordonnance ne signifie pas obligatoirement que le médicament est nouveau pour le patient ; celui-ci peut exprimer son choix de ne pas recevoir de conseils ou encore de reporter l'entretien à un autre moment. L'ouverture permet aussi au pharmacien de circonscrire le contexte de la discussion et de montrer au patient qu'il ne s'agit pas d'une évaluation de l'intervention du médecin.

LA PHARMACIENNE — *Bonjour, Monsieur Therrien. Je m'appelle Marie Laplante. Je suis la pharmacienne en service aujourd'hui. J'aimerais qu'on prenne deux ou trois minutes pour parler ensemble du médicament que le médecin vous a prescrit et pour s'assurer que ce*

La pharmacienne annonce au client ce qu'elle compte lui dire et vérifie s'il a le temps.

	médicament sera le plus efficace possible. Avez-vous le temps ?
M. THERRIEN	*— Oui, j'ai le temps.*
LA PHARMACIENNE	*— Le médecin vous a prescrit du glyburide. Est-ce la première fois que vous prenez ce médicament ?*
M. THERRIEN	*— Oui. Je n'en ai jamais pris auparavant.*

Elle vérifie s'il s'agit d'un nouveau médicament.

Tableau 24.1 **Les trois étapes de la technique interactive en consultation pharmaceutique**

ÉTAPES	ACTIONS ET QUESTIONS DU PHARMACIEN
L'ouverture	• Se présenter. • Vérifier l'identité du patient. • Énoncer le motif de la consultation. • Vérifier si le patient juge le moment approprié. • Nommer le médicament et vérifier s'il s'agit d'un nouveau médicament pour le patient.
Le cœur de la consultation ou les trois questions primaires	**Première question : l'indication et l'efficacité** Exemples : « Que vous a dit le médecin au sujet de ce médicament ? » « Pour quelle raison avez-vous consulté votre médecin ? » « Pour quelle raison vous a-t-on prescrit ce médicament ? » • Renforcer la perception des bénéfices escomptés du traitement.
	Deuxième question : la posologie et l'horaire de prise Exemples : « Comment votre médecin vous a-t-il dit de prendre ce médicament ? » « Que vous a dit votre médecin sur la façon de prendre ce médicament ? »
	Troisième question : les effets secondaires et les précautions d'usage Exemples : « Que vous a dit votre médecin au sujet des effets secondaires ? » « Que savez-vous des effets secondaires potentiels ? » • Repérer toute crainte liée aux effets secondaires et rassurer le patient. • Expliquer les moyens de réduire ou gérer les effets secondaires fréquents.
La fermeture	• Utiliser la rétroaction au besoin. Exemples : « Je veux m'assurer que je n'ai rien oublié : pouvez-vous me répéter comment vous allez prendre ce médicament ? » « Je vous ai donné beaucoup d'information. Je voudrais m'assurer que je n'ai rien oublié… Montrez-moi comment vous allez utiliser votre aérosol. » • Planifier le suivi avec le patient. • Remettre au patient toute documentation pertinente.

Source : Mayer (2003), adapté de Gardner et autres (1997).

LE CŒUR DE LA CONSULTATION : LES TROIS QUESTIONS PRIMAIRES

Après l'ouverture, l'entretien lui-même commence. Le pharmacien cherche alors à établir ce que le patient sait ou ne sait pas, pour ensuite lui fournir les renseignements dont il a besoin. La meilleure façon d'y arriver est de poser des questions ouvertes qui donnent au patient la possibilité d'exprimer d'emblée ce qu'il juge le plus important. De plus, ces questions amènent le patient à livrer beaucoup plus d'information que les questions fermées, en plus de donner des indications sur les connaissances du patient, son niveau de langage et son cadre de référence. Le pharmacien peut ainsi adapter son propre niveau de langage et son message pour s'assurer que le patient comprend bien l'information transmise.

Le cœur de la technique interactive de consultation consiste en trois *questions primaires* bien précises. Ces questions ouvertes permettent au pharmacien d'ouvrir la discussion sur les éléments essentiels qui doivent être abordés à l'occasion de la remise d'un nouveau médicament. L'expérience démontre que le patient est parfois intimidé d'avouer au pharmacien qu'il n'a pas bien compris ce que le médecin lui a dit et qu'il n'a pas osé demander de précisions.

La première question

La première des trois questions permet au pharmacien d'évaluer comment le patient perçoit la nature de sa maladie et les effets escomptés de son médicament. Elle vise à faire connaître au pharmacien le diagnostic posé par le médecin ou, tout au moins, les motifs qui ont poussé le patient à consulter le médecin. C'est aussi la première occasion donnée au patient d'exprimer ses inquiétudes ou ses doutes par rapport au médicament. Le pharmacien peut alors décider de donner des renseignements supplémentaires sur le médicament. La première question peut être formulée de diverses façons :

- « Que vous a dit le médecin au sujet de ce médicament ? »
- « Pour quelle raison avez-vous consulté votre médecin ? »
- « Pour quelle raison vous a-t-on prescrit ce médicament ? »

Reprenons le cas de M. Therrien.

LA PHARMACIENNE — *Pour quelle raison avez-vous consulté le Dr Simard ?*

La première question ouvre la porte à M. Therrien : il peut exprimer ce qu'il juge être le plus important.

M. THERRIEN — *En fait, j'y suis allé pour un examen de routine. Je m'en vais aux États-Unis à la fin de décembre et j'avais un formulaire à faire remplir pour mes assurances. C'est avec ma prise de sang qu'ils ont vu que je faisais du diabète. Je n'ai pas été vraiment surpris, il paraît que j'ai un cousin qui en fait un peu aussi.*

La pharmacienne apprend aussi que ce diagnostic n'a pas surpris le patient outre mesure : le choc est donc probablement faible et risque d'avoir peu d'influence sur la réceptivité du patient.

La pharmacienne apprend aussi que le patient connaît le diagnostic précis fait par son médecin. Ce point peut paraître évident dans le cas du glyburide, mais il le serait moins pour certains médicaments liés à plusieurs indications thérapeutiques comme l'amitriptyline, un antidépresseur qui peut aussi être prescrit pour des douleurs neurologiques.

Le complément à la première question

Si le pharmacien veut en apprendre davantage sur ce que le patient sait du médicament prescrit, il peut poser une autre question ouverte, complémentaire, concernant le médicament lui-même. Cette question permet au patient de décrire encore plus précisément, et selon son point de vue, ce qui s'est passé dans le bureau du médecin.

LA PHARMACIENNE — *Que vous a dit le médecin au sujet de ce médicament?*

> Ce genre d'information est extrêmement précieux pour la pharmacienne, qui peut ainsi s'appuyer sur ce que le patient sait déjà de sa maladie et de son traitement pour poursuivre sa consultation efficacement.

M. THERRIEN — *Il m'a dit que c'est un médicament qui permettrait de contrôler le taux de sucre dans mon sang. Il m'a dit de le prendre durant un mois et d'aller le revoir. Il m'a aussi envoyé voir une diététiste. Je me sens en de bonnes mains!*

> La pharmacienne apprend que le médecin a déjà discuté avec son patient de l'importance de l'alimentation dans le contrôle du diabète. Elle sait donc qu'elle n'aura pas besoin d'insister sur le rôle du glyburide pour contrôler la glycémie, puisque le médecin en a déjà parlé au patient.
>
> Résumons les éléments d'information que la pharmacienne possède à ce stade-ci. Elle sait que M. Therrien n'a jamais pris ce médicament. Elle sait également qu'il ne présente aucun symptôme majeur incommodant pour le moment – puisque le diagnostic de diabète a été fait à la suite d'un examen de routine. De plus, grâce au commentaire du patient («Je n'ai pas été vraiment surpris»), la pharmacienne peut prédire, sans grand risque d'erreur, que le patient ne présente pas de barrière émotive importante pouvant nuire à la communication.

Cet exemple illustre la façon de s'y prendre pour obtenir des renseignements indispensables à une consultation personnalisée. En effet, la pharmacienne a déjà une bonne idée du contexte entourant la prise du glyburide par M. Therrien. Elle poursuivra son intervention à partir des éléments d'information obtenus. Quelquefois, il arrive que le patient fournisse spontanément tous les détails importants au sujet de ses médicaments, ce qui rend inutiles les questions complémentaires.

Une fois que le pharmacien a obtenu les réponses satisfaisantes à la première question primaire et, s'il y a lieu, à la question complémentaire, il peut passer à la suivante.

La deuxième question

La deuxième question primaire vise à déterminer ce qui a été dit au patient sur la façon de prendre le médicament. On peut formuler la question comme suit:

- «Comment votre médecin vous a-t-il dit de prendre ce médicament?»
- «Que vous a dit votre médecin sur la façon de prendre ce médicament?»

La réponse du patient permet au pharmacien de repérer les lacunes ou les erreurs de compréhension et d'y remédier. Le pharmacien doit rester attentif aux indices non verbaux et aux hésitations: le patient peut manifester de l'inquiétude ou rester dubitatif.

LA PHARMACIENNE — *Comme le médecin vous l'a dit, ce médicament aidera à contrôler le taux de sucre dans votre sang. C'est un médicament très efficace.*

> La pharmacienne profite de l'occasion pour renforcer la perception des effets bénéfiques du traitement et ainsi favoriser l'observance du traitement.

M. THERRIEN — (hochant la tête) *Je vois.*

LA PHARMACIENNE — *Qu'est-ce que le médecin vous a expliqué sur la façon de prendre votre médicament ?*

M. THERRIEN — *Il m'a dit : deux fois par jour. C'est tout ce qu'il m'a dit.*

LA PHARMACIENNE — *C'est bien ça, il a prescrit deux fois par jour. Idéalement, on doit prendre ce médicament une demi-heure avant un repas. Disons une demi-heure avant le déjeuner et une demi-heure avant le souper. Est-ce possible pour vous ?*

> La pharmacienne confirme au patient la justesse de ce qu'il sait déjà. Elle renforce l'information que le médecin lui a transmise.
>
> La pharmacienne vérifie si l'horaire proposé s'intègre aisément au rythme de vie du patient, de façon à augmenter les chances de succès dans l'observance.

M. THERRIEN — *C'est certain ! Vous savez, je suis à la retraite et je suis à la maison la plupart du temps. Il faut seulement que je n'oublie pas... Je laisserai le contenant sur le comptoir de la cuisine : comme ça, j'aurai plus de chance d'y penser !*

LA PHARMACIENNE — *Oui ! C'est une très bonne idée. Pour obtenir des résultats, c'est important de prendre ce médicament régulièrement.*

M. THERRIEN — *Mon médecin me l'a aussi dit. Je vais le prendre comme il faut. Si mon taux de sucre ne baisse pas, je ne pourrai pas partir...*

La troisième question

Finalement, grâce à la troisième question primaire, le pharmacien pourra discuter avec le patient des effets secondaires potentiels du médicament. On peut amorcer la discussion de l'une ou l'autre des façons suivantes :

- « Que vous a dit votre médecin au sujet des effets secondaires ? »
- « Que savez-vous des effets secondaires potentiels ? »

LA PHARMACIENNE	— *Maintenant, qu'est-ce que votre médecin vous a dit au sujet des effets secondaires ?*	Encore ici, une question ouverte permet à la pharmacienne de cerner ce que le patient sait déjà au sujet des effets secondaires, ce qui l'amènera à n'ajouter que l'information manquante.
M. THERRIEN	— *Il y a des effets secondaires ? Il ne m'en a rien dit…*	La pharmacienne apprend que le médecin n'a pas discuté des effets secondaires avec le patient.
LA PHARMACIENNE	— *Tous les médicaments, en plus des effets bénéfiques, ont aussi des effets non désirés, qu'on appelle « effets secondaires ». Ils ne se produisent pas nécessairement chez tout le monde, mais, comme c'est possible, il est préférable que vous soyez au courant.*	Elle l'informe donc du phénomène.
M. THERRIEN	— *D'habitude, j'ai pas vraiment de problèmes avec les médicaments.*	
LA PHARMACIENNE	— *Avec ce médicament-là, les effets secondaires sont très peu fréquents. Peut-être un peu de troubles digestifs, un peu de diarrhée. Normalement, tout rentre dans l'ordre au bout de quelques jours.*	Elle le rassure sur la faible probabilité d'effets secondaires, sans toutefois lui cacher des éléments d'information essentiels, dans le but d'obtenir son consentement éclairé.
M. THERRIEN	— *De toute façon, si quelque chose ne va pas, je vous appellerai ou j'appellerai mon médecin.*	

LA FERMETURE

Après avoir posé les trois questions primaires, le pharmacien doit franchir la dernière étape : la fermeture. Selon l'approche des soins pharmaceutiques, qui est, rappelons-le, interactionnelle, deux étapes essentielles doivent clore la consultation : la rétroaction et la planification du suivi.

La rétroaction est nécessaire dans la communication interpersonnelle : le pharmacien s'assure à cette étape que son message a été bien reçu et bien compris. Il s'agit d'inciter le patient à reformuler, dans ses propres mots, ce qu'il a compris d'important dans les renseignements fournis. La rétroaction est une étape clé de la consultation pharmaceutique : grâce à la reformulation, le pharmacien peut confirmer dans quelle mesure le patient a compris l'information transmise. Voici trois exemples de la façon de s'y prendre :

- « Je veux m'assurer que je n'ai rien oublié : pouvez-vous me répéter comment vous aller prendre ce médicament ? »

- « Je vous ai donné beaucoup d'information. Je voudrais m'assurer que je n'ai rien oublié… Montrez-moi comment vous allez utiliser votre aérosol. »
- « Donc, si nous résumons… »

Cette vérification finale n'est évidemment pas toujours nécessaire. Le cas échéant, le pharmacien pourra juger cette étape superflue, surtout si le patient a participé activement à la discussion tout au long de l'entretien.

LA PHARMACIENNE	— *Donc, si nous résumons : vous commencez dès ce soir, une demi-heure avant de souper. Ensuite…*	La pharmacienne commence la reformulation et, volontairement, fait une pause. En laissant le patient s'exprimer, elle s'assure qu'il a bien compris la façon de prendre le médicament.
M. THERRIEN	— *Ensuite, à partir de demain matin, c'est deux fois par jour jusqu'à mon prochain rendez-vous chez le médecin.*	Le patient, qui a été très attentif à la conversation, termine lui-même la reformulation.

La seconde étape essentielle de la fermeture est la planification du suivi : il s'agit de convenir avec le patient du moment opportun pour reprendre contact avec le pharmacien, ou encore de l'inviter à surveiller la disparition de tel ou tel symptôme. De plus, cette activité permet au pharmacien de conclure sur une bonne note en invitant le patient à communiquer avec lui ou avec son médecin si le médicament n'apporte pas les effets bénéfiques escomptés, ou si des effets secondaires graves ou incommodants se manifestent. C'est aussi le moment idéal pour remettre au patient toute documentation pertinente.

L'approche interactive en consultation pharmaceutique favorise donc des rapports plus satisfaisants et plus profitables pour le pharmacien comme pour le patient. En l'utilisant régulièrement, le pharmacien se rendra très vite compte de la richesse de l'information obtenue.

Le modèle RIG

Parmi tous les problèmes liés à la pharmacothérapie, celui de l'inobservance du traitement est probablement un des plus importants. Les statistiques sur l'inobservance sont effarantes, malgré tous les efforts déployés ces dernières années pour résoudre le problème. Par exemple, bien qu'on ait démontré que le contrôle des dyslipidémies et de l'hypertension réduit la mortalité et la morbidité liées aux maladies cardiovasculaires, seulement 50 % des patients poursuivent leur traitement assez longtemps pour en retirer les bénéfices escomptés (Andrade et autres, 1995 ; Morrell, Park, Kidder et Martin, 1997 ; Insull, 1997). On a aussi observé des problèmes liés à l'inobservance dans le traitement de plusieurs autres maladies chroniques (Dolce et autres, 1991 ; Coambs et autres, 1995 ; Weiden et Olfson, 1995). Une des explications réside dans la complexité des causes du comportement d'inobservance. Il n'existe aucune intervention universellement reconnue pour augmenter l'adhésion au traitement prescrit. Les raisons invoquées pour expliquer le comportement d'inobservance sont multiples et varient selon l'individu, son contexte de vie, le médicament prescrit, etc. On doit donc adapter chaque intervention au patient et à la situation.

Une des approches les plus prometteuses pour résoudre, du moins en partie, le problème d'inobservance est de déterminer les facteurs qui en sont responsables chez l'individu et d'agir sur ces facteurs. C'est l'approche proposée par la Indian Health Association : le modèle RIG (en anglais : RIM ; Beardsley et autres, 1997). Cette approche systématique comporte trois étapes :

1. **R**econnaître (*recognize*) l'inobservance du traitement.
2. **I**dentifier (*identify*) les causes probables de l'inobservance.
3. **G**érer (M = *manage*) l'inobservance.

Le modèle RIG est donc utile pour atteindre les objectifs de second niveau de la consultation pharmaceutique. On vise non seulement à établir une communication interpersonnelle efficace, mais également à résoudre un problème lié à la pharmacothérapie. Voyons de manière plus précise chacune des étapes de ce modèle et cherchons à en comprendre les rouages à l'aide d'un autre cas inspiré de notre pratique.

Mme Beausoleil se présente à la pharmacie pour renouveler son ordonnance de perindopril. Elle fréquente cette pharmacie depuis deux ans, soit depuis qu'elle a déménagé dans le quartier. Mme Beausoleil souffre d'hypertension essentielle depuis 10 ans.

À l'analyse du dossier, en comparant les dates des derniers renouvellements aux durées de traitement estimées, le pharmacien constate que la patiente semble prendre le perindopril très régulièrement. Par contre, toujours à partir de son estimation de la durée de traitement, il conclut que Mme Beausoleil devrait renouveler un autre médicament présent dans son dossier, l'amlodipine. Or, la patiente n'en parle pas.

RECONNAÎTRE L'INOBSERVANCE DU TRAITEMENT

Avant de conclure à une inobservance, le pharmacien doit toujours confirmer ses soupçons. L'intervention auprès d'un patient inobservant demande beaucoup de doigté et de délicatesse. Pour avouer qu'il ne suit pas un traitement prescrit, le patient doit se sentir suffisamment en confiance. Le pharmacien doit donc avoir une attitude ouverte, éviter tout jugement de valeur et formuler ses questions en conséquence.

LE PHARMACIEN — *Bonjour, Madame Beausoleil ! Je m'appelle Laurent Leclerc, je suis le pharmacien de service aujourd'hui. Voici le médicament que vous m'avez demandé, le perindopril.*

Mme BEAUSOLEIL — *Merci !*

LE PHARMACIEN — *En vérifiant votre dossier, je viens de constater que votre ordonnance d'amlodipine aurait aussi dû être renouvelée aujourd'hui… Comment prenez-vous ce médicament ?*

Le pharmacien fait preuve de doigté en indiquant à Mme Beausoleil que l'ordonnance d'amlodipine n'a pas été renouvelée. Il n'a pas accusé la cliente en lui disant : « *Vous* n'avez pas renouvelé votre ordonnance. »

Mme BEAUSOLEIL — *En fait, j'ai commencé à le prendre il y a seulement deux jours.*

La patiente explique pourquoi l'ordonance n'a pas été renouvelée.

Dans un cas comme celui-ci, le pharmacien doit tenter de connaître la raison pour laquelle le patient a tardé à prendre le médicament. Ensuite, il pourra déterminer les causes probables de l'inobservance et intervenir selon la situation. Le pharmacien doit prêter une attention particulière à ne pas juger le patient et à bien comprendre les raisons de son comportement.

LE PHARMACIEN — *Ah ! Oui ? Pourquoi avez-vous attendu ?*

Le pharmacien cherche à déterminer les causes du retard à prendre le médicament.

MME BEAUSOLEIL — *J'avais peur…*

Le pharmacien garde le silence un moment.

Par son silence, le pharmacien encourage la patiente à poursuivre.

Souvent très pressé, le pharmacien peut être enclin à accélérer le rythme de la consultation. Cependant, une pause dans la conversation constitue un outil de communication fort efficace pour inciter le patient à se confier. Bien plus qu'une simple technique d'écoute, la pause montre au patient qu'il lui est possible d'expliquer un problème à son propre rythme et lui donne le temps de réfléchir à ce qu'il va dire. Un court silence encourage le patient à poursuivre son idée. Revenons à la consultation de Mme Beausoleil.

MME BEAUSOLEIL — *J'ai déjà eu une grosse réaction à la nifédipine qu'on m'avait donnée à l'hôpital. J'ai eu de grosses nausées et le cœur me débattait. Je me suis sentie très mal. Quand j'ai appris que l'amlodipine était aussi un bloqueur calcique, je n'ai pas aimé ça du tout ! J'ai finalement décidé de le prendre quand même, mais en commençant avec des demi-comprimés.*

La patiente explique sa peur de prendre l'amlodipine en racontant son expérience avec un autre médicament et ses effets indésirables.

Tous les patients ne sont pas aussi ouverts que Mme Beausoleil. Aussi le pharmacien doit-il avoir en réserve quelques questions supplémentaires pour obtenir plus d'information du patient sur les motifs de son comportement d'inobservance. Voici quelques exemples :

- « Trouvez-vous facile de prendre vos médicaments régulièrement ? »
- « Le médicament qui vous a été prescrit devrait être pris régulièrement (exemple : tous les matins dès le lever). Cela vous pose-t-il des problèmes ? »
- « Plusieurs patients me disent qu'ils trouvent difficile de prendre leurs médicaments sans jamais les oublier. Dans votre cas, cela se passe comment ? »
- « C'est parfois compliqué de prendre un médicament comme il a été prescrit, surtout quand on doit en prendre plusieurs. Et vous, il vous arrive d'en oublier de temps en temps ? »

DÉTERMINER LES CAUSES PROBABLES DE L'INOBSERVANCE

Il y a plusieurs façons de classer les causes d'inobservance. Beardsley et autres (1997) relèvent trois catégories de causes d'inobservance : les lacunes sur le plan des connaissances, les difficultés d'ordre pratique et les barrières psychologiques. Nous les répartissons plutôt en obstacles liés au *pouvoir* (la capacité), au *savoir* (les connaissances) et au *vouloir* (la motivation et les croyances).

Les obstacles d'ordre pratique recoupent ceux qui sont liés au *pouvoir*. Ils sont nombreux : les contenants difficiles à ouvrir, les défaillances de la mémoire, les troubles de la vision, l'incapacité de payer, les schémas posologiques trop complexes ou incompatibles avec le mode de vie du patient, les déficiences cognitives, les effets indésirables, etc. Ils seront le plus souvent exprimés par des phrases simples, comme les suivantes :

- « Ce médicament ne me va pas du tout, je suis toujours étourdie. »
- « Je ne suis pas capable d'avaler ces comprimés. »

Les barrières attribuables aux lacunes sur le plan du *savoir* renvoient à un manque de connaissances, soit sur la nature du problème médical, soit sur le médicament comme tel, ses effets ou la manière de le prendre.

Finalement, les barrières psychologiques, liées au *vouloir*, sont les convictions profondes du patient qui peuvent influer sur sa décision de prendre ou non le médicament. On parle donc ici de la motivation et des croyances du patient[7]. Les croyances d'un individu se sont construites à partir de ses expériences passées du système de santé, de son milieu familial, de sa culture, de ses traits de caractère, de ses valeurs, de ses motivations et de ses buts. Les croyances sont habituellement profondément ancrées et constituent les obstacles les plus difficiles à surmonter. Des phrases comme les suivantes sont éloquentes :

- « Je ne crois pas aux médicaments. »
- « Je n'aime pas prendre des pilules. »
- « À quoi bon prendre ce médicament ! »
- « Je n'aime pas prendre du chimique. »

Il existe un questionnaire fort pertinent pour préciser avec le patient quelles sont ses perceptions des médicaments en général et des médicaments qui lui sont prescrits en particulier (Horne, Weinman et Hankins, 1999 ; Horne, 2000).

C'est à partir de ce qu'exprime le patient que le pharmacien parvient à bien déterminer la cause de l'inobservance. Pour encourager le patient à parler librement, le pharmacien doit se montrer ouvert et respectueux. Il doit donc surveiller son langage non verbal, écouter activement et démontrer de l'empathie. L'empathie n'a de valeur que lorsqu'elle est exprimée clairement, verbalement ou non.

Cohen-Cole et Bird (1991) ont relevé cinq réponses empathiques types :

- Le reflet (exemple : « Je constate que vous êtes… »).
- La validation (exemple : « Je comprends pourquoi vous sentez que… »).
- L'appui (exemple : « Je veux vous aider »).
- Le partenariat (exemple : « Nous allons affronter le problème ensemble »).
- Le respect (exemple : « Vous vous débrouillez très bien »).

La démonstration de l'empathie renforce la relation de confiance et constitue aussi la pierre angulaire de l'efficacité de l'intervention du pharmacien ainsi que de l'efficacité de ses recommandations futures.

LE PHARMACIEN — *Je vois. Vous craigniez que l'amlodipine ne provoque les mêmes effets secondaires que la nifédipine. Vous avez donc d'abord choisi de ne pas en prendre.*

> Le pharmacien manifeste son empathie à l'aide d'une réponse reflet. Il démontre ainsi à la patiente qu'il a bien compris ses préoccupations et ses craintes.

MME BEAUSOLEIL — *C'est exact, j'allais tellement mal que je n'ai aucune envie que ça recommence.*

LE PHARMACIEN — *C'est vrai que ça peut sembler risqué. La nifédipine peut provoquer ce genre de réaction. Même si elle fait partie de la même famille de médicaments, l'amlodipine est assez différente et cause beaucoup moins de problèmes de ce genre.*

> Le pharmacien manifeste son empathie en validant les propos de la patiente.
>
> Il dit à la patiente qu'il comprend sa crainte, que celle-ci est fondée, puis il rectifie l'information.

MME BEAUSOLEIL — *Je croyais que c'était la même chose.*

LE PHARMACIEN — *Les médicaments sont vraiment très différents les uns des autres. Deux médicaments de la même famille n'ont pas nécessairement les mêmes effets secondaires.*

Comme cet exemple le montre, le pharmacien doit reconnaître les entraves à l'observance. Il doit aussi veiller à combler les lacunes du patient sur le plan des connaissances et apporter les précisions pertinentes.

GÉRER L'INOBSERVANCE

Après avoir repéré les causes probables de l'inobservance, le pharmacien sera en mesure de proposer au patient des solutions adaptées à la situation. S'il veut maintenir le lien de confiance avec le patient, il doit cependant tenir compte des préférences ou des désirs qu'il exprime.

MME BEAUSOLEIL — *Vous êtes certain ? Je préférerais quand même continuer d'en prendre seulement un demi-comprimé pendant quelques jours. Je serais plus rassurée.*

> La patiente énonce clairement une préférence.

LE PHARMACIEN — *Alors, écoutez ce que je vous propose. Aujourd'hui, je vais prendre votre pression artérielle. Pendant une semaine, vous allez prendre un demi-comprimé par jour. Revenez*

> Le pharmacien tient compte des craintes et des préférences de la patiente. Il estime que ses comportements antérieurs laissent supposer qu'elle ajustera sa médication.

me voir dans une semaine, et nous pourrons revoir tout ça ensemble. Je mesurerai de nouveau votre tension artérielle. Si les résultats ne sont pas satisfaisants et que vous tolérez bien l'amlodipine, vous pourriez augmenter à un comprimé. Qu'en dites-vous ?

Mme Beausoleil — *C'est une excellente idée ! Je vous remercie beaucoup.*

Le pharmacien — *Parfait. Je vais communiquer avec votre médecin pour m'assurer qu'il est d'accord avec notre démarche.*

Au besoin, le pharmacien pourra combler les lacunes du patient sur le plan des connaissances en lui remettant des brochures d'information, en utilisant des planches anatomiques, des démonstrations, ou simplement en précisant ou rectifiant verbalement certains points.

Quant aux obstacles d'ordre pratique, ils requièrent probablement l'intervention la plus aisée. Le pharmacien pourra, par exemple, simplifier le schéma posologique, faire un calendrier d'administration des médicaments, travailler de concert avec le médecin pour remplacer un médicament par un autre ou bien proposer l'utilisation d'un pilulier journalier ou hebdomadaire.

Les barrières psychologiques, quant à elles, sont les plus difficiles à contourner. Elles nécessitent fréquemment une démarche plus soutenue et multidisciplinaire. Des auteurs ont proposé une approche basée sur le modèle transthéorique de changement de comportement (Prochaska et DiClemente, 1992 ; Berger, 1997 ; Rollnick, Heather et Bell, 1992). Peu importe le modèle de résolution préconisé, on n'insistera jamais assez sur l'importance de la qualité de la relation professionnel-patient dans l'observance thérapeutique. La qualité de la communication avec le patient est donc déterminante dans le succès des interventions portant sur les barrières psychologiques du patient (Marinker, 1997 ; Lipton et Bird, 1994 ; Roter et autres, 1998 ; De Young, 1996 ; Horne, 1998).

La méthode systématique de consultation en automédication

Nous l'avons souligné dès le début : le pharmacien communautaire est un des professionnels de la santé les plus accessibles. Aussi le sollicite-t-on souvent pour des conseils sur l'utilisation d'un médicament en vente libre. Il s'agit d'un autre aspect essentiel de son travail. Nous ne pouvons qu'insister sur l'importance d'obtenir du client toute l'information utile pour bien le conseiller.

Quand il s'agit d'automédication, savoir poser les bonnes questions est un atout majeur pour le pharmacien. Cette compétence lui permet d'obtenir l'information juste, précise et complète dans un court laps de temps. La qualité de l'information recueillie aidera le pharmacien à bien diriger le client dans son choix et à trouver une solution efficace à son problème. De surcroît, la relation de confiance s'établit plus aisément avec un patient qui se sent bien conseillé. Comme nous l'avons vu, c'est par des questions ouvertes qu'on obtient le plus souvent l'information la plus complète et pertinente. Par conséquent, ce sont aussi ces questions qu'il faut privilégier pendant un entretien au sujet d'un médicament en vente libre. Bien sûr, les questions fermées demeurent utiles pour recueillir des informations plus précises, plus pointues.

Dans cette section, nous présentons un modèle de consultation construit selon un plan communicationnel bien organisé, ce qui permet de maximiser l'utilisation du temps de consultation. Ce modèle est connu sous le nom de *méthode systématique pour donner des conseils en automédication.* Il comprend deux étapes: la collecte d'information; les conseils et les recommandations relatives au produit visé (McBean-Cochran, 1988). Cette méthode permet au pharmacien qui la maîtrise de recueillir en peu de temps l'information nécessaire pour mieux conseiller le patient et d'atteindre les objectifs de premier niveau de la consultation pharmaceutique.

Illustrons cette technique à l'aide d'un exemple.

Pierre, un jeune homme, se présente au comptoir de l'officine et demande à l'assistante technique de lui conseiller des gouttes pour les yeux. Celle-ci le dirige immédiatement au pharmacien de service.

LE PHARMACIEN — *Bonjour! Que puis-je faire pour vous?*

PIERRE — *J'aimerais avoir des gouttes pour les yeux.*

LE PHARMACIEN — *Est-ce que c'est pour vous?*

PIERRE — *Oui, c'est pour moi.*

LE PHARMACIEN — *Est-ce recommandé par quelqu'un?*

PIERRE — *Non, non. J'ai entendu dire qu'il y a des gouttes qu'on peut acheter sans ordonnance.*

Bien que cette question puisse paraître superflue à première vue, il est indispensable que le pharmacien s'assure de l'identité du patient, de la personne à qui le médicament est destiné. Cette étape évite les pertes de temps et assure au pharmacien que les réponses à ses questions seront précises et fiables.

Lorsque le pharmacien reçoit une demande de ce genre, il doit d'abord, logiquement, déterminer la nature et la gravité du problème du patient. C'est à cette étape que le professionnel peut juger si le patient doit voir un médecin ou si le problème peut être traité à l'aide d'un médicament en vente libre.

LE PHARMACIEN — *Afin de vous aider à choisir le meilleur traitement pour vous, j'aurais besoin de vous poser quelques questions.*

PIERRE — *Hum... D'accord! Allez-y.*

LE PHARMACIEN — *Quels symptômes avez-vous exactement aux yeux?*

PIERRE — *J'ai les yeux qui coulent constamment. Quand je me lève le matin, j'ai les yeux collés.*

Le pharmacien cherche à obtenir des précisions sur les symptômes du patient afin de décider s'il lui recommandera un produit en automédication ou s'il l'invitera plutôt à consulter un médecin.

Certains symptômes doivent immédiatement faire l'objet d'une consultation médicale. En appliquant la méthode systématique, le pharmacien gagne un temps précieux. Au début de la consultation, le pharmacien peut poser des questions ouvertes qui lui permettent de recueillir le point de vue du patient par rapport au problème, puis cibler sa recherche à l'aide de questions plus précises, mais toujours ouvertes, pour ensuite terminer par des questions fermées, ce qui facilite la divulgation de détails que le patient aurait pu omettre.

Le pharmacien — *Depuis combien de temps cela dure-t-il?*

Pierre — *Ça a commencé hier après-midi.*

Le pharmacien — *Dans quelles circonstances?*

Pierre — *Rien de particulier. Mes yeux se sont mis à me brûler, puis à couler.*

Le pharmacien — *Ressentez-vous autre chose de nouveau aux yeux?*

Pierre — *Non, juste que ça coule. Ça ne brûle plus, mais ça n'arrête pas de couler. Je trouve ça plutôt agaçant.*

Le pharmacien — *Votre vision a-t-elle changé?*

Pierre — *Non, pas du tout.*

Le pharmacien — *Avez-vous des douleurs aux yeux?*

Pierre — *Non.*

Le pharmacien — *Portez-vous des verres de contact?*

Pierre — *Non plus.*

Le pharmacien est à la recherche d'information pour être en mesure de décider s'il dirigera ou non le client vers un médecin.

C'est grâce aux renseignements obtenus sur les symptômes que le pharmacien décide s'il faut adresser le client à un médecin. Quand les symptômes du patient nécessitent une consultation médicale, l'entretien se termine sur le conseil fait au patient de consulter son médecin. Dans le cas de notre jeune homme, le pharmacien peut lui suggérer un médicament en vente libre pour une courte période. L'étape suivante de la consultation doit maintenant permettre de déterminer le produit approprié. Pour ce faire, le pharmacien doit évaluer les antécédents du patient. Voici quelques exemples de questions à poser:

- « Prenez-vous d'autres médicaments régulièrement? »
- « Savez-vous si vous êtes allergique à certains médicaments? »
- « Qu'avez-vous essayé jusqu'à présent pour régler le problème? »

À partir des symptômes que présente le patient et de ses antécédents médicaux, le pharmacien est en mesure de faire une recommandation sur le produit le plus approprié.

Conclusion

La pratique de la pharmacie communautaire est très complexe. Une multitude de facteurs, certains plus faciles à circonscrire que d'autres, influent sur le résultat de la communication pharmacien-patient. Le pharmacien se fixe des objectifs dans son rôle de conseiller et il doit composer avec ses habiletés et ses limites, ainsi qu'avec les attentes et le caractère du patient. Le défi est parfois considérable, surtout dans un environnement qui n'est pas toujours propice à la communication.

Une communication pharmacien-patient vraiment réussie devrait conduire au soulagement des symptômes du patient, à un traitement efficace et à une réduction maximale des contraintes et des effets indésirables liés à ce traitement. Pour que le pharmacien puisse véritablement aider le patient à prendre sa santé en main, il doit construire avec lui une relation de confiance.

Le pharmacien doit donc posséder une compétence professionnelle certaine, de bonnes connaissances, de même qu'une grande capacité d'adaptation. Il doit aussi fonder ses interventions sur les habiletés de communication interpersonnelle qui lui permettront de bien gérer les situations problématiques, notamment une bonne écoute, l'ouverture à l'autre, une grande disponibilité, une attitude empathique, un bon sens de l'observation, une attitude affirmative et la maîtrise du langage non verbal.

L'évolution rapide de la pratique, la disponibilité accrue du pharmacien et les besoins de plus en plus pressants d'une population soumise à l'engorgement du réseau de la santé font que le pharmacien est de plus en plus sollicité dans son rôle de conseiller et d'intervenant de première ligne. Pour bien s'acquitter de ce rôle, il doit impérativement savoir communiquer efficacement avec le patient.

Notes

1. Le chapitre 9, intitulé « La gestion des émotions », traite en détail l'expression verbale et non verbale des émotions.
2. Pour en apprendre davantage sur l'utilisation d'un langage clair et simple, le lecteur trouvera profitable la lecture du chapitre 15, intitulé « Les patients aux prises avec des problèmes d'alphabétisme fonctionnel ».
3. Au chapitre 15, intitulé « Les patients aux prises avec des problèmes d'alphabétisme fonctionnel », un petit guide de la communication simple présente la façon de s'y prendre pour communiquer efficacement.
4. Le chapitre 9, intitulé « La gestion des émotions », comporte une section consacrée à l'utilisation de l'empathie dans la relation médecin-patient.
5. Le lecteur trouvera intéressant de comparer cette technique à l'enseignement thérapeutique, présenté au chapitre 26, intitulé « L'enseignement thérapeutique et la motivation du patient ».
6. Il s'agit ici de l'assistant technique en pharmacie (ATP), terme qui est utilisé au Québec pour désigner l'aide-pharmacien, en remplacement du terme « technicien en pharmacie ».
7. Pour mieux comprendre le rôle de ces croyances, tant en médecine qu'en pharmacie, lire le chapitre 4, intitulé « Les représentations profanes liées aux maladies ».

Références

Andrade, S.E., A.M. Walker, L.K. Gottlieb, N.K. Hollenberg, M.A. Testa, G.M. Saperia et R. Platt (1995). « Discontinuation of antihyperlipidemic drugs : Do rates reported in clinical trials reflect rates in primary care settings ? », *The New England Journal of Medicine*, vol. 332, nº 17, p. 1125-1131.

Beardsley, R., T. Burelle, M. Gardner, V. Gideon, D. Gourley, K. Leibowitz, H. Meldrum, B. Svarstad, L. Van Diepen et W. Weart (1997). *Programme de consultation pharmacien-patient. PCPP – Module 3 : Consultation en vue d'améliorer l'observance*, Indian Health Service, U.S. Public Health Service, École de pharmacie de l'Université de l'Arizona, document diffusé par Pfizer.

Berger, B.A. (1997). *Readiness for change : Improving treatment adherence*, Glaxo Wellcome.

Coambs, R.B., P.J. Jensen, M.H. Her, B.S. Ferguson, J.L. Larry, J.S.W. Wong et R.V. Abrahamsohn (1995). *Review of the scientific literature on the prevalence, consequences, and health costs of noncompliance and inappropriate use of prescription in Canada*, Toronto, Health Promotion Research, University of Toronto Press.

Cohen-Cole, S.A., et J. Bird (1991). « Function 2 : Building rapport and responding to patient's emotions (relationship skills) », dans *The medical interview : The three-function approach*, sous la direction de S.A. Cohen-Cole, Saint Louis (Missouri), Mosby Year Book, p. 21-27.

Cormier, S. (2000). *La communication et la gestion*, Québec, Presses de l'Université du Québec.

De Young, M. (1996). « Research on the effects of pharmacist-patient communication in institutions and ambulatory care sites, 1969-1994 », *American Journal of Health-System Pharmacy*, vol. 53, nº 11, p. 1277-1291.

Dolce, J.J., C. Crisp, B. Manzella, J.M. Richards, M. Hardin et W.C. Bailey (1991). « Medication adherence patterns in chronic, obstructive pulmonary disease », *Chest*, vol. 99, nº 4, p. 837-841.

Frankel, R.M. (1994). *Communication with patients : Research shows it makes a difference*, Deerfield (Illinois), MMI Risk Management Resources.

Gardner, M., R.W. Boyce et R.N. Herrier (1997). *Programme de consultation pharmacien-patient – Module 1 : Une approche interactive pour s'assurer que le patient a bien compris*, Indian Health Service, U.S. Public Health Service, École de pharmacie de l'Université de l'Arizona, document diffusé par Pfizer.

Horne, R. (1998). « Adherence to medication : A review of existing research », dans *Adherence to treatment in medical conditions*, sous la direction de L.B. Myers et K. Midence, Buffalo (New York), Harwood Academic Publishers, p. 285-310.

Horne, R. (2000). « Assessing perceptions of medication : Psychological perspectives », dans *Handbook of drug use research methodology*, 1re édition, sous la direction de H. McGavock, Newcastle upon Tyne (Royaume-Uni), The United Kingdom Drug Utilisation Research Group, p. 299-319.

Horne, R., J. Weinman et M. Hankins (1999). « The beliefs about medicines questionnaire : The development and evaluation of a new method for assessing the cognitive representation of medication », *Psychology and Health*, vol. 14, p. 1-24.

Insull, W. (1997). « The problem of compliance to cholesterol altering therapy », *Journal of Internal Medicine*, vol. 241, nº 4, p. 317-325.

Lipton, H.L., et J.A. Bird (1994). « The impact of clinical pharmacists' consultations on geriatric patients' compliance and medical care use : A randomized controlled trial », *The Gerontologist*, vol. 34, nº 3, p. 307-315.

Marinker, M. (1997). *From compliance to concordance : Achieving shared goals in medicine taking*, rapport de la Royal Pharmaceutical Society of Great Britain, Londres, p. 1-55.

Martel, J. (1996). « Les soins pharmaceutiques : le concept », *Québec Pharmacie*, vol. 43, nº 9, p. 909-911.

Mayer, C. (2003). *Consultation interactive*, Montréal, document diffusé par Pfizer.

McBean-Cochran, B. (1988). *La communication en pratique : conseils en auto-médication – Programme de formation*, Scarborough (Ontario), Parke-Davis.

Morrell, R.W., D.C. Park, D.P. Kidder et M. Martin (1997). « Adherence to antihypertensive medications across life span », *The Gerontologist*, vol. 37, nº 5, p. 609-619.

Northouse, L.L., et P.G. Northouse (1998). *Health communication : Strategies for health professionals*, 3e édition, Stamford (Connecticut), Appleton & Lange.

Ordre des pharmaciens du Québec (1998). *Comprendre et faire comprendre : le défi de l'an 2000 – Guide pratique de la communication pharmacien-patient*, Direction formation continue et développement professionnel de l'Ordre des pharmaciens du Québec, en collaboration avec Pfizer Canada, Montréal, version électronique en format PDF (www.opq.org/fr/normes_guides/guides.htm).

Prochaska, J.O., et C.C. DiClemente (1992). « Stages of change in the modification of problem behaviors », *Progress in Behavior Modification*, vol. 28, p. 183-218.

Rollnick, S., N. Heather et A. Bell (1992). « Negotiating behavior change in medical settings : The development of brief motivational interviewing », *Journal of Mental Health*, nº 1, p. 25-37.

Roter, D.L., J.A. Hall, R. Merisca, B. Nordstrom, D. Cretin et B. Svarstad (1998). « Effectiveness of interventions to improve patient compliance : A meta-analysis », *Medical Care*, vol. 36, nº 8, p. 1138-1161.

Silverman, J., S. Kurtz et J. Draper (1998). *Skills for communicating with patients*, Abingdon (Royaume-Uni), Radcliffe Medical Press.

Tindall, W.N., R.S. Beardsley et C.L. Kimberlin (1994). *Communication skills in pharmacy practice*, 3e édition, Lippincott Williams & Wilkins.

Weiden, P.J., et M. Olfson (1995). « Cost of relapse in schizophrenia », *Schizophrenia Bulletin*, vol. 21, nº 3, p. 419-429.

Les médicaments[1]

Claude Richard
Marie-Thérèse Lussier

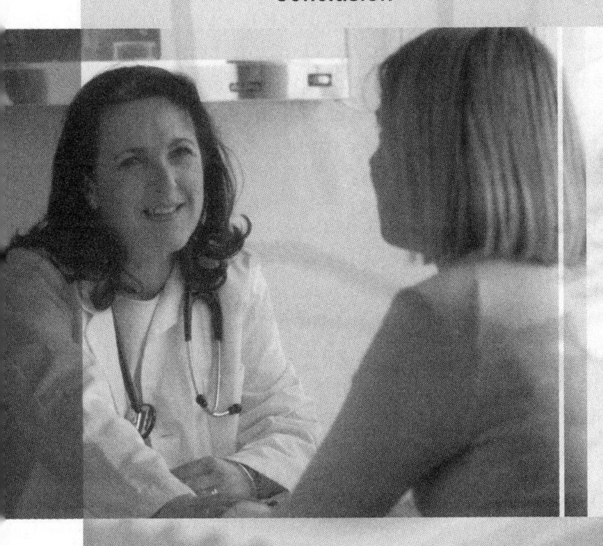

Tout comme les chats chassent les souris
sans nécessairement les manger,
les humains recherchent les médicaments
mais ne les prennent pas forcément[2].

Misselbrook (2001)

CHAPITRE
25

Tout le monde consomme des médicaments, à un moment ou à un autre. Selon une enquête américaine récente (Kaufman, Kelly, Rosenberg, Anderson et Mitchell, 2002), 81 % des adultes recensés avaient consommé au moins un médicament dans la semaine précédant l'enquête ; 50 % avaient pris un médicament prescrit et 7 % en avaient consommé cinq ou plus. En outre, 14 % de la population disait consommer des suppléments vitaminiques et des produits naturels. Une autre enquête américaine (Ni, Simile et Hardy, 2002) confirme que 24 % environ des Américains recourent à une forme ou une autre de médecine complémentaire ou parallèle. Qui plus est, la majorité des utilisateurs de ces produits (70 %) ne parlent pas de leur usage de ces produits à leur médecin (Crock, Jarjoura, Polen et Rutecki, 1999). Les données de l'*Enquête sociale et de santé 1998* (Papillon, Laurier, Barnard et Baril, 2001) révèlent qu'au Québec 53 % des personnes de tous âges et 82 % des personnes agées de 65 ans et plus indiquent qu'elles ont consommé au moins un médicament dans les deux jours précédant le questionnaire. Tous âges confondus, 34 % avaient pris un médicament prescrit et 31 % rapportaient faire usage de médicaments non prescrits.

On peut déduire de ces données que plusieurs des médicaments consommés ont fait l'objet d'une prescription lors d'une consultation médicale. Richard, Lussier, Lamarche et Monette (2002), qui ont analysé le contenu de 462 consultations de 40 médecins généralistes québécois, rapportent qu'il y a eu discussion d'au moins un médicament (sans qu'une ordonnance ait nécessairement été rédigée) dans 92 % des consultations. Par ailleurs, le National Center for Health Statistics (1997) nous apprend que plus de 60 % des visites médicales s'accompagnent de la rédaction d'ordonnances de médicaments. Lipkin, Putnam et Lazare (1995) ont estimé qu'un médecin généraliste pouvait effectuer entre 160 000 et 200 000 entrevues au cours d'une carrière de 40 ans. C'est donc dire qu'un médecin peut rédiger entre 96 000 et 120 000 ordonnances durant sa vie professionnelle. Voilà un geste médical des plus fréquents. Ainsi, la médication occupe sans contredit une place de premier plan dans la relation qui s'établit entre un patient et un médecin.

Jusqu'à très récemment, au Québec à tout le moins, le médecin et le dentiste étaient les seuls professionnels autorisés par la loi à prescrire des produits ayant une activité pharmacologique reconnue (Assemblée nationale, 2002). Selon Makoul, Arntson et Schofield (1995), 85 % des patients considèrent le médecin comme leur principale source d'informations sur les médicaments prescrits, 33 % considèrent que c'est le pharmacien, et seulement 3,7 % considèrent que c'est l'infirmière. Le médecin est encore perçu comme la personne la plus crédible pour discuter des médicaments. Ainsi, Rabin et Bush (1975) affirment que l'image du médecin est étroitement associée à la prescription de médicaments. Dans une analyse des médias, Krantzler (1986) montre que les médicaments sont présentés comme une extension du médecin, voire comme son remplaçant.

On rapporte par ailleurs que les consultations sont plus courtes lorsque les patients reçoivent une ordonnance, et que ces patients sont moins satisfaits du comportement du médecin (Wartman, Morlock, Malitz et Palm, 1981). Selon ces chercheurs, les patients auraient le sentiment que la médication est utilisée comme un substitut à une bonne communication. Dans le même ordre d'idées, Tamblyn, Laprise, Schnarch, Monette et McLeod (1997) ont montré que les visites médicales durant moins de 15 minutes, au cours desquelles le médecin s'attarde très peu sur le besoin ou le désir du patient d'avoir une prescription, donnent lieu à un risque accru d'erreur de prescription.

Dans ce chapitre, nous allons d'abord étudier les méfaits associés à l'usage des médicaments, puis la question de l'observance et les problèmes de communication liés aux médicaments qui surviennent au cours des entrevues médicales. Nous discuterons de diverses stratégies utiles d'une part pour questionner un patient sur sa médication, d'autre part pour lui proposer un nouveau médicament. De plus, nous suggérerons des algorithmes simples qui permettent aux professionnels de discuter plus efficacement de la médication avec leurs patients. Enfin, dans la dernière partie de ce chapitre, nous traiterons d'un aspect particulier de la médication: la représentation que les patients s'en font.

Les méfaits associés à l'usage des médicaments

On estime qu'à lui seul l'usage inadéquat des médicaments entraîne chaque année entre 1,75 et 2,25 milliards de dollars de dépenses au Québec (Lacroix, 1997). Dans une étude publiée dans la revue *Managed Healthcare Executive*, Krizner (2003) estime qu'aux États-Unis les coûts de la non-observance s'élèvent annuellement à 75 milliards de dollars. Dans une méta-analyse de 39 études prospectives effectuées dans des hôpitaux américains, Lazarou, Pomeranz et Corey (1998) estiment qu'environ 106 000 décès et plus de 2 millions d'effets indésirables graves nécessitant une prolongation de l'hospitalisation seraient attribuables à la prise d'un médicament.

Gandhi et autres (2003) rapportent, quant à eux, une incidence élevée d'effets indésirables associés à la consommation de médicaments en soins ambulatoires. Selon ces auteurs, on compte 27 incidents par 100 patients suivis en externe: 13 % de ces incidents sont graves, 28 % auraient pu être moins graves (leur gravité ou leur durée aurait été moindre si d'autres mesures avaient été prises) et 11 % auraient pu être évités. Parmi les incidents qui auraient pu être moins graves, 63 % sont attribuables au fait que le médecin n'a pas réagi aux symptômes reliés à la médication rapportés par les patients, et 37 % au fait que les patients n'ont pas informé le médecin de la présence de symptômes. Une autre étude récente, portant sur une population âgée bénéficiant de soins ambulatoires, révèle des taux similaires d'événements indésirables importants (Gurwitz et autres, 2003). On compte ainsi 50,1 effets indésirables par 1000 personnes par année, dont un peu plus du quart (27,6 %) sont considérés comme évitables; les erreurs se produisent au moment de la prescription ou du suivi (*monitoring*) et peuvent aussi être attribuables à la non-observance des patients.

Si certaines des complications associées aux médicaments sont bien imprévisibles ou inévitables, on pourrait prévenir une grande partie de celles qui sont associées à une utilisation inadéquate des médicaments. Aux dires de certains, on ne réduira pas les coûts et les souffrances associés à la mauvaise utilisation des médicaments uniquement grâce à des améliorations technologiques: cela passera également, entre autres, par l'amélioration de la communication entre le prescripteur et le patient. Voilà la raison fondamentale pour laquelle nous consacrons un chapitre de ce volume à la question.

L'observance

Selon Dahl (1997), une intervention médicale peut être considérée comme réussie uniquement si elle permet de rendre compte du suivi (l'observance) que le patient donne à cette intervention. L'observance peut être définie simplement comme le degré auquel le patient conforme son comportement à l'avis médical reçu, qu'il s'agisse d'une recommandation de changement d'habitude de vie, d'une prise de rendez-vous ou de la prise de médicaments (Haynes, 2001). Dans une publication qui date de 1979, Sackett et Snow affirmaient déjà que le taux habituel d'observance se situait autour de 50 %, mais qu'il pouvait varier de 0 % à 100 %. DiMatteo (1994), un chercheur chevronné dans le domaine de l'observance thérapeutique, résume les résultats des études de ces dernières années de la façon suivante : seulement 40 % à 50 % des patients respectent l'ordonnance comme elle a été rédigée par le médecin. Dahl (1997) a récemment confirmé ces chiffres : selon lui, de 30 % à 60 % des patients ne prennent pas leurs médications.

Tamblyn et Perreault (1998) soulignent qu'un cinquième des prescriptions ne sont jamais suivies et que, lorsqu'elles le sont, le taux d'observance varie de 16 % à 73 %. La sous-utilisation est un problème plus fréquent que la surutilisation : 80 % des problèmes d'observance liés à l'utilisation du médicament en relèvent. Ces auteurs notent également que la non-observance est intentionnelle dans 77 % des cas. Ce comportement serait relié au fait que certains patients perçoivent le médicament comme n'étant pas nécessaire ou produisant des effets indésirables. L'inobservance peut aussi être non intentionnelle : elle est alors principalement due à des oublis et à des incompréhensions. Lorsque les professionnels de la santé (médecins et infirmières) prennent des médicaments, ils ne font guère mieux que les patients : le taux d'observance est de 77 % pour l'usage de médication à court terme et de 84 % pour l'usage de médication à long terme. Ces données montrent qu'à elles seules les connaissances ne sont pas suffisantes pour assurer une observance optimale (Corda, Burke et Horowitz, 2000).

La non-observance varie en fonction de la nature de la maladie. Ainsi, le taux en serait de l'ordre de 20 % à 40 % pour l'asthme, de 40 % à 70 % pour l'hypertension, de 25 % à 65 % pour le diabète et de 45 % à 60 % pour l'ostéoporose (Aventis, 2002). Les principales raisons de non-observance invoquées par les patients varient également selon les cas. Pour l'asthme, elle tiendrait au refus des patients d'accepter le diagnostic et à ce que la maladie est intermittente ; pour l'hypertension, elle tiendrait au fait que la maladie est asymptomatique ; pour le diabète, à ce que la maladie rend nécessaires plusieurs changements en matière de style de vie ; et pour l'ostéoporose, à ce que les patients ne perçoivent pas le traitement comme leur apportant des bénéfices immédiats.

Observer un traitement constitue un changement de comportement et, comme tout changement de comportement, exige une adaptation de la part du patient. Les bénéfices qu'un patient tire d'un nouveau traitement dans sa vie, prise au sens large du terme, ne compensent peut-être pas les pertes ou les inconforts que ce traitement peut entraîner. Il ne faut pas oublier que beaucoup de patients décident en toute connaissance de cause de ne rien faire pour se soigner.

Les facteurs qui, selon Hotz (2002), expliquent le comportement d'observance sont résumés dans le tableau 25.1. Ces facteurs sont regroupés selon qu'ils relèvent de facteurs cognitifs et perceptuels, de facteurs comportementaux et sociaux ou de caractéristiques du problème de santé et de son traitement. De l'avis de tous les experts dans le domaine, le phénomène de l'observance est complexe et multifactoriel. L'observance est considérée comme un comportement et, à ce titre, peut également être étudiée à l'aide du modèle transthéorique de Prochaska et DiClemente (1984).

Il est de plus en plus reconnu que les problèmes d'observance ne sont pas uniquement liés à des facteurs techniques, tels que la complexité de la posologie (Korsch et Harding, 1997 ; Berg, Dischler, Wagner, Raia et Palmer-Shelvin, 1993). La non-observance s'expliquerait par les aspects humains associés aux plans de traitement : les croyances des patients à propos de la nature du problème et des traitements nécessaires et leurs préoccupations quant aux effets indésirables des traitements (tableau 25.1). Contrairement à une croyance répandue chez les médecins, il ne suffit pas de partager avec le patient les informations techniques sur le médicament pour assurer l'observance du traitement.

Tableau 25.1 **Les différents facteurs influençant l'observance**

Facteurs cognitifs et perceptuels
• Déni de la maladie
• Absence de confiance envers les professionnels de la santé
• Fait de se sentir mieux ou d'être asymptomatique
• Crainte de la dépendance
• Incompréhension de la maladie
• Évaluation imprécise de l'état de la santé ou du risque
• Attentes par rapport aux résultats, notamment au regard de la qualité de vie
• Expériences antérieures
Facteurs comportementaux et sociaux
• Absence de soutien social ou rétroaction insuffisante
• Habiletés comportementales
• Continuité des soins
• Priorités concurrentes
• Obstacles liés à l'environnement du patient
• Culture et croyances
Caractéristiques de la maladie
• Durée de la maladie
• Type et gravité des symptômes
• Niveau d'invalidité
• Caractère chronique ou aigu de la maladie
Caractéristiques du traitement
• Complexité
• Commodité
• Effets indésirables
• Délai d'action
• Coûts

Source : Inspiré de Hotz (2002).

L'observance et les motifs de consultation

Dans sa vie, le patient est engagé dans un dialogue avec lui-même et avec des personnes significatives. Le médecin n'est qu'une des voix avec lesquelles il entretient un dialogue. Le patient doit prendre des décisions, faire face à des exigences contradictoires et s'accommoder d'une réalité changeante et exigeante. Dans ce contexte, il doit continuellement réévaluer et ajuster ou modifier les décisions qu'il a déja prises (Billig, 1996).

Lorsqu'il consulte, le patient se présente avec un ensemble de motivations qui ne sont pas explicitement énoncées, mais qui permettent de prédire comment il se comportera en réponse aux demandes du médecin. Hanner et Witek (1995) ont montré que l'intention du patient est déterminante pour son comportement après la consultation. Ainsi, un patient peut consulter un médecin dans le but de recevoir des soins liés à un problème précis. Dans de tels cas, souvent aigus, c'est d'abord la compétence du médecin qui est recherchée, et ses recommandations sont susceptibles d'être suivies. Ce sont les cas préférés du médecin. Le patient peut également chercher à être rassuré. Le plus souvent, dans ce cas, les problèmes ne sont pas aigus, et il n'est pas nécessaire que le patient leur accorde une attention immédiate. À partir du moment où le patient est rassuré, il ne ressent plus l'urgence de s'occuper du problème. On trouve ensuite le patient qui recherche un diagnostic. Une fois le diagnostic posé, le patient n'est pas nécessairement prêt à passer à la solution. Enfin, le patient peut rechercher des conseils sur la gestion de sa santé, souvent en raison d'un problème de nature plus chronique. Le patient attend alors l'avis et le soutien du médecin, ce qui peut l'amener à accueillir froidement une proposition de nouvelle médication, qu'il peut assimiler à un substitut à l'écoute du médecin.

McWhinney (dans Lussier et Richard, 1999) envisage les motifs de consultation de manière légèrement différente. Selon lui, le patient peut consulter pour les raisons suivantes :

1. Parce qu'il a atteint son seuil de tolérance aux symptômes ;

2. Parce qu'il a atteint sa limite d'anxiété ;

3. Parce qu'il a des problèmes relationnels ;

4. Parce qu'il doit faire remplir un formulaire ;

5. Parce qu'il désire prévenir la maladie.

Les nuances apportées par McWhinney ainsi que par Hanner et Witek (1995) amènent à conclure que l'observance du patient est loin d'être automatique. En effet, pour bien évaluer ce qu'on peut raisonnablement attendre d'un patient donné en matière d'observance, il faudrait tenir compte à la fois des raisons de consultation et de la préparation à l'action du patient[3].

Les stratégies médicales qui favorisent l'observance

Le médecin tient trop souvent pour acquise la motivation du patient à suivre le *meilleur* traitement. Les recherches récentes montrent que ce n'est pas toujours le cas (Hotz, 2002). Les médecins proposent donc des traitements ou des changements de comportement que les patients ne sont pas prêts à adopter. Cet *écart biomédical* occulte la dimension comportementale de tout traitement. Hotz en conclut qu'il est essentiel que le médecin évalue le risque de non-observance du traitement de tout patient à qui il propose un traitement, et qu'il module son offre de traitement en fonction de cette évaluation.

Deux stratégies visant à se rapprocher de la réalité du patient ont fait la preuve de leur utilité :

1. Impliquer activement le patient dans la décision ;

2. Construire avec le patient la solution à ses difficultés, le médecin apportant ses connaissances, et le patient, son expérience.

L'objectif est d'élaborer de concert un plan d'action satisfaisant à la fois du point de vue clinique et du point de vue de l'expérience du patient. Ces deux stratégies sont au cœur de ce qu'il est maintenant convenu d'appeler la concordance. Ainsi, l'approche contemporaine consiste à envisager l'observance comme un projet dans lequel s'engagent le patient et le médecin. Ceux-ci se percevraient alors tous les deux comme étant impliqués dans une entreprise commune, à laquelle ils doivent collaborer pour atteindre un but (Robinson, 2003).

Discuter du plan d'action comme d'un projet commun pourrait changer le ton de la discussion et impliquer le patient plus directement. Dans cette perspective, le *meilleur traitement* se définit comme celui qu'on élabore en tenant compte des contraintes du patient, de ses résistances, de ses objections et de ses craintes. Mais, en dernière analyse, il revient toujours au médecin de proposer le traitement – cette action a des conséquences médicolégales. De son côté, le patient doit informer le médecin de ses préférences et de ses objections, et c'est bien le patient qui, au bout du compte, décidera de suivre ou non le plan établi.

La démarche de collaboration entreprise au moment de la définition du traitement augmente la probabilité que le patient s'engage dans le traitement après la consultation. Suivre le plan de traitement ne sera pas une priorité pour le patient s'il ne croit pas que sa maladie est grave ou s'il estime que les médicaments ne changeront rien. Ce qui est important, ce n'est pas ce que le médecin pense, mais ce que le patient pense. Prendre un médicament est un geste qui découle d'un processus qui peut être complexe (tableau 25.1), et les sources de désaccords entre la vision du médecin et celle du patient sont nombreuses. Comme le rappellent Marinker et Shaw (2003), lorsqu'il y a désaccord entre le médecin et le patient sur le traitement à suivre, c'est le patient qui tranchera. C'est lui qui décidera s'il prend ses médicaments ou non, un état de fait que les médecins ont du mal à reconnaître.

Comme nous venons de le voir, l'élaboration d'un projet de traitement passe par un échange d'informations à la fois techniques et personnelles entre le médecin et le patient, sans lequel il n'y a pas de projet commun. Toutefois, bien que cette discussion soit essentielle, elle n'est pas suffisante pour qu'il y ait une prise de décision partagée (Charles, Gafni et Whelan, 1997). Dans la section suivante, nous présentons les résultats de recherches portant sur l'échange d'informations sur les traitements durant la consultation.

Le rappel des informations sur les médicaments par les patients : un problème

LA TRANSMISSION D'INFORMATIONS SUR LE TRAITEMENT

Selon une étude de Waitzkin (1984) faisant autorité, consacrée à l'échange d'informations en général durant la consultation, les médecins surestiment le temps qu'ils passent à donner des explications au patient (dans des proportions de un à sept) et sous-estiment systématiquement le désir des patients d'obtenir des informations. Il est possible que les médecins croient qu'ils ont donné suffisamment d'informations sur les traitements et que les patients ont compris leurs propos. Or, plusieurs facteurs indiquent que la discussion des traitements au cours des consultations est insuffisante. De plus, même lorsque le médecin donne ces informations lors de l'entrevue médicale, le patient en oublie de 40 % à 80 % immédiatement après l'entrevue, et près de la moitié des informations dont il se souvient sont incorrectes (Kessels, 2003 ; Ferner, 2003). Lorsque la médication est modifiée lors d'une entrevue, seulement 66 % des patients se souviennent de tous les changements discutés (Rost, Roter, Bertakis et Quill, 1990).

Selon une étude de Calkins et autres (1997), 89 % des médecins croient que leurs patients comprennent les risques d'effets indésirables de leur médication au moment de leur congé de l'hôpital, alors que seulement 57 % des patients disent les comprendre. Lorsque les patients sont dans une situation d'urgence, ils se rappellent encore moins bien leur médication : 48 % se rappellent l'ensemble des médicaments qu'ils utilisent, 39 %

sont en mesure de dire à quels moments ils doivent prendre des médicaments et 24 % connaissent les dosages (Vilke, Marino, Iskander et Chan, 2000). Dans un contexte psychiatrique, environ 33 % des patients connaissent le nom et le dosage du médicament consommé, environ 38 % connaissent le nom du médicament mais pas son dosage, et environ 21 % ne connaissent ni le nom ni le dosage (Poduri, 2003). On ne peut que constater la convergence des résultats des recherches menées sur la connaissance qu'ont les patients de leur médication.

Les médecins donnent rarement des informations écrites aux patients et, lorsqu'ils le font, celles-ci sont inintelligibles pour un grand nombre de patients (Estrada, Hryniewicz, Higgs, Collins et Byrd, 2000)[4]. Alors que les informations devraient être compréhensibles par une personne dont la capacité de lecture correspond au niveau atteint en sixième année, le matériel éducatif utilisé par les médecins exigerait en général une capacité de lecture correspondant à un niveau de dixième année, voire à un niveau plus élevé. Or, on estime que 21 % de la population américaine et près de 30 % de la population canadienne (les méthodes d'évaluation différant, ces chiffres constituent un ordre de grandeur) ont des connaissances élémentaires en matière de lecture et d'écriture. Un faible niveau de compétence en lecture est associé à un moins bon contrôle de la maladie, à une moins bonne observance et à des coûts six fois supérieurs pour le système de santé (Ad Hoc Committee on Health Literacy for the Council on Scientific Affairs, 1999; Weiss, Hart, McGee et D'Estelle, 1992; Weiss et autres, 1994; Kalichman, Ramachandran et Catz, 1999).

C'est dans ce contexte que doivent s'inscrire l'échange d'informations et le projet d'établir un partenariat entre le médecin et le patient. Il faudrait former un partenariat qui ne reposerait pas uniquement sur l'échange d'informations, mais également sur la capacité du médecin et du patient à coopérer pour fournir à ce dernier ce qui lui est nécessaire pour atteindre son objectif. On doit aussi tenir compte du fait qu'il ne suffit pas de donner les informations rapidement et en rafales pour que le patient les retienne. Le médecin doit répéter certaines informations jugées essentielles, non seulement au cours de l'entrevue actuelle, mais également au cours de chacune des entrevues suivantes. Le médecin ne devrait pas présupposer que le patient maîtrise les informations sans qu'il les ait lui-même répétées correctement. Force est de constater que les résultats des recherches menées sur les connaissances qu'ont les patients sur les traitements qui leur sont prescrits convergent. Il faut donc prendre très au sérieux les problèmes de communication au sujet des médicaments.

La communication au sujet des médicaments

L'état de la communication à propos de la médication

La non-observance des recommandations constitue une des principales difficultés de la pratique médicale; les médecins eux-mêmes le reconnaissent (Beaulieu et Leclère, 1991). Mais les médecins ne vérifient pas si les patients suivent les recommandations, et les patients ne parlent pas spontanément de cette question. Selon Hammond et Lambert (1994), une communication inadéquate expliquerait que 55 % des patients dévient non intentionnellement de leur prescription. La compréhension que le patient a de sa maladie, de son explication scientifique et de l'importance de la prescription, ainsi que des instructions liées à l'usage des médicaments, semble en partie liée à des facteurs communicationnels. Cependant, il est rare que ces dimensions soient abordées exhaustivement lors de la consultation (Parrott, 1994; Makoul et autres, 1995; Scherwitz, Hennrikus, Yusim,

Lester et Vallbona, 1985; Richard et Lussier, 2003). Pourtant, l'observance s'améliore lorsque le médecin offre plus d'informations, tient des propos plus positifs et pose moins de questions d'ordre général mais plus de questions sur l'observance elle-même (Hall, Roter et Katz, 1988).

Richard et Lussier (2003) ont étudié 462 consultations menées au Québec par des médecins généralistes. Ils ont répertorié l'ensemble des discussions portant sur les médicaments tenues au cours de ces entrevues et ont classé les propos échangés en dix blocs thématiques; huit thématiques proviennent du National Council on Patient Information and Education (2000) et deux thématiques ont été ajoutées: Observance et Attitudes et émotions. Richard et Lussier ont tenté de dresser le profil précis des discussions portant sur la médication dans le cadre des consultations en médecine générale, puis d'en dégager des schèmes de discussion selon qu'il s'agit d'un médicament nouvellement prescrit, d'un médicament dont la prescription est renouvelée ou d'un médicament que le patient utilise mais dont la prescription n'a pas besoin d'être renouvelée lors de la consultation. Le tableau 25.2 donne le pourcentage des médicaments ayant fait l'objet de discussion pour chacune des dix thématiques, et ce pour chacune des catégories de médicaments.

Tableau 25.2 **Pourcentage des médicaments ayant fait l'objet d'une discussion, par blocs thématiques et catégories de médicaments**

	FRÉQUENCE EN POURCENTAGE			
Blocs thématiques	Tous les médicaments	Médicaments actifs	Médicaments nouvellement prescrits	Médicaments represcrits
Désignation	87,9	90	77,8	95,9
Effet principal anticipé	19,5	11,4	53,8	16,5
Effet principal observé	24,7	32,7	0	33,3
Effet indésirable anticipé	8,2	6,8	16,5	7
Effet indésirable observé	7,6	7,3	0	11,9
Mise en garde	4,6	3,4	11,4	2,1
Posologie	43,8	42,5	75,9	58,4
Indication de reconsulter	12,5	9	35,4	18,9
Observance	5,8	6,7	4,4	12,8
Attitudes et émotions	14,7	16,2	10,8	17,3
	n = 1492*	n = 643	n = 158	n = 243

* Le total des médicaments de la première colonne (n = 1492) ne correspond pas à la somme des trois colonnes suivantes (n = 1044), 348 médicaments ayant été exclus de la présentation parce qu'ils appartiennent à des catégories autres, moins fréquentes.

Comme le montre l'analyse des données présentées dans le tableau 25.2, la fréquence de discussion est très faible pour la plupart des thèmes, exception faite des blocs thématiques Désignation, Posologie, Effet principal observé et Effet principal anticipé, ce qui confirme les conclusions des recherches précédentes (Scherwitz et autres, 1985; Parrott, 1994; Makoul et autres, 1995). Les résultats sont particulièrement éloquents en ce qui concerne la discussion de l'observance. On constate que le discours sur l'observance est quasiment absent dans le cas des nouveaux médicaments, ce qui indique qu'aucune prévention n'est faite en la matière.

Richard et Lussier (2003) ont ensuite évalué dans quelle mesure les médecins et les patients contribuaient à chacune des thématiques, c'est-à-dire dans quelle mesure il y avait un dialogue ou un monologue (taux dialogique) sur ces thèmes. Bien que les entretiens puissent être en général décrits comme des monologues du médecin, les auteurs ont noté des différences selon le statut du patient et les thèmes abordés. Ils ont observé que les patients participent davantage à la discussion lorsqu'il s'agit d'une thématique dans laquelle leur expérience compte : Effet principal observé, Effet indésirable observé, Attitudes et émotions et Observance. Ils ont enfin relevé qui, du médecin ou du patient, aborde les propos sur les différents thèmes : l'initiative vient du médecin dans la majorité des cas, mais elle varie, plus encore que les taux dialogiques, selon les statuts et les thèmes.

Les mêmes auteurs proposent deux facteurs pouvant être à l'origine des variations observées. En premier, l'expérience ou les connaissances du patient à propos des médicaments pourraient motiver les variations en matière de participation au contenu et d'initiative des propos. Ce facteur expliquerait, entre autres, dans quelle mesure un patient peut contribuer au contenu sur un sujet donné : ce serait seulement lorsque le patient connaît bien *sa* maladie et *ses* médicaments qu'il pourrait opposer *son expertise* à celle du médecin, surtout s'il connaît bien ce dernier. Bref, on parle lorsqu'on a quelque chose à dire.

Richard et Lussier envisagent un second facteur pouvant expliquer les variations de la prépondérance d'initiative selon le statut du médicament. Il s'agit de la responsabilité du médecin, qui est engagée plus ou moins directement selon qu'il effectue une nouvelle prescription, un renouvellement de prescription ou qu'il discute simplement d'un médicament que consomme le patient. C'est lorsqu'il prescrit un nouveau médicament que le médecin est le plus engagé. Dans le cas des nouvelles prescriptions, tout est à faire : le médecin ne peut tabler sur la connaissance du patient du nouveau médicament, et il porte l'entière responsabilité de son acte. Lorsqu'il y a renouvellement d'une prescription, son engagement diminue, ce qui pourrait s'expliquer par le fait qu'il peut alors se reposer sur la connaissance déjà présente du médicament par le patient et sur le fait que jusqu'à maintenant le patient se comporte selon ses attentes avec le médicament. Lorsqu'on discute d'un médicament déjà prescrit, il n'y a pas d'acte de prescription et l'engagement du médecin est à son plus bas.

Par ailleurs, la nature des thèmes influence la contribution potentielle de chacun des interlocuteurs. Ainsi, certains thèmes touchent d'emblée des sujets liés à l'expérience personnelle, soit Effet principal observé, Effet indésirable observé et Attitudes et émotions, alors que d'autres relèvent davantage de l'expertise technique du médecin, soit Effet principal anticipé, Effet indésirable anticipé, Indication de reconsulter et Mise en garde. La nature de certains thèmes varie dans le temps : Désignation, Observance, Posologie et Mise en garde ; avec le temps, ceux-ci se prêteraient davantage à une véritable discussion entre le médecin et le patient. Il y a d'autres thèmes que le médecin ne peut partager, car ils relèvent strictement de son expertise professionnelle ; ils correspondent à une évaluation qu'il doit refaire à chaque consultation : Indication de reconsulter, Effet principal anticipé et Effet indésirable anticipé. Quant aux Attitudes et émotions, elles relèvent uniquement du patient.

L'ensemble des données provenant des recherches faites sur le terrain, en particulier lors d'observations directes des consultations, débouchent sur la conclusion suivante : la communication entourant la médication est pauvre à tout point de vue. Cela amène à constater que les conversations entre médecins et patients ne conduisent pas le patient dans les faits à un *consentement éclairé* au traitement (principe éthique reconnu et enchâssé dans les lois de plusieurs pays) et à un *choix de traitement informé* (Charles et autres, 1997). Dans une telle situation où il ne peut y avoir de consentement éclairé, on peut affirmer que les patients qui observent leur traitement le font sur la base de la confiance qu'ils accordent à leur médecin, et non en se fondant sur une discussion du traitement.

Les principaux obstacles à la communication sur la médication

Dans cette section nous aborderons un ensemble de caractéristiques de la communication entre le patient et le médecin qui, selon nous, peuvent constituer des obstacles à une discussion efficace du plan de traitement.

LA GESTION DU TEMPS DE L'ENTREVUE

Dans la gestion du temps de l'entrevue, le médecin a tendance à favoriser le diagnostic, en raison de l'importance qu'il lui accorde, au détriment de la discussion du plan de traitement. Waitzkin et Stoeckle (1972) ont montré que les médecins passent en moyenne 1 minute, sur les 20 minutes que dure une entrevue, à donner des explications sur le plan de traitement, bien que les patients désirent recevoir des explications sur la nature de leur problème et discuter des possibilités thérapeutiques (Waitzkin, 1985). Plus récemment, on a estimé que seulement de 14 % à 20 % du temps de l'entrevue était consacré à la discussion du traitement (Roter et autres, 1997; Richard et Lussier, 2003).

L'UTILISATION D'UN VOCABULAIRE TECHNIQUE

Les médecins utilisent trop souvent un vocabulaire technique difficile à comprendre pour le patient (DiMatteo, 1991). Selon Tuckett, Boulton et Olson (1985), 36 % des patients qui ont reçu des informations concernant le diagnostic ne se rappellent pas ce que le médecin a dit ou ne peuvent pas répéter ce qu'il a dit en utilisant leurs propres mots. Cette situation laisse penser que le médecin n'a pas réussi à traduire les données médicales en des termes que le patient peut comprendre et intégrer dans sa vie. Dans 50 % des entrevues, le patient n'arrive même pas à se souvenir des recommandations principales liées au diagnostic, au traitement ou à la prévention. De plus, seulement 15 % des patients affirment avoir tout compris des propos tenus par leur médecin (DiMatteo, 1991).

LE STYLE COMMUNICATIONNEL

On observe dans les entrevues médicales une prédominance du style biomédical: le médecin domine les discussions et dirige l'entrevue, ce qui limite la participation du patient. D'où la répartition suivante du temps de parole: 60 % pour les médecins (Hall et autres, 1988) et 40 % pour les patients (Roter et autres, 1997).

LES CROYANCES DES MÉDECINS

Les médecins et les patients ne perçoivent pas de la même façon ce qu'est une information adéquate. Cet écart de perception signifie que la majorité des patients veulent une discussion élaborée des risques et des autres options thérapeutiques, alors que les médecins donnent peu d'informations sur les autres traitements possibles et informent les patients seulement des risques importants (Faden, Becker, Levis et Freemon, 1981).

Les patients ne verbalisent pas leurs désaccords et mentent par omission pour rester polis avec leur médecin (Aronsson et Satterlund-Larson, 1987). Le médecin interprète alors les propos (ou le silence) du patient comme un accord et il s'attend donc à ce que le patient adopte le comportement qu'il lui recommande. Que le patient s'oppose si peu au médecin, tout en étant par ailleurs peu observant, tiendrait au fait que, venant demander un service à un expert, il adopte l'attitude de celui qui attend que le *spécialiste* se prononce. Dans ce contexte, discuter l'avis du spécialiste qu'on vient consulter serait déplacé, impoli, et même peut-être prétentieux. Mais aussitôt sorti de la situation de consultation, le patient se réapproprie sa capacité d'agir de façon autonome et se comporte dès lors selon son bon vouloir à l'égard du traitement prescrit.

LA COMMUNICATION DU RISQUE

La communication du risque est essentielle, et une omission de communiquer des risques importants peut avoir des conséquences juridiques. Au Canada, la Cour suprême a statué en 1980 que le médecin avait l'obligation légale de divulguer au patient ce qu'une personne raisonnable voudrait savoir même si elle n'a pas sollicité cette information. Le médecin a donc le devoir d'informer son patient (Godolphin, 2003).

Nous adaptons ici les propos d'Alaszewski et Horlick-Jones (2003). Dans l'approche habituellement adoptée pour la communication du risque, on présuppose que les patients évaluent les faits rationnellement afin de trouver et de choisir la meilleure option. Mais, nous l'avons déjà souligné, de nombreuses personnes ont des difficultés à suivre des indications simples et à retenir des informations. De plus, certaines personnes déforment l'information : Say et Thomson (2003) rapportent ainsi que des patients ont compris et retenu que le risque allait de 0 % à 65 % alors que le médecin les informait d'un risque de 2 %. Ces résultats illustrent combien il est difficile de transposer des chiffres et des probabilités dans des termes interprétables par une personne étrangère à la culture médicale et statistique.

Voici, selon Alaszewski et Horlick-Jones (2003), les éléments qui influencent l'acceptation par le patient du discours sur le risque :

1. La confiance dans la source ;

2. La pertinence des informations pour la vie de tous les jours ;

3. La relation avec d'autres risques (convergence ou divergence) ;

4. La convergence avec d'autres connaissances et expériences ;

5. La prise en compte des aspects sociaux et psychologiques.

Selon ces auteurs, le médecin devrait transposer l'idée de risque dans un cadre interprétable par le patient, autrement dit dans un cadre qui ne soit pas de nature probabiliste et médicale.

Il est actuellement impossible de soutenir que le patient fait un choix informé en ce qui concerne la médication. En effet, dans bien des cas, le patient ne connaît pas le nom du médicament, ce qu'est ce médicament ou ce que sont ses effets thérapeutiques et ses effets indésirables. Il ne sait pas non plus ce qui se passera s'il ne suit pas le traitement et s'il existe d'autres options. Dans une perspective où on souhaite donner au patient une plus grande autonomie dans son traitement, il serait nécessaire que les jugements du patient reposent davantage sur les informations qu'il reçoit à propos de la médication. Cependant, la décision de traitement ne peut pas reposer sur une évaluation qui serait uniquement rationnelle. Ainsi, le plus souvent, le patient effectue un choix fondé sur la confiance qu'il accorde à son médecin. L'objectif n'est pas de miner cette confiance, mais de l'inscrire dans un cadre plus large répondant aux exigences éthiques contemporaines.

L'optimisation de la discussion des médicaments : les stratégies communicationnelles

Dans la première partie de cette section, nous présentons une stratégie simple permettant de questionner un patient au sujet de la médication dont il fait usage. Suivant l'approche clinique proposée ici, le médecin est invité à profiter du moment de la consultation pour donner un rôle actif au patient et pour vérifier, de façon explicite, que ce dernier observe les traitements énumérés. Dans la seconde partie, nous rappelons comment on peut optimiser la participation du patient à la discussion du plan de traitement.

Questionner le patient au sujet des médicaments qu'il consomme

Nous allons traiter ici d'une partie de l'entrevue qui, à notre sens, pourrait être améliorée grâce à des stratégies de communication simples. Il s'agit du moment où le médecin demande au patient s'il prend des médicaments, passage obligé de toute entrevue médicale, s'il en est. Cette demande du médecin vise essentiellement à faire l'inventaire de ce que consomme le patient. Aussi routinier qu'il soit, cet inventaire demeure important, car il permet au médecin non seulement d'encourager son patient à respecter les recommandations, mais aussi de dresser un tableau précis de l'ensemble des traitements actifs que suit son patient. Si les médecins parlent aussi peu de la médication, c'est peut-être parce qu'ils ne savent pas ce que consomme le patient, comme peut le laisser croire l'étude d'Atkin et autres (1998) : les médicaments pris par les patients sont correctement consignés dans les dossiers seulement dans 25 % des cas environ…

Nous proposons une stratégie communicationnelle visant à profiter de cette partie de l'entrevue pour améliorer d'une part la circulation de l'information au sujet de la médication, et d'autre part la qualité de la tenue du dossier pharmacologique des patients. Deux approches particulières sont présentées ici : la première sera utile dans le cas où le médecin connaît déjà le patient, et la seconde dans le cas où il s'agit d'un nouveau patient. Deux algorithmes illustrent ces situations.

RECUEILLIR L'INFORMATION AUPRÈS D'UN PATIENT CONNU

Lorsqu'il connaît le patient, le médecin a normalement un dossier sur lui comportant nombre d'informations, notamment la liste des médicaments actifs qu'il utilise. Nous suggérons que le médecin consacre un moment particulier de *chaque* visite de suivi à réviser la liste des médicaments notés dans le dossier du patient (figure 25.1). Après un énoncé d'entretien annonçant qu'il veut prendre quelques instants pour s'assurer que la liste des médicaments est exacte, le médecin énumère les médicaments figurant dans la liste, en donnant à haute voix leur nom, leur posologie et la raison pour laquelle ils sont prescrits. Le médecin a ici deux objectifs : vérifier l'exactitude des renseignements consignés dans le dossier et renforcer l'information de prescription. Dans un domaine aussi complexe, il est recommandé de répéter plusieurs fois chaque information. Cet exercice, apparemment un peu fastidieux, offre au médecin et au patient l'occasion de corriger toute information inexacte. De plus, en répétant l'exercice à chacune des rencontres, le médecin montre l'importance qu'il accorde au fait de bien connaître la consommation de médicaments du patient.

Même s'il connaît le patient, le médecin ne doit pas tenir pour acquis que la liste est complète. En effet, entre deux visites de suivi, le patient a pu consulter un ami, un pharmacien, un autre médecin généraliste ou spécialiste. Il a pu visiter une clinique sans rendez-vous, aller aux urgences ou même être hospitalisé ! Dans tous ces cas, un ou plusieurs nouveaux médicaments ont pu être prescrits ou achetés au comptoir, à la pharmacie ou dans un magasin de produits naturels. Il est possible que le patient qui a consulté un autre médecin ou un pharmacien, pour une raison qu'il croit sans relation avec la présente visite, n'indique pas spontanément au médecin qu'il utilise un nouveau médicament. Un patient qui vient pour un suivi d'hypertension peut, par exemple, utiliser un anti-inflammatoire pour un problème musculosquelettique.

Il est donc essentiel que le médecin demande explicitement au patient si de nouveaux médicaments s'ajoutent à la liste. Si c'est le cas, le patient répondra habituellement en énumérant ces médicaments. Il est important de faire préciser au patient la raison pour laquelle il les prend, ainsi que la posologie associée à chaque médicament. La participation du

Figure 25.1 **Algorithme pour le suivi du profil pharmaceutique du patient connu**

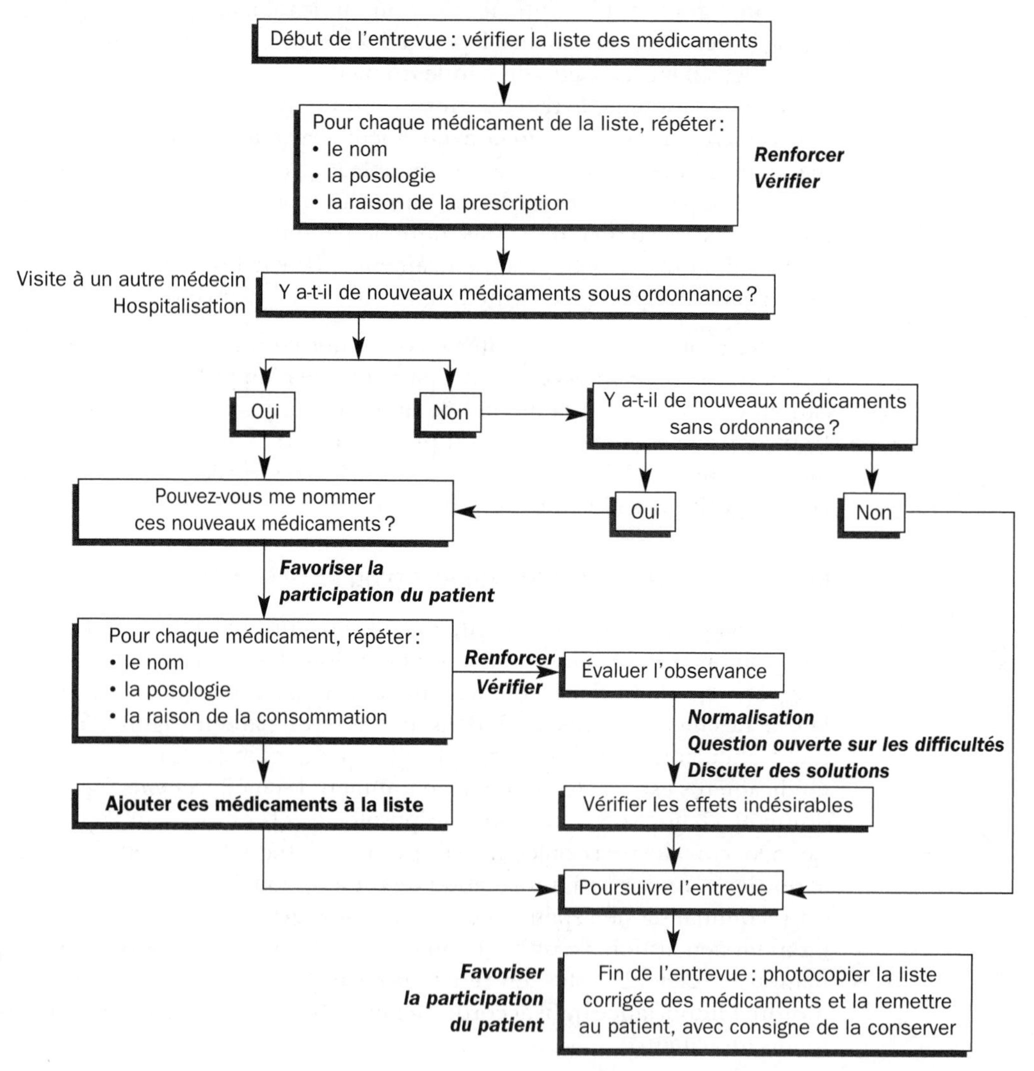

Source : Richard, C., et M.-T. Lussier (2004). « Médecine et psychologie. Médication : Les croyances de votre patient nuisent-elles à votre patient ? », *MedActuel FMC*, vol. 4, nº 9.

patient à la consultation en est stimulée, ce qui aidera le patient à mieux gérer le médicament après la consultation. Le médecin répète le nom, la posologie et la raison de la consommation de chacun des médicaments qu'il ajoute à la liste. Il vérifie ainsi qu'il a bien compris ce que lui dit le patient, tout en raffermissant celui-ci dans son comportement. À nouveau, le médecin peut corriger ou préciser les connaissances du patient à propos de sa médication. Une fois que les médicaments prescrits sont énumérés et inscrits dans la liste, le médecin doit explicitement vérifier si le patient consomme des produits en vente libre, en particulier des produits dits naturels qu'il aurait de sa propre initiative décidé de prendre et qu'il ne juge pas toujours utile de mentionner à son médecin. Si le patient ne donne pas spontanément de telles informations, il est important que le médecin vérifie si de nouveaux médicaments sont utilisés.

Tout au long de cette collecte d'informations, le médecin doit favoriser la participation du patient. Le médecin a intérêt à prendre quelques secondes pour vérifier, pour chacun des médicaments, si le patient éprouve des difficultés à respecter la posologie. En indiquant au patient que ce type de difficultés n'a rien d'anormal (normalisation) et en mettant l'accent sur le fait que suivre un traitement constitue un changement de comportement, le médecin apporte un soutien au patient. Cette démarche permet également au médecin de rechercher des solutions concrètes et adaptées à la situation particulière du patient. Le médecin peut alors suggérer des moyens d'aider le patient, mais surtout discuter avec lui pour l'amener à proposer lui-même des solutions à ses difficultés. C'est également le moment de vérifier de façon explicite si le patient a relevé des effets indésirables pour chacun des médicaments.

À la fin de l'entrevue, le médecin peut remettre au patient une liste corrigée des médicaments qui comporte les éléments suivants : le nom du médicament, la posologie et la raison pour laquelle il est consommé. Le médecin demande au patient de conserver cette liste-rappel chez lui à portée de main. Cette liste peut également être remise au pharmacien chez lequel le patient achète ses médicaments, ce qui assure une bonne circulation des informations entre les principaux intervenants du dossier médicaments. Bien évidemment, l'implantation du dossier patient électronique facilitera la mise à jour de la liste de médicaments. Mais elle ne remplacera pas les échanges de vues médecin-patient sur la médication, dont le but est d'améliorer la participation du patient à la gestion de son traitement. Enfin, le médecin doit également rappeler au patient qu'il doit apporter cette liste de médicaments à chaque consultation médicale.

RECUEILLIR L'INFORMATION AUPRÈS D'UN NOUVEAU PATIENT

Dans le cas d'un nouveau patient, le médecin n'a habituellement pas de liste des médicaments qu'il consomme : il doit donc la constituer. La figure 25.2 contient un algorithme qui peut guider le médecin dans cette tâche. La première chose à faire est de poser une question ouverte au patient : « Prenez-vous des médicaments *sous ordonnance* ou *prescrits* en ce moment ? » Nous suggérons de préciser « sous ordonnance » ou « prescrits » pour aider le patient à organiser les informations qu'il donne. Cette stratégie permet également au médecin de demander au patient s'il utilise des produits en vente libre : soit au tout début du processus, si le patient ne prend aucun médicament prescrit, soit un peu plus tard, lorsque la liste des médicaments prescrits est constituée.

Pour le reste, la démarche ressemble à celle que nous avons proposée dans le cas du patient connu, à cette différence près que le médecin doit s'assurer qu'il recense l'ensemble des médicaments consommés, même ceux dont le patient a oublié le nom (Vilke et autres, 2000). Selon qu'il est urgent ou non de connaître les noms des médicaments, deux stratégies

Figure 25.2 **Algorithme pour le suivi pharmaceutique du nouveau patient**

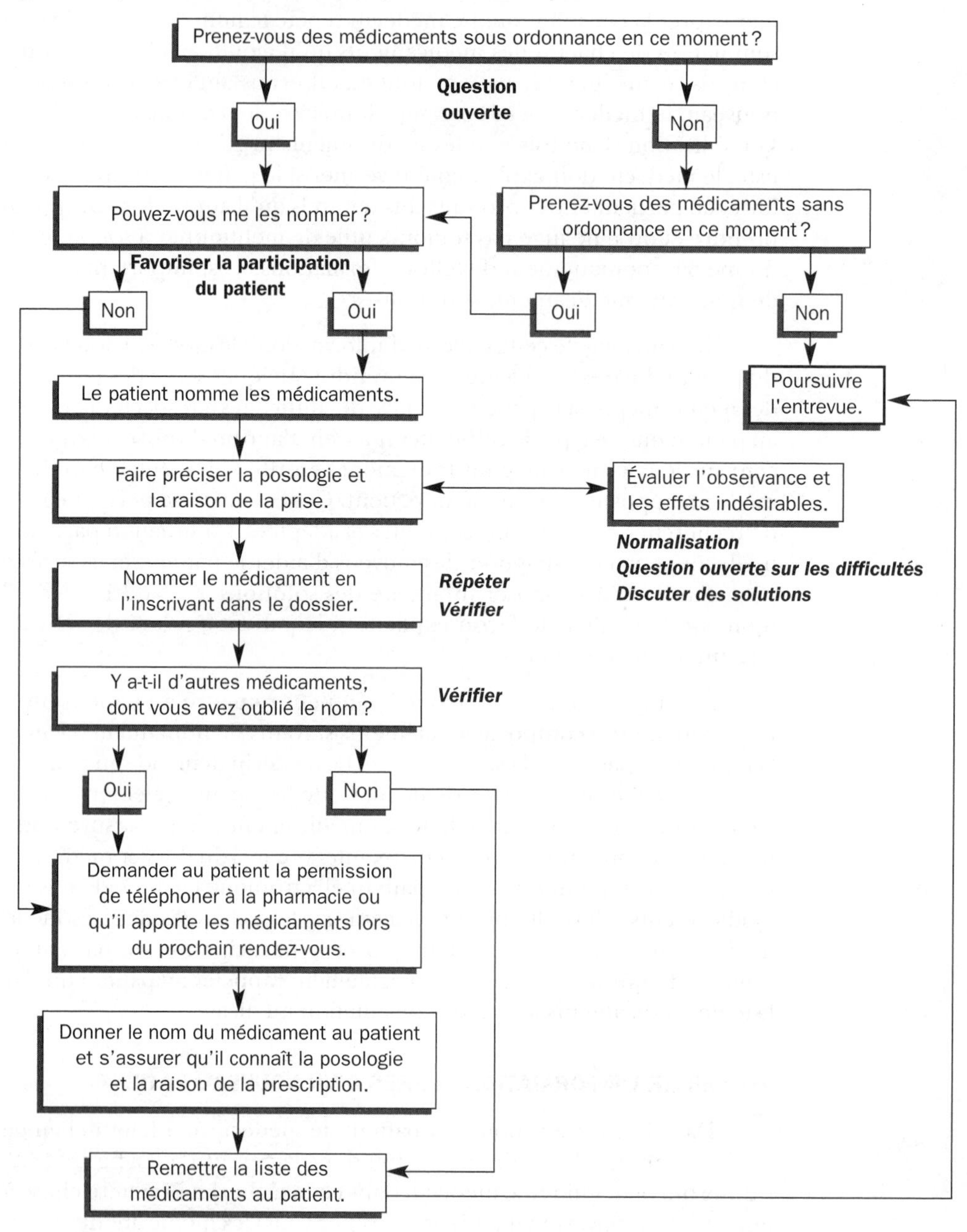

Source : Richard, C., et M.-T. Lussier (2004). « Médecine et psychologie. Médication : Les croyances de votre patient nuisent-elles à votre patient ? », *MedActuel FMC*, vol. 4, nº 9.

sont possibles : soit le médecin demande au patient la permission de communiquer sur-le-champ avec son pharmacien, soit le médecin convient avec le patient que ce dernier apportera l'ensemble des médicaments lors de la prochaine consultation. Une fois que le médecin connaît le nom du médicament en question, il le répète et s'assure que le patient connaît la posologie et la raison pour laquelle il prend ce médicament. Puis, comme dans le cas des patients connus, le médecin peut procéder à l'évaluation de l'observance et des effets indésirables.

Le médecin remet au patient la liste de médicaments qu'il a constituée : cette liste comprend le nom de chaque médicament, la posologie et la raison de le prendre. Comme dans le cas du patient connu, le médecin indique à son nouveau patient qu'il doit conserver cette liste-rappel, la remettre à son pharmacien et l'apporter à chaque consultation médicale. Le médecin montre ainsi très clairement l'importance qu'il accorde aux médicaments consommés par le patient.

M. Vadeboncœur est âgé de 57 ans. Trois fois par année, il consulte le Dr Wilson, son médecin de famille, pour le suivi de son hypertension et de sa dyslipidémie, deux problèmes qui sont, à ce jour, bien contrôlés par la prise de Norvasc®, 10 mg die, d'Hydrodiuril®, 12,5 mg die pour son hypertension, et de Lipitor® 20 mg pour sa dyslipidémie. Selon le dossier du Dr Wilson, M. Vadeboncœur ne consomme aucun autre médicament. Depuis quelques semaines le Dr Wilson a pris l'habitude de réviser systématiquement la liste des médicaments de tous ses patients.

M. Vadeboncœur est dans le cabinet du Dr Wilson pour une consultation de routine. Le médecin vient de définir la déroulement de la rencontre et s'est déjà assuré qu'il n'y a pas de nouveaux problèmes à aborder au cours de la consultation. Le médecin a transmis au patient les résultats du bilan des lipides effectué récemment, en lui indiquant que ce bilan était satisfaisant.

LE MÉDECIN	— *Avant de mesurer votre tension artérielle, j'aimerais prendre quelques minutes pour vérifier la liste des médicaments que vous prenez actuellement. Ça vous convient ?*	Cet énoncé d'entretien annonce un nouveau comportement de la part du médecin.
LE PATIENT	— *Pas de problème.*	La patient exprime son accord.
LE MÉDECIN	— *Selon mon dossier, vous prenez actuellement trois médicaments.*	Le médecin vérifie les informations consignées dans le dossier.
LE PATIENT	— *Oui, c'est bien ça.*	Le patient confirme l'information.
LE MÉDECIN	— *J'aimerais m'assurer que les informations de mon dossier sont bien à jour. Je vais vous nommer les médicaments.*	Énoncé d'entretien.
LE PATIENT	— *O.K.*	
LE MÉDECIN	— *Pour votre pression, vous prenez de l'HydroDiuril et du Norvasc. C'est bien ça ?*	Le médecin nomme les médicaments et précise qu'ils sont pris pour la tension artérielle.
LE PATIENT	— *Oui.*	Le patient exprime son accord.

LE MÉDECIN	— *HydroDiuril, 25 mg, ½ comprimé par jour, le matin ; et Norvasc, 10 mg, 1 comprimé, également le matin.*	Le médecin donne la posologie des deux antihypertenseurs.
LE PATIENT	— *Oui, c'est ça. Je les prends avec mon déjeuner.*	Le patient exprime son accord et précise à quel moment il prend les médicaments.
LE MÉDECIN	— *Lorsqu'on doit prendre des médicaments régulièrement, comme vous, il arrive à la plupart des gens d'en oublier.* *Durant la dernière semaine, vous est-il arrivé d'oublier de prendre vos médicaments pour la pression ?*	Énoncé de normalisation, dont le but est d'aider le patient à révéler des oublis dans la prise de médicaments. Le médecin vérifie ainsi l'observance du patient. La question précise sur les oublis a été validée. L'oubli d'un comprimé ou plus indique un problème d'observance (Haynes, McDonald et Garg, 2002). Le médecin pose une question ouverte au patient.
LE PATIENT	— *J'ai établi ma routine. Mon épouse met les comprimés à côté de ma tasse de café. Je ne les oublie pas.*	Le patient répond en expliquant sa routine.
LE MÉDECIN	— *Excellent. Et pour les lipides, vous prenez du Lipitor, 20 mg, 1 comprimé par jour. Est-ce correct ?*	Le médecin conforte le patient dans son comportement de régularité, puis passe à l'autre catégorie de médicament, qui vise à traiter la dyslipidémie. D'emblée, le médecin nomme le médicament, donne sa posologie et la raison de sa prise.
LE PATIENT	— *Oui, je le prends au souper.*	Le patient donne une information et précise à quel moment il prend le médicament.
LE MÉDECIN	— *Donc, si je comprends bien, vous n'avez pas de difficulté particulière dans la prise de ces médicaments ?*	Le médecin vérifie une nouvelle fois l'observance des prescriptions.
LE PATIENT	— *Non, aucune difficulté. Ça fait partie de ma vie de tous les jours, et je me sens bien comme ça !*	Le patient confirme l'absence de difficultés d'observance.
LE MÉDECIN	— *Avez-vous noté de nouveaux malaises associés à la prise de vos médicaments ?*	Le médecin vérifie s'il y a de nouveaux effets indésirables.
LE PATIENT	— *Non.*	
LE MÉDECIN	— *Excellent !*	Le médecin renforce le comportement d'observance du patient, puis indique qu'il aborde un autre type de produits. ...

Qu'est-ce que vous prenez d'autre actuellement ?

Ça fait longtemps que je n'ai pas vérifié si vous preniez d'autres produits que vous pouvez acheter sans prescription.

> Le médecin pose une question ouverte directe, ce qui a pour effet de *donner la permission* au patient de parler de tout autre type de produits.

LE PATIENT — *Bien, ma femme a acheté des multivitamines pour personnes âgées de plus de 50 ans : j'en prends 1 comprimé par jour. Je prends aussi du Ginkgo Biloba pour améliorer ma mémoire, mais pas tous les jours.*

> Le patient nomme d'emblée deux produits qu'il consomme fréquemment.

LE MÉDECIN — *Je vais donc ajouter à votre liste de médicaments la multivitamine et le Ginkgo biloba.*

À part cela, prenez-vous d'autres produits ?

> En ajoutant ces deux produits à la liste officielle des médicaments que le patient consomme, le médecin indique au patient qu'il accorde une importance à ces produits. Ce message clair adressé au patient a pour effet de l'éduquer sur l'importance d'informer son médecin de tous les produits qu'il consomme.
>
> Bien que la liste semble complète, le médecin vérifie quand même s'il n'y a pas autre chose. Il complète ainsi le *survol* des médicaments.

LE PATIENT — *Bien, la semaine dernière je suis allé à la pharmacie car j'avais mal au genou, et le pharmacien m'a suggéré de prendre des Motrin.*

LE MÉDECIN — *Alors, vous avez pris des Motrin. En prenez-vous toujours ?*

> Le médecin vérifie la consommation, en répétant le nom du médicament.

LE PATIENT — *Oui, je prends 2 comprimés 3 fois par jour, depuis la semaine dernière. D'ailleurs, mon genou va mieux. Alors, je ne pensais pas vous en parler, d'autant que j'arrête d'en prendre aujourd'hui.*

> Le patient révèle ici une des raisons principales pour lesquelles les patients ne parlent pas de l'ensemble des médicaments qu'ils consomment.
>
> Une autre raison tient au fait que les patients ne perçoivent pas toujours le produit comme un *médicament*.

LE MÉDECIN — *Le Motrin vous soulage actuellement. C'est très bien.*

C'est important que je sache quels sont tous les médicaments que vous prenez. Par exemple, les Motrin peuvent augmenter votre tension artérielle.

> Le médecin insiste sur l'importance de donner la liste de tous les médicaments. Il cite des problèmes qui peuvent résulter de l'utilisation de médicaments en vente libre.

LE PATIENT — *Ah, je ne savais pas.*

LE MÉDECIN — *Nous allons vérifier votre tension et nous pourrons voir si cela l'a altérée.*

LE PATIENT — *J'espère que ce sera aussi beau que la dernière fois.*

LE MÉDECIN — *À la fin de l'entrevue, je vais vous remettre une copie de la liste à jour de vos médicaments. Vous pourrez la conserver à la maison, et je vous demanderais de l'apporter avec vous à chaque rendez-vous, que ce soit avec moi ou avec un autre médecin. Vous pouvez aussi la remettre à votre pharmacien. Ainsi, nous aurons tous une liste de l'ensemble des médicaments que vous prenez.*

Le médecin favorise la participation du patient et le responsabilise en matière de gestion de ses médicaments.

CONCLUSION

Il faut quelques minutes pour constituer une liste exhaustive des médicaments consommés par le patient, et il est préférable de les prévoir dans le déroulement de la consultation. Lorsque le médecin doit constituer cette liste, pour un patient connu ou un nouveau patient, il doit donc en tenir compte dans son emploi du temps.

Lors des visites médicales suivantes, le médecin vérifiera cette liste, ce qui devrait lui prendre moins de temps pour les raisons suivantes : d'une part, le médecin effectue la vérification en se fondant sur une liste à peu près complète ; d'autre part, le patient s'attend à cet exercice et arrive mieux préparé à la consultation. En constituant une liste de médicaments à jour et en la vérifiant régulièrement, le médecin favorise concrètement la participation active du patient à la gestion de ses médicaments. Cette démarche contribue également à l'éducation du patient au regard de sa médication, lui indique très clairement que le médecin prend en compte la consommation de tous les médicaments et renforce l'idée que tous les produits pharmacologiquement actifs doivent être mentionnés, qu'ils soient obtenus avec ou sans ordonnance.

L'approche proposée ici a ceci d'original qu'elle intègre une façon pratique de vérifier l'observance des traitements et la survenue d'effets indésirables. Ces deux aspects sont souvent négligés, alors qu'ils sont extrêmement importants pour assurer une gestion appropriée de la santé.

L'optimisation de la participation du patient à la discussion du plan de traitement

Comme nous l'avons déjà indiqué, il ne peut y avoir de prise de décision partagée au sujet d'un traitement ou, à tout le moins, de consentement éclairé à un traitement sans un échange efficace d'informations. Or, si on se fie aux résultats des recherches menées sur la question, il existe des lacunes importantes en la matière. Dans cette partie du chapitre, nous aborderons différentes stratégies communicationnelles qui permettent d'intégrer aux discussions sur le plan de traitement les dimensions humaines inhérentes à la prise de médicaments.

Une des meilleures façons pour le médecin de s'assurer que le patient a compris les informations qu'il lui transmet est de lui demander de répéter dans ses propres mots ce qu'il retient de la discussion. Le tableau 25.3 reprend les principaux éléments d'une transmission efficace des informations dans le contexte d'une entrevue médicale. Ajoutons qu'il est souhaitable de personnaliser le message afin qu'il interpelle directement le patient. Ainsi, mieux vaut parler à un patient de l'irritation de *ses* bronches que de l'irritation *des* bronches. De plus, il est utile de faire des pauses, d'une durée de deux secondes environ, afin de laisser au patient le temps d'assimiler toute nouvelle information (Desmond et Copeland, 2000).

Tableau 25.3 **Les éléments d'une transmission efficace des informations**

1. Éviter le cours magistral, du type *prêt-à-porter*, et privilégier l'information *sur mesure* en tenant compte des connaissances du patient.
2. Organiser les informations clairement, par petits blocs, en présentant une idée à la fois.
3. Vérifier souvent la compréhension du patient en lui demandant de résumer dans ses propres mots ce qu'il a compris.
4. Inviter le patient à poser des questions.
5. Renforcer le message verbal en le combinant avec du matériel écrit ou audiovisuel.

Source: Lussier, M.-T., et C. Richard (1998a). «Dialogue au rendez-vous: Sachez mener l'entrevue et inciter votre patient à suivre vos recommandations», *L'Omnipraticien*, vol. 2, n° 3, p. 30-32.

On a regroupé dans le tableau 25.4 les principaux éléments d'une communication susceptible d'inciter le patient à collaborer à la définition du plan de traitement, ce qui permet au patient d'actualiser au mieux le plan de traitement après la consultation. Lorsqu'il y a plusieurs options, le médecin doit les passer en revue, contribuant de la sorte au processus de décision éclairée. Le médecin doit éviter d'élaborer seul le plan de traitement. Il explore activement les solutions déjà envisagées par le patient. Le médecin obtient ainsi des informations essentielles sur les obstacles susceptibles de nuire à la mise en œuvre du plan de traitement. Cette exploration permet au médecin de déterminer les leviers particuliers qui, dans la vie du patient, pourront être mis à profit afin d'actualiser le plan.

Informer le patient est rarement suffisant pour l'amener à un changement de comportement. Le médecin est appelé à motiver ses patients pour qu'ils adoptent les changements. Ce que le médecin recherche, c'est que le patient s'engage explicitement à mettre en branle le plan de traitement discuté. Préciser les objectifs visés, planifier un échéancier réaliste qui tienne compte des ressources du patient et fixer les étapes du suivi, voilà autant de démarches qui aideront le médecin à actualiser son rôle de motivateur.

Ces recommandations générales doivent être accompagnées de questions précises portant sur la façon dont le médicament influencera la vie du patient. Une série de questions *génériques* qui aideront le médecin à explorer les dimensions plus personnelles du plan de traitement sont énumérées dans le tableau 25.5.

Lorsque le médecin note une résistance chez le patient, il est préférable de ne pas trop insister dans un premier temps et de revenir sur ce point plus tard, lorsque le patient sera dans de meilleures dispositions. Il est également important d'inscrire la prescription dans une perspective évolutive. Il est possible qu'on doive ajuster la prescription, et il est préférable que le patient en soit avisé dès le départ. Sinon, le patient risque de percevoir ces modifications comme la conséquence d'erreurs que le médecin tente de corriger, ce qui a des effets très dommageables sur la confiance du patient à l'égard de son médecin. Cela peut modifier la perception que le patient a de la compétence du médecin, ainsi que de l'efficacité du traitement.

Tableau 25.4 **Les étapes du processus d'éducation du patient**

1. Proposer une courte synthèse des éléments pertinents de l'anamnèse et de l'examen.
2. Partager les informations sur le problème ou le diagnostic, en tenant compte des connaissances du patient.
3. Encourager le patient à poser des questions sur le diagnostic ou le processus diagnostique.
4. Partager les informations sur les autres options thérapeutiques possibles.
5. Encourager le patient à poser des questions (sur les diverses modalités de traitement).
6. S'assurer que le patient comprend les différentes possibilités de traitement (consentement éclairé).
7. Vérifier la compréhension du patient en lui demandant de résumer dans ses propres mots ce qu'il a retenu.
8. Discuter d'un plan de traitement (trouver un terrain d'entente), en précisant les objectifs visés (« Le patient *peut*-il ? »).
9. Obtenir du patient qu'il s'engage à actualiser le plan (« Le patient *veut*-il ? »).
10. Définir le suivi.

Source : Lussier, M.-T., et C. Richard (1998b). « Dialogue au rendez-vous : Sachez mener l'entrevue et inciter votre patient à suivre vos recommandations », *L'Omnipraticien*, vol. 2, n° 6, p. 27-29.

Tableau 25.5 **Questions aidant à cerner les dimensions personnelles du plan de traitement**

1. Quelles difficultés associées à la prise de ces médicaments anticipez-vous ?
2. Vous devrez prendre ces médicaments à des moments précis. La prise des médicaments est-elle compatible avec les activités que vous effectuez à ces moments-là ?
3. L'organisation de votre journée vous permet-elle de vous accommoder de ce traitement ? Y a-t-il des obstacles au respect du traitement ?
4. Quels ajustements devrez-vous apporter à l'organisation de votre journée pour respecter le traitement ? Avez-vous déjà des idées sur ce que vous allez changer pour respecter le traitement ?
5. Y a-t-il une difficulté particulière qui s'oppose à l'observance du traitement ?
6. Avez-vous déjà eu des expériences malheureuses avec ce traitement ? Ce traitement vous effraie-t-il ?

Source : Adapté de Desmond et Copeland (2000).

Les représentations au sujet de la maladie et de la médication

Un des principaux déterminants du comportement du patient en matière de médication est sans contredit la représentation qu'il se fait de la médication. Il n'est donc pas inutile d'avoir une idée des représentations du patient en la matière. Pour connaître ces représentations, le médecin devra cependant questionner son patient, car il est rare que ce dernier lui en fasse part spontanément. Misselbrook (2001) rappelle qu'obtenir une prescription et consommer la médication prescrite relèvent de motivations et de croyances différentes. Cet auteur a répertorié différentes représentations des patients au sujet des médicaments (tableau 25.6).

Tableau 25.6 **Les représentations des patients au sujet des médicaments selon Misselbrook**

• Le médicament (sa prise ou non) comme mécanisme de contrôle que le patient peut exercer sur lui-même et sur sa santé.
• Le médicament comme représentation de la maladie elle-même. La personne peut être extrêmement ambivalente par rapport à la maladie elle-même.
• Le médicament comme légitimisation du rôle de malade. En soi, la prescription confirme l'existence d'un problème de santé.
• Le médicament comme cadeau. La prescription devient synonyme de *prendre soin*, et priver le patient de prescription peut signifier l'absence de soins.
• Le médicament comme menace, comme lame à double tranchant, pouvant entre autres causer des effets indésirables et créer des dépendances.
• Le médicament comme partie du médecin. Les médicaments forment un lien cognitif avec le médecin qui les a prescrits.
• Le médicament comme totem, symbolisant le pouvoir du médecin de guérir.
• Le médicament comme placebo.

Source: Adapté de Misselbrook (2001), chapitre 9: «The role of the drug», p. 174-177.

Nous allons d'abord faire un tour d'horizon des représentations proposé par Horne (1997). Une première représentation déterminante est liée à l'observance: le patient croit ou non qu'il a besoin de la médication. Si le patient n'est pas convaincu de la nécessité de la médication, il aura moins tendance à la prendre. Le patient compare également les bénéfices attendus du médicament et les risques qui lui sont associés. Pour accepter de prendre le médicament, il faut que les bénéfices attendus soient plus grands que le risque d'effets indésirables. Le patient évalue aussi à quel point la prise d'un médicament risque de modifier sa vie quotidienne négativement ou positivement. Si le patient perçoit que la prise de médicament va nuire à sa qualité de vie, il peut choisir de ne pas traiter son problème de santé et de garder une qualité de vie acceptable.

Plusieurs croyances portent sur l'effet des médicaments:

1. Les médicaments ont un effet positif dans la mesure où ils sont associés au corps dans le but de favoriser la santé;
2. Les médicaments sont vus *négativement*, comme un poison, dont il faut s'accommoder temporairement;
3. Les médicaments ont une double nature, à la fois bénéfique et négative, l'une n'allant pas sans l'autre.

La croyance en la double nature du médicament peut entraîner des réactions parfois étonnantes. Ainsi, Leventhal, Easterling, Coons, Luchterhand et Love (1986) rapportent que des patientes atteintes d'un cancer du sein évaluaient l'efficacité des médicaments au regard de leurs effets indésirables. Ces patientes interprétaient l'absence d'effets secondaires comme un signe d'inefficacité de la chimiothérapie. Dans le même ordre d'idées, on peut mentionner la croyance selon laquelle un médicament doit avoir mauvais goût pour être efficace.

Horne (1997) évoque un autre type de croyances qui renvoie au phénomène d'adaptation au médicament. Des patients croient ainsi qu'un médicament utilisé de façon continue perdra de son efficacité à long terme. Une autre représentation, semble-t-il répandue, est la peur de devenir dépendant des médicaments. Ce peut être la peur de ne plus pouvoir arrêter de prendre les médicaments lorsqu'ils ne seront plus nécessaires ou la peur que l'état de santé à venir dépende de la prise continuelle des médicaments. La difficulté vient du fait que, aux yeux de certains patients, avoir une dépendance revient à utiliser une béquille dont on ne pourrait plus se passer. Inversement, diminuer la prise de médicaments revient à affirmer son autonomie et son indépendance, ce qui est perçu comme un effort pour reprendre le contrôle de sa vie.

Par ailleurs, certains patients associent la prise régulière de médicaments sur une longue période à des effets hypothétiques à long terme sur leur métabolisme. D'où le phénomène d'interruptions, plus ou moins longues, de la prise de médicaments, destinées à « donner une chance à son corps » et à lui « laisser reprendre son souffle ». Il n'est pas rare que des adolescentes cessent temporairement de prendre des contraceptifs oraux pour cette raison.

La cohérence des représentations

Le patient subit de multiples influences et il doit toujours faire le tri entre les diverses représentations qui lui sont proposées au sujet de la maladie, des médicaments, de la médecine, etc. De plus, les représentations lui sont offertes dans le cadre de diverses traditions de soins. Ainsi, les représentations de la maladie et de leurs traitements divergent selon qu'on se réfère à l'homéopathie, à la naturopathie, à l'acupuncture, à la chiropratique ou à une forme de médecine traditionnelle. Mais, quelle que soit la représentation, le patient cherche à assurer une cohérence dans ses représentations, à garder un certain *bon sens*. Si le patient ne perçoit pas de cohérence dans les explications qu'on lui donne ou si une information nouvelle lui semble incompatible avec des informations qu'il possède déjà, il pourra considérer que s'abstenir de prendre ses médicaments est une décision raisonnable. La cohérence d'une représentation dépend aussi du cadre de référence plus large, associé à de multiples aspects de la vie du patient, dans lequel s'inscrit cette représentation. C'est la cohérence de ce *tout* que le patient tente de préserver.

L'OPPOSITION ENTRE LE *NATUREL* ET LE *CHIMIQUE*

Bien qu'il s'agisse d'une notion très vague, le naturel est souvent perçu comme bon et sûr, alors que le chimique, notion aussi vague, est perçu comme artificiel et dangereux. Les patients qui adhèrent à cette croyance préfèrent éviter toute médication. Ils peuvent préférer supporter des symptômes désagréables mais *naturels*, plutôt que de recourir à l'option chimique et dangereuse que constitue la médication.

Que peut faire le médecin lorsqu'il est en présence d'un patient ayant ce type de représentations ? Malheureusement, l'éventail des réponses possibles reste limité, notamment parce que ces représentations du patient sont bien organisées, et l'ont été bien avant que le patient rencontre le médecin. De plus, ces représentations sont souvent associées à un certain *style de vie*. Mais le médecin ne peut pas s'abstenir d'agir lorsqu'il estime que ces représentations risquent de nuire à la prise de médicaments et, partant, à la santé du patient.

Les stratégies visant à modifier le système de représentation

TABLER SUR LA RELATION DE CONFIANCE

Une première stratégie visant à modifier ce type de croyances consiste à s'appuyer sur la force de la relation de confiance qui unit le médecin à son patient. Dans le cadre de cette relation de confiance, le médecin peut demander au patient de mettre temporairement entre parenthèses ses croyances et d'utiliser le médicament prescrit. C'est ce qui se passe implicitement dans la plupart des cas. En effet, le patient n'a pas les moyens de vérifier le bien-fondé des prescriptions et il fait généralement confiance à son médecin, comme l'atteste le fait qu'il est volontairement venu le consulter. Pour le médecin, le défi est alors de maintenir le dialogue et de garder la confiance du patient, tout en tentant de faire évoluer les opinions de ce dernier.

INVOQUER LA PRUDENCE

Si cette première stratégie ne suffit pas, le médecin peut recourir à l'argument de la prudence. En effet, plutôt que de recourir à divers produits naturels qui n'ont pas fait l'objet de vérifications rigoureuses, il vaut peut-être mieux choisir les médicaments qui, eux, ont été soumis à de tels contrôles. Le médecin peut rappeler au patient en quoi consistent les procédures de vérification des produits prescrits, tout en soulignant l'absence de contrôle des produits en vente libre. Dans ce cas, il importe de ne pas porter directement un jugement condamnant le produit proposé par le patient ou la croyance de ce dernier. Le patient aurait alors le sentiment de perdre la face et pourrait se sentir humilié. De retour chez lui, le patient agira à sa guise, son juge sera loin.

REMETTRE EN QUESTION UN SOUS-ENSEMBLE DE REPRÉSENTATIONS, ET NON TOUT LE SYSTÈME

Les patients adeptes des produits naturels ont parfois une vision globale de la vie qui s'oppose à la technologie du monde moderne en général. Si le médecin ne peut espérer modifier tout ce système de représentations, il peut cependant tenter de relativiser le point de vue du patient en lui faisant remarquer que certains produits naturels sont mortels ou peuvent rendre malade. L'objectif du médecin doit consister à relativiser la vision dualiste du patient (naturel = bien, chimique = mal) et à faire admettre à ce dernier la nécessité d'introduire des nuances et d'évaluer le naturel au cas par cas. Si le patient admet ce point de vue plus nuancé sur le naturel, le médecin peut alors tenter de le transposer pour le chimique, souvent opposé au naturel. Le médecin peut faire remarquer que le chimique est lui aussi issu de la nature : par exemple la digitaline vient d'une fleur, l'aspirine de l'écorce du saule et le taxol de l'écorce de l'if, un conifère. Le médecin introduit ainsi l'idée qu'il est nécessaire de faire des distinctions en matière de produits chimiques comme en matière de produits naturels. Briser cette vision dualiste du patient et lui proposer d'évaluer la médication envisagée en fonction de ses mérites permettent d'éviter qu'il ne rejette en bloc une proposition de médicament.

M. Wong est suivi par le Dr Gendron depuis plusieurs années pour un problème d'hypertension artérielle. M. Wong prend un inhibiteur de l'enzyme de conversion et a déjà eu des difficultés d'observance avec sa médication antihypertensive. Depuis quelques mois, il donne tous les signes d'une grave dépression. Le Dr Gendron lui a proposé un antidépresseur, mais M. Wong hésite car *il n'aime pas le chimique*. Au fil des rencontres, le Dr Gendron a réussi à recueillir plusieurs informations sur les représentations de son patient au sujet des médicaments en général et des antidépresseurs en particulier. Il fait donc la synthèse de ce qu'il sait des représentations de M. Wong à propos des antidépresseurs (figure 25.3).

Pour les besoins de notre exposé, nous donnons ici une représentation assez élaborée. Dans l'exercice clinique, il n'est pas fréquent de rencontrer des patients qui ont une représentation aussi élaborée. De plus, la plupart des patients adoptent une attitude pragmatique consistant à dire : « Si ça peut me faire du bien, pourquoi pas essayer ? »

Cette représentation du médicament s'articule autour du concept *non naturel*. Pour changer la nature de la représentation que M. Wong se fait au sujet des antidépresseurs, il faut analyser les différentes croyances qui étayent cette représentation. M. Wong qualifie le médicament de *non naturel* en raison de son origine chimique. De plus, il redoute les effets secondaires de la médication et les effets cachés qui pourraient se manifester à long terme. Il craint de devenir dépendant du médicament et de ne plus pouvoir s'en passer dans l'avenir. Il craint aussi que le médicament, même s'il le soulage maintenant, nuise à sa capacité future de faire face aux divers stress de la vie. M. Wong perçoit donc un coût potentiellement élevé associé à l'usage du médicament antidépresseur : il préfère donc s'abstenir de le prendre.

Figure 25.3 **Un système de représentation des antidépresseurs**

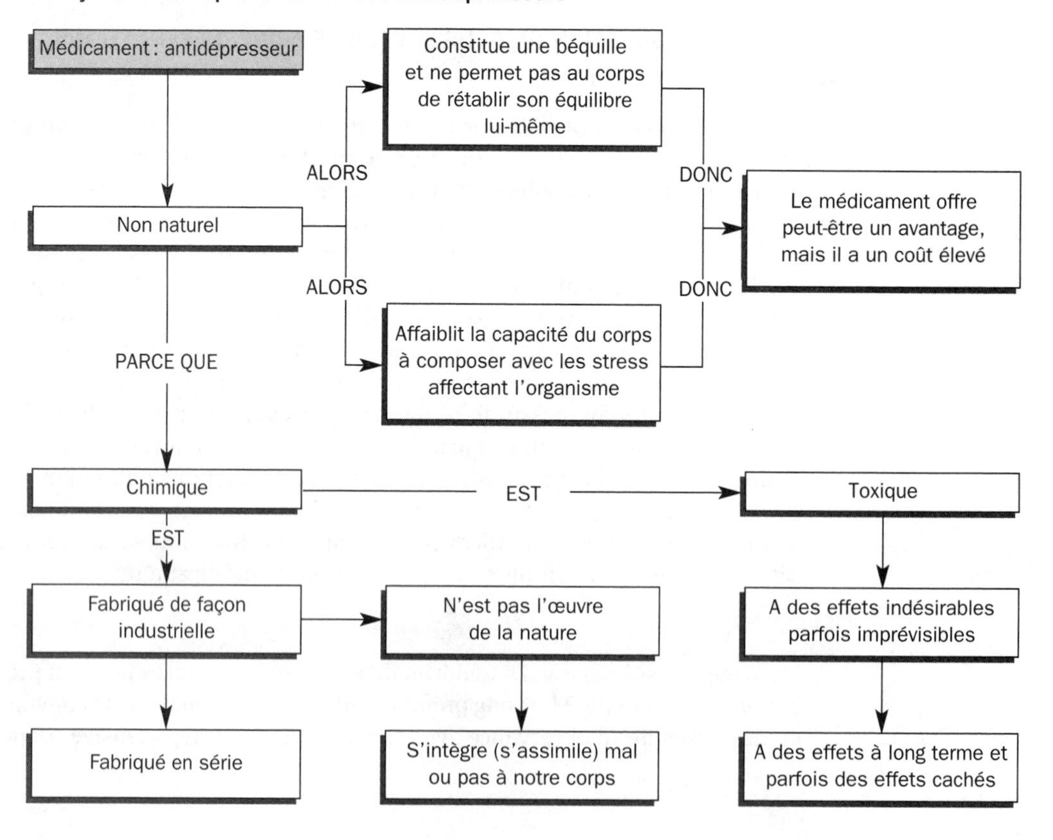

UTILISER UNE APPROCHE SUR MESURE

Que peut faire le médecin dans une telle situation ? Tout d'abord, il ne doit pas tourner le patient en ridicule. Certes, il peut le contredire et lui dire que ce qu'il croit est faux, ce qui est parfois efficace, mais il risque de voir le patient se fermer. Une approche plus intéressante consiste à utiliser la représentation du patient, mais en la nuançant et en la complétant.

Si le concept *naturel* est bien défini dans l'esprit du patient, il est inutile de lui dire : « La question n'est pas de savoir si le produit est naturel ou pas. » Il reste donc à voir si on peut réduire la force des autres liens qui assurent l'organisation de la représentation, afin de modifier peu à peu le système de représentation.

La représentation « affaiblit la capacité du corps à composer avec les stress » a des conséquences qui peuvent être discutées. On peut reconnaître qu'un médicament est susceptible d'avoir ce type de conséquences dans certains cas (usage prolongé de hautes doses de corticostéroïdes, par exemple), et dire que ce n'est pas le cas des antidépresseurs. On peut utiliser le même raisonnement pour la représentation selon laquelle le médicament est « une béquille qui ne permet pas au corps de rétablir lui-même son équilibre », en soutenant que la moindre capacité du corps à se défendre tient en fait au manque d'exercice des systèmes de défense du corps.

Un autre angle d'attaque que le médecin peut utiliser pour tenter de modifier la représentation du patient consiste à s'attaquer directement à la diabolisation du *chimique*. Le *chimique* est l'explication qui légitime les craintes de M. Wong. Si on peut affaiblir ce lien, on affaiblira également les conséquences perçues. Les raisons avancées par le patient sont dans certains cas justifiées, mais pas dans celui du médicament antidépresseur.

La stratégie générale consisterait donc à tenter de nuancer la représentation de M. Wong, c'est-à-dire à la relativiser et non à la nier. Le médecin peut introduire une nuance dans une structure représentative du patient (figure 25.4). En introduisant un « mais » dans le raisonnement qui parachève la structure, on peut amener le patient à nuancer les conséquences perçues du médicament. Pour le médecin, il est nettement plus facile et réaliste de s'attaquer aux composantes élémentaires et concrètes de la représentation que de s'attaquer aux concepts plus complexe et abstraits qui en découlent.

En effet, les produits chimiques peuvent être toxiques et peuvent entraîner des effets dévastateurs dans certains cas. *Mais* cela est vrai de tous les produits actifs, ce qui inclut les produits *naturels*. Il faut donc faire attention aussi aux produits naturels. On doit donc contextualiser cette croyance, car la toxicité d'un produit est dans bien des cas une question de dosage. Diminuer la dose d'un produit ne change pas la nature du produit. Mais le fait que le médecin veille à ne donner que le dosage minimal nécessaire au traitement peut réduire le poids de l'argument du patient, l'amenant à se dire : « Ce n'est pas naturel, mais j'en prends le moins possible. »

Presque tous les produits que nous consommons, dont les produits naturels, sont le fruit de la technologie et de processus de fabrication industrielle. On ne trouve quasiment plus de produits fabriqués par un artisan, à partir d'une plante qu'il aurait cueillie lui-même dans la nature, sans le moindre recours aux fertilisants ou aux insecticides. Donc, dans la plupart des cas, ils ne sont pas si naturels. De plus, la différence entre le processus de production d'un médicament prescrit et le processus de production d'un produit naturel tient, entre autres, au cadre scientifique strict qui préside à la mise au point des molécules actives que doivent respecter les fabricants de médicaments, ainsi qu'au type de contrôles qui leur sont imposés avant la commercialisation de ces molécules. Cette rigueur et ces contrôles de qualité, qui n'existent pas pour les produits *naturels*, sont de nature à rassurer le patient sur le caractère sûr des produits *chimiques*.

Le médecin doit donc s'efforcer de nuancer la représentation du patient en la complétant par des variantes et d'autres options possibles. Il offre aussi au patient un cadre de référence plus large (les produits qui peuvent l'aider), susceptible de faire disparaître l'opposition : naturel et non naturel, chimique et non chimique.

On doit se rappeler que la plupart des patients qui viennent consulter un médecin lui font totalement ou partiellement confiance. En se fondant sur cette confiance, le médecin peut, après avoir posé son diagnostic, proposer au patient un projet de santé ou de guérison. Dans le cadre de ce projet commun, où on coproduit un plan de traitement auquel le médecin apporte son expertise et le patient son expérience, on peut s'entendre pour que le patient mette entre parenthèses certaines croyances et fasse l'essai du médicament. En fonction de la réponse du patient, on devrait suivre de très près les effets de ce traitement *chimique* et, si les résultats sont insatisfaisants, proposer des ajustements rapidement afin que le patient continue d'accepter de mettre de côté ses croyances. Médecin et patient s'engagent dans un projet commun qui n'arrivera à son terme que lorsque les symptômes seront maîtrisés ou la maladie guérie.

Figure 25.4 **L'évolution possible de la représentation du médicament antidépresseur**

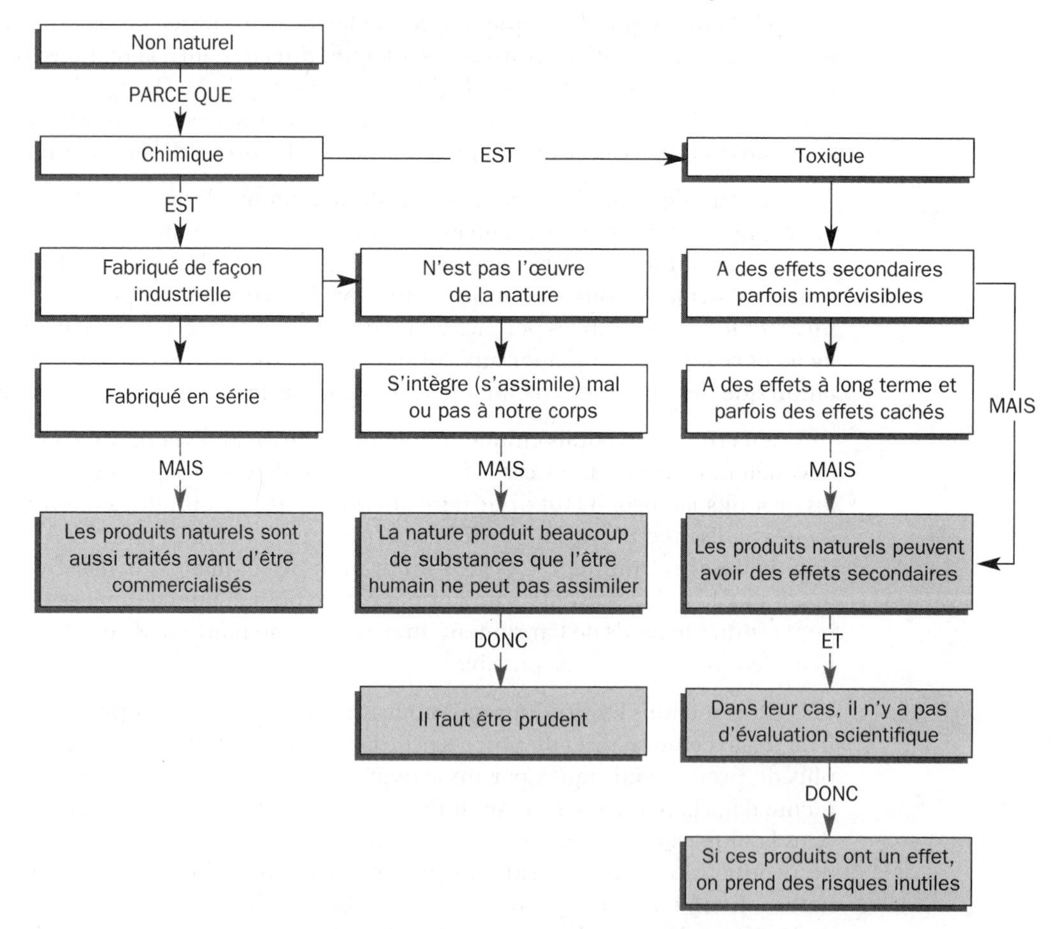

Note : Les cases grisées indiquent les contributions du médecin à la nouvelle représentation du patient.

Conclusion

Il apparaît évident qu'il est difficile et long de changer des représentations qui sont en interrelations les unes avec les autres. S'il est important de tenir compte des représentations des patients, il est tout aussi important d'admettre que de les changer représente un travail considérable. Le changement se fera grâce à des ajouts et à des modifications ; peu à peu, au fil des rencontres, le patient en arrivera à des représentations modifiées qui finiront par faire une grande différence.

Les représentations évoluent lentement. Il ne suffit pas d'affirmer « vous avez tort » pour que, comme par magie, le patient pense différemment. On doit plutôt porter attention aux représentations du patient et s'appuyer sur leur structure pour les faire évoluer. Les changements brusques de représentations tiennent de la conversion ou de l'illumination, ce qui est assez rare.

Il est certain que la stratégie idéale serait de pouvoir dire au patient « faites-moi confiance », mais c'est insuffisant. En outre, suivre une telle stratégie revient à négliger le consentement éclairé du patient. Mais, est-il utile de le rappeler, si le patient consulte le médecin, c'est qu'il accorde déjà une certaine confiance à ses connaissances et à sa compétence. Il faut donc cultiver cette confiance, car elle constitue la base sur laquelle, en dernière analyse, le patient prendra la décision de suivre ou non les recommandations du médecin. Le patient acceptera parfois de mettre de côté ses représentations et ses croyances parce qu'il fait confiance à son médecin. Cette confiance donne au médecin le temps d'enseigner au patient un système de représentation plus conforme à celui de l'univers médical.

Notes

1. Des parties de ce chapitre ont déjà été publiées dans les articles suivants :

   Lussier, M.-T., et C. Richard (2003). « Le dialogue au rendez-vous. Tirez le maximum de la question : "Prenez-vous des médicaments ?" », *MedActuel FMC*, vol. 3, nº 9, p. 38-46.

   Richard, C., et M.-T. Lussier (2004). « Médecine et psychologie. Médication : Les croyances de votre patient nuisent-elles à votre patient ? », *MedActuel FMC*, vol. 4, nº 9, p. 3-7.

2. « Just as cats chase mice but don't necessarily eat them, humans chase medicines but don't necessarily take them. »

3. Pour en savoir plus sur le modèle transthéorique de changement de comportement, voir le chapitre 26, « L'enseignement thérapeutique et la motivation du patient ».

4. Pour en savoir plus à ce sujet, voir le chapitre 15, « Les patients aux prises avec des problèmes d'alphabétisme fonctionnel ».

Références

Ad Hoc Committee on Health Literacy for the Council on Scientific Affairs, American Medical Association (1999). « Health literacy : Report of the Council on Scientific Affairs », *The Journal of the American Medical Association*, vol. 281, nº 6, p. 552-557.

Alaszewski, A., et T. Horlick-Jones (2003). « How can doctors communicate information about risk more effectively ? », *British Medical Journal*, vol. 327, nº 7417, p. 728-731.

Aronsson, K., et U. Satterlund-Larsson (1987). « Politeness strategy and doctor-patient communication : On the social choreography of collaborative thinking », *Journal of Language and Social Psychology*, vol. 6, nº 1, p. 1-27.

Assemblée nationale, 2e session, 36e législature (2002). *Projet de loi nº 90. Loi modifiant le code des professions et d'autres dispositions législatives dans le domaine de la santé*, Sanctionné le 14 juin 2002, Québec, Éditeur officiel du Québec.

Atkin, P.A., R.S. Stringer, J.B. Duffy, C. Elion, C.S. Ferraris, S.R. Misrachi et G.M. Shenfield (1998). « The influence of information provided by patients on the accuracy of medication records », *Medical Journal of Australia*, vol. 169, nº 2, p. 85-88.

Aventis (2002). *La non-observance*, document interne non publié.

Beaulieu, M.-D., et H. Leclère (1991). « Nature des difficultés de la pratique médicale : les omnipraticiens s'expriment », *Bulletin*, vol. 1, p. 1-6.

Berg, J.S., J. Dischler, D.J. Wagner, J.J. Raia et N. Palmer-Shelvin (1993). « Medication compliance : A health care problem », *Annals of Pharmacotherapy*, vol. 27, n° 56, p. S5-S24.

Billig, M. (1996). *Arguing and thinking : A rhetorical approach to social psychology*, 2e édition, Cambridge, Cambridge University Press.

Calkins, D.R., R.B. Davis, P. Reiley, R.S. Phillips, K.L. Pineo, T.L. Delbanco et L.I. Iezzoni (1997). « Patient-physician communication at hospital discharge and patients' understanding of the postdischarge treatment plan », *Archives of Internal Medicine*, vol. 157, n° 9, p. 1026-1030.

Charles, C., A. Gafni et T. Whelan (1997). « Shared decision-making in the medical encounter : What does it mean ? (or it takes at least two to tango) », *Social Science and Medicine*, vol 44, n° 5, p. 681-692.

Corda, R.S., H.B. Burke et H.W. Horowitz (2000). « Adherence to prescription medications among medical professionals », *Southern Medical Journal*, vol. 93, n° 6, p. 585-589.

Crock, R.D., D. Jarjoura, A. Polen et G.W. Rutecki (1999). « Confronting the communication gap between conventional and alternative medicine : A survey of physicians' attitudes », *Alternative Therapies in Health and Medicine*, vol. 5, n° 2, p. 61-66.

Dahl, R. (1997). « How to get through to your patients », *Hippocrates*, vol. 11, n° 4, p. 38-44.

Desmond, J., et L.R. Copeland (2000). *Communicating with today's patient : Essentials to save time, decrease risk, and increase patient compliance*, San Francisco, Jossey-Bass.

DiMatteo, M.R. (1991). *The psychology of health, illness, and medical care : An individual perspective*, Pacific Grove (Californie), Brooks-Cole.

DiMatteo, M.R. (1994). « The physician-patient relationship : Effects on the quality of health care », *Clinical Obstetrics and Gynecology*, vol. 37, n° 1, p. 149-161.

Estrada, C.A., M.M. Hryniewicz, V.B. Higgs, C. Collins et J.C. Byrd (2000). « Anticoagulant patient information material is written at high readability levels », *Stroke*, vol. 31, n° 12, p. 2966-2970.

Faden, R., C. Becker, C. Levis et B. Freemon (1981). « Disclosure of information of patients in medical care », *Medical Care*, vol. 19, p. 718-733.

Ferner, R.E. (2003). « Is concordance the primrose path to health ? », *British Medical Journal*, vol. 327, n° 7419, p. 821-822.

Food and drug administration (1998). *FDA national consumer surveys*, Washington (Columbia).

Gandhi, T.K., S.N. Weingart, J. Borus, A.C. Seger, J. Peterson, E. Burdick, D.L. Seger, K. Shu, F. Federico, L.L. Leape et D.W. Bates (2003). « Adverse drug events in ambulatory care », *New England Journal of Medicine*, vol. 348, n° 16, p. 1556-1564.

Godolphin, W. (2003). « The role of risk communication in shared decision making », *British Medical Journal*, vol. 327, n° 7417, p. 692-693.

Gurwitz, J.H., T.S. Field, L.R. Harrold, J. Rothschild, K. Debellis, A.C. Seger, C. Cadoret, L.S. Fish, L. Garber, M. Kelleher et D.W. Bates (2003). « Incidence and preventability of adverse drug events among older persons in the ambulatory setting », *The Journal of the American Medical Association*, vol. 289, n° 9, p. 1107-1116.

Hall, J.A., D.L. Roter et N.R. Katz (1988). « Meta-analysis of correlates of provider behaviour in medical encounters », *Medical Care*, vol. 26, n° 7, p. 657-675.

Hammond, S.L., et B.L. Lambert (1994). « Communicating about medications : Directions for research », *Health Communication*, vol. 6, n° 4, p. 247-251.

Hanner, L., et J.J. Witek (1995). *Healing wounded doctor-patient relationships*, Delano (Minnesota), Kashan.

Haynes, R.B. (2001). « Improving patient adherence : State of the art, with a special focus on medication taking for cardiovascular disorders », dans *Compliance in health care and research*, sous la direction de L.E. Burke et I.S. Ockene, Armonk (New York), Futura, p. 3-21.

Haynes, R.B., H.P. McDonald et A.X. Garg (2002). « Helping patients follow prescribed treatment : Clinical applications », *The Journal of the American Medical Association*, vol. 288, n° 22, p. 2880-2883.

Horne, R. (1997). « Representations of medication and treatment : Advances in theory and measurement », dans *Perceptions of health and illness : Current research and applications*, sous la direction de K.J. Petrie et J.A. Wienman, Harwood, Academic Publishers, chap. 5, p. 155-188.

Hotz, S. (2002). *Treatment compliance : A review*, manuscrit non publié.

Kalichman, S.C., B. Ramachandran et S. Catz (1999). « Adherence to combination antiretroviral therapies in HIV patients of low health literacy », *Journal of General Internal Medicine*, vol. 14, n° 5, p. 267-273.

Kaufman, D.W., J.P. Kelly, L. Rosenberg, T.E. Anderson et A.A. Mitchell (2002). « Recent patterns of medication use in the ambulatory adult population of the United States : The Slone survey », *The Journal of the American Medical Association*, vol. 287, n° 3, p. 337-344.

Kessels, R.P. (2003). « Patients' memory for medical information », *Journal of the Royal Society of Medicine*, vol. 96, n° 5, p. 219-222.

Korsch, B.M., et C. Harding (1997). *The intelligent patient's guide to the doctor-patient relationship : Learning to talk so your doctor will listen*. New York, Oxford University Press.

Krantzler, N.J. (1986). « Media images of physicians and nurses in the United States », *Social Science and Medicine*, vol. 22, n° 9, p. 933-952.

Krizner, K. (2003). « Internet has potential to create environment for better compliance », *Managed Healthcare Executive*, mars, p. 27-28.

Lacroix, L. (1997). « Un vaste programme d'éducation est lancé pour contrer l'utilisation inappropriée des médicaments ». *La Presse*, 24 septembre, p. A-10.

Lazare, A., M. Lipkin Jr. et S.M. Putnam (1995). « The functions of the medical interview », dans *The medical interview*, sous la direction de M. Lipkin Jr., S.M. Putnam et A. Lazare, New York, Springer-Verlag.

Lazarou, J., B.H. Pomeranz et P.N. Corey (1998). « Incidence of adverse drug reactions in hospitalized patients : A meta-analysis of prospective studies », *The Journal of the American Medical Association*, vol. 279, n° 15, p. 1200-1205.

Leventhal, H., D.V. Easterling, H.L. Coons, C.M. Luchterhand et R.R. Love (1986). « Adaptation to chemotherapy treatments ». dans *Women with cancer : Psychological perspectives*, sous la direction de B.L. Andersen, New York, Springer-Verlag, p. 172-203.

Lipkin, M., Jr., S.M. Putnam et A. Lazare (1995). *The medical interview*, New York, Springer-Verlag.

Lussier, M.-T., et C. Richard (1998a). « Dialogue au rendez-vous : Sachez mener l'entrevue et inciter votre patient à suivre vos recommandations », *L'Omnipraticien*, vol. 2, n° 3, p. 30-32.

Lussier, M.-T., et C. Richard (1998b). « Dialogue au rendez-vous : Sachez mener l'entrevue et inciter votre patient à suivre vos recommandations (suite et fin) », *L'Omnipraticien*, vol. 2, n° 6, p. 27-29.

Lussier, M.T., et C. Richard (1999). « Pas rassurant ce que vous dites, DOC ! », *Le médecin du Québec*, vol. 34, n° 7, p. 43-48.

Lussier, M.-T., et C. Richard (2003). « Le dialogue au rendez-vous. Tirez le maximum de la question : "Prenez-vous des médicaments ?" », *MedActuel FMC*, vol. 3, n° 9, p. 38-46.

Makoul, G., P. Arntson et T. Schofield (1995). « Health promotion in primary care : Physician-patient communication and decision making about prescription medications », *Social Science and Medicine*, vol. 41, n° 9, p. 1241-1254.

Marinker, M., et J. Shaw (2003). « Not to be taken as directed : Putting concordance for taking medicines into practice », *British Medical Journal*, vol. 326, n° 7385, p. 348-349.

Misselbrook, D. (2001). *Thinking about patients*, Plymouth (Royaume-Uni), Petroc Press.

Monette, J., R.M. Tamblyn, P.J. McLeod et D.C. Gayton (1997). « Characteristics of physicians who frequently prescribe long acting benzodiazepines for the elderly », *Evaluation and the Health Professions*, vol. 20, n° 2, p. 115-130.

National Center for Health Statistics (1997). « National ambulatory medical care survey », *Advance Data*, n° 305.

National Council on Patient Information and Education (2000). « Educate before you medicate : Talk about prescriptions » (www.talkaboutrx.org).

Ni, H., C. Simile et A.M. Hardy (2002). « Utilization of complementary and alternative medicine by United States adults : Results from the 1999 national health interview survey », *Medical Care*, vol. 40, n° 4, p. 353-358.

Papillon, M.-J., C. Laurier, L. Barnard et J. Baril (2001). « Consommation de médicaments », *Enquête sociale et de santé 1998*, coll. La santé et le bien-être, gouvernement du Québec, chap. 22, p. 445-460.

Parrott, R. (1994). « Exploring family practitioners' and patients' information exchange about prescribed medications : Implications for practitioners' interviewing and patients' understanding », *Health Communication*, vol. 6, n° 4, p. 267-280.

Poduri, K.R. (2003). « Patients' awareness of their medications », *Archives of Physical Medicine and Rehabilitation*, vol. 84, n° 9, p. E36.

Prochaska, J.O., et C.C. DiClemente (1984). *The transtheoretical approach : Crossing traditional boundaries of therapy*, Homewood (Illinois), Dow Jones-Irwin.

Rabin, D. L., et P.J. Bush (1975). « Who is using medicines ? », *Journal of Community Health*, vol. 1, p. 106-117.

Richard C., et M.-T. Lussier (2003). « Development of a "Dialogic Index" to better describe physician and patient participation in discussions of medications during primary care encounters », présentation orale, North American Primary Care Research Group, Banff.

Richard, C., et M.-T. Lussier (2004). « Médecine et psychologie. Médication : Les croyances de votre patient nuisent-elles à votre patient ? », *MedActuel FMC*, vol. 4, n° 9, p. 3-7.

Richard, C., M.-T. Lussier, L. Lamarche et C. Monette (2002). « MEDICODE : A coding instrument for discussions of medications during primary care consultations », International conference on communication in healthcare, Warwick University, 18-20 septembre.

Robinson, J.D. (2003). « An interactional structure of medical activities during acute visits and its implications for patients' participation », *Health Communication*, vol. 15, n° 1, p. 27-59.

Rost, K., D. Roter, K. Bertakis et T. Quill (1990). « Physician-patient familiarity and patient recall of medication changes : The Collaborative Study Group of the SGIM Task Force on the Doctor and Patient », *Family Medicine*, vol. 22, n° 6, p. 453-457.

Roter, D.L., M. Stewart, S.M. Putnam, M. Lipkin Jr., W. Stiles et T.S. Inui (1997). « Communication patterns of primary care physicians », *The Journal of the American Medical Association*, vol. 277, n° 4, p. 350-356.

Sackett, D.L., et J.C. Snow (1979). « The magnitude of compliance and noncompliance », dans *Compliance in health care*, sous la direction de R.B. Haynes, D.W. Taylor et D.L. Sackett, Baltimore (Maryland), Johns Hopkins University Press, p. 11-22.

Say, R.E., et R. Thomson (2003). « The importance of patient preferences in treatment decisions : Challenges for doctors », *British Medical Journal*, vol. 327, n° 7414, p. 542-545.

Scherwitz, L., D. Hennrikus, S. Yusim, J. Lester et C. Vallbona (1985). « Physician communication to patients regarding medications », *Patient Education and Counseling*, vol. 7, n° 2, p. 121-136.

Sleath, B., B. Svarstad, et D. Roter (1997). « Physician vs patient initiation of psychotropic prescribing in primary care settings : A content analysis of audiotapes », *Social Science and Medicine*, vol. 44, n° 4, p. 541-548.

Tamblyn, R.M., R. Laprise, B. Schnarch, J. Monette et P.J. McLeod (1997). « Characteristics of physicians prescribing more psychotropic drugs to women than to men », *Santé mentale au Québec*, vol. 22, n° 1, p. 239-262.

Tamblyn, R., et R. Perreault (1998). « Encouraging the wise use of prescription medication by older adults », dans *Canada Health Action : Building on the legacy*, vol. 5, Sainte-Foy, Multi-Monde.

Tuckett, D.A., M. Boulton et C.A. Olson (1985). « A new approach to the measurement of patients' understanding of what they are told in medical consultations », *Journal of Health and Social Behavior*, vol. 26, n° 1, p. 27-38.

Vilke, G.M., A. Marino, J. Iskander et T.C. Chan (2000). « Emergency department patient knowledge of medications », *The Journal of Emergency Medicine*, vol. 19, n° 4, p. 327-330.

Waitzkin, H. (1984). « Doctor-patient communication : Clinical implications of social scientific research », *The Journal of the American Medical Association*, vol. 252, n° 17, p. 2441-2446.

Waitzkin, H. (1985). « Information giving in medical care », *Journal of Health and Social Behavior*, vol. 26, n° 2, p. 81-101.

Waitzkin, H., et J.D. Stoeckle (1972). « The communication of information about illness : Clinical, sociological and methodological considerations », *Advances in Psychosomatic Medicine*, vol. 8, p. 180-215.

Wartman, S.A., L.L. Morlock, F.E. Malitz et E. Palm (1981). « Do prescriptions adversely affect doctor-patient interactions ? », *American Journal of Public Health*, vol. 71, nº 12, p. 1358-1361.

Weiss, B.D., J.S. Blanchard, D.L. McGee, G. Hart, B. Warren, M. Burgoon et K.J. Smith (1994). « Illiteracy among Medicaid recipients and its relationship to health care costs », *Journal of Health Care Poor Underserved*, vol. 5, p. 99-111.

Weiss, B.D., G. Hart, D.L. McGee et S. D'Estelle (1992). « Health status of illiterate adults : Relation between literacy and health status among persons with low literacy skills », *Journal of American Board Family Practice*, vol. 5, nº 3, p. 257-264.

L'enseignement thérapeutique et la motivation du patient

Johanna Sommer
Pascal Gache
Alain Golay

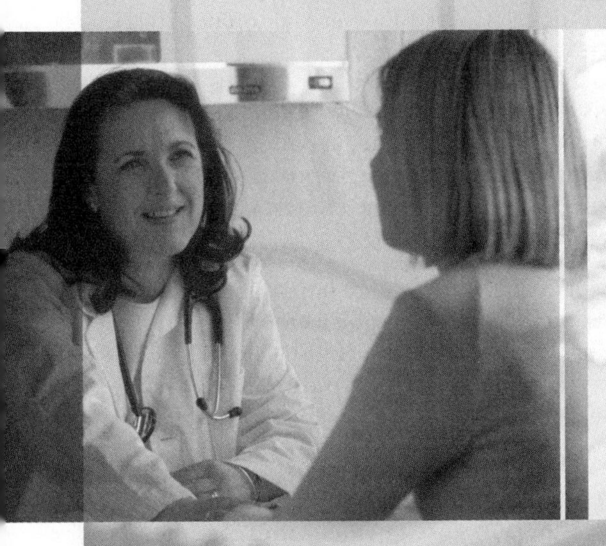

Le chemin n'existe pas,
il se fait en marchant.
Antonio Machado

CHAPITRE
26

Au cours de ses études, le médecin apprend à faire une anamnèse, à poser des questions et à examiner un patient afin d'établir un diagnostic. Les entrevues en pratique ambulatoire exigent la transmission fréquente d'informations aux patients, que ce soit à propos du diagnostic, des examens éventuels ou du traitement. Le médecin doit surtout encourager ses patients à suivre ses recommandations et à changer au besoin leurs habitudes.

L'enseignement thérapeutique du patient n'a pas pour unique fonction d'augmenter ses connaissances ; le principal but est de lui faire prendre conscience de son problème (qu'il s'agisse du diagnostic ou des facteurs de risque) afin qu'il intègre ces notions et qu'il agisse au plus près des recommandations du médecin. C'est alors que l'enseignement du médecin devient *thérapeutique*, puisque non seulement il permet au patient d'en savoir davantage, mais il le guide dans la prise en charge de son problème à long terme.

L'objectif sous-jacent est donc le plus souvent d'inciter le patient à effectuer un changement – et on sait combien tout changement dépend d'une multitude de facteurs ! La simple connaissance théorique d'un régime alimentaire ou d'une hygiène de vie ne garantit pas son succès. Les habitudes de vie, les convictions personnelles et culturelles, les pressions de l'entourage et du contexte social, les représentations de la maladie (conscientes ou inconscientes), le degré de gravité de la maladie dans l'échelle de valeurs du patient, les bénéfices attendus du changement, les répercussions négatives de ce changement et les obstacles qu'il faut alors surmonter : voilà autant de facteurs qui influencent la motivation individuelle du patient, une fois que celui-ci a *théoriquement* compris le changement à entreprendre.

Lorsque le médecin transmet des informations à son patient, il se fie le plus souvent au simple bon sens ; pourtant, les études portant sur les résultats de la pratique médicale laissent songeurs.

- Le patient ne retient l'information transmise que dans une proportion très faible (Stewart, 1995).
- Il ne comprend les plans thérapeutiques que partiellement (Cole et Bird, 2000).
- Il suit peu les recommandations du médecin (Kravitz et autres, 1993 ; Butler, Rollnick et Stott, 1996).
- L'enseignement thérapeutique du patient est l'élément essentiel de la prise en charge du patient à l'occasion d'une maladie chronique (Golay, Bloise et Maldonato, 2002).

Devant ces faits, comment le médecin peut-il améliorer sa pratique ?

Cole et Bird (2000) définissent les trois fonctions suivantes de l'entrevue médicale : recueillir des informations médicales ; créer une relation médecin-patient ; donner un enseignement thérapeutique au patient. Comparativement aux deux premières fonctions, la troisième est peu explorée par les futurs médecins durant leurs études : c'est l'objet du présent chapitre.

L'enseignement thérapeutique du patient est particulièrement important au moment de la prise en charge de maladies chroniques ou de la réduction de facteurs de risque (le tabagisme, un mode de vie sédentaire, l'obésité, l'hypercholestérolémie). Cependant, c'est au cours de toute intervention qu'il est important que le médecin sache motiver un patient afin d'obtenir une meilleure observance thérapeutique.

Pendant nos cours de communication médecin-patient, nous proposons aux médecins de s'exercer à l'enseignement thérapeutique selon une démarche en trois étapes, inspirée de la troisième fonction de Cole et Bird (donner un enseignement thérapeutique au patient) que nous avons évoquée plus haut.

1. *Informer* efficacement le patient pour lui annoncer un diagnostic ou pour lui donner des explications médicales.

2. *Négocier* avec le patient la prise en charge thérapeutique d'un plan de traitement ou d'un examen.

3. *Motiver* le patient à poursuivre un traitement ou un examen, à changer une habitude de vie ou à observer des recommandations.

C'est cette démarche que nous vous proposons d'explorer au fil du présent chapitre, et la situation ci-dessous nous servira d'exemple commenté pour la majeure partie de notre démonstration.

Le médecin suit une patiente depuis 12 ans. À l'occasion d'un bilan de santé périodique, le médecin a demandé à sa patiente, Mme Lenoir, de passer quelques examens. Il la revoit dans le cadre de sa pratique ambulatoire pour lui transmettre les résultats.

Mme Lenoir est une enseignante âgée de 58 ans. Elle est en bonne santé, elle est mariée et mère de deux enfants. Le bilan de santé ne montre qu'une surcharge pondérale : 75 kg, 165 cm et un indice de masse corporelle de 27,5. Comme les résultats des tests de laboratoire ont révélé une glycémie à jeun à 9,3 mmol/l, le médecin a vérifié de nouveau la glycémie en s'assurant que la patiente était bien à jeun : cette fois, le résultat est de 8,9 mmole/l. Le médecin doit donc annoncer à sa patiente un diagnostic de diabète.

Au début de l'entrevue, le médecin s'assure que sa patiente se sent à l'aise et qu'elle est venue en consultation uniquement pour recevoir les résultats des tests (définition des objectifs de la consultation). Il doit maintenant l'informer, puis négocier avec elle le plan de traitement et, enfin, la motiver à entreprendre la prise en charge de cette nouvelle maladie.

Informer efficacement le patient

Il est impossible d'uniformiser l'information à donner aux patients : un cours magistral ou une explication médicale que donne un médecin correspondent souvent davantage à la représentation que celui-ci se fait de la maladie ou du problème et n'a probablement que peu d'influence sur la vision qu'en a le patient. C'est en adaptant l'information à l'individualité du patient, à son contexte, à son vécu, à sa demande et à ses besoins que cette information deviendra pertinente et que le patient pourra véritablement l'assimiler. À chaque étape de l'entretien, il est important de maintenir le patient actif et d'entretenir sa participation, afin de lui donner les outils qui lui permettront de se prendre en charge ; il est également important de vérifier auprès du patient ce qu'il retient de l'entretien.

L'information efficace passe par les trois étapes suivantes ; ces étapes ne sont pas toujours chronologiques et elles peuvent se dérouler simultanément. Nous les étudierons dans les pages qui suivent.

1. Explorer les connaissances antérieures du patient et ses représentations de la maladie et du traitement, et évaluer le degré de son désir d'être informé.

2. Transmettre l'information au patient.

3. Vérifier la compréhension du patient.

Explorer les connaissances antérieures du patient et évaluer son désir d'être informé

Reprenons l'exemple de Mme Lenoir, que nous avons présenté précédemment. Le dialogue médecin-patient se trouve dans la colonne de gauche, avec, en regard dans la colonne de droite, les stratégies de communication utilisées.

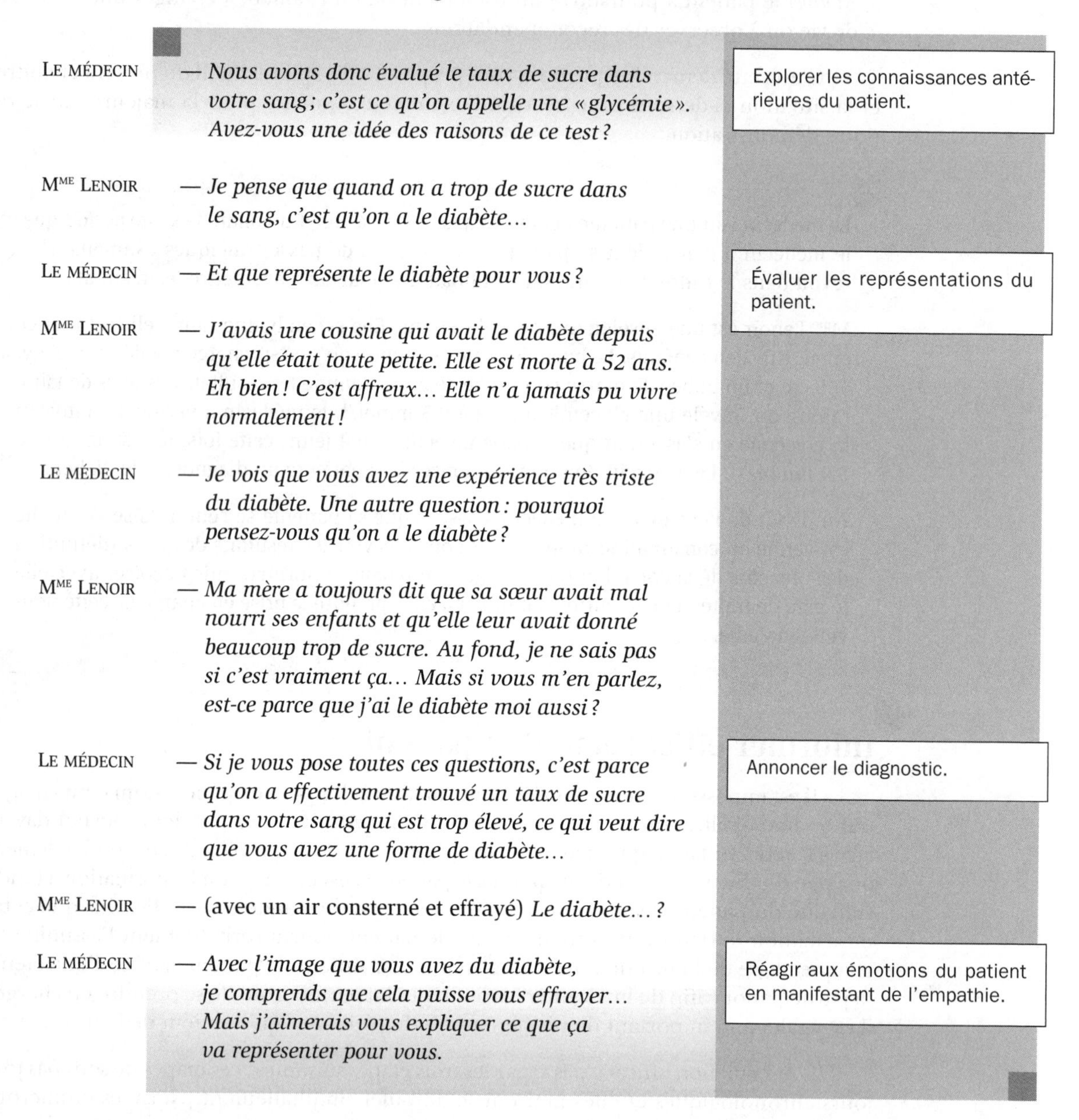

LE MÉDECIN	— *Nous avons donc évalué le taux de sucre dans votre sang; c'est ce qu'on appelle une « glycémie ». Avez-vous une idée des raisons de ce test?*	Explorer les connaissances antérieures du patient.
MME LENOIR	— *Je pense que quand on a trop de sucre dans le sang, c'est qu'on a le diabète…*	
LE MÉDECIN	— *Et que représente le diabète pour vous?*	Évaluer les représentations du patient.
MME LENOIR	— *J'avais une cousine qui avait le diabète depuis qu'elle était toute petite. Elle est morte à 52 ans. Eh bien! C'est affreux… Elle n'a jamais pu vivre normalement!*	
LE MÉDECIN	— *Je vois que vous avez une expérience très triste du diabète. Une autre question: pourquoi pensez-vous qu'on a le diabète?*	
MME LENOIR	— *Ma mère a toujours dit que sa sœur avait mal nourri ses enfants et qu'elle leur avait donné beaucoup trop de sucre. Au fond, je ne sais pas si c'est vraiment ça… Mais si vous m'en parlez, est-ce parce que j'ai le diabète moi aussi?*	
LE MÉDECIN	— *Si je vous pose toutes ces questions, c'est parce qu'on a effectivement trouvé un taux de sucre dans votre sang qui est trop élevé, ce qui veut dire que vous avez une forme de diabète…*	Annoncer le diagnostic.
MME LENOIR	— (avec un air consterné et effrayé) *Le diabète…?*	
LE MÉDECIN	— *Avec l'image que vous avez du diabète, je comprends que cela puisse vous effrayer… Mais j'aimerais vous expliquer ce que ça va représenter pour vous.*	Réagir aux émotions du patient en manifestant de l'empathie.

L'exploration des connaissances antérieures du patient concernant un diagnostic ou un facteur de risque joue plusieurs rôles: elle met en évidence les représentations (parfois fausses ou incomplètes) que le patient peut avoir; elle permet au médecin d'intégrer le vécu émotionnel du patient qui y est associé; elle lui permet aussi d'orienter ses propres explications selon les besoins du patient. Quand les connaissances du patient sont exactes, on peut gagner du temps en évitant de reprendre des données déjà connues.

Certaines représentations ou croyances peuvent être considérées comme *fausses* selon nos connaissances scientifiques, mais elles ne doivent pas forcément être immédiatement corrigées. Ainsi, dans l'exemple de Mme Lenoir, le médecin ne corrige pas de prime abord la croyance de la patiente, selon laquelle le diabète est provoqué par un apport excessif de sucres. Dans le même ordre d'idées, si un patient exprime des croyances, liées au traitement naturel par des plantes ou encore à d'autres médecines parallèles, le médecin devrait en tenir compte dans la mesure du possible. Comme certaines de ces représentations sont fortement ancrées dans le bagage culturel du patient, il est important de les prendre en considération et d'essayer de les intégrer dans la prise en charge, tout en visant à les modifier à plus ou moins long terme.

Un vécu émotionnel négatif, s'il n'est pas explicitement abordé, peut constituer pour le patient un obstacle insurmontable (parfois inconscient) dans la prise en charge d'un problème de santé. L'empathie constitue alors l'outil indispensable pour mener l'entretien : elle permet en effet au médecin de reconnaître et de verbaliser l'émotion observée chez le patient. Chaque patient est différent, *unique*: il est donc très important de déterminer son besoin *individuel* d'information. Les médecins ont souvent des difficultés à évaluer le degré du désir d'être informé de leurs patients, surtout lorsqu'il s'agit du diagnostic, de l'étiologie du problème ou des choix de traitement. Waitzkin (1984) a démontré que, dans 65 % des consultations, les internistes sous-estimaient le désir qu'avaient leurs patients d'être informés et accordaient moins de 1 minute à la transmission d'information au cours d'entretiens de 20 minutes ! Il arrive fréquemment que le médecin ne donne ainsi qu'une information partielle parce qu'il craint d'augmenter l'angoisse et les inquiétudes du patient. Pourtant, on sait bien que l'ignorance et le manque d'information sont souvent plus anxiogènes pour le patient qu'une information adéquate. Pour cette raison, il est important de clarifier le besoin d'être informé de chaque patient.

Transmettre l'information au patient

Voyons le médecin transmettre l'information à Mme Lenoir.

LE MÉDECIN — *Il existe deux sortes de diabète: une forme qui touche le plus souvent les enfants ou les jeunes adultes et une seconde forme qui est celle qui touche les adultes. Votre cousine avait certainement la première forme, alors que vous, vous avez celle qui touche l'adulte…*

> Tenir compte des connaissances antérieures et de l'expérience du patient, ainsi que du contexte général dans lequel il vit.
>
> Se centrer sur le patient.

MME LENOIR — *Ah ! je n'ai donc pas la même maladie que ma cousine !*

LE MÉDECIN — *Non, sûrement pas ! J'aimerais maintenant vous expliquer trois choses : premièrement, ce qu'est le diabète de l'adulte et pourquoi certaines personnes en sont atteintes ; deuxièmement, quels sont les risques qu'on court quand on l'a et comment cette forme de diabète évolue ; troisièmement, ce que tout ça va représenter concrètement dans votre vie et ce que nous allons faire ensemble.*

> Annoncer la structure logique de l'exposé.
>
> Transmettre l'information en tranches distinctes et claires, selon une séquence logique.

Mme Lenoir — *Ah! Oui! Ça m'intéresse beaucoup, surtout que je ne crois pas manger trop de sucre...*

Le médecin — *Justement, ce sont toutes ces choses dont il faut que nous parlions. D'abord, Madame Lenoir, avez-vous des questions au sujet du diabète?*

Mme Lenoir — *J'aimerais bien savoir pourquoi j'ai ça...*

Le médecin — *Avant de pouvoir répondre à cette question, je dois vous donner quelques éléments d'information.*

> Transmettre l'information en tranches distinctes et claires.

Mme Lenoir — *D'accord! Je vous écoute.*

Le médecin — *Le sucre est présent dans de nombreux aliments, pas seulement dans les sucreries. Il y en a dans le pain, les pâtes, les fruits. Le sucre est essentiel au fonctionnement du corps. C'est un peu comme un carburant.*

Mme Lenoir — *Ah! Je pensais qu'il était forcément mauvais.*

Le médecin — *Non. Le sucre est vital, même. Mais pour pouvoir l'utiliser, le corps doit le faire pénétrer dans les cellules à l'aide de l'insuline.*

Mme Lenoir — *Ma cousine prenait de l'insuline. Est-ce que je devrai en prendre?*

Le médecin — *Je vois que vous êtes vraiment très inquiète, Madame Lenoir. Je comprends qu'avec l'histoire de votre cousine le diabète représente pour vous une immense menace...*

> Réagir aux émotions du patient en manifestant de l'empathie.
>
> Pousser le patient à verbaliser ses inquiétudes.

Mme Lenoir — *Oui, je suis très inquiète. Je ne voudrais pas devoir passer par là...*

Le médecin — *Je comprends très bien, Madame Lenoir. Je vais vous expliquer la différence entre le diabète de votre cousine et le vôtre. Dans le diabète de l'enfant, le corps produit effectivement trop peu d'une hormone qui s'appelle «insuline». C'est pourquoi il faut s'en injecter.*

> Tenir compte des inquiétudes du patient.

Mme Lenoir — *Oui, c'est ce qu'elle devait tout le temps faire...*

Le médecin — *Mais c'est tout à fait différent dans votre cas: c'est plutôt comme si les cellules ne répondaient plus à l'insuline, alors que celle-ci est présente en quantité suffisante dans votre corps. On dit qu'il y a une résistance à l'insuline, un empêchement à faire entrer le sucre dans les cellules.*

Est-ce que c'est clair pour vous ? Comment comprenez-vous ce que je viens de vous expliquer ?

Vérifier la compréhension du patient en lui demandant de reformuler l'information transmise.

MME LENOIR — *Oui, c'est assez clair, je pense. C'est comme si mon corps ne tenait pas compte de l'insuline que je produis… Et, comme vous l'avez dit, le sucre ne peut pas être utilisé…*

LE MÉDECIN — (il fait un croquis) *Je vais vous faire un petit dessin. Regardez bien : voici une cellule, voici le sucre…*

Utiliser des éléments visuels pour transmettre l'information au patient.

Le médecin explique le phénomène.

MME LENOIR — *Je comprends…*

LE MÉDECIN — *Bon, vous vous demandiez pourquoi vous avez le diabète. En fait il y a une tendance héréditaire, c'est-à-dire familiale, à être atteint par le diabète. Passons au deuxième point que nous voulions aborder : connaissez-vous les conséquences de cette maladie ?*

Donner des explications scientifiques en utilisant un langage clair et simple.

Rappeler au patient la structure logique de l'exposé.

MME LENOIR — *Oui, plutôt ! Ma cousine est devenue aveugle, on a dû lui amputer deux orteils et elle est morte d'une crise cardiaque…*

LE MÉDECIN — *Oui, ce sont toutes des conséquences graves du diabète, surtout si on n'arrive pas à bien le traiter. En fait, sans traitement, le sucre qui reste en trop grande quantité dans le sang se comporte comme un sirop dans les grandes et les petites artères : ça les encrasse et ça favorise leur obstruction.*

Utiliser un langage clair et simple, en évitant le jargon médical et en expliquant les termes spécialisés, selon le niveau de compréhension du patient.

MME LENOIR — *C'est pour ça que ma cousine est morte d'une crise cardiaque ?*

LE MÉDECIN — *Oui. Vous avez très bien compris. Lorsque les artères de l'œil se bouchent, on peut perdre la vue. Lorsque les artères des pieds se bouchent, on doit se faire amputer. Lorsque les artères du cœur se bouchent, on peut avoir des problèmes cardiaques.*

MME LENOIR — *Belle perspective !*

LE MÉDECIN — *Je comprends votre inquiétude, Madame Lenoir, mais, justement, avec le traitement que vous allez suivre, nous pourrons éviter ces problèmes dans une large mesure…*

MME LENOIR — *Ça me rassure !*

Que nous apprend ce dialogue ? Il montre la nécessité de suivre les consignes suivantes pour transmettre efficacement l'information au patient.

- **Structurer l'information à transmettre.** Organiser l'information selon ses différentes parties, tout en respectant une séquence logique, et annoncer cette structure permettent au patient de se situer plus efficacement et de mieux suivre le discours. Exemple : « Je vais vous expliquer trois choses : premièrement…, deuxièmement…, troisièmement… »
- **Découper l'information en tranches distinctes et claires, tout en vérifiant la compréhension du patient au fur et à mesure de l'entretien.** Dans le cadre de cours en communication, l'observation de consultations ambulatoires enregistrées sur bande vidéo nous a montré qu'un long monologue explicatif perd le patient en cours de route. Celui-ci peut en effet rester « bloqué » sur un élément de l'explication qui déclenche chez lui des associations, des questionnements ou des inquiétudes, qui l'empêcheront d'écouter s'il ne les exprime pas. Le médecin doit donner des explications qui répondent aux besoins du patient et sont adaptées à ses connaissances ; à tout moment, le médecin doit s'assurer que le patient comprend bien en utilisant les interventions de ce dernier comme balises pour orienter le discours. Plus les interventions du médecin sont courtes et intercalées d'interventions du patient, plus l'information à transmettre a des chances d'être comprise et assimilée. Il ne faut pas hésiter à se servir de la *répétition* et de la *reformulation* des éléments importants afin qu'ils soient entendus et compris par le patient. Il est utile et efficace de souligner les points particulièrement importants, afin de les distinguer du reste de l'information transmise. Exemple : « Il me semble particulièrement important que vous reteniez ce qui suit… » Comme c'est le cas de tout individu, le patient retient davantage les informations qui lui apparaissent importantes.
- **Utiliser un langage clair et simple[1], en évitant le jargon médical et en expliquant les termes spécialisés.** Les termes techniques propres au langage médical sont souvent compris très différemment par le médecin et par le patient. Certains termes utilisés couramment n'ont pas la même signification pour les deux : ainsi, dans une étude, 72 % des patients hypertendus ont dit avoir de l'hypertension, qu'ils définissaient par un excès de nervosité et de stress social (Hadlow et Pitts, 1991) ! Après avoir exploré les connaissances antérieures du patient, il est utile de reprendre les termes qu'il utilise et de s'adapter à son niveau de compréhension. On peut ainsi plus aisément articuler les nouvelles notions et corriger les idées fausses du patient. Toute notion entièrement nouvelle et présentée en dehors d'un contexte connu par le patient a fort peu de chances d'être comprise, et encore moins d'être retenue.
- **Reconnaître et légitimer les émotions du patient tout au long du dialogue.** Les émotions vécues par le patient peuvent entraver fortement ses capacités de concentration et de compréhension. Accorder du temps et de l'attention à ces émotions permet le plus souvent de recentrer les capacités cognitives du patient.
- **S'appuyer sur des éléments visuels pour transmettre l'information au patient.** Qu'il s'agisse de dessins, de schémas, de diagrammes, de photographies, de dépliants, de

textes, tout élément visuel renforce fortement l'efficacité de la transmission de l'information au patient.

La transmission de l'information a-t-elle vraiment le pouvoir d'influer sur le résultat de la prise en charge des patients? Il y a une abondance de preuves qui confirment l'*effet favorable* de l'information transmise aux patients. Dans une méta-analyse (41 études, échelonnées de 1966 à 1985 et portant sur les méthodes de communication utilisées au cours de la consultation), on a évalué l'influence de différents comportements de soignants sur les résultats de la prise en charge. Hall, Roter et Katz (1988) ont ainsi fait ressortir les éléments prédictifs de l'observance thérapeutique, de la compréhension du patient et de son degré de satisfaction. Cette méta-analyse a déterminé que la quantité d'informations transmises était le *facteur le plus puissant pour prédire l'observance thérapeutique et la satisfaction du patient.* On trouve d'ailleurs souvent cette corrélation entre la quantité d'informations transmises et la satisfaction du patient dans la littérature qui porte sur la communication médecin-patient (Smith, Ley, Seale et Shaw, 1987; Bertakis, 1998).

Le niveau des connaissances atteint par le patient grâce à l'enseignement thérapeutique s'est révélé très significatif dans la qualité de la prise en charge des patients diabétiques: la glycémie s'en trouve significativement améliorée et le taux de complications, significativement moindre (Miller et Goldstein, 1972; Assal et Golay, 2000; Raji, Gomes, Beard, MacDonald et Conlin, 2002).

Vérifier la compréhension du patient

Le médecin — *Avant d'aborder concrètement le troisième point, c'est-à-dire ce que ça représente dans votre vie et ce que nous allons faire ensemble, je voudrais être sûr d'avoir été assez clair et d'avoir réussi à tout vous expliquer. Cela vous dérangerait-il de me dire ce que vous avez retenu des deux premiers points? Premièrement: qu'est-ce que le diabète? Deuxièmement: qu'est-ce qui pourrait se passer, dans votre cas, si on ne faisait rien?*

Vérifier la compréhension du patient en lui demandant de reformuler l'explication dans ses propres mots.

Mme Lenoir — *Si j'ai bien compris, il y a trop de sucre dans mon sang parce que mon corps n'arrive plus à le faire entrer dans les cellules, et ça encrasse mes artères. Si je suis un traitement, on arrivera, enfin je l'espère, à éviter que mes artères ne se bouchent et que je devienne aveugle ou cardiaque... Ou les deux...*

Le médecin — *Madame Lenoir, vous m'avez parfaitement compris.*

Que s'est-il passé dans ce dialogue? Le médecin a vérifié la compréhension de sa patiente en lui demandant de reformuler avec ses propres mots les éléments d'information qu'elle a retenus. Il aurait pu avoir à clarifier certains éléments. Selon une évaluation faite un mois après la consultation, cette stratégie est le moyen le plus efficace pour assurer la compréhension et la mémorisation des informations par le patient (Kupst, Dresser, Schulman et Paul, 1975). En effet, ce qu'un adulte entend et pense avoir compris est fortement potentialisé s'il doit lui-même l'exprimer, ce qui en assure une assimilation nettement supérieure. Une étude a montré que l'utilisation de cette technique par des étudiants en médecine familiale a amélioré la mémorisation des informations par le patient de 61 % à 83 % (Bertakis, 1977).

En pensant avoir été clair, le médecin surestime souvent le degré de compréhension du patient. En observant l'enregistrement de consultations, nous avons pu constater qu'il est rare de voir le médecin vérifier concrètement ce que le patient a compris. De son côté, le patient pense avoir compris, mais il a des difficultés à se rappeler les informations transmises pendant la consultation et à les reformuler. Au besoin, le médecin peut fournir une brochure d'information sur le sujet. Pour diverses raisons, le patient a souvent honte de paraître ignorant en posant des questions sur ce que le médecin lui a déjà expliqué : un sentiment d'infériorité sur le plan des connaissances, une différence de rang social perçue, une différence de niveau de scolarité, ou même certains traits de caractère ou de personnalité.

Pour négocier efficacement un plan de traitement avec le patient, il est donc indispensable de vérifier sa compréhension des informations transmises en lui demandant de les reformuler.

Négocier la prise en charge avec le patient

Au cours de leur interaction, le médecin et le patient *négocient* constamment, mais ce n'est pas toujours de manière consciente et appropriée. D'emblée, leurs perspectives sont fréquemment divergentes. Lorsque ces différences de perception ne sont pas reconnues, les deux intéressés monologuent et n'arrivent pas à des ententes explicites. Alors, le patient se sent incompris et considère moins sérieusement ce que lui propose le médecin (Girard et Grand'maison, 1993). Pour le médecin, le sentiment de frustration est fréquent et il conclut trop souvent que le patient n'est pas motivé et n'observe pas le traitement – alors qu'il s'agit d'un problème de communication. Or, pour qu'un problème clinique soit reconnu et bien pris en charge, il importe que le médecin et le patient trouvent un terrain d'entente (Stewart et autres, 1999). Pour améliorer la participation active du patient, il est avantageux de favoriser un degré optimal d'autonomie chez lui. À cette fin, il est utile de réaliser les tâches suivantes :

1. Définir avec le patient des objectifs concrets de prise en charge.
2. Présenter au patient les possibilités de la prise en charge (dans la mesure du possible, sous la forme de choix) et lui faciliter l'expression de ses préférences.
3. Négocier un plan de prise en charge.
4. Demander au patient de reformuler le plan thérapeutique en s'assurant de sa compréhension et de son accord.

Examinons ces tâches à l'aide de l'exemple de Mme Lenoir.

Définir les objectifs de la prise en charge

LE MÉDECIN — *Nous arrivons donc au troisième point dont je voulais discuter avec vous : ce que nous allons faire ensemble pour la suite.*

Rappeler au patient la séquence logique annoncée.

Mme Lenoir — *Oui , et j'ai bien peur que ce soit maintenant que les choses se gâtent…*

Le médecin — *Pourquoi dites-vous ça ? Que craignez-vous ?*

Évaluer les inquiétudes du patient.

Mme Lenoir — *Vous savez, je ne me vois pas en train de me faire des piqûres chaque jour… Et les régimes, ce n'est pas mon fort… Je n'arriverai jamais à perdre les 10 kilos que j'ai en trop…*

Le médecin — *Je vois que vous craignez beaucoup les piqûres d'insuline et les régimes. Si vous le voulez bien, nous allons voir ces points un par un, et vous verrez que, pour l'instant, il ne s'agit ni de piqûres d'insuline ni de perdre 10 kilos.*

Mme Lenoir — *D'accord, vous me rassurez…*

Le médecin — *Je crois que vous avez bien compris en quoi consiste le diabète.*

Mme Lenoir — *Oui, je pense avoir bien compris.*

Le médecin — *Notre but est donc de faire baisser le taux de sucre dans votre sang, la glycémie, comme je vous ai dit tout à l'heure, pour éviter les complications dont nous avons aussi parlé…*

Préciser les objectifs précis de la prise en charge.

Mme Lenoir — *Oui. Je pense que c'est important, mais comment allons-nous nous y prendre ?*

Après avoir fourni les informations nécessaires, le médecin a défini avec sa patiente les objectifs de la prise en charge. Au cours de cette tâche, il est important de tenir compte des croyances, des représentations et des inquiétudes du patient. En effet, ne pas intégrer ces éléments dans la prise de décision risque d'entraver l'adhésion du patient à la prise en charge. Dans la mesure du possible, les objectifs doivent être *concrets, définis en étapes rationnelles, réalistes et évaluables.*

Présenter au patient les possibilités de prise en charge et obtenir l'expression de son choix

Le médecin — *Il y a différentes méthodes pour faire baisser le taux de sucre dans le sang. Je vous en propose deux. La première consiste à contrôler la quantité de sucre dans la nourriture.*

Présenter au patient des choix thérapeutiques.

Mme Lenoir — *Ça y est ! J'en étais sûre : un régime !*

Le médecin — *Madame Lenoir, ça dépend de ce que vous appelez « régime ». Dans votre cas, il s'agit d'abord de faire une sorte d'inventaire de ce que vous mangez et, ensuite, de voir avec moi ou avec une spécialiste, une diététicienne en fait, si on peut vous aider à choisir les aliments qui vous conviennent, tout en diminuant le taux de sucre dans votre sang. Je vous assure qu'il ne s'agit pas de vous empêcher de manger tout ce que vous aimez. Il s'agit plutôt de voir comment vous pouvez diminuer le taux de sucre dans votre sang, en mangeant de façon équilibrée et sans prendre de médicaments pour le moment.*

Fournir des explications qui répondent aux demandes d'information et aux inquiétudes du patient.

Mme Lenoir — *Ça m'intéresse, mais je pense que ça va être difficile...*

Favoriser l'intervention du patient.

Le médecin — *Par ailleurs, Madame Lenoir, il vous suffirait de perdre trois ou quatre kilos pour améliorer le taux de sucre dans votre sang.*

Mme Lenoir — (souriante) *Ah !... Et l'autre possibilité dont vous parliez, qu'est-ce que c'est ?*

Le médecin — *C'est un médicament qui diminue le taux de sucre dans le sang. On appelle ça un « antidiabétique ». Il faudrait le prendre régulièrement, une ou deux fois par jour, probablement pour toujours...*

Mme Lenoir — *Je n'aime pas trop les médicaments, mais s'il le faut...*

Le médecin — *Vous savez que prendre un médicament régulièrement et pour le reste de sa vie n'est pas une chose facile. Le médicament que je vous proposerais risque de provoquer des nausées, des ballonnements, parfois des diarrhées ou des vomissements... Mais on peut éviter ces désagréments en commençant par de petites doses.*

Mme Lenoir — *J'aime mieux ça...*

Le médecin — *Un avantage de ce médicament, c'est qu'il pourrait vous aider à perdre un peu de poids...*

Mme Lenoir — *De plus en plus intéressant !*

Le médecin — *Bon. Maintenant, est-ce que vous voudriez essayer le médicament ou bien tenter de suivre des conseils liés à votre alimentation ? Si le régime*

Obtenir l'expression des préférences du patient.

ne fonctionne pas, on pourra toujours essayer le médicament ensuite...

Mme LENOIR — *D'accord! Essayons d'abord le régime, ou plutôt ces conseils, comme vous dites si bien... Et puis, on verra...*

Afin de favoriser l'engagement du patient dans l'application de la décision, il est préférable, dans la mesure du possible, d'éviter de lui donner des directives; lui *suggérer des choix* de prise en charge est beaucoup plus efficace. En effet, si le patient a pu exprimer son opinion et ses préférences, son adhésion au plan d'intervention en sera grandement favorisée.

Négocier un plan de prise en charge avec le patient

Poursuivons avec l'exemple de Mme Lenoir.

LE MÉDECIN — *Donc, Madame Lenoir, si je résume, nous essayons d'abord d'équilibrer votre alimentation.*

MME LENOIR — *Oui.*

LE MÉDECIN — *Dans ce cas, quand pourriez-vous revenir pour en discuter?*

Favoriser l'engagement du patient en le faisant participer à l'élaboration du plan thérapeutique.

MME LENOIR — *Cette semaine, j'ai le temps. Je suis en vacances.*

LE MÉDECIN — *D'accord! Et dans combien de temps pourrions-nous nous revoir pour vérifier comment vous vous en tirez?*

MME LENOIR — *Dans deux semaines?*

LE MÉDECIN — *Je pense que c'est un peu tôt. Il faut que vous ayez assez de temps pour constater les résultats de vos efforts, ce qui ne pourra pas se faire avant quatre semaines, d'après moi. Mais, si vous le désirez, nous pouvons déjà nous revoir dans deux semaines...*

Négocier un échéancier précis avec le patient.

MME LENOIR — *Non, non... Je pense que vous avez raison: dans quatre semaines, c'est bien.*

LE MÉDECIN — *Ce serait important de vérifier à ce moment le taux de sucre dans votre sang. Qu'en pensez-vous?*

MME LENOIR — *Je pourrais passer le matin même chez votre assistante pour la prise de sang.*

LE MÉDECIN — *Bonne idée ! Nous verrons si vos efforts seront couronnés de succès : soit par une baisse du taux de sucre dans le sang, soit par la perte de un kilo en quatre semaines. Si c'est le cas, nous pourrions attendre avant de commencer la prise du médicament. Sinon ou si jamais vous trouvez que c'est trop difficile, nous pourrons rediscuter de tout ça.*

Fixer des objectifs très concrets avec le patient.

Mme LENOIR — *Je vais essayer sérieusement. J'aimerais bien ne pas devoir prendre de pilules pour le reste de ma vie…*

Dans la négociation de la prise en charge, il est essentiel de fixer des *objectifs très concrets* avec le patient et de s'assurer de son accord. Les objectifs et le plan thérapeutique doivent être clairs, et le médecin doit s'assurer que le patient les comprend très bien. Les objectifs doivent être cohérents avec les représentations du patient et les inquiétudes qu'il a exprimées.

Le médecin doit négocier un *échéancier précis* avec le patient : plus le patient pourra s'approprier les objectifs, participer à la mise en place de stratégies thérapeutiques et imaginer concrètement ces stratégies, meilleure sera son adhésion au plan thérapeutique. Il est également utile d'*anticiper les obstacles* auxquels le patient pourrait se heurter pendant la mise en application des décisions prises, selon les différents scénarios possibles.

Pour en arriver à une décision négociée (*shared decision-making*), il faut donc remplir les conditions suivantes (Charles, Gafni et Whelan, 1997) :

- Il y a deux protagonistes : le médecin et le patient.
- Il y a un partage d'information entre les deux intéressés.
- Le médecin et le patient prennent part activement au processus de prise de décision concernant le plan thérapeutique.
- Il y a un accord entre les deux intéressés sur la décision prise.

Demander au patient de reformuler le plan thérapeutique en s'assurant de sa compréhension et de son accord

Écoutons Mme Lenoir s'approprier le plan thérapeutique et voyons comment le médecin vérifie la compréhension et l'accord de sa patiente.

LE MÉDECIN — *Je veux être sûr que nous nous sommes bien compris et que nous voyons la suite de la même manière. Maintenant, pourriez-vous me dire ce que vous pensez pouvoir faire pour votre santé ?*

Aider le patient à s'approprier le plan thérapeutique négocié en lui faisant verbaliser la compréhension qu'il en a.

Mme LENOIR — *Eh bien ! Puisque j'ai une forme de diabète, je vais revenir cette semaine pour que nous examinions ensemble si je peux améliorer mon alimentation. Ensuite, je vais essayer d'appliquer vos conseils pendant quatre semaines. Et nous verrons si j'ai perdu du poids…*

LE MÉDECIN	— *Oui ! Et pour le taux de sucre dans le sang ?*	S'assurer de la compréhension et de l'accord du patient.
MME LENOIR	— *On verra si ça s'améliore sans médicament. Si ça ne donne rien, on rediscutera d'un médicament pour faire baisser le taux de sucre.*	
LE MÉDECIN	— *Bon ! Madame Lenoir, je vois que nous sommes d'accord !*	

Faire reformuler au patient son plan thérapeutique a trois principaux buts :

- Aider le patient à s'approprier le plan négocié et à le faire sien : inciter le patient à prendre position le responsabilise et le rend actif dans la mise en application des décisions, ce qui réduit le risque de *non-adhésion* (Dye et DiMatteo, 1995 ; Frank, Kupfer et Siegel, 1995 ; Butler et autres, 1996).
- Garantir au médecin que le patient se rappellera le plan thérapeutique : demander au patient de reformuler ce plan dans ses mots est l'unique méthode pour y parvenir.
- S'assurer de la compréhension et de l'accord du patient : même si celui-ci peut mémoriser le plan thérapeutique, il ne l'a pas forcément compris et accepté.

Dans l'étude de certaines maladies chroniques, telles que l'hypertension artérielle, le diabète et la polyarthrite rhumatoïde, des auteurs (Kaplan, Greenfield, Gandek, Rogers et Ware, 1996 ; Kaplan, Greenberg et Ware, 1989) ont démontré que les patients activement engagés dans leur plan de traitement avaient une meilleure observance thérapeutique et de meilleurs résultats objectifs dans le suivi que les autres patients. De plus, les patients dont le médecin adoptait une approche moins directive, plus négociée et plus participative étaient plus satisfaits et changeaient moins souvent de médecin.

Motiver le patient

Beaucoup de patients semblent comprendre leur problème : leur maladie, les facteurs de risque, leur traitement ou les mesures de prévention qui leur seraient utiles, mais ils ont néanmoins des difficultés à adhérer au plan thérapeutique. Selon les pathologies observées ou le degré de chronicité des maladies, l'adhésion thérapeutique varie énormément (de 22 % à 72 %), alors qu'on retient habituellement une moyenne de 30 % à 50 % de non-adhésion pour les prescriptions courantes en médecine de premier recours (Cole et Bird, 2000 ; Houston-Miller, 1997 ; Svensson, Kjellgren, Ahlner et Säljö, 2000). Le plus haut taux d'échec d'observance est associé aux recommandations de modifier des habitudes de vie telles que le tabagisme ou la consommation d'alcool, les habitudes alimentaires, l'exercice physique, etc. De même, il est très difficile d'obtenir l'observance du traitement dans le cas de maladies silencieuses, comme le diabète, l'hypertension artérielle et les hyperlipidémies.

En cherchant à motiver son patient, le médecin ne fait pas obstacle à la liberté du patient, pas plus qu'il ne le déresponsabilise, mais il s'engage à lui offrir la meilleure intervention possible. Il aide ainsi son patient à prendre conscience de sa situation et à entreprendre des changements dans son mode de vie pour réduire les facteurs de risque.

Comme nous l'avons vu précédemment, l'approche centrée sur le patient favorise des rencontres sur le mode du partenariat, ce qui prépare déjà le patient à participer activement au plan thérapeutique : dans la transmission de l'information, le médecin tient compte de la vision, de la demande et du vécu du patient, et le plan thérapeutique négocié intègre sa compréhension et son accord. Dans ces conditions, suivre les étapes suivantes aidera à potentialiser la motivation du patient :

1. Évaluer l'adhésion du patient avec précaution et sans porter de jugement.
2. Circonscrire le problème d'observance.
3. Négocier des solutions concrètes, établir un échéancier précis et anticiper les difficultés du patient.
4. Obtenir du patient une déclaration de son intention d'agir.
5. Reconnaître les *facteurs qui influencent la motivation* du patient.

Examinons ces étapes.

Évaluer l'adhésion du patient avec précaution et sans porter de jugement

Poursuivons avec le médecin et Mme Lenoir.

Le médecin revoit Mme Lenoir quatre semaines après avoir discuté avec elle des modifications d'habitudes alimentaires qu'elle devait entreprendre. Les buts visés étaient l'amélioration de la glycémie et, dans la mesure du possible, la perte de un kilo.

LE MÉDECIN — *La plupart des patients ont beaucoup de difficulté à changer leurs habitudes alimentaires. Quelles difficultés avez-vous éprouvées vous-même ?*

Aider le patient à exprimer ses difficultés sans le juger.

Afin d'évaluer l'adhésion du patient au plan thérapeutique, première étape du processus de motivation, le médecin devrait l'aider à exposer ses difficultés, en évitant de le mettre mal à l'aise ou de le culpabiliser. En légitimant à l'avance les difficultés qu'il anticipe pour son patient, le médecin l'autorise, en quelque sorte, à parler des difficultés qu'il éprouve. Sans cette précaution, la question classique « Avez-vous eu des problèmes ou des difficultés à suivre ce que nous avions décidé ? » risque d'être moins efficace. Plus le médecin insiste sur les difficultés auxquelles le patient s'est heurté ou pourra se heurter, plus il valorise les succès (même minimes), et plus le patient se sentira soutenu et encouragé à poursuivre ses efforts.

Circonscrire le problème d'observance

Comment le médecin s'y prend-il avec Mme Lenoir pour réaliser cette deuxième étape ?

LE MÉDECIN — *Madame Lenoir, pouvez-vous me rappeler quelles intentions vous aviez exactement à la fin de notre dernier entretien ?*

Clarifier avec le patient les objectifs du plan thérapeutique.

MME LENOIR — *Après notre discussion, j'avais l'intention de manger plus régulièrement le midi afin d'éviter de grignoter et de prendre des boissons gazeuses sans arrêt.*

LE MÉDECIN — *Et en pratique, qu'avez-vous réussi à faire ?*

MME LENOIR — *Éviter les boissons gazeuses, c'était facile !*

LE MÉDECIN — *Je vous félicite : c'est déjà très bien d'avoir réussi ce changement. Et quels sont les problèmes qui vous ont empêchée de respecter le reste de vos intentions ?*

Valoriser les efforts couronnés de succès.

Clarifier les difficultés éprouvées par le patient.

MME LENOIR — *Le midi, c'était plus compliqué. La pause-repas est très courte, je n'ai pas vraiment le temps d'aller à l'extérieur. Je n'aime pas manger seule… Et sur place, il n'y a que des sandwichs…*

LE MÉDECIN — *Oui. Dans ces conditions, je comprends que ça a pu être difficile ! Je sens que vous êtes déçue, mais si vous le voulez, nous pourrions réfléchir ensemble aux moyens de contourner ce problème…*

Légitimer les difficultés éprouvées par le patient.

Verbaliser les émotions perçues chez le patient.

Assurer au patient qu'on est son allié.

Lorsque le patient exprime les difficultés qu'il a éprouvées, il est important de *clarifier* chacune d'elles. Les difficultés éprouvées pour modifier des habitudes du style de vie sont surtout liées à la motivation et à la conviction de réussir, mais le patient peut avoir à faire face à des obstacles concrets. Préciser ces obstacles facilite la détermination de solutions concrètes. Dans le cas des problèmes liés à la motivation et à la conviction de réussir, il s'agit de situer le patient dans le processus de changement, afin de lui offrir une intervention adaptée au stade où il se trouve. Nous en reparlerons plus loin. Quant aux problèmes dans la prise de médicaments, soulignons que les plus fréquents sont liés à l'oubli de les prendre et aux effets indésirables.

À tout moment, le médecin devrait essayer d'obtenir du patient les renseignements les plus précis possible et le laisser parler librement de ses difficultés. Pour ce faire, le médecin doit accepter ouvertement toute attitude du patient, *sans le blâmer ni le juger.* En observant l'enregistrement vidéo de consultations de médecins de premier recours, nous avons fréquemment observé que ceux-ci jugent, banalisent ou interprètent les propos des patients, les amenant ainsi à nier ou à taire leurs difficultés. En conséquence, le médecin ne peut pas aider le patient à envisager de changer son mode de vie.

Réagir aux émotions du patient en les verbalisant contribuera à ce que celui-ci se sente compris et collabore davantage. Une émotion non exprimée, comme la tristesse, la colère, l'anxiété ou la honte, peut nuire à la capacité du patient d'entrer en relation et à sa capacité de prendre une décision. De même, en se présentant explicitement comme un *allié devant les difficultés* et en offrant son soutien, le médecin favorise la motivation du patient et son adhésion au plan thérapeutique.

Négocier des solutions concrètes, établir un échéancier précis et anticiper les difficultés du patient

LE MÉDECIN — *Résumons-nous: vous n'avez pas le temps d'aller à l'extérieur, et sur place vous ne trouvez que des sandwichs. Avez-vous pensé à une solution?*

Favoriser l'expression de suggestions par le patient.

MME LENOIR — *Je ne sais pas... Je pourrais apporter un repas de la maison et le réchauffer sur place... Il y a des fours à micro-ondes dans la cuisinette... Si j'étais rassasiée, l'après-midi je serais moins tentée par les biscuits salés, le chocolat, les friandises, la crème glacée...*

LE MÉDECIN — *Ça me paraît être une très bonne idée, Madame Lenoir! Quand voudriez-vous mettre ça en pratique?*

Négocier un échéancier précis avec le patient.

MME LENOIR — *Je ne sais pas trop... La semaine prochaine, peut-être? Je pourrais apporter les restes de mon repas de la veille.*

LE MÉDECIN — *Pensez-vous que ce sera toujours possible? Y aura-t-il des jours où ça pourrait être difficile?*

Anticiper les difficultés que le patient éprouvera.

Le patient adhérera beaucoup plus facilement à des solutions qui viennent de lui, parce qu'elles ont généralement l'avantage d'être plus adaptées à *sa* réalité. Le plus souvent, le patient se montrera favorable envers les propositions du médecin et fera preuve de bonne volonté, mais il aura davantage de difficultés à les mettre en application. Si le patient propose des solutions qui semblent avoir des chances de succès, le médecin devrait les valoriser, les soutenir et les clarifier, tout en déterminant un échéancier précis et en cherchant à anticiper les difficultés que le patient pourrait éprouver. La règle est simple: *plus les solutions sont concrètes, précises et claires, plus elles auront des chances d'être appliquées.*

Obtenir du patient une déclaration de son intention d'agir

LE MÉDECIN — *C'est important pour moi d'être sûr que nous nous sommes bien compris. Pourriez-vous me redire ce que vous allez entreprendre?*

Pousser le patient à exprimer ses intentions.

Obtenir du patient l'énonciation explicite de ses intentions revient à lui faire reformuler son plan thérapeutique après la négociation et la planification (voir la section « Demander au patient de reformuler le plan thérapeutique en s'assurant de sa compréhension et de son accord ») :

- Le patient s'approprie les décisions négociées.
- Il exprime son accord et ses intentions.

Il faut garder présent à l'esprit que le patient se souviendra plus facilement de ce qu'il dit lui-même que de ce qui est formulé par le médecin.

Reconnaître les facteurs qui influencent la motivation

Beaucoup de praticiens sont convaincus que les problèmes d'observance thérapeutique n'appartiennent pas à leur champ d'action et que la seule aide qu'ils peuvent offrir à leurs patients consiste à leur donner des informations claires en espérant que leurs recommandations seront respectées. Pourtant, il existe des moyens dont le médecin dispose pour améliorer l'observance thérapeutique : il doit s'appliquer à accroître la motivation du patient et à favoriser son adhésion au plan de traitement. À partir de leur expérience avec des patients alcoolodépendants, Miller et Rollnick (2002) ont mis au point l'entretien motivationnel (*motivational interviewing*), une approche relationnelle fascinante, destinée à aider le patient dans sa motivation de changer un comportement : ils ont démontré que plus le médecin, pendant l'entretien, amène le patient à exprimer ses intentions de changement, plus il a effectivement de chances d'atteindre ses buts. L'attitude du médecin constitue ainsi un facteur important dans la motivation du patient.

Certains facteurs liés à la médication (une posologie complexe, des effets secondaires désagréables, le coût, etc.) peuvent directement engendrer des difficultés d'observance et nuire passablement à la motivation du patient dans le suivi de son traitement. À elles seules, les recommandations du médecin ne suffisent généralement pas à motiver un patient qui a des habitudes de vie liées au tabac, à l'alcool et à l'obésité ou qui mène une vie sédentaire – et les mesures de prévention que suggère le médecin n'apparaissent pas toujours pertinentes aux yeux du patient. Au moment de négocier le plan thérapeutique avec le patient, le médecin doit être conscient des facteurs bien définis qui influencent l'adhésion du patient à ce plan :

- les facteurs liés au plan thérapeutique (la complexité, la durée, les bénéfices ressentis, les effets secondaires) ;
- les facteurs liés au patient (les croyances relatives à la santé, le stade de l'acceptation de la maladie, le stade du changement de comportement) ;
- les facteurs liés à l'entourage et à l'environnement du patient (les facteurs familiaux et sociaux) ;
- les facteurs liés au soignant (le degré de motivation et de conviction, les contre-attitudes et les préjugés) ;
- les facteurs liés à la relation soignant-patient (y compris l'interaction entre les facteurs liés au patient et les facteurs liés au soignant).

La figure 26.1 illustre les relations qui unissent ces facteurs.

Figure 26.1 **Les facteurs qui influencent la motivation du patient**

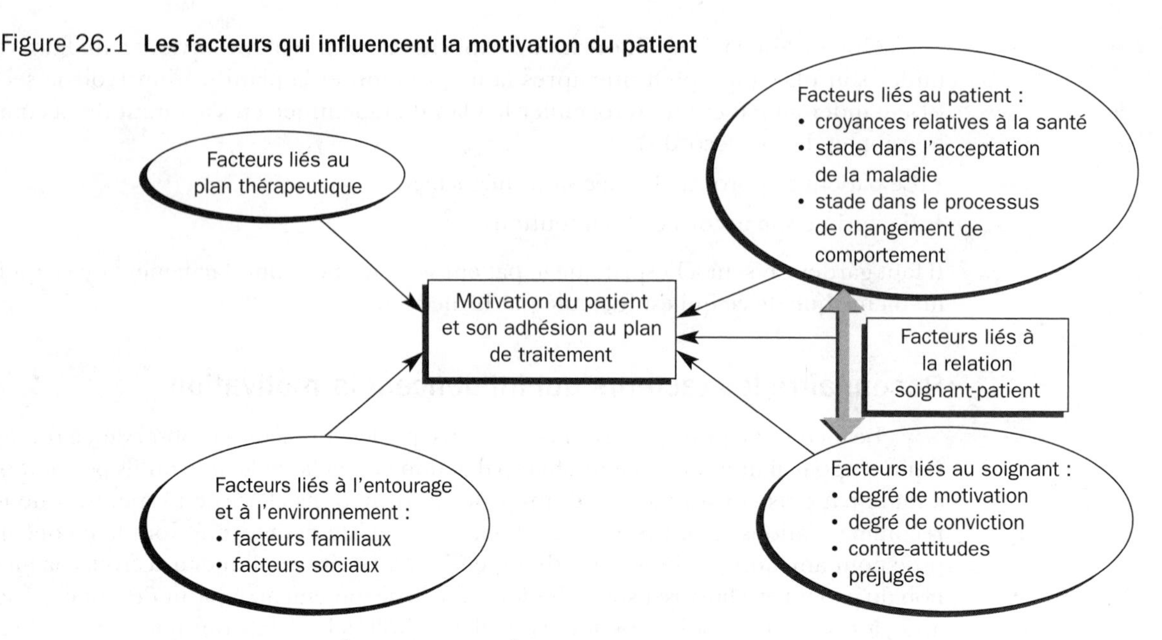

LES FACTEURS LIÉS AU PLAN THÉRAPEUTIQUE

Certaines caractéristiques du plan thérapeutique influencent favorablement l'adhésion du patient et peuvent même servir de critères dans son élaboration[2]:

- la simplicité du plan thérapeutique et de la posologie des médicaments;
- la courte durée;
- les effets positifs évidents, immédiatement ressentis par le patient;
- l'absence d'effets négatifs (coûts, effets secondaires, perturbation du mode de vie, etc.).

Malheureusement, la plupart des mesures thérapeutiques ne satisfont pas à ces critères. Quand le médecin traite des patients souffrant de maladies chroniques ou silencieuses (le diabète, l'hypertension artérielle, l'hypercholestérolémie, etc.), il devrait tenir compte davantage de ces critères dans l'établissement du plan thérapeutique.

LES FACTEURS LIÉS AU PATIENT

En tant que cliniciens, les médecins sont très bien formés à la détermination du problème et à l'établissement de la démarche diagnostique, nécessaires pour mettre en place un traitement: ils passent rapidement à l'action. Lorsqu'on se heurte à des problèmes de motivation ou à des problèmes de non-observance évidents, les capacités d'action du patient sont inhibées, et le médecin a alors besoin d'outils pour *approcher* son patient. Lorsque, dans ces situations, le médecin fait des reproches ou des accusations au patient, il n'obtient que rarement une meilleure observance. Avant d'être prêt à passer à l'action, le patient doit franchir toute une série d'étapes, ce qui se fait parfois inconsciemment, sans complications ni heurts. En revanche, si le patient n'est pas prêt, le médecin doit d'abord chercher à comprendre en quoi consistent les obstacles qui ont nui à l'observance et à la motivation du patient; c'est alors seulement que le médecin et le patient peuvent trouver, ensemble, des solutions pour surmonter ces obstacles.

Que peut faire le médecin pour résoudre les problèmes de motivation liés au patient lui-même? C'est justement l'objet de la présente partie (voir la figure 26.2):

- Dans le cas des problèmes d'observance en médecine ambulatoire, le médecin trouvera utile de se référer au modèle des croyances relatives à la santé.

Figure 26.2 **Les facteurs qui influencent la motivation du patient**

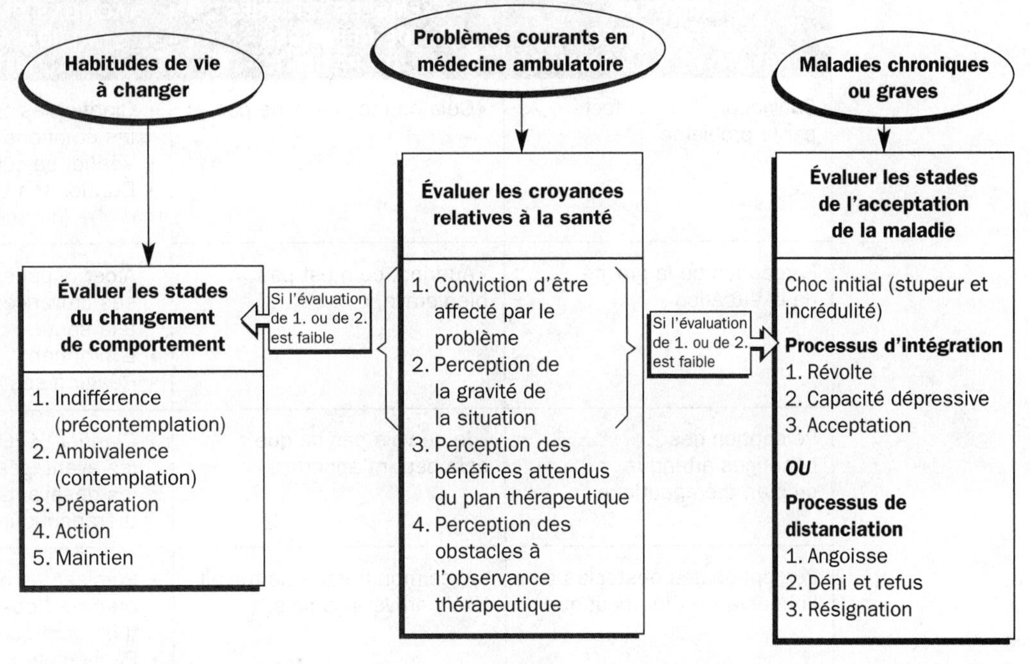

- Dans le cas des maladies chroniques ou graves, ou lorsque la première condition du modèle des croyances relatives à la santé (c'est-à-dire la conviction d'être atteint par la maladie) n'est pas remplie, le médecin a avantage à se référer aux stades d'acceptation de la maladie pour comprendre ce qui empêche le patient d'adhérer au plan thérapeutique.
- Dans le cas des changements d'habitudes de vie, le médecin peut adapter ses interventions au stade du changement de comportement où son patient se trouve.

Les croyances relatives à la santé

Dans le secteur de la prévention primaire, on a d'abord élaboré le modèle des croyances relatives à la santé[3], puis on l'a remanié afin de l'appliquer à la perception que peut avoir un patient de sa maladie et de son traitement (voir le tableau 26.1). Ce modèle s'inscrit dans la perspective du patient, car il est fondé sur les croyances de ce dernier et sur ses motivations à adhérer au plan de traitement.

> Le médecin rencontre un patient une semaine après l'avoir traité en médecine ambulatoire pour une pneumonie simple. L'état du patient ne s'est pas amélioré. Le médecin se rend compte que son patient n'a pas suivi le traitement antibiotique prescrit.

Le but du médecin sera évidemment de chercher à comprendre pourquoi le patient n'a pas suivi ses recommandations. Le modèle des croyances relatives à la santé est destiné à simplifier cette tâche en précisant quatre domaines à explorer pour comprendre les obstacles à la motivation du patient:
- *la conviction d'être affecté par le problème;*
- *la perception de la gravité de la situation;*
- *la perception des bénéfices attendus du plan thérapeutique;*
- *la perception des obstacles à l'observance thérapeutique.*

Tableau 26.1 **Le modèle des croyances relatives à la santé (*health belief model*)**

DOMAINES DE CROYANCES RELATIVES À LA SANTÉ	EXEMPLES TYPIQUES DE RÉPONSES DU PATIENT	ACTIONS ET ATTITUDES RECOMMANDÉES AU MÉDECIN
Conviction d'être affecté par le problème	« Cela ne me concerne pas. »	• Clarifier les craintes et les émotions du patient. • Vérifier sa compréhension. • Évaluer son besoin d'être informé.
Perception de la gravité de la situation	« Au fond, ce n'est pas bien grave. »	• Aider le patient à exprimer ses croyances relatives à la santé. • L'informer. • Réagir à ses émotions.
Perception des bénéfices attendus du plan thérapeutique	« Je ne vois pas ce que cela peut m'apporter. »	• Clarifier l'équilibre entre les avantages et les désavantages du plan thérapeutique.
Perception des obstacles à l'observance thérapeutique	« Avec mon horaire de travail, je n'y arriverai jamais. »	• Préciser les obstacles précis à l'observance thérapeutique. • Rechercher avec le patient des solutions concrètes et réalistes.

LE MÉDECIN — *Au fond, quel problème pensez-vous avoir?*

LE PATIENT — *Si j'ai bien compris, vous m'avez parlé d'une pneumonie…*

Vérifier si le patient est convaincu d'être atteint par la maladie ou s'il se sent vulnérable à la maladie (*perceived susceptibility*).

LE MÉDECIN — *Et que pensez-vous qu'il vous arrivera si on ne fait rien?*

Évaluer si le patient pense que cette maladie ou cette vulnérabilité et les conséquences qui en découlent peuvent être graves pour lui (*perceived severity*).

LE PATIENT — *Eh bien! Je pensais que ça finirait par passer, mais je vois bien que je ne vais pas mieux…*

Ici, le médecin pourrait parfaire les connaissances du patient.

LE MÉDECIN — *Bon. Et maintenant, si vous décidez de suivre notre plan de traitement, quels résultats positifs pensez-vous obtenir?*

Vérifier si le patient est convaincu des effets bénéfiques du traitement proposé ou des recommandations émises (*perceived benefits*).

LE PATIENT — *J'espère que, cette fois, ça va s'améliorer si je prends ces antibiotiques…*

LE MÉDECIN — *D'après vous, quels sont les obstacles qui vous ont réellement empêché de bénéficier de ce traitement?*

S'assurer que les bienfaits du traitement ou des modifications d'habitudes contrebalancent avantageusement les effets secondaires, les contraintes psychologiques, sociales et financières (*perceived barriers*).

LE PATIENT — *J'ai eu de telles nausées après la première journée de traitement que j'ai préféré continuer à tousser plutôt que d'avaler ça...*

Ici, le médecin doit discuter à nouveau avec le patient du choix du médicament. Il doit négocier un traitement dont les effets indésirables soient acceptables par le patient.

Les stades de l'acceptation de la maladie

Les obstacles d'ordre affectif sont souvent à l'origine des effets minimes, voire nuls, des efforts pédagogiques des soignants. L'acceptation d'une maladie, en particulier d'une maladie chronique ou grave (premier domaine du modèle des croyances relatives à la santé), est un processus de maturation par lequel tout individu doit passer lorsqu'il est aux prises avec cette nouvelle réalité que constitue la perte de l'intégrité ou de la santé (voir le tableau 26.2). L'analyse du comportement des patients diabétiques (Lacroix et Assal, 2003) a enrichi le modèle initial de perte de la santé élaboré par Freud (1915) et celui qu'a proposé Kübler-Ross (1975) concernant les mourants.

Le modèle de Kübler-Ross mentionne les étapes du processus de deuil dans l'ordre chronologique où elles se présentent habituellement: le choc initial, le déni, la révolte, le marchandage et la tristesse. Cette succession d'étapes conduit au stade final de l'acceptation. Le patient en fin de vie passe ainsi d'une étape à l'autre, selon un rythme qui lui est propre, au gré des événements de sa vie et des événements liés à l'évolution de sa maladie. De leur côté, Lacroix et Assal (2003) ont montré que les malades chroniques ne parviennent pas tous à dépasser certaines résistances aux changements que leur impose leur nouvel état de santé. On observe donc deux trajectoires possibles: la première correspond à un *processus d'intégration* de la perte, selon les étapes du déroulement normal du travail de deuil à l'égard de l'état de santé antérieur; la seconde représente un risque d'échec du travail de deuil, car elle décrit un *processus de distanciation* de la perte de l'état de santé antérieur, ce qui conduit à un sentiment de résignation plutôt que d'acceptation (voir la figure 26.3).

Observons dans le détail ces deux trajectoires: toutes deux commencent par l'annonce de la mauvaise nouvelle, qui engendre inévitablement un *choc* psychique, une certaine stupeur, suivie peu après d'une réaction d'incrédulité. *Le patient a de la difficulté à réaliser ce qui lui arrive.* Il peut aussi éprouver une forte émotion, comme l'anxiété, causée par l'association d'un souvenir négatif au diagnostic. Il est alors important de nommer l'émotion et d'aider le patient à exprimer ce qu'il ressent, de façon à lui permettre de garder sa capacité de raisonnement.

LE MÉDECIN — *Je dois vous annoncer que le taux de sucre dans votre sang nous confirme bien un diabète.*

LE PATIENT — *Quelle horreur !*

Laisser le patient s'exprimer.

Le médecin et le patient gardent le silence.

LE MÉDECIN — *Je vois que vous avez l'air sous l'effet du choc. Comment vous sentez-vous ? À quoi pensez-vous ?*

Favoriser chez le patient l'expression de ses émotions et de ses pensées.

Il faut éviter d'inonder le patient d'informations qu'il n'est pas en mesure de recevoir, il faut plutôt lui manifester soutien et encouragement afin de l'aider à se retrouver dans cette nouvelle situation. Le médecin doit se souvenir que tout nouveau diagnostic, même sans gravité médicale à proprement parler, peut engendrer un bouleversement dans la vie d'un individu, selon son vécu ou le contexte.

Après cette première phase de choc, le patient évoluera soit vers l'acceptation (processus d'intégration), soit vers la résignation (processus de distanciation ou de mise à distance de la maladie).

Figure 26.3 **L'intégration ou la résignation**

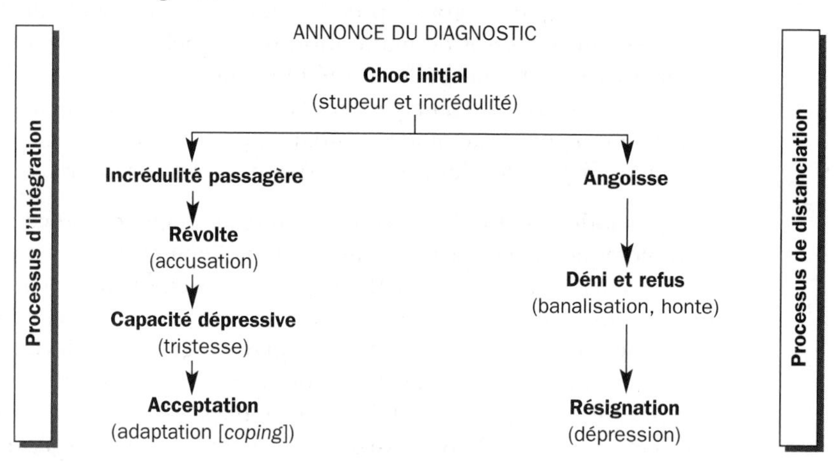

Source : D'après Lacroix et Assal (2003).

1. L'intégration

Pendant le déroulement normal du travail de deuil, le patient entame un processus d'intégration de la maladie dans sa vie quotidienne (trajectoire de gauche de la figure 26.3). La phase de choc est alors suivie de la phase de *révolte*: le patient trouve la situation injuste, ce qui engendre des sentiments de révolte, de colère et de rage. Parfois, le patient accuse alors telle circonstance ou telle personne de ce qui lui arrive.

LE PATIENT — *Pourquoi moi ? C'est injuste ! Je suis sûr que si mon médecin précédent m'avait mieux soigné, je n'aurais pas ces mauvais résultats.*

Révolte.

LE MÉDECIN — *Je vois que vous êtes très en colère contre ce qui vous arrive.*

Réagir aux émotions du patient en manifestant de l'empathie.

Je le comprends très bien, puisque ça complique beaucoup votre vie !

Légitimer les émotions du patient.

Que trouvez-vous le plus difficile en ce moment par rapport à votre maladie ?

Aider le patient à exprimer ses difficultés sans le juger.

Tableau 26.2 **Les stades de l'acceptation de la maladie***

	STADES	RÉACTIONS DU PATIENT	EXEMPLES DE PAROLES DU PATIENT	RÉACTIONS SPONTANÉES DU SOIGNANT	ACTIONS ET ATTITUDES RECOMMANDÉES AU SOIGNANT
	Choc initial	Surprise, angoisse	« Quelle horreur ! »	Donner le plus d'instructions possible (langage technique).	Soutenir le patient et l'aider à se retrouver.
Processus d'intégration	**Révolte**	Accusation, agressivité, revendication	« Pourquoi moi ? » « C'est injuste ! » « Je ne veux pas de votre traitement. »	Se sentir attaqué, juger le patient comme caractériel, s'appuyer sur son expertise.	Manifester de l'empathie, comprendre et légitimer les sentiments du patient, l'amener à préciser l'objet central de sa révolte.
	Capacité dépressive	Tristesse, prise de conscience des émotions ressenties	« Par moments, je suis anéanti, c'est comme si un tracteur me passait sur le corps. » « J'ai l'impression d'exploser de l'intérieur. »	Être peu attentif.	Faire preuve d'écoute active, aider le patient à exprimer ses sentiments, valoriser ses compétences, susciter un projet.
	Acceptation	Adaptation, sérénité, collaboration	« Je n'ai plus d'efforts à faire. » « Je me rends compte que je peux vivre avec ma maladie. »	Se sentir gratifié.	Renforcer la formation personnalisée, valoriser l'autonomie du patient.
Processus de distanciation	**Angoisse**	Peur, sentiment de menace	« Cela me paralyse de penser que je suis diabétique. »	Chercher à rassurer, dédramatiser.	Clarifier les émotions et la nature de la menace ressentie.
	Déni et refus	Détachement, banalisation, négation, honte	« Ça va aller mieux, ce n'est pas grave. » « Je ne suis pas si malade. »	Vouloir être persuasif, choisir l'affrontement.	Instaurer un climat de confiance, aider le patient à déterminer en quoi il se sent menacé, chercher à comprendre les croyances du patient.
	Résignation	Dépression, culpabilité, honte, dévalorisation	« Si vous pensez... » « Je ne vois pas où tout ça va me mener. »	Succomber à la motivation salvatrice, ce qui renforce la dépendance et la passivité du patient.	Offrir un soutien psychothérapeutique, envisager un traitement médicamenteux, comprendre et légitimer les émotions du patient, clarifier ses croyances et ses représentations.

* Toute simplification étant réductrice, on doit faire une utilisation prudente et nuancée du contenu de ce tableau.

Source : D'après Lacroix, Golay et Assal (1993) et Lacroix et Assal (2003).

Au cours de cette phase, le médecin ne doit jamais se sentir visé ni attaqué par les paroles agressives du patient : il doit passer outre, aborder les sentiments éprouvés par ce dernier, afin de l'aider à en prendre conscience, et tenter de légitimer ces sentiments. Si le patient parvient à surmonter cette colère, apparaît alors la tristesse engendrée par la nostalgie de ce qui est perdu : la *capacité dépressive* (ou lucidité douloureuse) représente la capacité d'entrer en contact avec ses émotions et de pouvoir alors utiliser ses ressources. La capacité dépressive n'équivaut aucunement à une dépression clinique, mais représente à la fois la possibilité d'une cicatrisation de la blessure causée par la perte et l'ouverture sur une nouvelle vision de l'existence, qui permet au patient de tenir compte de la maladie dans ses projets d'avenir.

LE PATIENT	— *Par moments, je me sens comme si un tracteur me passait sur le corps. Et à d'autres moments, comme si j'allais exploser de l'intérieur.*	Capacité dépressive.
LE MÉDECIN	— *Par moments, vous vous sentez épuisé et à bout de forces, et à d'autres vous vous révoltez contre tout ça... C'est bien compréhensible : ce n'est pas facile d'intégrer votre diabète dans vos activités.*	Le médecin renvoie au patient son vécu en le reformulant et il légitime ses émotions.
LE PATIENT	— *Non, vraiment ! Au travail, les collègues ne se rendent pas compte combien c'est compliqué pour mes déplacements et qu'il ne s'agit pas seulement de se piquer de temps en temps...*	
LE MÉDECIN	— *Non. D'ailleurs, vous prenez en charge votre maladie remarquablement bien. Comment envisagez-vous la poursuite de vos activités professionnelles avec le diabète ?*	Le médecin soutient le patient en valorisant ses efforts. Il l'encourage à élaborer des projets qui tiennent compte de la maladie.
LE PATIENT	— *Il va falloir que je réduise mes déplacements et que je...*	

Pendant cette phase de *capacité dépressive,* il importe d'aider le patient à exprimer son sentiment de tristesse en reconnaissant et en légitimant l'émotion dans son contexte. En amenant le patient à prendre conscience de sa capacité de maîtriser la maladie et en valorisant ses compétences, le médecin peut l'aider à envisager l'avenir plus favorablement et à élaborer des projets personnels qui tiendront compte de la maladie.

Au cours de la phase d'*acceptation,* le patient parvient à accepter sa maladie et retrouve un équilibre émotionnel qui facilitera l'observance plus sereine du traitement et allégera le quotidien de sa vie personnelle, familiale, professionnelle et sociale. Le patient reconnaît ainsi que la maladie implique des contraintes, il se montre actif et réaliste et il assume sa maladie.

LE PATIENT	— *Au début, j'ai cru que je n'y arriverais jamais, mais maintenant, je suis ce traitement régulièrement. Je n'ai presque plus d'efforts*	Acceptation, intégration.

à faire pour m'y tenir. Autour de moi, les gens savent ce que j'ai... Et puis, je me rends compte que ça ne change pas trop ma vie...

LE MÉDECIN — *Vraiment, je vous félicite! Vous gérez bien votre maladie et votre traitement. J'admire la façon avec laquelle vous avez réussi à l'intégrer dans votre vie!*

Valoriser la gestion de la maladie, l'autonomie et les succès de l'intégration du traitement dans la vie quotidienne.

Au cours de cette dernière phase, le rôle du médecin est de coopérer avec le patient en le prenant comme partenaire et en valorisant son autonomie. Pour beaucoup de patients, la maladie chronique est inacceptable : l'acceptation d'une telle maladie est justement de réaliser que la vie ne sera plus jamais comme avant, ce qui n'est pas souvent chose facile.

2. La distanciation

Que se passe-t-il dans le cas de la seconde trajectoire, celle du processus de distanciation? Quand le patient effectue une mise à distance de la perte (trajectoire de droite de la figure 26.3), la phase de choc est suivie d'un mouvement moins dynamique, et la situation tend à stagner. Dans cette trajectoire, l'*angoisse* est la première réaction devant un diagnostic de maladie inguérissable, qui constitue une menace insurmontable aux yeux du patient.

Pour faire face à cette menace, le patient construit inconsciemment des mécanismes de défense qui peuvent se manifester par le déni ou le refus. Le *déni* se traduit généralement par la banalisation : le patient ne se sent pas touché par le problème. Le médecin qui ne comprend pas la nature de cette indifférence peut parfois aggraver le déni en menaçant le patient des complications probables. Le patient peut également recourir à un autre mécanisme de défense, celui du *refus* (ou négation), qui consiste à nier l'émotion suscitée tout en prenant conscience intellectuellement de la maladie. Le patient ne s'avoue pas malade, il cache sa maladie à son entourage socioprofessionnel et il cherche à compenser le manque ressenti par le surinvestissement dans une activité, comme le sport ou la carrière professionnelle. Cette image de roc insensible cache l'absence d'intégration de la maladie, ce qui se reflète dans une mauvaise prise en charge de la maladie, alors mise de côté, voire niée.

LE PATIENT — *Oui... Vous m'avez dit que j'ai le diabète, mais vous savez, je suis sûr qu'en faisant attention à ce que je mange tout ça va rentrer dans l'ordre.*

Déni, banalisation.

LE MÉDECIN — *Je vois qu'il vous est difficile de réaliser ce qui vous arrive... C'est le cas de beaucoup de personnes lorsqu'elles doivent faire face à une nouvelle maladie.*

Formuler et légitimer les difficultés éprouvées par le patient.

Voulez-vous qu'on essaie de comprendre en quoi votre maladie est si difficile à intégrer dans votre vie?

Clarifier les inquiétudes du patient.

LE PATIENT — *Si vous saviez... Je suis très actif, je ne suis pas malade... Et à mon travail, je ne pourrai jamais avouer que je suis diabétique: ils me mettront à la porte sur-le-champ!*

LE MÉDECIN — *Si je comprends bien, vous avez peur de perdre votre emploi. Vous pensez que vous serez rejeté par vos collègues... C'est bien ça?*

Clarifier les émotions du patient et ses représentations liées au diagnostic.

Il est important pour le patient que le médecin revienne sur la première réaction affective qui a engendré ce mécanisme de défense: par une élaboration psychique de ses émotions, le patient pourra ainsi essayer d'en comprendre l'origine. Ce processus aide le patient à accéder à une perception plus objective de sa situation. Pour arriver à ce résultat, le médecin trouvera fort utile de poser au patient des questions sur ses représentations et ses croyances. S'il ne bénéficie pas d'une aide extérieure, le patient en phase de déni ou de refus ne parvient que rarement à reprendre le processus normal menant à l'acceptation, et il risque alors de se figer dans cet état. Si les mécanismes de défense s'effondrent, le patient sombre dans la *résignation*, équivalent de l'état dépressif dans lequel il vivra sans désir, sans projet et sans plaisir, et cet état se cache parfois derrière une docilité apparente. Ce n'est souvent qu'à ce moment que le médecin perçoit que le patient n'a pas intégré sa maladie dans sa vie.

Le médecin doit alors prendre en charge la composante dépressive à l'aide d'un soutien psychothérapeutique et envisager un traitement médicamenteux. Ensuite, il pourra tenter de clarifier avec le patient les difficultés d'intégration de sa maladie dans sa vie, de lui faire exprimer ses émotions et ses représentations liées à la maladie, et de verbaliser et légitimer ces émotions, afin de l'aider à faire le deuil de sa santé.

Les stades du changement de comportement

Le modèle des stades (ou phases) du changement de Prochaska et DiClemente (1983) est basé sur l'observation de patients aux prises avec un changement dans leurs habitudes de vie. C'est devenu le cadre de référence dans le soutien des patients ayant un problème de dépendance (exemples: alcool, tabac) ou devant modifier leur mode de vie (exemples: pratique régulière d'exercice, modification des habitudes alimentaires) en raison d'un facteur de risque.

Selon ce modèle (voir le tableau 26.3), le patient tabagique, par exemple, n'a pas à passer brutalement du stade de dépendance au tabac à celui de l'abstinence, ni du stade de l'échec à celui du succès – comme les médecins ont souvent tendance à le vouloir. Le patient traverse plutôt cinq stades distincts (indifférence, ambivalence, préparation, action et maintien), la rechute étant toujours possible, même en phase de maintien, et la régression étant possible de la deuxième à la cinquième phase. Pour aider le patient efficacement, le médecin doit d'abord déterminer le stade de changement dans lequel il se situe et adapter son intervention en conséquence.

1. L'indifférence (ou précontemplation)

À ce premier stade, le patient n'envisage même pas de changer de comportement. Le médecin peut fournir des informations claires sur les bénéfices attendus et les risques possibles du plan thérapeutique; il peut aussi offrir son soutien au patient, mais il le laisse

Tableau 26.3 **Les stades du changement de comportement**

STADES DU CHANGEMENT DE COMPORTEMENT	EXEMPLES TYPIQUES DE PAROLES DU PATIENT	ACTIONS ET ATTITUDES RECOMMANDÉES AU SOIGNANT
Indifférence (précontemplation)	« Non. Pour l'instant, ce n'est vraiment pas possible. » « Non, je n'ai pas de problème. »	Donner des informations claires sur les bénéfices attendus et les risques possibles. Rechercher les représentations et les croyances relatives à la santé du patient.
Ambivalence (contemplation)	« Oui, j'aimerais bien arrêter, mais je ne sais pas comment. »	Amener le patient à tenir un discours en faveur du changement par l'exploration de ses propres arguments. Aider le patient à résoudre son ambivalence. Préciser les avantages du changement et les inconvénients du comportement à changer. Offrir de l'aide et du soutien au patient.
Préparation	« C'est décidé ! Je vais arrêter... »	Établir un plan avec le patient. Discuter des objectifs concrets. Anticiper les difficultés possibles. Déterminer les avantages potentiels.
Action	« J'arrête aujourd'hui ! »	Aider le patient à surmonter les obstacles. Reconnaître les succès du patient.
Maintien	« Ça y est ! J'ai arrêté ! »	Amener le patient à renouveler son engagement. Maintenir l'équilibre. Faciliter le soutien de l'entourage ou d'un groupe. Anticiper les rechutes avec le patient et déterminer des stratégies pour les éviter.
Rechute*	« J'ai recommencé... »	Amener le patient à considérer les rechutes comme normales et non comme des échecs. Aider le patient à comprendre le mécanisme des rechutes de façon à ce qu'il puisse les éviter.

* La rechute n'est pas un stade en soi ; elle correspond au passage d'un stade à l'un des stades précédents.

Source : Adapté de Prochaska et DiClemente (1983).

décider. Parfois, il convient de renvoyer au patient l'image de sa position, de ses comportements, de façon à lui faire prendre conscience du problème. Il est utile de faire parler le patient de son vécu et de ses représentations, et de garder un bon contact avec lui.

LE PATIENT	— *Non ! Pour l'instant, ce n'est vraiment pas possible, je subis trop de pression au travail.*	
LE MÉDECIN	— *Je comprends qu'en ce moment ce serait difficile, mais je me dois de vous dire qu'il serait important d'arrêter de fumer.*	Donner des informations claires. Exprimer sa position sans porter de jugement.
	J'aimerais que vous sachiez que je serai toujours prêt à aborder de nouveau la question avec vous.	Exprimer au patient sa disponibilité. Garder un bon contact avec le patient.
	Peut-être pourriez-vous m'expliquer comment la cigarette vous aide à lutter contre le stress au travail ? Et qu'est-ce que l'idée d'arrêter de fumer représente pour vous ?	Aider le patient à exprimer ses représentations.

2. L'ambivalence (ou contemplation)

À ce stade, le patient envisage le changement dans un laps de temps prévisible, sans toutefois être encore prêt à passer à l'action. Le médecin peut alors aider le patient à discuter des bénéfices attendus du changement et des obstacles potentiels à ce changement, tout en tâchant de renforcer et de valoriser les bénéfices attendus. Il est utile de présenter au patient des choix de passage à l'action et d'offrir toujours de l'aide, tout en laissant le patient décider.

Il est important de ne pas prescrire d'action, puisque le patient n'est pas encore prêt à agir. L'entretien de motivation (*motivational interviewing*), mis au point par Miller et Rollnick (2002), constitue un outil précieux pour aider les patients à se convaincre eux-mêmes des bonnes raisons qu'ils ont d'effectuer un changement et à résoudre leur ambivalence.

LE MÉDECIN	— *Que pensez-vous de votre tabagisme ?*	Poser une question ouverte.
LE PATIENT	— *Oh !... J'aimerais bien arrêter, mais je ne sais pas comment... Pour le moment, ça me semble difficile. Comme je vous l'ai dit, nous vivons un stress terrible au travail en ce moment...*	
LE MÉDECIN	— *Quels avantages auriez-vous à arrêter de fumer ?*	Aider le patient à préciser les avantages du changement envisagé et les désavantages du comportement actuel.
	Le patient décrit les avantages qu'il perçoit.	
	— *Et quels désavantages avez-vous de fumer ?*	
	Le patient décrit les désavantages qu'il perçoit.	

— *Vous sentez que ce n'est pas le bon moment parce que vous vivez beaucoup de stress au travail actuellement, mais vous voulez arrêter de fumer parce que le tabac met votre santé en danger et parce que vous donnez une mauvaise image de vous-même à vos enfants…*

Résumer et reformuler les propos du patient.

Pousser le patient à élaborer lui-même son discours en faveur du changement.

LE PATIENT — *Oui, c'est exactement ça. Et, en plus, avec l'infarctus de mon frère le mois passé, je pense qu'il faut vraiment que je fasse quelque chose pour ma santé.*

LE MÉDECIN — *C'est une bonne idée. Je vous félicite d'envisager ça à un moment aussi difficile! Je vous reverrai volontiers pour en reparler, si vous le désirez.*

Féliciter et encourager.

Offrir son soutien et son aide au patient.

Proposer une autre consultation.

3. La préparation

En phase de préparation au changement actif prévu dans un avenir proche, le patient montre clairement son désir de changer quelque chose. Le médecin doit encourager la décision du patient. Il doit anticiper avec le patient les obstacles à la mise en application du changement, tout en élaborant avec lui des solutions aux problèmes potentiels. Le médecin devrait aussi fixer avec le patient la date précise et les modalités concrètes du changement à effectuer, ainsi qu'un échéancier d'évaluation de la démarche. Il devrait aussi lui mentionner qu'un échec est toujours possible. Le médecin doit offrir une aide concrète (exemple: un substitut nicotinique) et son soutien actif dans le suivi.

LE PATIENT — *C'est décidé! Je vais arrêter de fumer dans deux semaines, pour mes 50 ans.*

LE MÉDECIN — *Excellent! Voyons ensemble comment vous allez vous y prendre. Que ferez-vous la veille de ce grand jour? À qui pensez-vous en parler?*

Saisir les occasions.

Prévoir les actions concrètes, élaborer un plan d'action avec le patient.

LE PATIENT — *Je ne sais pas trop encore… Peut-être à mon épouse?*

LE MÉDECIN — *C'est une bonne idée! Et, puisque vous fumez surtout au travail, avez-vous pensé à un collègue de travail à qui vous pourriez en parler? Vous êtes-vous demandé ce que vous feriez pendant les pauses?*

Aider le patient à anticiper les difficultés.

4. L'action

En phase d'action, le patient concrétise sa décision. Le médecin doit l'aider à surmonter les obstacles et valoriser ses succès.

LE PATIENT	— *J'ai arrêté de fumer hier!*	
LE MÉDECIN	— *Je vous félicite! C'est un très bel effort. Comment ça s'est passé ?*	Valoriser les efforts du patient. Aider le patient à exprimer ses difficultés sans le juger.

5. Le maintien

En phase de maintien, le patient a réussi à passer à l'action. Le médecin doit continuer à lui offrir son soutien au moyen d'un suivi et réévaluer régulièrement les succès ou les difficultés éprouvées. Ce stade peut durer plusieurs années – ou même toute la vie, pour certains comportements à risque, comme l'alcoolisme ou le tabagisme. On peut envisager un suivi individuel ou offrir un soutien collectif (un groupe de pairs ou de patients). Il s'avère souvent efficace d'encourager le soutien de l'entourage et du réseau communautaire.

LE PATIENT	— *J'ai arrêté de fumer il y a trois semaines. Ça va, je tiens le coup...*	
LE MÉDECIN	— *Formidable! Je vous félicite, mais je vous sens éprouvé par vos efforts.*	Valoriser les efforts du patient couronnés de succès.
LE PATIENT	— *Oui, c'est vrai, mais je veux surtout tenir bon.*	Pousser le patient à formuler de nouveau son engagement.
LE MÉDECIN	— *À quel moment est-ce le plus difficile maintenant?*	Aider le patient à surmonter les difficultés éprouvées.
LE PATIENT	— *C'est surtout au travail, pendant les pauses, quand tout le monde fume autour de moi...*	
LE MÉDECIN	— *Est-ce que tout le monde fume? Y a-t-il des collègues qui vous soutiennent, même parmi les fumeurs?*	Pousser le patient à rechercher le soutien de son entourage.

À chaque stade, le patient risque de revenir à un stade précédent: le médecin doit dédramatiser l'échec, encourager le patient à reprendre ses efforts. Tout en adaptant son intervention au stade où le patient se trouve, *le médecin doit réitérer son offre d'aide et de soutien.* Dans la phase de maintien en particulier, le médecin doit toujours garder à l'esprit le risque de *rechute.* Les rechutes sont *normales* dans un tel processus de changement, mais elles devraient devenir de moins en moins fréquentes, de moins en moins importantes et être considérées comme des *faux pas.* Le médecin ne doit pas laisser le patient banaliser ni dramatiser les rechutes, il doit plutôt l'aider à les intégrer dans son vécu et l'amener à en comprendre le mécanisme, de façon à les éviter. La plupart des patients doivent accomplir plusieurs fois le cycle des stades du changement, en rechutant à un stade ou à un autre, avant de parvenir définitivement au stade de maintien, qu'on peut appeler *rémission*, où la guérison ou le changement s'accomplit et se consolide.

À chaque étape, il est important d'*accueillir* les attitudes et les comportements du patient avec respect et tolérance, tout en restant ferme par rapport au changement visé. En évitant de porter des jugements, le médecin se pose comme un allié aux yeux du patient, ce qui permet d'éviter l'antagonisme entre le soignant d'une part, et le patient avec son problème d'autre part. Il est habituellement très peu fécond d'engendrer un conflit avec le patient, que ce soit par un affrontement direct ou par des reproches. Ce genre de comportement engendre plutôt chez le patient des sentiments de gêne, de culpabilité ou même de colère, et l'empêche de bénéficier du soutien proposé, renforce ses défenses, affaiblit le lien thérapeutique et diminue ou même supprime la motivation. Bref, le médecin doit être *intolérant* face au problème, mais il se doit d'être *tolérant* et compréhensif envers le patient.

LES FACTEURS LIÉS À L'ENTOURAGE ET À L'ENVIRONNEMENT DU PATIENT

Il est essentiel de connaître la situation sociale et familiale du patient. Les responsabilités que le patient assume, tant au travail qu'auprès de ses proches, peuvent devenir des obstacles majeurs à la modification de ses habitudes de vie, à l'adhésion au plan thérapeutique ou même à la simple acceptation de son problème de santé. Le médecin doit aider le patient à se situer par rapport à son entourage, à définir ses priorités et à surmonter les obstacles liés à son environnement[4].

LES FACTEURS LIÉS AU SOIGNANT

Le soignant lui-même peut être plus ou moins motivé à faire changer son patient et à l'encourager à entreprendre un plan thérapeutique. La motivation du soignant est liée à son degré de conviction que l'intervention est utile et à sa perception de ses propres compétences à faire appliquer cette intervention. Pour une même maladie ou un même problème de santé, la motivation individuelle du soignant peut varier (Bayer Institute for Health Care Communication, 1996) et est influencée par divers facteurs, comme les suivants :

- son expérience personnelle de la maladie ou du problème de santé, pour lui-même ou pour ses proches ;
- son expérience professionnelle de la maladie ou du problème de santé avec d'autres patients ;
- sa relation et ses expériences antérieures avec le patient (le sentiment de succès ou d'échec, l'adhésion ou la non-adhésion du patient au plan thérapeutique) ;
- son état émotionnel du moment ;
- son sentiment de compétence ;
- ses compétences réelles dans le domaine.

Il arrive que le soignant ait des préjugés ou des contre-attitudes négatives envers le patient. Le patient ou son problème particulier (exemple : l'alcoolisme) peuvent provoquer chez le soignant des sentiments de colère, de peur, de dégoût, de désintérêt ou encore d'incapacité à faire confiance. La conséquence de ces contre-attitudes, si elles ne sont pas reconnues, est le désinvestissement du médecin dans la relation avec le patient ou le rejet pur et simple de ce dernier (Gache, 2000). Le soignant justifie habituellement ce rejet à l'aide d'arguments *raisonnables*, tels que le manque de temps, de moyens ou de formation, l'absence de demande de soins ou le respect de la liberté d'autrui.

À l'opposé, le soignant peut avoir des contre-attitudes favorables et s'identifier au patient, à tel point qu'il s'investira excessivement dans la relation, qu'il pourra considérer le patient comme victime de son entourage, ce qui pourra avoir pour effet d'aggraver le sentiment d'impuissance et d'irresponsabilité du patient en l'empêchant d'être autonome. Il est important de reconnaître ses propres contre-attitudes et d'essayer de les comprendre afin d'éviter qu'elles nuisent à la relation avec le patient. La participation à un groupe Balint[5] ou une supervision individuelle peuvent faciliter cette compréhension.

LES FACTEURS LIÉS À LA RELATION SOIGNANT-PATIENT

Les objectifs principaux du soignant pendant une consultation devraient toujours être une bonne relation thérapeutique et l'accompagnement du patient. Même en cas de plan thérapeutique long, complexe et impliquant des désagréments, il est possible pour le soignant de favoriser la motivation, l'adhésion du patient à ce plan et le partenariat en appliquant une approche centrée sur le patient et négociée. Pour y arriver, le soignant doit savoir utiliser le temps comme un allié, plutôt que de se battre toujours contre lui : ce n'est en effet qu'avec le temps que la relation soignant-patient grandira et permettra aux deux intéressés de s'appuyer sur elle comme sur un des plus puissants outils thérapeutiques. Concrètement, voici ce que le soignant peut faire pour assurer une bonne relation soignant-patient.

- Respecter les croyances, les attentes et les préférences du patient dans l'établissement du plan thérapeutique et les choix sous-jacents.
- S'assurer de la compréhension du plan thérapeutique par le patient et chercher à comprendre les motivations du patient.
- Impliquer activement le patient dans la négociation du plan thérapeutique.
- Favoriser le soutien des proches du patient ou des pairs (exemple : groupe de patients).
- Réévaluer régulièrement l'observance thérapeutique du patient.

Conclusion

Dans l'enseignement thérapeutique du patient, il faut éviter les *cours magistraux*. Le médecin doit plutôt jouer un rôle de formateur et d'accompagnateur (*coach*) pour motiver le patient et l'aider ainsi à modifier son mode de vie. Le médecin doit rester centré sur le patient, en tenant compte de la réalité, des croyances et des préférences de ce dernier ; il doit chercher à comprendre le mode de fonctionnement du patient et les conséquences de sa maladie dans sa vie.

- C'est en adaptant l'information aux attentes et aux connaissances antérieures du patient que le médecin pourra obtenir un consensus sur tout ce qui concerne la maladie du patient ou son traitement.
- C'est en évaluant les coûts psychologiques par rapport aux bénéfices médicaux que le médecin pourra aider le patient à envisager un plan thérapeutique.
- C'est en négociant chaque élément du plan thérapeutique que le médecin aura le plus de chances de motiver le patient. Il est important de définir les obstacles réels que ce dernier rencontre si on veut améliorer sa motivation et son adhésion. Les difficultés peuvent être nombreuses et variées, liées soit au plan thérapeutique, soit au stade d'acceptation de la maladie, soit au stade de changement de comportement ou encore aux croyances relatives à la santé. En adaptant son mode d'intervention à la situation particulière du patient, le médecin pourra ainsi s'allier avec lui pour affronter ses problèmes (voir le tableau 26.4).

Tableau 26.4 **Tableau récapitulatif de l'enseignement thérapeutique du patient**

DOMAINES D'INTERVENTION	ACTIONS CONCRÈTES SUGGÉRÉES AU SOIGNANT
Informer efficacement le patient	**1. Explorer les connaissances antérieures du patient et son désir d'être informé** • Clarifier et intégrer les représentations du patient dans la prise en charge. • Amener le patient à exprimer son vécu émotionnel et être empathique. • Répondre au besoin individuel d'information. **2. Transmettre l'information au patient** • Structurer l'information à transmettre, en respectant une séquence logique. • Découper l'explication en tranches distinctes et claires, tout en favorisant le dialogue. • Utiliser un langage clair et simple, adapté au patient, en évitant le jargon médical. • Reconnaître et légitimer les émotions du patient tout au long du dialogue. • S'appuyer sur des éléments visuels pour transmettre l'information. **3. Vérifier la compréhension du patient** • Demander au patient de reformuler les éléments importants.
Négocier la prise en charge avec le patient	**1. Définir les objectifs de la prise en charge** • Définir avec le patient les objectifs de la prise en charge selon des étapes concrètes et rationnelles. **2. Présenter au patient les possibilités de prise en charge** • Proposer des choix et faire des suggestions de prise en charge. • Éviter de donner des directives. • Obtenir du patient l'expression de ses préférences. **3. Négocier un plan de prise en charge avec le patient** • Fixer des objectifs concrets avec le patient. • Négocier un échéancier précis avec le patient. • Établir des mesures d'action et de contrôle. • Anticiper les obstacles auxquels le patient pourrait se heurter. **4. Demander au patient de reformuler le plan thérapeutique** • Aider le patient à s'approprier le plan négocié et à le faire sien. • S'assurer de la compréhension du patient. • S'assurer de l'accord du patient.
Motiver le patient	**1. Évaluer l'adhésion du patient avec précaution et sans porter de jugement** • Faire le tour des difficultés auxquelles le patient s'est heurté. **2. Circonscrire le problème d'observance** • Clarifier les obstacles concrets. • Ne pas blâmer ni juger le patient. • Réagir aux émotions du patient. • Se présenter au patient comme son allié devant les difficultés. **3. Négocier des solutions concrètes** • Planifier des solutions concrètes. • Établir un échéancier clair et préciser des dates d'évaluation. • Anticiper les difficultés. **4. Obtenir du patient une déclaration de son intention d'agir** • Aider le patient à s'approprier les décisions. • L'amener à exprimer son accord et ses intentions. **5. Reconnaître les facteurs qui influencent la motivation du patient et en tenir compte** • Les facteurs liés au plan thérapeutique • Les facteurs liés au patient • Les facteurs liés à l'entourage et à l'environnement du patient • Les facteurs liés au soignant • Les facteurs liés à la relation soignant-patient

Évidemment, on ne parvient pas à un tel partenariat en une seule consultation de quelques minutes. Le médecin doit savoir mettre le temps de son côté, miser sur la succession des consultations durant plusieurs années et permettre ainsi au patient comme à lui-même de bénéficier des fruits d'une relation thérapeutique équilibrée et aider le patient à vivre avec sa maladie.

Pour obtenir cette relation de partenariat, le médecin devra peut-être changer le style de sa pratique. En donnant des cours de communication, nous nous sommes rendu compte qu'il est essentiel que le médecin détermine pour lui-même les étapes nécessaires au changement, en relation directe avec sa motivation et son désir de changer. C'est ainsi qu'il pourra appliquer progressivement les différentes composantes de l'enseignement thérapeutique du patient.

Finalement, le seul moyen pour le médecin de motiver le patient est de bien le connaître, en cherchant à lui procurer une qualité de vie optimale et en établissant avec lui une relation de partenariat et de collaboration, qui ne peut s'installer qu'avec le temps.

Notes

1. À ce sujet, lire le chapitre 15, intitulé « Les patients aux prises avec des problèmes d'alphabétisme fonctionnel ».
2. À ce sujet, lire le chapitre 25, intitulé « Les médicaments ».
3. Il s'agit du *health belief model* (*HBM*), qu'on traduit également par « imagerie de la santé ».
4. Pour plus de détails sur le sujet, lire le chapitre 19, intitulé « La famille : lorsque des proches participent à la consultation médicale ».
5. Un groupe Balint est un groupe de pairs supervisé par un psychiatre ou un spécialiste de la relation soignant-soigné.

Références

Assal, J.-P., et A. Golay (2000). « Patient Education in Switzerland : From diabetes to chronic diseases », *Patient Education and Counseling*, vol. 44, n° 1, p. 65-69.

Bayer Institute for Health Care Communication (1996). « Choices and changes : Seminar Bayer 3 », West Haven.

Bertakis, K.D. (1977). « The communication of information from physician to patient : A method for increasing patient retention and satisfaction », *The Journal of Family Practice*, vol. 5, p. 217-222.

Bertakis, K.D. (1998). « Physician practice styles and patient outcomes : Differences between family practice and general internal medicine », *Medical Care*, vol. 36, n° 6, p. 879-891.

Butler, C., S. Rollnick et N. Stott (1996). « The practitioner, the patient and resistance to change : Recent ideas on compliance », *Journal de l'Association médicale canadienne*, vol. 154, n° 9, p. 1357-1362.

Charles, C.A., A. Gafni et T. Whelan (1997). « Shared decision-making in the medical encounter : What does it mean ? (or it takes at least two to tango) », *Social Science and Medicine*, vol. 44, n° 4, p. 681-692.

Cole, S.A., et J. Bird (2000). *The medical interview : The three-function approach*, 2e édition, Saint Louis (Missouri), Mosby Year Book.

Dye, N.E., et M.R. DiMatteo (1995). « Enhancing cooperation with the medical regimen », dans *The medical interview*, sous la direction de M. Lipkin, S.M. Putnam et A. Lazare, New York, Springer-Verlag, p. 134-144.

Frank, E., D.J. Kupfer et L.R. Siegel (1995). « Alliance not compliance : A philosophy of outpatient care », *The Journal of Clinical Psychiatry*, vol. 56, p. 11-17.

Freud S. (1915). « Deuil et Mélancolie », dans *Métapsychologie*, Freud (1968), Paris, Gallimard.

Gache, P. (2000). « Prise en charge du patient alcoolodépendant : préjugés et contre-attitudes », *Médecine et hygiène*, vol. 58, p. 1943-1946.

Girard, G., et P. Grand'maison (1993). « L'approche négociée : modèle de relation médecin-patient », *Le médecin du Québec*, vol. 28, n° 5, p. 31-39.

Golay, A., D. Bloise et A. Maldonato (2002). « The education of people with diabetes », dans *Textbook of diabetes*, sous la direction de J. Pickup et G. Williams, 2e édition, Oxford, Blackwell, p. 38.1-38.13.

Hadlow, J., et M. Pitts (1991). « The understanding of common health terms by doctors, nurses and patients », *Social Science and Medicine*, vol. 32, n° 2, p. 193-196.

Hall, J.A., D.L. Roter et N.R. Katz (1988). « Meta-analysis of correlates of provider behavior in medical encounters », *Medical Care*, vol. 26, n° 7, p. 657-675.

Houston-Miller, N. (1997). « Compliance with treatment regimens in chronic asymptomatic diseases », *The American Journal of Medicine*, vol. 102, n° 2A, p. 43-49.

Kaplan, S.H., S. Greenfield, B. Gandek, W.H. Rogers et J.E. Ware (1996). « Characteristics of physicians with participatory decision-making styles », *Annals of Internal Medicine*, vol. 124, n° 5, p. 497-504.

Kaplan, S.H., S. Greenfield et J.E. Ware (1989). « Assessing the effects of physician-patient interactions on the outcome of chronic disease », *Medical Care*, vol. 27, p. 110-127.

Kravitz, R.L., R.D. Hays, C.D. Sherbourne, M.R. DiMatteo, W.H. Rogers, L. Ordway et S. Greenfield (1993). « Recall of recommendations and adherence to advice among patients with chronic medical conditions », *Archives of Internal Medicine*, vol. 153, n° 16, p. 1869-1878.

Kübler-Ross, E. (1975). *Les derniers instants de la vie*, Genève, Labor et Fides.

Kupst, M., K. Dresser, J.L. Schulman et M.H. Paul (1975). « Evaluation of methods to improve communication in the physician-patient relationship », *American Journal of Orthopsychiatry*, vol. 45, p. 420.

Lacroix, A., et J.-P. Assal (2003). *L'éducation thérapeutique des patients : nouvelles approches de la maladie chronique*, 2e édition, Paris, Vigot.

Lacroix, A., A. Golay et J.-P. Assal (1993). « Le processus d'acceptation d'une maladie chronique : quel rôle pour les soignants dans l'accompagnement des patients ? », *Praxis*, vol. 82, n° 48, p. 1370-1372.

Lipkin, M., S.M. Putnam et A. Lazare (sous la direction de) (1995). *The medical interview : Clinical care, education and research*, New York, Springer-Verlag.

Miller, L.V., et J. Goldstein (1972). « More efficient care of diabetic patients in a country hospital setting », *The New England Journal of Medicine*, vol. 286, p. 1388-1391.

Miller, W.R., et S. Rollnick (2002). *Motivational interviewing : Preparing people for change*, New York, Guilford Press.

Prochaska, J.O., et C.C. DiClemente (1983). « Stages and processes of self-change of smoking : Toward an integrative model of change », *Journal of Consultation in Clinical Psychology*, vol. 51, n° 3, p. 390-395.

Raji, A., H. Gomes, J.O. Beard, P. MacDonald et P.R. Conlin (2002). « A randomized trial comparing intensive and passive education in patients with diabetes mellitus », *Archives of Internal Medicine*, vol. 162, n° 11, p. 1301-1304.

Silverman, J., S. Kurtz et J. Draper (1998). *Skills for communicating with patients*, Radcliffe Medical Press. En particulier : p. 89-127.

Smith, N.A., P. Ley, J.P. Seale et J. Shaw (1987). « Health beliefs, satisfaction and compliance », *Patient Education and Counseling*, vol. 10, n° 3, p. 279-286.

Stewart. M. (1995). « Patient recall and comprehension after the medical visit », dans *The medical interview : Clinical care, education and research*, sous la direction de M. Lipkin, S.M. Putnam et A. Lazare, New York, Springer-Verlag, p. 525-529.

Stewart, M., J.B. Brown, H. Boon, J. Galajda, L. Meredith et M. Sangster (1999). « Evidence on patient-doctor communication », *Cancer Prevention and Control*, vol. 3, n° 1, p. 25-30.

Stewart, M., J.B, Brown, W.W. Weston, I.R. McWhinney, C.L. McWilliam et T.R. Freeman (1995). *Patient-centered medicine : Transforming the clinical method*, Thousand Oaks (Californie), Sage Publications.

Svensson, S., K. Kjellgren, J. Ahlner et R. Säljö (2000). « Reasons for adherence with antihypertensive medication », *International Journal of Cardiology*, vol. 76, nos 2-3, p. 157-163.

Waitzkin, H. (1984). « Doctor-patient communication : Clinical implications of social scientific research », *The Journal of the American Medical Association*, vol. 252, n° 17, p. 2441-2446.

L'influence de l'Internet sur la communication médecin-patient

Pierrik Fostier

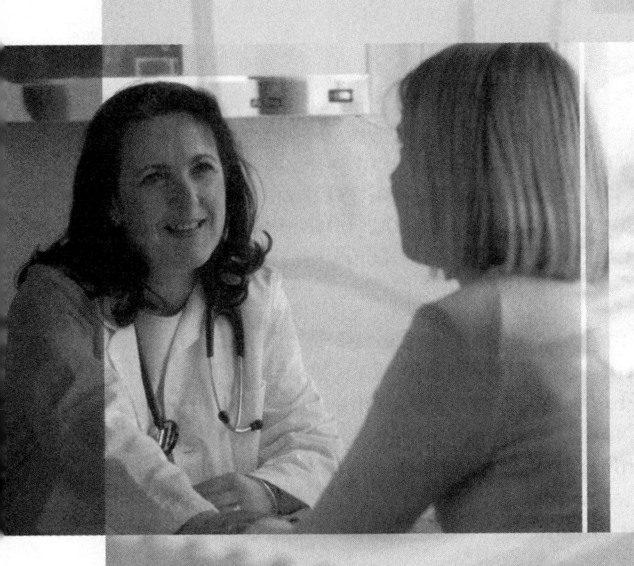

CHAPITRE

27

Plus de 500 ans après Gutenberg et l'invention de l'imprimerie, la fin du XXe siècle a vu une nouvelle révolution dans le domaine de la transmission des connaissances, avec la création de l'Internet. Ce système, fruit de l'union du téléphone et de l'écriture, du texte et de l'image, a envahi notre vie quotidienne. Grâce à cette gigantesque *bibliothèque*, l'information et le savoir sont maintenant à portée de tous.

Un des problèmes majeurs de l'Internet est le fait que n'importe qui peut créer son site et y placer une information qui sera accessible à l'ensemble des internautes, sans que personne n'en ait vérifié la qualité du contenu. Après les sites pornographiques, la santé est le deuxième motif de consultation sur le Web. Et si de plus en plus de patients recherchent sur l'Internet des réponses aux problèmes de santé qui les préoccupent, ils risquent, malheureusement, d'y trouver une information non adaptée à leur situation ou tout simplement inexacte.

Le médecin généraliste du XXIe siècle, lui aussi, est équipé des moyens de communication les plus modernes qui lui permettent de surfer sur la *toile*, comme on l'appelle, d'y glaner une série d'informations médicales et de trouver une réponse rapide aux questions cliniques qu'il se pose.

L'objectif de ce chapitre est de montrer comment l'utilisation de l'Internet par les médecins et les patients modifie la communication entre eux, selon le moment considéré (avant, pendant ou après l'entrevue médicale). Plus particulièrement, nous nous proposons de répondre aux questions suivantes:

- Comment gérer l'intrusion de l'Internet dans les rapports entre le médecin et son patient?
- Quelles sont les conséquences de cette intrusion dans leur relation pendant l'entrevue?
- Quels sont les outils pour utiliser à bon escient les avantages de l'Internet et sauvegarder la bonne qualité de la communication médecin-patient?
- Comment trouver une réponse fiable et valide aux questions médicales que le médecin se pose?

Enfin, nous proposons au lecteur un répertoire de sites Web particulièrement utiles et classés selon leur teneur.

L'Internet en chiffres

La toile d'information de l'Internet regroupe actuellement plus de 42 millions de sites (Netcraft, 2004; Le Journal du Net, 2003), alors qu'on en recensait 18 864 en septembre 1995. Parmi eux, on en compte actuellement plus de 100 000 ayant trait à la santé, et leur augmentation est constante (Eysenbach, Ryoung Sa et Diepgen, 1999; Godard et Godard, 1998).

En décembre 2002, on comptait 580 millions de personnes dans le monde qui étaient branchées au Net; on prévoit qu'elles seront près d'un milliard en 2006 (Le Journal du Net, 2004). L'institut Harris Interactive a étudié les répercussions du phénomène des *cyberchondriaques* et il en ressort que 53 % des Nord-Américains, 38 % des Japonais et 24 % des Français consultent régulièrement de l'information médicale sur le Web (Taylor, 2002; Le Journal du Net, 2002). On le voit, le phénomène n'est pas prêt de s'arrêter. Comment, dès lors, ignorer les conséquences potentielles de l'Internet sur la relation que chacun entretient avec son médecin?

La Fondation Health On the Net interroge régulièrement les patients et les médecins afin d'évaluer leur façon d'utiliser les sites Web médicaux. Les figures 27.1 et 27.2 rendent compte des résultats récents qu'elle a recueillis. Il ressort d'une enquête récente (Health On the Net, 2002) que les patients interrogés (1 318 patients, répartis dans le monde entier) recherchent avant tout des informations sur les traitements (81 %) ou sur les autres sites médicaux professionnels (77 %). Plusieurs (62 %) y voient l'occasion de discuter avec leur médecin de ce qu'ils ont trouvé sur le Web. Par ailleurs, 49 % des patients interrogés utilisent l'Internet pour y trouver un autre avis, 23 % pour correspondre avec leur médecin par courrier électronique, 13 % pour y acheter des médicaments. En ce qui concerne les médecins interrogés (1 294 médecins, répartis aussi dans le monde entier), 70 % discutent avec leurs patients de ce que ceux-ci ont trouvé sur l'Internet et 50 % pensent que la consultation est plus constructive quand les patients en discutent avec eux. Le courrier électronique pour communiquer avec le patient est utilisé par 49 % des médecins (20 % de ces derniers disent s'en servir fréquemment). Ils sont malgré tout 18 % à penser qu'il existe un risque d'automédication des patients lié à l'Internet.

Figure 27.1 **L'utilisation de l'Internet par les patients**

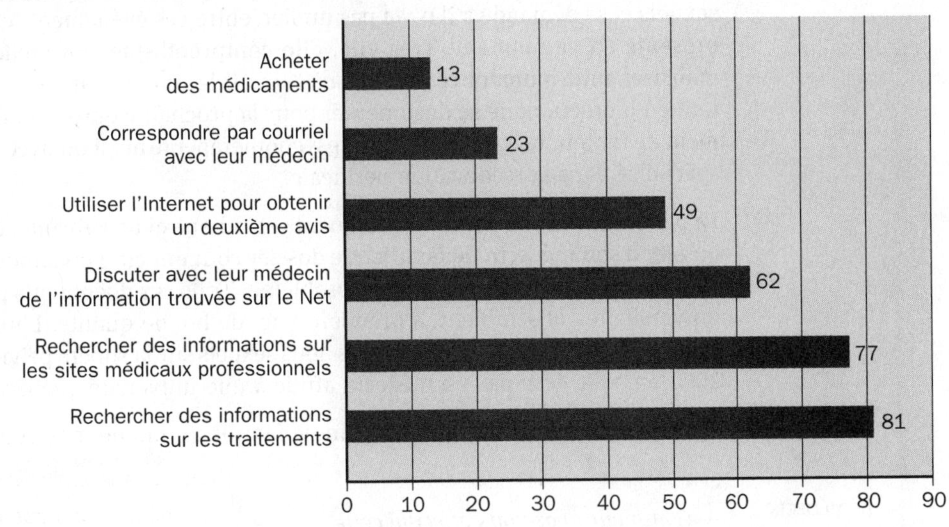

Source : Traduite et adaptée de Health On the Net (2002).

Figure 27.2 **L'attitude des médecins à l'égard de l'Internet**

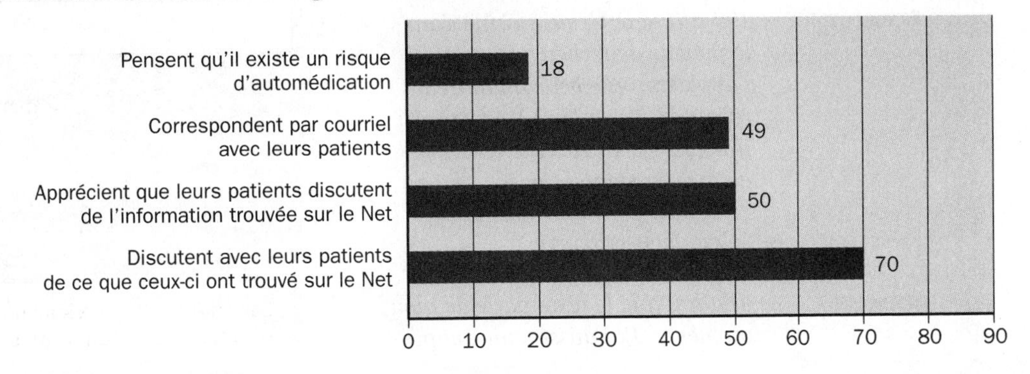

Source : Traduite et adaptée de Health On the Net (2002).

Les répercussions de l'Internet sur la consultation

Le recours à l'Internet avant la consultation

Certains patients recherchent des informations sur l'Internet avant de rencontrer leur médecin. Voici l'exemple de Françoise, tiré de notre pratique.

Françoise, une infirmière âgée de 50 ans, a récemment subi une intervention chirurgicale afin de résoudre son problème d'incontinence urinaire causé par un prolapsus utérin et vésical. L'intervention n'a pas eu les résultats escomptés ; au lieu de cela, elle présente toujours cette incontinence, doublée maintenant d'un anisme (contraction paradoxale du sphincter anal externe au cours d'un effort de défécation) excessivement gênant. Elle cherche à comprendre avec son médecin de famille la cause de l'échec de l'intervention et la façon d'y remédier. Elle aborde à cette occasion un sujet dont elle n'avait pas encore parlé à son médecin : dans son enfance, elle a subi des attouchements sexuels et se demande s'il n'y a pas un lien entre ces événements et les plaintes qu'elle présente en ce moment. Très vite, elle comprend que son médecin ne semble pas maîtriser suffisamment ce double sujet, car il la renvoie au chirurgien qui l'a opérée, tout en promettant de se documenter pour la prochaine entrevue. Il lui conseille également de reprendre contact avec son psychothérapeute ainsi qu'avec un kinésithérapeute spécialisé dans la rééducation périnéale.

La patiente consulte ces divers soignants et, à l'entrevue suivante, elle apporte un petit dossier à son médecin de famille. Ce dossier contient cinq documents qu'elle a trouvés sur l'Internet en relation avec son problème. Tous ces documents proviennent de sites universitaires et semblent, à première vue, de bonne qualité. L'un d'entre eux s'intitule « Répercussions à long terme des abus sexuels sur la sphère pelvi-périnéale » (Watier, 2000) et a été écrit par un médecin affilié à une université québécoise de renom.

Voici donc Françoise et son médecin de famille au moment de cette visite de suivi.

LE MÉDECIN — *Comment avez-vous effectué cette recherche ?*

FRANÇOISE — *J'ai utilisé le terme* anisme *dans le moteur de recherche Google et j'ai obtenu une belle quantité de réponses. J'ai retenu les textes en français et j'ai éliminé ceux qui ne me convenaient pas.*

LE MÉDECIN — *Selon quels critères ?*

FRANÇOISE — *Il fallait que le texte parle de mon problème. J'ai aussi tenu compte*

Le médecin n'a pas eu le temps d'aller sur l'Internet pour s'informer du problème de sa patiente. Son rôle devient alors celui de *contrôleur de la qualité* : il cherche à s'assurer de la validité de la recherche Internet de Françoise et de la fiabilité des textes qu'elle a trouvés.

Les critères de choix sont un peu faibles, mais en utilisant le terme *anisme* pour faire sa

...

de l'auteur et de sa fonction. Enfin, il fallait que ça ait du bon sens !

…

recherche, Françoise (qui est, il est vrai, infirmière) a visiblement fait un premier tri involontaire dans la qualité des articles. Le *bon sens* a fait le reste, puisque les articles semblent, à première vue, sérieux et de bonne qualité.

LE MÉDECIN — *Je vous promets de les lire et nous en discuterons à notre prochaine rencontre.*

La lecture apporte plusieurs enseignements au médecin. Françoise a même pris soin de surligner certains passages qu'elle voulait apparemment voir pris en compte par le médecin.

Dans l'article de Watier (2000), elle a notamment surligné les passages suivants :

- « Le lien de causalité (entre l'abus sexuel et le problème pelvien) permet au patient de donner une raison objective à sa souffrance physique et d'entendre qu'il a pu cacher son émotion à cette époque. »
- « La communication entre les différents intervenants, la cohésion dans la prise en charge est primordiale pour aboutir à une bonne prise en charge des patients. »

  Le message de Françoise est clair : elle s'est renseignée, elle a lu, elle a sélectionné, elle transmet des renseignements importants ayant, selon elle, un rapport avec sa pathologie. Maintenant, elle veut participer au processus thérapeutique et être entendue par ses soignants. Elle semble dire « Le vrai travail en consultation va pouvoir commencer » ou encore « Je suis prête à collaborer ».

UNE INFORMATION RAPIDE, ABONDANTE ET ACCESSIBLE AU PATIENT

L'avantage indéniable de l'Internet est de fournir des renseignements rapidement sur pratiquement toutes les questions que l'individu peut se poser. Le fameux *dictionnaire médical familial*, très répandu, est maintenant remplacé avantageusement par la masse d'informations offertes sur le Web.

Par exemple, il y a 20 ans, quand un individu apprenait qu'il souffrait d'une péricardite, il ne disposait que des renseignements fournis par son médecin, complétés éventuellement par la brève définition de son dictionnaire médical, qui lui confirmait qu'il s'agissait bien d'« une inflammation de l'enveloppe externe du cœur, appelée péricarde ». Aujourd'hui, il suffit à ce même patient, grâce à l'Internet, de taper le mot *péricardite* dans le moteur de recherche généraliste Google pour obtenir en quelques secondes plusieurs milliers d'adresses de pages Internet lui expliquant, dans les moindres détails, les symptômes, les signes cliniques, l'étiologie, les examens complémentaires à prescrire ainsi que les traitements concernant cette maladie. Et que dire s'il introduit le terme anglais *pericarditis*? C'est alors près de 70 000 pages Web qui lui seront proposées… Si ce patient est polyglotte, il pourra accéder à près de 100 000[1] pages Web qui contiennent ce mot !

Un autre avantage de l'Internet sur le dictionnaire médical familial: les informations sont très régulièrement actualisées et les progrès les plus récents sont donc disponibles pour tous. Et toute cette mine d'information est accessible pour une somme relativement dérisoire.

Mais quelles informations peuvent contenir 100 000 pages Web sur la péricardite? Quelles sont celles que le patient va sélectionner? Un habitué de l'Internet peut très facilement imaginer que certaines de ces pages font partie de sites personnels de patients relatant leur maladie et leurs états d'âme, de sites commerciaux vantant les mérites d'un médicament ou d'un talisman magique efficaces contre la péricardite, ou encore de sites vétérinaires portant sur la péricardite bovine!

Dans le cas de Françoise, notre exemple précédent, le problème de la qualité des textes trouvés aurait pu se poser si, par exemple, elle avait tapé le terme *incontinence* à la place d'*anisme* et fait une recherche toutes langues confondues. En effet, elle aurait dû, dans ce cas, faire le tri parmi plus 700 000 pages Web proposées par son moteur de recherche!

LA PREMIÈRE SOURCE D'INFORMATION DU PATIENT

On trouve de tout sur l'Internet, du pire jusqu'au meilleur. Et pour beaucoup d'internautes, à l'instar des téléspectateurs ou des usagers d'autres médias d'information, si une donnée se trouve sur le Web, c'est qu'elle est vraie. Le médecin doit alors faire face à des patients qui apportent une information lue sur l'Internet en demandant qu'on la prenne en considération.

Ainsi, une patiente demandera de se faire prescrire ce nouveau traitement qui fait *fondre* la cellulite, un autre patient refusera le vaccin que le médecin lui propose sous prétexte qu'il entraîne des maladies neurologiques et, enfin, un autre revendiquera tout de suite les nouvelles techniques chirurgicales pour corriger sa perte d'audition.

Certains patients consultent ainsi l'Internet avant même de se rendre chez leur praticien. Ils se font une idée précise de leur maladie et du traitement qu'ils doivent recevoir. Ce risque d'autodiagnostic et d'automédication peut être source de problèmes plus importants, tels que les erreurs de diagnostic évidentes, les angoisses supplémentaires, les complications liées à l'utilisation abusive de médicaments et de pilules miracles en vente libre sur le Net ou la confiance accordée à des pseudo-médecins et à des charlatans vendant des conseils et des produits inefficaces ou même nocifs.

Interrogés par l'Institut de sondage français SOFRES (Murino, 2000), les praticiens ont décrit un autre inconvénient: dès lors que le patient s'est fait une idée précise de sa maladie *avant même d'avoir consulté* son médecin, il se sent autant (ou plus) informé que ce dernier. Ce patient est alors susceptible de remettre en cause le traitement proposé et a davantage un comportement directif dans la relation médicale, ou du moins une participation plus active.

Ce changement d'attitude peut perturber la communication médecin-patient en augmentant le temps nécessaire pour convaincre le patient de la vraie nature de son problème et pour lutter contre ses idées préconçues, en induisant le médecin en erreur ou en altérant la relation de confiance. En effet, normalement, quand un patient consulte un médecin, il veut recevoir un avis, un conseil, un traitement. Il est celui qui sollicite. Le conseil est donc attendu, et il ne devrait pas y avoir de désaccord explicite entre le patient et son médecin; dans un tel cas, le patient se contentera de ne pas suivre le traitement s'il n'est pas convaincu du bien-fondé de ce que le médecin lui recommande. Cependant, la situation change lorsque le patient a une idée préconçue du geste ou de la prescription qu'il attend de la part de son médecin. Le patient peut alors tenter de convaincre ou d'amener le soignant à poser le geste désiré et, dès lors, se montrer beaucoup plus revendicateur. C'est ce qui peut se produire dans le cas d'un patient qui s'est convaincu lui-même, à l'aide des informations trouvées sur l'Internet, de la nature de sa maladie et du traitement qui doit, selon lui, y être associé.

Par ailleurs, le médecin peut être gêné d'apprendre, de la bouche de son malade, une nouvelle donnée importante relative à un traitement sans pouvoir la confirmer ou la critiquer. Il est alors tout à fait possible de consulter sur-le-champ le site mentionné par le patient ou, éventuellement, de proposer d'en discuter à la prochaine entrevue, ce qui donne à chacun la possibilité d'étudier sérieusement la nouvelle donnée :

- « Je n'ai pas une connaissance précise de ce que vous m'apprenez, je vais me renseigner afin d'en discuter avec vous à notre prochaine rencontre. »
- « Sur quel site Internet avez-vous trouvé ce renseignement ? Allons-y ensemble afin de voir si cette nouvelle donnée peut nous aider dans votre traitement. »

UNE FORMATION COMPLÉMENTAIRE ET CONTINUE POUR LE MÉDECIN

Pour le médecin également, l'Internet devient une aide précieuse pour trouver rapidement une réponse à une question clinique ou pour compléter sa formation dans tel ou tel domaine. La composition de tel médicament ? Le traitement à proposer à cet enfant qui souffre de somnambulisme ? Un traitement équivalant à celui de ce patient qui se présente avec une boîte de médicaments d'un pays étranger ? La description du syndrome de Schönlein-Henoch ? Tant de questions et de problèmes résolus dans la minute, pour autant que le médecin sache interroger correctement cette énorme banque de données.

Le temps passé à faire des recherches sur le Web afin de répondre à une question clinique ou d'offrir un meilleur service au patient semble très formateur pour le médecin. Des médecins interrogés estiment que la recherche d'informations médicales par leur patient sur l'Internet stimule leur recherche personnelle et apporte un complément à leurs connaissances. Internet les oblige à être performants, à contrôler davantage leurs prescriptions et à corriger leurs éventuelles erreurs (Murino, 2000).

Au même titre que la lecture de revues ou de livres médicaux, la consultation de sites médicaux en ligne apporte des connaissances supplémentaires s'intégrant dans le processus de formation médicale continue. Elle donne accès à une série de guides pratiques en ligne, mais aussi à des sites spécialisés destinés aux professionnels (exemples : les vaccinations, les voyages, les maladies orphelines). Mais, comme pour la lecture de documents papier, le médecin doit pouvoir développer son analyse critique et savoir évaluer la qualité des sites en fonction de critères de validité sérieux (voir plus loin la section intitulée « Les critères de qualité des sites médicaux »).

La gestion de l'Internet pendant la consultation

Examinons comment le médecin peut gérer l'Internet pendant l'entrevue médicale grâce à l'exemple de Laurent.

Laurent, un cadre de 35 ans, se présente toutes les semaines chez son médecin de famille pour des problèmes de santé apparemment mineurs. Chaque fois, il insiste pour avoir un examen physique complet et presse son médecin de lui prescrire un examen complémentaire ou un autre. Sa présente plainte est assez spéciale : il présente une sensation de faiblesse motrice avec une impression de fourmillement dans tout l'hémicorps gauche (y compris le visage). Il a également la sensation que sa tête oscille légèrement vers la gauche.

Le médecin a prescrit plusieurs examens neurologiques et radiologiques, mais aucun n'a révélé de problèmes. L'examen physique n'amène aucun renseignement supplémentaire. Les plaintes durent depuis des mois, et Laurent ne veut pas envisager qu'il puisse s'agir d'un problème psychosomatique, comme son médecin commence à le lui suggérer. Celui-ci a demandé un avis spécialisé à un neurologue, qui a envisagé une possible dissection de l'artère vertébrale. Ce spécialiste a notamment évoqué avec Laurent quelques symptômes de cette pathologie, dont le syndrome de Claude Bernard-Horner, et il a prescrit de nouveau les examens déjà effectués. Laurent revient chez son médecin de famille et lui explique ce qu'il croit comprendre de sa situation.

LAURENT — *J'ai consulté le neurologue et il a enfin trouvé ce dont je souffre.*

LE MÉDECIN — *Que vous a t-il dit?*

LAURENT — *Visiblement, je souffre de la maladie de Horner. C'est une maladie rare et je suis allé voir sur l'Internet. Je vous apporte quelques articles afin que nous puissions en discuter.*

Laurent n'a aucune formation médicale, mais il a fait une recherche sur le site Web de Medline (www.ncbi.nlm.nih.gov/PubMed). La qualité des informations trouvées ne peut donc pas être mise en doute et, visiblement, Laurent le sait. Il a effectué sa recherche avec le seul terme *Horner* et a trouvé un nombre impressionnant de références dont il a fait le tri. Il a repéré certains symptômes dont il se plaint et il est maintenant persuadé d'avoir cette *nouvelle* pathologie. Il semble rassuré de ne pas souffrir d'une maladie psychosomatique et il est heureux d'en apporter la preuve à son médecin. Même si les nouveaux examens prescrits sont toujours négatifs…

Comme dans le cas de Françoise, le patient apporte en consultation des informations qu'il a trouvées sur l'Internet. Mais cette fois-ci, les données sont susceptibles de perturber le déroulement de l'entrevue, car le médecin devra s'employer à convaincre son patient, pendant la consultation, que ce qu'il a trouvé sur le Web ne correspond pas particulièrement à sa pathologie réelle. Le praticien devra obligatoirement se focaliser sur la restauration de la confiance que Laurent semble avoir perdue à son égard. Certes, il est indéniable que ce patient désire participer à la recherche d'information sur la cause de ses plaintes; de plus, Laurent semble convaincu d'apporter des données essentielles.

Dans une telle situation, plusieurs solutions s'offrent au médecin: consacrer la consultation à la révision, avec son patient, de sa stratégie de recherche; proposer au patient les adresses de sites Web médicaux mieux adaptés à son problème; lui proposer de revenir sur le sujet au cours d'une consultation ultérieure (comme dans le cas de Françoise). Quelle que soit la solution choisie, on prend conscience dans cet exemple du *parasitage* de la communication qu'une information trouvée sur l'Internet peut engendrer pendant la consultation.

L'ALTÉRATION DE LA RELATION MÉDECIN-PATIENT

Cet accès illimité à l'information peut avoir pour conséquence directe l'apparition de situations conflictuelles entre le médecin et son patient. Il suffit de penser aux situations de *mauvaise* assimilation d'informations de la part du patient, ou encore aux demandes *maximalistes* d'un individu abreuvé des techniques en expérimentation les plus récentes ou dont le coût est prohibitif (Fostier, 2001 ; Vandomme-Traska, 1997).

Comment le médecin de Laurent va-t-il procéder pour reconquérir sa confiance et pour lui faire comprendre qu'il ne souffre fort probablement pas d'une dissection de l'artère vertébrale ni du syndrome de Claude Bernard-Horner, et encore moins de la *maladie de Horner*, qui du reste n'existe pas. Combien de temps cela va-t-il lui prendre ? Le risque d'abdication du médecin est réel, et Laurent aura tôt fait de dévaloriser son médecin, qui, à ses yeux, ne semble pas être à la fine pointe des connaissances médicales. Cette pression exercée sur le soignant au sujet d'un savoir encyclopédique est susceptible de nuire à la relation de confiance (« Comment se fait-il que mon médecin ignore cette donnée alors que c'est sa profession et que moi, j'ai appris cela sur l'Internet ? »).

Afin de gérer ce genre de situation, il est judicieux que le médecin connaisse et puisse utiliser cette source d'information susceptible de modifier la relation thérapeutique. Dans cette perspective, le médecin devient un gestionnaire des savoirs qui apprend dans l'action (Lussier, Richard et Monette, 2000). Les données qu'apporte le patient sont évaluées, analysées et critiquées avec le médecin, qui intervient ici en tant qu'expert de la santé, l'objectif final étant de guider le malade vers des sites fiables et adaptés à son problème de santé (Fostier, 2001 ; Vanwelde, 2000 ; Gerber et Eiser, 2001 ; Shepperd, Charnock et Gann, 1999). C'est sans doute ce que le médecin de Laurent devra tenter de faire. Peut-être même aura-t-il avantage à aller sur l'Internet avec Laurent au cours de la consultation.

Cependant, même bien utilisé, le recours aux informations médicales sur l'Internet pendant l'entrevue est susceptible de nuire à la communication médecin-patient. Il nuit parce qu'il introduit du *bruit* dans la communication, il entraîne la polémique, la discussion et le débat dans une relation qui était auparavant beaucoup plus simple. Car, en pratique, la situation reste malgré tout plus complexe. Le médecin peut, de plus en plus, avoir recours à des algorithmes de diagnostic et de traitement sur certains sites spécialisés dont l'accès est aisé et rapide. Dès lors, la recherche d'une solution à travers des données informatiques rompt inévitablement une partie de la communication pendant l'entrevue. Le patient venu chercher un soutien, un réconfort ou une écoute risque de devoir faire face à un technicien et participer à un échange d'informations où la part de la relation et de l'expérience se trouvera considérablement réduite.

L'INFORMATION INADAPTÉE OU TROMPEUSE

Le risque lié à l'interrogation de sites sur la santé est d'y trouver une information non valide, peu fiable, inadaptée à la situation du patient ou tout simplement trompeuse. C'est la principale faiblesse de l'Internet. En appartenant à tout le monde, en hébergeant tout genre d'information, ce système interactif échappe en permanence à tout contrôle et à toute gestion de la qualité de l'information. C'est à la fois l'occasion d'exercer sa liberté d'expression et un danger réel, dont les médecins et les autres professionnels de la santé doivent prendre conscience.

En effet, sur les quelque 100 000 sites consacrés à la santé, seuls 20 000 ont été créés par des organismes identifiables et plus ou moins crédibles. Les 80 000 sites restants contiennent des données fondées sur l'expérience individuelle de l'auteur ou produites par une entreprise commerciale (Wierper, 2000). L'objectivité et l'exactitude de 80 % des sites de santé sur l'Internet sont donc fortement sujettes à caution. La multiplicité des sites médicaux force aujourd'hui les soignants et les patients à prendre les moyens pour s'assurer de la qualité de l'information qu'on y trouve.

Il y a également le risque que le patient ne puisse adapter adéquatement à son propre cas une information trouvée sur l'Internet, information qui peut par ailleurs être valable et fiable. C'est le cas de Laurent, un hypochondriaque patenté et un *cyberchondriaque* en herbe, qui s'est créé une nouvelle maladie en adaptant des informations médicales tirées d'une banque de données reconnue, en y trouvant ce qui pouvait correspondre à ses plaintes et en se convainquant qu'il avait enfin mis un nom sur son problème.

L'ENSEIGNEMENT THÉRAPEUTIQUE DU PATIENT

Plutôt que de susciter des conflits entre le corps médical et les patients, l'émergence de l'Internet dans le domaine de la santé peut favoriser la participation des malades aux décisions médicales et thérapeutiques. En guidant le patient dans sa démarche de recherche sur l'Internet, en l'aidant à trouver une information pertinente, fiable et adaptée à sa pathologie, le médecin ne pourra qu'améliorer la relation avec son malade et favoriser l'observance thérapeutique[2] (Vanwelde, 2000).

Néanmoins, certains patients ne sont pas nécessairement intéressés à obtenir des informations supplémentaires sur leur maladie et, dès lors, se laissent guider avec confiance dans le processus de traitement que propose leur médecin. Malgré tout, de plus en plus de patients montrent un réel intérêt pour comprendre leur maladie et pour collaborer activement avec leur médecin.

Selon Gerber et Eiser (2001), les médecins qui recommandent à leurs patients la consultation de sites Internet en tirent ultérieurement un bénéfice dans leur relation thérapeutique. C'est ce que ces auteurs appellent la *prescription d'Internet.* Ils estiment que les patients qui trouvent des sources d'information complémentaires sur l'Internet ont l'occasion d'obtenir de leur médecin un avis différent, grâce à la discussion et à l'échange d'opinions qui s'ensuivent au cours de l'entrevue.

Par exemple, on guidera volontiers ce patient bronchiteux chronique vers un site fiable, comportant des liens avec d'autres sites traitant du sevrage tabagique. En explorant ces liens, le patient trouvera une information complémentaire sur les différentes façons d'arrêter de fumer et il pourra en discuter au cours de l'entrevue suivante avec son médecin.

Le médecin n'a pas eu à guider Françoise dans sa recherche, puisqu'elle a visiblement utilisé des critères sérieux afin de faire le tri des sites traitant de sa maladie. L'avantage que Françoise et son médecin vont tirer de cette recherche sur l'Internet est indéniable. Les informations qu'apporte Françoise doivent permettre un nouvel échange de vues et d'autres possibilités d'écoute et de prise en charge thérapeutique. D'autre part, cette patiente a pris soin de surligner certains passages afin de fournir une information supplémentaire qu'elle voudrait que son médecin prenne en compte.

Dans ce genre de situation, il importe que le médecin conserve son statut d'*expert* dans le domaine de la santé. C'est ce qui lui permettra de restaurer une confiance ébranlée, comme dans le cas de Laurent. Pour y arriver, le médecin pourrait consacrer du temps de consultation à revenir sur les sites Web explorés par Laurent et à lui démontrer soit qu'ils ne sont pas crédibles (ce qui n'est pas le cas ici), soit qu'ils ne s'appliquent pas au problème vécu (ce qui est le cas). Une autre possibilité consiste à faire la recherche avec Laurent, toujours *pendant* la consultation, d'autres sites Web mieux adaptés, et de lui envoyer par courriel la liste des adresses trouvées.

LA RASSURANCE DU PATIENT

Quoi de plus rassurant pour le malade que de voir confirmé sur le Web ce que lui a expliqué son médecin, de discuter avec ce dernier sur ce que l'un et l'autre ont glané sur l'Internet ! Cette inépuisable source d'information permet, si elle est bien utilisée, d'optimiser la relation médecin-patient avec, d'un côté, un malade mieux informé et rassuré sur les compétences de son médecin et, de l'autre, un soignant qui peut collaborer avec son patient en le faisant participer au processus thérapeutique.

Selon certains médecins (Murino, 2000), cette rassurance du patient est un facteur réducteur d'angoisse et entraîne la légitimation du discours du médecin, bénéfique pour la suite de la relation.

Après la consultation

Au sortir de leur entrevue respective, Françoise et Laurent pourront mettre à profit les conseils et la *prescription d'Internet* reçus de leur médecin. Pour autant que le praticien ait pu gérer les écueils et profiter des avantages évoqués ci-dessus...

Mais l'Internet permet aussi une autre forme de communication médecin-patient après la consultation : le courriel. Ainsi, tel patient aura reçu dans sa boîte de courrier électronique les résultats de son dernier bilan biologique commentés par son médecin ; tel autre aura la possibilité de discuter (toujours grâce au courriel) les nouvelles informations pertinentes concernant sa maladie ou son traitement.

UN COMPLÉMENT D'INFORMATION POUR LE PATIENT

Même si le médecin s'est appliqué à bien expliquer sa maladie au patient, celui-ci aura bien souvent le souci de compléter ces informations, soit pour les recouper avec celles qu'il possède déjà, soit pour s'assurer qu'aucun détail supplémentaire (exemples : un autre traitement, un effet secondaire ou un risque particulier) n'a été oublié dans l'explication de son médecin.

Ainsi, certains patients chercheront des informations sur la santé en provenance d'autres pays et dont leur médecin n'est pas nécessairement au courant. D'autres, souffrant de maladies rares ou invalidantes, peuvent entrer en contact sur l'Internet avec une association qui leur apportera des informations additionnelles et, éventuellement, un soutien adapté. Un malade auquel on propose un traitement à l'interféron pour lutter contre son hépatite C n'aura de cesse, lui, de vérifier qu'aucun autre effet secondaire, en plus de tous ceux qu'on lui a déjà expliqués, n'aura été oublié à l'occasion de la proposition de traitement.

Dans le cas de Françoise, il est évident que, grâce à sa recherche, elle a obtenu non seulement un complément d'information, mais également des pistes sérieuses pour envisager son problème. Pour Laurent, mieux conseillé dans sa recherche Internet, sa participation active dans le traitement, et surtout la confiance en son médecin généraliste, ont des chances de l'aiguiller sur une meilleure voie.

Les nombreux sites Internet aideront et combleront le patient dans sa démarche de recherche. Mais là aussi, comment avoir l'assurance que l'information trouvée par le malade correspondra effectivement à sa pathologie et au degré de gravité de sa maladie ?

Le rôle du médecin traitant est de personnaliser les informations trouvées sur l'Internet et de permettre à son patient de n'en retenir que celles qui sont adaptées à son cas. Il subsiste malheureusement toujours le risque que le patient glane une série d'informations trompeuses ou incorrectes qui perturberont par la suite la relation de confiance qu'il entretient avec son médecin.

UNE PLUS GRANDE AUTONOMIE DU PATIENT

Autrefois, le médecin, ne communiquait son savoir au patient que dans les circonstances qu'il jugeait opportunes. Aujourd'hui, le patient est libéré de cette dépendance et il accède, grâce au réseau informatique de l'Internet, à la quasi-totalité des connaissances médicales ainsi qu'aux descriptions détaillées de l'ensemble des maladies fréquentes, ou même très rares.

Il est fini le temps de la confiance aveugle envers le médecin. Aujourd'hui, le praticien doit non seulement connaître, mais aussi convaincre. Convaincre, par exemple, que « ses propos sont plus crédibles que les propos de ses concurrents » (Lussier et autres, 2000) et que sa médecine est de meilleure qualité que les médecines parallèles, toujours en pleine expansion. Au bout du compte, c'est le patient qui juge.

Et qui dit patient plus informé dit patient plus autonome. D'ailleurs, les patients internautes demandent maintenant de plus en plus que leur médecin de famille les oriente vers des sites Web afin d'augmenter leurs connaissances médicales (Grover, Wu, Blanford, Holcomb et Tidler, 2002).

Certains médecins se sentent dépossédés d'une partie de leur savoir et vivent cette expérience comme une perte de leur pouvoir. D'autres ont l'impression que les sites Web médicaux vont faire fuir les patients des salles d'attente dès lors que seront créés des sites de consultation en ligne. Le Dr André Chassort, secrétaire général adjoint de l'Ordre national des médecins en France, a une autre opinion :

> La connaissance d'une certaine partie des maladies ne fait pas fuir les patients des consultations, mais bien au contraire ils retournent voir leur médecin traitant pour avoir une prise en charge optimale de leur pathologie. [...] Avec, à terme, une amélioration extraordinaire de la relation médecin-patient (Chabot, 2000).

L'Internet et ses fonctions interactives, telles que le courrier électronique, les forums de discussion ou les sites de clavardage (*Web chat sites*), peuvent aider les médecins dans l'écoute du patient et améliorer la communication soignant-soigné grâce, certainement, à cette implication du patient dans le processus thérapeutique.

LE RISQUE DE MAGASINAGE MÉDICAL

S'il doute des avis médicaux donnés par son médecin, le patient a maintenant la possibilité de rechercher sur l'Internet d'autres opinions concernant sa maladie, au risque d'adapter (et d'adopter) une nouvelle information lui convenant davantage et de nier les conseils, même plus pertinents, donnés par son soignant. Ce cybersurfing, à la recherche d'une information plus *confortable*, constitue une véritable menace de perte de confiance dans la relation thérapeutique, comme nous l'avons vu dans le cas de Laurent.

Un danger supplémentaire est que « le consommateur de la santé se tourne à l'avenir vers l'Internet plutôt que vers son médecin pour trouver une réponse aux questions qui l'angoissent » (Vanwelde, 2000), au risque, ici aussi, d'y trouver une réponse inadaptée à son problème. C'est exactement le cas de Laurent. Il s'agit là du conflit, prédit très tôt par certains auteurs, entre le marché libre de l'information et le marché contrôlé des soins de santé (Coiera, 1996). Car l'Internet, c'est aussi le marché libre de certains médicaments sur des sites commerciaux qui permettent aux individus d'acheter tantôt du Viagra, tantôt de la mélatonine, sans avoir préalablement consulté leur médecin ni évalué avec lui les effets secondaires de ces substances et leurs contre-indications.

Le créneau des sites Web médicaux qui proposent de l'information sur la santé a été ouvert aux États-Unis par les sites Dr. Koop, Medscape ou encore Yahoo ! Health. Depuis lors, le nombre de ces sites a considérablement augmenté. Se pose alors la question de l'exercice de la médecine sur le réseau par des personnes qui ne sont pas habilitées à le faire. En effet, de plus en plus de sites Internet proposent des consultations virtuelles au cours desquelles des cyberdocteurs (ou cybermédecins) donnent leur avis et répondent aux questions des patients. Généralement, les conseils donnés restent assez flous, et les délais de réponse (de 24 heures à une semaine) ne permettent pas un véritable dialogue direct en ligne. Certaines personnes utilisent néanmoins ce nouveau genre de consultation pour se faire une première idée, bien souvent inadéquate, de leur problème de santé (Eveillard, 2002). Outre les dangers potentiels qu'il comporte, l'inconvénient majeur de ce genre de consultation est l'absence de relation directe et *physique* avec le patient, relation généralement indispensable pour commencer un processus diagnostique et thérapeutique efficace.

Ce danger d'automédication risque de prendre de plus en plus d'expansion. Il est encore trop tôt pour en évaluer l'ampleur, mais l'évolution du phénomène mérite un suivi attentif. La question principale est de savoir si les personnes qui prennent en charge leur santé à l'aide de l'Internet seront, dans les années à venir, en meilleure ou en plus mauvaise santé que le reste de la population. Certes, on peut pencher pour la première hypothèse, car la *densité* des informations sur la santé augmentant sans cesse, le consommateur devrait ainsi être mieux renseigné. Encore lui faudra-t-il un guide pour s'y retrouver dans cet océan d'informations. Ce pourrait être un des rôles des médecins de famille de demain.

LES PROBLÈMES ÉTHIQUES

L'accès par le public à la quasi-globalité des données médicales, y compris les progrès récents, risque aussi de provoquer chez certains malades l'exigence, certes compréhensible, mais pas toujours réalisable, de bénéficier de traitements de pointe que leur système de santé n'a pas encore les moyens de fournir.

Par exemple, Jean, un malade paraplégique, a lu ce qui suit sur l'Internet : « Grâce à l'implantation inédite d'un système électronique sophistiqué, un paraplégique français a retrouvé l'usage partiel de ses jambes. Cette première mondiale a été réalisée à Montpellier dans le cadre du programme "Lève-toi et marche", chapeauté par l'Union européenne et associant six pays membres. » Ce patient ne comprend pas que son médecin ne l'ait pas averti qu'il existait une possibilité pour le faire marcher de nouveau. Or, l'opération dont le patient a eu connaissance n'est applicable, dans son état actuel, qu'à une petite minorité de paraplégiques, son efficacité dépendant du degré et du niveau des lésions de la moelle épinière. Autre obstacle à la mise en œuvre de cette opération sur une grande échelle : le coût, qui s'élève à plus de 50 000 dollars canadiens.

C'est ce que le médecin doit tenter d'expliquer à Jean. Cette discrimination médicale et économique apparaît intolérable et injuste aux yeux du patient, et il y a fort à parier que son médecin aura du mal à lui faire entendre raison. Naissent donc des situations de revendication exagérée, ou encore la menace de voir, à l'avenir, des recours en justice à l'encontre de médecins accusés de négligence ou coupables d'omission d'informations.

Par exemple, on peut imaginer qu'« un médecin puisse être poursuivi pour négligence si le traitement qu'il a administré à un malade se révélait en contradiction avec les consensus de bonne pratique en vigueur à l'époque où il a été prescrit » (Vanwelde, 2000). Ce pourrait être le cas d'un patient qui estime ne pas avoir reçu les soins recommandés sur certains sites Internet de médecine factuelle[3] (voir plus loin la section intitulée « Les sites de médecine factuelle »).

Le commerce électronique de produits ayant trait à la santé est aussi un domaine où l'appât du gain risque de prendre le pas sur le souci de l'éthique. En effet, les cyberpatients sont de plus en plus exposés à des messages publicitaires judicieusement maquillés au point de n'être plus reconnaissables comme tels.

L'essor des cyberconsultations pose également un problème éthique que les autorités sanitaires tentent de contrôler. Ainsi, en Amérique du Nord et en Europe, où l'exercice médical est très réglementé, un avis médical engage la responsabilité pénale et civile du médecin, qui s'expose à des sanctions disciplinaires. Il y existe donc des « chartes de qualité et de déontologie des sites Web » afin d'éviter tout débordement éthique. Par exemple, les informations communiquées sur des sites américains et européens par des cyberdocteurs ne peuvent en aucun cas consister en des diagnostics, mais uniquement en des explications ou des conseils, comme le déroulement de tel ou tel examen médical (Parada, 2002).

Enfin, que penser de l'essor de la télémédecine, qui permet non seulement l'échange de données médicales informatisées entre professionnels de la santé, mais également la consultation à distance entre le médecin et son patient grâce, entre autres, aux systèmes de transmission vidéo ? L'introduction massive des nouvelles technologies de la communication dans les entretiens entre le médecin et son patient offre certes des perspectives intéressantes (exemples : l'accès aux soins pour les personnes éloignées de toute infrastructure médicale, la téléconsultation maritime et le suivi à domicile des malades et des personnes âgées), mais elle pose aussi le problème de la garantie du secret médical et comporte un risque de déshumanisation de la relation médecin-patient.

Les critères de qualité des sites médicaux

Afin de mieux aider son patient dans sa recherche de renseignements médicaux sur le Web, le médecin d'aujourd'hui doit donc connaître les critères de validité des sites de santé et pouvoir juger de leur accessibilité potentielle pour les patients (Shepperd et autres, 1999).

Il est étonnant de savoir que les patients trouvent généralement sur l'Internet la réponse à leur question en moins de cinq minutes, mais il est encore plus étonnant d'apprendre que la plupart d'entre eux ne cliquent pas sur le lien de la section « Qui nous sommes » (*About us*) des sites Web afin d'en connaître les auteurs (Eysenbach et Köhler, 2002). D'ailleurs, peu de ces patients internautes se souviendront du nom du site sur lequel ils ont trouvé l'information.

Les critères de validité d'un site médical peuvent être schématiquement regroupés en cinq catégories, reprises dans le tableau 27.1 (Fostier, 2001). Guider son patient vers des sites qui, à la fois, sont pertinents et respectent ces critères contribue certainement à son autonomie et améliore sa participation et sa collaboration dans la prise en charge de son problème de santé.

Tableau 27.1 **Les critères de validité d'un site Web médical**

1. La crédibilité du site La source de l'information médicale L'intérêt et la valeur de l'information L'actualisation du contenu L'évaluation du site par des pairs	**4. L'architecture et le design du site** L'accessibilité La navigabilité La capacité de recherche interne sur le site Le graphisme
2. Le contenu du site La précision du contenu Les données probantes Les sources originales (les références)	**5. L'interactivité du site** Les mécanismes de rétroaction (les forums, le clavardage) La convivialité
3. Les liens hypertextes La sélection Le contenu La pertinence L'architecture La complémentarité	

Source: Adapté de Fostier (2001).

Cependant, le médecin ne peut généralement pas vérifier la qualité de chaque site médical qu'un patient consulte. L'autre possibilité est de conseiller à son patient des sites proposant, par exemple, un label de qualité. Certaines associations, telles que la Fondation Health On the Net (www.hon.ch) ou la British Healthcare Internet Association (www.bhia.org), proposent déjà de tels standards de qualité pour la publication médicale sur le Web.

D'autres sites, appelés *répertoires*, recensent des adresses Internet dont la qualité a déjà été contrôlée (voir plus loin la section intitulée « Pour un cybersurfing médical de qualité »). Le médecin peut donc conseiller à ses patients de chercher leur information médicale à partir de ces répertoires, qui les assurent de ressources de bonne qualité.

Par exemple, sur le site de l'Université Laval, le département de médecine familiale propose une page traitant de la pratique médicale fondée sur les preuves scientifiques (www.medecine.quebec.qc.ca/francais/repertoire.htm) : un répertoire recense les sites médicaux ayant été vérifiés selon des critères stricts ; des modules d'autoapprentissage permettent aux professionnels de la santé de développer leurs habiletés de recherche de sites Web médicaux. Pour sa part, le CISMeF (Catalogue et index des sites médicaux francophones) du Centre hospitalier universitaire de Rouen, en France, (www.chu-rouen.fr/cismef) indexe, à l'aide de mots clés, des ressources pour les patients. Quant au Virtual Hospital de la University of Iowa (www.vh.org), il propose une série d'informations dans tous les domaines de la santé.

À l'usage des médecins, une autre rubrique intéressante sur le Web mérite qu'on s'y attarde : il s'agit de la chronique « Cybersearch », rédigée par la D[re] Cathy Risdon, paraissant dans la revue *Le médecin de famille canadien* et accessible en ligne (tiger.cfpc.ca/cfp). Cette rubrique guide les médecins dans leur recherche rapide (*quick search*) de réponses à leurs questions cliniques.

Si on veut que les patients participent activement aux prises de décision concernant leur santé, il est nécessaire que l'information offerte sur l'Internet soit fondée sur les principes de la médecine factuelle et qu'elle soit présentée sous une forme compréhensible et adaptée au grand public (Darmoni, Thirion et Leroy, 1999 ; Coulter, Entwistle et Gilbert, 1999).

Plusieurs sites proposent des informations basées sur la médecine factuelle et sont facilement accessibles au patient. Mais, dans ces conditions, on peut se demander si cette facilité d'accès peut se retourner contre le praticien et entraîner le doute ou la méfiance du patient à son égard. Imaginons en effet un patient qui s'attend, selon telle directive de la médecine factuelle, à avoir un certain traitement, mais qui s'en voit prescrire un autre par son médecin de famille. Prises au pied de la lettre par un patient, les recommandations de la médecine factuelle pourraient donc constituer une menace à la confiance réciproque et, donc, à l'efficacité de la communication médecin-patient.

Pour éviter de telles dérives, le National Health Service du Royaume-Uni (www.nhsdirect.nhs.uk) a défini les limites des recommandations décrites dans les principes directeurs: « Celles-ci ne peuvent qu'assister le praticien, elles ne peuvent être utilisées pour légaliser, autoriser ou condamner une option de traitement. Quelles que soient les preuves, leur application relève de la responsabilité du praticien » (Paulus, Chevalier et Bruwier, 2001). Ces limites permettent d'éviter que les patients ne se servent de cet outil pour exercer une pression juridique sur les médecins, mais elles empêchent également le clinicien de s'abriter derrière un principe directeur pour justifier une attitude thérapeutique inadéquate.

Il n'empêche que la synthèse des données scientifiques rassemblées dans les principes directeurs de l'Internet permet au médecin de discuter avec le patient et de partager les décisions avec ce dernier. Ce genre d'explications précises communiquées au patient peut être complété par la fourniture de fiches explicatives relatives à son problème (exemples: des dépliants ou des brochures).

C'est en tout cas au médecin de veiller à ce que les divergences ou les incohérences ressenties par le patient n'altèrent pas la relation de confiance déjà établie entre eux. Le praticien qui ne soigne pas cette relation mais se contente d'exercer son rôle d'expert est, peut-être, celui que menace le plus l'intrusion de l'Internet dans la communication soignant-soigné[4].

Quoi qu'il en soit et compte tenu de l'augmentation constante du nombre de sites médicaux sur la toile, le contrôle de la qualité de l'information médicale sur l'Internet devrait se baser sur quatre piliers: l'éducation du consommateur, l'encouragement à établir un règlement pour encadrer les fournisseurs d'information médicale (*medical information providers*), l'évaluation de l'information diffusée et le renforcement des sanctions à l'encontre des fournisseurs d'information nocive, erronée ou dangereuse (Eysenbach, 2000).

Pour un cybersurfing médical de qualité[5]

Les moteurs de recherche

Les moteurs de recherche sont des outils qui interrogent un index géant, constitué de tous les mots de quelques milliards de pages Web. Les deux plus populaires, car ce sont peut-être les plus puissants, sont Google et AlltheWeb.

Google: Le moteur de recherche *trouve-tout*, qui permet de dénicher de précieux renseignements parmi les trois milliards de pages recensées et selon la langue choisie parmi plus d'une trentaine. Ce serveur de recherche invite l'internaute à utiliser une barre d'outils gratuite qui s'installe en moins d'une minute et lui permet de bénéficier de la puissance de Google sans être connecté sur son site, directement dans la fenêtre du logiciel de navigation.
Adresse Internet: www.google.com

AlltheWeb : Pour répondre aux requêtes de l'internaute, ce moteur de recherche explore plus de trois milliards de pages Web, et cela dans 49 langues différentes. Il dispose de plusieurs catalogues dans lesquels on peut faire une recherche (pages Web, images, fichiers vidéo, fichiers MP3, actualités).
Adresse Internet : www.alltheweb.com

Les répertoires

Les répertoires sont des listes de pages (ou de sites) Web, classées dans un ordre thématique, alphabétique ou hiérarchique. La lettre entre parenthèses qui se trouve à la fin de chaque description suivante indique la langue utilisée sur le site : (F) pour français, (A) pour anglais.

CISMeF : Répertoire médical français à classement thématique et alphabétique. Il est indexé à l'aide des descripteurs « MeSH[6] » français. On y trouve une rubrique réservée aux patients. (F)
Adresse Internet : www.chu-rouen.fr/cismef

CliniWeb : Répertoire médical à classement hiérarchique, indexé à l'aide des descripteurs « MeSH » nord-américains. (A) Malheureusement, ce site est temporairement inactif depuis novembre 2003.
Adresse Internet : www.ohsu.edu/cliniweb/search.html

Hardin Meta Directory : Métarépertoire de la bibliothèque de la University of Iowa. (A)
Adresse Internet : www.lib.uiowa.edu/hardin/md

Virtual Hospital (University of Iowa Health Care) : Site-catalogue qui propose une série d'informations dans tous les domaines de la santé. Il s'adresse tant au médecin qu'au patient. (A)
Adresse Internet : www.vh.org

Les banques de données

Une banque de données est un ensemble de documents et de renseignements hébergés sur un support électronique et mis à la disposition des utilisateurs. Les banques de données suivantes s'adressent plus particulièrement aux professionnels de la santé.

Medline (PubMed) : La plus grande banque de données internationales indexant les articles de plus de 4 000 revues biomédicales. Accessible gratuitement sur le site de PubMed, l'interface d'accès de la U.S. National Library of Medicine.
Adresse Internet : www.ncbi.nlm.nih.gov/PubMed ou www.pubmed.gov

MedHunt : Outil de recherche de la Fondation Health On the Net associant un répertoire médical et un moteur de recherche.
Adresse Internet : www.hon.ch/MedHunt/MedHunt_f.html

CancerLit : Banque de données bibliographiques du National Cancer Institute. Les données sont indexées à l'aide des descripteurs « MeSH ».
Adresse Internet : www.cancer.gov/cancerinfo/literature

TOXNET (Toxicology Data Network) : Banque de données bibliographiques de la U.S. National Library of Medicine portant sur les effets toxiques des médicaments et des produits chimiques.
Adresse Internet : www.toxnet.nlm.nih.gov

Les sites de médecine factuelle

The Cochrane Collaboration: Banque de données de la bibliothèque Cochrane.
Adresse Internet: www.cochrane.org

Evidence Based Medicine Tool Kit: Ce site contient une série d'outils permettant au praticien de livrer des soins de qualité basés sur l'expérience de la médecine factuelle; il comporte des outils de recherche et d'analyse critique, et des guides de pratique clinique.
Adresse Internet: www.med.ualberta.ca/ebm/ebm.htm

Pratique professionnelle en santé fondée sur les preuves scientifiques: Sur ce site, une équipe de chercheurs du département de médecine familiale de l'Université Laval répertorie les sites Web qui proposent de l'information médicale fondée à différents degrés sur les données probantes. Pour chaque site inscrit, ce répertoire offre les éléments suivants: un lien hypertexte avec le site; une cote résultant d'une évaluation selon des critères objectifs du contenu (précision et qualité), ainsi que de l'organisation et de la présentation du site; un bref commentaire descriptif.
Adresse Internet: 132.203.128.28/medecine (également accessible à partir du site de la direction des bibliothèques de l'Université de Montréal: www.bib.umontreal.ca/SA/EBP.htm)

Les publications médicales internationales

BMJ (British Medical Journal): Site phare de la presse médicale internationale. On y trouve chaque semaine le texte intégral de tous les articles parus dans le *BMJ* et on peut y faire une recherche dans les archives des numéros parus depuis janvier 1994.
Adresse Internet: www.bmj.com

The Lancet: Ce site Web propose de plus en plus le texte intégral d'articles parus dans la revue.
Adresse Internet: www.thelancet.com

The New England Journal of Medicine: Une revue de qualité indiscutable pour qui s'intéresse davantage aux études fondamentales.
Adresse Internet: www.nejm.org

EBM Journal (Evidence-Based Medicine Journal): Édition anglaise du *EBM Journal.* On y trouve quelques articles en texte intégral.
Adresse Internet: ebm.bmjjournals.com

American Family Physician: Ce site propose tous les articles de la revue, archivés depuis 1996. Il propose également plusieurs informations aux patients.
Adresse Internet: www.aafp.org/afp

JAMA (The Journal of the American Medical Association): Un grand classique, qui ouvre lui aussi à l'internaute ses archives de tous les articles publiés depuis 1998.
Adresse Internet: www.jama.ama-assn.org

JMIR (Journal of Internet Medical Research): Une des revues de référence sur l'Internet médical traitant de la recherche, de l'information et de la communication en soins de santé.
Adresse Internet: www.jmir.org/index.html

Annals of Internal Medicine: On trouve sur ce site les principaux articles de la revue en texte intégral.
Adresse Internet: www.annals.org/issues/current/toc.html

Le médecin de famille canadien : Les derniers numéros de la revue sont archivés sur ce site. Une rubrique contient des informations spécialement destinées aux patients. Les articles apparaissent en texte intégral depuis janvier 2003.
Adresse Internet : www.cfpc.ca/cfp/info/sec_info_fr.asp

The Journal of Family Practice : Site intéressant pour ses articles archivés et aussi pour sa rubrique sur les « POEMs[7] ».
Adresse Internet : www.jfponline.com

Annals of Family Medicine : Revue créée en mai 2003, qui publie tous les deux mois de la recherche et des articles théoriques ou de méthodologie. Les articles sont en texte intégral.
Adresse Internet : www.annfammed.org

D'autres sites Web intéressants

L'INFORMATION DESTINÉE AUX VOYAGEURS

IMT (Institut de médecine tropicale Prince Léopold à Anvers, Belgique : Ce site, très convivial, peut être consulté en quatre langues (français, néerlandais, anglais et espagnol). Il est conçu aussi bien pour les professionnels de la santé que pour les voyageurs. On y trouve des conseils médicaux, la liste des vaccinations recommandées selon les pays de destination, une carte du paludisme ainsi qu'une bibliothèque scientifique. Plusieurs documents sont téléchargeables en format PDF et une recherche interne sur le site à l'aide de mots clés est possible. C'est une référence pour qui se soucie de sa santé en voyage !
Adresse Internet : www.itg.be/itg

Docteur Vacances : Ce site, dans lequel on peut naviguer en français et en anglais, est réalisé avec la collaboration de l'Organisation mondiale de la santé (OMS), ce qui constitue un gage de qualité. On y trouve la liste des vaccinations pays par pays, le traitement préventif antimalarique selon le pays de destination et des conseils de santé pour la réussite de ses vacances. L'originalité de ce site est qu'il donne les statistiques météo correspondant au séjour planifié, selon le pays et la période du voyage.
Adresse Internet : www.traveling-doctor.com/docvac

Travelers' Health : Le U.S. Department of Health and Social Services, par l'entremise des CDC (Centers for Disease Control and Prevention) a consacré une partie de son site Web aux voyageurs. Quoique rédigé en anglais, ce site permet de recueillir des informations sur la santé en fonction de sa destination. Une page est consacrée aux voyages avec des enfants en bas âge. Les maladies tropicales et les vaccinations sont décrites par pays et par continent, et une page spéciale concerne la propreté de l'eau et des aliments dans les pays tropicaux. Le sérieux scientifique est garanti, la convivialité aussi.
Adresse Internet : www.cdc.gov/travel

LES MALADIES RARES (OU ORPHELINES)

Orphanet : Ce site, accessible en six langues, permet de rompre l'isolement des malades qui souffrent d'une maladie rare. Il comble également le manque de connaissances des médecins concernant ce genre de pathologie. Un dialogue scientifique qui ne peut que profiter aux patients.
Adresse Internet : www.orpha.net

ENCORE D'AUTRES SITES WEB INTÉRESSANTS

U.S. Food and Drug Administration : Pour tout savoir sur la sûreté, l'efficacité et la sécurité des médicaments pour usage humain et des produits pharmaceutiques vétérinaires, des produits biologiques, des dispositifs médicaux, des produits de beauté et des appareils émetteurs de rayonnement.
Adresse Internet : www.fda.gov

Thérapies-conseil : Le site de ce regroupement de psychothérapeutes et de psychanalystes informe et oriente tous ceux qui désirent entreprendre une psychothérapie ou une psychanalyse et il propose une pluralité d'approches psychothérapiques exercées par des professionnels dont on assure la compétence et l'éthique.
Adresse Internet : www.psychotherapies.org

The National Institute for the Psychotherapies : Ce site est un lieu de rendez-vous pour tous ceux qui s'intéressent aux différentes techniques de psychothérapie. Divers services y sont proposés, y compris la formation.
Adresse Internet : www.nipinst.org

University of California, Berkeley : Page d'accueil d'un tutoriel en ligne pour apprendre la recherche d'informations sur le Net. Il est régulièrement actualisé en fonction de l'évolution de la toile. Pour tout savoir sur l'Internet.
Adresse Internet : www.lib.berkeley.edu/TeachingLib/Guides/Internet/FindInfo.html

Les critères d'analyse des sites médicaux

Net Scoring : Ce site offre un ensemble de critères qu'on peut utiliser pour évaluer la qualité de l'information sur la santé de l'Internet.
Adresse Internet : www.chu-rouen. fr/dsii/publi/critqualv2.html ou www.netscoring.com

Équipe régionale en documentation de la Régie régionale de la santé et des services sociaux de Montréal-Centre : Ce site propose une grille d'analyse pour évaluer la qualité des sites Web.
Adresse Internet : www.santemontreal.qc.ca/fr/documentation/integrale/grille.html

Chronique « CyberSearch » : Chronique rédigée par la D^re^ Cathy Risdon et paraissant dans la revue *Le médecin de famille canadien*. Cette rubrique guide les médecins dans leur recherche rapide de réponses à leurs questions cliniques.
Adresse Internet : www.cfpc.ca/cfp

Conclusion

Quand on parle de communication, l'Internet est certainement un des meilleurs outils que l'être humain ait conçu. Le secteur de la santé n'a pas échappé à cette innovation et l'informatique prend une place de plus en plus importante dans les cabinets médicaux :

- *Communication sortante*, lorsque l'Internet permet d'émettre des informations vers d'autres utilisateurs, grâce au courrier électronique, afin de correspondre avec ses confrères et ses patients, cela même pendant leur absence, sans les déranger et en étant toujours sûr de les joindre (pour autant qu'ils ouvrent leur boîte à lettres électronique).
- *Communication entrante passive*, lorsque l'utilisateur lit ses courriels : soit les messages envoyés par ses correspondants, soit les bulletins d'information (*newsletters*) auxquels il

s'est abonné ou encore les listes de diffusion (forums) qu'il a sélectionnées selon ses centres d'intérêt.

- *Communication entrante active* enfin, lorsque l'Internet permet la recherche d'informations diverses améliorant le savoir de chacun.

L'Internet promet bien d'autres développements à venir dans le secteur des soins de santé, tels que le dossier médical accessible en ligne (dossier médical électronique) ou bien des sites de cyberformation médicale continue (ou formation en ligne) déjà expérimentés et validés par certaines universités[8].

En médecine, lorsqu'il est bien utilisé, l'Internet permet de renouveler la relation entre le soignant et le patient en favorisant leur collaboration dans le processus thérapeutique. Comme le dit si bien le Dr D.A.B. Lindberg, directeur de la U.S. National Library of Medicine, « une bonne information est la meilleure des médecines ».

Mais, une chose est sûre, aucun outil électronique ne pourra remplacer l'entretien d'être humain à être humain, a fortiori dans la relation soignant-soigné, où la communication verbale et l'examen physique ne peuvent se faire par l'intermédiaire d'un écran cathodique (attention aux caméras vidéo !). Aucun clavier ne pourra jamais se substituer au langage et aux expressions du visage qui font qu'une rencontre est humaine.

Si l'accès aux connaissances médicales sur l'Internet suscite des réticences ou des doutes, c'est certainement qu'il remet en évidence le caractère fondamental de la dimension relationnelle de la pratique médicale et l'importance de l'échange, parfois subtil, d'un colloque... de moins en moins singulier.

Notes

1. Compte tenu du fonctionnement même de l'Internet et des pages Web créées et indexées régulièrement, ces résultats de recherche peuvent varier d'un jour à l'autre.
2. Voir le chapitre 26, intitulé « L'enseignement thérapeutique et la motivation du patient ».
3. En anglais : *evidence-based medicine.* En français, on parle aussi de médecine fondée sur des données probantes ou de médecine fondée sur des preuves scientifiques.
4. Voir le chapitre 5, intitulé « Les modèles de relation médecin-patient ».
5. Les sites Web conseillés dans cette section ont tous été consultés pour la dernière fois le 25 mai 2004. Les adresses Internet peuvent avoir changé par la suite.
6. « MeSH » est l'acronyme anglais de *medical subject headings*, qu'on pourrait traduire par « vedettes-matières médicales ».
7. « POEMs » est l'acronyme anglais de *patient-oriented evidence that matters*, qu'on traduit par « preuves pertinentes axées sur le patient ».
8. En anglais, on parle de *e-medical record*, de *e-formation* ou de *e-learning*.

Références

British Healthcare Internet Association (1996). « Quality standards for medical publishing on the web » (www.bhia.org/reference/documents/recommend_webquality.htm).

Chabot, O. (propos recueillis par) (2000). « Partager les connaissances médicales pour une meilleure relation médecin-patient : entretien avec le Dr André Chassort, secrétaire général adjoint de l'Ordre national des médecins », *33docavenue.com* (www.33docavenue.com/ZeCharte/ZeTribune/Index.asp).

Coiera, E. (1996). « The Internet's challenge to health care provision », *British Medical Journal*, vol. 312, nº 7022, p. 3-4.

Coulter, A., V. Entwistle et D. Gilbert (1999). « Sharing decisions with patients : Is the information good enough ? », *British Medical Journal*, vol. 318, nº 7179, p. 318-322.

Darmoni, S.J., B. Thirion et J.P. Leroy (1999). « Ressources Internet pour les patients (II) », *La Revue du praticien : médecine générale*, vol. 13, n° 466, p. 1215-1216.

Eveillard, P. (2002). *Éthique de l'Internet santé*, Paris, Ellipse.

Eysenbach, G. (2000). « Recent advances : Consumer health informatics », *British Medical Journal*, vol. 320, n° 7251, p. 1713-1716.

Eysenbach, G., et C. Köhler (2002). « How do consumers search for and appraise health information on the World Wide Web ? Qualitative study using focus groups, usability tests, and in-depth interviews », *British Medical Journal*, vol. 324, n° 7337, p. 573-577.

Eysenbach, G., E. Ryoung Sa et T.L. Diepgen (1999). « Shopping around the internet today and tomorrow : towards the millennium of cybermedicine », *British Medical Journal*, vol. 319, n° 7220, p. 1294.

Fostier, P. (2001). « Les critères de validité d'un site Web médical », *Revue de la Médecine Générale*, vol. 183, p. 214-215.

Gerber, B.S., et A.R. Eiser (2001). « The patient-physician relationship in the Internet age : Future prospects and the research agenda », *Journal of Medical Internet Research*, vol. 3, n° 2, p. e15 (www.jmir.org/2001/2/e15).

Godard, M., et P. Godard (1998). *L'Internet et la médecine*, 2e édition, Paris, Masson.

Grover, F. Jr., H.D. Wu, C. Blanford, S. Holcomb et D. Tidler (2002). « Computer-using patients want Internet services from family physicians », *The Journal of Family Practice*, vol. 51, n° 6, p. 570-572.

Health On the Net (1997). « Charte de la Fondation Health On the Net (HONcode) », destinée aux sites Web médicaux et de santé, document Web (www.hon.ch/HONcode/Conduct_f.html).

Health On the Net (2002). « 8th HON's survey of health and medical Internet users » (www.hon.ch/Survey/8th_HON_results.html).

Le Journal du Net (2002). « Les personnes consultant de l'information médicale en ligne » (www.journaldunet.com/cc/20_sante/sante.shtml).

Le Journal du Net (2003). « Nombre de sites dans le monde » (www.journaldunet.com/cc/03_internetmonde/intermonde_sites.shtml).

Le Journal du Net (2004). « Monde : nombre d'internautes » (www.journaldunet.com/cc/01_internautes/inter_nbr_mde.shtml).

Lussier, M.T., C. Richard et C. Monette (2000). « Dialogue au rendez-vous : dialogue à trois : le médecin, le patient et... Internet », *L'Omnipraticien*, 10 février, p. 17-19.

Murino, M. (2000). « Les médecins et Internet », enquête TNS SOFRES, avril-mai 2000, Département de santé de Taylor Nelson SOFRES (www.tnssofres.com/etudes/sante/110700_medecins_n.htm).

Netcraft (2004). « January 2004 Web server survey » (news.netcraft.com/archives/web_server_survey.html).

Parada, A. (2002). « Internet dans la relation thérapeutique », *Revue de la Médecine Générale*, vol. 192, p. 176-180.

Paulus, D., P. Chevalier et G. Bruwier (2001). « Recommandations de bonne pratique : outils pertinents ? », *Revue de la Médecine Générale*, vol. 186, p. 352-356.

Shepperd, S., D. Charnock et B. Gann (1999). « Helping patients access high quality health information », *British Medical Journal*, vol. 319, n° 7212, p. 764-766.

Taylor, H. (2002). « Cyberchondriacs update », *The Harris Poll*, nº 21, Harris Interactive (www.harrisinteractive.com/harris_poll/index.asp?PID=299).

Vandomme-Traska, A. (1997). *L'apport de l'Internet dans l'exercice quotidien du médecin généraliste*, thèse de doctorat en médecine, n° 5036, Université Paris XI, faculté de médecine Paris-Sud.

Vanwelde, C. (2000). « Un malade bien informé est-il un meilleur malade ? La place de l'Internet dans la relation médecin-patient », *Louvain Médical*, vol. 119, n° 9, p. S440-S445.

Watier, A. (2000). « Répercussions à long terme des abus sexuels sur la sphère pelvi-périnéale », Centre interuniversitaire de formation et de recherche en rééducation abdomino-pelvienne, CRC, faculté de médecine, Université de Sherbrooke (www.perineales.org/conf-abus-sex.pdf).

Wierper, A. (2000). « L'Internet Health Conference de Las Vegas : le patient renforce sa position », *Patient Care* (édition belge), vol. 23, n° 11, p. 57-60.

Les contextes de la communication médecin-patient

PARTIE

6

La communication en soins palliatifs

François Lehmann

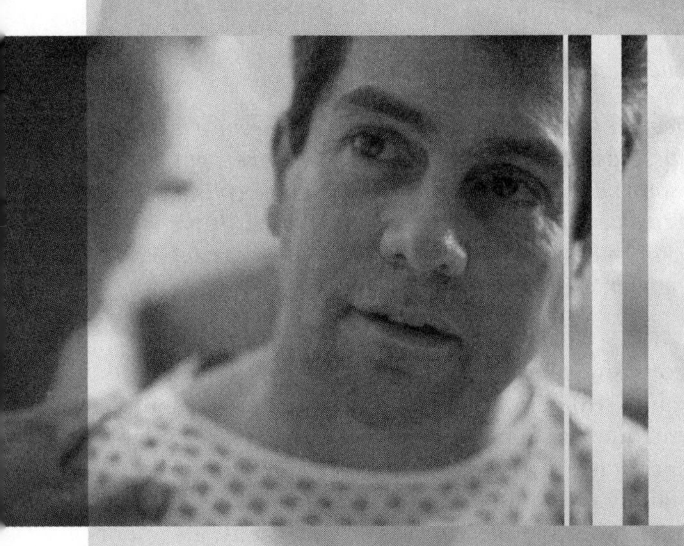

CHAPITRE 28

La communication médecin-patient en soins palliatifs s'appuie sur les mêmes principes généraux que la communication médecin-patient en général : le médecin doit se préoccuper de la qualité de la relation, il doit se soucier de sa manière d'être avec le patient, il doit viser à un véritable dialogue, il doit souscrire à des principes éthiques[1]. Mais le contexte est très particulier : il s'agit en effet d'entretiens réalisés dans le cadre d'une relation avec un patient en fin de vie et avec ses proches. Ces entretiens sont donc empreints d'émotions très intenses, de souffrance, de déchirement, tant pour le patient lui-même que pour ses proches.

Une maladie de fin de vie est généralement liée à une souffrance qui s'appelle la *peur* (Brewin, 1977). En plus de soulager les symptômes du patient, le médecin se doit de soulager cette peur, et la communication est probablement l'outil le plus efficace pour y parvenir. La communication doit être efficace et douce. Il faut savoir quoi dire et quand le dire, et savoir aussi ce qu'il faut ne pas dire. L'objectif est double : aider le patient à garder son courage et l'aider à atteindre une certaine paix intérieure.

Aborder toutes les situations de communication qui peuvent survenir en soins palliatifs nécessiterait plusieurs chapitres, voire un livre complet ! Nous nous limiterons plutôt à illustrer, à l'aide de cas réels, les problématiques et les situations qui se sont avérées les plus fréquentes dans notre pratique[2].

Le contrat de prise en charge

Lorsqu'un patient rencontre pour la première fois un médecin qui pratique en soins palliatifs, il a souvent l'impression que tout est fini, qu'il n'y a plus rien à faire. Il peut avoir la même impression lorsque son médecin de famille lui annonce la mauvaise nouvelle d'une maladie mortelle. Voici un court échange qui illustre bien la crainte que vivent plusieurs patients.

Le patient est un professeur âgé de 45 ans, hospitalisé. La conversation a lieu quelques jours avant sa mort.

LE MÉDECIN — *Que ressentez-vous d'être ici, cloué à un lit ?*

LE PATIENT — *Vous ne pouvez pas savoir, Docteur. Il faut l'avoir vécu. Le pire, ce ne sont pas les souffrances physiques, car on réussit assez bien à les soulager. Vous savez, quand vous vous en allez, quand vous sortez de ma chambre en me disant « Je vous reverrai demain », j'ai peur. J'ai très peur parce que je suis à votre merci. Je me demande : « Va-t-il vraiment revenir ? » Et je me dis que demain vous serez peut-être très occupé et que vous allez m'oublier. J'ai peur.*

La peur de l'abandon est une constante chez les patients en phase préterminale ou terminale de leur maladie. Ils voient qu'ils se détériorent physiquement, qu'ils deviennent de plus en plus dépendants et, souvent, que leur apparence physique n'a rien d'agréable. Il est donc très important que le médecin rassure son patient quant à cette peur de l'abandon. Cela peut, et même devrait, se faire à plus d'une reprise : au moment de l'annonce de l'issue fatale, en présence de complications et dans les cas de détériorations importantes.

Le médecin — *Malheureusement, je ne peux pas vous guérir. Mais je peux vous soulager, et je vous promets que je le ferai. Même si vous devenez beaucoup plus faible, je serai là. Toute l'équipe et moi-même, nous continuerons de vous accompagner jusqu'à la fin. Je vous promets que nous serons là, avec vous !*

Ce rappel explicite du contrat avec le patient, ces mots qui rassurent sont essentiels. Si le médecin ne communique pas sur ce plan avec le patient, s'il ne réussit pas à le convaincre qu'il ne l'abandonnera pas, toutes les autres rencontres seront teintées de cette peur. Le médecin pourra bien soulager la douleur physique du patient, mais la souffrance émotive de ce dernier, souvent plus douloureuse, ne pourra être soulagée que par une communication claire et sans équivoque de l'adhésion du médecin au contrat de prise en charge jusqu'à la mort.

Une étude qui portait sur ce que les patients disaient de l'entrevue pendant laquelle le médecin leur avait annoncé le diagnostic fatal a montré que ce n'était pas tellement les renseignements donnés qui étaient importants aux yeux des patients, mais surtout le soutien émotif qu'ils avaient reçu à ce moment, les discussions concernant la prise en charge et les choix thérapeutiques (Butow et autres, 1996).

Ce qui semble le plus important pour les patients, c'est la garantie de l'accessibilité aux services d'infirmières et de médecins 24 heures par jour (Kristjanson, 1989). Dans le contrat de prise en charge, le médecin doit s'engager à être là quand le patient a besoin de lui. Il arrive souvent que les patients disent ne pas avoir assez de renseignements sur leur situation, mais ils ne se plaignent pas d'un manque de données sur leur diagnostic ou leur pronostic à long terme (Brewin, 1977). Ils veulent plutôt connaître la planification des jours et des semaines à venir et savoir comment joindre le médecin ; ils souhaitent surtout qu'on leur montre un grand intérêt en les considérant comme des personnes.

Un des problèmes majeurs du contrat de prise en charge, c'est le transfert du patient d'un médecin à un autre ou d'une infirmière à une autre. La communication est déjà difficile entre deux individus qui se rencontrent fréquemment. Lorsqu'on change d'intervenant, la communication de qualité devient beaucoup plus difficile, et parfois presque impossible.

Dans le contrat de prise en charge, il faut donc s'engager personnellement envers le patient, sans omettre de parler des autres membres de l'équipe et de leur engagement. Il faut expliquer au patient qu'on sera là n'importe quand et qu'on le soulagera de son mieux.

« Ne lui dites pas, il ne pourrait pas le supporter ! »

« Ne lui dites pas, il ne pourrait pas le supporter ! » Combien de fois les médecins entendent-ils ces paroles ? Au fond, qui cache quoi à qui ? Voyons un exemple.

Un gastroentérologue adresse un patient au médecin d'un service hospitalier en lui expliquant que ce patient souffre d'un cancer inopérable du pancréas et que personne ne lui a annoncé le diagnostic. Le gastroentérologue n'a pas osé le faire, car la famille, y compris sa femme, s'oppose à une telle annonce.

Le médecin rend visite au patient dans sa chambre d'hôpital. Le patient est assis sur une chaise et le médecin s'avance vers lui en se présentant et en tendant la main.

LE PATIENT — (en serrant la main au médecin) *Bonjour, Docteur !*

Le médecin tire une chaise et s'assoit près du patient.

LE MÉDECIN — *Je travaille en équipe avec votre gastroentérologue.*

LE PATIENT — (en regardant le médecin droit dans les yeux) *Docteur, est-ce que j'ai le cancer ?*

LE MÉDECIN — (sans hésiter) *Oui.*

LE PATIENT — *Combien de temps me reste-t-il à vivre ? Un mois ? Six mois ? Un an ?...*

LE MÉDECIN — *C'est difficile d'être précis, et nous pouvons nous tromper souvent. Probablement, moins de un an.*

LE PATIENT — (soudain inquiet) *Docteur, comment vais-je annoncer ça à ma femme ?*

Situation plutôt pathétique : chacun pense à tort que l'autre ne sait rien de la situation, et chacun veut protéger l'autre. Tant de gens croient qu'en ne disant rien au patient il ne se doutera de rien et croira que tout va pour le mieux dans le meilleur des mondes. C'est oublier que la plupart des patients qui vivent une telle situation, peut-être même tous, constatent que leur santé se détériore. Ces patients voient aussi les figures inquiètes et tristes de leurs proches, même si ces derniers tentent de cacher leurs émotions. Tant de patients et leurs proches semblent ignorer qu'ils pourraient s'apporter un soutien mutuel – si seulement tous connaissaient la vérité !

Voyons un autre cas.

Une femme consulte un médecin à son cabinet pour la première fois. Elle l'informe, sans utiliser le mot *cancer*, qu'elle lui a été adressée à cause d'une récidive de tumeur. Pendant environ cinq mois, elle rend visite régulièrement au médecin, toujours seule et sans jamais utiliser ni le mot *tumeur* ni le mot *cancer*. Cette femme habite seule et aime bien son indépendance.

Un jour, trop faible pour continuer de vivre seule chez elle, elle se rend à l'hôpital, accompagnée de son fils unique – dont elle n'a jamais parlé au médecin. Une fois sa mère admise à l'hôpital, le fils amène le médecin à l'écart pour lui parler.

LE FILS — *Vous savez, Docteur, je suis vraiment très inquiet. Ma mère ne parle jamais du diagnostic : elle ne semble pas être au courant. De toute façon, je pense que si elle le savait, elle serait tout à fait découragée...*

LE MÉDECIN — *Ça doit être difficile pour vous de le savoir et de ne pas pouvoir en parler avec elle ?*

LE FILS — *Oui, terriblement difficile.*

Plus tard, le médecin rend visite à la patiente dans sa chambre d'hôpital.

LE MÉDECIN — *Votre fils est venu me voir après votre admission.*

LA MÈRE — *Et comment était-il ?*

LE MÉDECIN — *Très triste, à cause de votre maladie... Il pense que vous n'êtes pas au courant.*

LA MÈRE — *Je sais très bien ce que j'ai, mais je n'aime pas en parler, surtout avec mon fils, parce qu'alors, je deviens triste. Et je ne veux pas lui faire de peine.*

Chaque patient communique avec les membres de sa famille et avec son médecin à *sa* façon. Le rôle du médecin, c'est d'aider le patient à communiquer comme bon lui semble. Bien sûr, il est essentiel pour le médecin de rencontrer les proches du patient, après avoir obtenu la permission de ce dernier. Cependant, pour obtenir cette permission, il n'est pas toujours nécessaire d'informer le patient du diagnostic. Il suffit souvent de lui poser une question, comme la suivante : « Me permettez-vous de parler de votre état de santé avec votre femme et vos enfants ? » La très grande majorité des patients donneront leur autorisation. Il suffit alors de rencontrer les proches et de leur expliquer que, si le patient leur pose des questions précises, c'est qu'il a besoin de savoir et que le fait de savoir l'aidera dans son cheminement.

Il y a peu de données empiriques sur la façon d'annoncer une mauvaise nouvelle au patient[3]. Bien que la communication du diagnostic semble importante, une étude rapporte que seulement 14 % des patients interrogés ont dit que la discussion sur le diagnostic était ce qui les préoccupait le plus (Lind, DelVecchio-Good, Seidel, Csordas et Good, 1989). Ce serait plutôt la discussion sur le pronostic et les choix thérapeutiques qui constituent les éléments les plus importants dans la communication avec le médecin.

Est-il préférable d'annoncer le diagnostic au patient en présence de membres de la famille ou d'un autre proche ou bien, au contraire, le médecin devrait-il le faire seul à seul avec le patient ? Faut-il appeler les choses par leur nom et utiliser très clairement des mots comme *cancer* ? Même si nous n'avons pas toutes les réponses à ces questions, nous savons que ce ne sont pas tant les renseignements donnés qui prédisent le bien-être psychologique du patient avec l'idée du cancer, mais plutôt le comportement du médecin (Butow et autres, 1996). Les patients veulent que le médecin leur permette un certain espoir – que cet espoir soit réaliste ou non (Kübler-Ross, 1970). Ils réagissent généralement favorablement si, malgré l'annonce d'une mauvaise nouvelle, le médecin est ouvert à l'espoir.

Faut-il dire la vérité au patient ?

Le fils d'un patient téléphone au médecin.

LE FILS — *Docteur, vous allez voir mon père demain. Il a terminé un traitement de radiothérapie pour des métastases osseuses d'un cancer du poumon. C'est le radio-oncologue qui vous l'envoie. Mon père ne sait pas qu'il a le cancer, il se pense guéri depuis la pneumonectomie qu'il a subie il y a un an. Allez-vous lui dire qu'il a le cancer ?*

Le lendemain, le médecin reçoit le patient, un homme joyeux et en forme qui lui dit avoir reçu un traitement de radiothérapie pour un mal de dos et avoir été opéré pour un cancer un an plus tôt. L'entrevue est sur le point de se terminer sans que le patient n'ait posé de questions sur le diagnostic du médecin.

LE MÉDECIN — *Je vous propose des analgésiques pour vos douleurs. Par ailleurs, j'aimerais que vous passiez une analyse sanguine.*

LE PATIENT — *D'accord, Docteur !*

LE MÉDECIN — *Avez-vous des questions ? Des inquiétudes dont vous aimeriez parler ?*

LE PATIENT — *Non.*

Un an plus tard, le patient décède, sans jamais avoir posé au médecin une seule question directe sur le diagnostic.

Faut-il dire la vérité, *toute* la vérité à un patient ? Doit-on absolument lui dire qu'il est porteur d'une maladie mortelle, si tel est le cas ? Les questions de ce genre soulèvent d'autres questions. Quel est le contexte de la rencontre avec le patient ? Est-ce la première rencontre ? Le patient a-t-il trop peur de la vérité ? Est-il mal à l'aise avec un médecin qu'il ne connaît pas ? Le médecin a-t-il déjà rencontré le patient seul à seul ou bien celui-ci était-il toujours accompagné d'un proche ? Si le patient est toujours accompagné, est-il possible qu'il ne pose pas de questions dans le but de protéger les siens d'une mauvaise nouvelle ? Le médecin est-il pressé par le temps pendant l'entrevue ? Le patient sent-il que le médecin a le temps de répondre à des questions difficiles ? Le médecin a-t-il clairement demandé au patient s'il avait des questions, en lui donnant tout aussi clairement le message, par son langage non verbal, qu'il est à l'aise de répondre à ses questions ? Le médecin qui se tient à distance, debout dans l'embrasure de la porte, pour demander au patient s'il a des questions ne donne pas tout à fait le même message que s'il s'assoit sur le bord du lit, près du patient.

Bien sûr, le patient a le droit de savoir, mais il a également le droit de ne pas savoir. C'est le patient qui doit guider le médecin dans ce qu'il faut dire et ce qu'il ne faut pas dire. Le fait de ne pas savoir ne prive pas le patient des soins qui peuvent le soulager. Le médecin devrait se conformer aux choix du patient, mais il devrait aussi établir un dialogue dans un contexte qui permet au patient de poser toutes les questions qu'il veut.

Certains intervenants disent que le déni n'est pas une bonne chose et qu'il faut toujours s'y opposer en disant toute la vérité au patient. Ces personnes adoptent une position plutôt doctrinaire (Brewin, 1977). Le déni peut être très utile, et il est souvent préférable de le respecter en ne répondant qu'aux questions précises que le patient pose. De plus, le pronostic du médecin ou l'attitude du patient peuvent changer en tout temps, et le médecin doit alors affronter une situation très différente de la précédente. Le médecin doit adapter la communication avec le patient aux diverses situations, toujours en respectant le cheminement de ce dernier.

Les rencontres familiales

Certains patients vivent isolés, mais la plupart ont un conjoint, des enfants, des frères, des sœurs, des cousins, de très bons amis, etc. Dans l'entourage d'un patient en soins palliatifs, tout le monde est inquiet. Tout le monde veut savoir ce qu'il en est. Lorsqu'il y a plusieurs personnes significatives dans l'entourage d'un patient, une réunion familiale est indiquée. Une telle réunion permet au médecin de donner les mêmes renseignements à tout le monde, d'éviter les « faux messages », de répondre aux questions et de comprendre les inquiétudes de chacun. Souvent, cette réunion est l'occasion où les proches peuvent exprimer leur souffrance. On profitera de cette réunion pour la prise de décision : un retour à domicile ou l'hospitalisation.

Il ne faut pas se le cacher : les réunions familiales exigent beaucoup du médecin. Elles peuvent réunir jusqu'à 10 ou 12 personnes et le médecin doit s'attendre à tout. Il est bon d'établir un cadre pour tenir de telles rencontres, y compris le rappel du contrat initial et l'exploration, et de terminer de façon organisée (Erstling et Devlin, 1989). Voici un exemple de début de réunion familiale :

LE MÉDECIN — *Bonjour. Je suis le Dr X. Je suis le médecin de M. Y et je vous remercie d'avoir accepté mon invitation à venir me rencontrer. Cela témoigne de l'attachement que vous avez pour M. Y. Il y en a certains parmi vous que je n'ai jamais rencontrés. Pourriez-vous tous vous présenter à tour de rôle ? J'aimerais connaître votre nom et votre lien avec M. Y.*

Lorsque les gens se présentent, il est approprié de leur serrer la main. Inutile de préciser que la réunion doit se tenir dans un lieu qui protège la confidentialité. On préférera une pièce où tous les gens sont assis en cercle ou autour d'une table.

LE MÉDECIN — *Je profiterai de cette rencontre pour expliquer ce que je sais sur l'état de santé de M. Y. Ensuite, je répondrai à toutes vos questions.*

Il est important que le médecin tienne compte des émotions qu'il perçoit chez les participants. Il faut aussi encourager les personnes qui parlent peu à s'exprimer.

Dans une étude descriptive qui avait pour but de déterminer les besoins de la famille d'un patient atteint du cancer, Wright et Dyck (1984) ont conclu à l'existence de quatre problématiques particulières :

1. Les problèmes créés par les symptômes dus à la maladie ;
2. La peur de ce qui arrivera ;
3. Les difficultés de l'attente ;
4. Les difficultés d'obtenir des renseignements complets.

Aussi, les familles que le médecin rencontre ne sont pas toutes pareilles : on peut en délimiter au moins six types (Friedrichsen, Strang et Carlsson, 2001) :

1. Les familles qui insistent pour qu'on dise tout au patient ;
2. Celles qui veulent garder le secret ;
3. Celles qui veulent tout contrôler ;
4. Celles qui remettent tout entre les mains du médecin ;
5. Celles qui se sentent exclues ;
6. Celles qui coopèrent facilement.

Il peut arriver qu'il soit facile d'entrer en relation et de communiquer avec la famille d'un patient, mais la combinaison d'une problématique particulière avec un type de famille particulier peut entraîner une communication difficile et même tendue.

Si des conflits éclatent pendant une rencontre familiale, force est de les constater, mais ce n'est certes pas le rôle du médecin de tenter de les régler. Le médecin ne peut pas résoudre des problèmes interpersonnels qui existent depuis des années. Par contre, il est parfois nécessaire de jouer le rôle d'arbitre.

LE MÉDECIN — *Veuillez m'excuser de vous interrompre, mais j'aimerais dire un mot. Je constate que vous avez des opinions qui ne sont pas les mêmes, et je respecte cette divergence. Néanmoins, nous ne pourrons pas régler vos différends ici. Je vous rappelle que nous sommes réunis pour mieux comprendre l'état de santé de M. Y et trouver les meilleurs moyens de l'accompagner dans une période difficile de sa vie. Si vous avez d'autres questions, je suis toujours disposé à y répondre. Sinon, voici le plan thérapeutique que je propose pour le suivi de M. Y, à la lumière de ce que j'ai entendu pendant cette rencontre.*

Parfois le patient lui-même souhaite participer à la rencontre. C'est son droit. Il faut alors s'assurer qu'il comprend dans quoi il s'engage s'il le fait.

LE MÉDECIN — *Certainement, vous pouvez participer à cette rencontre. C'est de vous qu'on parle et, en fait, vous avez tous les droits sur cette rencontre. Mais je dois vous rappeler que nous allons parler ensemble de votre maladie, en détail, et que cela pourra être difficile pour tout le monde, y compris pour vous.*

Si le patient assiste à la rencontre, le médecin doit dire les mêmes choses et se comporter de la même façon que s'il avait décidé de ne pas être là, à cela près qu'il est préférable de lui demander de formuler explicitement ses souhaits par rapport à la rencontre et de s'assurer de lui offrir l'occasion d'intervenir quand il le désire.

À la fin de la rencontre, le médecin trouvera utile de résumer et de valoriser les participants, en plus de leur réitérer son offre de disponibilité.

LE MÉDECIN — *Je pense que nous avons fait le tour de toutes les questions. Si j'ai bien compris, vous seriez disposés à prendre votre père chez vous si nous vous assurons le soutien infirmier et le suivi médical. Je vous remercie beaucoup d'être venus aujourd'hui. Votre participation nous permet de bien planifier le suivi. Si vous avez d'autres questions ou suggestions, vous pouvez me joindre en téléphonant à l'hôpital.*

La spiritualité

Un médecin des soins palliatifs rend visite à une femme âgée de 39 ans dans sa chambre d'hôpital. Elle a été hospitalisée pour vomissements et douleurs abdominales, et on a découvert des métastases d'un cancer de l'estomac pour lequel elle avait subi une gastrectomie un an plus tôt. Ses symptômes physiques sont maîtrisés et, quand le médecin entre dans la chambre, elle a l'air paisible, assise près de la fenêtre. Elle sait pertinemment que le médecin vient du service des soins palliatifs, ce qui permet d'emblée au praticien de parler des réactions qu'elle peut avoir à l'égard de sa maladie. Le médecin s'approche d'elle et s'assoit à ses côtés, ce qui envoie à la patiente un message d'intérêt et d'empathie et lui indique que le médecin a le temps de parler.

LE MÉDECIN — *Comment avez-vous réagi quand vous avez appris que le cancer était revenu?*

LA PATIENTE — *C'est dur. Je pensais être guérie.*

LE MÉDECIN — *Est-ce que ça vous fait peur?*

LA PATIENTE — *Non.*

LE MÉDECIN — *Ça me surprend. L'idée de mourir ne vous fait pas peur?*

LA PATIENTE — *Pas du tout, Docteur.*

LE MÉDECIN — *Qu'est-ce qui, selon vous, arrive après la mort?*

LA PATIENTE — *Rien, je pense. Du moins, je l'espère…*

LE MÉDECIN — *Pourquoi ?*

LA PATIENTE — *Parce que s'il n'y a rien, alors ça va être mieux que la vie que j'ai eue !*

LE MÉDECIN — *Vous avez eu une vie remplie de souffrances ?*

LA PATIENTE — (après avoir raconté les nombreuses périodes difficiles de sa vie) *Donc, quand je serai morte, ce sera mieux : je ne souffrirai plus et je serai heureuse.*

LE MÉDECIN — *Vous m'avez pourtant dit tout à l'heure qu'il n'y avait rien après la mort, selon vous.*

LA PATIENTE — (en riant aux éclats) *C'est vrai !*

LE MÉDECIN — *Êtes-vous croyante ?*

LA PATIENTE — (sans aucune hésitation) *Oui. Je suis catholique.*

LE MÉDECIN — *Avez-vous eu l'occasion de voir un prêtre depuis que vous avez été hospitalisée ?*

LA PATIENTE — *Non, mais j'aimerais ça. J'aimerais beaucoup ça.*

LE MÉDECIN — *Voulez-vous que j'en parle à l'aumônier de l'hôpital ? Il pourrait venir vous voir aujourd'hui.*

LA PATIENTE — *Oui, s'il vous plaît !*

Le médecin n'est ni un prêtre ni un pasteur. Il n'a pas la formation pour conseiller ses patients sur leur vie spirituelle ou religieuse, et ce n'est pas son rôle. En soins palliatifs, cependant, le médecin a toujours la responsabilité d'« ouvrir la porte », de comprendre les intérêts, les croyances et les besoins spirituels de son patient, de chercher la ressource appropriée pour aider ce dernier dans son cheminement spirituel.

À l'occasion, le patient s'enquerra des croyances du médecin. Il est alors convenable, si le médecin le souhaite, de les partager. Il peut aussi être approprié pour le médecin, lorsque les croyances sont partagées, de prier avec le patient, mais lorsqu'il s'engage dans un échange spirituel, le médecin doit toujours être attentif à ne pas imposer ses propres croyances. L'important, ce n'est pas de prier ensemble, mais plutôt de comprendre la vie spirituelle du patient et de l'orienter vers les ressources appropriées.

Kristjanson (1989) a noté des corrélations entre la religion du patient et certaines de ses préférences. Ainsi, il est surprenant de constater que les personnes qui ont des convictions religieuses accordent plus d'importance à l'accessibilité du médecin que celles qui n'en ont pas. En effet, les recherches de cet auteur montrent que de 46 % à 64 % des personnes qui pratiquent une religion considèrent l'accessibilité du médecin comme un des éléments les plus importants à leurs yeux, en comparaison de seulement 14 % des personnes sans religion. Cet écart s'explique peut-être par le fait que les gens qui pratiquent une religion ont l'habitude de faire confiance à ceux qui représentent leur dieu sur cette terre, alors que les gens sans religion ont vécu leur vie de façon plus indépendante. Ces considérations mettent à nouveau en évidence l'importance de la première rencontre avec le patient, alors que s'établit le contrat de prise en charge, peut-être encore plus pour les gens qui ont des convictions religieuses. Quoi qu'il en soit, l'accessibilité du médecin est un facteur incontournable en soins palliatifs.

L'histoire de vie

LE MÉDECIN — *Maintenant que vos douleurs sont maîtrisées, j'aimerais apprendre à vous connaître un peu mieux. Me permettez-vous de m'asseoir pour qu'on parle un peu ? Peut-être pourriez-vous me parler de vous ?*

LE PATIENT — *Que voulez-vous savoir, Docteur ?*

LE MÉDECIN — *Ce qui vous semble important. Tenez, parlez-moi de votre jeunesse. Où êtes-vous né ? Faites-vous partie d'une grande famille ? Que faisaient vos parents ?*

L'histoire de vie est un élément essentiel de la communication médecin-patient, sauf si la rencontre se fait dans les dernières heures de la vie. En soins palliatifs, il faut rapidement apprendre à connaître le patient, non seulement sa maladie et ses symptômes, mais la *personne* elle-même. Qui est ce patient ? Quelles sont ses valeurs ? De quoi est-il fier ? Qu'a-t-il vécu de pénible ? Les symptômes se ressemblent d'un patient à l'autre, mais la vie de chaque personne est unique. C'est en apprenant l'histoire de vie d'un patient qu'on peut ensuite comprendre la *personne* malade, avec ses peines et ses espoirs.

Le moment pour encourager le patient à parler de lui-même et de son passé doit être bien choisi. Le patient ne doit pas être trop souffrant et le médecin doit disposer d'une vingtaine de minutes. En effet, on peut explorer la plupart des histoires de vie dans ce laps de temps. Il ne s'agit pas de chercher à connaître tous les détails du passé du patient, mais plutôt les grandes lignes. Le médecin devrait s'asseoir, ce qui donne au patient le message de ne pas être pressé. Le patient et le médecin devraient être installés confortablement, ce qui favorise l'attention et l'écoute. Le médecin ne devrait pas prendre de notes, de façon à mieux fixer son attention sur le patient. Il ne s'agit pas de verser au dossier médical une foule de détails, mais plutôt de se faire une impression générale de la vie du patient, une sorte de *gestalt*.

Certaines personnes sont inhibées ou simplement timides, et elles ne savent pas trop quoi dire dans ces circonstances. Dans ce cas, le médecin peut alors guider le patient, l'aider par ses questions, tout en utilisant les moments de silence. Il devrait tenter de savoir quelles ont été les relations interpersonnelles les plus enrichissantes, et aussi les plus souffrantes, pour le patient. Il est très utile de comprendre ce dont le patient est le plus fier et ce qu'il regrette le plus.

Inévitablement, la rencontre enrichira la qualité de la relation médecin-patient. Le patient percevra l'intérêt du médecin pour sa personne et non pas seulement pour ses symptômes ou sa maladie. L'histoire de vie devrait se faire systématiquement dès les premières rencontres du médecin avec le patient.

Mourir chez soi ?

Un médecin est appelé à faire une visite au domicile d'une personne malade qu'il voit pour la première fois. Il s'agit d'un homme âgé de 68 ans, qui souffre de douleurs lombaires. Il est porteur d'une masse iliaque, métastase d'un cancer du rectum pour lequel il a été opéré un an plus tôt. Il a reçu des traitements de chimiothérapie qu'on a dû interrompre un mois auparavant parce qu'il était trop faible. Le médecin se trouve devant un homme cachectique et souffrant. L'examen physique ne montre qu'une masse iliaque et l'incapacité de se lever du lit.

LE MÉDECIN — *Qu'est-ce qu'on vous a dit au sujet de votre maladie?*

LE PATIENT — *On m'a dit que c'était un cancer pour lequel il n'y a plus rien à faire.*

LE MÉDECIN — *Et qu'est-ce ça veut dire pour vous?*

LE PATIENT — *Ça veut dire que je suis fini, Docteur.*

LE MÉDECIN — *Il est vrai que ni moi ni les autres médecins ne pouvons vous guérir, mais nous pouvons vous soulager, vous rendre la vie plus confortable et vous accompagner. Maintenant, je me dois de vous poser une question assez directe, qui vous paraîtra probablement difficile: où préférez-vous finir vos jours, ici à la maison ou à l'hôpital?*

Il est très important de savoir ce que le patient souhaite en la matière. Il est tout aussi important de connaître les désirs de la famille. Ainsi, il est bon de rencontrer les proches, en l'absence du patient, pour leur permettre d'exprimer leurs désirs et leurs craintes le plus librement possible. Si les proches ne souhaitent pas le décès à domicile, il est très important d'en informer le patient. Idéalement, c'est un membre de la famille qui devrait le dire à la personne malade, mais la présence du médecin rend souvent cette conversation plus facile. Parfois, les membres de la famille se sentent incapables d'assumer la transmission de ce message; le médecin peut alors s'en charger en présence de la famille. Dans certains cas, les membres de la famille refuseront d'être présents à la rencontre où le médecin informera le patient de leur désir; l'annonce de leur décision peut alors être plus difficile à accepter par la personne malade.

Si le patient et ses proches souhaitent un décès à domicile, il faut s'assurer d'un soutien adéquat. Très souvent dans ces cas, il faut déculpabiliser les proches, surtout le conjoint.

LE MÉDECIN — (au conjoint) *Vous avez le droit de dire non. C'est très épuisant que de prendre soin d'une personne alitée. Et si vous vous rendez vous-même malade, vous ne serez pas tellement utile à votre conjoint. Vous êtes un être humain, vous avez vos limites. Vous avez d'abord la responsabilité de voir à votre propre santé, même dans les circonstances actuelles.*

Quand le médecin tient ce genre de propos, il est indiqué de regarder le proche dans les yeux, et même de poser sa main sur son bras ou sur son épaule en signe d'encouragement et d'empathie.

LE MÉDECIN — (au conjoint) *Si vous décidez maintenant de garder votre conjoint à domicile, vous pourrez toujours changer d'idée plus tard. L'hôpital restera toujours ouvert pour l'accueillir.*

En sachant qu'il est toujours possible de changer d'idée, plusieurs familles voudront tenter les soins à domicile.

Les besoins des proches qui acceptent de prendre soin du patient à la maison sont multiples (Hinds, 1985). Ainsi, dans cette étude, les familles ont exprimé le besoin de savoir qui appeler pour discuter de leur anxiété, voire de leur angoisse. Par ailleurs, 16 % des gens ont souhaité une amélioration de la communication avec les professionnels de la santé. En effet, deux des cinq éléments jugés les plus importants sont la confiance accordée au médecin et le fait que le patient soit traité non pas comme une maladie, mais comme une personne (Kristjanson, 1989). Il est clair que la communication médecin-patient est toujours un des facteurs les plus importants en soins palliatifs, que ce soit au cabinet du médecin, à l'hôpital ou à domicile.

Comment parler de la réanimation

Un médecin rencontre le conjoint (lui aussi médecin) d'une femme malade en phase terminale.

LE MÉDECIN — *Je sais que vous comprenez que votre femme est très malade. Je sais aussi que vous allez consulter son dossier. Vous y trouverez un ordre de non-réanimation.*

LE CONJOINT — *Mais je ne suis pas d'accord !*

LE MÉDECIN — *Je ne vous ai pas demandé votre accord. Je vous avise simplement que j'ai pris la décision et que je l'ai inscrite au dossier. Vous savez que votre femme, quoi qu'on fasse, va bientôt mourir. Toute réanimation serait futile, et vous le savez très bien. Ces mesures ne réussiraient très probablement pas et, même s'il y avait une réussite physiologique, elle serait brève et au prix de souffrances physiques importantes. Pourquoi lui imposer d'autres souffrances ?*

Le concept de futilité est très important en soins palliatifs. Si, en toute conscience, le médecin croit qu'une réanimation serait futile, alors il n'a pas à l'offrir, il n'a pas à en discuter avec le patient. Il doit cependant en aviser la famille dès qu'il est fixé sur cette futilité. Dans le cas précédent (adapté d'une situation réelle), il a fallu trois jours au conjoint pour accepter la décision de non-réanimation. Généralement, c'est plus facile. Il s'agit de rencontrer les proches et de leur expliquer la situation.

LE MÉDECIN — *La maladie progresse. Nous ferons tout pour que votre (père, mère, etc.) souffre le moins possible. Cependant, si son cœur ou sa respiration arrête, nous ne mettrons pas un tube dans ses poumons, nous ne donnerons pas de chocs électriques pour tenter de réanimer le cœur. Ce serait inutile. Ça ne réussirait pas et ça lui causerait d'autres souffrances.*

La plupart des familles sont spontanément d'accord, voire soulagées par une telle explication.

Les soins palliatifs ont beaucoup changé. De nos jours, les médecins traitent souvent des patients tôt dans l'évolution de leur maladie, alors que ceux-ci ont encore plusieurs mois, voire peut-être une année, de vie de bonne qualité. Pour ces personnes malades, la réanimation peut réussir, surtout s'il s'agit d'un problème d'arythmie non liée au cancer.

Au moment d'une hospitalisation, il est important de comprendre ce que souhaite vraiment le patient.

LE MÉDECIN — *Vous avez une obstruction dans votre intestin, causée par votre cancer. Le chirurgien dit qu'avec une opération il y a de bonnes chances de pouvoir régler le problème. Ça ne vous guérira pas, mais ça vous permettra de manger de nouveau et de reprendre des forces. Voulez-vous faire un autre bout de chemin?*

Si le patient répond oui à ce genre de question, il est alors approprié de s'assurer qu'il veut être réanimé en cas de complication cardiorespiratoire. De plus en plus de patients sont en soins palliatifs actifs et plusieurs souhaitent bénéficier de la réanimation, le cas échéant.

Que dire aux jeunes enfants?

Une femme mourante est hospitalisée en soins palliatifs depuis un certain temps. Son mari, immigrant, doit travailler de longues heures à l'extérieur de la ville. Leur fils, âgé de sept ans, est placé chez des amis et dans une garderie communautaire. L'enfant est déjà venu voir sa mère à quelques reprises à l'hôpital et il se trouve sur place au moment du décès de sa mère. Un proche l'amène alors au poste des infirmières et repart. Les infirmières installent l'enfant à une table, près d'elles, et lui donnent des crayons de couleur et du papier en l'encourageant à dessiner. Elles appellent le médecin de la mère décédée. Quand le médecin arrive, l'enfant est en train de dessiner une maison. Il s'assoit près du petit.

LE MÉDECIN — *Est-ce que c'est ta maison?*

L'enfant hoche la tête de haut en bas.

— *Je suis le médecin de ta maman. Elle avait une très grosse maladie. Maintenant, elle est comme endormie. Elle n'a pas mal. Elle s'est endormie et elle va rester endormie. Elle ne se réveillera plus. Elle n'a pas mal. Veux-tu venir la voir avec moi?*

L'enfant acquiesce de nouveau, sans dire un mot. Le médecin le prend par la main et, ensemble, ils parcourent le corridor jusqu'à la chambre de la mère. Ils sont seuls. Le garçon s'approche du lit avec le médecin et regarde sa mère, sans bouger, sans manifester aucune émotion.

— *Tu peux la toucher, si tu veux. Tu peux lui parler aussi. Mais tu n'es pas obligé.*

Le médecin se penche, prend la main de l'enfant et la pose sur la main de sa mère. L'enfant laisse sa main ainsi pendant une minute et il la retire, sans détacher le regard du corps de sa mère ni manifester aucune émotion. Le médecin et l'enfant restent là pendant cinq minutes.

— *Veux-tu retourner dessiner avec les infirmières?*

La communication avec un enfant à l'occasion du décès d'un de ses proches est toujours déchirante pour l'intervenant. On trouve la situation cruelle, injuste et tragique. Malgré cette empathie, on est très mal outillé pour communiquer, car la plupart des intervenants ont peu d'expérience avec les enfants dans ce genre de situation.

Les enfants de moins de cinq ne comprennent pas le caractère permanent de la mort (Kübler-Ross, 1970) et il serait inutile, voire cruel, d'essayer de leur faire comprendre. Ce dont ces jeunes enfants ont très peur, c'est l'abandon. Il est donc important, en communiquant avec eux, de les rassurer sur le fait qu'il y a beaucoup de gens qui s'occupent d'eux et que les autres proches ne s'endormiront pas comme leur proche décédé. Il faut évidemment employer des mots simples et des phrases courtes. Il est bon que le visage de l'intervenant soit à la même hauteur ou même plus bas que celui de l'enfant, pour éviter de l'effrayer. Cela implique qu'il faut s'asseoir sur une chaise ou s'accroupir, ou même s'asseoir par terre avec l'enfant.

Les jeunes de sept ou huit ans semblent comprendre la permanence de la mort et ils vivent donc une tristesse aussi intense que celle des adultes. Eux aussi ont besoin d'être rassurés sur le fait qu'ils sont bien entourés. Ils ont surtout besoin qu'on leur rappelle qu'eux-mêmes ne sont pas en danger de mourir et que les autres proches ne le sont pas non plus. Les communications se font avec le regard, le sourire et les dessins. La communication verbale est surtout utilisée par les intervenants ; la plupart des enfants de sept ou huit ans ne parleront pas beaucoup dans ces circonstances souffrantes.

Parfois, avant le décès du proche, il peut arriver qu'un parent demande au médecin quoi dire à son enfant au sujet de la maladie ou bien qu'il lui demande de le faire à sa place. Le médecin doit alors clairement expliquer à l'enfant qu'il est le médecin de ce proche, que celui-ci est très malade et qu'il deviendra plus faible. Le médecin explique aussi qu'il arrivera un moment où le proche sera peut-être trop endormi pour pouvoir parler. Le médecin dit à l'enfant qu'il veillera à ce que le proche ne souffre pas, qu'il n'ait pas mal. Il est aussi important de demander à l'enfant s'il a des questions et d'y répondre. L'enfant sort le plus souvent d'une telle rencontre rassuré et réconforté.

La demande d'euthanasie

Une femme âgée de 65 ans est hospitalisée. Dans le corridor, sa fille et son conjoint interpellent le médecin.

LA FILLE — *Docteur, pouvez-vous lui donner quelque chose ?*

LE CONJOINT — *Pour que ça finisse…*

Le médecin suit cette patiente depuis plusieurs mois pour un cancer pulmonaire. Elle est maintenant en phase terminale ; elle ne mange plus et boit peu. Le médecin estime qu'il ne lui reste tout au plus que quelques jours à vivre.

LE MÉDECIN — *Avez-vous l'impression qu'elle souffre ?*

LE CONJOINT — *Non, mais c'est très long…*

LA FILLE — *On ne pourrait pas en finir plus rapidement ?*

LE MÉDECIN — *C'est terriblement souffrant pour vous, n'est-ce pas, de la voir si faible, si peu consciente, dans l'attente de la mort ?*

Il est essentiel pour le médecin de tenir compte du désarroi des proches dans ses paroles, dans son regard, dans ses gestes, ne serait-ce que par le fait de poser la main sur le bras de son interlocuteur. Il est tout aussi essentiel de vérifier avec les proches s'il y a une souffrance du patient qui n'a pas été suffisamment soulagée. Souvent, les proches sont les meilleurs juges, et il faut alors ajuster les traitements en fonction de ce qu'ils disent.

LE MÉDECIN — *Je ne sens pas que j'ai le droit, en tant que médecin, d'enlever la vie. Par contre, j'ai non seulement le droit, mais aussi le devoir de soulager votre conjointe. Soyez assuré que les infirmières et moi-même ferons de notre mieux pour lui garder la vie confortable. Elle partira en douceur, calmement.*

Quand il est clairement question d'euthanasie, la situation est parfois plus difficile.

Une femme hospitalisée est en phase terminale. Elle n'a plus aucune souffrance, sinon une très grande faiblesse.

LA PATIENTE — *Docteur, je suis prête. Je ne sais pas pourquoi le bon Dieu ne vient pas me chercher. Je sais que je ne me lèverai plus jamais de ce lit. Tout ce que je fais, c'est attendre la mort. Pourriez-vous me donner un médicament qui me permettrait de partir plus vite ? J'en ai vraiment assez d'attendre…*

Le médecin est assis sur le bord du lit et tient la main de sa patiente.

LE MÉDECIN — *Je vous comprends. Vous avez raison, c'est long et pénible. Je ne sais pas pourquoi le bon Dieu ne vient pas vous chercher plus rapidement.*

Dans des cas comme celui-là, le médecin doit montrer sa compréhension de la souffrance et ensuite assurer le patient qu'il ne le laissera pas tomber, que ses visites et celles des infirmières seront régulières, qu'ils feront tout pour rendre l'attente moins pénible.

LE MÉDECIN — *Je ne sens pas que j'ai le droit d'enlever une vie. Mais j'ai le droit et le devoir de vous accompagner dans vos derniers moments, et c'est ce que je ferai du mieux que je peux.*

Nous n'abordons pas les aspects de la communication d'un médecin qui serait en faveur de l'euthanasie ou de l'aide au suicide, car nous n'en avons aucune expérience. Cependant, 12 années de pratique en soins palliatifs nous confirment que les patients et leurs proches sont réconfortés par l'assurance d'un accompagnement et du traitement optimal des symptômes.

Le patient aphasique

Certaines personnes n'ont vraiment pas de chance ! Ainsi, cette femme âgée de 70 ans, qui suit un traitement de chimiothérapie pour une métastase hépatique d'une néoplasie rénale. Elle perd connaissance chez elle. Une fois hospitalisée, les examens démontrent une hémorragie cérébrale massive. Contre toute attente, elle reprend progressivement conscience, mais demeure hémiplégique et incapable de parler.

LE MÉDECIN — *Si vous me comprenez, fermez les yeux.*

La patiente ferme les yeux.

— *Très bien ! Maintenant, bougez les doigts.*

La patiente bouge les doigts.

La première chose à faire avec un patient aphasique est d'établir s'il comprend des ordres simples. Évidemment, il faut se présenter souriant à chaque visite, tenir la main au patient et le regarder dans les yeux pour établir un contact qui se veut chaleureux et rassurant. Reprenons notre exemple.

LE MÉDECIN — *Je voudrais savoir si vous avez mal, si vous éprouvez de la douleur. Si vous avez mal, bougez les doigts.*

La patiente ne bouge pas les doigts ; elle n'éprouve donc aucune douleur. Le médecin veut maintenant savoir si elle veut des soins actifs, en particulier une gastrostomie d'alimentation pour remplacer sa sonde d'alimentation.

— *Présentement, on vous nourrit avec une sonde d'alimentation pour vous permettre de continuer à vivre. C'est cette sorte de tube qui passe par votre nez. Voulez-vous continuer à vivre, même si vous devez demeurer dans un lit ? Si vous voulez continuer à vivre, bougez les doigts.*

La patiente bouge les doigts.

— *On ne peut pas laisser la sonde dans votre nez très longtemps.* (en touchant la région épigastrique de la patiente) *On voudrait vous faire une petite opération pour placer directement un tube dans votre ventre à partir d'ici. Permettez-vous qu'on fasse cette petite opération ? Si oui, bougez les doigts.*

Le médecin et son équipe ont ainsi pu établir un contact efficace et agréable avec cette patiente aphasique. Ils sont arrivés à la faire sourire, à la rassurer, à lui expliquer la nature des soins planifiés et à obtenir son consentement.

La communication avec un patient atteint d'aphasie mixte (qui ne parle pas et ne comprend pas) est des plus limitées. À chaque visite, le médecin doit toucher le patient, le regarder dans les yeux, se présenter et lui exprimer qu'il comprend ses difficultés et ses frustrations. Il faut toujours lui expliquer les gestes qu'on prévoit poser, au cas où il comprendrait un peu.

Dans toute communication avec un patient aphasique, le médecin doit exprimer calme et compassion à l'aide du toucher et du regard.

Le suivi du deuil

LE MÉDECIN — *Bonjour, c'est le Dr Y. Je vous téléphone pour savoir comment vous allez. Ça fait maintenant un mois que votre mari est décédé et je sais que c'est souvent le moment où on ressent le plus l'absence.*

Les membres de la famille et les autres proches d'un patient en fin de vie s'attachent beaucoup au médecin qui s'occupe de ce dernier. Ils lui permettent d'entrer dans leur intimité et de partager avec eux un moment très important de leur vie. Il est bon pour eux, comme pour le médecin, de pouvoir « boucler la boucle » (*closure*). Cette étape peut se faire de plusieurs façons, comme tenir une brève conversation autour de la dépouille mortelle, immédiatement après le décès, faire une visite au salon funéraire ou même assister aux obsèques.

Cependant, dans les jours qui suivent le décès, les proches n'ont pas encore vécu le deuil le plus difficile. Ils ont mis une grande partie de leurs émotions en veilleuse pour s'occuper des obsèques, des réceptions, du testament et de toute la bureaucratie inhérente à ces activités. Un mois après le décès, ils souffrent plus intensément du vide laissé par la mort de l'être cher et ils bénéficieront d'un contact de la part du médecin. Le rôle de ce dernier, en plus de « boucler la boucle » est de s'assurer que le deuil ne semble pas pathologique et d'adresser à leur médecin les gens qui semblent décompenser.

Plusieurs équipes de soins palliatifs organisent une cérémonie commémorative quelques fois par année et y invitent les proches de patients décédés. Si le médecin peut y assister, il a ainsi l'occasion de rencontrer une autre fois les personnes qu'il a côtoyées pendant la maladie terminale de son patient. Pour la famille, c'est le moment privilégié de progresser dans le deuil. À cette occasion, le médecin doit s'attendre à ce que les proches lui parlent de certains détails relatifs aux dernières heures et dont il ne se souvient généralement pas. Quand un médecin consacre beaucoup de temps aux soins palliatifs, certaines expériences avec les patients se ressembleront et pourront même se confondre. Il est bon de prévoir ces oublis et d'entamer la conversation avec les proches par quelques questions ouvertes dont les réponses lui rafraîchiront la mémoire.

LE MÉDECIN — *Ça fait combien de temps, maintenant, qu'il est mort? Rappelez-moi comment vous avez vécu les dernières heures.*

Des questions de ce genre permettent aux proches (sans qu'ils s'en rendent compte) d'aider le médecin à se rappeler les détails relatifs au patient décédé et à témoigner sa sympathie. Le médecin pourra ainsi, tant pour les proches que pour lui-même, boucler la boucle.

Notes

1. À ce sujet, consulter surtout les chapitres de la partie 1 et de la partie 2.
2. En complément au présent chapitre, le lecteur trouvera profitable de lire le chapitre 10, « L'annonce d'une mauvaise nouvelle », le chapitre 19, intitulé « La famille : lorsque des proches participent à la consultation médicale », et le chapitre 30, « La communication en soins à domicile ».
3. Pour en apprendre davantage sur cet art, lire le chapitre 10, intitulé « L'annonce d'une mauvaise nouvelle ».

Références

Brewin, T.B. (1977). « The cancer patient : Communication and morale », *British Medical Journal*, n° 2, p. 1623-1627.

Butow, P.N., J.N. Kazemi, L.J. Beeney, A.-M. Griffin, S.M. Dunn et M.H.N. Tattersall (1996). « When the diagnosis is cancer : Patient communication experiences and preferences », *Cancer*, vol. 77, n° 12, p. 2630-2637.

Erstling, S.S., et J. Devlin (1989). « The single-session family interview », *The Journal of Family Practice*, vol. 28, n° 5, p. 558-560.

Friedrichsen, M.J., P.M. Strang et M.E. Carlsson (2001). « Receiving bad news : Experiences of family members », *Journal of Palliative Care*, vol. 17, n° 4, p. 241-247.

Hinds, C. (1985). « The needs of families who care for patients with cancer at home : Are we meeting them ? », *Journal of Advanced Nursing*, n° 10, p. 575-581.

Kristjanson, L. (1989). « Quality of terminal care : Salient indicators identified by families », *Journal of Palliative Care*, vol. 5, n° 1, p. 21-28.

Kübler-Ross, E. (1970). *On death and dying*, Londres, Tavistock Publications.

Lind, S.E., M.J. DelVecchio-Good, S. Seidel, T. Csordas et B.J. Good (1989). « Telling the diagnosis of cancer », *Journal of Clinical Oncology*, vol. 7, n° 5, p : 583-589.

Wright, K., et S. Dyck (1984). « Expressed concerns of adult cancer patients' family members », *Cancer Nursing*, vol. 7, n° 5, p. 371-374.

La communication à l'urgence ou l'urgence de la communication

Paul-André Lachance

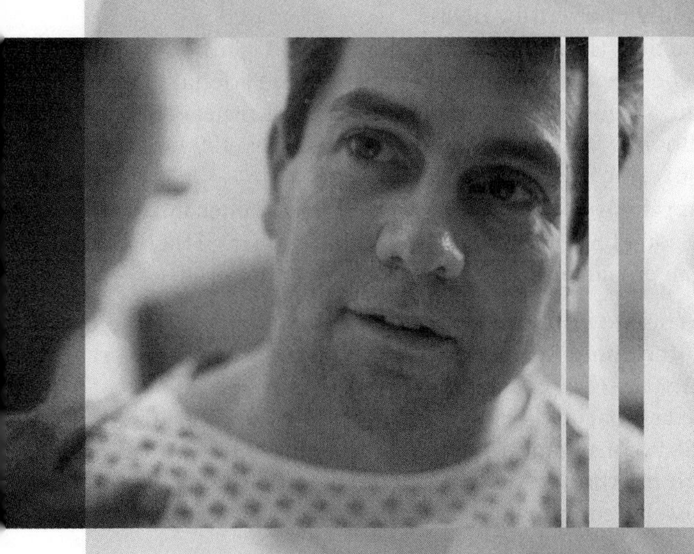

CHAPITRE 29

Le service des urgences est un lieu singulier. En cet endroit, les émotions, les interactions et les techniques s'entrecroisent à toute vitesse. On a souvent l'impression de se trouver dans un tourbillon incontrôlable. Pour ceux qui y travaillent, il est malgré tout possible de retrouver une certaine organisation dans le chaos. Quant à ceux qui s'y aventurent, souvent pour la première fois, les patients, ils considèrent l'expérience comme déroutante, voire terrifiante (Heiskell et Pasnau, 1991).

Dans un tel environnement, le praticien considère souvent qu'une bonne relation médecin-patient est irréalisable. On privilégie les habiletés techniques au détriment des habiletés relationnelles, considérées comme inutiles. Et tout semble concourir à renforcer cette attitude :

- La formation médicale continue, où seuls les éléments techniques sont abordés, ce qui est particulièrement vrai des cours spécialisés en urgence :
  - ACLS (American Heart Association et International Liaison Committee On Resuscitation, 2000) ;
  - ATLS (American College of Surgeons, 1997) ;
  - APLS (American Academy of Pediatrics, 2004) ;
  - PALS (American Heart Association, 1997).
- Les programmes d'enseignement, pratiquement muets sur les aspects relationnels, intrinsèques à la médecine d'urgence (Hockberger et autres, 2001).
- Les publications clairsemées de la littérature scientifique portant sur le sujet de la relation médecin-patient dans ce contexte particulier (Knopp, Rosenzweig, Bernstein et Totten, 1996 ; Rosenzweig, 1991, 1993a ; SAEM Task Force on physician-patient communication, 1996, 1997 ; SAEM Ethics Committee, 1996 ; Wissow et autres, 1998 ; Guertler, 1997 ; Lau, 2000 ; Lloyd, Skarratts, Robinson et Reid, 2000 ; Rosenzweig, Brigham, Snyder, Xu et McDonald, 1999 ; Korsch, Gozzi et Francis (1968) ; Heiskell et Pasnau, 1991).
- La littérature scientifique, souvent limitée :
  - à l'approche du patient *difficile* (Harrison et Vissers, 2002 ; Kao, Moore et Jackimczyk, 2002 ; Hutzler et Rund, 1999 ; Adams et Murray, 1998 ; Sulkowicz, 1999 ; Kercher, 1991) ;
  - à la gestion de la qualité (Schwartz et Overton, 1992) ;
  - à la mesure du taux de satisfaction (Bursch, Beezy et Shaw, 1993 ; Sutherland et O'Connor, 1996 ; Yarnold, Michelson, Thompson et Adams, 1998 ; Barletta, Erstad, Loew et Keim, 2000 ; Thompson, Yarnold, Williams et Adams, 1996 ; Krishel et Baraff, 1993 ; Bjorvell et Stieg, 1991 ; Boon et Wardrope, 1994 ; Gillig et autres, 1990 ; Hall et Press, 1996 ; Rhee et Bird, 1996) ;
  - à la mesure du degré de compréhension (Crane, 1997 ; Taylor et Cameron, 2000 ; Vukmir et autres, 1993 ; Jolly, Scott et Sanford, 1995 ; Spandorfer, Karras, Hughes et Caputo, 1995 ; Nelson, Coleman et Walker, 1997).

De plus, on invoque souvent comme justification le manque de temps. On le voit bien : l'impossibilité ou l'inutilité d'une bonne relation médecin-patient est une idée fort répandue, mais c'est à notre avis une fausse impression. De fait, la satisfaction du patient semble dépendre beaucoup plus de la capacité du clinicien à communiquer avec lui et à combler ses attentes qu'à la durée de la consultation (Stewart et autres, 1999). Non seulement y a-t-il plusieurs situations où une bonne relation médecin-patient est possible (Rosenzweig et autres, 1999), mais elle comporte plusieurs avantages, comme on l'a d'ailleurs déjà démontré :

- Elle contribue à une plus grande satisfaction de la clientèle (Bursch et autres, 1993; Sutherland et O'Connor, 1996; Yarnold et autres, 1998; Barletta et autres, 2000; Thompson et autres, 1996; Krishel et Baraff, 1993; Bjorvell et Stieg, 1991; Boon et Wardrope, 1994; Gillig et autres, 1990; Hall et Press, 1996; Rhee et Bird, 1996).
- Elle améliore l'observance des patients (Rosenzweig, 1991).
- Elle réduit le nombre de poursuites contre les médecins (Levinson, Roter, Mullooly, Dull et Frankel, 1997).
- Elle entraîne de meilleurs résultats cliniques (Stewart, 1995).
- Elle réduit l'utilisation des substances pharmacologiques analgésiques ou sédatives (Rosenzweig, 1993a) et leurs effets secondaires.
- Elle rend plus efficaces la transmission et la collecte de l'information (y compris la détermination du véritable motif de consultation).
- Elle facilite au médecin la gestion de situations (souvent de nature *psychosociale*) qui seraient généralement jugées éprouvantes (Cole et Bird, 2000).
- Elle permet d'écourter l'entrevue (Clark et autres, 1998; Rosenzweig, 1991) lorsque le médecin maîtrise les habiletés communicationnelles de base.

Ces avantages se manifestent même dans des situations cliniques jugées techniques, comme l'exécution d'une ponction lombaire, ainsi que nous le verrons plus loin. Bien sûr, une approche qui tient compte de la relation médecin-patient à la salle d'urgence est sensiblement différente de celle qu'on adopte en cabinet (Knopp et autres, 1996). D'abord, il y a des éléments coercitifs inévitables : le patient ne choisit ni le médecin ni le moment de la rencontre ; parfois même, la décision de consulter n'appartient pas au patient, mais à une tierce personne qui n'a pas de lien familial avec lui (exemples : un policier, un ambulancier). Ensuite, l'environnement chaotique auquel nous avons fait allusion dès le premier paragraphe et les contraintes de temps, toujours très présentes dans un contexte d'urgence, modifient et *concentrent* l'interaction médecin-patient. À la salle d'urgence, la durée réduite de l'interaction est compensée par sa plus grande intensité, attribuable à l'état psychologique particulier du patient qui se trouve dans cet environnement singulier (Heiskell et Pasnau, 1991 ; Kercher, 1991).

Le praticien astucieux et avisé peut mettre à profit cet état psychologique dans un but thérapeutique – avec des résultats parfois étonnants. Pour ce faire, il doit d'abord comprendre les caractéristiques de cet état, y compris les attentes et les craintes du patient. Cette compréhension lui permettra de mettre en œuvre une stratégie d'intervention efficace et d'obtenir de meilleurs résultats cliniques. Cependant, cette approche suppose que le médecin délaisse la relation de paternalisme ou de contrôle (tout de même parfois nécessaire dans les cas d'urgence immédiate, avec les patients inaptes ou avec certains patients émotionnellement débordés par la situation et temporairement incapables de prendre une décision éclairée), en faveur d'une approche plus *collaborative*[1]. Malgré tout, il ne s'agit pas nécessairement de consacrer beaucoup de temps à ces tâches, mais plutôt d'utiliser judicieusement le temps disponible (Guertler, 1997).

Dans les paragraphes qui suivent, nous décrirons une approche pratique pour établir rapidement la relation de confiance, faire l'anamnèse et gérer à la fois l'environnement où se fait l'entrevue et les craintes du patient. Cette approche intègre les quatre dimensions reconnues comme essentielles à une communication médecin-patient productive (Stewart et autres, 1999) :

- informer le patient ;
- trouver un terrain d'entente ;
- confier un rôle actif au patient ;
- créer une atmosphère favorable au soutien.

L'urgentologue qui maîtrise les techniques médicales physiques habituelles et qui les enrichira de *techniques psychologiques* accédera à un niveau de pratique qui surpassera ses performances antérieures. Ce qui paraissait difficile deviendra plus facile et apportera plus de satisfaction : le médecin aura alors maîtrisé son art.

Nous tenons à préciser que le contenu de ce chapitre n'est pas le résultat de l'échafaudage d'hypothèses théoriques, mais bien le fruit de *nos observations cliniques sur le terrain*, faites à partir de cas réels et échelonnées sur plusieurs années. Le lecteur remarquera cependant que l'approche décrite s'éloigne passablement des pratiques qui ont généralement cours dans nos salles d'urgence. Malgré son côté novateur, elle pourra apparaître idéaliste, mais il n'en est rien : il s'agit d'une approche tout à fait pratique et efficace. Nous avons la certitude que le clinicien qui aura assimilé le contenu de ce chapitre et le mettra en pratique, tout en demeurant authentique dans ses relations avec ses patients, sera capable d'obtenir des résultats similaires.

Le contexte particulier de l'urgence

La relation médecin-patient et l'obtention de l'information par le médecin sur le motif de consultation sont façonnées par le contexte particulier de l'urgence. Un groupe de travail américain s'est penché sur la relation médecin-patient à l'urgence et sur ses difficultés (Knopp et autres, 1996). Selon les observations et les recommandations de ces chercheurs, le déroulement de l'entrevue peut varier, mais il doit demeurer fluide. Ces auteurs proposent la structure générale suivante pour mener l'entrevue :

- procéder à l'accueil ;
- établir la relation de confiance avec le patient ;
- recueillir de l'information (l'anamnèse et l'examen physique) ;
- interpréter l'information (faire le diagnostic) ;
- planifier le suivi (les tests complémentaires et les traitements) ;
- transmettre de l'information au patient ;
- rassurer le patient ;
- réévaluer et orienter le patient (donner le congé).

À l'urgence, ces étapes ne se font pas nécessairement dans cet ordre, mais sont souvent télescopées ou simultanées et, même, parfois inversées, comme dans les cas critiques où il faut prioritairement stabiliser l'état du patient avant même de penser à obtenir l'historique du cas.

Ce groupe de travail américain (Knopp et autres, 1996) a relevé un certain nombre d'obstacles à la communication médecin-patient dans un contexte d'urgence :

- les facteurs de stress chez le patient et chez le clinicien ;
- la promiscuité des lieux ;
- les interruptions ;
- le bruit et les autres facteurs liés à l'environnement ;
- l'absence de relation antérieure entre le médecin et le patient ;
- le nombre disproportionné de patients qui éprouvent des troubles du comportement ou des problèmes psychosociaux ;
- les barrières culturelles ou linguistiques ;
- les attentes et les besoins, qui varient d'un patient à l'autre.

Nous croyons que les éléments suivants en particulier ont une grande influence sur la relation médecin-patient : la différence entre, d'une part, les motivations et le programme du patient (*patient's agenda*) et, d'autre part, ceux du médecin (*physician's agenda*) ;

les contraintes de temps ; la dissemblance entre l'évaluation de la gravité de la situation que fait le médecin et celle que fait le patient. Il en va de même de la durée de l'attente qui précède la rencontre avec le médecin. L'anxiété liée à la diversité des étiologies possibles est incontournable et dépend étroitement du contexte de l'urgence. Enfin, bien que la relation médecin-patient soit, par définition, asymétrique, il est à noter que cette asymétrie est particulièrement marquée dans une consultation à l'urgence (Heiskell et Pasnau, 1991 ; Rosenzweig, 1993b).

Il faut se mettre à la place du patient : il rencontre un étranger qu'il n'a pas choisi, mais dont il a besoin par la force des choses (tout en espérant que ce professionnel sera compétent), pendant qu'il est couché sur le dos, dans une pièce sans intimité, à moitié nu (après avoir été déshabillé par un autre étranger), alors qu'on touche des parties intimes de son corps dont l'image est déformée par des événements traumatiques récents. Le tout, accompagné de la limitation de ses activités, y compris le moment et l'endroit où il peut exercer ses activités sphinctériennes. Perte de contrôle, vulnérabilité, régression, humiliation : ces aspects de la consultation à l'urgence (perçus comme normaux par le personnel soignant) ont souvent autant d'effets sur le patient que le diagnostic lui-même.

Examinons maintenant certains de ces éléments un peu plus en détail.

Un double ordre du jour

À l'urgence, la différence entre les attentes ou les motivations du patient et celles du médecin dépasse la différence qui existe entre la perception qu'a le patient de la maladie (*illness*) et la vision du médecin (*disease*[2]).

En effet, d'un côté, le patient veut surtout être écouté, obtenir le soulagement de son inconfort, en connaître la cause et être rassuré sur sa bénignité (Wissow et autres, 1998). L'individu qui choisit de se présenter à l'urgence considère souvent que son état est d'autant plus sérieux que ses symptômes sont nombreux et perdurent.

De l'autre côté, le programme du médecin est complètement à l'opposé. Le praticien ne se sent pas nécessairement tenu de découvrir la cause exacte de l'inconfort, mais il cherche à exclure, de l'ensemble des étiologies possibles du symptôme principal, les causes sérieuses qui pourront être traitées. Pour l'urgentologue, plus les symptômes sont nombreux et chroniques, moins l'état du patient est préoccupant. De plus, plusieurs études ont démontré que la douleur du patient est souvent soulagée inadéquatement (voir plus loin la section intitulée « L'état de la situation »). On peut également se demander s'il est possible à l'urgentologue de rassurer efficacement un patient.

Voilà deux perceptions de la réalité très différentes l'une de l'autre, ce qui laisse facilement entrevoir les risques d'un échec de la communication.

Les contraintes de temps

À l'urgence, les contraintes de temps sont omniprésentes et teintent toutes les relations. Ces contraintes obligent l'urgentologue qui veut maîtriser les aspects plus subtils de son art à établir, en un temps restreint, une relation de confiance avec un patient qu'il ne connaît pas. Cependant, elles n'excusent pas tout, surtout pas la négligence, mais elles forcent plutôt le médecin à gérer son temps de façon optimale. Ces contraintes ne justifient pas le renoncement à une bonne relation médecin-patient ou à une interaction centrée sur le patient.

Plus encore que dans d'autres contextes, comme en cabinet de consultation ou au chevet du patient hospitalisé, l'efficacité de l'interaction requiert une grande habileté relationnelle de la part du médecin. Cependant, grâce à l'efficacité de la collecte de renseignements (y compris la délimitation du véritable motif de consultation), la maîtrise de cet art rapporte des dividendes sous la forme de diagnostics plus précis, de satisfaction plus grande (du patient et du clinicien), d'économie de tests paracliniques, et même d'économie de temps et de congés accordés plus rapidement.

Contrairement à ce qu'on présume souvent, l'écoute du patient n'allonge pas l'entrevue. En effet, la majorité des patients auxquels le médecin laisse la liberté de présenter leur cas dès le début de l'entrevue parlent moins de deux minutes si on ne les interrompt pas (Langewitz et autres, 2002). De plus, les patients en général sont sensibles aux contraintes de temps du médecin et les respectent (Pollock et Grime, 2002). La satisfaction du patient dépend moins du temps réel que le médecin passe avec lui que de la qualité de l'interaction[3] (Rosenzweig, 1991). Par ailleurs, il semble que les professionnels de la santé aient tendance à surestimer la quantité et la qualité de leurs habiletés relationnelles (Moore et Schwartz, 1993). En plus d'améliorer la précision du diagnostic, l'écoute du patient comble chez ce dernier un besoin et une attente.

Il faut rappeler que l'entrevue centrée sur le patient n'empêche pas le médecin d'être directif et d'interrompre le patient à l'aide de questions fermées sans briser le fil narratif de l'anamnèse. Une technique d'interruption efficace consiste d'ailleurs à utiliser un énoncé de transition, soit pour faire préciser un élément précédemment mentionné ou pour faire un résumé des explications fournies par le patient (Cole et Bird, 2000). Le but est d'optimiser à la fois la précision de l'information et la gestion du temps. Voici deux exemples d'énoncés de transition :

- « Vous avez mentionné que cette douleur survenait quand vous marchez. Avez-vous remarqué si elle était accompagnée d'essoufflement ou de transpiration ? »
- « Donc, si j'ai bien compris, depuis deux mois, vous avez cette douleur, qui survenait lorsque vous faisiez un effort intense, mais qui survient, depuis deux jours, lorsque vous faites quelques pas, ce qui nuit à vos activités habituelles. Est-ce bien exact ? » Un tel résumé assure le patient que le médecin a saisi l'essence de son propos et qu'il lui démontre de l'intérêt, en plus de permettre de rediriger la conversation, au besoin.

La dissemblance des évaluations de la gravité

L'évaluation qu'on peut faire de la gravité de l'état du patient est souvent très différente, selon qu'on est le patient… ou le médecin. Le patient prend la peine de se déplacer et de subir une longue attente à l'urgence pour rencontrer un médecin. Puisqu'il est suffisamment préoccupé pour consacrer du temps à cette démarche, on doit donc tenir pour acquis qu'il considère son état comme assez grave. Le médecin peut très bien, après évaluation, considérer la situation comme non urgente ou même avoir l'impression que le patient lui a fait perdre son temps ou que la visite n'était pas justifiée. Le médecin victime de surmenage semble être particulièrement rapide à porter ce genre de jugements et à en éprouver de la frustration. Le patient peut alors avoir l'impression que le médecin banalise son problème ou n'en a pas saisi la portée. Il est bon de rappeler qu'il est difficile à une personne qui n'est pas médecin de juger elle-même de la gravité de ses symptômes. Il est donc injuste de reprocher à quelqu'un d'avoir consulté pour un problème qu'on juge bénin après l'avoir évalué.

Certains états ont plus *mauvaise réputation* et provoquent davantage de frustration que d'autres auprès des urgentologues. Mentionnons les problèmes chroniques, tels que les douleurs lombaires, la fatigue, les étourdissements, l'anxiété et, en général, les problèmes pour lesquels il n'existe pas de solution biomédicale ou chirurgicale immédiate. L'hypothèse explicative tient de la perception qu'a le médecin de la nature déraisonnable des attentes du patient. Ainsi, le patient recherche une guérison, mais l'urgentologue ne croit pas cet objectif réalisable avec les moyens et les habiletés dont il dispose. Cependant, cette hypothèse ne résiste pas toujours à l'examen.

Dans les cas de ce genre, il est encore plus important de déterminer les attentes précises du patient en posant des questions simples et directes (exemple : « Qu'est-ce qui vous inquiète ? »), de façon à obtenir des réponses claires (exemple : « J'ai peur de me réveiller paralysé »). Le médecin pourra ainsi mieux rassurer le patient et arriver à une conclusion, satisfaisante pour les deux intéressés. Malheureusement, l'urgentologue sera souvent mal disposé envers un patient avant même l'entrevue, à la simple lecture de la note de l'infirmière (exemple : « Il a ce problème depuis un an. Que veut-il que je fasse ? Que je règle son problème un vendredi soir ? »). Cet état d'esprit négatif peut se manifester dans un comportement fermé, verbal et non verbal, ce qui nuira à la délimitation des attentes réelles du patient et entachera la relation. Or, une bonne relation sera un atout important dans les mains du médecin si, effectivement, les attentes du patient sont irréalistes et doivent être révisées pour parvenir à un objectif commun, qui soit plus réalisable à l'intérieur de la consultation.

On le voit bien, la dissemblance entre l'évaluation de la gravité que fait le médecin et celle que fait le patient est la pointe d'un iceberg dont il faut se méfier à cause de son effet potentiellement nuisible sur la relation.

Le motif de consultation

Lorsque le patient consulte à l'urgence, il a habituellement déjà révélé la raison de sa présence à l'infirmière qui l'a accueilli. Comme nous le verrons, cette façon de procéder modifie deux éléments de l'entrevue médicale comme telle : l'accueil et l'interaction.

L'attente… et l'accueil

Comme le dit le dicton, « on n'obtient jamais une deuxième chance de faire une bonne première impression ». D'autant plus qu'à l'urgence l'entrevue a lieu entre deux étrangers et sera vraisemblablement de courte durée. La qualité de l'accueil a donc de fortes probabilités d'être déterminante dans l'impression générale que va conserver le patient de cette rencontre.

L'ATTENTE QUI PRÉCÈDE LA RENCONTRE

Avant la rencontre avec le clinicien, l'humeur et l'attitude du patient auront déjà été partiellement conditionnées, d'un côté par l'attente préalable et les contacts avec le personnel administratif, les infirmiers, les ambulanciers et les autres patients, et d'un autre côté par les conventions sociales associées à la situation et par les lieux. Ces divers facteurs auront déjà disposé (bien ou mal) le patient à l'entrevue médicale, et le médecin ne peut préjuger de l'état d'esprit qui s'est installé chez la personne qui se trouve devant lui (Britten et Shaw, 1994). L'anxiété, le jeûne, le manque de sommeil et les conditions matérielles aidant, il est possible que le médecin doive faire face à un patient tendu ou agressif (Guertler, 1997).

La plupart du temps, au moment de rencontrer le médecin, le patient reprend toutefois une humeur plus positive (même s'il a manqué de courtoisie, plus tôt, avec l'infirmière !) pour présenter son problème. Parfois, au tout début de l'entrevue, il ne peut s'empêcher de faire un commentaire qui laisse transparaître un reproche et qui masque mal son impatience (exemples : « Enfin ! C'est mon tour ! » ou « Il était temps ! »). L'urgentologue, qui travaille dans des conditions difficiles et subit la pression de la charge de travail qui lui incombe, peut se sentir interpellé par cette agressivité à peine dissimulée et y réagir négativement avec une réplique destinée à soulager sa propre agressivité mal contenue (exemple : « Pensez-vous que je me tourne les pouces ? »). Ce genre de réaction ne commence évidemment pas très bien l'entrevue.

Dans un cabinet de consultation, comme le médecin gère lui-même son *agenda*, il peut se sentir justifié de s'excuser auprès du patient pour l'attente subie. Il n'en va pas de même à l'urgence, où le praticien tente de gérer de façon optimale un achalandage qui excède parfois les capacités d'accueil. Des excuses répétées, patient après patient, qui sonnent faux parce qu'elles ne sont pas sincères, risquent d'augmenter la frustration du médecin, qui finira peut-être par se défouler sur « le patient qui paiera pour tous les autres ». Il est évident qu'un médecin préoccupé et frustré aura de la difficulté à gérer une relation centrée sur le patient, et nous devons donc considérer cet aspect.

Comment, alors, concilier le besoin que le patient a d'être respecté avec l'attente qu'il a dû subir et comment accorder les besoins du médecin avec les frustrations inhérentes à son travail ? Le médecin peut simplement reconnaître l'attente subie, sans s'excuser de quelque chose dont il ne se sent pas responsable, et passer directement au problème principal en évitant de s'étendre sur la source de la frustration. Sa réponse pourrait ressembler à la suivante : « Oui, je sais, il y a malheureusement beaucoup d'attente aujourd'hui, mais vous avez un problème avec votre bras gauche ? » Le patient voit ainsi son attente reconnue (sans frustration supplémentaire pour le médecin) et il est ramené sans heurt au motif de sa consultation.

LE DOSSIER

Le médecin devrait parcourir le dossier avant de rencontrer le patient. Cette lecture permet de relever des informations importantes (exemples : les médicaments, les signes vitaux) et de connaître le motif de consultation. De plus, le patient réalise qu'il y a une approche intégrée et que les informations données antérieurement à l'infirmière n'ont pas été une perte de temps. Cette entrée en matière renforce chez le patient l'impression d'avoir été entendu, ce qui accélère l'entrevue, puisqu'il considère que le médecin est déjà au courant des informations qu'il a communiquées plus tôt (Britten et Shaw, 1994). Par exemple, le patient présume souvent que la prescription du médecin tient compte des allergies médicamenteuses qu'il a mentionnées auparavant à l'infirmière.

L'ACCUEIL

Il y a aussi des raisons d'ordre relationnel pour lesquelles le médecin devrait consulter le dossier avant l'entrevue. Le médecin devrait accueillir le patient par un bref contact visuel et lui adresser ensuite une salutation cordiale en l'appelant par son nom. Ces marques de respect démontrent qu'on reconnaît la personne comme un individu et non comme un simple dossier ou un numéro quelconque. Les patients attachent beaucoup d'importance à cette marque de reconnaissance tout à fait élémentaire. Ensuite, le médecin se présente (il peut aussi le faire dès le début) en se nommant et en donnant son titre de fonction, surtout si celle-ci peut ne pas être claire pour le patient (exemple : la fonction de médecin résident).

Ce n'est qu'après cette introduction que le médecin peut ouvrir le dossier devant lui. Aussi élémentaire que cela puisse paraître, plusieurs médecins ne semblent pas y prêter attention. Si la personne est accompagnée, il est de mise de reconnaître explicitement la présence des autres personnes, de s'enquérir de leur relation avec le patient et de demander ensuite au principal intéressé s'il permet leur présence durant l'entrevue et l'examen[4]. Les accompagnateurs sont souvent de précieuses sources d'information et des *alliés thérapeutiques.*

Chez les médecins européens qui pratiquent en cabinet, il est habituel (et apprécié par les personnes qui les consultent) de serrer la main au patient dès l'accueil et de se laver les mains avant de faire l'examen physique. Ces pratiques sont moins courantes dans les salles d'urgence en Amérique du Nord à cause des conventions sociales différentes, des préoccupations liées à la transmission de vecteurs microbiens et de l'emplacement des lavabos dans une salle d'urgence, souvent moins ergonomique que dans un cabinet de consultation.

Par ailleurs, le vouvoiement des adultes et l'utilisation du nom de famille précédé du titre de civilité, qui font partie des conventions implicites en Europe, nous semblent impératifs dans les rencontres médicales menées en contexte d'urgence. Il ne s'agit pas de créer une distance, mais bien de témoigner du respect (Lazare, 1995).

Sur le plan de la communication non verbale, il est recommandé au médecin de se placer au même niveau visuel que le patient, ce qui facilite l'établissement d'une relation de confiance. Bien sûr, à l'urgence, quand le patient est étendu sur une civière et que le médecin est debout, la chose peut être difficile. Le médecin peut tout de même adopter une posture attentive en s'assurant d'un contact visuel direct, en inclinant la tête et le corps en direction du patient et en se maintenant à une distance qui favorise une conversation en privé (Cole et Bird, 2000). Cette distance, variable selon les cultures, serait de 50 cm à 90 cm en Amérique du Nord (Buckman, 1992).

LA COLLECTE DE L'INFORMATION ET L'ÉTABLISSEMENT DE LA RELATION DE CONFIANCE

Déjà, en recueillant l'information auprès du patient, le médecin est en train d'établir la relation de confiance : en effet, ces deux objectifs se réalisent simultanément. Alors qu'en cabinet privé on pose généralement une question ouverte pour lancer la collecte de l'information (exemple : « Que puis-je faire pour vous ? »), le contexte particulier de la consultation en salle d'urgence modifie cette approche. Le temps est limité, il n'y a habituellement qu'un seul motif de consultation et celui-ci a déjà été communiqué à l'infirmière responsable du triage. Il est donc approprié, dans ces conditions, d'aborder directement le problème. Voyons un court exemple.

LE MÉDECIN — *Bonjour ! Vous êtes Madame Poulin ?*

LA PATIENTE — *Oui.*

LE MÉDECIN — *Je suis le Dr Lachance. Vous avez un problème avec votre épaule ?*

LA PATIENTE — *Oui.*

Le titre d'urgentologue est implicite, à moins que le médecin ne soit un résident ou un consultant. Dans de tels cas, le praticien devrait donner des précisions : « Je suis médecin résident et je travaille avec le Dr Major, mon superviseur. »

La patiente décrit ensuite spontanément son problème.

Si la patiente ne décrit pas spontanément son problème, le médecin peut l'inciter à le faire en lui posant une question ouverte : « Pouvez-vous m'en parler ? »

Dans une telle situation, le patient parlera de son problème selon sa perspective et ses priorités. C'est le concept de la maladie telle que la voit le patient (*illness*) ; le médecin interprétera et traduira ces propos selon sa propre perspective médicale de la maladie (*disease*), distinction dont nous avons déjà parlé plus haut. Comme les deux perspectives diffèrent, si l'urgentologue veut obtenir un quelconque succès dans un minimum de temps, il doit d'abord formuler une courte réponse aux préoccupations du patient. Cette réponse est souvent fort simple et s'intègre au dialogue tout naturellement.

Avant même d'aborder les particularités du problème pour lequel ils se présentent, la plupart des patients ont deux principales préoccupations. Ils veulent : que le médecin comprenne leur problème, *leur souffrance* et leurs préoccupations (Wissow et autres, 1998) ; que le médecin leur procure un soulagement (Britten et Shaw, 1994). Le médecin peut répondre à la première préoccupation soit par une écoute prolongée, tout en évitant les interruptions, ce qui constitue une solution souvent peu praticable dans le contexte d'une salle d'urgence, soit par une interruption polie, faite dès le début et ancrée dans les énoncés du patient. Reprenons l'exemple précédent.

LE MÉDECIN	— *Vous avez un problème avec votre épaule ?*	
LA PATIENTE	— *Oui, Docteur. J'ai des douleurs dans l'épaule droite qui descendent dans mon bras et qui montent jusque dans mon cou. Je ne peux même pas bouger la tête ni le bras tellement ça me fait mal. Ce n'est pas endurable…*	La patiente énonce son problème et exprime sa souffrance.
LE MÉDECIN	— *La douleur est intense. J'imagine que ça doit nuire à vos activités habituelles ?*	Le médecin reconnaît la douleur et la souffrance, et il cherche à évaluer les conséquences du problème sur les activités de la vie quotidienne.
LA PATIENTE	— *Et comment ! Ça fait deux jours que je ne suis pas capable de dormir.*	La patiente confirme l'interprétation du médecin et l'amplifie.
LE MÉDECIN	— *Avez-vous essayé de prendre quelque chose contre la douleur ?*	Le médecin soulève la préoccupation du soulagement.

Le médecin formule ses deux premières interventions directement à partir du discours de la patiente, en reconnaissant la perspective de cette dernière et en apportant des informations qui contribuent à l'évaluation médicale du problème. La première intervention reconnaît la souffrance et la réalité de ses conséquences sur les activités de la patiente. La deuxième démontre l'importance accordée au soulagement de cette douleur. Une fois les deux préoccupations reconnues et comprises, la patiente ne sentira plus le besoin de continuer à convaincre le médecin de sa souffrance à l'aide de longues descriptions et elle sera plus encline à répondre aux questions du médecin.

En intervenant de la sorte dès le début de l'entrevue, le praticien peut interrompre son patient sans pour autant lui donner l'impression d'un manque d'écoute, puisqu'il colle de près à sa description. Bien sûr, à proprement parler, ces interventions ne correspondent pas aux *questions ouvertes* qu'on préconise habituellement pour éviter de biaiser les réponses. On pourrait objecter la possibilité d'ainsi omettre la détermination du véritable motif de consultation (Simpson et autres, 1991), dans le cas où celui-ci serait différent de celui donné à l'infirmière responsable du triage. Ce pourrait plus particulièrement être le cas si une raison délicate ou difficilement avouable (exemple : une plainte de nature sexuelle ou liée à de mauvais traitements physiques) n'avait pas été révélée à l'arrivée, ce qui peut se produire quand l'aire de triage est mal aménagée et propice aux indiscrétions. Dans un contexte de salle d'urgence, rien de tel n'a cependant été démontré (Lloyd et autres, 2000), et l'expérience nous apprend plutôt que le patient modifie très rarement le motif de consultation donné à l'infirmière responsable du triage.

La confiance est importante dans toute relation médecin-patient, et elle influera sur les résultats, notamment sur l'efficacité de la rassurance du patient et sur l'efficacité de l'analgésie obtenue (voir plus loin la section intitulée « La modulation de l'expérience de la douleur ou l'approche globale de la douleur aiguë en situation clinique »). Dans l'exemple de la patiente présenté plus haut, il faudrait que le clinicien revienne assez tôt sur la douleur exprimée et offre une méthode de soulagement pour répondre aux attentes de la patiente, ce qu'il est aussi préférable de faire même si la demande d'analgésie n'est pas verbalisée). Cette approche en abrégé ne dispense pas le médecin de s'informer auprès du patient de ses inquiétudes particulières, de ses motifs de consultation et de ce qu'il croit être la cause de son problème. L'approche que nous avons proposée n'amène pas nécessairement le patient à exprimer la raison qui l'a motivé à consulter pour *ce* problème à *ce* moment précis. Cette raison peut avantageusement être l'objet d'une question directe : « Qu'est ce qui vous a poussé à consulter aujourd'hui ? » C'est ce que fait le médecin avec Mme Poulin.

LE MÉDECIN — *Quelles étaient vos inquiétudes par rapport à cette douleur ?*

LA PATIENTE — *Au début, je pensais que je m'étais étiré des muscles en jardinant hier, mais ma voisine m'a dit que ça pouvait être des symptômes de crise cardiaque. J'ai eu peur et je suis venue vérifier.*

Les informations de cet ordre, cruciales pour saisir l'idée que la patiente se fait de la cause de son problème et l'anxiété qui en découle, sont souvent occultées dans l'anamnèse. On peut pourtant facilement les obtenir à l'aide d'une question simple et directe.

Il est fréquemment possible de rassurer rapidement le patient sur la bénignité de son état. Ce serait, par exemple, le cas d'un parent qui s'inquiète au sujet de son enfant atteint d'une IVRS (infection des voies respiratoires supérieures) et craint qu'il ne soit atteint d'une méningite mortelle.

Le patient occidental pardonnera plus facilement le manque d'habileté du médecin à établir la relation de confiance. Par contre, chez le patient d'origine moyenne-orientale ou méditerranéenne, l'établissement d'une telle relation est essentiel[5]. Ce patient a habituellement un comportement plus explicite quant à son besoin de voir reconnaître sa souffrance, et il observe le clinicien, à la recherche de signes qui lui confirmeront cette reconnaissance. Une fois que ce patient a acquis la certitude de cette reconnaissance, la communication peut s'engager sur une voie fructueuse pour les deux interlocuteurs.

Les difficultés surviennent lorsqu'un médecin de culture nord-américaine ne répond pas au besoin de reconnaissance et considère les manifestations plus visibles de la souffrance comme exagérées. La *distance* ainsi créée et le manque d'habileté à en arriver à une compréhension commune du problème se manifestent dans le comportement non verbal et nuisent à l'établissement d'une relation de confiance. Le médecin est alors moins susceptible de pouvoir répondre aux besoins exprimés (Todd, 2001).

Les craintes du patient

Le patient qui se présente à l'urgence éprouve de l'anxiété à un degré très élevé. Cette anxiété est en grande partie liée à ses craintes, souvent non exprimées. Certaines sources d'anxiété sont idiosyncrasiques, c'est-à-dire propres à un individu, et difficiles à déceler par le clinicien si le patient ne les exprime pas verbalement et explicitement. Parfois, les craintes du patient apparaissent à l'urgentologue hors de proportion avec un état clinique relativement bénin (exemple : un patient victime d'une contusion costale, qui craint de voir son thorax se briser et d'en mourir).

Dans la majorité des cas, les sources d'anxiété sont communes à la plupart des patients, et le médecin peut aisément les prévoir. Il peut les déterminer en prêtant attention aux questions que pose le patient plus expressif. Il faut aussi savoir que ces sources d'anxiété sont tout aussi présentes chez le patient qui exprime moins clairement ses besoins. Dans un contexte légèrement différent, une étude (Boey, 1988) destinée à évaluer le stress associé à l'hospitalisation semble reconnaître sensiblement les mêmes éléments anxiogènes que nous décrivons ci-dessous.

Notons que près des trois quarts des patients se présentent à l'urgence dans un état douloureux (Johnston et autres, 1998 ; Cordell et autres, 2002 ; Tanabe et Buschmann, 1999 ; Gu et Belgrade, 1993). Le soulagement de cette douleur est souvent l'une des plus importantes attentes du patient, sinon *la* plus importante (Britten et Shaw, 1994). À l'autre pôle, le médecin voit souvent la douleur comme un symptôme à interpréter, un élément important à intégrer dans son raisonnement clinique. Il considère donc le soulagement de la douleur comme une préoccupation de second plan, mais c'est oublier que l'anxiété et la douleur sont étroitement liées et que le traitement de celle-ci favorise la résolution de celle-là.

Le praticien peut agir sur les sources d'anxiété pour peu qu'il les connaisse et qu'il y soit sensible (Walsh, 1993 ; Simpson et autres, 1991). Tentons de franchir ce fossé qui sépare le patient du médecin et voyons, à l'aide du tableau 29.1, les principales sources d'anxiété auxquelles on peut s'attendre chez le patient qui consulte à l'urgence et les solutions possibles pour y remédier. Bien sûr, la douleur s'y retrouve, mais aussi l'environnement, dont le clinicien fait partie, la perte de contrôle à laquelle le clinicien contribue, ainsi que les perceptions liées aux expériences antérieures et l'anticipation devant l'inconnu. Plus loin, nous verrons comment intégrer ces connaissances pour apaiser ces différentes craintes en contexte clinique et optimiser ainsi les résultats thérapeutiques.

Tableau 29.1 **Les principales sources d'anxiété et leurs solutions**

SOURCES D'ANXIÉTÉ	SOLUTIONS POSSIBLES
La douleur actuelle non soulagée	Intervenir rapidement et efficacement pour soulager la douleur.
La cause présumée de la douleur (la signification)	S'enquérir des inquiétudes que nourrit le patient et de son interprétation (exemple : s'imaginer avoir le cancer) de façon à pouvoir l'informer et le rassurer adéquatement par un *recadrage*.
La douleur appréhendée (l'augmentation de la douleur ou de l'inconfort lié aux tests et aux traitements)	Démontrer sa capacité de soulager la douleur en intervenant efficacement dès le départ. Tenir compte de l'inconfort lié aux interventions médicales et tenter de le réduire.
La sensibilisation antérieure	S'informer de l'exposition antérieure possible du patient à des situations similaires (les associations que le patient fait). Tenter de moduler l'approche en fonction des informations obtenues.
En pédiatrie, la séparation appréhendée d'une personne (exemple : un parent) ou d'un objet (exemple : une poupée), significatif pour l'enfant (Meyers et autres, 2000 ; Eichhorn et autres, 2001 ; Colizza, Prior et Green, 1996 ; Bauchner, Vinci, Bak, Pearson et Corwin, 1996 ; Bauchner, Waring et Vinci, 1991)	S'assurer la présence de la personne ou de l'objet durant l'intervention (George et Hancock, 1993 ; Emergency Nurses Association, 2001 ; Wolfram et Turner, 1997).
La perception de l'anxiété d'autrui (celle d'un proche ou du clinicien)	Adopter une attitude calme et confiante. Manifester de l'empathie. Rassurer les proches qui sont présents.
L'environnement (y compris le clinicien)	Modifier la perception qu'a le patient de l'environnement de façon à ce que celui-ci soit perçu comme moins menaçant. Avoir une attitude affable et rassurante.
L'inconnu	Informer le patient pour transformer l'inconnu en connu. Rassurer le patient. Faire un exercice de simulation avec le patient avant une intervention.
La perte de contrôle	Transférer une partie du contrôle de la situation au patient en le faisant participer et en lui offrant des choix.
La perte d'une fonction ou d'un organe	Rassurer le patient si l'intégrité du corps ou de la fonction n'est pas menacée (exemple de fonction sociale : la capacité de travailler).
Les causes idiosyncrasiques	Chercher à élucider ces causes. Ajuster son approche en conséquence.

L'expérience de la douleur

L'état de la situation

Puisque la douleur est présente chez les trois quarts des patients qui se présentent à l'urgence, il apparaît opportun de commenter cette expérience à la fois universelle et méconnue. En effet, étant donné que tous les médecins ont eux-mêmes fait l'expérience de la douleur, ils croient forcément la connaître. La connaissance que les médecins ont des mécanismes sous-jacents à l'expérience de la douleur semble pourtant souvent se limiter à l'explication physiologique simpliste qu'en avait donnée Descartes au XVIIe siècle. Cette conception est celle d'un organe périphérique sensoriel de la douleur qui, lorsqu'il est stimulé, envoie au cerveau un signal électrique en passant à travers des connexions nerveuses, ce qui donne à la douleur une réalité consciente.

Dans les années soixante-dix, le psychologue montréalais Ronald Melzack (1973) a été l'un de ceux qui ont le plus mis en évidence les limites de ce concept simpliste (Dickenson, 2002), en faisant valoir que la douleur est plus qu'une sensation. C'est une expérience subjective complexe, multidimensionnelle, qui peut être modifiée par des facteurs psychologiques, y compris les expériences antérieures, la culture, la perception, la signification et l'anxiété (Perry, 1988). À l'urgence, le traitement de la douleur est encore médiocre, même par des moyens pharmacologiques traditionnels (Tanabe et Buschmann, 1999 ; Ducharme, 1994, 2000, 2001 ; Ducharme et Barber, 1995 ; Johnston et autres, 1998 ; Goodacre et Roden, 1996 ; Jones, 1999 ; Ngai et Ducharme, 1997 ; Afilalo et Tselios, 1996 ; Lewis, Lasater et Brooks, 1994). Cette lacune est encore plus évidente en pédiatrie et de plus en plus décriée (Petrack, Christopher et Kriwinsky, 1997 ; Jones, Johnson et McNinch, 1996 ; Jylli et Olsson, 1995 ; Tanabe, Ferket, Thomas, Paice et Marcantonio, 2002 ; Selbst et Clark, 1990 ; Atherton, 1995 ; Brennan-Hunter, 2001 ; Friedland et Kulick, 1994). Pourtant, un clinicien maîtrisant son art possède plus d'outils thérapeutiques que le seul recours pharmacologique, par ailleurs essentiel.

Dans cette partie, nous espérons faire valoir l'efficacité d'approches non pharmacologiques reposant sur la relation médecin-patient qui, lorsqu'on les associe à l'approche pharmacologique traditionnelle, optimisent les résultats. C'est une démarche basée sur une vision plus contemporaine de la douleur.

Les dimensions de la douleur

Il n'est pas possible ici de revoir en détail le phénomène complexe de la douleur. Qu'il suffise de mentionner, pour notre propos, qu'on peut décomposer l'expérience de la douleur en quatre dimensions principales.

- La dimension sensorielle : la composante physiologique de la sensation.
- La dimension affective : la composante liée à la souffrance, qui implique le système limbique.
- La dimension motivationnelle : la composante qui pousse à l'action pour faire cesser le stimulus douloureux.
- La dimension cognitive : la composante des influences du système associatif cortical (l'anxiété, les attentes, les valeurs culturelles, les expériences antérieures, l'environnement, la suggestion, la signification de la douleur, etc.).

L'intensité de la douleur, telle qu'elle est rapportée et perçue par l'individu, est donc une intégration de ces quatre dimensions. La dimension cognitive est une *porte ouverte* qui permet au clinicien informé et habile de modifier favorablement la douleur du patient en jouant sur ses différents registres. L'habileté communicationnelle, combinée avec la pharmacologie, permet en effet au médecin de contrôler la douleur de façon optimale. L'approche non pharmacologique (et complémentaire à la pharmacologie) est basée sur la relation médecin-patient et sur quelques techniques élémentaires. Nous allons tenter d'illustrer cette approche à l'aide d'un cas clinique, mais nous n'aborderons pas les éléments pharmacologiques inclus dans l'approche globale de la gestion de la douleur.

La modulation de l'expérience de la douleur ou l'approche globale de la douleur aiguë en situation clinique

La ponction lombaire à l'urgence

Mme Thibodeau consulte pour une céphalée soudaine qui a débuté il y a 12 heures et qui s'accompagne de vomissements. Elle a des antécédents de migraines, qu'elle contrôle assez bien à l'aide d'analgésiques simples, mais cet épisode est plus intense et plus prolongé que d'habitude. Le questionnaire révèle qu'elle subit plus de stress au travail dans sa fonction de coordonnatrice de projet depuis plusieurs semaines. L'examen neurologique est normal. Peu après son arrivée, elle a reçu un traitement pharmacologique pour sa céphalée. La tomodensitométrie cérébrale (ou scanographie) sans infusion est normale. Mme Thibodeau n'a plus de nausée et elle déclare que la céphalée est passée d'une intensité de 10 sur 10 à 4 sur 10. Puisque l'épisode est soudain et un peu atypique pour cette patiente, le médecin voudrait proposer à sa patiente de compléter l'investigation à l'aide d'une ponction lombaire afin de s'assurer que la céphalée n'est pas la manifestation d'un saignement intracérébral. Comment s'y prendra-t-il pour optimiser le confort de cette patiente en vue de l'examen diagnostique proposé ?

Nous avons vu que l'individu perçoit la douleur en fonction de son anxiété, de ses valeurs culturelles, de ses attentes, de ses expériences antérieures, de l'attention qu'il y porte et de la suggestion. Considérons l'anxiété. Au début de ce chapitre, nous avons passé en revue les différentes craintes prévisibles chez les patients qui se présentent à l'urgence. Voyons comment la compréhension des craintes s'applique au cas de Mme Thibodeau et comment le médecin peut tenter, en en tenant compte, de réduire l'inconfort de sa patiente, d'améliorer sa coopération et, conséquemment, de faciliter l'intervention tant pour elle que pour lui. Nous n'aborderons pas les aspects purement techniques de l'intervention, qui sont, évidemment, familiers au médecin.

LE MÉDECIN — *Comment va votre mal de tête depuis que vous avez reçu les médicaments ?*

La crainte de la douleur actuelle

Le médecin a tenu compte de cet aspect, prioritaire pour la patiente, et a déjà prescrit des analgésiques qui ont significativement diminué la douleur.

Le médecin s'informe auprès de sa patiente si le soulagement est adéquat. Le cas échéant, il devra ajuster le traitement.

— *Désirez-vous autre chose pour votre mal de tête ? Préférez-vous des comprimés ou une injection ?*

La perte de contrôle

Le médecin tente de redonner une partie du contrôle de la situation à sa patiente en lui offrant des choix.

La patiente exprime ses choix.

— *Madame Thibodeau, j'ai reçu les résultats de votre tomodensitométrie, vous savez, la scanographie, et tout est normal.*

La cause présumée de la douleur

Le médecin rassure la patiente en lui communiquant de façon positive les résultats de l'examen. Pour parler des résultats, il évite le mot *négatif* (qui comporte généralement une connotation péjorative) ; il emploie plutôt le mot *normal*.

LA PATIENTE — *Il n'y pas de cancer. C'est un soulagement… Je suis contente.*

La patiente exprime son soulagement : la rassurance a fonctionné.

LE MÉDECIN — *Par contre, il existe une faible probabilité que la douleur aiguë que vous avez ressentie soit due à un saignement dans votre cerveau.*

Le médecin partage avec la patiente les hypothèses diagnostiques pour lui faciliter la compréhension des examens proposés.

LA PATIENTE — *Pensez-vous que c'est ça qui m'arrive, Docteur ?*

La patiente exprime son inquiétude : le diagnostic d'hémorragie cérébrale est sérieux et elle s'en inquiète avec raison.

LE MÉDECIN — *Un saignement est toujours possible, mais la tomodensitométrie normale nous rassure à environ 97 %. Il n'y a donc pas de saignement important dans votre cas. Il existe quand même une faible probabilité qu'il s'agisse d'une « fuite sentinelle ».*

Le médecin personnalise sa réponse.

LA PATIENTE — *Une quoi ?*

Comme le médecin se montre d'un abord facile, la patiente participe activement à la discussion et elle est suffisamment à l'aise pour faire une demande directe de clarification.

LE MÉDECIN — *Il s'agit d'un saignement minime, qui n'est pas détectable à la tomodensitométrie et qui peut annoncer un saignement majeur en cas de rupture d'anévrisme cérébral dans les semaines suivantes. C'est pourquoi on le qualifie de « sentinelle ».*

Le médecin donne des explications claires et simples.

LA PATIENTE — *C'est dangereux, un anévrisme. On peut en mourir, n'est-ce pas ?*

La patiente exprime son inquiétude.

LE MÉDECIN — *Dans votre cas, n'oubliez pas que les probabilités qu'il s'agisse d'un avertissement sont très faibles.*

> Le médecin rassure la patiente.

LA PATIENTE — *Ça m'inquiète…*

> La patiente exprime à nouveau son inquiétude.

LE MÉDECIN — *Bien, même si ce diagnostic m'apparaît improbable, nous ne voulons pas passer outre à un état potentiellement sérieux et évitable. Si nous voulons être certains qu'il ne s'agit pas de ça, nous devrions poursuivre l'investigation en procédant à une ponction lombaire.*

> Le médecin propose un examen complémentaire à la patiente et il lui en explique le but.

> **Les croyances, la sensibilisation à l'aide des expériences antérieures et la douleur appréhendée**
>
> Il existe un mythe populaire concernant la ponction lombaire qui dépeint cet examen comme étant une procédure horriblement douloureuse. La seule mention du nom provoque littéralement des frissons dans le dos chez certains patients. Cette impression peut avoir été consolidée par des anecdotes racontées par un membre de la famille ayant subi un examen similaire (parfois confondu avec la myélographie).

Cet examen vous est-il familier?

> Il est important de poser la question pour pouvoir rassurer.

LA PATIENTE — *Un de mes oncles a eu une ponction lombaire il y a 20 ans… Il paraît que c'est très douloureux.*

> **Les expériences antérieures**
>
> La patiente raconte l'expérience antérieure d'un proche. Elle est susceptible de considérer cette expérience d'un proche (qui ressemble à celle qu'elle aura à vivre) plus crédible que les dires d'un médecin dont elle vient de faire la rencontre.

LE MÉDECIN — *Vous savez, la médecine a beaucoup évolué depuis 20 ans! Avez-vous déjà accouché et eu une épidurale?*

LA PATIENTE — *Oui.*

LE MÉDECIN — *Comment cela s'est-il passé?*

LA PATIENTE — *Très bien.*

> La patiente raconte une de ses propres expériences antérieures.

LE MÉDECIN — *La ponction lombaire est légèrement différente, mais elle se fait au même endroit. Je vais vous expliquer.*

Le souvenir favorable que la patiente a gardé de cette expérience antérieure peut être utilisé, par association, pour favoriser une perspective positive de l'intervention à venir.

Dans le cas où l'expérience de l'épidurale aurait été vécue difficilement, il serait important, d'une part, de demander à la patiente de dire précisément ce qui a posé problème (afin de la rassurer adéquatement) et, d'autre part, d'insister sur les différences entre les deux interventions plutôt que sur les ressemblances.

Le médecin explique en quoi consiste la ponction lombaire, demande à la patiente si elle a des craintes quant à l'intervention et répond à ses questions. Malgré une certaine appréhension, Mme Thibodeau accepte de subir la ponction lombaire pour s'assurer de l'absence de saignement.

L'inconnu

Le médecin informe la patiente et transforme l'inconnu en connu. Il trouve un terrain d'entente.

Le médecin démasque l'inconnu en décrivant les étapes de l'opération, en expliquant à la patiente ce qu'on attend d'elle. Il fera un exercice de simulation (ou une répétition mimée) au cours duquel la patiente prendra la position qu'elle devra garder pendant l'intervention.

Le médecin *désensibilise* la patiente relativement à ses expériences antérieures.

— *Vous avez un rôle très important, celui de garder la position adéquate, le dos bien perpendiculaire à la table.*
Si vous conservez cette position, cela facilite et accélère le tout, puisque je m'oriente à partir de votre position pour effectuer le test. Vous allez rester couchée sur le côté gauche, les jambes repliées vers vous, en position fœtale.

La perte de contrôle

Le médecin redonne à la patiente le contrôle de la situation et il favorise sa prise en charge en lui confiant un rôle actif sur lequel elle peut fixer son attention.

Le médecin propose à la patiente de poser sa tête sur un oreiller afin de maximiser son confort.

— *Une fois bien installée, vous pouvez dormir, chanter, rêver, aller ailleurs en pensée, comme il vous plaira, pour autant que votre corps demeure dans cette position. Nous allons faire un exercice de simulation. Pouvez-vous prendre la position…*

Afin de réduire l'inconfort, le médecin permet à la patiente d'utiliser son imaginaire.

Le médecin *démystifie l'inconnu* et *désensibilise* la patiente par rapport à l'intervention qui va suivre.

Une fois que la patiente comprend bien la position, le médecin poursuit.

— (en effleurant la région avec la main d'un mouvement circulaire) *Vous allez sentir un liquide froid dans le bas du dos lorsque je vais appliquer le désinfectant.*

Le médecin décrit les sensations à venir. Dans un but de *réduction de la douleur appréhendée, il modifie la perception de l'environnement* pour le rendre moins menaçant, en faisant des suggestions pour réinterpréter les sensations. Il évite les termes anxiogènes et les associations dont la charge émotive pourrait être négative, comme *choc électrique*, *piqûre* ou *aiguille*.

(en exerçant une pression avec un ongle sur l'endroit où se fera la ponction) *Ensuite, vous allez ressentir un pincement alors que j'anesthésierai la région.* (en exerçant une pression sur la région lombaire avec son doigt) *Par la suite, vous allez ressentir une sensation de pression.*

C'est plutôt rare, mais, parfois, on peut ressentir une sensation dans une jambe, un peu comme un étirement. *Si c'est le cas, dites-le-moi en me précisant de quel côté ça se produit. Ça me permet de savoir exactement où je suis et de me réajuster. Mais, comme je vous l'ai dit, ça n'arrive pas souvent, et vous ne ressentirez probablement rien d'autre qu'une pression.*

Il cherche à éviter les surprises à la patiente.

Vous ne sentirez rien au moment du prélèvement comme tel. Il faut simplement attendre que le liquide s'écoule. Si on considère le temps de préparation et de désinfection, le tout prend environ 20 minutes. Le plus inconfortable, c'est de conserver la position fœtale, parce qu'on est courbé. Bon, vous pouvez vous asseoir. Avez-vous des questions ?

Il pourrait aussi explorer d'autres craintes et discuter des effets secondaires possibles.

Le médecin sollicite la collaboration de la patiente.

Le médecin répond aux questions de la patiente.

Le médecin rassure la patiente.

— *Je reviendrai sous peu lorsque le matériel sera prêt pour faire le test.*

Le médecin a désensibilisé la patiente par une *réexposition* à une intervention maintenant familière.

Au retour, le médecin procède à la ponction lombaire de la façon usuelle, mais en répétant le même cheminement, maintenant connu de la patiente.

Dans la majorité des cas, la préparation décrite dans ce cas clinique est suffisante pour assurer une intervention aisée pour la patiente comme pour le médecin. Pour les cas difficiles, on peut ajouter une technique de relaxation ou de visualisation simple pendant l'intervention.

L'approche globale de la douleur en détail

L'approche globale de la douleur n'exclut pas la pharmacologie, mais elle y associe des techniques communicationnelles, de façon à parvenir à un contrôle optimal de sa dimension cognitive. Dans cette perspective, il est important de rappeler que l'anxiété, les valeurs culturelles, les expériences antérieures, l'environnement, les attentes, l'attention, la suggestion et la signification sont tous des éléments qui modifient et modulent l'expérience de la douleur. On peut aborder certains de ces éléments plus aisément que les autres. Passons en revue les principes dont il faut tenir compte à l'urgence pour parvenir à une approche globale efficace.

LA RASSURANCE

Le médecin sait que le patient désire un diagnostic pour décrire son état (Balint, 1957) et il s'efforce d'en préparer un en utilisant toutes ses connaissances. Encore faut-il penser à transmettre son impression diagnostique au patient en termes compréhensibles. Il faut donner son impression clinique *avant* l'obtention des résultats des tests diagnostiques. La chose est possible, puisque le diagnostic se pose à l'anamnèse chez les trois quarts des patients (Cole et Bird, 2000). Il faut éviter de renvoyer le patient dans la salle d'attente sans lui donner de diagnostic provisoire. Cette attitude laisse supposer au patient que le médecin n'a pas de diagnostic et que ce sont les examens paracliniques qui lui fourniront la réponse, ce qui provoquera de la déception si les résultats d'examens sont normaux. Si le médecin croit que le problème est d'ordre fonctionnel, il en introduit délicatement la notion en précisant qu'il prévoit des résultats normaux, ce qui ne limite en rien la réalité de la souffrance du patient. La confirmation de cette prévision rendra plus crédibles le médecin et son diagnostic auprès du patient, et plus acceptables les recommandations qui suivront.

Le clinicien doit aussi tenter de réduire l'anxiété issue de différentes sources. Dans l'exemple de la céphalée de Mme Thibodeau, on a tenu compte de plusieurs sources d'anxiété : la crainte engendrée par la douleur actuelle, la crainte de la cause (l'étiologie) présumée de la douleur, la crainte de la douleur appréhendée, la crainte de l'inconnu, la crainte associée à la perte de contrôle et la crainte de l'environnement étranger (y compris l'attitude du clinicien). À cela s'ajoutent les croyances, fausses ou non, les expériences antérieures et les particularités culturelles. On doit donc rassurer en tenant compte des craintes prévisibles et, aussi, de celles exprimées par le patient. Pour y arriver, le clinicien doit donc être à l'écoute du patient. Il est étonnant de constater combien une écoute attentive permet de bien reconnaître un obstacle et de le surmonter en adaptant sa stratégie en conséquence (Mondloch, Cole et Frank, 2001).

Il ne faut pas oublier que la première attente du patient est d'obtenir un soulagement de la douleur (Fosnocht, Swanson et Bossart, 2001). La forme que prendra ce soulagement est le plus souvent, dans les pays développés, représentée par un produit pharmaceutique. C'est de cette façon que le patient conceptualise le soulagement, mais cela ne signifie pas que les autres aspects du soulagement n'ont pas d'importance. L'application des techniques communicationnelles que nous avons illustrées à l'aide de cas cliniques potentialisera énormément une intervention pharmacologique, même minime – ce qui ne veut pas dire d'exclure cette intervention. Bien sûr, il est possible de faire un acte, par exemple la réduction d'une luxation de l'épaule, sans avoir recours à la pharmacologie. C'est possible, mais cela prend habituellement plus de temps. Et qui a du temps à perdre à l'urgence ?

Bref, le clinicien doit connaître les attentes du patient pour pouvoir les combler et obtenir des résultats optimaux.

LE RESPECT DE LA DIGNITÉ DE L'INDIVIDU

Au cours de la conversation, au moyen de gestes ou d'attentions (exemples : fournir une chemise d'hôpital, proposer un oreiller pour y reposer la tête), le clinicien devrait s'assurer du confort du patient et respecter sa pudeur. Ces marques d'attention sont bel et bien des gestes thérapeutiques.

LA DÉSENSIBILISATION

L'environnement étrange et menaçant de l'urgence augmente l'anxiété du patient. Un environnement familier, mais associé à des émotions négatives à la suite d'une expérience antérieure est au moins tout aussi problématique. L'attitude du médecin fait partie de l'environnement. Une attitude ouverte et accueillante apaise le patient à un moment où son anxiété est élevée, ses sens en alerte, et où il cherche à conserver son calme. Un médecin capable de converser tout en exécutant ses tâches aura plus de succès. Certains éléments de l'environnement physique peuvent être modifiés. Il faut être discret dans la préparation des aiguilles et des seringues, et tenter de faire attendre le patient dans une pièce qui n'a pas trop l'air… d'une chambre de torture.

Dans le cas de Mme Thibodeau, le médecin a utilisé une technique simple, mais puissante, pour combattre l'anxiété de la patiente : la désensibilisation. Cette technique s'adapte très bien au contexte de l'urgence, avec les enfants comme avec les adultes. Le clinicien a d'abord *désensibilisé* la patiente à l'intervention prévue en faisant un exercice de simulation, qui est une application plus formelle de la désensibilisation. Le fait de poser la même série de gestes *avant* de procéder à l'acte médical diminue l'anxiété vécue par le patient quand c'est pour de vrai. Il en va de même pour le médecin : comme le reste de l'environnement, il peut paraître menaçant aux yeux du patient. D'ailleurs, le niveau d'anxiété du patient augmente probablement à l'entrée du médecin dans la pièce (Hirsch, 1998). Pour réduire cette anxiété, le médecin trouvera efficace de faire de courtes visites répétées, ce qui est très praticable dans le contexte de l'urgence, où il peut aller et venir, d'une tâche à l'autre, sans vraiment perdre de temps.

LA CONCESSION DU CONTRÔLE DE LA SITUATION

À un niveau demandant plus d'habiletés relationnelles, le médecin doit transmettre une partie du contrôle au patient ; il agit alors comme un guide. Pour y parvenir, il doit proposer des choix au patient et éviter une approche de paternalisme et de contrôle. Être un guide efficace peut requérir une certaine remise en question de sa pratique et de soi-même, ce qui exige de considérer franchement ses préjugés et ses propres biais culturels pour comprendre comment ils peuvent interférer avec une relation efficace.

LE DÉTOURNEMENT DE L'ATTENTION

Nous avons mentionné que le patient qui se présente à l'urgence se trouve dans un état psychologique particulier. L'une des manifestations de cet état d'alerte est l'hypervigilance. Or, la concentration de l'attention sur la douleur a un effet pervers : elle en augmente l'intensité.

L'approche habituelle consiste à ne pas tenir compte de cet aspect ou à utiliser des sédatifs pour diminuer l'attention du patient, ce qui augmente sa perte de contrôle et peut provoquer des effets secondaires. Au lieu d'aller à l'encontre de cet état, il est plus fructueux de tenter de l'exploiter à des fins thérapeutiques. Comment ? En détournant l'attention du patient pour la concentrer sur un objet autre que la douleur. C'est un phénomène de distraction, auquel s'ajoute une attention concentrée intensément sur le nouvel objet. Il faut donc présenter un nouvel objet qui puisse soutenir cette attention. De nombreux patients apprécient le fait d'être inclus dans les décisions de traitement (Wissow et autres, 1998). Dans notre cas clinique, Mme Thibodeau s'est vu confier un rôle qu'elle a répété et qu'elle devra jouer en utilisant toute sa concentration. Ce rôle détourne son attention de façon productive et diminue à la fois sa passivité et la réaction de régression qui accompagne le rôle de malade (Heiskell et Pasnau, 1991). Le médecin aurait pu lui demander de se concentrer sur une technique de relaxation dans laquelle il l'aurait guidée, d'écouter de la musique ou de soutenir une conversation. Soulignons que le médecin (ou toute autre personne présente) doit accompagner le patient, au moins pour les premiers pas, dans ce *détournement* de l'attention.

LA GESTION EFFICACE DU TEMPS

Bien sûr, il y a aussi le facteur temps. Nous avons vu que les limites de temps ne sont pas un obstacle à la qualité de la relation médecin-patient, mais que le temps disponible doit être utilisé judicieusement. Le temps consacré à l'établissement d'une bonne relation sera récupéré par la fluidité des interventions qui suivront, et la plus grande satisfaction qui en résultera constituera une prime pour les deux intéressés.

LA MODULATION DE L'ENVIRONNEMENT

On peut moduler l'environnement afin de le rendre moins menaçant aux yeux du patient. L'utilisation d'accessoires (exemples : de la musique, des autocollants pour les enfants) est bienvenue. Comme le médecin demeure au centre de l'environnement, son attitude accueillante et sa capacité de converser tout en utilisant des techniques de distraction et de désensibilisation durant l'intervention médicale favorisent aussi la participation active du patient, tout en facilitant son propre travail.

LA MODULATION DES PERCEPTIONS

On peut moduler les perceptions elles-mêmes à l'aide de la distraction, de la réinterprétation, du recadrage ou de la suggestion. Les habiletés relationnelles requises, d'un niveau plus avancé, incluent celle de prêter une attention consciente au langage utilisé. Dans le choix des mots, on doit tenir compte de l'interprétation que va leur donner le patient et de la charge émotive qui peut leur être associée.

Grâce à une sémantique appropriée et compte tenu de l'état psychologique particulier, dont nous avons déjà discuté, il est possible de modifier favorablement les perceptions du patient. L'utilisation adroite de la sémantique, des éléments paralinguistiques (exemples : l'intonation, le débit, les arrêts) (Proctor, Morse et Khonsari, 1996) et des signaux non verbaux (exemples : la posture, les mimiques, les gestes) permet d'induire chez le patient la relaxation, la visualisation, la distraction et même la dissociation[6]. Il faut évidemment adapter le langage à l'âge et au niveau d'instruction du patient. Puisque la compréhension du langage est une condition préalable à l'efficacité de ce genre d'interventions, il va de soi qu'on ne peut pas utiliser la modulation des perceptions avec les enfants âgés de moins de 18 à 24 mois.

Il est évident qu'une approche globale du traitement de la douleur implique beaucoup plus que la pharmacothérapie isolée. La maîtrise de techniques communicationnelles (voir le tableau 29.2) permet à l'urgentologue d'exceller dans son art.

Tableau 29.2 **Les techniques communicationnelles à l'urgence**

L'anamnèse
Se familiariser avec le dossier avant de rencontrer le patient.
Établir un contact visuel et se présenter.
Enchaîner avec une question semi-ouverte sur le motif de consultation.
Donner la chance au patient de parler.
Démontrer qu'on a écouté le patient en reprenant ses propos avant de poser une question.
Tenir compte des attentes et des craintes exprimées et de celles qui sont prévisibles, même si elles ne sont pas exprimées.
L'examen et les interventions
Répondre aux attentes et soulager la douleur et la souffrance.
Aider le patient à maintenir sa dignité et respecter sa pudeur (exemples : fournir une chemise d'hôpital, fermer les rideaux).
Désensibiliser le patient à l'inconnu en l'informant, en lui donnant des explications ou en effectuant un exercice de simulation.
Concéder au patient une partie du contrôle de la situation en lui offrant des choix.
Confier au patient un rôle actif nécessitant la mobilisation de son attention.
Moduler les perceptions et l'environnement en utilisant un langage verbal et non verbal approprié.
Rassurer le patient par rapport à ses craintes et corriger ses attentes si elles sont irréalistes.

Conclusion

Plusieurs des principes que nous avons présentés constituent des habiletés communicationnelles qu'il est important de maîtriser dans l'interaction avec des patients *difficiles* à l'urgence (Kercher, 1991). Il n'y a cependant pas de raison d'en limiter l'utilisation à cette catégorie de patients.

Tout en admettant qu'il y a probablement autant de *styles* d'interaction qu'il y a de médecins, nous croyons que le respect des principes de base en communication facilite l'interaction médecin-patient. L'établissement et le maintien de la relation de confiance constituent l'une des trois fonctions de l'entrevue médicale[7]. Les techniques communicationnelles et relationnelles discutées dans ce chapitre amplifient les habiletés naturelles du médecin. Elles ne peuvent pas suppléer à une attitude brusque, hautaine ou désagréable. Il est évident que les composantes de la personnalité viennent toujours teinter les interactions. L'humour, par exemple, peut donner de très bons résultats, mais il peut aussi être catastrophique s'il est manié malhabilement ou si le patient interprète cet humour comme une tentative de le tourner en dérision.

Les techniques proposées dans ce chapitre pour maximiser les résultats sont simples. D'ailleurs, toute technique complexe serait impraticable dans un milieu comme l'urgence. En fait, l'essentiel est constitué d'habiletés communicationnelles et de quelques techniques simples. La difficulté principale de la démarche, qui en constitue aussi le charme, réside dans l'individualisation de l'approche. Chaque patient est un individu et le médecin doit donc adapter son approche à chacun s'il veut obtenir des résultats probants de façon régulière. Mais n'est-ce pas là, justement, l'essence même de l'art médical?

Je remercie mes patients pour leur riche collaboration et pour l'inspiration qu'ils m'ont insufflée au fil de nos relations.

Notes

1. Voir les chapitres 5 et 6, intitulés respectivement «Les modèles de relation médecin-patient» et «L'approche centrée sur le patient: diverses manières d'offrir des soins de qualité».
2. Pour mieux saisir les implications de ces deux distinctions, lire les chapitres 4 et 5, intitulés respectivement «Les représentations profanes liées aux maladies» et «Les modèles de relation médecin-patient».
3. À ce propos, lire le chapitre 6, intitulé «L'approche centrée sur le patient: diverses manières d'offrir des soins de qualité».
4. Pour en apprendre davantage sur les méthodes d'interaction en présence d'autres personnes, lire les chapitres 19 et 20, intitulés respectivement «La famille: lorsque des proches participent à la consultation médicale» et «Les patients accompagnés».
5. Pour en apprendre davantage sur les différences culturelles dont le médecin devrait tenir compte, lire les chapitres 18 et 20, intitulés respectivement «Les patients de culture différente» et «Les patients accompagnés».
6. Pour en apprendre davantage sur les éléments paralinguistiques et les signaux non verbaux, lire le chapitre 9, intitulé «La gestion des émotions».
7. Lire les chapitres 7 et 8, intitulés respectivement «Les fonctions de l'entrevue médicale et les stratégies communicationnelles» et «La structure et le contenu de l'entrevue médicale».

Références

Adams, J., et R. Murray (1998). «The general approach to the difficult patient», *Emergency Medicine Clinics of North America*, vol. 16, n° 4, p. 689-700.

Afilalo, M., et C. Tselios (1996). «Pain relief versus patient satisfaction», *Annals of Emergency Medicine*, vol. 27, n° 4, p. 436-438.

American Academy of Pediatrics (2004). *APLS: The pediatric emergency medicine resource*, 4e édition, Elk Grove Village (Illinois), American Academy of Pediatrics and American College of Emergency Physicians.

American College of Surgeons (1997). *Advanced trauma life support (ATLS)*, 6e édition.

American Heart Association (1997). *Pediatric advanced life support (PALS)*, 3e édition.

American Heart Association et International Liaison Committee On Resuscitation (2000). «Guidelines 2000 for cardiopulmonary resuscitation and emergency cardiovascular care (ACLS)», *Circulation*, vol. 102, n° 8 (suppl.), p. 186-189.

Atherton, T. (1995). «Children's experiences of pain in an accident and emergency department», *Accident and Emergency Nursing*, vol. 3, n° 2, p. 79-82.

Balint, M. (1957). *The doctor, his patient, and the illness*, Londres, Pitman Medical Publishing.

Barletta, J.F., B.L. Erstad, M. Loew et S.M. Keim (2000). «A prospective study of pain control in the emergency department», *American Journal of Therapeutics*, vol. 7, n° 4, p. 251-255.

Bauchner, H., R. Vinci, S. Bak, C. Pearson et M.J. Corwin (1996). «Parents and procedures: A randomized controlled trial», *Pediatrics*, vol. 98, n° 5, p. 861-867.

Bauchner, H., C. Waring et R. Vinci (1991). «Parental presence during procedures in an emergency room: Results from 50 observations», *Pediatrics*, vol. 87, n° 4, p. 544-548.

Bjorvell, H., et J. Stieg (1991). «Patients' perceptions of the health care received in an emergency department», *Annals of Emergency Medicine*, vol. 20, n° 7, p. 734-738.

Boey, K.W. (1988). «The measurement of stress associated with hospitalization», *Singapore Medical Journal*, vol. 29, n° 6, p. 586-588.

Boon, D., et J. Wardrope (1994). «What should doctors wear in the accident and emergency department?

Patients' perception », *Journal of Accident and Emergency Medicine*, vol. 11, n° 3, p. 175-177.

Brennan-Hunter, A.L. (2001). « Children's pain : A mandate for change », *Pain Research & Management*, vol. 6, n° 1, p. 29-39.

Britten, N., et A. Shaw (1994). « Patients' experiences of emergency admission : How relevant is the British government's Patients' Charter ? », *Journal of Advanced Nursing*, vol. 19, n° 6, p. 1212-1220.

Buckman, R. (1992). « Basic communication skills », dans *How to break bad news : A guide for health care professionals*, sous la direction de R. Buckman et Y. Kason, Johns Hopkins University Press.

Bursch, B., J. Beezy et R. Shaw (1993). « Emergency department satisfaction : What matters most ? », *Annals of Emergency Medicine*, vol. 22, n° 3, p. 586-591.

Clark, N.M., M. Gong, A. Schork, D. Evans, D. Roloff, M. Hurwitz, L. Maiman et R.B. Mellins (1998). « Impact of education for physicians on patient outcomes », *Pediatrics*, vol. 101, n° 5, p. 831-836.

Cole, S.A., et J. Bird (2000). *The medical interview : The three-function approach*, 2e édition, Saint Louis, Mosby, chap. 2 (Why three functions), 3 (Function one : Building the relationship) et 25 (Nonverbal communication).

Colizza, D.F., M. Prior et P. Green (1996). « The emergency department experience : The developmental and psychosocial needs of children », *Topics in Emergency Medicine*, vol. 18, n° 3, p. 26-40.

Cordell, W.H., K.K. Keene, B.K. Giles, J.B. Jones, J.H. Jones et E.J. Brizendine (2002). « The high prevalence of pain in emergency medical care », *The American Journal of Emergency Medicine*, vol. 20, n° 3, p. 165-169.

Crane, J.A. (1997). « Patient comprehension of doctor-patient communication on discharge from the emergency department », *Journal of Emergency Medicine*, vol. 15, n° 1, p. 1-7.

Dickenson, A.H. (2002). « Gate control theory of pain stands the test of time », *British Journal of Anaesthesia*, vol. 88, n° 6, p. 755-757.

Ducharme, J. (1994). « Emergency pain management : A Canadian association of emergency physicians (CAEP) consensus document », *The Journal of Emergency Medicine*, vol. 12, n° 6, p. 855-866.

Ducharme, J. (2000). « Acute pain and pain control : State of the art », *Annals of Emergency Medicine*, vol. 35, n° 6, p. 592-603.

Ducharme, J. (2001). « Whose pain is it anyway ? Managing pain in the emergency department », *Emergency Medicine*, vol. 13, n° 3, p. 271-273.

Ducharme, J., et C. Barber (1995). « A prospective blinded study on emergency pain assessment and therapy », *The Journal of Emergency Medicine*, vol. 13, n° 4, p. 571-575.

Eichhorn, D.J., T.A. Meyers, C.E. Guzzetta, A.P. Clark, J.D. Klein, E. Taliaferro et A.O. Calvin (2001). « Family presence during invasive procedures and resuscitation. Hearing the voice of the patient », *American Journal of Nursing*, vol. 101, n° 5, p. 26-33.

Emergency Nurses Association (2001). « *Emergency Nurses Association Position Statement : Family presence at the bedside during invasive procedures and resuscitation*, document Web (www.ena.org/about/position/family presence.asp).

Fosnocht, D.E., E.R. Swanson et P. Bossart (2001). « Patient expectations for pain medication delivery », *The American Journal of Emergency Medicine*, vol. 19, n° 5, p. 399-402.

Friedland, L.R., et R.M. Kulick (1994). « Emergency department analgesic use in pediatric trauma victims with fractures », *Annals of Emergency Medicine*, vol. 23, n° 2, p. 203-207.

George, A., et J. Hancock (1993). « Reducing pediatric burn pain with parent participation », *Journal of Burn Care and Rehabilitation*, vol. 14, n° 1, p. 104-107.

Gillig, P.M., P. Grubb, R. Kruger, A. Johnson, J.R. Hillard et N. Tucker (1990). « What do psychiatric emergency patients really want and how do they feel about what they get ? », *Psychiatric Quarterly*, vol. 61, n° 3, p. 189-196.

Goodacre, S.W., et R.K. Roden (1996). « A protocol to improve analgesia use in the accident and emergency department », *Journal of Accident and Emergency Medicine*, vol. 13, n° 3, p. 177-179.

Gu, X., et M.J. Belgrade (1993). « Pain in hospitalized patients with medical illnesses », *Journal of Pain and Symptom Management*, vol. 8, n° 1, p. 17-21.

Guertler, A.T. (1997). « The clinical practice of emergency medicine », *Emergency Medicine Clinics of North America*, vol. 15, n° 2, p. 303-313.

Hall, M.F., et I. Press (1996). « Keys to patient satisfaction in the emergency department : Results of a multiple facility study », *Hospital and Health Services Administration*, vol. 41, n° 4, p. 515-532.

Harrison, D.W., et R.J. Vissers (2002). « The difficult patient », dans *Rosen's emergency medicine : Concepts and clinical practice*, 5e édition, sous la direction de J.A. Marx, R. Hockberger et R. Walls, Saint Louis, Mosby, chapitre 3, p. 2604-2613.

Heiskell, L.E., et R.O. Pasnau (1991). « Psychological reaction to hospitalization and illness in the emergency department », *Emergency Medicine Clinics of North America*, vol. 9, n° 1, p. 207-218.

Hirsch, W.R. (1998). « The white coat syndrome », *The Journal of Oncology Management*, vol. 7, n° 5, p. 17-18.

Hockberger, R.S., L.S. Binder, M.A. Graber, G.L. Hoffman, D.G. Perina, S.M. Schneider, D.P. Sklar, R.W. Strauss, D.R. Viravec, W.J. Koenig, J.J. Augustine, W.P. Burdick, W.V. Henderson, L.L. Lawrence, D.B. Levy, J. McCall, M.A. Parnell et K.T. Shoji (ACEP Core Content Task Force II) (2001). « The model of the clinical practice of emergency medicine », *Annals of Emergency Medicine*, vol. 37, n° 6, 745-770.

Hutzler, J.C., et D.A. Rund (1999). « Behavioral disorders : Emergency assessment and stabilization », dans *Emergency Medicine : A comprehensive study guide*, 5e édition, sous la direction de J.E. Tintinalli, G.D. Kelen et J.S. Stapczynski, New York, McGraw-Hill, chapitre 281, p. 1913-1918.

Johnston, C.C., A.J. Gagnon, L. Fullerton, C. Common, M. Ladores et S. Forlini (1998). « One-week survey of pain intensity on admission to and discharge from the emergency department : A pilot study », *The Journal of Emergency Medicine*, vol. 16, n° 3, p. 377-382.

Jolly, B.T., J.L. Scott et S.M. Sanford (1995). « Simplification of emergency department discharge instructions improves patient comprehension », *Annals of Emergency Medicine*, vol. 26, n° 4, p. 443-446.

Jones, J.B. (1999). « Assessment of pain management skills in emergency medicine residents: The role of a pain education program », *The Journal of Emergency Medicine*, vol. 17, n° 2, p. 349-354.

Jones, J.S., K. Johnson et M. McNinch (1996). « Age as a risk factor for inadequate emergency department analgesia », *The American Journal of Emergency Medicine*, vol. 14, n° 2, p. 157-160.

Jylli, L., et G.L. Olsson (1995). « Procedural pain in a paediatric surgical emergency unit », *Acta Paediatrica*, vol. 84, n° 12, p. 1403-1408.

Kao, L.W., G.P. Moore et K.C. Jackimczyk (2002). « The combative patient », dans *Rosen's Emergency Medicine: Concepts and clinical practice*, 5e édition, sous la direction de J.A. Marx, R. Hockberger et R. Walls, Saint Louis, Mosby, chapitre 184, p. 2591-2604.

Kercher, E.E. (1991). « Crisis intervention in the emergency department », *Emergency Medicine Clinics of North America*, vol. 9, n° 1, p. 219-232.

Knopp, R., S. Rosenzweig, E. Bernstein et V. Totten (1996). « Physician-patient communication in the emergency department, part 1 », *Academic Emergency Medicine*, vol. 3, n° 11, p. 1065-1069.

Korsch, B.M., E.K. Gozzi et V. Francis (1968). « Gaps in doctor-patient communication: Doctor-patient interaction and patient satisfaction », *Pediatrics*, vol. 42, n° 5, p. 855-871.

Krishel, S., et L.J. Baraff (1993). « Effect of emergency department information on patient satisfaction », *Annals of Emergency Medicine*, vol. 22, n° 3, p. 568-572.

Langewitz, W., M. Denz, A. Keller, A. Kiss, S. Rüttimann et B. Wössmer (2002). « Spontaneous talking time at start of consultation in outpatient clinic: Cohort study », *British Medical Journal*, vol. 325, n° 7366, p. 682-683.

Lau, F.L. (2000). « Can communication skills workshops for emergency department doctors improve patient satisfaction ? », *Journal of Accident and Emergency Medicine*, vol. 17, n° 4, p. 251-253.

Lazare, A. (1995). « Shame, humiliation, and stigma in the medical interview », dans *The medical interview: Clinical care, education, and research*, sous la direction de M. Lipkin Jr., S.M. Putnam et A. Lazare, New York, Springer-Verlag.

Levinson, W., D.L. Roter, J.P. Mullooly, V.T. Dull et R.M. Frankel (1997). « Physician-patient communication. The relationship with malpractice claims among primary care physicians and surgeons », *The Journal of the American Medical Association*, vol. 277, n° 7, p. 553-559.

Lewis, L.M., L.C. Lasater et C.B. Brooks (1994). « Are emergency physicians too stingy with analgesics ? », *Southern Medical Journal*, vol. 87, n° 1, p. 7-9.

Lloyd, G., D. Skarratts D, N. Robinson et C. Reid (2000). « Communication skills training for emergency department senior house officers: A qualitative study », *Journal of Accident and Emergency Medicine*, vol. 17, n° 4, p. 246-250.

Melzack, R. (1973). *The puzzle of pain*, New York, Basic Books.

Meyers, T.A., D.J. Eichhorn, C.E. Guzzetta, A.P. Clark, J.D. Klein, E. Taliaferro et A. Calvin (2000). « Family presence during invasive procedures and resuscitation: The experience of family members, nurses and physicians », *The American Journal of Nursing*, vol. 100, n° 2, p. 32-42.

Mondloch, M.V., D.C. Cole et J.W. Frank (2001). « Does how you do depend on how you think you'll do ? A systematic review of the evidence for a relation between patient's recovery expectations and health outcomes », *Journal de l'Association médicale canadienne / Canadian Medical Association Journal*, vol. 165, n° 2, p. 174-179.

Moore, K.W., et K.S. Schwartz (1993). « Psychosocial support of trauma patients in the emergency department by nurses, as indicated by communication », *Journal of Emergency Nursing*, vol. 19, n° 4, p. 297-302.

Morgenstern, L.B., H. Luna-Gonzalez, J.C. Huber Jr., S.S. Wong, M.O. Uthman, J.H. Gurian, P.R. Castillo, S.G. Shaw, R.F. Frankowski et J.C. Grotta (1998). « Worst headache and subarachnoid hemorrhage: Prospective, modern computed tomography and spinal fluid analysis », *Annals of Emergency Medicine*, vol. 32, n° 3, partie I, p. 297-304.

Nelson, D., K. Coleman et J. Walker (1997). « Why are you waiting? Formulating an information pamphlet for use in an accident and emergency department », *Accident and Emergency Nursing*, vol. 5, n° 1, p. 39-41.

Ngai, B., et J. Ducharme (1997). « Documented use of analgesics in the emergency department and upon release of patients with extremity fractures », *Academic Emergency Medicine*, vol. 4, n° 12, p. 1176-1178.

Petrack, E.M., N.C. Christopher et J. Kriwinsky (1997). « Pain management in the emergency department: Patterns of analgesic utilization », *Pediatrics*, vol. 99, n° 5, p. 711-714.

Perry, S.W. (1988). « Psychological aspects of pain management », dans *Pain management in emergency medicine*, sous la direction de P.M. Paris et R.D. Stewart, Norwalk, Appleton and Lange, p. 17-29.

Pollock, K., et J. Grime (2002). « Patients' perceptions of entitlement to time in general practice consultations for depression: Qualitative study », *British Medical Journal*, vol. 325, n° 7366, p. 687-692.

Proctor, A., J.M. Morse et E.S. Khonsari (1996). « Sounds of comfort in the trauma center: How nurses talk to patients in pain », *Social Science and Medicine*, vol. 42, n° 12, p. 1669-1680.

Rhee, K.J., et J. Bird (1996). « Perceptions and satisfaction with emergency department care », *Journal of Emergency Medicine*, vol. 14, n° 6, p. 679-683.

Rosenzweig, S. (1991). « Teaching the art of emergency medicine », *Annals of Emergency Medicine*, vol. 20, n° 1, p. 71-76.

Rosenzweig, S. (1993a). « Humanism in emergency medicine », *The American Journal of Emergency Medicine*, vol. 11, n° 5, p. 556-559.

Rosenzweig, S. (1993b). « Emergency rapport », *Journal of Emergency Medicine*, vol. 11, n° 6, p. 775-778.

Rosenzweig, S., T.P. Brigham, R.D. Snyder, G. Xu et A.J. McDonald (1999). « Assessing emergency medicine resident communication skills using videotaped patient encounters: Gaps in inter-rater reliability », *Journal of Emergency Medicine*, vol. 17, n° 2, p. 355-361.

SAEM Ethics Committee (1996). « Virtue in emergency medicine », *Academic Emergency Medicine*, vol. 3, n° 10, p. 961-966.

SAEM Task Force on physician-patient communication (1996). « Physician-patient communication in the emergency department. Part 2: Communication strategies for specific situations », *Academic Emergency Medicine*, vol. 3, n° 12, p. 1146-1153.

SAEM Task Force on physician-patient communication (1997). « Physician-patient communication in the emergency department. Part 3 : Clinical and educational issues », *Academic Emergency Medicine*, vol. 4, n° 1, p. 72-77.

Schwartz, L.R., et D.T. Overton (1992). « The management of patient complaints dissatisfaction », *Emergency Medicine Clinics of North America*, vol. 10, n° 3, p. 557-572.

Selbst, S.M., et M. Clark (1990). « Analgesic use in the emergency department », *Annals of Emergency Medicine*, vol. 19, n° 9, p. 1010-1013.

Simpson, M., R. Buckman, M. Stewart, P. Maguire, M. Lipkin, D. Novack et J. Till (1991). « Doctor-patient communication : The Toronto consensus statement », *British Medical Journal*, vol. 303, n° 6814, p. 1385-1387.

Spandorfer, J.M., D.J. Karras, L.A. Hughes et C. Caputo (1995). « Comprehension of discharge instructions by patients in an urban emergency department », *Annals of Emergency Medicine*, vol. 25, n° 1, p. 71-74.

Stewart, M.A. (1995). « Effective physician-patient communication and health outcomes : A review », *Journal de l'Association médicale canadienne / Canadian Medical Association Journal*, vol. 152, n° 9, p. 1423-1433.

Stewart, M.A., J.B. Brown, H. Boon, J. Galajda, L. Meredith et M. Sangster (1999). « Evidence on patient-doctor communication », *Cancer Prevention and Control*, vol. 3, n° 1, p. 25-30.

Sulkowicz, K.J. (1999). « Psychodynamic issues in the emergency department », *The Psychiatric Clinics of North America*, vol. 22, n° 4, p. 911-922.

Sutherland, S.F., et R.E. O'Connor (1996). « Why should physicians worry about patient satisfaction ? Applying some of the principles used in the emergency department to hospital and office-based practices », *Delaware Medical Journal*, vol. 68, n° 1, p. 19-22.

Tanabe, P., et M. Buschmann (1999). « A prospective study of ED pain management practices and the patient's perspective », *Journal of Emergency Nursing*, vol. 25, n° 3, p. 171-177.

Tanabe, P., K. Ferket, R. Thomas, J. Paice et R. Marcantonio (2002). « The effect of standard care, ibuprofen, and distraction on pain relief and patient satisfaction in children with musculoskeletal trauma », *Journal of Emergency Nursing*, vol. 28, n° 2, p. 118-125.

Taylor, D.M., et P.A. Cameron (2000). « Discharge instructions for emergency department patients : What should we provide ? », *Journal of Accident and Emergency Medicine*, vol. 17, n° 2, p. 86-90.

Thompson, D.A., P.R. Yarnold, D.R. Williams et S.L. Adams (1996). « Effects of actual waiting time, perceived waiting time, information delivery, and expressive quality on patient satisfaction in the emergency department », *Annals of Emergency Medicine*, vol. 28, n° 6, p. 657-665.

Todd, K.H. (2001). « Influence of ethnicity on emergency department pain management », *Emergency Medicine*, vol. 13, n° 3, p. 274-278.

Vukmir, R.B., R. Kremen, G.L. Ellis, D.A. DeHart, M.C. Plewa et J. Menegazzi (1993). « Compliance with emergency department referral : The effect of computerized discharge instructions », *Annals of Emergency Medicine*, vol. 22, n° 5, p. 819-823.

Walsh, M. (1993). « Pain and anxiety in accident and emergency attenders », *Nursing Standard*, vol. 7, n° 26, p. 40-42.

Wissow, L.S., D. Roter, L.J. Bauman, E. Crain, C. Kercsmar, K. Weiss, H. Mitchell et B. Mohr (1998). « Patient-provider communication during the emergency department care of children with asthma », *Medical Care*, vol. 36, n° 10, p. 1439-1450.

Wolfram, R.W., et E.D. Turner (1997). « Effects of parental presence during young children's venipuncture », *Academic Emergency Medicine*, vol. 13, n° 1, p. 58-64.

Yarnold, P.R., E.A. Michelson, D.A. Thompson et S.L. Adams (1998). « Predicting patient satisfaction : A study of two emergency departments », *Journal of Behavioral Medicine*, vol. 21, n° 6, p. 545-563.

La communication en soins à domicile

Marie-Françoise Mégie

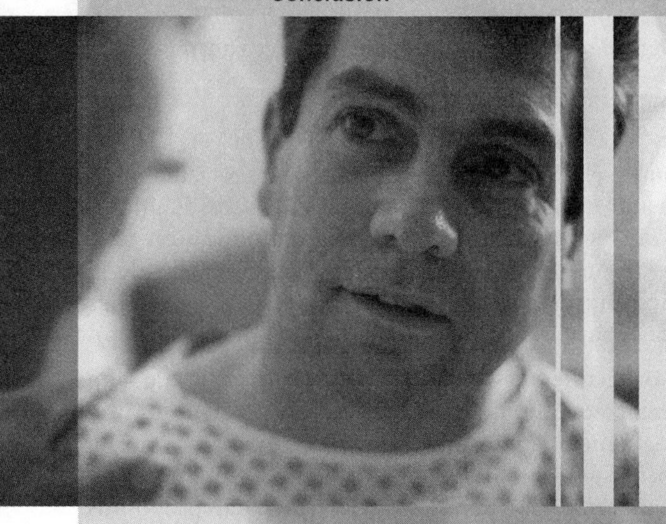

CHAPITRE 30

Deux patientes font respectivement les demandes suivantes à leur médecin.

Premier cas

LA PATIENTE — *Ma mère n'a pas vu de médecin depuis plus de 10 ans. Comme elle a de sérieux problèmes de mobilité, elle ne peut pas sortir de la maison. Elle est tombée deux fois la semaine dernière. Cela m'inquiète. Pourriez-vous aller la voir chez elle ?*

Second cas

LA PATIENTE — *Mon père a subi un accident vasculaire cérébral et il vient de sortir de l'hôpital. Il ne pourra plus aller vous voir à votre bureau comme il le faisait auparavant. Allez-vous continuer à le suivre à la maison ?*

Derrière ces demandes relativement courantes de visite à domicile se vit une situation difficile, médicale ou psychosociale. L'espoir associé à ce genre de demande est immense, et souvent l'aidant espère qu'en passant par le médecin, il pourra influencer l'aidé. Les attentes de l'aidé peuvent cependant différer de celles de l'aidant.

Premier cas

L'AIDANTE — *Le médecin va m'aider à convaincre maman de la nécessité d'être placée dans un centre... J'ai peur de la laisser seule... Je ne peux plus sortir...*

Second cas

L'AIDANTE — *Le médecin va faire comprendre à mon père qu'il doit m'écouter et suivre sa diète comme il faut.*

L'AIDÉ — *Le médecin va me dire dans combien de temps, après mon AVC, je vais pouvoir marcher.*

La visite à domicile présente pour le clinicien un défi constant de négociation avec le patient, sa famille, ses aidants et les autres soignants professionnels ou intervenants en santé. C'est un dialogue à plusieurs voix, et y maintenir l'harmonie tient du savoir-faire d'un « homme-orchestre ». D'un côté, le médecin doit répondre aux impératifs de la science, et de l'autre il doit trouver des solutions au désarroi moral du patient, avec des ressources diagnostiques et thérapeutiques parfois difficilement accessibles (Benrubi, 1996).

Ce chapitre porte sur les enjeux particuliers associés à la consultation médicale faite chez le patient, c'est-à-dire dans *son* environnement. La formation des médecins les prépare à travailler dans un environnement connu, familier, où ils exercent un certain contrôle sur le déroulement de la consultation. Visiter le patient dans son environnement suscite souvent de l'inconfort chez le professionnel et, parfois aussi, chez le patient. Nous proposons des stratégies susceptibles de guider le médecin dans ses interactions non seulement avec le patient confiné dans son domicile, mais également avec l'entourage du patient, soit les aidants naturels et les autres membres de l'équipe de soins.

Que ce soit à la requête d'un patient ou par l'entremise d'un professionnel du réseau de la santé, les demandes de soins à domicile sont en croissance constante dans notre société. L'Institut de la statistique du Québec mentionne que « 27 % des personnes âgées de 65 ans et plus sont atteintes d'au moins une incapacité suffisamment importante pour entraîner une demande de services » (cité dans Ministère de la Santé et des Services sociaux, 2001, p. 15). Un document plus récent émanant de la même source (Ministère de la Santé et des Services sociaux, 2003, p. 23) souligne que les dépenses liées aux services à domicile « ont connu une hausse importante au cours des cinq dernières années ». Au Québec, cette hausse est causée non seulement par le vieillissement de la population, mais également par la réinsertion sociale des personnes handicapées, la diminution de la durée de séjour à l'hôpital, la pénurie des espaces disponibles dans les établissements d'hébergement et le désir de la personne âgée de vivre le plus longtemps possible dans son milieu.

Dans ce même document ministériel, on souhaite que l'équipe qui intervient auprès d'une personne à son domicile puisse avoir accès à son médecin traitant. « L'expérience révèle que c'est là une importante condition d'efficacité » du soutien à domicile (Ministère de la Santé et des Services sociaux, 2003, p. 23). Cependant, il est clair que cet accès augmente la sollicitation du médecin de famille. Relégué au plan d'une médecine de second ordre dans les années soixante-dix et quatre-vingt en raison des avancées technologiques et des progrès de la médecine en établissement, le suivi médical à domicile est donc redevenu, cette dernière décennie, une nécessité impérieuse pour les personnes âgées, handicapées ou atteintes d'une maladie chronique (LoFaso, 2000).

Nous allons, dans les pages qui suivent, discuter de l'environnement personnel du patient, des acteurs en présence et des relations que ceux-ci entretiennent avec le patient ou avec le médecin, des étapes du suivi médical à domicile, des défis communicationnels et, enfin, des aspects éthiques inhérents à ces rencontres.

Les principales distinctions entre la visite à domicile et la consultation au cabinet

Au domicile, le patient est maître chez lui (LoFaso, 2000). Il peut obliger le médecin à s'essuyer les pieds avant d'entrer, tout comme il peut décider, pour toutes sortes de raisons, qu'il n'est pas en mesure de le recevoir au moment planifié. Ainsi, pour le patient, ne pas manquer son émission de télévision favorite ou donner la priorité à la visite de sa coiffeuse sont des raisons valables pour repousser une consultation médicale. Par ailleurs, la politesse élémentaire exige du médecin qui fait une visite à domicile de demander la permission, par exemple, d'utiliser le lavabo pour se laver les mains, ce qu'il n'a évidemment pas à faire au cabinet.

Le tableau 30.1 présente les principales différences entre une visite à domicile et une consultation au cabinet. À ces différences viennent s'ajouter les particularités logistiques suivantes : au cabinet, le patient doit se plier aux contraintes de temps du médecin, alors qu'au domicile c'est le médecin qui doit parfois adapter son emploi du temps selon la nature de la demande de son patient ; dans le cas de la visite à domicile, c'est le patient qui invite le médecin dans l'une ou l'autre pièce de la maison (exemple : « Assoyez-vous ici, Docteur, vous serez plus à l'aise pour écrire »).

Tableau 30.1 **Les différences entre la visite à domicile et la consultation au cabinet**

VISITE À DOMICILE	CONSULTATION AU CABINET
C'est la responsabilité du médecin d'être ponctuel.	C'est la responsabilité du patient d'être ponctuel.
Le médecin est reçu par le patient, il n'est pas dans son cadre professionnel habituel.	Le médecin reçoit le patient dans son cadre habituel (l'organisation des lieux, les collaborateurs, les rituels).
Le cadre de l'entrevue est choisi par le patient ou dicté par la configuration des lieux.	Le cadre de l'entrevue (le cabinet) est choisi par le médecin.
L'évaluation des habitudes de vie est directe.	L'évaluation des habitudes de vie est indirecte.
L'évaluation de l'observance des traitements ou de certaines irrégularités dans la consommation de médicaments est plus directe.	L'évaluation de l'observance des traitements ou de certaines irrégularités dans la consommation de médicaments est indirecte.
L'évaluation des conditions socioéconomiques est directe.	L'évaluation des conditions socioéconomiques est indirecte.
L'évaluation de l'hygiène est plus facile.	Souvent, le patient fait sa toilette avant de sortir, ce qui rend l'évaluation de l'hygiène plus difficile.
L'évaluation de l'état mental est plus facile, car il y a moins de stress pour le patient.	L'évaluation de l'état mental est plus difficile à cause du stress lié au déplacement et à l'attente.
L'évaluation de l'interaction patient-aidant est plus facile.	L'interaction patient-aidant est moins spontanée. L'évaluation de cette interaction peut être difficile, particulièrement quand ce n'est pas l'aidant qui accompagne le patient.
La simplicité vestimentaire facilite l'examen physique.	Les vêtements et certains sous-vêtements peuvent être encombrants.
Il est plus aisé de prendre une décision partagée.	Le climat est moins propice à une prise de décision partagée.
L'entrevue risque d'être plus longue : l'aidant peut avoir des informations de dernière minute à communiquer ou le patient peut avoir envie de converser.	Le médecin peut plus facilement mettre fin à l'entrevue.

Parfois, la configuration du domicile dicte l'endroit où se tient l'entrevue. L'expérience a montré que la cuisine est la pièce fournissant le plus de commodités. L'organisation des lieux impose en partie le choix, mais les préférences du patient ou son état de santé influent aussi sur ce choix. Le patient peut d'ailleurs tirer parti de cette situation pour tenter d'influencer le médecin. Ainsi, s'il veut lui démontrer qu'il est très malade, il le recevra dans sa chambre et restera alité pendant toute la visite.

Au cabinet, en revanche, c'est le médecin qui mène le jeu. Il est dans un environnement où il se sent à l'aise, où tout est organisé, ritualisé (exemples : ses collaborateurs sont là, le décor lui est familier, il gère lui-même son emploi du temps). C'est lui qui va chercher le patient dans la salle d'attente et l'invite à entrer et à prendre place avant de s'installer lui-même (LoFaso, 2000 ; Benrubi, 1996) dans un cadre standardisé. Le patient est alors en situation de *fragilité* sur le territoire du médecin. Il ne pourra pas bénéficier du contexte pour communiquer avec le médecin.

Le domicile et son aménagement intérieur

Qu'il s'agisse de la grande maison unifamiliale d'un quartier cossu ou de la modeste maison de plain-pied, de l'appartement situé dans un duplex ou un triplex, accessible par un escalier extérieur en colimaçon, ou situé dans un grand immeuble, avec ou sans ascenseur, le premier coup d'œil donne un aperçu du mode de vie du patient.

Franchir le seuil du logement apporte encore d'autres informations, avant même que le clinicien n'interroge le patient. Une habitation vaste ou exiguë, l'aménagement intérieur, l'état d'ordre et de propreté et la présence d'animaux domestiques sont autant d'éléments qui aident à construire progressivement l'histoire de vie de la personne visitée. En plus de révéler le profil socioéconomique de cet individu et de faciliter son évaluation médicale, la visite à domicile permet de mieux connaître le patient et son entourage (Benrubi, 1996).

À part les pensions, où le patient vit dans une seule pièce, les logements comportent généralement plusieurs pièces, dont trois unités principales : le salon, la cuisine et la chambre à coucher. L'entrevue et l'examen physique se déroulent ordinairement dans deux de ces pièces. Le salon ou la cuisine, offrant tous deux les commodités nécessaires à la conversation et à la prise de notes, se prêtent bien au déroulement de l'entrevue. De plus, les armoires de cuisine servent souvent à ranger les médicaments, ce qui permet d'en faire un bon inventaire. La chambre à coucher, plus intime, est généralement le lieu de l'examen physique ; dans le cas des patients alités, tout se passe dans cette pièce.

Les lieux physiques communiquent au professionnel de la santé des informations précieuses sur le patient visité, informations qu'il faut traiter avec tact, d'autant plus qu'il est difficile de les obtenir au cours d'une consultation ordinaire au bureau. Cependant, si le contexte de vie du patient donne le plus souvent accès à une information plus riche, il peut occasionnellement masquer certaines situations, comme les détériorations progressives, que le patient réussit à compenser dans son environnement quotidien. Un changement de cet environnement, même mineur, peut parfois être révélateur de ce genre de situations.

Même si, en règle générale, les patients apprécient beaucoup la visite du médecin chez eux, surtout s'ils sont confinés dans leur domicile par la maladie, certains disent se sentir mal à l'aise de recevoir le médecin dans leur maison. Les arguments notés lors du sondage effectué par Benrubi (1996) se lisent comme suit : « Je n'aime pas que le médecin investisse mon lieu privé… par pudeur » ou « Je dois ranger chez moi quand j'attends le médecin ». À l'inverse, d'autres réflexions de ce même sondage révèlent qu'à domicile « le contexte est meilleur », « c'est plus privé, plus sympa, le dialogue est plus facile », « c'est plus facile de parler avec le médecin, en dehors de la maladie, de choses normales ».

Les personnes nécessitant un suivi à domicile

Au Québec, tout le monde n'est pas admissible au suivi médical à domicile. Les personnes âgées constituent la majorité des patients qui en bénéficient. Elles sont généralement en grande perte d'autonomie en rapport avec des maladies chroniques. Cette clientèle est captive, ne pouvant sortir pour avoir accès à des soins médicaux courants. À ce groupe s'ajoutent (LoFaso, 2000 ; Mégie et Murphy, 2000) :

- la clientèle de tout âge en phase terminale d'une maladie (exemples : la néoplasie, le sida, l'insuffisance cardiaque, respiratoire ou hépatique) ;

- la clientèle de tout âge présentant des atteintes neurologiques, dégénératives ou autres (exemples: la maladie de Parkinson, la sclérose en plaques, une blessure médullaire, un état post-AVC) ;
- la clientèle à besoins ponctuels (exemples: un suivi postopératoire, des plaies, une antibiothérapie intraveineuse, une dialyse).

Autour de ces personnes vivent, la plupart du temps, des gens qui les aident dans leurs activités de la vie quotidienne (AVQ) ou dans leurs activités de la vie domestique (AVD) : ce sont les aidants naturels[1]. En général, ils assurent 80 % des soins à domicile (LoFaso, 2000).

Les personnes jouant le rôle d'aidant naturel

En règle générale les aidants sont des femmes. Ils doivent souvent effectuer des changements dans leurs habitudes, dans leur cadre de vie, par exemple dans leurs relations sociales, dans le décor de la maison, selon leur relation avec le patient. Quand ces personnes ont déjà atteint la soixantaine avancée, elles sont aux prises avec leurs propres problèmes de santé (Benrubi, 1996). Les aidants peuvent être :

- La fille ou la belle-fille du malade, et moins souvent le fils, qui a entre 40 et 50 ans, déjà aux prises avec ses propres obligations familiales et professionnelles (Silliman, 2000; Mégie et Bondaz, 2000). La relation parent dépendant-enfant adulte est alors un facteur de stress particulièrement important: les rapports filiaux changent, les rôles sont inversés.
- La conjointe, souvent approximativement du même âge, et touchée également par des problèmes de santé. Cependant, habituée aux multiples occupations de femme mariée (de son époque), elle réussit tant bien que mal à faire bonne figure dans ses nouvelles tâches. Ce peut être aussi le conjoint.
- Un parent qui prend soin de son enfant affecté d'un handicap physique ou mental majeur, d'origine congénitale ou acquise.
- Un autre membre de la famille, un ami, un voisin.

L'aidant est le pivot d'un maintien à domicile adéquat (Reingewirtz, 1994). Cette personne peut vivre sous le même toit que le patient et assurer les soins jour et nuit. Elle peut aussi habiter à proximité, dans le même immeuble ou dans la même rue. Elle va chez son parent tous les jours pour les tâches nécessitant sa présence. Le reste du temps, elle s'occupe de sa propre famille en supervisant l'aidé à distance. Elle s'arrange pour être présente aux visites médicales. Cet aidant principal peut être secondé par d'autres membres de la famille qui, ne pouvant assurer la permanence, assument une partie des tâches, comme les emplettes ou l'épicerie : ce sont les aidants secondaires.

Dans le cas où le patient vit seul, sans aucun proche qui habite à proximité, le soutien à domicile se complexifie et nécessite plus de ressources de soins et d'aide de la part des services publics.

Les acteurs en présence

Dans le domaine des soins donnés aux personnes en perte d'autonomie, la relation n'est plus dyadique (médecin-patient), mais plutôt de type médecin-patient-aidant. Ce type de relation s'appelle *triade* (Champoux, 1999), et Silliman (2000) l'illustre comme un triangle équilatéral (voir la figure 28.1). Cette relation n'est pas statique, elle varie selon les besoins du patient et de ses aidants, selon l'évolution de l'état de santé et des capacités fonctionnelles du patient.

À cette triade s'ajoutent d'autres acteurs, les soignants. Ce sont des professionnels ou non, travaillant pour un établissement gouvernemental donné (exemple : un centre local de services communautaires, appelé au Québec CLSC), une agence privée de soins et services infirmiers ou de soutien. Tous ces gens font partie de ce qu'on peut appeler l'*équipe de soutien à domicile*. La collaboration de tous ces soignants est une des conditions favorisant le maintien à domicile adéquat des patients en perte d'autonomie (Mégie et Murphy, 2000).

Figure 30.1 **La triade dans la relation patient âgé-médecin**

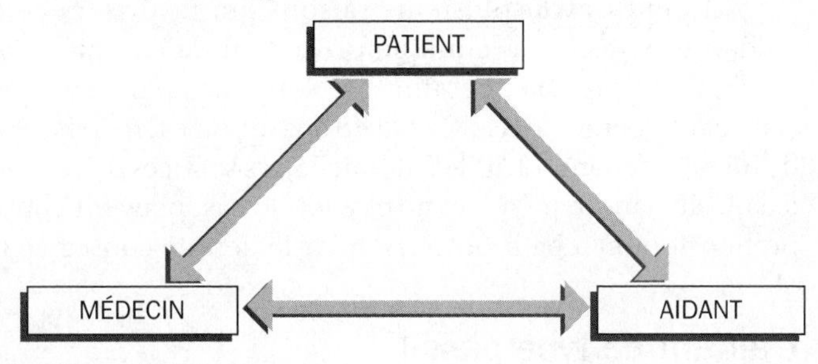

Source : Adaptée de Silliman (1989).

Le style relationnel de l'aidant

Sous l'angle du jeu relationnel médecin-patient-aidant, Adelman et ses collaborateurs ont cerné trois types d'aidant : le type défenseur, le type participant passif et le type antagoniste (Adelman, Greene et Ory, 2000).

L'aidant de type défenseur

L'aidant est de type défenseur quand il apporte son soutien au patient, l'encourage et l'aide à prendre des décisions. Il pose des questions au médecin, veut connaître les possibilités diagnostiques et les choix thérapeutiques appropriés à l'état de santé de son proche ; il peut même proposer des solutions. Souvent, la personne malade se fie à l'aidant de type défenseur pour toutes les décisions qu'elle a à prendre : « Je préfère que vous expliquiez tout cela à ma fille. C'est elle qui sait comment s'occuper de mes médicaments. »

Il arrive parfois que les agissements de certains *défenseurs* empêchent le médecin de prendre conscience des besoins réels du patient et, donc, de les combler. Observons la triade suivante au domicile du patient : le médecin, le patient et sa femme (aidante de type défenseur).

LE MÉDECIN	— *Quel jour est-on aujourd'hui ?*	S'adressant au patient, le médecin continue son interrogatoire. Le patient se tourne vers l'aidante.
L'AIDANTE	— *Depuis sa retraite, il ne s'occupe plus de la date ni du jour.*	L'aidante prend la défense du patient.
LE MÉDECIN	— *J'aimerais que ce soit votre mari qui me réponde. C'est la meilleure façon pour moi de comprendre ce qui ne va pas chez lui.*	Le médecin veut évaluer le patient et demande à l'aidante de le laisser répondre.

Le patient	— *On est samedi.*	Le patient donne une réponse inexacte.
L'aidante	— *Avant samedi, quel jour c'était ?*	L'aidante veut aider son mari à bien performer au « test ».

Il peut y avoir plusieurs raisons qui favorisent ce genre de comportement chez l'aidante. Dans le cas clinique précédent, la conjointe, aidante naturelle, minimise ou camoufle les troubles cognitifs de son mari, par peur que ce dernier ne soit envoyé en centre d'hébergement : « Ça fait 48 ans qu'on est mariés, Docteur, je ne veux pas me séparer de lui maintenant. » L'aide à domicile, les services de répit ou les démarches pour héberger le couple dans le même centre, selon le cas, peuvent contribuer à dissiper ce genre d'appréhensions et à bâtir ou consolider le lien de confiance médecin-aidant.

L'aidant de type passif

On dit que l'aidant est de type passif quand sa participation à l'entrevue est minimale. C'est l'aidante qui conversera au téléphone, regardera une émission de télévision ou s'occupera de mille et une choses pendant toute la durée de la visite. Voyons l'exemple d'une conversation se déroulant entre le médecin en visite au domicile de sa patiente en présence de la fille de cette dernière, une aidante de type passif.

Le médecin	— *Pouvez-vous venir voir la plaie de votre mère ? J'ai des choses à vous expliquer.*	Le médecin s'adresse à la fille de la patiente, qui se trouve dans la pièce à côté. Il tente d'intéresser la fille dans l'observation de la plaie.
L'aidante	— *Me voici.*	L'aidante collabore poliment.
Le médecin	— *Avez-vous remarqué si ce liquide sanguinolent avait traversé ses bas ce matin ?*	
L'aidante	— *Pas vraiment. Ma mère ne m'en a pas parlé.*	L'aidante manifeste un manque d'intérêt. Elle indique au médecin qu'elle considère qu'il revient à sa mère d'observer s'il y a quelque chose qui ne semble pas aller et de le dire.
Le médecin	— *Pourriez-vous noter ce genre d'observations et nous les signaler, à moi ou à l'infirmière qui vient changer les pansements ? Cela nous permettra de suivre de plus près l'évolution de la plaie de votre mère.*	Le médecin tente de nouveau d'intéresser l'aidante dans l'observation et le suivi de la plaie en lui expliquant les raisons et en valorisant son rôle.
L'aidante	— *D'accord.*	L'absence de questions ou de demande de précisions témoigne d'un accord de principe plutôt dénué d'engagement.

Même s'il est désintéressé, l'aidant de type passif est physiquement présent. Ce désengagement peut avoir diverses sources : une personnalité passive, le manque d'initiative, la peur d'être inadéquat (exemples : « Je ne suis pas infirmière », « Je ne sais pas comment faire ») ou une situation conflictuelle sous-jacente. Pour tenter d'intéresser l'aidante du cas présenté en exemple, le médecin pourrait, dans un premier temps, limiter ses demandes à l'observation de la plaie. Puis, dans un second temps, après avoir obtenu une participation minimale de l'aidante pour observer la plaie et grâce à l'enseignement donné par les infirmières, il pourrait tenter d'obtenir sa collaboration pour changer les pansements. Y aller à petites doses est une stratégie qui peut porter fruit.

L'aidant de type antagoniste

L'aidant de type antagoniste est très engagé dans l'entrevue. C'est la personne qui monopolise la conversation, coupe parfois la parole au patient et contredit les propos de ce dernier en présence du médecin. Parfois, l'aidant de ce type refuse de collaborer au plan de soins en prétextant son manque de formation pour ce genre de tâches, il soulève des objections aux solutions d'aide proposées, il rouspète contre l'insuffisance ou l'inefficacité des services reçus, des institutions et du gouvernement. Voici deux cas cliniques illustrant le comportement d'une aidante de type antagoniste : le premier cas, antagoniste du médecin ; le second, antagoniste de l'équipe de soins.

L'aidante de type antagoniste du médecin

L'AIDANTE	— *Parle donc au docteur de ton mal de ventre.*	La fille insiste pour que son père parle de son problème.
LE MÉDECIN	— *Votre mal de ventre a commencé quand ?*	Le médecin s'adresse au patient.
LE PATIENT	— *Il y a un petit bout de temps… Ce n'est pas grave, puisque c'est parti maintenant.*	Le patient a l'air de réfléchir et minimise le problème.
L'AIDANTE	— *Il y a trois semaines, tu me cassais les pieds avec ton mal de ventre. Maintenant que le docteur est là, tu ne veux pas lui en parler !*	La fille invective son père devant le médecin, lui faisant perdre toute crédibilité.
LE MÉDECIN	— *À quel moment de la journée la douleur se manifeste-t-elle ?*	En s'adressant directement au patient, le médecin tente d'atténuer l'effet du commentaire négatif de l'aidante. Il indique ainsi au patient qu'il désire entendre *sa* version des faits.
L'AIDANTE	— *Chaque fois qu'il a fini de manger.*	Sans invitation, l'aidante répond pour le patient.
LE MÉDECIN	— *Par vos réponses, je comprends que vous êtes très au fait de l'état de santé de votre père. J'y suis sensible, mais j'aimerais d'abord tenter d'obtenir son avis.*	Le médecin s'adresse à l'aidante, il reconnaît son engagement dans les soins de son patient, mais il lui explique comment il veut procéder.

L'AIDANTE	— *D'accord, mais je sais qu'il ne vous dira pas tout.*	L'aidante accepte, mais explicite ses inquiétudes ou ses frustrations.
LE MÉDECIN	— *Monsieur Duval, j'aimerais que vous me décriviez ce que vous ressentez quand vous avez mal.*	Le médecin renoue le dialogue avec le patient en s'adressant directement à lui ; il poursuit son questionnaire sur le symptôme.

L'aidante de type antagoniste de l'équipe soignante

LE MÉDECIN	— *Comment va votre père depuis que la physiothérapeute vient le voir ?*	Le médecin demande l'avis de l'aidante sur une modalité thérapeutique récemment intégrée dans le plan de soins.
L'AIDANTE	— *Ne m'en parlez pas ! Elle me demande d'aider mon père à faire ses exercices… Avec tout ce que j'ai déjà à faire dans ma journée !*	La fille fait ressortir sa frustration sans donner aucun renseignement sur l'effet observé des traitements.
LE MÉDECIN	— *J'imagine que vos journées sont déjà bien remplies par l'ensemble des tâches que vous assumez dans les soins de votre père, mais la physiothérapeute vous a sûrement dit que, pour être efficaces, ces exercices doivent être répétés régulièrement tous les jours.*	Le médecin reconnaît la lourdeur de la tâche de l'aidante et tente de lui donner des explications pour justifier la recommandation de la physiothérapeute.
L'AIDANTE	— *Mon père coûterait plus cher au gouvernement s'il était ankylosé dans un établissement. Je le garde chez moi, et on n'est même pas capable de me payer une physiothérapeute tous les jours.*	L'aidante ne répond pas à l'argument du médecin et persiste dans l'expression de ses frustrations en se défoulant sur le système de santé qui, selon elle, a des attentes envers elle sans lui donner les moyens pour y répondre.
LE MÉDECIN	— *C'est grâce au travail de personnes comme vous que plusieurs malades peuvent demeurer plus longtemps à la maison. Vous savez, même dans un établissement, votre père ne recevrait probablement pas des soins de physiothérapie tous les jours, car les ressources sont insuffisantes là aussi. Malheureusement, la physiothérapeute ne peut pas venir tous les jours, c'est pourquoi elle vous demande votre collaboration.*	Le médecin souligne d'abord l'apport essentiel de l'aidante, puis corrige la perception qu'elle a des services offerts en établissement. Le médecin répète la demande de la physiothérapeute.

L'AIDANTE	— *Je ne sais pas. C'est toujours à la famille de faire l'impossible!*	
LE MÉDECIN	— *Si on essayait de voir comment on pourrait alléger vos tâches... Par exemple, si on inscrivait votre père à la popote roulante*[2] *et si on lui donnait de l'aide pour le bain, cela pourrait-il soulager votre tâche?*	Le médecin prend en compte le contexte dans lequel la demande de physiothérapie s'inscrit et offre à l'aidante d'alléger sa tâche en lui proposant d'autres genres de services.
L'AIDANTE	— *Je ne suis pas sûre que mon père aimerait cette sorte de repas. Il préfère ce que je prépare. Pour l'aide au bain, oubliez ça! Je ne veux pas de quelqu'un qui va juste «superviser» mon père dans la baignoire, soi-disant pour qu'il garde son autonomie.*	Encore des objections!
LE MÉDECIN	— *J'aimerais vous aider, mais je me trouve dans une impasse. J'aimerais que vous écriviez sur une feuille: d'un côté, vos difficultés; de l'autre, la façon dont vous pensez qu'on pourrait vous aider. Nous regarderons cela ensemble à ma prochaine visite. Qu'en dites-vous?*	Le médecin fait un commentaire sur le processus relationnel, ce qui constitue une excellente stratégie pour résoudre une impasse. Ici, il constate que l'aidante est très peu réceptive à ses suggestions. Il propose plutôt une stratégie pour trouver une solution commune: l'aidante sera plus encline à accepter une solution qu'elle-même aurait mise de l'avant. Le médecin pourrait aussi lui proposer la participation d'un intervenant du CLSC pour l'aider à faire l'évaluation de ses besoins.

Ce genre de comportement de l'aidant peut être l'expression d'une personnalité dominatrice ou l'indice de conflits. Malgré une relation aidant-aidé peu harmonieuse, ces deux derniers types d'aidant (passif et antagoniste) peuvent s'acquitter relativement bien de leur tâche. Pour prolonger le maintien à domicile du patient, on peut utiliser des stratégies qui réduiront l'effet de mur auquel on se heurte. Par exemple, on peut reconnaître explicitement la contribution de l'aidant aux soins et répondre à ses objections.

Par ailleurs, dans les situations conflictuelles, la présence d'un intervenant psychosocial a toute son importance. Son rôle sera d'aider à clarifier les raisons de ces comportements et d'apporter de l'aide soit au patient, soit à l'aidant, lui-même en difficulté. Les conflits étant un facteur de risque de négligence ou de mauvais traitements de la part de l'aidant envers la personne dépendante (Di Tomasso, 2000), le clinicien doit être à l'affût d'indices ou d'autres manifestations qui font entrevoir une telle problématique.

Comme l'aidant naturel est le pivot du soutien à domicile, le médecin doit être à son écoute et tenter d'établir une bonne relation avec lui – autant qu'avec son patient (voir plus loin la section intitulée «L'épuisement de l'aidant»).

Les types de relation médecin-patient en perte d'autonomie

Le type de relation qui s'instaure entre une personne en perte d'autonomie et son médecin varie en fonction de plusieurs dimensions que nous abordons ici (voir le tableau 30.2).

Tableau 30.2 **Les styles d'interaction selon la catégorie de patients**

CATÉGORIE DE PATIENTS	STYLE D'INTERACTION
Personne âgée	Guide-coopération (85 ans et plus) Consommateurisme (65-84 ans)
Personne atteinte d'une maladie terminale	Guide-coopération Coopération-partenariat égalitaire (selon la phase d'évolution de la maladie)
Personne avec atteinte neurologique	Guide-coopération (1er sous-groupe) Consommateurisme (2e sous-groupe)
Clientèle à besoins ponctuels	Guide-coopération ou coopération-partenariat égalitaire, selon le degré de collaboration que nécessitent les soins à recevoir

L'âge

Les personnes âgées ne forment pas un groupe homogène. Les gérontologues la divisent en trois cohortes, soit les 65-74 ans, les 75-84 ans et les 85 ans et plus. Chacun de ces groupes peut avoir des problèmes médicaux et psychosociaux différents. Dans la cohorte des 85 ans et plus, il risque d'y avoir plus de troubles cognitifs, un niveau d'instruction plus bas et moins de ressources financières et sociales que dans les cohortes moins âgées (LoFaso, 2000 ; Adelman et autres, 2000).

Comme le mentionne LoFaso (2000), les individus de la cohorte la plus âgée ont tendance à adopter un mode interactif empreint de passivité, en attribuant au médecin un rôle prépondérant dans la prise de décision (exemples : « C'est vous qui le savez », « C'est vous le docteur »). Leur style d'interaction préféré est généralement le mode guide-coopération[3]. Les individus des cohortes plus jeunes préfèrent une approche plus participative, qui leur permet de jouer un rôle majeur dans la prise de décision en privilégiant les interactions de type partenariat égalitaire ou de type consommateurisme (exemple : « Je peux demander un autre avis médical ou essayer ce traitement avant de penser à me faire opérer »).

D'autres facteurs influencent aussi la relation médecin-patient âgé : la tendance du médecin à attribuer à l'âge les plaintes du patient[4] (Adelman et autres, 2000), les déficits sensoriels, les atteintes cognitives, les limitations fonctionnelles et la présence fréquente d'un aidant naturel.

Le type de maladie

LES MALADIES TERMINALES

Les patients atteints d'une maladie terminale peuvent avoir un pronostic de vie limité ou souffrir d'une insuffisance organique terminale. Cependant, dans ce dernier cas, il ne s'agit pas forcément de mort à brève échéance, les individus touchés par une telle insuffisance peuvent vivre plusieurs années, et donc être en fin de vie… pendant longtemps (Dechêne, 2001). Ces personnes nécessitent des soins actifs pour soulager leur douleur ou d'autres symptômes pénibles et leur préserver une qualité de vie acceptable. Il va sans dire que le médecin traitant doit les accompagner durant le processus du *mourir*. Le patient et l'aidant doivent décider du lieu du décès. On doit les tenir au courant de l'évolution de la maladie (les symptômes probables et les complications) et ils doivent être intégrés au plan de traitement et en mesure de vivre avec l'incertitude.

Quand survient la complication prévue (exemples : une hémorragie, la dyspnée terminale, le coma), il n'est pas évident pour l'aidant de traverser un tel moment. La présence du médecin s'avère nécessaire, soit pour une mise au point sur la capacité de l'aidant de vivre ce moment charnière d'un proche parent, soit pour une remise en question possible du lieu du décès, soit pour normaliser les actes et les émotions de l'aidant. Dans un tel contexte, la relation devient de type coopération-partenariat égalitaire. À un certain moment, alors que le patient devient trop affaibli, il peut choisir de fonctionner selon le mode guide-coopération, tandis que l'aidant, de son côté, continue en mode coopération-partenariat égalitaire avec le médecin. Compte tenu des changements fréquents dans l'évolution de l'état de santé et des conditions environnantes (exemples : non-disponibilité d'un aidant, diminution des moyens financiers), la relation ne peut demeurer statique. Elle varie au gré de ces changements.

LES ATTEINTES NEUROLOGIQUES

Certains patients touchés par des atteintes neurologiques (exemples : un état post-AVC, la maladie de Parkinson) peuvent être plus ou moins âgés, mais bon nombre d'entre eux sont relativement jeunes (exemples : ceux qui ont la sclérose en plaques, une blessure médullaire). Dans ce deuxième sous-groupe, les gens sont souvent en bonne santé physique, mis à part leur handicap, et la relation n'est pas du tout la même que dans le cas des groupes décrits précédemment.

Victimes de frustrations quotidiennes causées par leur handicap, les patients plus jeunes sont souvent plus exigeants et plus combatifs que leurs aînés. Ils ont accès à l'Internet et ils y cherchent toute information susceptible de leur apporter une lueur d'espoir. Ils entrent en relation selon le mode consommateurisme. Ils se font même un point d'honneur de fournir à leur médecin les informations sur les plus récentes découvertes concernant leur problème de santé[5].

Par ailleurs, l'organisation de leur quotidien est réglementée par les exigences de certaines déficiences physiques, comme le temps nécessaire au curage rectal ou au cathétérisme vésical. Ces exigences les placent dans une position de totale dépendance par rapport aux fournisseurs de service. Par contre, certains acceptent difficilement les recommandations faites par l'équipe de soins, ce qui cause parfois une mobilisation indue des ressources d'aide. C'est probablement la seule façon de manifester le peu d'autonomie qui leur reste : décider. Prenons l'exemple d'un patient présentant une plaie au pli interfessier. Il devait suivre les recommandations alimentaires de la diététiste pour avoir des selles d'une consistance facilitant le curage rectal, ce qui évite de contaminer et d'aggraver sa plaie. « Personne ne viendra me dire quoi manger ! » argumente-t-il. Malheureusement, certaines de ses habitudes alimentaires engendrent l'émission de selles imprévisibles. Quand cela survient, le CLSC doit lui envoyer un préposé de toute urgence, peu importe l'heure ou le jour, pour le nettoyer.

Bien sûr, la personnalité de base de ces patients peut moduler leur comportement respectif. Mais en général l'atteinte d'un certain équilibre relationnel avec eux nécessite plus de réunions d'équipe, parfois des ententes écrites, beaucoup de patience et d'énergie.

Les besoins ponctuels

Les personnes à besoins ponctuels, jeunes ou âgées, vivent plutôt une situation aiguë qui est temporaire. Leurs besoins peuvent être très différents, de même que leur relation avec le médecin. La durée du suivi est relativement courte. Les attentes sont particulières et souvent bien définies (exemples : une plaie à traiter ou un suivi de diverticulite à la suite d'une hospitalisation). Cette période de traitement peut nécessiter une interaction de type coopération-partenariat égalitaire ou guide-coopération, selon que ces soins nécessitent ou non la participation active du patient.

Les autres intervenants et leur influence sur la relation médecin-patient

Les autres membres de l'équipe soignante comprennent le personnel infirmier, les intervenants psychosociaux, les professionnels en réadaptation, les auxiliaires familiaux, les préposés, les bénévoles et les ministres du culte (selon la religion) (Mégie, 2000). Dans certains milieux, l'équipe peut comprendre un inhalothérapeute et une nutritionniste. S'ajoute à ce groupe le pharmacien communautaire.

Quand le médecin et les autres soignants travaillent dans le même établissement, les rapports sont facilités par la proximité. Les échanges d'informations peuvent se faire au cours d'une simple discussion de couloir et réduire les formalités inhérentes à la collaboration interétablissements. (Il faut noter cependant qu'une discussion de couloir peut aider parfois à résoudre un problème ponctuel, mais pas à établir un plan de traitement.) Dans le cas de soignants travaillant dans des établissements différents, la mise en œuvre et le maintien de la relation peuvent demander à chacun des intéressés davantage d'efforts de collaboration.

Tenter de reconnaître chacun des intervenants et de déterminer son rôle est à la base d'une relation interdisciplinaire adéquate. Une entente sur le plan de soins et sur le mode de transmission de l'information pertinente au travail de chaque intervenant permet de communiquer les messages utiles et justes au patient comme à l'aidant. Une équipe dont les membres se respectent et au sein de laquelle les informations circulent bien et au bon moment contribue au bien-être du patient et à la réussite du soutien à domicile. Le tableau 30.3 dresse une liste sommaire des facteurs (les facilitateurs et les entraves) qui influencent la collaboration des membres de l'équipe.

Cette collaboration facilite un discours commun et permet d'éviter certaines réflexions ou d'en réduire la fréquence (exemples : « Votre médecin aurait dû vous donner ceci », « Je connais une patiente qui a les mêmes problèmes que vous et elle a tel médicament »). Les commentaires de ce genre sont suffisants pour miner la confiance du patient envers son médecin. Si le cas se produit, le médecin trouvera judicieux de recadrer, pour le bénéfice du patient, les propos rapportés : « Pour certains problèmes de santé ressemblant au vôtre, on peut utiliser *ce* genre de médicament, mais dans *votre* cas, ce n'est pas ce qu'il faut ». Par la suite, le médecin pourrait répéter à l'intervenant concerné les précisions apportées au patient, lui demander s'il a d'autres préoccupations et lui proposer de discuter les questions de cette nature avec les autres professionnels de l'équipe plutôt qu'avec le patient.

Tableau 30.3 **Les facteurs qui influencent la relation entre le médecin et les autres intervenants de l'équipe de soins**

FACILITATEURS	ENTRAVES
Lieu de travail commun aux intervenants.	Lieux de travail différents.
Disponibilité pour les discussions interdisciplinaires.	Manque d'intérêt pour les discussions interdisciplinaires (prétextes : les déplacements nécessaires, l'impression de leur inutilité).
Reconnaissance des autres intervenants.	Méconnaissance des autres intervenants.
Respect du travail et du rôle des autres intervenants.	Méconnaissance du travail et du rôle des autres intervenants ou préjugés à l'égard de ces derniers.
Reconnaissance de l'expertise et des responsabilités de chaque membre de l'équipe en fonction des besoins du patient.	Manque de flexibilité à l'égard de l'expertise des membres de l'équipe et du partage des responsabilités qui peuvent parfois se chevaucher.
Entente sur une méthode pratique de transmission de l'information.	Circulation aléatoire de l'information, au gré des discussions de couloir ou absence de communication.
Préoccupation de la cohérence des messages transmis au patient et à l'aidant.	Divergence potentielle des messages.

Les étapes du suivi médical à domicile

Au Québec, pour obtenir un suivi médical à domicile, le patient ou l'aidant doit s'adresser au CLSC de son territoire, à un médecin recommandé par un ami ou à son propre médecin. En faisant appel au CLSC, la plupart du temps, le patient ne connaît pas à l'avance le médecin qui va assurer son suivi. Le tableau 30.4 fait ressortir les différences et les ressemblances du déroulement de la première rencontre à domicile et de celui des visites de suivi.

La demande de soins

En général, l'individu a tendance à faire lui-même une demande de soins médicaux ou infirmiers à domicile. Il trouve plus acceptable de s'appuyer sur un problème physique pour demander de l'aide, même si le véritable problème est d'ordre psychosocial. L'aidant épuisé dramatisera les symptômes du patient dans le but d'avoir une visite plus rapidement, sans pour autant parler obligatoirement d'hébergement :

- « Mon père est beaucoup plus essoufflé. »
- « Mon mari ne tient plus sur ses jambes, je ne peux plus l'amener aux toilettes. »
- « Je ne comprends rien : ma mère ne mange presque plus. »

La prise de contact devient plus complexe quand le patient vit seul et que la demande d'aide est faite par une personne inquiète de la détérioration de l'état du patient, par exemple un membre de la famille, un voisin, un ami ou le pharmacien.

La prise de contact avant la première visite à domicile

Une des particularités des soins à domicile, du moins au Québec, est que le premier contact entre le médecin et le patient ou son aidant est d'abord téléphonique. Avant de se présenter au domicile, le médecin désire évaluer brièvement la demande.

Tableau 30.4 **Le déroulement de la première visite à domicile et des visites de suivi**

PREMIÈRE VISITE	VISITES DE SUIVI
Le premier contact téléphonique est établi avec le patient ou l'aidant. Il s'agit d'annoncer la visite et de connaître l'objet de la demande.	Le contact téléphonique est établi avec le patient ou l'aidant. Il sert à annoncer la visite.
On procède aux présentations d'usage.	On procède aux salutations d'usage.
Le patient désigne au médecin l'endroit où se tient la consultation.	Le médecin s'installe comme d'habitude.
Le médecin doit adopter la position du corps qui favorise le mieux la compréhension du patient en fonction de l'environnement.	Le médecin agit comme à la première visite.
Le médecin clarifie la raison de la demande de soins médicaux.	Le médecin fait le suivi des problèmes connus et évalue les nouveaux, s'il y a lieu.
Le médecin clarifie son rôle.	Au besoin, le médecin clarifie son rôle.
Le médecin clarifie les attentes du patient et celles de l'aidant.	Au besoin, le médecin clarifie les attentes du patient et celles de l'aidant.
Le médecin procède à l'interrogatoire en s'adressant directement au patient, même si celui-ci est atteint de troubles cognitifs ou s'il y a une barrière linguistique (l'aidant peut servir d'interprète, corroborer ou infirmer et compléter les informations données par le patient).	Le médecin agit comme à la première visite.
Le médecin prend les notes qu'il juge pertinentes.	Le médecin agit comme à la première visite.
Le médecin fait l'examen physique. Ce tête-à-tête est un moment d'intimité avec le patient, propice aux confidences.	Le médecin agit comme à la première visite.
Le médecin fait l'évaluation fonctionnelle et l'évaluation de l'état mental du patient.	Au besoin, le médecin agit comme à la première visite.
Le médecin donne des informations au patient et à l'aidant sur les problèmes notés et sur leur engagement dans le plan de soins.	Le médecin agit comme à la première visite.
Le médecin s'informe au sujet du fardeau de l'aidant.	Le médecin agit comme à la première visite.
Le médecin fait un renforcement positif sur la tâche accomplie par l'aidant.	Le médecin agit comme à la première visite.
Le médecin propose l'aide d'autres intervenants, s'il y a lieu.	Au besoin, le médecin agit comme à la première visite.
Le médecin présente ses conclusions et fait part de ses disponibilités.	Le médecin agit comme à la première visite.
Le médecin clôt l'entrevue. C'est parfois le patient qui le fait.	Le médecin agit comme à la première visite.
Le médecin fait le suivi téléphonique entre les visites.	Le médecin agit comme après la première visite.

Un patient qui n'est pas jugé inapte[6] sur le plan légal peut, en toute connaissance de cause, refuser de recevoir le médecin. Un patient qui est aux prises avec des troubles cognitifs peut refuser des soins médicaux parce qu'il n'en comprend pas la nécessité. Dans les deux cas, le médecin devrait tenter d'entrer en contact téléphonique avec l'intéressé. Si la barrière ne peut pas être franchie (exemple: le patient peut dire «Je ne suis pas malade», «Je ne veux pas voir de docteur»), on pourrait faire appel à l'infirmière du CLSC. Peut-être le patient acceptera-t-il d'ouvrir sa porte à cette personne. L'infirmière pourra alors préparer le terrain pour une visite médicale prochaine. Si un patient hésite à recevoir le médecin, on peut chercher à s'entendre avec lui sur une rencontre de durée limitée qu'il pourra raccourcir s'il le désire.

Entre les visites

Entre les visites, il peut être opportun de maintenir le contact téléphonique avec le patient (ou l'aidant), par exemple pour connaître le résultat de l'essai d'un traitement ou pour donner les résultats des examens paracliniques (Hogan, 1995; Adelman et autres, 2000). C'est une façon proactive d'améliorer la continuité des soins donnés à ce patient vulnérable.

Les défis communicationnels

Les défis communicationnels des soins à domicile sont liés aux situations que le clinicien devrait pouvoir circonscrire pour mieux les gérer avant qu'elles n'influencent négativement la relation ou qu'elles ne deviennent un obstacle à une saine relation médecin-patient-aidant. Certains de ces enjeux sont propres aux soins à domicile, alors que d'autres, comme les déficits sensoriels, les déficits cognitifs et la barrière linguistique, peuvent se manifester dans d'autres contextes de soins. Au fil du texte, nous tenterons de proposer des stratégies facilitatrices (voir le tableau 30.5, aux pages 783-784).

L'incertitude diagnostique

Dans les soins à domicile (comme dans le contexte de soins de longue durée), le clinicien est parfois aux prises avec l'incertitude diagnostique. Lorsqu'un nouveau problème se manifeste, le diagnostic peut dépendre de certains tests trop invasifs pour l'état de santé du patient, ou encore le traitement peut ne pas être approprié au niveau d'intensité thérapeutique déterminé. Il est difficile de proposer des solutions par essais (qu'elles soient diagnostiques ou thérapeutiques) en cette ère de *médecine basée sur les données probantes*[7]. Il s'agit alors de faire des tentatives fondées sur le soulagement des symptômes, en utilisant les moyens les mieux tolérés par l'organisme du patient et les moins risqués pour sa qualité de vie. Une telle approche nécessite une relation solidement établie et un engagement assez actif du patient et de l'aidant dans le processus de soins.

Le refus de services

LES RÉTICENCES DU PATIENT

Le patient refuse ou manifeste des réticences à l'égard des services plus souvent dans les cas où la demande d'aide ne vient pas de lui. Il arrive, par exemple, que les premiers besoins constatés par le médecin sont le manque d'hygiène personnelle et l'insalubrité des lieux. La première visite sert seulement à constater les faits. Ce n'est vraiment pas le moment de proposer des changements sur ces questions. Pendant les visites subséquentes, le médecin peut aborder les changements à effectuer en invoquant l'effet négatif de la situation sur les problèmes de santé du patient et les éventuels bénéfices d'une intervention :

- « Je ne voudrais pas que les efforts pour passer l'aspirateur et faire le ménage vous rendent plus essoufflé. Il serait préférable que vous ayez de l'aide pour l'entretien ménager. Cette personne ne fera certainement pas l'entretien de votre logement aussi bien que vous le faisiez avant d'être malade, mais ce sera pour vous une tâche de moins. »
- « Vous avez intérêt à ménager vos énergies pour garder vos capacités plus longtemps. »

Comme les notions d'hygiène varient selon l'individu, il faut agir avec tact et au rythme du patient. Celui-ci peut refuser l'aide : l'accepter serait admettre sa propre incapacité.

Le refus du patient peut provenir de sa réticence à ce qu'une autre personne s'introduise chez lui. Un soignant autre que le médecin et l'infirmière est parfois perçu comme *la* personne de trop qui vient envahir son territoire. Mais la plupart des patients finissent par accepter l'aide, l'évolution de leur état de santé ne leur laissant pas vraiment le choix. Par ailleurs, les visites des membres de l'équipe de soins peuvent parfois constituer une grande partie de la *vie sociale* de certains patients (LoFaso, 2000).

En cas de refus, il est parfois nécessaire d'amener le patient à cheminer par rapport à son besoin précis pour lui en faire réaliser la pertinence. On peut aussi repérer un membre de la famille qui est conscient du problème et tenter d'en faire son *allié thérapeutique*, de façon à ce qu'il renforce positivement la démarche. Si les discussions mènent à une impasse, la menace d'hébergement, malheureusement, peut servir d'argument convaincant.

LES RÉTICENCES DE L'AIDANT

Quand le médecin propose l'aide d'un des membres de l'équipe, l'aidant peut se sentir menacé. L'acceptation de l'aide est pour lui un aveu d'incapacité de continuer à donner des soins. Certains préjugés persistent (exemples : « Elle ne le fera pas aussi bien que moi » ; « Ce n'est pas à une étrangère de prendre soin de ma mère, c'est *mon* rôle »). Le médecin devrait alors expliquer à l'aidant le rôle du nouvel intervenant, clarifier les raisons de cette proposition et démontrer les bienfaits de la diminution de sa tâche (exemple : « Il serait préférable que vous ménagiez vos énergies de façon à être plus disponible pour votre père »). Revenir à la charge au moment opportun constitue une stratégie utile.

La divergence entre les besoins du médecin, ceux du patient et ceux de l'aidant

Les besoins ou les attentes de chacun des trois acteurs principaux peuvent être très différents. Voyons l'exemple suivant.

- Le patient victime d'un AVC espère marcher si le médecin lui prescrit de la physiothérapie intensive.
- Sa fille aidante attend de cette recommandation du médecin un regain fonctionnel, même si son père ne récupère pas complètement la faculté de marcher ; elle espère ainsi une réduction de sa charge de travail et, le cas échéant, la possibilité de sortir un peu et de laisser son père seul quelques heures sans s'inquiéter à son sujet.
- De son côté, le médecin peut vouloir, en tentant de modifier la diète du patient, non seulement gérer les maladies coexistantes, mais aussi prévenir d'autres AVC ; il recommande la physiothérapie seulement dans le but de maintenir les capacités résiduelles du malade,

ce qui ne correspond ni aux attentes de l'aidant ni à celles du patient. De plus, la gestion de l'alimentation vient augmenter le fardeau de la tâche de l'aidant plutôt que le diminuer.

Dès lors, la clarification des attentes de chacun s'impose si on veut éviter des malentendus qui risquent, d'une part, de miner la confiance envers le médecin et le système de santé et, d'autre part, d'être une source de déceptions et de frustrations. L'aide au bain fournie par le CLSC, la transmission des coordonnées de traiteurs, la visite d'une diététiste (si la chose est possible), un gardiennage assuré par un service de bénévolat et l'installation d'un système électronique de surveillance à distance : voilà autant de solutions qui peuvent combler différents besoins.

La relation teintée de familiarité

Au cours des visites à domicile, le médecin se retrouve dans l'intimité du patient : il peut arriver que celui-ci considère le professionnel comme un ami ou un de ses enfants et qu'il se comporte comme si c'était vraiment le cas. Il est alors de la responsabilité du médecin de recadrer la relation, de façon explicite ou implicite selon le contexte, et de veiller à en maintenir la nature professionnelle. Ce recadrage n'empêche pas le médecin de maintenir une relation chaleureuse et respectueuse. Pour prévenir les situations marquées par une trop grande familiarité, le médecin peut se faire accompagner par un autre membre de l'équipe de soins, ce qui met l'accent sur la *fonction* des intervenants plutôt que sur leur *personne*. Les visites d'un bénévole ou d'un ministre du culte peuvent par ailleurs aider à combler les besoins affectifs des patients confinés dans leur domicile (LoFaso, 2000).

Les informations *secrètes* de l'aidant

Il arrive parfois que l'aidant profite du moment où il raccompagne le médecin après la visite pour lui confier, sur le pas de la porte, des informations qu'il ne voudrait pas que l'aidé entende. Il peut s'agir d'informations sur l'état de santé du patient (que l'aidant ne veut pas transmettre en sa présence pour ne pas le contredire) ou sur son propre épuisement. Il est important de bien préciser à l'aidant que ces informations ne sauraient rester secrètes si la confiance du patient et celle de l'aidant même ainsi que l'observance du plan de soins sont en jeu. Cependant, selon la nature des confidences, l'aidant doit pouvoir compter sur la discrétion du médecin et pouvoir s'entendre avec lui sur ce qui doit être partagé ou non avec son proche.

Voici une stratégie en trois temps, utile pour aborder avec le patient de nouvelles informations transmises par l'aidant :

1. Le médecin peut intégrer des rubriques dans son questionnaire habituel pour faire émerger le ou les symptômes *cachés* volontairement par le patient.
2. Si le médecin n'obtient pas les résultats escomptés, il peut utiliser la normalisation, par exemple en s'étonnant que tel symptôme ne se soit pas encore manifesté.
3. Enfin, si le médecin n'arrive pas à ce que le patient partage les informations, il peut mentionner diplomatiquement les inquiétudes de l'aidant. Exemple : « Votre fille est inquiète au sujet de telle constatation qu'elle a faite dernièrement. Et moi aussi, cela m'inquiète pour telle raison. »

Les situations conflictuelles antérieures dans la relation patient-aidant

Il se peut que certains conflits anciens, qu'ils soient déclarés, cachés ou à l'état larvaire, resurgissent au moment où le patient est en perte d'autonomie. Pourquoi l'aidant accepte-t-il ce rôle malgré tout ? À cause de la pression sociale ou familiale, par devoir filial ou conjugal, par amour, par culpabilité ? Il ne le sait pas trop lui-même. Parfois, il s'agit d'une conjointe qui, après une vie conjugale pénible, se voit désormais dans l'obligation de s'occuper de son *tyran* malade. Parfois, l'aidant a besoin de la rente de retraite de son proche pour boucler son budget et n'a donc pas le choix de jouer son rôle. Parfois, le patient exerce un chantage auprès des siens (exemple : « Tu dois me garder jusqu'à ma mort, sinon je te retire de mon testament »).

Tout ce que le médecin peut faire dans ces cas-là, c'est de valoriser ce que fait l'aidant pour son proche. L'expertise d'un intervenant psychosocial est requise dans ces situations, non pas pour régler les conflits, mais pour aider à trouver un accommodement, un terrain d'entente, de façon à prévenir les mauvais traitements (exemple : la victime devient le bourreau) et l'épuisement de l'aidant.

L'épuisement de l'aidant

En pareille matière, mieux vaut prévenir que guérir ! L'écoute de l'aidant, le fait de l'adresser à des groupes de soutien et le renforcement positif de sa tâche accomplie sont autant de stratégies qui peuvent diminuer le risque qu'il s'épuise (Silliman, 2000 ; Mégie et Bondaz, 2000). Comme l'aidant n'a souvent pas le choix d'effectuer un travail pour lequel il n'a pas été préparé et qui n'a aucune limite dans le nombre d'heures, comme il est aux prises avec ses propres problèmes (de santé ou d'ordre psychosocial), comme il est souvent isolé par la dissolution progressive de son réseau social, il devient lui-même très vulnérable. C'est ce que Fengler et Goodrich (1979) dénomment, en parlant de la conjointe aidante, le *patient caché*.

L'écoute de l'aidant sera plus facile si le médecin lui donne rendez-vous à son cabinet. C'est un moment privilégié, qui lui est réservé pour décompresser et tenter de trouver une solution (exemples : l'hébergement temporaire, le soutien du CLSC), qui lui permette de poursuivre son rôle d'aidant ou l'amène au constat qu'il est au bout de son rouleau et a besoin d'une aide personnelle.

La préparation à un éventuel hébergement

Quand le maintien à domicile n'est plus possible, il ne reste plus que la solution de l'hébergement. Quand le patient et l'aidant acceptent cette solution, c'est souvent avec résignation. Dans l'explication au patient des critères qui ont mené à ce choix, il est important de bien mettre en perspective la décision afin d'atténuer le sentiment d'abandon qu'il pourrait éprouver.

LES RÉTICENCES DU PATIENT

Pour le patient qui vit dans un même logement depuis de nombreuses années, il est très difficile d'accepter de ne plus tenir maison, de vendre ou donner tous ses biens pour aller vivre ailleurs et se retrouver devant l'inconnu. Pour d'autres, cette solution signifie se séparer du proche avec qui ils vivent depuis très longtemps. C'est un grand deuil à faire !

Quand la nécessité de l'hébergement vient de la détérioration de l'état de santé, la seule stratégie efficace pour faire accepter au patient cette solution est parfois de lui expliquer les risques qu'il encourt pour son autonomie résiduelle ou pour sa survie. Quand c'est l'épuisement de l'aidant naturel qui rend l'hébergement nécessaire, la tâche devient plus difficile sur le plan humain. « Ça y est ! elle veut se débarrasser de moi ! » dira le patient. On peut essayer de faire comprendre au patient les risques que court son aidant pour sa santé physique ou mentale et lui faire voir que si son aidant demeure en bonne santé, il pourra continuer de lui rendre visite et de lui accorder son affection. Cependant, cette stratégie est plus ou moins efficace.

LES RÉTICENCES OU L'INCAPACITÉ DE L'AIDANT

Souvent, l'aidant pense qu'il est responsable du fait que l'hébergement soit devenu nécessaire parce qu'il a failli à sa mission. Le renforcement positif par rapport à la tâche accomplie est important : « Vous vous rappelez, après la fracture de la hanche que votre mère a subie il y a deux ans, nous ne pensions pas que vous pourriez assumer ses soins. Vous nous avez prouvé le contraire. Vous avez permis à votre mère de demeurer deux années de plus chez elle. C'est remarquable ! Maintenant, avec tel et tel autre problème, cela devient médicalement dangereux de la garder à la maison, tant pour elle que pour vous. En demeurant en santé, vous pourrez la visiter au centre d'hébergement et lui apporter toute votre affection sans avoir à effectuer la partie lourde de la tâche. D'autres professionnels entraînés le feront à votre place. »

Il serait judicieux d'offrir le soutien d'un intervenant psychosocial pour favoriser le cheminement du couple aidant-aidé. L'empathie et la diplomatie du clinicien contribueront à préserver la relation de confiance, car le suivi médical continuera jusqu'à l'aboutissement des démarches d'hébergement.

Tableau 30.5 **Les défis communicationnels et les stratégies facilitatrices**

DÉFIS COMMUNICATIONNELS	STRATÉGIES FACILITATRICES
Les déficits sensoriels[8]	Faciliter la compréhension du patient : • adopter une posture adéquate ; • veiller à ce que l'éclairage soit adéquat et qu'il n'y ait pas trop de bruits environnants.
Les déficits cognitifs	S'adresser à l'aidant et au patient pour que celui-ci se sente aussi intégré dans la conversation. Demander à l'aidant de corroborer et compléter les informations fournies par le patient.
Les problèmes d'élocution et les barrières linguistiques	Demander à l'aidant de servir d'interprète. Faire appel à une tierce personne.
L'incertitude diagnostique	Cheminer avec le patient et l'aider à chaque étape décisionnelle relative à un test ou à un traitement.

Tableau 30.5 **Les défis communicationnels et les stratégies facilitatrices (*suite*)**

DÉFIS COMMUNICATIONNELS	STRATÉGIES FACILITATRICES
Le refus de services	Utiliser des stratégies argumentatives ou autres qui tiennent compte des réticences (du patient comme de l'aidant) : • aborder les changements à effectuer par le biais de leur effet négatif sur la santé du patient ; • intégrer un proche et s'en faire un *allié thérapeutique*; • agir avec tact et au rythme du patient ; • revenir à la charge au moment opportun ; • en cas d'impasse, recourir à la menace d'hébergement.
La divergence entre les besoins du médecin, ceux du patient et ceux de l'aidant	Clarifier les besoins et les attentes de chacun des trois acteurs. Recourir aux services offerts dans la communauté.
La relation teintée de familiarité	Recadrer la relation professionnelle de façon explicite ou implicite. Se faire accompagner par un autre membre de l'équipe de soins. Recourir à un bénévole ou à un ministre du culte pour combler les besoins affectifs du patient.
Les informations *secrètes* de l'aidant	S'entendre avec l'aidant avant d'utiliser les informations *secrètes*. Utiliser progressivement les informations pertinentes confiées par l'aidant.
Les situations conflictuelles antérieures dans la relation patient-aidant	Valoriser ce que fait l'aidant pour son proche. Proposer l'aide d'un intervenant psychosocial pour trouver un accommodement.
L'épuisement de l'aidant	Rencontrer l'aidant au bureau. Prévoir des ressources de répit. Proposer à l'aidant le concours d'un intervenant psychosocial ou l'adresser à des groupes de soutien. L'amener à prendre vraiment conscience de la situation.
La préparation à un éventuel hébergement	Mettre en perspective le pour et le contre : établir clairement les risques et les bénéfices. Tenter de réduire les réticences et les préjugés (du patient et de l'aidant) à l'égard de l'hébergement.

Les aspects éthiques de la communication en soins à domicile

Les droits du patient

LE DROIT À L'AUTODÉTERMINATION

Dans toute prise de décision, le respect de l'autonomie du patient doit avoir préséance (Mégie, 2001). Décider de recevoir des soins et de finir ses jours dans sa demeure constitue souvent la dernière expression d'indépendance et de contrôle (LoFaso, 2000). Cependant, dans le contexte des soins à domicile, le droit à l'autodétermination du patient est soumis à une limite importante : la décision de l'aidant qui assume les soins quotidiens. Sans son accord, le maintien à domicile n'est pas possible (Reingewirtz, 1994).

LE DROIT À L'INFORMATION

Pour que le patient puisse exercer son autodétermination, lui *et* l'aidant doivent recevoir une information suffisante pour prendre les décisions. Durant l'entrevue, toutes les questions concernant les problèmes de santé doivent être abordées (le diagnostic, l'évolution de l'état, le pronostic) : cela permet au patient et à l'aidant de participer, de façon éclairée, à l'élaboration du plan de traitement (Silliman, 2000 ; Mégie, 2001). Il faut également s'assurer que les deux intéressés comprennent bien l'information fournie.

LE DROIT AU RESPECT DE SA DIGNITÉ ET DE SON INTIMITÉ

Parler avec respect au patient, prendre en considération ses désirs et ses valeurs (même si ces dernières ne concordent pas avec celles des soignants), préserver son intimité pendant l'examen physique : voilà autant de stratégies interactives qui concourent à préserver l'harmonie de la relation médecin-patient.

LE DROIT À LA CONFIDENTIALITÉ

La multiplicité des soignants qui interviennent auprès d'un malade chronique rend très mince la frontière entre le partage de l'information pertinente et le bris du secret professionnel. Avec le patient qui n'est pas jugé inapte sur le plan légal, il est souhaitable de s'entendre sur les informations qui peuvent être divulguées aux proches, sur celles qui peuvent être divulguées aux soignants et sur celles dont le caractère est privé et qui doivent être protégées contre un accès injustifié (Mégie, 2001). Les professionnels sont soumis au secret professionnel par leur code de déontologie. Le code d'éthique d'un établissement l'exige également de ses intervenants non professionnels. Autant que possible, il faut s'assurer que les discussions de couloir, parfois utiles pour régler rapidement un problème, ne deviennent pas l'occasion de divulguer des informations confidentielles.

Les niveaux d'intensité thérapeutique

Pfeifer (1998) mentionne que certains médecins qui soignent des patients atteints d'une maladie pulmonaire obstructive chronique (MPOC) ont constaté que ceux qui refusent la ventilation artificielle au début finissent par la demander eux-mêmes quand la dyspnée empire et que la mort leur paraît imminente.

La meilleure conduite est donc la suivante :

- le médecin devrait aborder le sujet des niveaux d'intensité thérapeutique (ou niveaux d'intervention) avec son patient à un moment où il juge ce dernier plus réceptif à ce genre de conversation ;
- il devrait tenir compte du rythme du patient;
- il devrait respecter sa décision.

De plus, il serait bien que le médecin précise au patient qu'en faisant le choix de soins de confort il ne sera pas pour autant abandonné à lui-même. Dans les situations de grande dépendance, plus encore que dans toute autre situation clinique, il est essentiel que le médecin assure le patient de la continuité de ses soins et de son engagement moral à soulager les douleurs et les autres symptômes[9].

Il est évident que les notions discutées dans cette partie s'appliquent au cas d'un patient apte à décider. Dans le cas où le patient a été déclaré inapte à prendre des décisions concernant sa personne, ces considérations concernent plutôt son représentant légal. Il est important de savoir que ce pouvoir n'est pas toujours détenu par l'aidant qui assume les soins quotidiens[10].

Conclusion

Ce qui fait la richesse du jeu relationnel dans les soins médicaux à domicile, c'est sa grande variabilité. Le cadre de vie quotidien, les objets familiers, les membres de la famille de la personne visitée, tout fait partie intégrante des interactions médecin-patient. Le membre aidant de la famille, avec sa personnalité et le rôle qu'il peut jouer auprès de son proche (défenseur, passif ou antagoniste), influe sur la relation. L'équipe de soins, élément incontournable d'un soutien à domicile efficace, a aussi sa part d'influence. Par ailleurs, les différences entre une première visite et une visite de suivi, l'évolution de l'état de santé du patient ou de son aidant peuvent modifier les règles du jeu.

Par lui-même, le champ de la pratique médicale à domicile est vaste et complexe. Le médecin de famille n'aura pas le choix de s'y engager, compte tenu des changements démographiques (exemple : le vieillissement de la population) et des politiques gouvernementales.

S'il veut donner des soins de qualité, le médecin qui pratique au domicile de ses patients doit relever quotidiennement des défis communicationnels majeurs liés à tous les point mentionnés dans ce chapitre. Par ailleurs, la pluralité des intervenants (les aidants et les autres soignants) et le caractère particulier et changeant du lieu de pratique (différent des lieux habituels que sont un cabinet ou un établissement de santé) constituent des enjeux non négligeables.

Nous avons proposé au clinicien des stratégies concrètes pour l'aider à faire face à ces défis. Nous ne pouvons prétendre lui donner des recettes, car il aura souvent à improviser, à s'adapter aux circonstances, qui sont elles-mêmes changeantes. Relever de tels défis exige une grande souplesse, une ouverture d'esprit et un bon sens de l'organisation. Il reste que la consultation à domicile est une source de gratification pour le médecin et une aide inestimable pour la personne confinée chez elle.

Notes

1. En Europe francophone, on emploie le terme *aidants familiaux.*
2. Il s'agit d'un service de repas à domicile.
3. Voir le chapitre 5, intitulé « Les modèles de relation médecin-patient », en particulier le tableau 5.2.
4. Pour approfondir la question, lire le chapitre 14, intitulé « Les personnes âgées et leurs proches », particulièrement la section titrée « L'âgisme ou la discrimination envers les personnes âgées ».
5. Pour en apprendre davantage sur cette problématique, lire le chapitre 27, intitulé « L'influence de l'Internet sur la communication médecin-patient ».
6. Au Québec, une personne inapte est une personne jugée incapable de s'occuper d'elle-même et de ses biens. En ce sens, dans le reste de la francophonie, on utilise généralement le terme *incapable.*
7. En anglais : *evidence-based medicine.* En français, on parle aussi de médecine fondée sur des preuves scientifiques. Pour en apprendre davantage sur le rôle de cette orientation dans le modèle biomédical, lire le chapitre 5, intitulé « Les modèles de relation médecin-patient ».
8. Voir le chapitre 14, intitulé « Les personnes âgées et leurs proches ».
9. Voir le chapitre 28, intitulé « La communication en soins palliatifs ».
10. Voir le chapitre 20, intitulé « Les patients accompagnés ».

Références

Adelman, R.D., G.G. Greene et M.G. Ory (2000). « Communication between older patients and their physicians », *Clinics in Geriatric Medicine*, vol. 16, nº 1, p. 1-23.

Benrubi, M. (1996). « En visite : pour une anthropologie plurielle de la visite à domicile en médecine générale », *Cahier du GERM*, nºs 235-236, p. 17-57.

Champoux, N. (1999). « Les trois font la paire », *Le médecin du Québec*, vol. 34, nº 7, p. 55-56.

Dechêne, G. (2001). « La fin de vie à domicile des malades non cancéreux : un défi pour l'omnipraticien ! », *Le médecin du Québec*, vol. 36, nº 6, p. 25-28.

Di Tomasso, S. (2000). « Abus de la personne âgée », dans *Précis pratique de soins médicaux à domicile*, sous la direction de G. Dechêne, M. Duchesne, M.-F. Mégie et M. Roy, Saint-Hyacinthe, Edisem-FMOQ, chap. 138, p. 528-532.

Fengler, A.P., et N. Goodrich (1979). « Wives of elderly disabled men : The hidden patients », *The Gerontologist*, vol. 19, nº 2, p. 175-183.

Hogan, D.B. (1995). « Reconsidering the value of house calls », *Geriatrics*, janvier-février 1995, p. 23-29.

LoFaso, V. (2000). « The doctor-patient relationship in the home », *Clinics in Geriatric Medicine*, vol. 16, nº 1, p. 83-93.

Mégie, M-F. (2000). « Ressources en maintien à domicile », dans *Précis pratique de soins médicaux à domicile*, sous la direction de G. Dechêne, M. Duchesne, M.-F. Mégie et M. Roy, Saint-Hyacinthe, Edisem-FMOQ, chap. 5, p. 18-22.

Mégie, M.-F. (2001). « Questions de fin de vie… questions d'éthique », *Le médecin du Québec*, vol. 36, nº 6, p. 35-39.

Mégie, M.-F., et D. Bondaz (2000). « Urgence sociale », dans *Précis pratique de soins médicaux à domicile*, sous la direction de G. Dechêne, M. Duchesne, M.-F. Mégie et M. Roy, Saint-Hyacinthe, Edisem-FMOQ, chap. 58, p. 191-193.

Mégie, M.-F., et P. Murphy (2000). « Pratique médicale à domicile », dans *Précis pratique de soins médicaux à domicile*, sous la direction de G. Dechêne, M. Duchesne, M.-F. Mégie et M. Roy, Saint-Hyacinthe, Edisem-FMOQ, chap. 1, p. 2-5.

Ministère de la Santé et des Services sociaux (2001). *Orientations ministérielles sur les services offerts aux personnes âgées en perte d'autonomie*, Québec, Gouvernement du Québec.

Ministère de la Santé et des Services sociaux (2003). *Chez soi : le premier choix. La politique de soutien à domicile*, Gouvernement du Québec.

Pfeifer, M.P. (1998). « End of life decision-making special considerations in the COPD patients », *Respiratory Care*, vol. 2, nº 5.

Reingewirtz, S. (1994). « Il ne peut plus rester à la maison », dans *Prendre en charge et traiter une personne âgée*, sous la direction de J. Lambrozo, Paris, Arnette, p. 490-493.

Silliman, R.A. (1989). « Caring for the frail older patient : The doctor-patient-family caregiver relationship », *Journal of General Internal Medicine*, vol. 4, p. 237-241.

Silliman, R.A. (2000). « Caregiving issues in the geriatric medical encounter », *Clinics in Geriatric Medicine*, vol. 16, nº 1, p. 51-59.

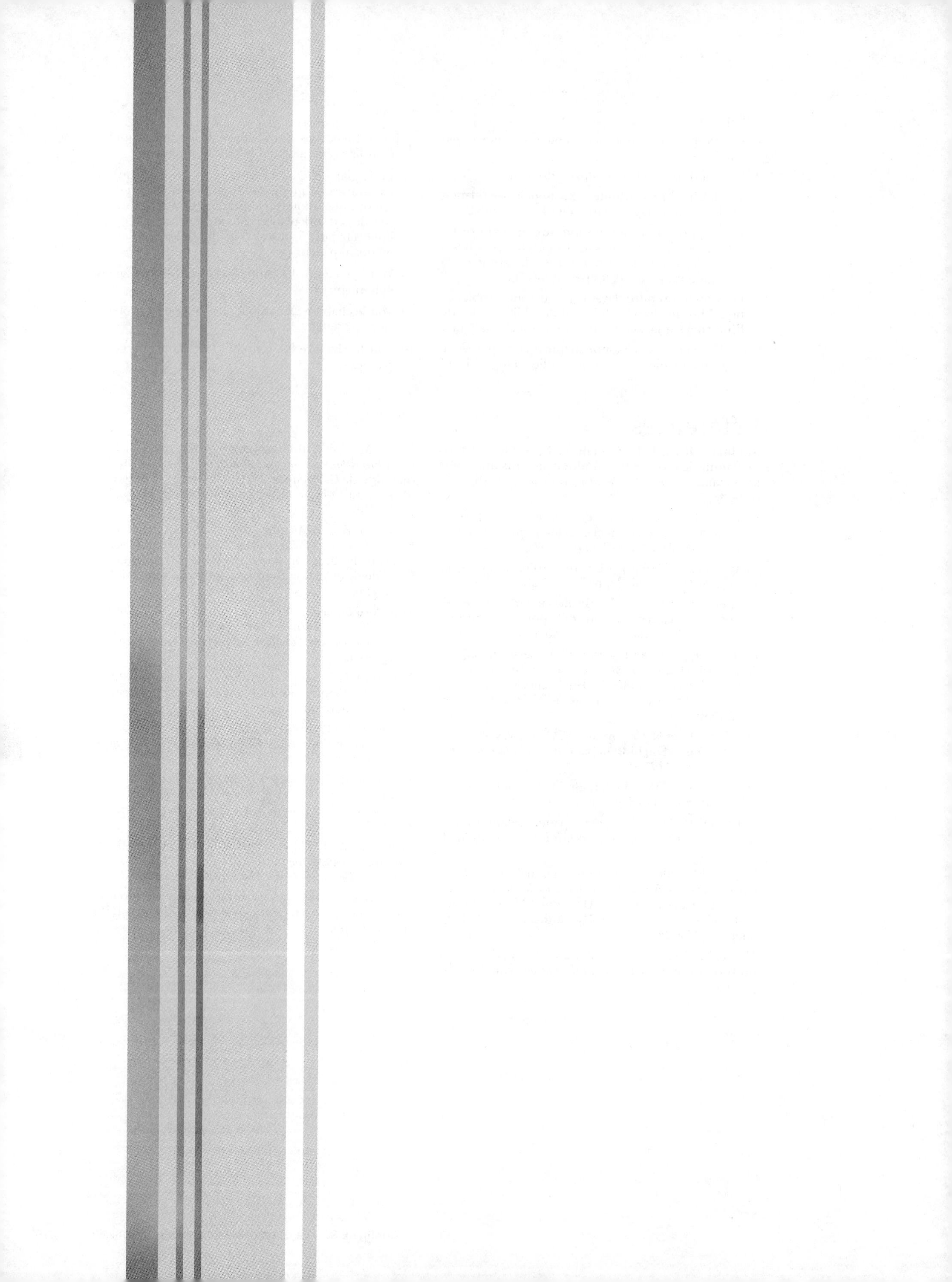

Annexe

La formation professionnelle continue

Le Centre de formation professionnelle continue de la Faculté de médecine de l'Université de Montréal a supervisé l'activité d'auto-évaluation sous forme de questionnaires qui accompagnent chacun des chapitres de ce livre.

Vous pouvez obtenir des crédits de catégorie 2 pour les médecins généralistes et des crédits de section 2 du programme du maintien du certificat en nous faisant parvenir les réponses pour chaque chapitre que vous avez approfondi. Le nombre de crédits accordés pour chacun apparaît au début des questionnaires.

Encerclez la ou les réponses appropriées ou inscrivez votre réponse en lettres moulées à l'endroit réservé à cet effet (les réponses illisibles ne seront pas notées). Veillez à bien remplir la section permettant de vous identifier, puis acheminez un ou plusieurs chapitres à l'Université de Montréal en envoyant une photocopie des pages de réponses par télécopieur, au (514) 343-6913, ou par la poste, à l'adresse suivante :

Formation professionnelle continue
Faculté de médecine de l'Université de Montréal
C.P. 6128, Succ. Centre-ville
Pavillon Roger Gaudry, local S-733
Montréal (Québec)
H3C 3J7

Vous pouvez également répondre en ligne en vous rendant sur le site Internet www.erpi.com/richard.cw

CHAPITRE 1

1 crédit

Une approche dialogique de la consultation

Nom : ____________________ Nº de permis : __________

Adresse : ____________________ Code postal : __________

Téléphone : ______________ Télécopieur : ______________

Courriel : ______________

1. Quelles sont les trois composantes de l'approche dialogique de la communication médecin-patient?

   ____

2. Pourquoi dit-on qu'il est impossible de ne pas communiquer?
   a) Parce que les silences sont significatifs au cours d'une conversation.
   b) Parce qu'il est impossible de ne pas prêter un sens à tout ce qu'on voit ou entend.
   c) Parce qu'on finit toujours par se révéler.
   d) Parce qu'on ne peut cacher des informations à son interlocuteur.

3. Pourquoi dit-on que l'entrevue médicale est cogérée par le patient et le médecin?
   a) Parce que chacun, grâce à sa participation, détermine le déroulement de l'entrevue et y contribue.
   b) Parce que l'entrevue est un processus mutuel de correction.
   c) Parce que le médecin tient compte de l'avis du patient.
   d) Parce que le patient participe aux décisions.

4. Parmi les énoncés de principes généraux de la communication suivants, lequel est faux?
   a) La rétroaction fait partie de toute communication.
   b) La communication interpersonnelle est irréversible.
   c) La communication est contextuelle.
   d) La communication est indépendante du contenu.

CHAPITRE 2

1 crédit

Les manifestations et les composantes d'une relation

Nom : ____________________ N° de permis : __________

Adresse : ____________________ Code postal : __________

Téléphone : ______________ Télécopieur : ______________

Courriel : ______________

1. a) Si « les relations se réalisent, se transforment et se définissent dans et par l'ensemble des dialogues que les individus entretiennent » (Gergen, 1999), les relations sont un sous-produit des interactions.

❍ Vrai ❍ Faux

b) Sur le plan social, est-il vrai de dire que nous pouvons créer la relation avec quelqu'un ?

❍ Vrai ❍ Faux

c) Le cumul des interactions contribue à définir la relation qu'on entretient avec une autre personne et à l'approfondir.

❍ Vrai ❍ Faux

2. a) On peut aborder les règles selon deux points de vue : d'une part, les règles sociales qui sont très formalisées et, d'autre part, les règles professionnelles peu formalisées.

❍ Vrai ❍ Faux

b) La politesse est un exemple de règle sociale très ritualisée.

❍ Vrai ❍ Faux

3. Donnez les trois caractéristiques fondamentales de toute relation.

____

____

4. Énoncez quatre des huit principes qui régissent la relation interpersonnelle.

____

____

____

____

CHAPITRE 3

1 crédit

Les enjeux éthiques de la communication

Nom : ______________________________ N° de permis : ______________

Adresse : ______________________________ Code postal : ______________

Téléphone : ____________________ Télécopieur : ____________________

Courriel : ____________________

1. Quels sont les quatre principes reconnus en bioéthique ?

____

____

2. La théorie bioéthique est unifiée.

❍ Vrai ❍ Faux

3. La règle de consentement à l'acte médical est un processus dynamique.

❍ Vrai ❍ Faux

4. Énumérez les quatre préalables de l'éthique de la discussion.

____

____

____

____

CHAPITRE 4

1 crédit

Les représentations profanes liées aux maladies

Nom : ______________________ N° de permis : ______________

Adresse : ______________________ Code postal : ______________

Téléphone : ______________ Télécopieur : ______________

Courriel : ______________

1. Nommez les trois approches qui permettent d'aborder les représentations liées aux maladies.

____

2. Parmi les concepts suivants, quels sont les trois qui ne sont pas associés aux représentations ?

a) Structure
b) Domaine cognitif
c) Fonction
d) Aspect statique
e) Aspect dynamique
f) Caractère réfléchi
g) Croyances
h) Pensée
i) Système de croyances
j) Schème
k) Modèle
l) Information
m) Différenciation
n) Ancrage

3. Voici les principales caractéristiques des cinq dimensions de la représentation dans le modèle de Leventhal. Pour chaque énoncé, donnez le nom de la dimension correspondante.

a) Cette dimension renvoie à l'étiquette donnée à la maladie par le patient et aux symptômes qu'il éprouve.

____

b) Cette dimension peut être biologique ou psychosociale.

____

c) Cette dimension renvoie à la durée qu'aura la maladie, à son caractère aigu ou chronique.

____

d) Il s'agit des effets de la maladie que le patient perçoit dans sa vie.

____

e) Peut-on traiter et guérir la maladie en question ? Peut-on la contrôler soi-même ou quelqu'un d'autre peut-il la contrôler ?

____

4. Selon une recherche portant sur le cancer du poumon causé par le tabagisme, on a évalué les croyances relatives aux chances d'en guérir. Lequel des énoncés suivants est vrai ?

a) Selon le quart des répondants, on n'a aucune chance d'en guérir.
b) Selon les trois quarts des répondants, on en guérit parfois.
c) Selon la moitié des répondants, les probabilités d'en guérir ou d'en mourir sont égales.
d) Selon la moitié des répondants, on a de bonnes chances d'en guérir.

CHAPITRE 5

1,5 crédit

Les modèles de relation médecin-patient

Nom: ______________________ Nº de permis: __________

Adresse: ______________________ Code postal: __________

Téléphone: ______________ Télécopieur: ______________

Courriel: ______________

1. Qu'est-il important de déterminer dans l'élaboration d'un modèle théorique?
   a) La composante synchronique ou structurale du modèle, dans laquelle on décrit les composantes de base du phénomène ou du système à modéliser.
   b) L'aspect diachronique ou dynamique du modèle, dans lequel on détermine les relations spatiotemporelles de ses composantes, nécessaires pour décrire les différentes situations ou les différents états du système et pour en comprendre l'évolution.
   c) Le champ d'application et les limites du modèle, soit l'ensemble des situations auxquelles le modèle peut s'appliquer.
   d) Toutes les réponses précédentes.

2. Dans les sciences humaines et sociales, les critères de validité d'un modèle théorique comprennent tous les éléments suivants, sauf un. Lequel?
   a) La capacité à rendre compte de la réalité.
   b) La cohérence interne.
   c) La capacité prédictive de l'évolution du phénomène modélisé.
   d) La capacité à engendrer des hypothèses qui aident à mieux comprendre le phénomène observé.

3. Les énoncés suivants portent sur les modèles professionnels. Un seul est faux. Lequel?
   a) Ce sont des systèmes organisés de représentations de la profession et de son activité.
   b) Ils regroupent les finalités, les conceptions, les valeurs, les attitudes et les schémas d'action privilégiés par le groupe touché à une époque donnée.
   c) Ils décrivent la pratique d'une profession: ils en déterminent les différents registres d'intervention, les caractéristiques et les composantes, et ils décrivent les relations de ces composantes dans différents contextes de pratique.
   d) Ils jouent un rôle important dans la formation professionnelle, en servant de cadre de référence à l'apprentissage des caractéristiques de la profession.
   e) Ils peuvent être élaborés sur une base théorique ou à partir d'observations sur le terrain par l'examen des conceptions et des représentations que des professionnels se font de leur profession.

4. Quelle(s) fonction(s) un modèle professionnel doit-il comporter?
   a) Une fonction herméneutique, qui permet d'approfondir la compréhension des caractéristiques de la profession.
   b) Une fonction heuristique, qui engendre des hypothèses à explorer dans le cadre de recherches ultérieures.
   c) Une fonction prescriptive, qui précise ce qu'il est opportun de faire dans telle ou telle situation.
   d) Une fonction identitaire, qui fournit des outils conceptuels importants pour l'enculturation à une profession, surtout durant la formation.
   e) Toutes les réponses précédentes.

5. Lesquels des énoncés suivants s'appliquent aux principaux modèles de relation médecin-patient (comme le modèle biomédical et l'approche centrée sur le patient)?
   a) Ce sont des modèles d'entrevue ou de style de communication utilisés au cours d'une rencontre médecin-patient.
   b) Ils se distinguent les uns des autres par leur conception de la maladie.
   c) Ils proposent une approche clinique applicable à différents contextes de pratique.
   d) Ils sont différents des typologies qui servent à classifier les entrevues en catégories, comme celles dont le critère principal est le locus décisionnel.
   e) En proposant un cadre général d'intervention, ils se distinguent des procéduriers issus d'analyses centrées sur la tâche, qui découpent les entrevues en listes de choses à faire et en étapes à suivre, et qui sont utiles pour apprendre aux futurs médecins les éléments de base d'une bonne communication médecin-patient.
   f) Toutes les réponses précédentes.

6. Lequel des modèles suivants n'offre pas de cadre général pour conceptualiser l'interaction médecin-patient au cours d'un épisode de soins?
   a) L'approche centrée sur le patient.
   b) L'approche centrée sur la famille.
   c) Le modèle centré sur la relation de Tresolini et Pew-Fetzer Task-Force (1994).
   d) L'approche biomédicale.
   e) La modélisation systémique de Lehoux, Levy et Rodrigue (1995).

7. a) En médecine familiale, le modèle biomédical est à proscrire parce qu'il ne prend pas en compte les modèles explicatifs, les émotions et les attentes du patient.

   ❍ Vrai ❍ Faux

   b) L'approche consommateuriste est un style de relation médecin-patient où le patient joue un rôle prépondérant dans la prise des décisions relatives aux soins.

   ❍ Vrai ❍ Faux

CHAPITRE 6

1 crédit

L'approche centrée sur le patient : diverses manières d'offrir des soins de qualité

Nom : ______________________ Nº de permis : ____________

Adresse : ______________________ Code postal : ____________

Téléphone : ______________ Télécopieur : ______________

Courriel : ______________

1. Parmi les six composantes suivantes de l'approche centrée sur le patient, indiquez les trois qui se rapportent plus particulièrement à l'interaction médecin-patient.

a) Explorer la maladie et l'expérience de la maladie vécues par le patient.
b) Comprendre la personne dans sa globalité biopsychosociale.
c) S'entendre avec le patient sur le problème, les solutions et le partage des responsabilités.
d) Valoriser la prévention et la promotion de la santé.
e) Établir et développer la relation médecin-patient.
f) Faire preuve de réalisme.

2. L'approche centrée sur le patient comporte divers avantages sur le plan clinique. Nommez-en deux.

____

____

3. Nommez trois dimensions que le médecin doit habituellement explorer lorsqu'il tente de bien comprendre l'expérience de la maladie du patient.

____

____

____

4. a) Le principal avantage pour le médecin de questionner le patient sur le plan psychosocial est d'établir une bonne relation thérapeutique.

❍ Vrai ❍ Faux

b) Les questions de nature psychosociale aident avant tout à mieux définir le problème de santé et les choix d'interventions s'y rapportant.

❍ Vrai ❍ Faux

CHAPITRE 7

1 crédit

Les fonctions de l'entrevue médicale et les stratégies communicationnelles

Nom : ______________________ Nº de permis : __________

Adresse : ______________________ Code postal : __________

Téléphone : ______________ Télécopieur : ______________

Courriel : ______________

1. Nommez les trois fonctions de l'entrevue médicale.

____

____

____

2. Nommez les deux compétences associées à la pratique professionnelle selon Yves St-Arnaud.

____

____

3. Les énoncés d'entretien ont pour but de commencer le processus même de l'entrevue.

O Vrai O Faux

4. Lesquels de ces énoncés ne sont pas des énoncés d'entretien ?

a) « Maintenant, je vais examiner votre abdomen. »

b) « J'ai des douleurs à l'abdomen. »

c) « Je sais que vous n'aimez pas prendre des médicaments, mais j'aimerais vous expliquer ce qui m'amène à vous prescrire un deuxième médicament pour votre hypertension. »

d) « Je constate que nous n'avons pas la même façon d'envisager la solution du problème que vous vivez au travail. Est-ce aussi votre avis ? »

e) « Je ne peux remplir ces papiers d'assurance. »

CHAPITRE 8

2 crédits

La structure et le contenu de l'entrevue médicale

Nom : ____________________ N° de permis : ____________

Adresse : ____________________ Code postal : ____________

Téléphone : ____________ Télécopieur : ____________

Courriel : ____________

1. Pour gérer le temps durant l'entrevue, le médecin peut procéder au survol des motifs de consultation du patient en lui demandant s'il y a autre chose dont il veut discuter durant la rencontre. Lorsque la liste des motifs de consultation est complète, il peut établir le programme de la rencontre en collaboration avec le patient.

   ❍ Vrai ❍ Faux

2. Le médecin doit considérer la perspective de l'infirmière sur l'évolution de la maladie du patient et sur son observance du traitement prescrit.

   ❍ Vrai ❍ Faux

3. Lorsqu'on aborde les habitudes de vie d'un patient, il faut commencer par les sujets délicats, puis aller vers les sujets plus neutres.

   ❍ Vrai ❍ Faux

4. En début de formation, les médecins accordent peu de temps à la revue des systèmes par rapport au temps qu'ils consacrent à la description du ou des problèmes actifs.

   ❍ Vrai ❍ Faux

5. Voici trois raisons qui peuvent expliquer qu'un patient rapporte des symptômes de plusieurs systèmes dans une entrevue médicale. Trouvez la raison fausse.

   a) Le patient ne voit pas le médecin régulièrement.

   b) Il est possible que le médecin n'ait pas effectué correctement les parties précédentes de l'entrevue, en particulier l'exploration des problèmes actifs et la revue des antécédents médicaux.

   c) Le patient est bien intentionné et il ne désire rien omettre.

CHAPITRE 9 **1,5 crédit**

La gestion des émotions

Nom : ______________________ Nº de permis : ______________

Adresse : ______________________ Code postal : ______________

Téléphone : ______________ Télécopieur : ______________

Courriel : ______________

1. Nommez trois façons par lesquelles les patients peuvent exprimer leurs émotions.

____

____

____

2. En réaction à l'expression d'une émotion, Smith suggère une approche en quatre étapes. Donnez l'acronyme qu'il utilise et le mot correspondant à chaque lettre.

____

3. L'empathie est l'une des techniques de communication que le médecin peut utiliser pour gérer les émotions. Quelles sont les quatre dimensions du processus empathique ?

____

4. Indiquez, parmi ces quatre dimensions, les deux qui sont les plus utiles cliniquement.

____

CHAPITRE 10

1 crédit

L'annonce d'une mauvaise nouvelle

Nom : ______________________ Nº de permis : ____________

Adresse : ______________________ Code postal : ____________

Téléphone : ______________ Télécopieur : ______________

Courriel : ______________

1. Quels sont les paramètres à considérer pour bien préparer l'entrevue destinée à annoncer une mauvaise nouvelle ?

a) Le type de problème de santé.

b) L'expérience qu'a le patient de cette maladie.

c) L'expérience qu'a le médecin de cette maladie.

d) Les moyens concrets pour aider le patient à ce stade de la maladie.

e) Toutes les réponses précédentes.

2. Parmi les tâches du médecin au cours de l'entrevue destinée à annoncer une mauvaise nouvelle, laquelle est reconnue comme la plus difficile et la plus négligée par les médecins ?

a) Demander au patient ce qu'il sait de son problème de santé.

b) Doser l'information en fonction des réponses du patient.

c) Répondre aux réactions du patient à l'annonce de la nouvelle.

d) Vérifier et corriger la compréhension qu'a le patient de la nouvelle.

3. Pour jauger le degré d'anticipation du patient par rapport à la mauvaise nouvelle, quels sont les deux éléments principaux auxquels le médecin doit prêter attention ?

a) Le contexte de la consultation.

b) La préparation du patient faite à l'entrevue précédente.

c) Les capacités de concentration et d'abstraction du patient.

d) Les inquiétudes et les croyances du patient par rapport à son état de santé.

4. Après l'annonce de la mauvaise nouvelle, quelles sont les deux façons reconnues comme les plus efficaces pour soutenir moralement le patient ?

a) L'assurer de notre disponibilité.

b) Lui expliquer clairement le pronostic.

c) Négocier avec lui un engagement mutuel dans un plan d'intervention par étapes.

d) Intégrer un de ses proches dans le processus du suivi.

CHAPITRE 11

1 crédit

Une présentation de l'approche Calgary-Cambridge

Nom : ____________________ Nº de permis : __________

Adresse : ____________________ Code postal : __________

Téléphone : ____________________ Télécopieur : __________

Courriel : ____________________

1. Nommez quatre principes sous-jacents au cadre conceptuel de l'approche Calgary-Cambridge.

____

____

____

____

2. Parmi les six tâches suivantes du guide Calgary-Cambridge de l'entrevue médicale, choisissez les deux composantes qui sont considérées comme des composantes transversales.

a) Commencer l'entrevue.
b) Recueillir l'information.
c) Structurer l'entrevue.
d) Expliquer et planifier.
e) Terminer l'entrevue.
f) Construire la relation.

3. Selon Kurtz et ses collaborateurs, les catégories d'habiletés communicationnelles appartiennent à trois catégories. Laquelle parmi les suivantes est fausse ?

a) Les habiletés perceptuelles.
b) Les habiletés structurelles.
c) Les habiletés de contenu.
d) Les habiletés de processus.

CHAPITRE 12

Les enfants

1 crédit

Nom : ____________________ Nº de permis : __________

Adresse : ____________________ Code postal : __________

Téléphone : ____________________ Télécopieur : __________

Courriel : ____________________

1. Mettez dans le bon ordre les étapes du développement cognitif selon Piaget.
   a) Stade concret-logique.
   b) Stade réceptif.
   c) Stade formel-logique.
   d) Stade prélogique.

____

2. Qu'est-ce que les parents apprécient du médecin qui examine leur enfant ? (Choisissez trois éléments parmi les quatre qui sont proposés.)
   a) L'intérêt.
   b) L'empathie.
   c) L'absence de questions directement liées aux aspects psychosociaux.
   d) Le soutien.

3. Quelles stratégies augmentent la rétention de l'information livrée aux parents ? (Choisissez trois éléments parmi les quatre qui sont proposés.)
   a) Répéter le message.
   b) Fournir un document écrit.
   c) Offrir une liste à cocher.
   d) Faire reformuler les avis par le parent.

4. Quels sont les éléments qui fournissent des informations sur l'autonomie de l'enfant qui se présente à votre cabinet ? (Choisissez trois éléments parmi les quatre qui sont proposés.)
   a) L'interaction avec les parents durant l'examen.
   b) L'acceptation de l'examen.
   c) La qualité du sommeil de l'enfant.
   d) L'acceptation d'une gardienne quand les parents s'absentent.

CHAPITRE 13

1,5 crédit

Les adolescents

Nom : ______________________ N^o de permis : ______________

Adresse : ______________________ Code postal : ______________

Téléphone : ______________ Télécopieur : ______________

Courriel : ______________

1. Parmi les affirmations suivantes, laquelle est fausse ?

a) On peut définir l'adolescence comme une période qui va de l'âge de 10 ans à l'âge de 19 ans.

b) On peut définir l'adolescence comme une période qui va de l'âge de 12 ans à l'âge de 18 ans.

c) On peut définir l'adolescence comme une période qui va de l'âge de 12 ans à l'âge de 25 ans.

d) Il existe une période qui débute approximativement à l'âge de 10 ou 12 ans, au terme de laquelle l'individu est amené à l'enfance.

2. Parmi les affirmations suivantes, laquelle est fausse ?

a) À la mi-adolescence, le développement physique est pour l'essentiel achevé.

b) À la mi-adolescence, l'adolescent a atteint une capacité de partage et d'intimité avec un ou une partenaire.

c) Le milieu de l'adolescence est la période des conflits avec les parents, de la recherche de liberté et du besoin d'affirmer des valeurs différentes.

d) Au niveau cognitif, la pensée se développe au milieu de l'adolescence. L'adolescent s'achemine vers la capacité d'élaborer des concepts abstraits, de prise en charge et de prévention.

3. Associez chacun des énoncés suivants à une des phases de l'adolescence : début, milieu ou fin.

a) Acceptation des changements pubertaires. ______________

b) Relation intense avec les amis du même sexe. ______________

c) Expérimentation sexuelle, sentiment d'omnipotence, capacité intellectuelle, comportement à risque. ______________

d) Incertitude face à son apparence, inquiétude liée aux changements pubertaires.

____

4. Les énoncés suivants concernent le contact avec l'adolescent ; lequel est faux ?

a) Le lieu de contact doit être confortable et accueillant, tout en offrant à l'adolescent des outils d'information, mais il doit surtout offrir confidentialité, intimité et sécurité à l'adolescent et aux personnes qui éventuellement l'accompagnent.

b) La remise d'un échantillon de contraceptif, d'un dépliant explicatif ou autre peut être perçu par certains adolescents comme un geste intime. Les actes cliniques ne doivent avoir lieu que dans la salle d'examen ou son équivalent.

c) Il est préférable de ne pas instituer de règles sur l'utilisation des téléphones cellulaires, afin de ne pas frustrer les adolescents.

d) Le matériel didactique et ludique proposé doit correspondre au type de service offert.

5. Parmi les affirmations suivantes, laquelle est vraie ?
   a) Quelquefois, ce sont les parents qui ont sollicité le rendez-vous, à l'insu de l'adolescent et pour un motif inconnu de celui-ci. Si le médecin a la possibilité d'agir avant la rencontre, par l'intermédiaire d'un centre de rendez-vous ou d'un membre de l'équipe, il devrait s'assurer que l'adolescent n'est pas mis au courant.
   b) Le début de la vie sexuelle active s'inscrit dans la recherche de l'autonomie de l'adolescent. C'est pourquoi, bien que ses parents puissent être ouverts et accessibles et avoir un comportement tout à fait adéquat, il est probable que l'adolescent se sente incapable d'aborder ce sujet avec eux et préfère consulter seul.
   c) La consultation médicale est une activité dont l'adolescent n'a rien à faire.
   d) Lorsque l'adolescent prend l'initiative de demander la consultation, il en perçoit clairement le motif et il réussira toujours à l'exprimer clairement au médecin.
6. Parmi les affirmations suivantes, laquelle est fausse ?
   a) L'adolescent maladroit et intimidé par l'adulte ne se révèle pas spontanément ; il met fréquemment une image en avant.
   b) La demande initiale de l'adolescent est souvent peu claire et empreinte d'hésitation. L'apparence de l'adolescent tend à cacher sa vulnérabilité.
   c) La « féminité » exagérée dont se pare une adolescente, le ton familier qu'elle emploie, son impolitesse apparente ou son style vestimentaire peuvent être autant de leurres et de fausses pistes qui distraient des besoins réels de cette patiente.
   d) Le caractère respectueux de la communication dépend du contenu de la communication.
   e) L'adulte est en droit de demander à l'adolescent de se comporter en adulte responsable et devrait refuser de revoir l'adolescent s'il ne se conforme pas à cette exigence.

CHAPITRE 14 **0,5 crédit**

Les personnes âgées et leurs proches

Nom : ______________________ N° de permis : ______________

Adresse : ______________________ Code postal : ______________

Téléphone : ______________ Télécopieur : ______________

Courriel : ______________

1. Vous êtes médecin : lisez la mise en situation et trouvez, parmi les réponses suivantes, ce que vous auriez pu dire ou faire.

a) Saluer la patiente.
b) L'appeler par son prénom.
c) Inviter la personne qui l'accompagnait à venir dans le bureau.
d) Dans la salle d'attente, prévenir la personne qui l'accompagnait qu'elle ne pourrait assister à toute l'entrevue.

Thérèse Morency et sa fille Louise sont installées dans votre salle d'attente. Vous êtes le médecin traitant de ces deux patientes, mais comme le rendez-vous a été pris au nom de Thérèse, vous n'invitez que cette dernière à entrer dans votre bureau. Mme Morency, âgée de 78 ans, est veuve depuis 7 ans et vit seule. Vous la voyez peu, car elle jouit d'une santé de fer et ne consulte généralement que pour le vaccin antigrippal.

LE MÉDECIN — *Comment allez-vous, Madame Morency ?*

THÉRÈSE MORENCY — *Très bien, merci, Docteur. Et vous, comment allez-vous ?*

LE MÉDECIN — *Bien, merci. Que puis-je faire pour vous aujourd'hui ?*

THÉRÈSE MORENCY — …

LE MÉDECIN — *Pour quel problème de santé avez-vous pris rendez-vous ce matin ?*

THÉRÈSE MORENCY — *Ah ! Le rendez-vous… C'est ma fille… Voyez-vous, elle dit que j'ai besoin de passer un examen général.*

LE MÉDECIN — *Quelque chose ne va pas ?*

THÉRÈSE MORENCY — *Mais non, Docteur, ça va très bien !*

LE MÉDECIN — *Alors, qu'est-ce qui inquiète votre fille ?*

THÉRÈSE MORENCY — (faisant un sourire entendu au médecin) *Elle s'inquiète toujours… Vous savez, c'est l'histoire de sa vie…*

Thérèse Morency ne consomme aucun médicament, avec ou sans ordonnance ; ses habitudes de vie sont pratiquement exemplaires. Elle répond par la négative à l'anamnèse, se dit autonome dans les AVD et les AVQ. Les signes vitaux, le poids et le reste de l'examen physique sont normaux. Vous rassurez Mme Morency en lui affirmant que vous espérez être comme elle à son âge. En la raccompagnant à la salle d'attente, vous remarquez toutefois que sa fille, Louise, semble anxieuse et contrariée. Elle ne tarde d'ailleurs pas à vous rappeler dès le début de l'après-midi. Selon elle, sa mère présente tous les signes de la maladie d'Alzheimer…

2. Nommez quatre problèmes de santé de la personne âgée vulnérable qui peuvent nuire à la communication avec les professionnels de la santé.

____

____

3. Nommez les trois problèmes de communication le plus souvent à l'origine de la non-observance du traitement prescrit.

____

____

____

4. La présence d'une tierce personne allonge une entrevue médicale.

❍ Vrai ❍ Faux

CHAPITRE 15

1 crédit

Les patients aux prises avec des problèmes d'alphabétisme fonctionnel

Nom : ______________________ N° de permis : ____________

Adresse : ______________________ Code postal : ____________

Téléphone : ______________________ Télécopieur : ____________

Courriel : ______________________

1. Dans le domaine de la santé, les problèmes liés à l'alphabétisme fonctionnel nuisent très peu à la communication parce que la plupart des gens, en fait, ont quand même des capacités minimales de lecture.

❍ Vrai ❍ Faux

2. Quand un médecin veut qu'un patient assimile bien ses recommandations, il n'a qu'à lui remettre de la documentation écrite dans un langage clair et simple et enrichie de quelques illustrations faciles à interpréter.

❍ Vrai ❍ Faux

3. Pour vérifier qu'un patient a bien saisi ses explications, le médecin n'a qu'à lui demander s'il a compris.

❍ Vrai ❍ Faux

4. En pratique, il est impossible d'adapter son niveau de langage à chacun des patients : afin de favoriser le dialogue, le médecin devrait donc adopter un langage clair et simple avec tous ses patients.

❍ Vrai ❍ Faux

CHAPITRE 16

1 crédit

Les toxicomanes

Nom : ______________________ Nº de permis : ____________

Adresse : ______________________ Code postal : ____________

Téléphone : ______________________ Télécopieur : ____________

Courriel : ______________________

1. Quelles sont les trois façons de définir et de reconnaître le toxicomane ?

a) Par une prise de sang.

b) Par une grille, comme celle du *DSM-IV.*

c) Par un rapport de police.

d) Par l'analyse du discours du patient concernant sa relation avec les substances et le sens qu'il donne à ces dernières.

e) Par l'identité qu'on lui a attribuée (hétéro-identification) ou qu'il a adoptée.

2. Les toxicomanes ont un mode relationnel particulier.

❍ Vrai ❍ Faux

3. Énumérez trois obstacles à la communication entre la personne dite toxicomane et les professionnels de la santé.

____

____

____

4. On doit appliquer les principes de base de la communication professionnelle en santé avec le toxicomane.

❍ Vrai ❍ Faux

CHAPITRE 17

0,5 crédit

Les patients défavorisés

Nom : ______________________ N° de permis : ______________

Adresse : ______________________ Code postal : ______________

Téléphone : ______________________ Télécopieur : ______________

Courriel : ______________________

1. Lequel des énoncés suivants est faux ?

a) La pauvreté est associée à une réduction de la qualité et de l'espérance de vie.

b) Les problèmes de santé des personnes pauvres s'expliquent uniquement par leurs mauvaises habitudes de vie.

c) Les pauvres ont plus fréquemment des problèmes de santé mentale (exemple : la dépression) que le reste de la population.

d) Le manque de contrôle sur leur vie semble être une des causes du mauvais état de santé des personnes défavorisées.

2. Lequel des énoncés suivants est vrai ?

a) Dans les pays où les soins de santé sont gratuits et universels, il n'y a pas de différence entre les soins que reçoivent les gens pauvres et les soins que reçoivent les plus favorisés.

b) Les patients défavorisés sont incapables de changer leurs habitudes de vie ou ne sont pas prêts à le faire.

c) Les médecins ont tendance à donner davantage d'informations aux personnes très pauvres.

d) Plusieurs études récentes indiquent que les patients défavorisés ne reçoivent pas des soins médicaux équivalents à ceux que reçoivent les patients favorisés et qu'ils demeurent plus longtemps sur les listes d'attente, et ce même dans les pays où l'accès aux soins médicaux est universel.

3. Lequel des énoncés suivants est faux ?

a) Il n'est pas rare que les personnes pauvres consultent tardivement pour plusieurs problèmes de santé souvent chroniques.

b) Si on est vraiment motivé, il est assez facile de se sortir de la pauvreté.

c) Les personnes pauvres sont souvent moins instruites et elles ne comprennent pas toujours le jargon médical.

d) Les personnes pauvres ont souvent honte de leurs conditions d'existence, de leur situation marginale, de leur appartenance au groupe des exclus.

CHAPITRE 18

1 crédit

Les patients de culture différente

Nom: ______________________ N° de permis: ____________

Adresse: ______________________ Code postal: ____________

Téléphone: ______________ Télécopieur: ______________

Courriel: ______________

1. Un médecin francophone reçoit en consultation un patient migrant qui ne parle pas français. Laquelle des actions suivantes faites par le médecin améliorera le plus la communication avec le patient?
   a) Lui parler lentement en français, en joignant le geste à la parole, afin qu'il apprenne petit à petit la langue de son pays d'adoption.
   b) Lui proposer de se faire accompagner par un proche à la prochaine consultation.
   c) Faire appel à un médiateur culturel parlant la langue maternelle du patient.
   d) Demander l'assistance d'un interprète professionnel.

2. Quelle est la signification de la maladie lorsque, selon Laplantine, on a affaire à un modèle soustractif de représentation de la maladie?
   a) La maladie entraîne une détérioration des relations avec les autres.
   b) La maladie correspond à la perte d'un élément corporel.
   c) La maladie correspond à une présence ennemie qu'il faut éliminer.
   d) La maladie est une punition.
   e) La maladie est due à un esprit maléfique.

3. Lequel des énoncés suivants est le plus loin de la réalité?
   a) L'examen clinique d'une patiente musulmane ne peut être effectué que par une femme médecin.
   b) L'assistance médicale basée sur le mélange de deux cultures améliore l'observance thérapeutique du patient migrant.
   c) Dans la communication avec le patient migrant, la barrière culturelle est un obstacle plus grand que la barrière linguistique.
   d) Un malade a souvent tendance à se replier sur ses normes culturelles d'origine.

4. Quelles sont les trois craintes le plus souvent exprimées par les soignants au sujet de l'intervention d'un interprète au cours d'une consultation médicale?
   a) L'interprète n'est pas un professionnel de la santé et connaît mal ce domaine.
   b) Il risque de s'engager exagérément dans la communication.
   c) Sa participation allonge la consultation.
   d) Il ne rend pas toutes les nuances des messages transmis.
   e) Il risque de violer le secret médical.

CHAPITRE 19

1 crédit

La famille : lorsque des proches participent à la consultation médicale

Nom : ____________________ Nº de permis : __________

Adresse : ____________________ Code postal : __________

Téléphone : ____________________ Télécopieur : __________

Courriel : ____________________

1. Parmi les choix suivants, quels sont les trois liens qui unissent la dynamique familiale et la santé individuelle ?

a) La famille est un milieu d'apprentissage en matière de santé.

b) La famille doit influencer le médecin dans son choix de traitement.

c) La maladie, selon sa nature et sa gravité, altère la dynamique familiale.

d) La famille influence l'évolution de la maladie en devenant une source importante de soutien ou de stress pour le patient.

2. Nommez les cinq principales dimensions de la dynamique familiale qu'il est souhaitable d'explorer si on veut favoriser le processus d'adaptation familiale au problème de santé d'un de ses membres.

____

____

____

____

____

3. Le fait de souligner les forces de la famille valorise le malade.

❍ Vrai ❍ Faux

4. Le fait de souligner ses forces à la famille atténue les sentiments d'échec et de culpabilité chez chaque individu et procure une impression de maîtrise de la situation.

❍ Vrai ❍ Faux

5. Un sentiment de compétence et de confiance devant le problème de santé réduit les risques de dépendance par rapport au système de santé.

❍ Vrai ❍ Faux

CHAPITRE 20

1 crédit

Les patients accompagnés

Nom : ______________________ N° de permis : __________

Adresse : ______________________ Code postal : __________

Téléphone : ______________ Télécopieur : ______________

Courriel : ______________

1. Vous appelez un patient âgé de 70 ans dans la salle d'attente. Une femme se lève en même temps que lui, et tous deux entrent dans le bureau. Vous connaissez bien le patient, mais vous n'avez jamais vu la femme qui l'accompagne. Laquelle des stratégies suivantes est la plus appropriée ?

a) S'adresser à l'accompagnatrice et lui souhaiter la bienvenue.
b) Demander au patient : « Désirez-vous que cette personne participe à notre rencontre ? »
c) Dire au patient : « Vous êtes le seul à avoir rendez-vous. »

2. Les deux personnes de la situation précédente vous apprennent que la femme est la fille de votre patient. Que ferez-vous ensuite ?

a) Demander au patient la raison de la présence de sa fille.
b) Demander à la femme la raison de sa présence.
c) Regarder le patient et lui demander comment il se sent.

3. En ce qui a trait à l'aménagement de la salle de consultation ou à l'équipement disponible, choisissez parmi les réponses suivantes les éléments qui peuvent nuire à l'efficacité d'une rencontre à trois.

a) L'étroitesse de la salle de consultation.
b) Les couleurs douces des murs.
c) Le nombre insuffisant de chaises.
d) L'absence d'une personne qui pourrait s'occuper des enfants d'un patient.
e) Toutes ces réponses.

4. En ce qui a trait à l'organisation de la clinique ou de l'hôpital où se tient la rencontre, choisissez parmi les réponses suivantes les éléments qui peuvent nuire à l'efficacité d'une rencontre à trois.

a) L'impossibilité de trouver un interprète professionnel.
b) Le coût lié aux services d'un interprète professionnel.
c) L'absence d'une personne qui pourrait s'occuper des enfants d'un patient.
d) Le recours à un membre du personnel qui parle approximativement la langue désirée.
e) Toutes ces réponses.

CHAPITRE 21 | 1 crédit

Les patients aux plaintes physiques inexpliquées

Nom : ______________________ N° de permis : ____________

Adresse : ______________________ Code postal : ____________

Téléphone : ______________ Télécopieur : ______________

Courriel : ______________

1. Une patiente dit à son médecin : « Il faut que je vous voie, je suis certaine d'avoir une tumeur au cerveau… Oui, oui, je sens une pression sur toute ma tête depuis deux semaines et j'entends des battements dans mes oreilles lorsque je suis couchée. »

Après le questionnaire et un examen physique approprié, le médecin est convaincu que la patiente n'a pas de tumeur. Par ailleurs, il sait que le père de sa patiente a eu récemment un tel diagnostic. Choisissez parmi les réponses suivantes ce que vous dites à la patiente pour lui expliquer ce qui lui arrive.

a) Elle est hypocondriaque.
b) Elle souffre d'hypertension.
c) Elle est hyper-vigilante.

2. Quels sont les deux éléments présents dans toute sensation somatique chez un être humain conscient ?

____

____

____

3. Quelles sont les trois zones d'exploration dans le modèle de Lisansky et Shochet ?

____

____

4. Pendant cinq minutes, un médecin pose des questions à un patient. En se basant sur les réponses du patient, le médecin est convaincu (et il a raison) que les problèmes de son patient sont d'origine psychologique et que ses symptômes physiques sont nettement bénins (quelques palpitations et brèves sensations de faiblesse). Il fait donc part immédiatement au patient de son impression diagnostique. La démarche de ce médecin est-elle adéquate ?

❍ Oui ❍ Non

5. Reprenons le cas précédent. Après son questionnaire de cinq minutes, le médecin explore bel et bien la perspective du patient et conclut en lui réitérant qu'il s'agit de crampes bénignes liées au stress qu'il vit au travail (un diagnostic adéquat). Le patient répète : « Oui, je sais. Vous pensez que ce sont mes nerfs, mais moi, je vous dis que je les ressens vraiment, ces crampes intestinales… » Comment le médecin peut-il aider ce patient à s'ouvrir à la possibilité que les symptômes qu'il ressent très concrètement puissent, malgré tout, avoir une origine psychologique ? Que pourrait faire le médecin à ce moment-ci de l'entrevue ?

a) Dire au patient de voir un psychologue.
b) Passer par-dessus et faire comme si de rien n'était.
c) Dire au patient que ce n'est pas grave, qu'il n'y a rien à faire.
d) Donner au patient des exemples concrets de la vie courante pour illustrer les liens entre des symptômes physiques et l'anxiété.

CHAPITRE 22 La collaboration médecin-infirmière

1 crédit

Nom : ______________________ Nº de permis : ____________

Adresse : ______________________ Code postal : ____________

Téléphone : ______________________ Télécopieur : ____________

Courriel : ______________________

1. Un certain nombre d'études ont démontré que la collaboration interprofessionnelle est associée à une amélioration de la qualité des soins et à une diminution de leur coût.

❍ Vrai ❍ Faux

2. Un programme de suivi systématique de clientèle est un document qui décrit les différentes interventions à effectuer par les professionnels auprès d'un seul patient.

❍ Vrai ❍ Faux

3. Parmi les énoncés suivants, lequel n'est pas une caractéristique de la communication interprofessionnelle ?

a) L'écoute attentive.
b) La rigueur des échanges.
c) Le respect de l'autre.
d) La confiance en l'autre.
e) La relation hiérarchique.

4. Quelles attitudes constituent des barrières majeures à la communication interprofessionnelle ?

a) Parler fréquemment.
b) Monopoliser la conversation.
c) Parler avec force.
d) Parler en faisant une autre activité.
e) Toutes les réponses précédentes.
f) Aucune des réponses précédentes.

CHAPITRE 23

1 crédit

La communication médecin-pharmacien

Nom : ______________________ Nº de permis : __________

Adresse : ______________________ Code postal : __________

Téléphone : ______________ Télécopieur : ______________

Courriel : ______________

1. L'amélioration de la communication médecin-pharmacien n'a aucun effet sur l'observance thérapeutique du patient.

❍ Vrai ❍ Faux

2. La formation commune des médecins et des pharmaciens améliore la perception mutuelle des rôles respectifs.

❍ Vrai ❍ Faux

3. La mise en situation initiale est une étape importante pour faciliter la communication médecin-pharmacien, tant verbale qu'écrite.

❍ Vrai ❍ Faux

4. En informant le pharmacien du diagnostic médical du patient, le médecin peut contribuer à améliorer l'information transmise au patient.

❍ Vrai ❍ Faux

5. Pour rendre la communication médecin-pharmacien efficace, chaque professionnel doit centrer la communication sur l'autre.

❍ Vrai ❍ Faux

CHAPITRE 24 — 1 crédit

La communication pharmacien-patient en pharmacie communautaire

Nom : ______________________ N° de permis : __________

Adresse : ______________________ Code postal : __________

Téléphone : ______________ Télécopieur : ______________

Courriel : ______________

1. La consultation pharmaceutique vise plusieurs objectifs. Dans la liste qui suit, relevez le ou les objectifs de second niveau.

a) S'assurer que le patient sait comment prendre son médicament.
b) Informer le patient des effets indésirables potentiels.
c) Trouver des solutions à un comportement d'inobservance.
d) Résoudre des problèmes liés à la pharmacothérapie.
e) Prévenir le comportement d'inobservance.

2. Les trois questions primaires, qui constituent le cœur de la technique interactive de consultation, visent des objectifs précis. Parmi les énoncés suivants, lequel n'est pas un objectif des questions primaires ?

a) Vérifier ce que le patient sait déjà sur le médicament qui lui a été prescrit.
b) Déterminer ce que le patient sait déjà sur la façon de prendre son médicament.
c) Planifier le suivi de façon à favoriser l'observance.
d) Informer le patient sur les effets secondaires potentiels.

3. Selon Frankel et Northouse et Northouse, le respect du patient est probablement l'attitude qui a le plus d'effets favorables sur le résultat de la communication pendant une consultation pharmaceutique.

❍ Vrai ❍ Faux

4. Parmi les causes probables de l'inobservance, les barrières psychologiques du patient liées au vouloir constituent les obstacles les plus difficiles à surmonter.

❍ Vrai ❍ Faux

CHAPITRE 25
Les médicaments

1,5 crédit

Nom : ______________________ N[o] de permis : ______________

Adresse : ______________________ Code postal : ______________

Téléphone : ______________________ Télécopieur : ______________

Courriel : ______________________

1. Selon une enquête américaine récente, quel est, aux États-Unis, le pourcentage de la population qui a pris au moins un médicament dans la semaine précédant l'enquête ?

____

2. Et quel est, au Québec, le pourcentage de la population qui a pris au moins un médicament dans les deux jours précédant l'enquête ?

____

3. Quel est le coût annuel estimé, en argent, de la mauvaise utilisation des médicaments au Québec ?

____

4. Quel est le coût annuel estimé, en vies humaines et en effets indésirables graves nécessitant une prolongation de l'hospitalisation, de la mauvaise utilisation des médicaments aux États-Unis ?

____

5. Parmi les taux d'observance des traitements prescrits énumérés ci-après, lesquels correspondent aux observations ?

a) De 10 à 20 %.
b) De 30 à 60 %.
c) De 40 à 70 %.
d) De 40 à 50 %.

6. Nommez deux stratégies communicationnelles qui permettent au médecin de favoriser la participation du patient à la discussion au sujet des médicaments.

____

____

CHAPITRE 26 **1,5 crédit**

L'enseignement thérapeutique et la motivation du patient

Nom : ______________________ N° de permis : ____________

Adresse : ______________________ Code postal : ____________

Téléphone : ______________________ Télécopieur : ____________

Courriel : ______________________

1. Quels sont les deux éléments essentiels pour assurer la prise en charge du patient atteint de maladie chronique ?

a) Le traitement médicamenteux.

b) L'enseignement thérapeutique du patient.

c) La qualité de la relation soignant-patient.

d) La personnalité du patient.

2. Que devrait faire le soignant pour informer efficacement le patient ?

a) Explorer les connaissances antérieures du patient et ses représentations.

b) Transmettre efficacement l'information au patient.

c) Vérifier la compréhension du patient.

d) Toutes les réponses précédentes.

3. Que devrait faire le soignant pour motiver un patient à adhérer au plan de traitement ?

a) Amener le patient à constater les résultats insuffisants.

b) Obtenir du patient une déclaration de son intention d'agir.

c) Définir le problème d'observance sans porter de jugement et avec empathie.

d) Menacer le patient des risques qu'il court en cas de non-observance.

e) Les réponses a) et b).

f) Les réponses a) et c).

g) Les réponses b) et c).

h) Les réponses c) et d).

4. Parmi les réponses suivantes, laquelle regroupe deux des domaines à explorer dans le cadre du modèle des croyances relatives à la santé ?

a) Le déni et la perception de la gravité de la maladie.

b) Le déni et la conviction d'être affecté par le problème.

c) La perception de la gravité de la maladie et la conviction d'être affecté par le problème.

d) La perception de la gravité de la maladie et la révolte devant la situation.

e) La révolte devant la situation et le déni.

f) La révolte devant la situation et la conviction d'être affecté par le problème.

CHAPITRE 27 — 1 crédit

L'influence de l'Internet sur la communication médecin-patient

Nom : ______________________ Nº de permis : ____________

Adresse : ______________________ Code postal : ____________

Téléphone : ______________ Télécopieur : ______________

Courriel : ______________

1. Lorsqu'un médecin lit un bulletin d'information électronique (*newsletter*), de quel type de communication s'agit-il ?

a) Communication entrante active.
b) Communication entrante passive.
c) Communication sortante active.
d) Communication sortante passive.

2. Nommez deux critères qui permettent de juger de la crédibilité d'un site Internet ?

____

____

3. Selon Gerber, quel est l'intérêt de la « prescription d'Internet » aux patients ?

a) Elle augmente leurs connaissances médicales.
b) Elle permet une meilleure observance thérapeutique.
c) Elle permet aux patients de vérifier la qualité des propos et des conseils du médecin.
d) Elle stimule la discussion et l'échange de vues entre le médecin et son patient au cours de la consultation suivante.
e) Elle permet aux patients d'accéder aux médecines parallèles.

4. Sur l'Internet, qu'appelle-t-on un répertoire médical ?

a) Un site sur lequel sont archivés un ensemble de données et de documents médicaux.
b) Un outil qui interroge l'ensemble des sites Web médicaux accessibles.
c) Un site Web qui communique de l'information médicale uniquement aux professionnels de la santé.
d) Un site qui propose des listes de pages Web portant sur la santé et classées dans un ordre déterminé.
e) Un dictionnaire médical informatisé.

CHAPITRE 28

1 crédit

La communication en soins palliatifs

Nom : ______________________ N° de permis : __________

Adresse : ______________________ Code postal : __________

Téléphone : ______________ Télécopieur : ______________

Courriel : ______________

1. Au moment d'annoncer le diagnostic d'une maladie fatale, quels sont les trois éléments les plus importants ?

a) Les choix thérapeutiques.

b) Les renseignements précis sur la maladie.

c) Les personnes présentes.

d) Le soutien émotif du médecin.

e) La discussion sur la prise en charge.

2. Il arrive que des proches d'une personne atteinte d'une maladie fatale ne veulent pas que le médecin la renseigne sur le diagnostic. Quelles sont les deux raisons qui les motivent généralement ?

a) Ils croient que cela causerait une souffrance trop grande au patient.

b) Ils croient que cela serait plus facile pour eux.

c) Ils croient que le patient ne se doute pas de la gravité de son état.

3. En général, vers quel âge les enfants comprennent-ils le concept de la mort ?

a) Vers 3 ans.

b) Vers 5 ans.

c) Vers 7 ans.

d) Vers 9 ans.

e) Vers 11 ans.

4. Quels sont les deux facteurs les plus importants dont le médecin doit tenir compte relativement à la décision de mourir chez soi de l'un de ses patients ?

a) La nature de la maladie.

b) Le souhait de la famille.

c) La disponibilité des soins.

d) L'âge du patient.

5. Quelle règle le médecin doit-il suivre en matière de réanimation ?

a) Il doit toujours en discuter avec les proches.

b) Il doit toujours en offrir la possibilité au patient.

c) Il doit toujours suivre l'avis des proches.

CHAPITRE 29

1 crédit

La communication à l'urgence ou l'urgence de la communication

Nom : ______________________ Nº de permis : ______________

Adresse : ______________________ Code postal : ______________

Téléphone : ______________________ Télécopieur : ______________

Courriel : ______________________

1. Les trois quarts des patients se présentent à l'urgence dans un état douloureux. D'une façon générale, quelles sont leurs deux préoccupations initiales (leurs attentes) que le médecin doit aborder dès le début de la rencontre pour que la communication puisse s'établir rapidement ?

____

____

2. Nommez cinq sources d'anxiété dont on peut soupçonner la présence chez le patient qui consulte à l'urgence.

____

____

____

____

____

3. Donnez trois exemples de techniques communicationnelles simples que l'urgentologue peut utiliser pour optimiser les résultats thérapeutiques.

____

____

____

CHAPITRE 30 La communication en soins à domicile

1 crédit

Nom : ______________________ Nº de permis : ____________

Adresse : ______________________ Code postal : ____________

Téléphone : ______________________ Télécopieur : ______________________

Courriel : ______________________

1. Lequel des énoncés suivants est faux ?

a) L'aidant défenseur fait tout ce qui est en son pouvoir pour défendre les intérêts de son proche.

b) L'aidant défenseur peut parfois être un obstacle à la reconnaissance des besoins réels de son proche.

c) L'aidant défenseur ne participe pas à l'entrevue médicale pour laisser la possibilité au proche de manifester son autonomie.

d) L'aidant défenseur est partie prenante dans le plan de traitement.

2. Lequel des énoncés suivants est faux ?

a) L'aidant antagoniste n'est jamais satisfait des soins et des services offerts par les soignants.

b) L'aidant antagoniste intervient souvent au cours de l'entrevue médicale pour défendre les intérêts de son proche.

c) L'aidant antagoniste risque de devenir un aidant abuseur.

d) L'aidant antagoniste fait souvent obstacle aux solutions d'aide proposées.

3. Lequel des énoncés suivants est faux ?

Par rapport à la visite au cabinet, la visite à domicile :

a) permet une évaluation directe de l'interaction patient-aidant-famille.

b) facilite l'évaluation de l'état mental du patient.

c) impose au médecin le cadre de l'entrevue.

d) rend plus difficile la relation médecin-patient à cause de la présence d'autres acteurs (l'aidant et les autres membres de la famille).

4. Dans le cas d'un aidant qui risque l'épuisement, quelle stratégie parmi les suivantes serait la *moins* appropriée dans l'immédiat ?

a) Discuter de l'hébergement définitif de son proche.

b) Proposer des ressources de répit et des groupes de soutien.

c) Proposer les visites d'un bénévole ou d'un ministre du culte.

d) Prendre l'aidant en charge comme patient.

Index

A

B

D

E

F

G

H

I

M

N

O

P

Q

R